D1384698

# Linguistique

# LINGUISTIQUE

SOUS LA DIRECTION DE

**Frédéric François**
Professeur de Linguistique
à l'Université René Descartes (Paris V)

AVEC LA COLLABORATION DE

Vera Carvalho, Joseph Donato, Jacques Legrand
Régine Legrand-Gelber, Claire Maury-Rouan
Claire Moyse-Faurie, Robert Vion

PRESSES UNIVERSITAIRES DE FRANCE

ISBN 2 13 036354 7

1re édition : 2e trimestre 1980

108, Bd Saint-Germain 75006 Paris

# INTRODUCTION

*Il existe un grand nombre d'ouvrages qui se présentent comme des « introductions à la linguistique ». Ce n'est évidemment pas à nous de porter un jugement sur les uns, les autres et sur nous-mêmes.*

*Quelques mots cependant pour présenter l'ouvrage, dire ce que nous avons voulu faire, ce que nous n'avons pas pu ou voulu faire.*

*Tout d'abord, il nous semble qu'il y a crise de la linguistique. En simplifiant assurément les choses, on peut dire que de 1930 à 1970 la tendance dominante a été à la mise en place d'une linguistique descriptive structuraliste synchronique, centrée principalement sur la phonologie et la syntaxe. Cela qu'il s'agisse de la tradition européenne issue de Saussure, de l'école de Prague ou des diverses « linguistiques américaines », principalement celles des disciples de Bloomfield, puis de Harris ou de Chomsky. La linguistique s'est ainsi développée en isolant, selon les termes de Saussure, dans la totalité du* langage *un objet censé être homogène :* la langue, *qu'on pouvait alors étudier indépendamment de ses relations à l'ensemble de la réalité extralinguistique :*

- *son rôle ou plutôt ses rôles sociaux ;*
- *ses conditions physiologiques et en particulier neurologiques ;*
- *ses relations à l'organisation pratique, perceptive, affective de l'univers des hommes, à la science et à l'idéologie...*

*Il serait vain de le regretter. On peut au contraire poser que dans ce mouvement s'est mise en place une méthodologie rigoureuse (dont on a pu croire un moment qu'elle allait fournir un modèle à l'ensemble des sciences de l'homme). On doit également constater que jamais l'information sur les diverses langues n'a été aussi importante qu'à notre époque. Davantage, il faut reconnaître que les succès de la description provenaient de ce que cette abstraction était largement légitime : si le langage peut fonctionner, c'est que les langues sont largement indépendantes de la variation de leurs conditions de fonctionnement : des individus appartenant à des classes sociales différentes, des enfants de 3 ans et des adultes, des hommes qui ne savent pas écrire et des hommes de science utilisent un système dont les grands traits sont communs.*

*En même temps on a été tenté d'oublier que cette « abstraction fondée » était une abstraction, comme si la langue existait réellement en tant qu'objet indépendant de ses conditions diversifiées de réalisation. Mais le mouvement même de la linguistique a amené à réintroduire ce que les beaux schémas structuraux risquaient de nous faire oublier.*

*— L'évolution d'abord, qui avait constitué tout d'abord la forme dominante de l'explication en linguistique (sous la forme par exemple de recherches de langues mères), puis avait été reléguée au second plan en fonction et de l'urgence de la description synchronique et — en même temps — d'une idéologie structuraliste. Mais étudier l'évolution suppose de tenir compte des relations entre sociétés, des emprunts, des nouvelles exigences de « ce qui est à dire ».*

*— Pendant un temps, la tendance dominante a été d'imaginer que le sens pouvait s'analyser complètement par une procédure intra-linguistique d'opposition et de combinaison de traits. Il ne s'agit pas de nier maintenant la possibilité d'une telle sémantique structurale, mais de voir qu'on ne peut pas ainsi rendre compte de l'ensemble de ce qui fait sens dans le discours ni faire l'économie de l'étude des relations entre codages linguistique et non linguistique de l'expérience.*

*— De même, si d'un côté la recherche d'universaux sous-jacents aux différences manifestes a considérablement progressé face à l' « empirisme de la diversité », en même temps l'analyse du fonctionnement du langage, en particulier dans ses grandes unités : dialogues, textes divers..., est apparue beaucoup plus complexe et beaucoup plus diversifiée que ce qu'on avait pu penser. Il ne peut ici s'agir d'extrapoler à un niveau supérieur la méthodologie mise au point au niveau de la phrase. D'où la multiplication des appellations interdisciplinaires : ethno-linguistique, psycholinguistique, sociolinguistique. D'où l'apparition aussi de nouvelles problématiques : analyse textuelle, sémiologie...*

*C'est dans cette situation que ce livre paraît. Disons tout d'abord ce que nous n'avons pas fait. Nous avons voulu donner une information et sur les faits de langue et sur les méthodes qui permettent de les établir, non sur l'histoire de la linguistique. Tout d'abord parce qu'il existe beaucoup de bons ouvrages consacrés à la présentation des doctrines mais aussi parce qu'il nous a semblé que le débutant auquel cet ouvrage est destiné avait toute chance de ressentir l'impression d'une sorte de « marché aux idées » dans lequel il risquait de se perdre. D'autant qu'une présentation sous forme d'histoire aboutit presque obligatoirement à insister davantage sur les différences que sur les ressemblances.*

*De la même façon, il ne nous a pas semblé possible de présenter dans leur détail l'histoire et la méthodologie de la psycholinguistique, de la sociolinguistique, de l'ethnolinguistique. Ce qui aurait supposé une description des méthodologies propres à la psychologie, à l'ethnologie, à la sociologie.*

*Le langage, à des degrés divers, se trouve partie prenante dans l'ensemble des pratiques humaines. Nous avons délibérément écarté, tout en reconnaissant l'impossibilité d'une « linguistique pure », la tentation du* et, *confrontant l'analyse du langage aux grandes approches de l'homme : linguistique et marxisme, linguistique et psychanalyse... D'une façon sans doute encore plus discutable, nous n'avons pas voulu replacer l'étude du langage dans le cadre plus large d'une sémiologie générale de l'écriture, de l'art, de l'ensemble des pratiques signifiantes.*

*Certes, dans la mesure où nous ne pensons pas qu'il existerait une méthodologie linguistique autojustifiée, de telles réflexions sont « à l'horizon » de cet ouvrage. Mais il nous a semblé que l'évolution même de la discipline traditionnelle appelée linguistique suffisait amplement à remplir un ouvrage de cette dimension. Ou plutôt, nous pensons que si n'est plus possible une problématique linguistique qui ferait comme si Marx ou Freud n'avaient pas existé, il n'existe pas non plus une « linguistique marxiste » ou une « linguistique freudienne » : c'est à une étude linguistique de retrouver dans les structures du langage ou les effets de la mise en mots la trace — ou l'absence — de ce qui n'est pas d'abord langage.*

*Et même dans ce cadre artificiellement limité, il faut reconnaître que certains aspects de la linguistique sont ou oubliés ou traités trop rapidement, qu'il s'agisse de sélections volontaires ou encore plus de sélections involontaires liées à nos propres — et multiples — ignorances. Par exemple, pratiquement rien n'est dit des tentatives variées de formalisation des relations linguistiques, ce qui dépend certainement de notre ignorance, même si nous pensons que ce n'est pas cet abord qui convient le mieux à une initiation et même que ce n'est pas par là que la science se développera. De même, dans le domaine hasardeux de l'analyse textuelle, nous n'avons pas privilégié l'analyse des textes littéraires, ce qui cependant est une tendance fréquente en France.*

*Inversement, il nous a semblé nécessaire d'insister sur la typologie, la diversité des langues, et de présenter, à titre d'exemple, des structures de langues différentes. Non que nous pensions que la recherche d'universaux est vaine mais parce qu'à nos yeux cette recherche ne peut se faire à partir d'une méthode de description qui gomme automatiquement les différences.*

*Enfin, parmi les insuffisances, celles d'un ouvrage collectif, qui comporte certainement des répétitions, sans doute inévitables si chaque chapitre doit pouvoir être lu isolément, et peut-être des contradictions, dans la mesure en particulier où tous les domaines d'étude ne relèvent pas du même type de « certitude ». C'est en particulier vrai lorsque nous sommes tributaires d'informations extérieures ou de méthodologies qui évoluent rapidement. C'est le cas du problème de l'apparition du langage, de l'étude physique des sons ou des conditions neurologiques de la pathologie du langage. C'est aussi ce qui se passe dans des domaines tels que la « sémantique » ou l' « analyse textuelle » où l'article défini nous semble particulièrement mal venu dans la mesure même où il ne s'agit pas à notre sens d'un objet homogène qu'on pourrait étudier selon une problématique univoque.*

*Nous espérons que l'ouvrage trouve son unité dans la prise en considération de cette contradiction. D'une part, il y a des raisons qui font que, par-delà les diversités, les caractères généraux du circuit de la communication et de l' « outil-langue » imposent et une relative homogénéité de la langue et une relative homogénéité de ses méthodes d'étude. D'autre part, les « faits de langue » ne peuvent relever dans leur explication globale que d'une causalité de l'hétérogène, particulièrement évidente dans le cas de la pathologie ou dans les usages spécifiques du langage : codes artificiels ou « langue de la publicité et de la propagande », mais qui n'en est pas moins à l'œuvre dans la « communication courante ».*

*D'où une division en trois parties ( ! ) :*

1. *Les traits généraux du langage et les niveaux d'analyse.*
2. *La diversité linguistique et les langues.*
3. *Domaines d'application.*

*Mais il s'agit là d'une commodité. Il n'y a pas un « essentiel » qui serait les caractères généraux et un inessentiel qui serait la variation ou l'application. Il est tout aussi fondamental pour comprendre le fonctionnement du langage de réfléchir sur l'arbitraire du signe que de voir que peuvent fonctionner des langues, par exemple avec ou sans sujet, avec ou sans opposition verbo-*

*nominale préétablie dans la structure lexicale. Tout autant que parler « du » langage peut être trompeur, comme si toutes les utilisations du langage préexistaient dans son organisation structurelle. De même qu'il n'y a pas une essence du langage indépendante de la façon dont il s'apprend ou de la façon dont il se réalise en cas de trouble.*

*De ce point de vue la possibilité d'une synthèse explicitant ce qu'est « le » langage nous semble s'éloigner et non se rapprocher.*

*Plutôt donc que sur les doctrines notre effort a porté sur la présentation des « données ». Mais, comme on sait, nous n'avons pas de contact immédiat avec les « choses mêmes », indépendamment d'un cadre théorique et/ou polémique. Ce qui fait qu'au risque d'oubli s'ajoute le danger de dogmatisme dans ce qui est présenté. Dans le cas de ce qui est objet d'un relatif consensus, ce « dogmatisme » se manifestera surtout sur le plan de la hiérarchisation, de l'importance accordée à tel ou tel aspect : il n'y a pas un nombre de pages « objectif » à accorder à la phonologie, à l'intonation, à la syntaxe ou au lexique. Dans les domaines qui relèvent de méthodologies qui sont en question ou d'une collaboration pluridisciplinaire, qu'il s'agisse par exemple de pédagogie, d'analyse textuelle ou de classification des aphasies, il aurait été fastidieux de parsemer le texte de « points d'hésitation ». Disons qu'ils y sont.*

FRÉDÉRIC FRANÇOIS.

**première partie**

# LES TRAITS GÉNÉRAUX DU LANGAGE ET LES NIVEAUX D'ANALYSE

*Sommaire*

# 1 le langage humain sa nature

PAR RÉGINE LEGRAND-GELBER

Notre savoir sur la langue est un savoir très ancien, mais les connaissances — les certitudes — vont très lentement dans ce domaine parce que poser les problèmes concernant le langage humain revient en grande partie à poser des problèmes au sujet de l'homme et de sa nature sociale.

Dans ce premier chapitre, à travers des informations diverses, nous proposerons au lecteur des thèmes de réflexion sur le langage et les langues plus que nous n'énoncerons des certitudes, car les idées — les « grandes » idées — sur le langage de l'homme ne peuvent se satisfaire, comme on le verra, de simplicité et de schématisme.

Ceci, loin d'être un obstacle à la rigueur des analyses proposées dans les chapitres suivants, doit au contraire permettre d'éviter les contresens et les métaphores que des attitudes rigides sur la nature du langage entraînent forcément.

Le langage, ce moyen que nous utilisons tous les jours, à tout moment, pour nous-mêmes et envers les autres, sans lequel il nous est difficile d'imaginer la vie, qu'en savons-nous ? Une première attitude, la plus saine de toutes et la plus sûre sans doute, est de constater que le langage, d'où qu'il vienne et quels que soient les mécanismes qui le permettent, nous fournit un matériau d'analyse de tout premier ordre : les messages tels que nos contemporains et nous-mêmes en produisent et tels que les enregistrements les conservent. Mais la curiosité, le désir de tout savoir exigent qu'on aille plus loin, aidé par toutes les disciplines qui, de près ou de loin, ont quelque chose à dire et à nous apprendre sur le langage humain. Nous sommes convaincus que l'homme serait demeuré incapable d'accomplir l'histoire moderne que nous lui connaissons s'il n'avait eu le langage, et ceci malgré les ressources matérielles dont il pouvait disposer sur terre. Chez un auteur comme Joseph Vendryès par exemple, l'enthousiasme conduit à poser le langage comme préexistant au social mésestimant la très longue période de maturation sociale primitive qui a elle-même imposé le besoin et les moyens de la communication. « A la fois instrument et auxiliaire de la pensée, c'est le langage qui a permis à l'homme de prendre conscience de lui-même et de communiquer avec ses semblables, qui a rendu possible l'établissement des sociétés. Nous avons peine à nous représenter un état primitif où l'homme aurait été dépourvu d'un moyen d'action aussi efficace. L'histoire de l'humanité, dès l'origine, suppose l'existence d'un langage organisé; elle n'aurait pu se développer sans le langage »[1].

C'est pourquoi il serait inacceptable d'ignorer cette curiosité sur le langage et de commencer un ouvrage général sur une des plus extraordinaires créations de l'évolution humaine sans poser les problèmes qui, au-delà des analyses, des techniques et des explications proprement linguistiques, touchent aux origines et à la nature du langage humain. Et ceci malgré les risques qu'une telle démarche comporte, étant donné qu'il s'agit ici de domaines encore mal connus, à la frontière de la philosophie comme de la physiologie du langage, et où les discussions demeurent très vives parce qu'elles revêtent inévitablement un caractère idéologique et que, en fin de compte, c'est de l'homme que l'on parle.

## *A - LES ORIGINES DU LANGAGE HUMAIN*

Depuis au moins l'époque de Descartes, le langage humain a été considéré comme une caractéristique définissant l'homme. Les découvertes d'hominidés fossiles a relancé de façon spectaculaire l'intérêt des chercheurs pour l'origine du langage humain. Des ancêtres de l'*homo sapiens* pouvaient donc être doués de parole. Et quand des restes bien conservés tels que ceux de l'homme de La Chapelle-aux-Saints furent découverts, on se demanda si les Néandertaliens fossiles étaient aussi en possession du langage. Enfin, lorsque d'autres fossiles encore plus primitifs furent découverts, il devint nécessaire de se demander non seulement depuis quand le langage humain existait, mais comment il avait évolué.

Voici donc brièvement exposé un sujet délicat pour lequel il est nécessaire d'écarter d'emblée les hypothèses métaphysiques et psychologisantes, généralement invérifiables.

### 1. La place de la linguistique

Le problème de l'origine du langage, si intéressant soit-il pour le linguiste, ne peut, en tant que tel, être traité par lui. Seule l'origine des langues, c'est-à-dire d'un matériau qui se parle et qui s'écrit, relève de la recherche linguistique au sens strict. Le linguiste ne travaille que sur des phénomènes attestés et l'histoire du langage qui lui revient n'est que celle des documents. C'est pourquoi, si haut qu'ils remontent dans cette histoire, c'est déjà à un état très évolué du langage humain qu'ils ont affaire, état matérialisé très clairement, même dans les documents les plus anciennement découverts, par des langues constituées de façon peu différente des nôtres et apparues après un passé considérable dont le contenu échappe encore et ne concerne pas directement les études linguistiques. Dès ses premiers statuts (1866), la Société de Linguistique

1. Joseph VENDRYÈS, *Le langage, introduction linguistique à l'histoire*, Albin Michel, 1968, préface p. 11.

de Paris stipulait qu'elle n'accepterait aucune communication concernant l'origine du langage, le problème ne concernant pas sa discipline et, depuis, la linguistique continue d'accepter et de professer cette façon de voir.

### *a - La grammaire comparée*

Une tentative purement linguistique de remonter à l'origine du langage humain doit être mentionnée : elle part de l'idée que la comparaison des langues existantes pourrait mener à la reconstruction d'un idiome primitif. Espoir né de la découverte du sanskrit entre 1786 et 1816 et de l'apparentement linguistique de mondes que l'on croyait totalement coupés. C'est la thèse défendue par les fondateurs de la grammaire comparée[1] et pour lesquels il s'agissait d'un essai d'explication génétique basée sur la conviction que les langues attestées ne représentent que des formes dégradées d'une langue primitive, idéalement parfaite. Cette idée, qui nous paraît puérile — voire même dangereuse —, présente, par rapport aux méthodes métaphysiques du passé, un réel progrès qui permit d'ailleurs toute une série de travaux remarquables. Désormais, on emprunte aux sciences naturelles les principes et les méthodes de recherche, à la biologie essentiellement, ce qui conduit à la thèse que les langues sont des organismes vivants qui naissent, croissent et meurent. La méthode comparative viendrait permettre de reconstituer l'état premier du langage : la langue de l'âge d'Or. Aussi naïves que ces théories paraissent, elles portaient cependant en elles les germes du développement de la linguistique historique, étape où est remise en cause l'idée précédente que la langue fonctionne comme un organisme biologique. Sous la pression de l'histoire devenue science pilote (nous sommes dans les années 1880), on est amené à considérer la langue comme une institution humaine. La recherche de l'idiome primitif n'est plus à l'ordre du jour, mais les procédures toujours plus rigoureuses de la reconstruction permettent des hypothèses de plus en plus sérieuses sur des états de langues possibles bien que non attestés. Quoique réduite à des limites très étroites, une linguistique de stades très anciens n'en existe pas moins : que ce soit les théories très discutables de N. Ja. Marr ou celles plus sérieuses de la lexicostatistique ou de la glottochronologie qui cependant sont encore loin d'être satisfaisantes[2].

### *b - Les autres voies*

D'autres voies à partir de matériaux linguistiques ont été tentées pour retrouver la forme originelle du langage. D'abord l'illusion qui consiste à déceler cette forme originelle dans les langues des peuples dits « primitifs ». Illusion fâcheuse, sur laquelle nous ne nous étendrons pas, puisque les langues de ces peuples reposent sur une tradition tout aussi millénaire que la nôtre. On ne voit pas bien pourquoi la « mentalité » de ces « primitifs » qui, à l'échelle géologique envisagée, sont au même degré d'hominisation que nous aurait un quelconque rapport avec celle de l'homme aux

1. Franz Bopp, *Vergleichende Grammatik des Sanskrit, Zend Grieschischen Lateinischen, Gothichen und Deutschen*, Berlin, 1833.
2. Voir pour plus de détails Georges Mounin, *Histoire de la linguistique, des origines au XX^e siècle*, PUF, 1967, pp. 19-32.

premiers âges de son apparition sur terre! Ensuite, une démarche comparative qui tente de demander au langage de l'enfant non seulement ce qu'a pu être la forme primitive du langage humain, mais aussi les différentes étapes de son évolution. Cette tentative aussi nous semble hasardeuse et ceci pour deux raisons essentielles. En premier lieu, le petit d'homme n'est pas en tous points comparable au petit des premiers hommes, il est déjà le résultat de l'évolution de l'espèce. En second lieu, dans le processus d'acquisition de sa langue maternelle, il nous montre seulement comment un langage hautement organisé s'acquiert (sans compter que cette acquisition n'est pas homogène et subit la pression des différences et des contradictions sociales) et non ce qu'a pu être le langage à l'origine de son développement. Le meilleur exemple et le plus récent dans cette voie est celui de Trân Duc Thao[1] qui compare les stades du passage de l'anthropoïde du tertiaire à l'homme du mésolithique et ceux de l'enfant entre 1 et 6 ans. Malgré ses très riches analyses, on se demande comment les événements d'évolution sociale du paléolithique ont pu s'inscrire dans le patrimoine héréditaire de l'humanité. Scientifiquement, on est en droit de s'interroger sur le strict parallélisme entre l'ontogenèse (développement de l'individu, en l'occurrence l'enfant humain actuel) et la phylogenèse (évolution de l'espèce humaine) et sur la fixation des différents stades de l'histoire de l'espèce dans le cerveau humain. Ni les données de l'Histoire, ni celles de la neurologie ne viennent confirmer cette vue. (Pour une étude détaillée de cet ouvrage et pour une analyse des aspects positifs de son contenu, voir Frédéric François, in *La Pensée*, n° 174, avril 1974.) On peut aussi essayer de dégager un lien entre certains aspects de la langue et des aspects du développement de la division du travail; supposer par exemple — ce qui est fort probable — qu'une société peu divisée n'aura pas de sous-systèmes lexicaux nombreux et complexes. Mais ceci demande un travail de longue haleine. On peut enfin confronter langage humain et systèmes de communication animaux. On sera alors frappé :

— parfois, mais pas toujours, par le parallèle entre développement linguistique et développement cérébral;
— également par le mode de vie, la possibilité ou non pour l'animal de satisfaire seul ses besoins;
— enfin par le rôle des modes de communication qu'on retrouve chez l'homme et dans les différentes espèces (tactiles, chimiques...) qui constituent la base sur laquelle peut s'établir une communication plus complexe.

Les solutions globales, aussi subtiles soient-elles, que forge le linguiste ou le philosophe du langage restent très discutables. Nous croyons plus sage de reconnaître que les spécialistes du langage se trouvent face au problème posé dans un état d'infériorité considérable à l'égard du paléontologiste, du biologiste ou du préhistorien. Le problème de l'origine du langage est du ressort de l'histoire primitive de l'humanité et requiert une recherche interdisciplinaire parallèlement aux efforts des disciplines particulières. L'ouverture de la linguistique aux problèmes plus vastes de la communication, de la psycho-, de la socio- et de l'ethnolinguistique, la nécessité, par conséquent, d'une définition plus fine de la nature du langage justifient sa collaboration aux problèmes de l'origine du langage mieux aujourd'hui qu'hier.

1. Trân Duc Thao, *Recherches sur l'origine du langage et de la conscience*, Ed. Sociales, 1973.

## 2. L'âge du langage humain

Les hypothèses les plus sérieuses sur l'origine du langage humain se trouvent donc chez des chercheurs dont la compétence déborde de beaucoup la formation linguistique. Les évaluations concernant l'âge du langage humain demeurent toujours — et peut-être pour toujours — à l'état d'hypothèses. Cependant, les données paléontologiques de plus en plus nombreuses, de plus en plus précises et beaucoup plus sûres qu'il y a un demi-siècle, commencent à nous fournir des indications de poids sur l'homme et sur son langage. Rappelons rapidement les éléments connus qui sont désormais en la possession des chercheurs contemporains : les rapports de dépendance entre capture mobile des aliments et symétrie bilatérale dans tout le règne animal, vie terrestre et libération de la tête par rapport au squelette, mécanique de la mâchoire et structure du crâne, station verticale et libération partielle ou totale des membres antérieurs pendant la locomotion, face courte et volume crânien présentant des possibilités de développement frontal, etc. On pourrait multiplier ces exemples. Les découvertes préhistoriques en Afrique du Sud (Australanthrope, Zinzanthrope) reportent l'apparition de l'espèce *homo* très loin dans les temps géologiques, ce qui allonge considérablement les temps d'évolution de tous les phénomènes humains, notamment du langage. Actuellement, le pôle d'intérêt paléanthropologique semble se déplacer d'Afrique en Asie et c'est de Chine que nous parviennent les derniers australopithèques découverts. Le problème de l'âge de l'homme reste par conséquent très hypothétique et varie selon les écoles. Les découvertes récentes ne font qu'ajouter à la controverse. De la même façon, aucune des hypothèses sur l'évolution humaine n'emporte l'adhésion des chercheurs.

Les recherches sur les débuts du langage n'en prennent que plus d'importance. Loin de s'enfermer dans l'ancienne tautologie (tout animal qui parle est un homme, tout homme est un animal qui parle), les chercheurs se posent de façon générale la question de savoir quel a été le rôle du langage dans la préhistoire de l'humanité et,

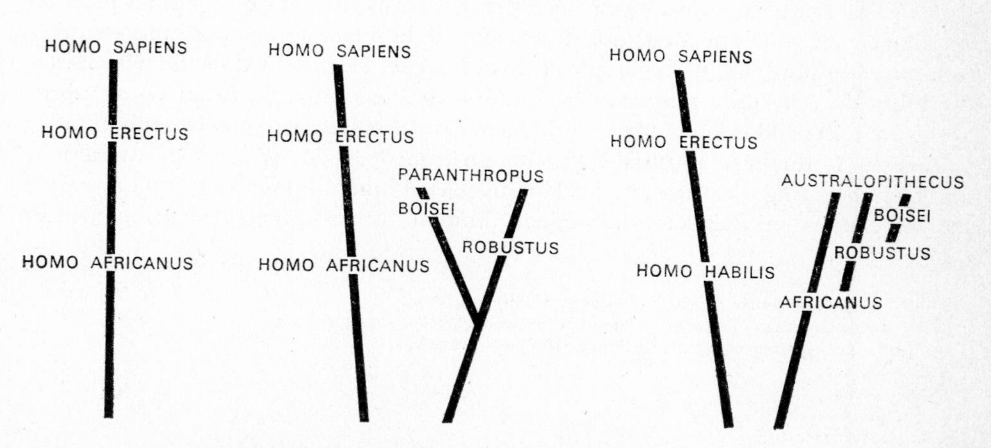


*Trois hypothèses sur l'évolution humaine*
(Arbres phylétiques d'après Pilbeam et Gould, 1974)

plus précisément, s'il y a eu une période au cours de laquelle des groupes humains ont acquis un net avantage sélectif parce qu'ils pouvaient parler. Est-ce de ces groupes-là que nous sommes directement issus ? Doit-on voir dans ces hominidés nos véritables ancêtres ?

Nous empruntons les analyses suivantes aux écrits les plus connus de Philip Lieberman[1] d'une part et André Leroi-Gourhan[2] d'autre part. Avec ce type d'ouvrages s'ouvre réellement l'ère d'une recherche scientifique sur le problème des origines du langage.

### *a - Un langage sélectionné*

Pour Philip Lieberman, le fait que l'espèce humaine se soit dotée du langage résulte de la convergence de multiples facteurs. Tous ont une grande importance et fonctionnent de façon simultanée, mais il n'est pas inutile de les examiner séparément dans une première étape. Les données anatomiques et, en particulier, l'évolution de l'appareil vocal apparaissent ainsi comme une voie possible, bien qu'à manier avec grande prudence. Dans les stades tardifs de l'évolution des hominidés, l'appareil vocal et les modifications corrélatives à la morphologie crânienne et faciale ont joué, semble-t-il, un rôle aussi important que la denture ou la position verticale dans les étapes antérieures. Physiologiste de la parole, Lieberman exploite de façon prudente et grâce à des techniques originales cette idée de départ.

Le fonctionnement de la parole humaine rappelle celui d'un orgue ayant les canaux supralaryngiens[3] pour tuyaux. L'étude de l'évolution de la morphologie de ceux-ci chez les fossiles les plus anciens jusqu'à l'homme moderne ne peut tout nous apprendre sur les débuts du langage humain, car celui-ci ne se réduit pas, malgré son importance, au fonctionnement du canal phonatoire. Mais elle peut être d'un grand secours pour dater l'apparition du langage articulé chez l'homme. L'hypothèse de Lieberman est la suivante : la possibilité de production de la parole chez les hominidés fossiles peut être évaluée par l'étendue des configurations que permet le canal supralaryngien, configurations qui dépendent de la forme et des positions relatives du larynx, du pharynx, de la langue et de la bouche. Le but est donc de déterminer les limites du répertoire phonique en fonction de l'anatomie du canal vocal supralaryngien, indépendamment bien sûr du contrôle musculaire nerveux et des habitudes d'émission. L'auteur a recours à l'anatomie comparée des organes produisant la parole chez les singes actuels et chez le nouveau-né humain pour lesquels il apparaît que les canaux vocaux supralaryngiens limitent intrinsèquement leurs capacités

1. Philip Lieberman, *On the Origins of Language*, Macmillan, 1975.
2. André Leroi-Gourhan, *Le geste et la parole*, Albin Michel, 2 vol., 1964 et 1965.
3. Les quatre principaux résonateurs de l'appareil phonatoire sont :
   1. Le pharynx;
   2. La bouche;
   3. Les fosses nasales;
   4. La cavité labiale.

   Voir schéma p. 92.

Philip Lieberman, L'évolution du langage humain, *La Recherche*, n° 59, septembre 1975, pp. 751-757.
Philip Lieberman, *op. cit.*, p. 756.

de production de la parole. Or, la morphologie du crâne des singes vivants présente des caractères fonctionnels similaires à ceux de certains fossiles humains éteints. Venant compléter ces recherches d'anatomie comparée, des reconstructions des canaux vocaux supralaryngiens des fossiles des lignées diverses (cf. *supra*) et des analyses des empreintes des muscles sur les crânes fossiles ont été réalisées.

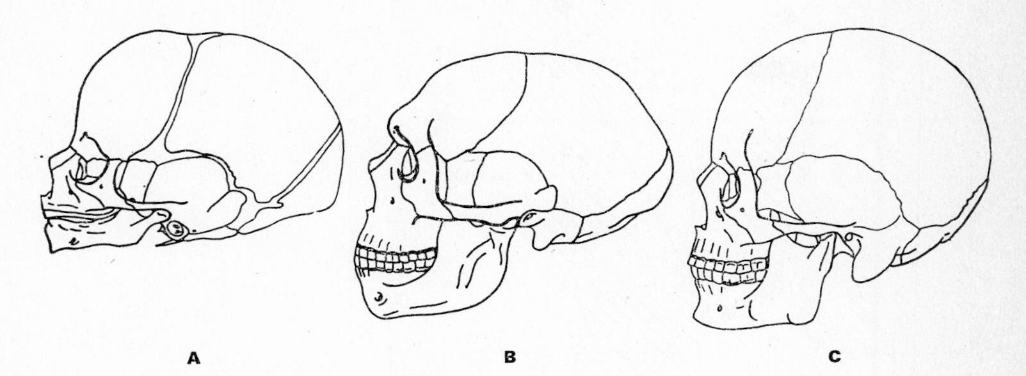


*Crânes d'un homme moderne nouveau-né (A), d'un homme de Néandertal adulte (B) et d'un homme moderne adulte (C) en vues latérales. Le crâne de l'homme moderne nouveau-né ressemble moins à celui de l'adulte qu'à celui du Néandertalien adulte. Chez le nouveau-né comme chez le Néandertalien, le crâne est relativement plus allongé, plus aplati, la mandibule est plus basse, son corps et sa branche montante sont d'égale longueur, le menton manque.*

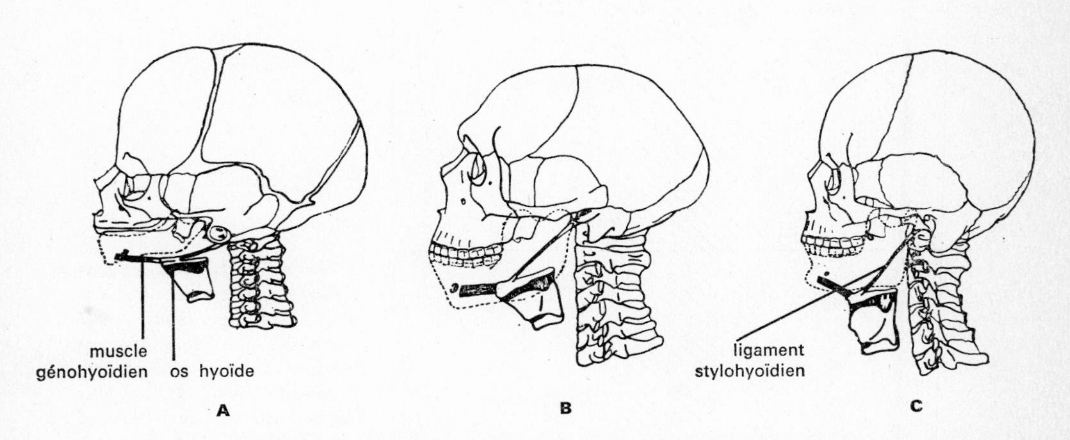


*Crâne, colonne vertébrale et larynx chez l'homme moderne nouveau-né (A) et adulte (C), et chez l'homme de Néandertal (reconstitution, B). Conformément à l'emplacement du ligament stylohyoïdien, du muscle génohyoïdien et de l'os hyoïde, la position du larynx est plus élevée chez le nouveau-né et l'homme de Néandertal. Ce caractère ainsi que d'autres ont permis une reconstitution de l'appareil vocal supralaryngien de l'homme de Néandertal.*

(In *La Recherche*, n° 59, pp. 751 et 752, 1966)

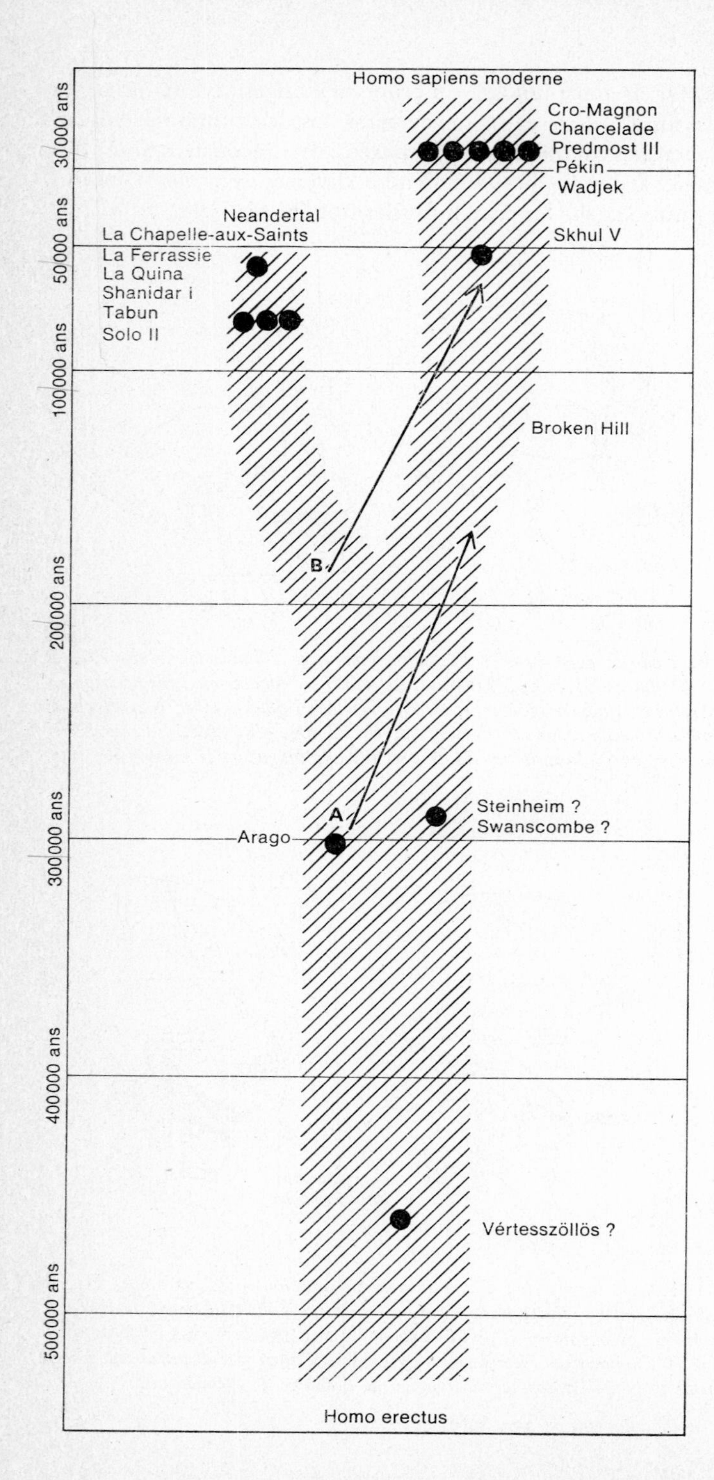


*Les différents stades de l'évolution des hominidés. L'évolution vers un canal vocal semblable à celui de l'homme moderne a pu se réaliser précocement (flèche A) ou plus tardivement au stade de l'homme de Néandertal (flèche B).*

(In *La Recherche*, nº 59, 1966)

On remarque ainsi que le crâne de l'homme de Néandertal ressemble à celui du singe et du nouveau-né de l'homme moderne adulte : plus allongé d'avant en arrière et plus aplati du sommet à la base. L'âge de l'homme de Néandertal est d'environ — 50 000 ans. Or, on constate que le crâne découvert près du lac Rodolphe, daté de — 2,6 millions d'années, présente un fort volume cérébral et une face non prognathe. D'où l'hypothèse choisie par Lieberman de deux branches différentes conduisant à l'*homo sapiens* et à l'homme de Néandertal. Hypothèse qui semble confirmée par l'analyse suivante des origines du langage humain vocal.

Ce qui nous intéresse ici, ce sont les caractéristiques crâniennes directement liées à la reconstruction du canal vocal supralaryngien (crâne, mandibules, colonne vertébrale, cartilages du larynx...). L'inclinaison de ce système complexe vers l'horizontale est remarquable chez le nouveau-né comme chez l'homme de Néandertal, et cette morphologie entraîne une disposition particulière des muscles vocaux. Le complexe morphologique complet de la base du crâne est fonctionnellement équivalent chez tous les fossiles et contraste fortement avec celui typique de l'homme moderne adulte. Un programme sur ordinateur a pu montrer les limites phoniques du canal vocal de l'homme de Néandertal (les voyelles telles que [i], [a] et [u] ne pouvaient être produites, pas plus que les consonnes [g] et [k]). Par contre, le fossile Skhul V du mont Carmel (Israël) présente un canal vocal supralaryngien tout à fait semblable à celui de l'homme moderne. Le fossile de Broken Hill se caractérise par un état intermédiaire entre le canal vocal droit du Néandertalien et le canal vocal courbe de l'homme moderne adulte. Ce sont ces constatations qui permettent à l'auteur une interprétation intéressante des différents stades de l'évolution des hominidés en fonction de la transformation du canal vocal. Sur le schéma nº 5, la branche de droite représente la lignée qui a finalement conservé les traits spécifiques du langage humain articulé (canaux vocaux laryngiens et crânes semblables à ceux de l'homme moderne). La branche de gauche conduit à la lignée néandertalienne éteinte pour laquelle on peut imaginer qu'une pression sélective soutenue a finalement abouti au crâne que nous connaissons, caractérisé par un prognathisme accentué et une visière susorbitaire saillante. Quelle valeur sélective les caractéristiques de l'homme de Néandertal peuvent-elles avoir eue ? La face prognathe et la forte denture des Néandertaliens leur donnaient une grande efficacité pour mâcher les aliments et l'on peut en conclure que cette lignée d'hominiens se serait spécialisée dans la mastication. Pour l'autre branche, la pression sélective est différente : la spécialisation se serait faite dans le sens d'une augmentation de la communication vocale. La réduction des mandibules et l'évolution en forme d'arche du pharynx ont certainement restructuré le crâne de ces hominidés : au fur et à mesure que le larynx descendait, la base du crâne se raccourcissait progressivement, créant un déplacement de la région faciale vers l'intérieur. Une fois la face ainsi rentrée, le crâne dut se développer en hauteur pour contenir un cerveau de même volume. Retenons essentiellement que les hominidés, à partir d'*homo erectus*, présentent des spécialisations anatomiques en rapport avec deux tendances évolutives distinctes concernant, l'une la mastication, l'autre la communication verbale. Des hominidés fossiles tels que celui de Broken Hill peuvent représenter soit des transitions, soit des compromis. Dans des cultures moins techniques, les avantages sélectifs dus à l'amélioration de la communication vocale peuvent ne pas avoir surpassé les avantages dus à une plus grande efficacité de la mastication. Ainsi, le langage de l'*homo sapiens* moderne aurait été sélectionné car les avantages liés aux progrès de la parole auraient gagné en importance dans l'organisation sociale de l'espèce humaine. Cet avantage devint sans doute prédominant au moment de l'organisation du travail et quand, grâce aux progrès de la technologie, l'usage du feu et d'outils coupants diminua l'importance de la mastication. A vrai dire, le canal vocal de l'homme présente un désavantage au niveau de la respiration et le rôle sélectif du besoin de communication n'a sans doute pu jouer réellement que lorsque la culture humaine eut atteint un stade où l'utilité du langage l'emportait sur les divers inconvénients. Il y a au moins environ quarante mille ans, une accélération soudaine s'est produite dans l'évolution de la culture humaine — outils plus variés, finement travaillés, utilisation de nouveaux matériaux, nouvelles techniques du travail de la pierre, apparition brutale de l'art (dessins muraux du paléolithique supérieur), apparition d'« orthographes », de systèmes de notation, de numération, etc. On peut difficilement mettre en doute qu'à cette époque quelque chose d'extraordinaire se soit réalisé, quelque chose d'essentiel pour l'espèce : le langage[1].

Toute cette étude amène à constater que apparition de l'homme et apparition du langage oral ne se superposent pas et que, si l'on peut dater vers — 40 000 un langage oral déjà évolué, on est incapable de dire quand les moyens de la communication humaine sont apparus. Il est fort probable que des systèmes d'appels et d'échanges différenciés existaient bien antérieurement. De toute façon, il est certain qu'arrivé à un certain degré de développement biologique, social, l'homme, la société humaine n'aurait pas pu continuer à évoluer sans le langage articulé qui, au-delà du besoin de communication, a assuré la socialisation la plus poussée connue dans le monde animal.

### b - Des preuves indirectes

Les deux preuves indirectes sur lesquelles André Leroi-Gourhan pense pouvoir le plus sûrement se baser pour dater le langage humain sont la structure du cerveau d'une part, les rapports entre outillage et langage d'autre part. Au sujet de la structure du cerveau, l'essentiel est l'observation du développement continu du cortex en avant du sillon de Rolando. La géographie cérébrale établit que dès l'Australanthrope le cerveau de l'espèce *homo* possède des aires qui lui sont propres, et qui sont celles où se trouvent aujourd'hui les centres d'intégration du langage — alors que ces aires sont absentes chez les grands singes, chez qui le cerveau se trouve emprisonné sans possibilité d'expansion entre le massif frontal et le massif énique. La possibilité topographique de ces centres semble être présente chez l'Australanthrope et l'*homo sapiens* y ajoutera le développement des lobes frontaux. Au sujet des outils et de leur fabrication, la préhistoire semble apporter la preuve que cette fabrication existe

1. Notons que l'homme de Néandertal possédait une culture très complexe et proche de celle que l'on trouve chez les fossiles tels que celui de Skhul V : tombeaux, objets rituels témoignant de pratiques mystiques et religieuses. Cela laisserait à supposer qu'il possédait quand même un « langage » dont la nature des symboles nous échappe. Le langage, dans un sens très large, a donc dû exister; un langage n'impliquant pas forcément tous les facteurs qui ont structuré le langage oral de l'espèce humaine.

dès l'Australanthrope. On appelle outil non un objet rencontré par hasard et dont on se sert pour accomplir un geste, mais un objet produit, attesté par de multiples exemplaires. L'utilisation comme instruments d'objets trouvés pour satisfaire un besoin immédiat n'est que le signe d'une capacité d'adaptation à une situation donnée. Il s'agit d'un stade où le singe s'est élevé. Cela n'a rien à voir avec la forme de production d'outils caractéristique de la société humaine. La forme de l'instrument naturel peut changer à chaque fois pourvu qu'il permette le geste recherché. Au contraire, la représentation de l'outil implique l'image idéale d'une forme stable (le modèle). « Il n'y a probablement pas de raison pour séparer, aux stades primitifs..., le niveau du langage et celui de l'outil puisque, actuellement et dans tout le cours de l'histoire, le progrès technique est lié au progrès des symboles du langage »[1].

De son côté, Trân Duc Thao voit dans la production des outils l'origine de la conscience et par là même du langage : « C'est donc à ce niveau que nous devons chercher la forme originaire de la conscience, telle qu'elle surgit dans le cours du développement de l'activité instrumentale qui, prenant ses racines dans l'évolution animale, opère le passage à l'humanité »[2].

On pense aussi à la fameuse formulation de Engels : « D'abord le travail, après lui, puis en même temps que lui, le langage : tels sont les deux stimulants essentiels sous l'influence desquels le cerveau d'un singe s'est peu à peu transformé en un cerveau d'homme »[3]. Vient compléter ces deux voies essentielles toute une recherche sur les origines du graphisme[4]. Cette recherche admet comme point de départ l'hypothèse que la nécessité de l'écriture et par là même son invention fut postérieure à une forme de langage gestuel ou oral. Elle fut créée de toute évidence pour servir de support mnémotechnique à une communication gestuelle ou orale de par sa nature temporelle irrémédiablement fugace. Dans ces conditions, toute trace d'écriture constitue une preuve d'existence du langage. Leroi-Gourhan va d'ailleurs beaucoup plus loin : « L'art figuratif est, à son origine, directement lié au langage et beaucoup plus près de l'écriture au sens le plus large que de l'œuvre d'art »[5]. L'art figuratif comme l'écriture serait donc la première preuve proprement archéologique directe de la présence du langage. Cette présence est quasi certaine pour le moustérien évolué (environ — 50 000 ans) et certaine pour l'aurignacien (vers — 30 000 ans). Mais tout un domaine demeure à découvrir pour les préhistoriens et les linguistes, celui des pré-écritures. Jusqu'où pourra-t-on remonter dans les âges ? Pourra-t-on, un jour, savoir quand s'opère le passage de dessins « quelconques » (s'il en est de tels) aux pictogrammes, puis celui de pictogrammes liés à une situation aux pictogrammes liés à un énoncé linguistique ? Ce qui est sûr c'est que les premiers graphismes (datés de — 35 000 ans) sont déjà des tracés conventionnels en ce sens que l'interprétation de ces dessins suppose un contexte gestuel ou oral. Leroi-Gourhan a inventorié et répertorié mécanographiquement ces tracés pour les 110 grottes ornées connues.

1. André Leroi-Gourhan, *op. cit.*, vol. I, p. 163.
2. Trân Duc Thao, *op. cit.*, p. 13.
3. Friedrich Engels, *Dialectique de la nature*, Ed. Sociales, 1971, p. 175.
4. André Leroi-Gourhan, *Les origines de la préhistoire*, Paris, PUF, 1964.
5. André Leroi-Gourhan, *op. cit.*, I, p. 266.

Il les nomme « mythogrammes »[1] car il faudrait connaître leur contexte oral pour les interpréter. Comme l'histoire du langage gestuel, comme celle du langage oral, l'histoire de l'écriture pose des problèmes que les hypothèses, si ingénieuses soient-elles, sont loin d'avoir encore résolus.

Nous avons présenté deux types de recherches très différentes à la découverte des origines du langage humain. Sans doute, des spécialistes de tous bords pourront opposer à ces avis d'autres avis et contester les vues résumées ici, mais pour nous, linguistes, elles présentent l'avantage immense et le grand mérite de substituer aux multiples hypothèses plus ou moins gratuites, philosophiques et métaphysiques, des données objectives — écritures, outils, configurations du cerveau, des canaux supra-laryngiens... — sur lesquelles la science dans son ensemble peut avoir réellement prise.

Nous conclurons rapidement en rappelant quelques avantages du langage oral qui, malgré des inconvénients certains (difficulté de coordonner respiration et émission, déglutition et émission... entraînant les « ratés » que l'on connaît ou des troubles plus importants, les organes utilisés par le langage n'étant pas à l'origine organisés en fonction de ce rôle, etc.), s'est trouvé, dans le processus d'hominisation, sélectionné comme le moyen privilégié de la communication humaine. La main s'est différenciée du pied et libérée des tâches de locomotion dans le cadre d'une activité de production. Le maniement oral lui restitue son autonomie productrice puisqu'il ne requiert plus obligatoirement les gestes et, en aucun cas, l'utilisation d'outils (comme dans le cas de systèmes de signaux). Bien sûr, il est des conditions physiques où le caractère oral du langage ne permet plus la transmission de l'information : lorsque le bruit couvre les possibilités humaines de puissance d'émission (bruits de machines dans une usine invitant alors à l'utilisation d'un langage gestuel ou de la lecture sur les lèvres). Mais cet inconvénient est largement compensé par les possibilités de transmission dans d'autres conditions physiques où le geste ne peut fonctionner : de loin, la nuit, lorsque des obstacles de tous ordres éliminent la perception visuelle. Sélectionné comme organes de la communication, on peut se demander si l'appareil vocal humain n'a pas acquis une souplesse musculaire, lui permettant une combinabilité articulatoire et une rapidité de production bien supérieure à ce que permettent actuellement le jeu des mains[2] ou tout autre moyen gestuel. Mais nous entrons ici dans un domaine dépassant le cadre du sujet abordé.

## *B - LES BASES ANATOMO-PHYSIOLOGIQUES DU LANGAGE HUMAIN*

Le langage, moyen d'expression privilégié, comme nous venons de le voir, dont dispose l'homme, pose encore de nombreux problèmes aux spécialistes quant à ses mécanismes physiologiques et quant aux structures cérébrales qui en sont le siège. Il

1. André LEROI-GOURHAN, *op. cit.*, pp. 81-95.
2. On sait, par exemple, que la communication par la parole atteint une très grande vitesse. Le rythme auquel des éléments sonores porteurs de significations sont transmis est de 20 à 30 par seconde !

en pose encore plus lorsqu'on aborde la question des mécanismes innés ou non qui sont à sa base.

Nous ne prétendons pas ici résoudre ces problèmes mais, comme nous l'avons fait précédemment, donner un aperçu des aspects les plus marquants qu'ils recouvrent. Nous examinerons successivement : les organes « périphériques » du langage (la réception auditive et la production articulatoire), l'organe central (le cerveau) et le problème de l'innéisme, dans la mesure où il intéresse le linguiste et les fondements idéologiques de sa discipline.

## 1. La communication audio-orale

### *a - Quelques hypothèses*

Nous avons vu précédemment les hypothèses concernant la façon dont le langage a pu être sélectionné et les avantages que présente ce moyen de communication. Rappelons avec Frédéric François que : « ... par opposition au système de la perception du réel qui pour l'homme est essentiellement visuo-manuel, c'est partout un système de communication audio-oral qui l'a emporté comme principal système de signes »[1]. Cela peut signifier plusieurs choses et conduire à des explications diverses, mais allant toutes dans le même sens.

— Comme nous allons le voir, il semble qu'il n'y ait pas d'organes, ni de centre prévus pour le langage, mais essentiellement adaptation d'éléments périphériques et centraux en vue de la communication.

— On sait que, même chez les invertébrés, si la rigidité du programme génétique est absolue, une certaine fluctuation apparaît au fur et à mesure que le système nerveux se complique : ce n'est qu'un schéma général de l'organisation cérébrale qui est fourni par le programme génétique; l'évolution des formes de l'apprentissage vers les formes les plus complexes semble aller de pair avec l'apparition de cette fluctuation, et d'autant plus que l'espèce animale considérée est plus évoluée.

— Le cerveau humain, le plus évolué et le plus complexe connu à ce jour, est aussi celui qui présente les plus grandes zones de fluctuation (la plus grande « déconnection » de départ si l'on veut) ; le langage, de son côté, offre l'exemple d'une des formes les plus complexes de l'apprentissage, un de ces comportements « supérieurs », une de ces opérations hautement élaborées du cerveau humain, pour lesquels le problème des propriétés innées est le plus délicat à résoudre.

Ces trois éléments étant donnés, on peut se demander si le circuit audio-oral est génétiquement moins rigidement programmé. Ferait-il partie de ces zones de fluctuation ? On connaît, par contre, le codage très précis qui préside à la mise en place de la vue[2]. On peut se demander aussi, à un autre niveau, purement social cette fois, si le circuit audio-oral n'est pas moins saturé par les nécessités de la survie. Il suffit

1. Frédéric FRANÇOIS, *La syntaxe de l'enfant avant 5 ans*, Larousse, 1977, p. 17.
2. Colwyn TREVARTHEN, Penelope HUBLEY et Lynne SHEERAND, Les activités innées du nourrisson, *La Recherche*, n° 56, mai 1975, pp. 447 à 461 ; Michel IMBERT, Apprend-on à voir ?, *La Pensée*, n° 195, octobre 1977, pp. 63 à 70.

pour cela de comparer, évoluant dans l'espace socialisé, l'aveugle et le sourd. On peut enfin se demander quels sont les rapports entre ces deux ordres de données : circuit cérébral non codé / circuit social non saturé. Tous ces problèmes mériteraient des développements qu'il nous est impossible de donner ici. Nous nous contentons donc d'en évoquer le contenu.

***b - La perception***

La psychologie de la perception nous apprend que toute perception — visuelle, tactile, gustative ou olfactive — est sélective. En d'autres termes, cela veut dire que tout ce que nous recevons de l'environnement est enregistré par nos appareils récepteurs, mais non saisi, non interprété par notre organisme dans son intégralité. Le réel, vu, entendu ou senti, est bien trop riche pour que nous puissions le recevoir, l'analyser, l'interpréter tout entier. Un choix (un tri si l'on veut) se fait parmi les éléments reçus et cela en fonction d'abord d'une sélection naturelle (les longueurs d'ondes non retenues), et ensuite d'un apprentissage social. Ainsi, parmi les vibrations sonores qui atteignent notre tympan, il y en a évidemment beaucoup qui n'ont rien à voir avec la communication. Dans les ondes mêmes de la parole existe un bon nombre d'éléments qui sont sans pertinence. C'est pourquoi la physiologie de l'audition en elle-même ne nous renseigne que très partiellement sur les problèmes de la réception de la parole : beaucoup de phénomènes, répétons-le, qui, du point de vue physiologique, sont parfaitement « audibles », ne sont pas remarqués par l'auditeur parce que en dehors du modèle que celui-ci a appris à appliquer aux stimuli sonores reconnus comme langage articulé. Ce n'est que dans les cas de troubles du langage issus de troubles de l'audition qu'une telle étude trouve sa place.

Nous retiendrons donc simplement quelques faits marquants, significatifs du caractère social du langage :

— La capacité réceptrice de l'organisme humain est très limitée : une faible partie seulement de l'information contenue dans la sensation complexe de la vue, de l'ouïe, du toucher, etc., peut être retenue. Nous n'enregistrons au maximum qu'une centaine d'impressions sensorielles à la seconde et notre cerveau n'arrive à utiliser que moins de 1 % de l'information transmise à notre oreille. D'où des particularités qui sont de l'expérience de chacun d'entre nous : la nécessité d'éliminer les bruits dominants si nous voulons suivre une conversation, la possibilité de choisir, dans le matériau linguistique lui-même (plusieurs conversations simultanées par exemple), ce que nous désirons suivre, la possibilité aussi de renforcer la perception de ce qu'on veut entendre en tournant la tête vers la source choisie ou en fixant le mouvement des lèvres du locuteur, sa mimique et ses gestes.

— De récentes recherches en physiologie de l'ouïe et en perception auditive ont montré comment toute perception auditive est très largement fonction des patrons (des « modèles » comme nous le disions plus haut) déjà acquis par expérience et par apprentissage sociaux. L'exemple le plus frappant en est la surdité de l'auditeur aux combinaisons étrangères ou, mieux encore, la façon dont elles sont interprétées. Le Finnois n'entendra pas les groupes initiaux de consonnes, le Mongol entendra une voyelle avant un « R » initial, et le Japonais une voyelle entre chaque consonne d'un groupe. Et l'on sait combien il est difficile pour certains étrangers de distinguer nos deux « e » ou la différence entre notre « u » et notre « ou » !

Faisons abstraction du fait que tout acte de parole se déroule dans un univers sonore plus ou moins important et ne considérons que les stimuli sonores qui sont reliés au processus de la communication, nous pouvons alors affirmer que la perception n'est en aucun cas une activité purement physiologique, ni même justifiable de la physiologie des nerfs. La perception linguistique est intimement liée à l'expérience acquise par l'auditeur. Le résultat de la perception du langage dépend de la possibilité chez l'individu de mettre en relation une impression sensorielle avec une classe ou catégorie déjà connue de lui, apprise par lui comme significative. Comprendre une langue, c'est donc l'identifier à un certain modèle connu[1].

Nous empruntons à Bertil Malmberg la présentation suivante du mécanisme linguistique de la perception qui se réalise selon trois facteurs :

— le mode physiologique de réaction de l'oreille, c'est-à-dire notre zone d'audition par rapport à la fréquence et l'intensité des sons;

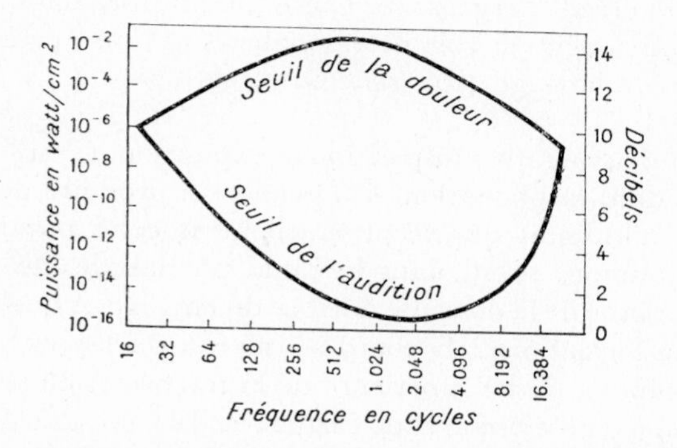


*Le champ auditif de l'homme avec,* en abscisse, *les différentes fréquences depuis la limite inférieure (16 p/s) jusqu'à la limite supérieure (aux environs de 16 000 p/s)* ; en ordonnée, *l'intensité.*

(*In* B. Malmberg, *La phonétique*, 1954, 12e éd., 1979, « Que sais-je ? », no 637)

— la structure du modèle appliquée au flux continu des ondes phoniques; on identifie ainsi les ondes phoniques reçues comme langue connue;

— l'interprétation de ce qui a été dit en tenant compte des contextes, car, même si le mécanisme d'identification a bien fonctionné, le contenu du message peut ne pas être compris par suite de lacunes dans la connaissance de caractéristiques de la langue, du contexte linguistique ou extra-linguistique de ce qui a été produit. C'est cette connaissance d'ailleurs qui nous permet de combler les « trous » occasionnés par une transmission défectueuse.

1. Bertil Malmberg, *Structural Linguistics*, chap. X, p. 160.

Il n'y a donc pas d'audition linguistique qui puisse être dite « exacte » ou « objective » au sens où celui qui écoute pourrait déterminer avec précision ce qui, physiquement, a été dit. Nous verrons ceci plus précisément avec la phonologie. La perception linguistique, fait social, objet d'apprentissage, ne fait qu'emprunter des mécanismes physiologiques pour des processus hautement conventionnels et élaborés en dehors de la nature même de ces mécanismes. Car enfin qu'est-ce qu' « entendre » des langues diverses, les comprendre ? Ce n'est pas essentiellement être mieux appareillé physiologiquement, mais avoir connaissance de plusieurs modèles de communication orale.

### *c - La production*

Comme la perception, la production du langage exige l'intégrité d'organes utilisés pour l'articulation. Mais ici encore la physiologie seule est insuffisante pour mettre en lumière des mécanismes hautement socialisés et requérant un long apprentissage.

*Les organes.* — L'appareil phonatoire de l'homme comporte trois parties : l'appareil respiratoire qui fournit l'air nécessaire à la production de la plupart des sons du langage; le larynx qui crée l'énergie sonore nécessaire utilisée dans la parole, les cavités supraglottiques qui jouent le rôle de résonateurs et où se produisent la plupart des sons dont se sert le langage (voir schéma p. 92, chap. 4 : « Eléments de phonétique »).

La respiration se fait en deux temps : inspiration et expiration. C'est l'air rejeté à l'expiration qui est utilisé dans la phonation. On peut aussi produire des sons en inspirant, mais les langues n'utilisent qu'exceptionnellement cette possibilité. La colonne d'air expirée des poumons subit, dans le canal phonatoire, de multiples transformations qui sont à l'origine de la diversité des sons du langage. A quels niveaux peuvent se produire ces transformations ? D'abord au niveau du larynx : sorte de boîte cartilagineuse qui termine la partie supérieure de la trachée et où se trouvent les cordes vocales. Grâce à un jeu de muscles et de cartilages, il est possible de rapprocher les cordes vocales ( le terme est impropre car ce sont des lèvres) qui sont au repos écartées formant un espace triangulaire appelée la glotte. Les diverses possibilités d'ouverture, de fermeture et de vibrations des cordes vocales déterminent des catégories articulatoires.

Les cavités supraglottiques ensuite qui ont pour fonction de servir de résonateurs au ton laryngien. Ce sont :

- Le pharynx.
- La bouche.
- Les fosses nasales.
- La cavité labiale.

La forme et le volume de la bouche peuvent changer de façons multiples grâce aux nombreux mouvements des différents muscles de la langue sur le palais.

Pour plus de détails, nous renvoyons au chapitre sur la phonétique. Ce qui est, pour le moment, important à retenir, ce sont les énormes possibilités articulatoires de cet ensemble dans lesquelles les langues n'en choisissent que quelques dizaines et qui sont, théoriquement, à la disposition de l'enfant pendant la période de babil et avant que le bain linguistique ait opéré une sélection parmi elles (ou ait introduit l'utilisation de nouveaux sons).

*Des organes spécialisés.* — Cet appareil phonatoire qui va de la glotte aux lèvres présente-t-il des organes spécialisés, prévus pour le langage ? Depuis longtemps, on a remarqué que tous existent en dehors de lui et que tous possèdent une fonction première fondamentale : respiration, nutrition, déglutition, cri, toux, fermeture de la glotte pour protéger l'appareil respiratoire, etc. C'est pourquoi on pense qu'il n'y a pas d'organes préformés du langage mais seulement des organes empruntés pour celui-ci. C'est ce qui explique certains inconvénients dont nous avons déjà parlé (bafouillements, essoufflement, bégaiement, fatigue) dus à la difficulté de concilier plusieurs fonctions qui ne se réalisent pas simultanément sans problèmes (« ne parle pas la bouche pleine », etc.). D'où un apprentissage particulier qui se surajoute à l'apprentissage « naturel » chez certaines catégories sociales pour lesquelles la parole est un métier (comédiens, avocats, orateurs...). D'où aussi une tendance de la langue à l'économie sous toutes ses formes, articulatoire en particulier. Tendance qui est à la base de nombreuses théories de son fonctionnement[1].

## 2. L'organisation cérébrale

Le langage oral, articulé est un phénomène spécifiquement humain et cette spécificité explique la relative méconnaissance des mécanismes centraux qui sont à sa base, car aucune étude neurophysiologique chez l'animal ne permet de déterminer quels sont, dans le cerveau, les centres responsables des fonctions langagières. Dans ce domaine, l'essentiel des informations nous est fourni par l'observation des cas pathologiques et par des méthodes récentes permettant la mise en évidence chez les sujets normaux de l'asymétrie fonctionnelle du cerveau par la présentation simultanée des stimuli aux deux hémisphères (méthode d'écoute dichotique, méthode de présentation tachistoscopique dans les deux hémichamps). Mais il s'agit là d'un domaine difficile à pénétrer du fait de l'extrême complexité anatomique et physiologique du cerveau. De plus, les acquis scientifiques sont ici en perpétuelle évolution et ce qui est considéré comme probable aujourd'hui sera, peut-être, rendu caduc demain par une recherche nouvelle.

### *a - Repères anatomiques*

Pour le lecteur non averti, quelques données de base seront nécessaires. Une information plus complète pourra toujours être recherchée dans les ouvrages spécialisés[2].

Le comportement verbal dépend de mécanismes plus ou moins profondément

1. Voir, entre autres, André Martinet, *Economie des changements phonétiques*, Berne, Ed. A. Francke SA, 1964.
2. W. Penfield et L. Roberts, *Langage et mécanismes cérébraux*, Paris, PUF, 1964.

automatisés et relevant de l'activité cérébrale. Ces mécanismes seuls conditionnent l'élaboration et la production du discours au moment de l'émission, aussi bien que son interprétation au moment de la réception. Le comportement verbal de l'individu se ramène donc essentiellement à un comportement dynamique intégré au plus profond de l'activité nerveuse supérieure.

Le cerveau proprement dit est constitué de deux hémisphères réunis par le corps calleux et prolongés dans leur partie inférieure et médiane par le diencéphale auquel est appendue l'hypophyse. Sur le diencéphale est branché le tronc cérébral qui réunit le cerveau à la moelle épinière. La partie du cerveau la plus récemment développée au point de vue phylogénétique est constituée par les hémisphères cérébraux et c'est eux qui nous intéressent pour le langage.

Chaque hémisphère occupe une moitié latérale de la cavité crânienne. Une grande scissure interhémisphérique sépare l'hémisphère gauche et l'hémisphère droit. Chaque hémisphère est divisé en quatre lobes par de profondes entailles (ou scissures) et des sillons moins profonds dessinent les circonvolutions dans l'écorce de chacun des lobes.

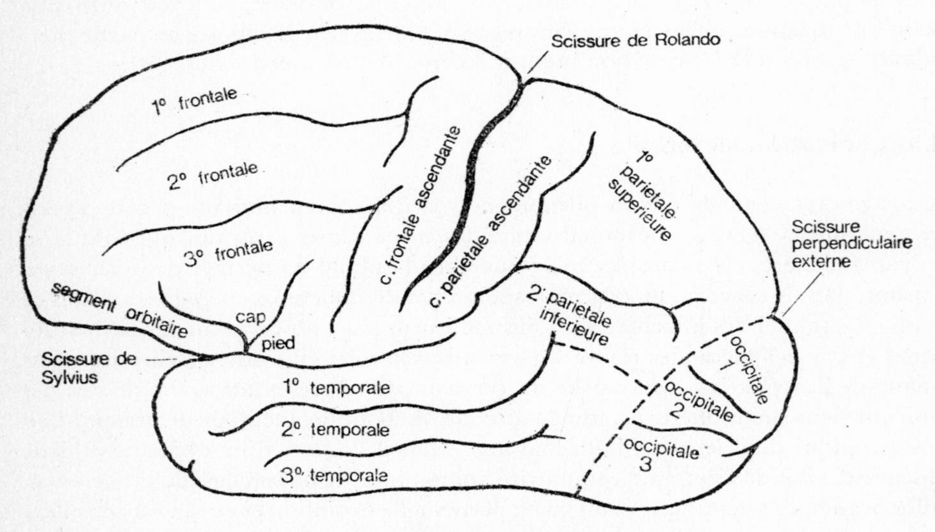


*Schéma de la face externe de l'hémisphère cérébral gauche*

Chaque hémisphère cérébral est enveloppé par une couche de substance grise constituée par les corps cellulaires des neurones et qu'on appelle l'écorce cérébrale ou le cortex. L'intérieur de l'hémisphère est constitué par des fibres nerveuses issues des cellules de l'écorce et qui constituent la substance blanche. Cette substance blanche sous-jacente est celle des voies d'association.

Le langage n'utilise ni pour la réception ni pour l'émission d'appareil sensoriel ou moteur particulier. La connaissance de la situation des centres sensoriels et moteurs primaires dans l'écorce cérébrale est donc un élément important pour comprendre

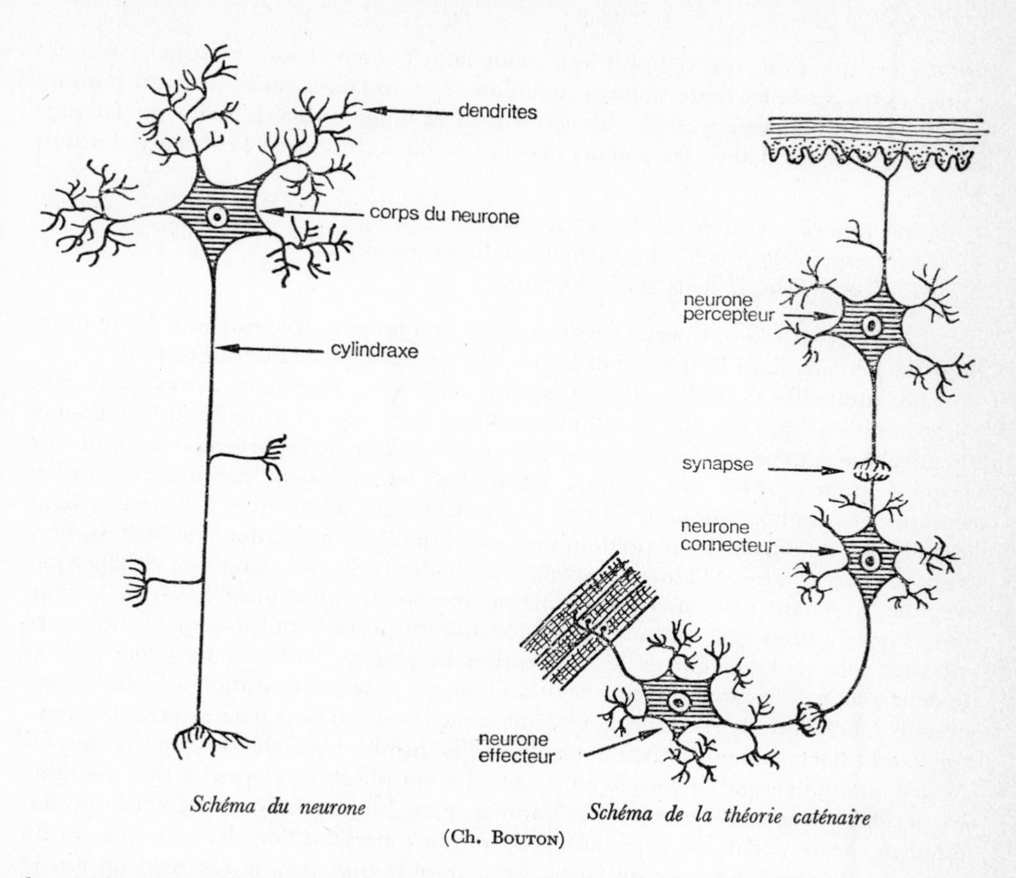


*Schéma du neurone* *Schéma de la théorie caténaire*

(Ch. Bouton)

le problème de la localisation des moyens nécessaires à l'utilisation du langage dans le cerveau.

- Centre moteur : lobe frontal.
- Centre sensitif : lobe pariétal.
- Centre auditif : lobe temporal.
- Centre visuel : lobe occipital.

Ces centres moteurs et sensitifs primaires sont, pour l'essentiel, croisés, c'est-à-dire qu'ils reçoivent les messages sensitifs de l'hémicorps opposé et commandent aux muscles de cet hémicorps. Les centres auditifs, par contre, reçoivent chacun des messages provenant des deux oreilles.

### b - La localisation du langage

C'est vers la fin du XIXe siècle que les aphasies — troubles du langage se produisant en l'absence de lésions des nerfs et des organes responsables de l'articulation verbale et liés à des lésions cérébrales en foyer — ont été découvertes et que leur étude a été le point de départ des recherches sur les troubles du langage. Nous ne nous étendrons pas sur ces questions traitées plus loin, nous nous contenterons de rappeler que les études faites après les deux guerres mondiales sur de larges séries dues au nombre considérable de blessures cérébrales confirment la topographie de l'aire du langage telle que l'avaient définie les auteurs classiques. Elles constatent l'existence des faits suivants :

— lésion antérieure, déficits de l'expression;
— lésion temporale postérieure, déficits de la réception;
— lésion occipitale, déficits de la lecture.

Les observations ont permis également de souligner le rôle que joue la quantité de tissus détruits dans l'intensité et la persistance des déficits de tous ordres[1].

Les méthodes nouvelles d'investigation cérébrale, dont nous avons parlé plus haut, montrent que ce sont les stimuli verbaux parvenant à l'oreille droite, donc à l'hémisphère gauche, qui sont le mieux perçus. Cette asymétrie perceptive a été ensuite retrouvée pour tous les sons verbaux, significatifs ou non, aussi bien au niveau phonémique et subphonémique qu'au niveau syntaxique, tandis que, à l'inverse, pour les mélodies et les bruits, une prédominance de l'oreille gauche (donc de l'hémisphère droit) a été constatée. D'autres nouvelles méthodes (celle des potentiels évoqués par exemple) viennent confirmer les données anatomo-cliniques aussi bien sur le plan de la latéralisation que sur celui de la localisation intra-hémisphérique, antérieure et postérieure, de l'émission et de la réception du langage. Nous sommes donc assurés de deux points : l'existence d'une zone du langage et sa latéralisation à l'hémisphère gauche. Chez l'adulte, l'hémisphère droit possède certaines capacités verbales, mais qui restent normalement sous le contrôle de l'hémisphère gauche. Lorsque ce dernier est détruit totalement (hémisphérectomie), l'hémisphère droit peut être à l'origine des performances verbales mais très limitées. Pour les gauchers, on admet la prédominance inverse, mais on a pu observer que la représentation des mécanismes du langage n'est pas latéralisée de façon aussi absolue que chez le droitier; on assiste plutôt à une ambilatéralité cérébrale de la représentation du langage, surtout chez ceux qui ont des parents directs eux-mêmes gauchers. Le problème qui se pose à l'heure actuelle consiste à savoir si cette asymétrie est seulement propre à l'adulte (un caractère acquis par conséquent) ou si elle revêt un caractère inné décelable chez tout cerveau humain. Pour l'instant, la balance penche vers la première de ces solutions. Les caractères de l'aphasie acquise chez l'enfant et l'absence de séquelles aphasiques lors des lésions survenant avant l'âge de 2 ans semblent témoigner d'une latéralisation et d'une focalisation tardives des mécanismes nerveux sous-tendant le langage. S'il apparaît que l'asymétrie anatomique des deux hémisphères existe déjà dès la naissance et même aux stades embryonnaires, il faudrait alors admettre que l'hémisphère gauche, d'emblée potentiellement dominant en raison d'une particularité structurale, n'assure de manière indiscutable sa prédominance sur l'autre hémisphère dans les fonctions du langage que lorsque la maturation nerveuse est terminée. Mais ce débat dépasse, et de loin, notre compétence[2]. Nous essayerons de résumer les

1. Henri Hécaen, *Introduction à la neuropsychologie*, Larousse, 1972.
2. D. Dimura, The asymmetry of the human brain, *Scientific American*, 228, 1973.

aspects connus et révélateurs de la nature du langage sans empiéter sur les domaines qui sont toujours sources de problèmes. Nous empruntons le contenu comme les termes de l'analyse à Henri Hécaen[1].

Les interrelations nouvellement décelées ne plaident pas contre la théorie de la localisation fonctionnelle, elles indiquent seulement que les zones ne fonctionnent pas isolément, mais comportent des potentialités diverses quoique plus spécialement consacrées à telle ou telle activité. Leur destruction en général ne modifie guère les autres fonctions dont les substrats privilégiés sont pourtant en rapport plus ou moins étroits avec elles. Si une aire fonctionnelle donnée est privée des apports d'une autre zone, dont elle reçoit normalement des informations nécessaires à l'exécution des performances qu'elle contrôle, elle assurera désormais la fonction soit à un niveau inférieur, soit en utilisant plus encore les informations venues d'autres aires non lésées et avec lesquelles elle a toujours été en relation. Il est habituel cependant de constater que toute lésion cérébrale entraîne une baisse plus ou moins marquée des performances aux épreuves par rapport au niveau des sujets de contrôle.

En pathologie corticale humaine, on tend actuellement à rejeter la notion de mosaïque cérébrale de centres limités assurant des fonctions précises et à considérer des régions relativement larges douées de potentialités diverses, dont les différentes parties concourent à la même fonction.

Ceci confirme qu'il ne faut pas s'appuyer trop sur les résultats obtenus chez les animaux, même chez les primates, pour conclure pour l'homme, puisque l'organisation cérébrale de l'homme est avant tout marquée par l'asymétrie fonctionnelle (et peut-être, comme on l'a vu, morphologique) des hémisphères. Le principe de bilatéralité fonctionnelle chez l'animal peut aller de pair avec une extrême focalisation sur chaque hémisphère tandis que, chez l'homme, la focalisation serait moins précise, de chaque hémisphère dépendant en revanche une activité fonctionnelle spécifique.

*Que signifie la dominance cérébrale ?* — La dissymétrie fonctionnelle hémisphérique caractérise le cerveau humain et provient de la prévalence de l'hémisphère gauche pour les fonctions langagières et gnosiques. Cette dissymétrie des mécanismes nerveux hémisphériques n'est pas spécifique de toutes les activités cognitives mais seulement de celles qui pourraient être dites « instrumentales » puisqu'elles servent d'outils aux êtres humains pour communiquer entre eux et pour connaître le monde extérieur et agir sur lui. Ainsi les représentations seraient organisées au niveau de l'hémisphère droit de façon plus diffuse qu'au niveau de l'hémisphère gauche, où elles seraient plus localisées, plus spécifiques à une modalité et plus aptes à réaliser les coordinations sensorio-motrices les plus fines nécessaires aux comportements les plus élevés tels que le langage. En effet, les fonctions élémentaires motrices et sensorielles sont, quant à elles, représentées de façon apparemment symétrique sur chaque hémisphère pour la moitié du corps opposé. Résumons cet aspect en deux points :

- Les différences interhémisphériques semblent minimes sur le plan anatomique mais très importantes sur le plan fonctionnel.

1. Sur la question des troubles du langage et essentiellement des aphasies, voir Henri Hécaen et René Angelergues, *Pathologie du langage*, Larousse, 1965.

• La dominance cérébrale représente un caractère spécifiquement humain, aucune expérience n'ayant jamais révélé chez des animaux de différences dans le fonctionnement des aires corticales symétriques, ni même d'altérations des performances lorsque l'une de ces aires demeure intègre.

*Un complément : la restructuration fonctionnelle.* — Les questions de localisation et de dominance cérébrales doivent être complétées par celle de la restauration fonctionnelle survenant après lésion cérébrale, car celle-ci peut être si importante qu'elle a pu justifier un certain scepticisme vis-à-vis des deux notions précédentes. Il semble, en effet, qu'un des principes du fonctionnement cérébral soit celui de la redondance, particulièrement dans les zones sous-tendant les fonctions supérieures, donc le langage. Cette redondance ferait ainsi paraître une double caractéristique cérébrale : la possibilité de la récupération des fonctions lors des lésions du cerveau, le contrôle multiple d'une fonction par différents centres. On sait aussi depuis longtemps que l'âge auquel survient l'atteinte cérébrale est un facteur capital dans la restauration des fonctions cérébrales par lésions focales. Dans l'aphasie des enfants, on ne retrouve pas les aspects cliniques particuliers décrits chez l'adulte. Essentiellement, on découvre un caractère hautement transitoire et une grande régression des symptômes, autant de résultats qui témoignent d'une plus grande plasticité du cerveau dans les premiers âges. Quoi qu'il en soit, le maintien chez l'adulte d'une plasticité fonctionnelle permettant l'adaptation d'une structure donnée à une fonction différente (bien qu'en général voisine) de celle pour laquelle elle a été génétiquement programmée, donc sélectionnée au cours de l'évolution, existe toujours. On assiste alors à un « transfert » de fonction qui explique les résultats spectaculaires des rééducations obtenus après des lésions graves du système nerveux. Elles montrent combien la plasticité du cerveau adulte est réelle, bien que limitée et inférieure à celle du sujet jeune.

Nous conclurons en soulignant que cette capacité d'intégration, cette plasticité fonctionnelle confèrent à l'espèce humaine des caractéristiques exceptionnelles. Elles lui permettent de tirer profit, en s'y adaptant très rapidement, de l'environnement physique, social et culturel, environnement qui, de son côté, évolue et progresse avec une vitesse beaucoup plus grande que ses structures génétiques. Ce point est important et nous y reviendrons plus loin[1].

### c - *L'inné, l'acquis et le langage*

*L'inné et l'acquis dans la structure du cerveau.* — Il s'agit là d'un problème complexe qui, pour des raisons évidentes, soulève des discussions philosophiques et idéologiques passionnées[2]. Ici encore, les expériences n'ont pu être réalisées que sur des animaux et on est alors toujours tenté d'extrapoler un peu hâtivement à l'homme les résultats obtenus chez l'animal. Cette démarche est très souvent légitime mais, dans certains cas, elle risque de mener à des simplifications abusives, que nous essayerons d'éviter.

Le cerveau humain peut être considéré comme un ordinateur capable d'auto-

1. Voir à ce sujet Lucien Sève, Les dons n'existent pas, *L'Ecole et la Nation*, 1966.
2. Débat entre J. Piaget et N. Chomsky, *Théories du langage et théories de l'apprentissage*, Seuil, 1979.

modification et dont les relais sont constitués par les cellules nerveuses (neurones) et leurs connexions (synapses). L'organisation des principaux relais de l'ordinateur est sous contrôle génétique. Toutefois :

- Des interactions spécifiques avec l'environnement sont nécessaires pour que la mise en place de ces relais s'accomplisse.
- Dans une large mesure, la structuration du cerveau se poursuit au-delà de ce que le programme génétique propose. Au cours de la phase de maturation postnatale, les ramifications les plus fines du réseau cortical présentent une remarquable plasticité qui se perd en grande partie, comme nous l'avons vu, chez l'adulte. En l'absence de stimuli venus de l'environnement, les connexions nerveuses dégénèrent et cette dégénérescence est irréversible. Le fonctionnement des récepteurs sensoriels et des neurones qui y sont associés est donc indispensable au maintien et à la permanence de structures programmées dès l'œuf[1]. La structuration du cerveau se poursuit donc après la naissance. Cette maturation postnatale entraîne un accroissement de poids de 2,9 fois et elle se prolonge très tardivement. Au cours de cette période, d'importants changements de structure ont lieu, en particulier le remarquable accroissement du nombre des connexions entre neurones corticaux.

Bien sûr, on comprend aisément que c'est dans cette phase de maturation postnatale que l'organisation du cortex présente une extrême sensibilité aux conditions de l'environnement physique, social, culturel. Dans le cas des comportements primaires (perceptivo-sensitivo-moteurs de tous ordres), l'interaction avec le monde extérieur est très élémentaire bien que déjà sociale. Dans le cas de l'acquisition de comportements supérieurs (dont le langage), elle est beaucoup plus évoluée et spécialisée, conditionnée par l'environnement social et culturel. Ainsi, il semble que le fonctionnement cérébral humain puisse faire plus que de mettre en place au contact de l'environnement — et d'autant mieux qu'il est enrichi — des structures nerveuses innées. Il semble pouvoir développer certaines structures au-delà de ce que propose le programme génétique de l'espèce[2]. Ce qui paraît caractéristique des vertébrés supérieurs en général et de l'homme en particulier, c'est la propriété d'échapper au déterminisme génétique absolu menant aux comportements stéréotypés du type de ceux décrits par Konrad Lorenz (*L'agression*, Flammarion, 1969). C'est la propriété de posséder à la naissance des structures cérébrales non déterminées qui, par la suite, sont spécifiées par une rencontre le plus souvent imposée, parfois fortuite, avec l'environnement physique, social ou culturel. Avec l'intéressant travail de Lucien Malson sur les enfants sauvages[3] et les travaux de psychologie sociale qui ont précédé et suivi, on sait que le petit d'homme naît immature et que cette immatu-

1. Par exemple : les animaux « voient » à la naissance et ceci constitue une aptitude innée qui s'est établie de manière autonome au cours de l'embryogenèse. La privation de lumière entraîne une perte de cette fonction innée tant au niveau du cortex qu'à celui des corps genouillés ou même de la rétine.
2. Faisons une remarque : on sait que, dans son milieu particulier, l'embryon déjà est actif, il a une activité musculaire et nerveuse. Très tôt, il se déplace, il entend. Il ne vit pas isolé dans le sein de sa mère, mais établit des contacts sensoriels avec son environnement. On sait aujourd'hui que ces contacts sont indispensables à la morphogenèse normale de ses centres nerveux. L'interaction avec l'environnement commence donc très tôt et certaines étapes critiques du développement du système nerveux semblent même nécessiter une telle interaction.
3. Lucien Malson, *Les enfants sauvages*, 1964, n° 157, « 10/18 ».

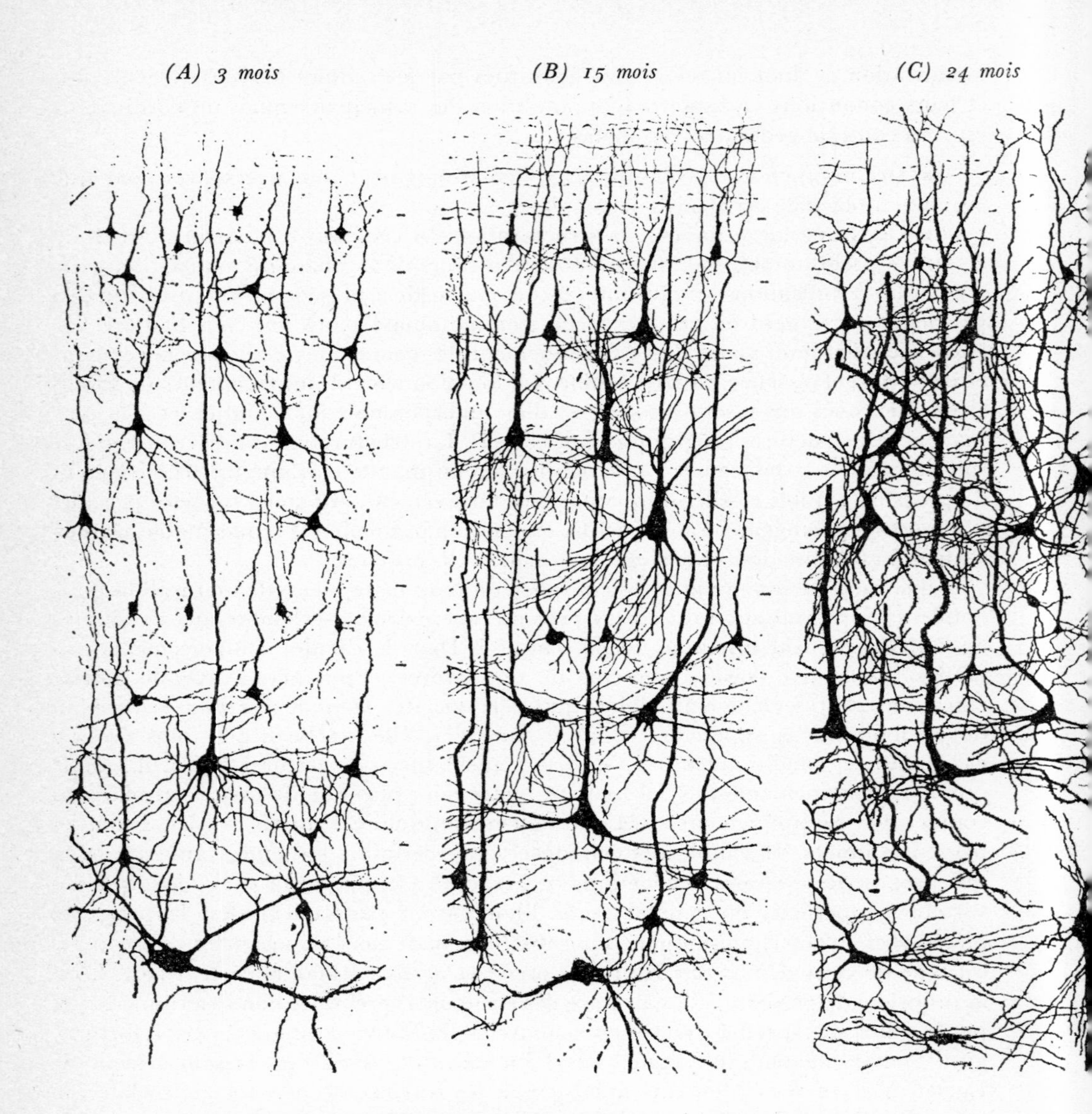


Maturation du cortex cérébral chez l'enfant. *Noter l'accroissement du nombre des arborisations des neurones pyramidaux et des prolongements microscopiques (ou « épines dendritiques ») présents sur ces arborisations* (Gyrus temporalis). *Pendant cette période de maturation s'effectuent l'apprentissage de la marche, l'acquisition du langage, etc. Elle correspond à une période de plasticité exceptionnelle des structures cérébrales.*

(D'après Ramon y Cajal, 1908)

ration est la condition même de sa socialisation. Plus on monte dans l'échelle animale (du moins évolué au plus évolué), plus l'individu se caractérise par une plus grande acquisition sociale et une plus faible hérédité biologique[1].

*L'inné, l'acquis et le langage.* — Tous les éléments réunis plus haut nous rendent très sceptiques devant une explication innéiste du langage. Nous avons vu successivement l'apparition du langage comme besoin social de communication, le circuit audio-oral comme moins rigidement codé, la perception du langage différente d'un processus physiologique, l'articulation du langage empruntant des organes prévus pour d'autres fonctions, les centres nerveux de la parole présentant une dissymétrie inconnue aux fonctions nerveuses dans leur ensemble, une spécificité de l'organisation cérébrale de l'homme en ce qui concerne les comportements supérieurs.

Nous sommes donc portés à croire qu'il s'agit avec le langage d'un comportement acquis, mais cela n'écarte en rien l'hypothèse qu'existent des structures spécifiques qui ont besoin de contacts avec le monde extérieur (en l'occurrence le bain linguistique) pour se réaliser. Cependant, nous n'avons trouvé, à part des spéculations d'ordre philosophique, aucune démonstration scientifiquement convaincante du caractère inné du langage humain et nous restons réservés à cet égard[2]. Du côté des linguistes, les opinions sont variables. Il y a, d'une part, ceux qui ne se posent pas ce problème et l'on comprend pourquoi : le langage ne se manifeste pas par la seule capacité à communiquer, mais toujours sous forme d'une langue reçue, ce qui a pour conséquence qu'il est possible de décrire les langues sans commencer par déterminer ce qui en elles relève d'une capacité innée et ce qui est purement acquis. Il y a ceux pour qui le caractère acquis ne fait aucun doute et ceci essentiellement en réaction contre une psychologie de l'éternel humain. Il y a, d'autre part, ceux qui tranchent en faveur de l'innéisme en réaction aux précédents et au nom d'une psychologie mentaliste que l'évolution de cette science semblait avoir condamnée, et, pensons-nous, surtout parce qu'une analyse aprioriste et peu dialectique de la langue ne les a pas préparés à comprendre les mécanismes étonnants du langage enfantin. Par exemple, pour les linguistes générativistes d'inspiration chomskienne, un des aspects essentiels de la théorie de l'apprentissage revient à déterminer, dans la compétence linguistique des sujets parlants, la part de ce qui est acquis et la part de ce qui est inné, ceci au nom du mystère de la « créativité » du langage, c'est-à-dire du fait que pour l'enfant existe la possibilité de produire un nombre infini de phrases jamais entendues par lui dans le maniement linguistique d'autrui. Nous nous rangeons de ce point de vue à l'opinion de Frédéric François qui montre comment l'enfant passe de l'emploi de figements à leur défigement, puis aux larges possibilités combinatoires, généralisant ses acquisitions au-delà de ce que permet la langue par ses restrictions; et il ajoute : « Toute langue pour pouvoir fonctionner doit comporter des unités réutilisables distinctes. Cette réutilisation est la condition principale de la « créativité » linguistique, comme

1. A. Jacquard, *Eloge de la différence : la génétique et les hommes*, Seuil, 1978.
2. Noam Chomsky et G. A. Miller, *Introduction to the Formal Analysis of Natural Languages*, *in* Luce, Brush et Galander, Eds, vol. 2, pp. 269-321.

de la possibilité d'écrire des grammaires. « Créativité » ne signifie rien de plus qu'articulation »[1].

Comme nous le disions plus haut, la théorie innéiste du langage créateur révèle une approche idéaliste du fonctionnement de la langue et a pour conséquence une représentation, à notre avis, erronée de la langue de l'enfant. Erronée dans la démarche non objective essentiellement et que nous pouvons résumer ainsi : le langage étant inné, les théories qui décrivent le modèle adulte doivent valoir pour l'enfant puisqu'il possède une faculté de parler qui doit le conduire au langage adulte. Les concepts de la description linguistique seront donc appliqués au maniement enfantin, ce qui aboutit à une utilisation métaphorique des termes et à supposer justement ce qui est à démontrer. Mais nous verrons plus précisément ce problème dans le chapitre sur l'acquisition. Quant à nous, nous préférons nous en tenir au caractère social du langage, à la nécessité de son apprentissage et à la prise en compte de toutes les variables sociolinguistiques qui ne peuvent trouver leur raison d'être que dans une démarche qui n'inclut pas l'option innéiste.

## C - SPÉCIFICITÉ SOCIALE DU LANGAGE HUMAIN

Lorsque les linguistes parlent du langage comme « fait social », ils empruntent à la terminologie sociologique : « Une langue est un système rigoureusement lié de moyens d'expression communs à un ensemble de sujets parlants : il n'a pas d'existence hors des individus qui parlent (ou qui écrivent) la langue; néanmoins, il a une existence indépendante de chacun d'eux; car il s'impose à eux; sa réalité est celle d'une institution sociale, immanente aux individus, mais, en même temps, indépendante de chacun d'eux, ce qui répond exactement à la définition donnée par Durkheim, du fait social »[2].

Dire que le langage humain est un « fait social » permet d'écarter la plupart des grandes erreurs sur cette réalité, mais introduit aussi de nouveaux problèmes. Leur résolution est loin d'être réalisée, mais ces problèmes ont l'avantage de mettre la recherche sur la bonne voie.

Il ne s'agit pas ici de simples questions de terminologie, mais de toute une réflexion qui met en lumière la grande complexité du rôle du langage, partie prenante dans l'infrastructure sociale sans doute, mais tout aussi constitutif de la superstructure par certains de ses aspects liés aux institutions proprement dites ou à des éléments du maniement idéologique[3].

En ce qui nous concerne, la notion durkheimienne de « fait social » nous apparaît comme insuffisante à maîtriser cette complexité et exige aujourd'hui son dépassement. Son emprunt par la linguistique est porteur d'un danger d'isolement de la spécificité

1. Frédéric FRANÇOIS, *op. cit.*, p. 123.
2. Antoine MEILLET, *Linguistique historique*, Klincksieck, 1952, III, pp. 72-73.
3. Sur ces questions on peut consulter *Cahiers de Linguistique sociale*, n° 1 : « La norme Greco », Université de Rouen.

du langage vis-à-vis de l'ensemble des réalités sociales. C'est sans doute à cette vision catégorielle, classificatoire, du réel social que nous devons la formulation du statut du langage dans les termes d'un choix exclusif, dans les termes d'un dilemme sans doute vain car mécanique entre appartenance à l' « infrastructure » *ou* à la « superstructure », là où le statut du langage est à notre sens d'être de et dans ces deux termes, d'en être dans une large mesure le ciment et l'articulation.

## 1. Langage humain et réalités sociales

### *a - Langage et institutions*

Le langage constitue un produit historique complexe de l'activité humaine. Les linguistes, pour lesquels il n'est ni une essence métaphysique ni une faculté humaine, sont tentés de le situer parmi les institutions sociales. Pour André Martinet[1] par exemple, comme les institutions humaines, le langage résulte de la vie en société; comme elles, il est universel sans être identique d'une communauté à l'autre. La famille, par exemple, caractérise tous les groupes humains, mais elle apparaît sous des formes différentes et ne saurait fonctionner qu'entre sujets d'un groupe donné. Produits de la vie en société, les institutions sont susceptibles de changer sous la pression des besoins divers et sous l'influence d'autres communautés. Autant d'éléments que l'on retrouve effectivement à l'examen des caractéristiques du langage.

Cette conception fondée sur la liaison institution/groupe social constitue un incontestable progrès par rapport à celle fondée sur la liaison faculté/individu, mais elle présente des points faibles. Celui d'abord de ne pas dire clairement ce qu'elle entend par institution. Si ce terme correspond aux dispositions politiques, administratives et juridiques, appuyées par l'autorité et les sanctions, n'affectant ainsi qu'une partie de l'activité des membres du groupe, alors, le langage, dans son ensemble, n'est pas une institution. Si on nomme institution toute organisation sociale indispensable au fonctionnement des groupes sociaux eux-mêmes, on peut alors rapprocher le langage de ces types d'organisation en en soulignant le caractère « naturel », non concerté, l'absence de conscience qui accompagne leur évolution — ou plus précisément le fait que la conscience n'est pas le moteur premier et nécessaire de cette évolution — et en insistant toutefois sur la nécessité de sa présence pour le fonctionnement des autres institutions quelles qu'elles soient. Il est donc important de remarquer que le langage n'est pas une institution qui vient s'ajouter aux autres, mais qu'il constitue lui-même, dans l'essence de son fonctionnement, une bonne part de ces institutions. Si, à la limite, on peut dire que le langage humain se rapproche du phénomène « institution » en ce sens qu'il est transmis, le réduire à la notion d'institution risque de sous-évaluer le rôle que celui-ci joue non seulement dans le fonctionnement mais aussi dans la constitution de toute institution (voir par exemple le rôle du langage dans les rapports de parenté).

Un deuxième point faible : par réaction aux conceptions innéistes, on crée une

1. André Martinet, *Eléments de linguistique générale*, Armand Colin, 1970, pp. 8 et 9.

rupture entre le biologique et le social, le langage-institution constituant un préalable non biologique à la vie sociale. On dichotomise les facteurs au lieu d'en rechercher les rapports dialectiques. Si le langage n'est pas déterminé biologiquement, c'est qu'il est une institution sociale et tout lien avec le biologique disparaît. La discussion biologique ou sociale tient de l'exclusive. Or, ici comme ailleurs, cette démarche conduit à une réduction de la réalité, à sa schématisation et, au bout du compte, à des conceptions erronées. Dans le processus historique d'hominisation, de constitution même de l'espèce, le langage joue un rôle de la plus haute importance. C'est dans une définition de l'espèce humaine que l'on voit se dessiner les rapports étroits du biologique et du social. Le langage n'est pas une faculté de l'individu mais une faculté historique de l'espèce, et son rôle va bien au-delà de la somme des usages particuliers que l'on peut lui trouver en synchronie. En fin de compte, le social est la dimension « naturelle » de l'espèce humaine.

Enfin, dernier point faible. L'assimilation du langage à l'institution sociale trouve ses racines dans une conception restrictive de la notion de fonction de communication. La plupart des linguistes s'accordent à dire que la fonction centrale, fondamentale du langage est la communication. Ceux qui s'opposent à cette idée commettent toujours l'erreur de définir les fonctions du langage en synchronie et non dans le rapport de la synchronie à la diachronie. L'idée du langage comme processus de connaissance est tout à fait fondamentale à condition que l'on considère les problèmes de la connaissance comme internes au problème de la communication. Nous considérons donc que la fonction centrale du langage est la communication à condition qu'on ne la réduise pas à l'acte de communication. C'est en conséquence de cette réduction que l'on est conduit à désigner de façon métaphorique le langage comme un instrument ou un outil et, de façon métaphorique aussi, comme une institution. On crée encore une nouvelle rupture, entre fonction et instrument cette fois, en négligeant le fait primordial que la notion de fonction dépasse, et de loin, la conception finaliste de l'instrument. Ici encore, le danger consiste à confondre manifestations particulières du langage et son statut au sens large.

### *b - Langage et idéologie*

La discussion pour savoir si la langue est une superstructure et un phénomène de classe reste largement ouverte et rejoint celle sur le rapprochement des langues avec les institutions. La réponse ne peut se trouver que dans une définition qui, comme nous l'avons déjà expliqué plus haut, ne tronque pas le langage humain de certains de ses aspects. Dans ce sens, la langue n'est pas qu'une infrastructure ou qu'une superstructure, elle participe sans doute de tous les niveaux. On ne peut ignorer son rôle en tant qu'institution, on ne peut non plus ignorer son rôle dans la structuration de l'idéologie. En effet, c'est dans le langage que se saisit le plus clairement la réalité idéologique, que se concrétise toute création idéologique. C'est pourquoi Volochinov-Bakhtine[1] attribue à la langue le rôle exceptionnel d'outil de la conscience, les phénomènes idéologiques et la conscience individuelle qui en découle devant être rat-

1. Mikhail Bakhtine, *Le marxisme et la philosophie du langage*, Ed. de Minuit, 1977.

tachés très directement aux conditions et aux formes de la communication sociale, donc au langage. Ceci se comprend dans la mesure où on attribue au terme idéologie une extension couvrant l'ensemble du social. En ce qui concerne le langage, une telle extension peut laisser à penser que toute dénomination est idéologique, ce qui n'entraîne plus notre adhésion. Pour notre part, toute dénomination réalise une appropriation sociale du réel, qui n'est pas toute idéologique. Le point de départ constitue une saisie concrète, matérielle du réel, l'aspect idéologique n'apparaissant qu'au niveau de la traduction dialectique de la réalité, dans une vision qui se donne pour but d'inclure les moyens de faire pression sur celle-ci.

Les différents niveaux de l'organisation sociale dans lesquels intervient la langue s'imbriquent très étroitement les uns dans les autres. On ne peut, en premier lieu, couper la fonction de communication de la langue de ses bases matérielles, à savoir l'infrastructure sociale. On ne peut, en second lieu, couper le signe des formes concrètes de cette communication sociale et le considérer comme élément d'un système sémiotique en soi. On ne peut, enfin, couper le niveau idéologique de la réalité matérielle du signe, en le plaçant en dehors de la communication, et avant elle, dans une sphère de la conscience dont les racines dans les deux niveaux « inférieurs » — signe et infrastructure — seraient inexistantes.

La question du langage — institution ou langage —, superstructure, n'a en fait pas beaucoup de sens car tout ce qui touche au maniement linguistique dépasse en complexité cette simple alternative. On lit, par exemple, chez J.-B. Marcellesi et B. Gardin, les réflexions suivantes :

« 1) Il n'est pas vrai que la langue ne soit pas déterminée partiellement par la superstructure... mais il n'est pas vrai non plus que la langue ne soit qu'une superstructure; 2) Il n'est pas vrai que la langue ne soit qu'un phénomène de classe; il n'est pas vrai en sens inverse que la langue ne serve jamais des intérêts de classe; 3) Sur ce point, du reste, le problème ne se pose pas seulement au niveau des classes antagonistes ni même au niveau des classes définies au sens large, mais au niveau de tous les groupes sociaux en ce qu'ils sont impliqués dans un processus historique; 4) Il n'est pas vrai qu'il y ait des bonds linguistiques dans la totalité des faits, mais il y a des bonds partiels, sur un secteur donné (par exemple le vocabulaire à l'époque de la Révolution ou la disparition des cas en français vers le XIII^e^ siècle) »[1].

Ajoutons pour notre part que cette réserve vaut au demeurant pour tout bond dialectique, tant dans le champ du réel embrassé par celui-ci que dans sa portée même.

Cette complexité, cette intervention du langage de tous les moments et à tous les niveaux de l'organisation sociale a pour origine l' « omniprésence sociale » du signe linguistique, selon les termes de Volochinov-Bakhtine qui poursuit ainsi sa pensée : « ... Les mots sont tissés d'une multitude de fils idéologiques et servent de trame à toutes les relations sociales dans tous les domaines. Il est donc clair que le mot sera toujours l'indicateur le plus sensible de toutes les transformations sociales, même là où elles ne font encore que poindre, où elles n'ont pas encore pris forme, là où elles n'ont pas encore ouvert la voie à des systèmes idéologiques structurés et bien formés.

1. Jean-Baptiste MARCELLESI et Bernard GARDIN, *Introduction à la sociolinguistique*, Larousse Université, 1974, p. 248.

Le mot constitue le milieu dans lequel se produisent de lentes accumulations quantitatives de changements qui n'ont pas encore eu le temps d'acquérir une nouvelle qualité idéologique, qui n'ont pas encore eu le temps d'engendrer une forme idéologique nouvelle et achevée. Le mot est capable d'enregistrer les phases transitoires les plus infimes, les plus éphémères, des changements sociaux »[1].

En fait, en étudiant les mécanismes du langage dans toute leur étendue, sans mutiler aucune de leurs fonctions, on observe un processus complexe de fonctionnement et d'évolution dialectiques. Mais il y a encore beaucoup à faire pour que ce processus, dans tous ses réseaux, soit mis en lumière par les chercheurs.

## 2. Langage humain et appropriation du réel

### a - *Langage et pensée*

Les rapports entre langage et pensée sont largement formulés de la façon suivante : est-il possible de distinguer :

— deux processus : un processus de la pensée en tant que telle et un processus de verbalisation — de mise en mots — secondaire à la pensée;
— ou un processus unique de pensée réalisé dans une langue donnée ?

Pour résoudre cette alternative, les chercheurs font appel à deux domaines d'études :

— la psychologie génétique et l'étude du psychisme de l'enfant à l'époque où il apprend à parler; les rapports qui s'établissent entre l'acquisition du langage et la formation des modes de comportement qui constituent les symptômes de la pensée spécifiquement humaine; l'étude du comportement et du psychisme d'enfants n'ayant pas appris le langage humain (enfants sauvages) ou l'ayant appris avec retard (enfants sourds);
— la part de la neurologie et de la neuropsychologie qui s'occupe des troubles de la parole, en particulier de l'aphasie.

Nous ne retiendrons que quelques idées plus directement en rapport avec notre question du langage et de la pensée, des chapitres traitant plus spécifiquement les problèmes du langage chez l'enfant et de la pathologie du langage.

Pour Jean Piaget[2] par exemple, il y a en permanence l'option tacite de l'unité de la pensée et de la parole de l'enfant, puisque la pensée de l'enfant est toujours analysée à travers son parler. Puis vient ensuite l'idée de l'antériorité de l'action sur le langage. La thèse connue de l' « égocentrisme » dans la pensée de l'enfant prend naissance à partir de la constatation de l'égocentrisme de son maniement linguistique dans le circuit de la communication. Pour L. S. Vygotski[3], la pensée étant constituée par les différents facteurs qui permettent à un individu de s'orienter dans le monde, ce que nous incluons, pour notre part, dans la notion d'appropriation

1. *Op. cit.*, pp. 37-38.
2. Jean Piaget, *Le langage et la pensée chez l'enfant. La naissance de l'intelligence chez l'enfant*, Delachaux & Niestlé.
3. L. S. Vygotski, *Myšlenie i Reč' (La pensée et le discours)*, Moscou, 1956.

du réel, il y a une possibilité de dissocier, tant sous l'aspect phylogénétique qu'ontogénétique, les voies de la pensée et celles du langage au point qu'il envisage comme initial une phase de pensée sans langage et de langage sans pensée. Le développement de la pensée devance celui du langage, mais il y a, à un moment donné, dans la phylogenèse comme dans l'ontogenèse, une rencontre qui fond les deux courants en une unité indissoluble, la pensée de l'homme, en tant qu'espèce, comme celle de l'homme, en tant qu'individu, devenant verbale. On ne sait pas très bien dater, comme nous l'avons vu, ce moment dans la phylogenèse. Dans l'ontogenèse, il se produit vers environ 2 ans : « Les lignes de développement de la pensée et du parler qui jusqu'alors couraient séparément se rencontrent et coïncideront dès lors dans leur progression, inaugurant une toute nouvelle forme de comportement caractéristique de l'homme »[1]. La plupart des psychologues estiment d'ailleurs que c'est là un moment décisif dans le développement psychique de l'enfant qui fait l'extraordinaire découverte que les comportements actifs dans lesquels il est déjà profondément engagé sont susceptibles d'une traduction verbale, rapidement opératoire dans son rapport au monde extérieur. Cette unité, toujours irréductible à une simple identité, acquise dès le plus jeune âge de la pensée et du langage est spécifiquement humaine. Ces idées trouvent des éléments de confirmation dans les travaux de psychologie génétique et de psychologie sociale sur les Enfants Sauvages (élevés en dehors d'un milieu humain)[2]. Les observations faites sur les conséquences de l'absence de langage montrent que non seulement les possibilités de communication sont atteintes, mais aussi la perception de la réalité, l'orientation dans le monde socialisé, le développement d'un maniement catégoriel et abstrait. Remarquons que les données rassemblées sur les Enfants Sauvages appellent certaines réserves : le nombre peu élevé de cas observés s'accompagne d'une grande hétérogénéité dans les situations (de Gaspard Hauser aux enfants-loups de l'Inde par exemple). Plus encore, au-delà du caractère empirique de la plupart des observations, soulignons que le problème du langage est difficile à cerner dans ses effets concrets, l'ensemble des processus de socialisation et de structuration de l'individu étant ici en cause. Plus précises sont les études consacrées aux enfants déficients auditifs profonds[3], frappés de surdité depuis la naissance. On sait que les enfants sourds dès la naissance sont également muets, linguistiquement muets, bien que leurs « organes de la parole » soient intacts. Ce qui prouverait donc bien que la « faculté » de parole n'est mise en place que dans la mesure où celui-ci hérite de la structure de son cerveau et des autres organes qui sont la condition nécessaire des fonctions de la parole et de la pensée, en raison de quoi tout enfant normal peut apprendre à parler. La parole comme la pensée sont un produit social qui est transmis à l'homme par apprentissage. Se confirme aussi l'idée d'une unité organique du langage et de la pensée, la perte ou l'absence du langage limitant les possibilités de développement intellectuel : la progression chez l'enfant de toute forme de maniement conceptuel est incontestablement liée au développement de la parole tout comme sa possibilité d'accéder aux autres types de savoir. En fait, on commence à peine à

1. VYGOTSKI, *op. cit.*, pp. 132-133.
2. Lucien MALSON, *Les enfants sauvages*, « 1964, 10/18 ».
3. Voir Pierre OLÉRON.

connaître le rôle du signe verbal dans le processus d'abstraction, dans l'organisation de la perception et l'appréhension conceptuelle de la réalité et ce n'est encore qu'empiriquement que l'on arrive à se faire une idée du saut qualitatif qui se produit dans le comportement humain après l'apparition du langage et de la pensée verbale. Tout comportement d'un organisme vivant est fonction d'une certaine appropriation du réel. Parmi les différents types d'appropriation il en est un qui témoigne d'une rupture majeure avec les autres, caractérisée par l'extension de la généralisation au-delà de l'expérience immédiate et par le passage à l'abstraction. Cette appropriation n'appartient qu'à l'homme et, essentiellement, à l'individu qui n'a pas perdu l'usage du langage comme cela peut se produire dans les cas d'aphasie grave où le tissu nerveux a subi d'importants dommages (encore convient-il d'ajouter que l'aphasique peut aussi avoir perdu d'autres possibilités et que ce n'est pas nécessairement la perte du langage qui entraîne la restriction du champ de sa pensée). Les études relevant de la pathologie du langage jettent sur le problème des rapports du langage et de la pensée une lumière nouvelle qui va dans le sens des observations précédentes. De ce point de vue, la distinction goldsteinienne[1] entre attitude concrète et attitude catégorielle semble très opératoire, cette dernière attitude ne se manifestant plus dans son intégralité lorsqu'il y a perte du langage. Notons que cette dichotomie est polaire et masque en particulier le fait qu'il y a plus d'une façon pour un comportement d'être catégoriel. Nous donnons cependant l'exemple de Goldstein. Quand un individu entre dans une pièce sombre et appuie sur le bouton électrique pour allumer, il présente un comportement concret. Par contre, s'il se retient de faire ce geste pour ne pas réveiller quelqu'un qui dort dans la pièce, il présente un comportement catégoriel, résultat d'un processus mental complexe, fondé sur le rapport abstrait d'anticipation allumer-réveiller.

On peut apprendre à un animal à allumer la lumière dans une pièce sombre, mais pourra-t-on jamais lui apprendre à ne pas le faire quand cela risque de réveiller quelqu'un ? Le problème est que l'on pense qu'un comportement catégoriel de ce type est nécessairement lié à la pensée linguistique et que sans langage l'homme perd cette attitude et de ce fait la possibilité de penser *stricto sensu*. Sans nous étendre sur ce sujet, il convient toutefois de faire une remarque sur la communication animale. On a beaucoup écrit[2] — en particulier en soulignant les beaucoup plus vastes possibilités du langage humain issues de la double articulation — pour démontrer que donner le terme de langage à la communication animale conduisait à minimiser la différence entre le langage de l'homme et cette communication. En effet, nous pensons aussi que la distinction de ce langage à l'aide d'un terme spécial n'est ni une démarche artificielle, ni le résultat d'une querelle de mots. La différence entre les deux types de communication est fondée sur l'existence d'une spécificité du langage humain qui a pour conséquence un comportement humain constituant un stade supérieur dans les possibilités d'appropriation des données du monde extérieur. Notons cependant que ce stade supérieur est toujours solidaire des stades inférieurs dont il tire son

1. Kurt Goldstein, *Language and Language Disturbances*, New York, 1948.
2. Emile Benveniste, *Problèmes de linguistique générale*, Gallimard, voir pp. 56 à 62; Georges Mounin, *Introduction à la sémiologie*, Ed. de Minuit, voir pp. 41 à 56.

origine. Nous voulons souligner par là que les appareils qui servent à la vie de relation avec le monde extérieur sont les mêmes pour les hommes que pour les animaux : les sens. Si les animaux ne pensent pas comme les hommes, ils opèrent cependant — dans une certaine mesure du moins — avec des moyens analogues à ceux dont l'homme dispose pour s'orienter dans le monde. Le mécanisme d'orientation ne disparaît pas chez l'homme, mais il y subit un bouleversement fondamental : son insertion dans un processus global de socialisation au sein duquel les mécanismes linguistiques jouent un rôle considérable. La socialisation linguistique est à la fois un des objets de la socialisation globale et l'un des instruments majeurs de cette dernière. C'est pourquoi on peut penser que, bien qu'unis profondément, le processus de pensée et le processus de langage ne sont pas identifiables. On voit ainsi que la question des rapports entre langage et pensée ne peut se poser sous forme de la simple alternative : un processus ou deux ? Dans une première approche, on peut dire que la pensée et l'utilisation du langage constituent, dans les processus de la connaissance et de la communication, les deux éléments indissociables d'une unité. Cette unité est si organique, leur interdépendance si étroite qu'aucun des éléments ne peut se manifester indépendamment sous une forme « pure ». Mais cette unité lie profondément des facteurs qui diffèrent par leur genèse et leurs contenus et que seule l'évolution sociale a soudés, comme nous venons de le dire, de façon indissociable[1]. Du point de vue génétique, on est tenté de croire que le langage verbal est né des cris, d'une communication de type émotionnel. On juge, par ailleurs, que la pensée a dû tirer son origine du contact perceptivo-moteur avec le monde extérieur et contient sous une forme embryonnaire certaines opérations intellectuelles. Du point de vue des contenus, la pensée emploie des démarches prélinguistiques : les représentations sensibles concrètes et leurs associations, simultanément aux démarches abstraites et généralisantes qui, elles, sont directement liées au langage. « Bien que liées au langage et s'associant avec ses termes, les images de la réalité n'ont cependant pas une nature linguistique. Et c'est au moins pour cette raison que la pensée n'est pas identique au langage, elle est plus riche. Si donc, dans le cadre de la position moniste (unité du langage et de la pensée), on nie la thèse sur l'identité du langage et de la pensée, ceci ne doit nullement nous amener à admettre le dualisme de leurs fonctions »[2].

### *b - Le langage et les langues*

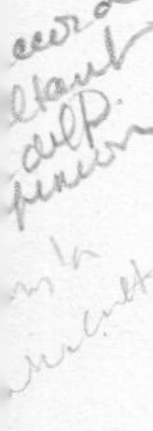

Le différend se ramène à définir ce qui est primaire et ce qui est secondaire du langage ou de la réalité : soit le processus linguistique est l'acte d'organisation (voire de création) de la réalité, soit il est l'acte de son reflet. Que signifie le premier terme de l'alternative ? Que le langage détermine notre mode de perception et de conception de la réalité. Le langage créerait ainsi notre vision du réel et celle-ci nous serait, par conséquent, imposée en même temps que l'acquisition linguistique. Le langage serait donc, en quelque sorte, une forme qui introduirait un ordre, un agencement dans le chaos

1. Voir surtout la question du travail, par exemple : L. Guespin, Une causalité oubliée des linguistes : le travail, *La Pensée*, n° 209, janvier 1980.
2. Adam Schaff, *Langage et connaissance*, Anthropos, 1967.

qui serait primairement la réalité en elle-même[1]. En imposant à l'esprit une certaine façon d'organiser les éléments de la réalité, de découper des unités dans cette masse confuse, le langage déciderait en fait de notre vision du monde, de ce que nous traiterions comme objet, acte, événement, règle, etc.

Essayons d'examiner maintenant ce que signifie l'idée de langue-reflet du réel et jusqu'où elle peut être poussée. Le langage créerait donc par lui-même, dans l'optique précédente, notre image ordonnée du monde extérieur. On peut se demander ce que signifie le mot « créer », et surtout sur quelles bases repose cette création. Le langage crée bien une image de la réalité, mais d'une façon non arbitraire dans les rapports qu'il entretient avec l'ensemble de la pratique sociale. Ce que le langage impose à l'individu qui apprend à parler — et par là même à connaître et à juger — ce sont les modèles et les stéréotypes formés à l'issue de l'évolution sociale, historique, de la communauté dans laquelle il vit. Car, en effet, la théorie du reflet ne nous présente pas un langage reflet de la réalité perçue, mais de la réflexion des hommes sur cette réalité. Le reflet est autre chose que la réalité, il constitue un rapport subjectif à la réalité objective. Il n'y a pas de perception du réel et de représentation de celui-ci étrangères à son appropriation et à sa transformation sociales. L'individu humain  qui utilise une langue « perçoit » le monde à travers des « lunettes sociales »[2] forgées autant par l'expérience des générations passées que par les influences sociales contemporaines. Les exemples en sont multiples et bien connus. L'étude du vocabulaire est à cet égard très féconde. Elle nous montre comment les langues traduisent l'organisation de la réalité en fonction de la pratique sociale des groupes. Autrefois, ces différents découpages de la réalité par les diverses langues étaient mis sur le compte du « génie » de la langue, de la « mentalité » innée des peuples. On comprend aujourd'hui que les centaines de mots pour désigner le chameau chez les Arabes et les centaines de mots pour désigner la neige chez les Eskimos soient utilisés puisque ces réalités ont été ou sont encore au centre de la pratique des sociétés en question. On comprend aussi qu'au sein d'une même langue l'étendue du maniement des mots concernant une réalité quelconque varie selon les individus, la pratique sociale constituant le moteur premier des différenciations linguistiques : le citadin ne connaîtra que quelques dizaines de noms d'arbres là où le forestier en possédera des centaines; le vacancier distinguera au plus la « bonne » neige de la « poudreuse » ou la « mouillée » alors que le professionnel disposera de quelques dizaines de termes (la « folle », la « sèche », la « cartonnée », etc.). Mais, en dernière analyse, ce qui compte pour une langue donnée, c'est l'utilisation massive d'un découpage linguistique, et il reste tout à fait remarquable de constater que les Eskimos, dans leur ensemble, emploient des dizaines de termes pour désigner la neige, alors que le locuteur français, non spécialisé, n'en possède qu'un seul. On comprend en fin de compte qu'à chaque langue correspond une organisation particulière des données de l'expérience et qu' « apprendre une autre langue, ce n'est pas mettre de nouvelles étiquettes sur des objets connus, mais s'habituer à analyser autrement ce qui fait l'objet de communications linguistiques »[3].

1. Voir Ferdinand de SAUSSURE, *Cours de linguistique générale*, Payot, 1973, pp. 155 à 162.
2. Adam SCHAFF, *op. cit.*, p. 171.
3. André MARTINET, *Eléments...*, *op. cit.*, p. 12.

Donnons une série d'exemples délibérément simplificateurs de ces différents découpages dans des domaines du langage plus complexes que le lexique. Prenons des expressions linguistiques qui reflètent (pratiquement) la même réalité extra-linguistique et découpons selon un codage chiffré de grossières catégories linguistiques. On verra alors que ces expressions reflètent une analyse différente de la réalité « commune » et que le sens global transmis par ces énoncés est construit de façons différentes selon les langues :

| | | |
|---|---|---|
| Français | je ne sais pas | 1 3 2 3′ |
| Anglais | I do not know | 1 4 3 2 |
| Allemand | ich weiss nicht | 1 2 3 |
| Italien | non so | 3 2 |
| Russe | ja ne znaju | 1 3 2 |
| Chinois | wo bu zhidao | 1 3 2 |
| Mongol | bi medexgüi | 1 2 3 |

1 = première personne du singulier.
2 = savoir.
3 = négation simple.
3′ = double négation.
4 = « auxiliaire ».

Prenons maintenant la « catégorie » du nombre dont la nécessité peut sembler une évidence pour le locuteur français ou allemand. En passant d'une langue à une autre, on peut avoir à se libérer de l'habitude de considérer toute chose comme étant soit du singulier, soit du pluriel si, par exemple, on a affaire à une langue qui organise l'expérience en singulier, duel et pluriel (trois ou plus). On peut aussi rencontrer une langue qui ne spécifie pas toujours le nombre. En français et dans d'autres langues, il est impossible d'invoquer un objet sans en donner le nombre; cette actualisation est obligatoire, qu'elle soit ou non nécessaire à la communication. Mais, en chinois, on signale que l'objet est pluriel que si l'on juge que cela est indispensable et l'expérience montre que c'est rarement le cas.

Les variations sont innombrables dans les rapports entre classes syntaxiques et référents (un élément quelconque de la réalité pouvant être rendu dans une langue par un nom, dans une autre par un adverbe et dans une troisième par une modalité...) dans les marques temporelles, modales et aspectuelles, etc. Que ces variations révèlent et produisent des analyses, donc des visions différentes du monde, cela est certain, mais que nous puissions les expliquer par une pratique sociale précise (ou même par une réflexion sociale de cette pratique) cela est moins évident, même quand on affirme que ce lien a forcément existé. Dans un premier temps, la perte du lien entre forme linguistique et pratique sociale semble imputable à l'arbitraire des structures linguistiques et, à la limite, à l'arbitraire du lien entre le signifiant et le signifié : « La seule explication linguistique de l'extrême variété des structures syntaxiques... consiste à considérer toute structure syntaxique élémentaire comme un signe au sens saussurien du terme, justiciable lui aussi de la loi fondamentale de l'arbitraire du signe... Parler de la variété des découpages syntaxiques... c'est une autre façon de constater qu'il y a un arbitraire du signe lexical minimal sur lequel Saussure avait surtout insisté.

Le rapport entre la structure syntaxique d'un énoncé et la réalité non linguistique non linéaire qu'il dénote est un rapport arbitraire : il y a un arbitraire des grands signes (les structures des énoncés), totalement conforme d'ailleurs au fonctionnement général de tout comportement significateur tel qu'il est défini par la « fonction symbolique » chère aux philosophes depuis Cassirer et aux psychologues »[1]. Dans un deuxième temps, cependant, il convient de tenir compte de la diversité des rythmes d'évolution de l'organisation sociale, reflétée par la langue. Certains niveaux subissent une évolution très rapide. La technologie moderne, par exemple, et cela se traduit par une même rapidité dans l'évolution linguistique, au plan, par exemple, des transformations lexicales. Dans ces domaines, la théorie du reflet est facilement applicable et elle a produit une recherche fructueuse.

D'autres niveaux subissent une évolution très lente : les mentalités, par exemple, et cela se retrouve dans la grande inertie des modes de pensée que révèlent tous les phénomènes de combinatoire et de restriction à celle-ci, ce dont la syntaxe des langues offre maints exemples. La langue, qui intervient à tous les niveaux de la vie sociale, présente comme elle des couches qui évoluent moins rapidement que d'autres. Et c'est justement là où l'évolution sociale est le plus facilement saisissable que le lien langage-pratique sociale est le plus repérable. Pour les autres niveaux, le lien se perd dans les réseaux inextricables de l'évolution et de la dynamique des faits sociaux et de leurs reflets linguistiques. Et il nous semble insuffisant d'en rester ici à la solution souvent avancée mais incomplète de l'arbitraire des structures de la langue.

En ce qui concerne les universaux — traits qui se retrouvent dans toutes les langues ou dans toutes les cultures reflétées par ces langues — on constate que, malgré l'hétérogénéité signalée plus haut des systèmes linguistiques, les hommes peuvent passer d'une langue à une autre par l'apprentissage et par la traduction. Il y a donc des limites à cette diversité que l'on constate au premier abord dans les visions du monde. Il est depuis longtemps admis que la variété des reflets linguistiques de la réalité vient trouver ses limites dans le fait que les hommes :

— vivent sur une même planète;
— constituent une espèce unique;
— évoluent vers une interpénétration des cultures.

Ces constatations ont donné lieu à une typologie que l'on retrouve chez Georges Mounin[2] et que nous rappelons brièvement :

— *Une première espèce* d'universaux, dite cosmogonique, recouvrirait les convergences de l'expérience issues du fait que les hommes vivent sur une même planète, et ces convergences se traduiraient par des parallélismes dans les idiomes. Mis à part quelques écarts en nombre réduit, on pourrait donc mettre à jour une vaste zone d' « universaux écologiques » comme le froid et le chaud, la pluie et le vent, la terre et le ciel, le règne animal et le règne végétal, les divisions planétaires du temps, jour et nuit, les cycles de la végétation, etc.

1. Georges Mounin, *Linguistique et philosophie*, PUF, 1975, p. 137.
2. Georges Mounin, *Problèmes théoriques de la traduction*, Gallimard, 1963, chap. XII, p. 191.

— *Une deuxième espèce*, dite biologique, prendrait appui sur les analogies physiologiques des hommes que l'on retrouve essentiellement dans les six champs linguistiques suivants : nourriture, boisson, respiration, sommeil, excrétions, sexe. Viennent s'ajouter à ces six champs ceux liés au domaine anatomique : les parties du corps et la perception. Avec cette catégorie d'universaux, des domaines du réel où la théorie des visions différentes du monde était bien installée (nomination des couleurs[1], découpage de l'espace et du temps[2], perception des distances, etc.) se trouvent remis en cause.

— *Une troisième espèce*, dite psychologique, exige que soit démontrée l'existence d'un type mental de l'espèce humaine, une identité quelconque dans la vie représentative de tous les êtres humains : la peur, les fantasmes, l'humour, etc.

— *Une quatrième espèce*, dite de culture, instaurerait des convergences linguistiques dans les domaines de la technologie, de la religion, de l'éducation, du pouvoir, etc.

— *Une cinquième et dernière espèce* serait constituée par les universaux linguistiques, ou faits de structure communs à toutes les langues du monde.

Cette typologie, qui a le grand mérite d'essayer de voir où se situent les limites à la différenciation linguistique — beaucoup d'hypothèses linguistico-anthropologiques ayant adopté à cet égard une attitude excessive —, pèche par un certain nombre de confusions et, si elle situe bien la nature de l'obstacle à la diversité totale, n'en mesure pas bien l'ampleur.

— *Une première origine des confusions* est à rechercher dans l' « eurocentrisme » des auteurs dont l'essentiel de la réflexion se base sur les langues et les cultures européennes. Un exemple parmi d'autres : la réflexion proposée sur la perception des distances[3], perception qui ne semble pas soumise à l'acquisition du champ linguistique mais directement à la pratique sociale. La démonstration présentée a le grand défaut de comparer des individus utilisant les miles, les kilomètres et les verstes, c'est-à-dire, en fin de compte, possédant un découpage identique de la réalité : l'existence dans leurs langues respectives d'unités de distance. Autrement intéressante aurait été la comparaison entre langues qui possèdent et langues qui ne possèdent pas ce découpage de la réalité spatiale : la langue mongole, par exemple, reflet d'une pratique sociale nomade où la distance n'est pas perçue comme une réalité fixe, susceptible d'un découpage en unités interchangeables, au point que la langue ne s'est pas dotée d'un système propre de désignation des distances.

— *Une deuxième origine des confusions* se découvre dans le mélange à l'intérieur de chaque espèce d'universaux de phénomènes du monde extérieur continus et discontinus. Il est gênant de mettre sur le même plan des universaux cosmogoniques, le ciel et la terre, éléments discontinus, discrets, et le chaud et le froid, éléments continus. Car autant on pourra trouver de véritables universaux pour désigner les référents discontinus, autant on trouvera plus difficilement des convergences linguistiques

1. Voir H. A. Gleason, *Introduction à la linguistique*, Larousse, 1969, p. 9.
2. Voir B. L. Whorf, *Linguistique et Anthropologie*, Denoël/Gonthier, 1969, « Médiations ».
3. Suzanne Ohman, Theories of the linguistic field, *Word*, 1953, n° 2, pp. 123-134.

(découpages proches) dans les continuums physiques soumis par la force des choses à un découpage justifié socialement uniquement. Les oppositions chaud/froid, sec/humide, grand/petit sont à exclure du domaine des universaux comme d'ailleurs les divisions planétaires du temps (comparer ce que cela peut linguistiquement donner en ougandais et en norvégien!) ou les cycles de la végétation (étendus sur douze mois en Europe, sur six seulement en Mongolie). En fait, même pour les universaux dont l'origine est la plus évidente : cosmogoniques et biologiques, les listes doivent être très fermées et ne concerner que les phénomènes discontinus. Donnons quelques exemples. En français, nous distinguons *l'arbre*, *la forêt* (ensemble d'arbres) et *le bois* (matériau). En mongol, il n'y a qu'un seul terme *(mod.)* En danois, par contre, on distinguera le bois-matière en général *(troe)* du bois de charpente *(tømmer)* et du bois de chauffage *(brænde)*. En français, nous distinguons la *main* du *bras*, ce qui n'existe pas en russe où un seul terme *(ruka)* sert pour désigner ces deux réalités, communes cependant à toute l'espèce humaine. Et pour l'homme lui-même, souvenons-nous que le terme *homo* en latin ne s'appliquait pas aux esclaves *(servus)*. Poids immense des catégories sociales sur la langue!

— *Une troisième origine des confusions* touche à la notion de culture (notion très contestable, comme on le sait, en dehors d'une perspective historique et dont les anthropologues font souvent un usage mécaniste). L'idée juste et importante à retenir au sujet de la convergence des cultures à l'étape actuelle du développement social de l'espèce humaine est que, s'il est vrai que les langues reflètent un monde extérieur différemment « utilisé », elles sont aussi le reflet du non-isolement des sociétés. Mais cette interpénétration de plus en plus étendue et de plus en plus rapide des cultures et son reflet dans les langues ne sont pas, à proprement parler, un problème d'universaux. Les convergences linguistiques apparues à cette occasion, qui peuvent d'ailleurs concerner les distinctions opérées plus haut (ainsi l'emprunt du système métrique dans une langue sans unités de longueur et de distance), ne sont en effet que la traduction, au plan des besoins de la communication, de contacts et d'emprunts entre sociétés parvenues, par des voies diverses, à des niveaux inégaux de développement. Si cette réalité est aussi ancienne que les sociétés humaines (au point qu'on a toujours intérêt à s'interroger sur l'éventualité d'un contact ou d'un emprunt lors de la manifestation d'une parenté ou de l'apparence d'un universal linguistique), le fait marquant au cours du siècle et demi passé est que ces contacts et emprunts ont été, toujours plus massivement et unilatéralement, dominés par l'expansion du capitalisme européen et par la diffusion subséquente de la technologie, bien sûr, mais aussi et peut-être surtout de l'ensemble des catégories et des notions forgées par les sociétés européennes. Diffusion de la pensée scientifique européenne et du christianisme, avec leur cortège d'appréhensions propres du réel, pensée politique, etc. L'intéressant, en cette matière, n'est sans doute pas la constatation somme toute triviale de l'écho immédiat rencontré dans des langues diverses par des réalités d'importation, mais bien le degré variable d'intégration de l'emprunt à la réalité linguistique réceptrice. On le sait, en effet, sur un plan historique général, profondeur et longévité des emprunts doivent beaucoup aux manques qu'ils viennent combler, mais aussi à la plus ou moins grande facilité de leur insertion dans le contexte d'accueil.

Pour en rester au plan du lexique, constatons que la capacité d'accueil de chaque langue varie considérablement : l'emprunt se manifeste-t-il par une adoption pure et simple ou suivant des modèles plus ou moins complexes de transposition (essentiellement adjonction de modalités « indigènes » à une racine d'emprunt ou « fabrication » d'un calque du terme étranger au moyen d'éléments « indigènes » préexistants).

Sans doute, les conditions extra-linguistiques de l'apparition d'une réalité nouvelle (lente adaptation d'un usage lié à des échanges de longue durée ou au contraire brutale imposition par l'effet d'une invasion, d'une conquête, etc.) et les contraintes propres à la langue réceptrice (par exemple une régularité de l'alternance consonne-voyelle) pèsent-elles d'un grand poids.

Les réalités nouvelles n'en font pas moins fréquemment éclater une contrainte en même temps que le contenu de l'emprunt subit la contagion de son nouvel environnement. Ainsi est-il assez surprenant de voir E. Benveniste[1] avancer que : « La pensée chinoise peut bien avoir inventé des catégories aussi spécifiques que le *tao*, le *yin* et le *yang* : elle n'en est pas moins capable d'assimiler les concepts de la dialectique matérialiste ou de la mécanique quantique sans que la structure de la langue chinoise y fasse obstacle. »

Alors que précisément l'assimilation chinoise de la dialectique matérialiste (sans que cette remarque se veuille une interprétation exclusive) tend à s'opérer sur un mode dualiste largement tributaire des oppositions binaires dont le *yin* et le *yang* sont les opérateurs (pour rester dans la dialectique le terme même de « contradiction » est traduit par l'assemblage *mao-dun*, « lance-bouclier »). En outre, il est inexact d'avancer que ces emprunts se soient opérés « sans que la structure de la langue chinoise y fasse obstacle », l'intrusion de la terminologie occidentale tant technique que scientifique ayant en effet abouti à la constitution d'un nombre croissant d'unités lexicales polysyllabiques figées (de dimensions elles-mêmes croissantes), voire de pures et simples transpositions phoniques, là où la langue chinoise pratiquait, dans un passé encore récent, la combinaison des syntagmes pratiquement toujours dissociables en leurs éléments (monèmes) constitutifs.

Quant à la délimitation d'universaux psychologiques, la recherche n'en est qu'à ses débuts et, dans ce domaine, bien plus que dans les autres, les contre-exemples sont légions. On peut espérer que la recherche d'universaux s'efforcera de ne pas couper ce niveau des autres de la vie sociale, mais de le considérer comme issu d'eux et agissant sur eux.

En fait, c'est surtout sur le plan de l'organisation même des systèmes linguistiques que la recherche des universaux est intéressante et fructueuse pour expliquer le passage de langue à langue. Ce ne sont pas à proprement parler des contenus semblables qui permettent un tel passage, mais bien plutôt des procédés semblables pour communiquer des contenus différents. Nous voyons essentiellement deux niveaux d'universaux linguistiques :

*a)* Un premier niveau constitué par les faits constitutifs de la définition même du langage, ce qu'on appelle souvent les « caractères généraux » du langage humain. Nous allons en parler.

1. E. Benveniste, *Catégorie et langue*, p. 429.

*b)* Un deuxième niveau constitué par les caractéristiques structurelles directement issues du premier niveau et touchant aux procédés morphologiques, sémantiques et syntaxiques. Pour ces aspects, il faut que soient connues du lecteur les données de la linguistique descriptive et nous nous contentons de renvoyer à G. Mounin (*Problèmes théoriques...*).

En ce qui concerne les caractères généraux du langage, nous en indiquons rapidement le contenu[1] :

*Caractère vocal :* le langage humain est universellement vocal, ce qui a pour conséquence le caractère linéaire du message produit par les langues; cela signifie essentiellement que deux unités ne peuvent jamais se trouver ensemble en un même point de la chaîne parlée; seuls les phénomènes suprasegmentaux (intonation, débit, accents...) peuvent se superposer à la succession des unités de la langue.

*Caractère arbitraire :* la diversité des langues nous conduit à prendre conscience de l'arbitraire du lien entre la forme phonique et le sens du signe linguistique. « Cheval » se dit *horse* en anglais et *Pferd* en allemand. Mais même sans avoir recours à cette comparaison entre langues, on comprend que le signifiant du signe est purement conventionnel puisque n'apparaît aucun rudiment de lien naturel entre ce qui signifie et ce qui est signifié. Ainsi, des signifiés proches, « craindre » et « avoir peur » par exemple, sont représentés par des signifiants très différents, alors que des signifiés très lointains peuvent prendre des formes très proches, *regard* et *retard* par exemple.

*Caractère discret :* arbitraires, les signes linguistiques ne peuvent fonctionner que par leur opposition. Cela signifie que le locuteur, en un point de la chaîne parlée, est obligé de choisir entre un nombre donné d'unités qui n'existent, qui n'ont de réalité, que grâce à cette opposition. Dire que les unités linguistiques sont discrètes, c'est dire qu'elles s'opposent les unes aux autres sans graduation, qu'elles fonctionnent de façon discontinue : pas d'intermédiaire phonologique entre le [g] de « gare » et le [k] de « car »; pas plus de réalité signifiante intermédiaire entre les termes de la langue qui découpe un domaine précis du réel. Prenons l'exemple classique du découpage de la réalité continue du spectre des couleurs par les langues. On remarque que le continuum physique (le phénomène ondulatoire continu) est découpé par les langues en une série de catégories discrètes, oppositionnelles. Il resterait à établir si, le spectre physique étant continu, la vision l'est aussi. Quoi qu'il en soit, les variations entre langues sont tout à fait remarquables.

Nous donnons ici l'exemple connu fourni par H. A. Gleason (*Introduction à la linguistique*, Larousse, 1969) :

<table>
<tr><td>1</td><td>indigo</td><td colspan="2">bleu</td><td colspan="2">vert</td><td>jaune</td><td>orangé</td><td>rouge</td></tr>
<tr><td>2</td><td colspan="2">cips$^{w}$uka</td><td colspan="2">citena</td><td colspan="2">cicena</td><td colspan="2">cips$^{w}$uka</td></tr>
<tr><td>3</td><td colspan="5">hui</td><td colspan="3">ziza</td></tr>
</table>

1 Français ; 2 Chona (langue de Zambie) ; 3 Bassa (langue du Libéria).

1. Voir pour ces questions F. François, in *Le langage*, Encyclopédie de la Pléiade, sous la direction de A. Martinet.

*Caractère doublement articulé :* les messages que nous émettons auraient pu être, comme les cris de certains animaux qui communiquent, indécomposables en unités. Cela signifie qu'ils auraient correspondu chacun à une expérience extra-linguistique précise. Le coût mémoriel d'un tel système de communication aurait forcément entraîné une énorme réduction des situations communicables. La première manifestation de l'articulation du langage humain est le fait que les messages sont décomposables en unités porteuses de sens (les monèmes). Ces unités, en nombre très élevé, mais cependant limité, permettent la réalisation d'une infinité de messages, c'est-à-dire la possibilité que soit transmis un nombre illimité de situations. Un système non articulé est un système où les unités signifiantes ne se combinent pas ou ne sont susceptibles que de combinaisons très rudimentaires : les feux rouge, orange et vert de la circulation. La deuxième manifestation de l'articulation du langage humain est que l'unité significative elle-même peut à son tour être analysée en éléments articulables, non signifiants mais distinctifs (les phonèmes). Ces éléments, en petit nombre (de vingt à quarante selon les langues), permettent par leur combinaison de construire un nombre très élevé de monèmes (des dizaines de milliers).

Cette double articulation[1] constitue un caractère fondamental de l'organisation du langage.

Pour conclure sur le problème des universaux, nous dirons qu'au-delà des divers reflets du réel proposés par les langues le passage de l'un à l'autre trouve sa résolution dans un équilibre entre

— des universaux objectifs dépendant des convergences du contenu à communiquer;
— des universaux linguistiques dépendant à divers niveaux de cette abstraction qu'on appelle langage;
— de la fonction métalinguistique dont peut se servir toute langue pour éclairer à l'aide de ses propres instruments linguistiques les découpages d'une autre langue, pour expliciter ou pour modifier les découpages qui lui sont propres.

Enfin, et comme ouverture aux analyses qui vont suivre, nous dirons que le point de départ essentiel pour le linguiste est de ne pas considérer la structure de la langue comme une réalité existant en soi, mais au contraire d'essayer de la décrire et de l'expliquer dans la complexité de ses relations aux besoins de communication propres à une communauté donnée.

## *BIBLIOGRAPHIE*

BAKHTINE (Mikhail), *Le marxisme et la philosophie du langage*, Paris, Ed. de Minuit, 1977.
BENVENISTE (Emile), *Problèmes de linguistique générale*, Paris, Gallimard, 1966.
GOLDSTEIN (Kurt), *Language and language disturbances*, New York, 1948.
HÉCAEN (Henri), *Introduction à la neuropsychologie*, Paris, Larousse, 1972.
—, ANGELERGUES (René), *Pathologie du langage*, Paris, Larousse, 1965.
JACQUARD (Albert), *Eloge de la différence*, Paris, Seuil, 1978.

1. André MARTINET, *La linguistique synchronique*, PUF, 1970, chap. I.

LEONTIEV (A. N.), *Le développement du psychisme*, Paris, Ed. Sociales, 1976.
LEROY-GOURHAN (André), *Le geste et la parole*, Paris, Albin Michel, 2 vol., 1964, 1965.
LIEBERMAN (Philip), *On the origins of language*, Londres, Macmillan, 1975.
MALSON (Lucien), *Les enfants sauvages*, Paris, 1964, « 10/18 ».
MARCELLESI (Jean-Baptiste), GARDIN (Bernard), *Introduction à la sociolinguistique*, Paris, Larousse, 1974.
MOUNIN (Georges), *Introduction à la sémiologie*, Paris, Ed. de Minuit, 1970.
— *Linguistique et philosophie*, Paris, PUF, 1975.
— *Problèmes théoriques de la traduction*, Paris, Gallimard, 1963.
PENFIELD (W.), ROBERTS (L.), *Langage et mécanismes cérébraux*, Paris, PUF, 1964.
SCHAFF (Adam), *Langage et connaissance*, Paris, Anthropos, 1967.
TRAN DUC THAO, *Recherches sur l'origine du langage et de la conscience*, Paris, Ed. Sociales, 1973.
VENDRYES (Joseph), *Le langage, introduction linguistique à l'histoire*, Paris, Albin Michel, 1968.
VYGOTSKI (Lev Semjonovic), *Myšlenije i reč' (La pensée et le discours)*, Moscou, 1956, trad. angl., *Thought and language*, Cambridge (Mass.), MIT Press, 1962.

# 2

# langues et systèmes de signes

PAR ROBERT VION

## A - HISTORIQUE DE LA SÉMIOLOGIE

« La langue est un système de SIGNES exprimant des idées, et par là, comparable à l'écriture, à l'alphabet des sourds-muets, aux rites symboliques, aux formes de politesse, aux signaux militaires, etc. Elle est seulement le plus important de ces systèmes » (...).

« On peut donc concevoir *une science qui étudie la vie des signes au sein de la vie sociale* (...) nous la nommerons SÉMIOLOGIE (du grec *sēmeîon*, « signe ») » (...).

« La linguistique n'est qu'une partie de cette science générale (...). Si pour la première fois nous avons pu assigner à la linguistique une place parmi les sciences, c'est parce que nous l'avons rattachée à la sémiologie »[1].

Une fois mises de côté les références à la psychologie, caractéristiques de l'époque, c'est en ces termes que Saussure posa l'existence d'une discipline nouvelle : la sémiologie. Celle-ci se voyait donc définie comme l'étude de tous les systèmes de signes, de tout ce qui est socialement, donc conventionnellement, porteur de signification. Certains auteurs se réfèrent également à un autre précurseur, Charles Sanders Peirce, et préfèrent parler de sémiotique plutôt que de sémiologie.

Si le projet était envisagé dès 1916, il fallut attendre 1943, avec *Les langages et le discours*[2] d'Eric Buyssens, pour avoir le premier exposé systématique de sémiologie.

La direction ouverte par Buyssens allait, avec les travaux de Luis-J. Prieto[3] notamment, constituer un développement cohérent du projet saussurien connu sous le nom de *Sémiologie de la communication.*

De son côté R. Barthes allait, à partir de 1964[4], permettre le développement

1. F. de SAUSSURE, *Cours de linguistique générale*, édition critique préparée par Tullio de MAURO, Paris, Payot, 1972, pp. 33-34 (1re éd. du *Cours de linguistique générale*, Paris, 1916).
2. E. BUYSSENS, *Les langages et le discours*, Bruxelles, Office de Publicité, 1943.
3. L. PRIETO, *Messages et signaux*, Paris, PUF, 1966; La sémiologie, Encyclopédie de la Pléiade, *Le Langage*, Paris, Gallimard, 1968.
4. R. BARTHES, *Eléments de sémiologie*, *Communications IV*, Paris, 1964.

d'un autre type de recherche connu sous l'appellation de *Sémiologie de la signification.* L'appellation « sémiologie de la signification » n'est pas très heureuse car la « sémiologie de la communication » traite également de faits significatifs. Par ailleurs, la sémiologie est actuellement un domaine de recherche très fécond où les publications concernent des secteurs aussi variés que la sémiologie de l'image, la sémiologie de la musique, la sémiologie industrielle. Aussi nous limiterons-nous à l'examen de certains des problèmes rencontrés.

Les deux directions sémiologiques (communication et signification) se posent comme explicitation du projet saussurien et comme en relation directe avec les travaux et recherches linguistiques issus de l'enseignement du *Cours de linguistique générale.*

La différenciation entre les deux sémiologies repose sur une interprétation différente du terme SIGNE figurant dans le texte de Saussure.

1) Pour Buyssens, Prieto ou Mounin[1], le terme SIGNE doit être interprété comme SIGNAL, c'est-à-dire comme une forme explicitement communicative, comme un élément dont la fonction sociale est de véhiculer un MESSAGE informationnel déterminé. Ainsi un panneau routier, une enseigne de boutiquier, une enseigne publicitaire (comme l'écureuil), les grades d'un militaire, un plan, un diagramme, un texte écrit, etc., sont des énoncés produits dans le but de communiquer. La forme de ces énoncés est appelée SIGNAL, le signifié est appelé MESSAGE. Dans une telle optique, la sémiologie a pour objet l'étude des procédés de communication.

2) Pour Barthes, ce qui est intéressant, ce ne sont pas des codes d' « intérêt dérisoire », comme le code de la route, mais des codes « doués de véritable profondeur sociologique ».

Ainsi considère-t-il l'habillement ou l'art culinaire comme des langages susceptibles de signifier des valeurs sociologiques. Il estime que l'habillement d'un individu constitue un discours dont chaque pièce est, à l'exemple des signes ou des mots linguistiques, une partie constituante. De même l'enchaînement des plats dans un repas serait comparable à l'enchaînement des unités linguistiques dans un énoncé. Le choix d'un vêtement, dans la mesure où il exclut d'autres vêtements de même type, indique l'existence d'un ensemble de valeurs concurrentes formant un PARADIGME. Il en résulte que le choix de tel vêtement est porteur d'indication aussi bien sur le comportement particulier d'un individu que sur le système social de la mode. On pourrait d'ailleurs dire que tout comportement humain est porteur de significations sociales : ainsi ne marche-t-on pas à côté d'un individu, de la même manière selon qu'il s'agit d'un vieil ami ou d'un supérieur hiérarchique que l'on redoute.

Barthes pose donc l'existence d'un système de la mode ou d'un système culinaire dont la *sémiologie de la signification* doit rendre compte. S'il est hors de question de mettre en doute l'existence de tels systèmes et l'intérêt d'une telle étude, les linguistes ont été amenés à considérer qu'elle renvoyait à l'analyse idéologique, ou même à l'analyse de l'ensemble de la pratique humaine et qu'à ce titre le recours presque

1. G. MOUNIN, *Introduction à la sémiologie,* Paris, Ed. de Minuit, 1970.

exclusif au modèle linguistique ne saurait se justifier. Par ailleurs ils ont préféré, dans le cas présent, remplacer le terme de SIGNE, utilisé à la suite de Saussure, Barthes par celui d'INDICE.

Un indice est un fait naturel ou un fait culturel qui peut se charger de signification mais dont la fonction n'est pas d'abord de signifier.

Ainsi la fumée qui signale l'existence du feu est porteuse de signification mais sa fonction n'est pas de signifier. De même le choix de tel vêtement peut signaler l'existence de goûts particuliers autant que des dispositions de la mode mais la fonction d'un vêtement n'est pas d'abord de signifier. Il en résulte qu'un indice donne lieu à une interprétation plus qu'à un décodage et que le choix de tel vêtement pourra être interprété différemment selon les sujets comme porteur de telle ou de telle autre signification. Un SIGNAL par contre est une forme dont la fonction centrale, voire unique, réside dans la signification, la communication. C'est le cas des panneaux routiers, des numéros de bus, des grades militaires, etc.

La sémiologie de la signification traite donc des systèmes d'INDICES, la sémiologie de la communication des systèmes de SIGNAUX.

## B - LE CLASSEMENT DES PROCÉDÉS DE COMMUNICATION SELON LA SÉMIOLOGIE

Prieto résume, dans *La sémiologie*[1], les quatre catégories de codes de communications telles qu'on peut les analyser par rapport à leur fonctionnement interne.

1) Il existe tout d'abord des codes sans articulation. Il s'agit de procédés de communication dans lesquels les énoncés ne sont pas décomposables, articulables, en unités composantes. C'est le cas des enseignes qui forment des énoncés indécomposables en unités pouvant se retrouver dans d'autres énoncés (ex. : la tête de cheval pour « boucherie chevaline », les chevrons pour « Citroën » ou l'écureuil pour la « Caisse d'Epargne »).

2) Il existe des codes à première articulation seulement. Ces procédés de communication comportent des énoncés décomposables seulement en UNITÉS SIGNIFICATIVES, c'est-à-dire en unités qui participent à la fois à la forme et au sens de l'énoncé. C'est le cas des panneaux routiers puisqu'un panneau est décomposable en une forme (triangulaire, circulaire ou rectangulaire), en une indication particulière (dessin de la nature du danger...), en une couleur (fond rouge, fond bleu, fond clair). Chacune de ces trois unités associe une forme à un sens. Ainsi la forme triangulaire signifie-t-elle danger; le X ou le dessin d'une voiture sur deux roues signifient-ils respectivement croisement et chaussées glissantes; la couleur bleue signifie, selon qu'elle est en relation avec une forme circulaire ou rectangulaire, obligation ou information.

1. *Op. cit.*

De même, dans certains cas, la numérotation des chambres d'hôtel constitue un code à première articulation seulement. Le premier chiffre signifie alors l'étage et le second la disposition à l'étage.

Dans le cas des panneaux routiers, les unités formant l'énoncé sont disposées spatialement de sorte qu'il n'y a pas d'ordre de lecture de ces unités mais plutôt lecture globale.

Dans le cas des chambres d'hôtel, les unités formant un numéro de chambre sont par contre disposées linéairement de sorte qu'il existe un ordre de lecture (la chambre 38 n'est pas la chambre 83).

3) Il existe des codes à deuxième articulation seulement. Ces procédés de communication sont constitués d'énoncés dont les seules unités constituantes sont non significatives et ne participent donc qu'à la seule forme de l'énoncé. Ce sont des unités formelles.

C'est le cas des diverses sonneries (de clairon, de cloches...) ; chaque sonnerie constitue un message du type (ordre de se lever; ordre de se rassembler, etc.). La sonnerie se décompose en unités de formes et de valeurs stables (les notes) mais ces unités ne participent qu'à la seule forme de l'énoncé sans participer à son sens.

4) Il existe enfin des codes à double articulation. Ces codes permettent de produire des énoncés constitués de deux types distincts d'unités. Un premier type de décomposition de l'énoncé fait apparaître l'existence d'unités qui, participant à la fois à la forme et au sens de cet énoncé, sont des unités à deux faces (une face formelle, une face de signification). Ainsi, si l'on décompose l'énoncé graphique *Voici un chat,* on fera apparaître l'existence de trois unités, ayant à la fois une forme graphique et un sens, à savoir *Voici, un, chat.* Ces UNITÉS SIGNIFICATIVES sont des UNITÉS DE PREMIÈRE ARTICULATION. Si l'on poursuit la décomposition de l'énoncé au-delà des unités significatives, nous verrons apparaître des unités uniquement formelles, ou UNITÉS DE DEUXIÈME ARTICULATION. Dans le cas de l'énoncé graphique *Voici un chat,* chacune des lettres composant les unités significatives est une unité non significative, une unité purement formelle.

Les codes à double articulation, qu'il s'agisse de l'écriture alphabétique, du langage des sourds-muets, de l'alphabet Braille, des signaux maritimes à bras ou du morse, sont subordonnés aux langues dont ils ont pour mission de transmettre les énoncés. S'ils présentent une double articulation, c'est qu'en tant que subordonnés aux langues ils en reproduisent certaines propriétés. Les langues sont donc des *codes directs,* car leur existence ne présuppose l'existence d'aucun autre code alors que les codes comme l'écriture, le morse, les signaux maritimes à bras, etc., sont des *codes substitutifs* dans la mesure où leur existence est subordonnée aux langues. La linguistique a donc été amenée à définir les langues comme le seul code direct à DOUBLE ARTICULATION.

## C - LANGUES ET SYSTÈMES DE SIGNES

Au dire des linguistes et des sémiologues, la comparaison entre langues et systèmes de signes doit apporter un éclairage particulier sur le fonctionnement linguistique, saisir la spécificité de ce fonctionnement par rapport à celui des systèmes non linguistiques de communication. Or, on constate, le plus souvent, que les résultats de cette comparaison sont particulièrement décevants et restent très en deçà des objectifs ainsi fixés.

Il est fréquent de faire de la DOUBLE ARTICULATION LE critère décisif permettant la distinction entre langues et systèmes de signes. Mais donner ainsi une importance exclusive à ce critère conduit à minimiser, voire à nier, toutes les autres différences. Cela est grave car la plupart des caractéristiques fonctionnelles se trouvent ainsi écartées au profit d'un critère formel, important certes, mais ne méritant pas une telle exclusivité. Dans cette optique, langues et codes non linguistiques se sont vus, parfois, affecter la même fonction de communication, ce qui conduit à une présentation atrophiée et caricaturale du fonctionnement linguistique, réduit à la seule expression d'une information.

Il est donc important, pour saisir la spécificité du fonctionnement linguistique, de porter attention à toutes les différences de fonctionnement.

### 1. Tout codage peut passer par la langue

Il est tout d'abord banal, mais important, de constater que tous les messages exprimés par les codes non linguistiques peuvent être exprimés linguistiquement. C'est d'ailleurs ce qui permet l'acquisition de ces différents codes. La personne qui apprend le code de la route apprend les panneaux par l'expression linguistique de leur signifié. De même l'apprentissage de codes scientifiques (langage mathématique, langage de la chimie...) exige la manipulation linguistique de toutes les valeurs. D'une certaine manière on pourrait affirmer que tous les codes sont substitutifs dans la mesure où leur existence et leur acquisition présupposent l'existence de la langue. Ce qui fait l'intérêt de ces codes, c'est leur spécialisation dans un domaine particulier et l'économie qu'ils permettent de réaliser. Ainsi les différents « dessins » (repas, arrêt facultatif...) des indicateurs d'horaires représentent-ils sous forme ramassée des formes linguistiques de longueur variable. De fait, de tels signes peuvent être juxtaposés dans un minimum d'espace pour une lisibilité aussi simple, une fois le code connu. L'intérêt de tels codages réside enfin dans les possibilités de convention internationale. Tous les codages chiffrés, une part importante des panneaux routiers, certains signes des indicateurs d'horaires d'avion, sont ainsi lisibles de manière internationale.

### 2. Langues et codes explicites

Les panneaux routiers, l'orthographe, le langage de la chimie, etc., sont des créations, répondant à des besoins sociaux, exigeant l'intervention explicite d'un législateur pour en fixer les règles et le fonctionnement (dans le cas présent le ministère de l'Equipement, le ministère de l'Education, les Sociétés savantes). Il est le plus souvent possible de dater l'apparition d'un code et de définir l'autorité politique ou scientifique qui le gère. Il en résulte qu'un code ne peut se modifier par lui-même mais exige l'intervention explicite du législateur pour définir officiellement les modifications qu'il convient de prendre en compte. Ainsi l'orthographe ne peut se modifier d'elle-même pour s'adapter aux évolutions de la langue : une réforme de l'orthographe implique inévitablement l'intervention du ministère, de l'Académie ou du Premier Ministre.

La langue est par contre un système implicite dans lequel on ne trouve pas, le plus souvent, la présence d'un législateur de même type que précédemment. Il existe, certes, des interventions explicites en matière de langues mais leur capacité d'imposer une pratique particulière n'a, le plus souvent, rien de commun avec celle du législateur de code. Ainsi le puriste, qui cherche à faire prévaloir l'usage d'un certain groupe social ou à imposer un « bel usage » plus caractéristique du passé que du présent, de l'écrit que de l'oral, de faits marginaux que de faits fonctionnellement plus centraux, mène-t-il le plus souvent un combat d'arrière-garde. Par contre, les réactions subjectives, explicites ou implicites, aux pratiques linguistiques de groupes peuvent avoir une certaine influence sur le fonctionnement synchronique et diachronique de la langue.

Dans certains cas, l'autorité politique intervient directement pour définir l'usage national, voire pour organiser une politique linguistique systématique (Norvège, Israël...). Enfin, la création de langues artificielles ou de systèmes interlinguistiques comme l'espéranto fait apparaître qu'occasionnellement l'intervention explicite du législateur semble être comparable à celle qui régit tel code non linguistique.

En fait, ce qui différencie la langue des autres codes, ce n'est pas tant l'absence d'un législateur que la nature du fonctionnement SYNCHRONIQUE et DIACHRONIQUE. Ainsi, au-delà et en dépit des interventions, la langue demeure hétérogène, donne lieu à une pluralité de pratiques de groupes et reste, dans son évolution, soumise à une logique dont l'essentiel semble échapper aux volontés explicites pour demeurer, le plus souvent, hors de la conscience collective des sujets.

## 3. Code ouvert / code fermé

Dans certains codes, le législateur a pris le soin d'établir la liste exhaustive des énoncés, interdisant ainsi à tout usager, par l'utilisation des unités et des propriétés du code, la constitution de nouveaux énoncés. La plupart des codes destinés à la seule transmission d'ordres ou d'informations (code de la route, signaux ferroviaires, sonneries militaires, grades militaires, etc.) sont ainsi des codes fermés, limités à la production d'un nombre fini d'énoncés.

Pour d'autres codes, le législateur ne cherche pas à prévoir tous les énoncés possibles et ne se donne pas le privilège de les constituer tous par avance. Son travail consiste alors à fournir les unités et les règles de combinaisons et à laisser aux usagers le soin d'utiliser ces propriétés pour constituer des messages. C'est le cas des « langages » scientifiques et des codes subordonnés à la transmission d'énoncés linguistiques (écriture, morse, langage des sourds-muets, etc.). Ces derniers codes sont des codes ouverts et ce sont les langues qui se présentent, bien évidemment, comme les systèmes sémiologiques les plus ouverts.

## 4. Communication et situation

Les codes non linguistiques permettent la production de messages dont le contenu est relativement indépendant des circonstances qui entourent l'acte de communication, c'est-à-dire de la situation. Ainsi, tel panneau routier aura-t-il la même signification quelles que soient les circonstances particulières dans lesquelles on le rencontre (configuration géographique concrète, beau temps ou intempéries...). De même, la sonnerie *Extinction des feux* aura-t-elle la même signification quelles que soient la caserne, la saison ou l'activité préalable des militaires. On peut donc dire que les messages produits par ces codes ont un sens précis définissable en dehors de toute situation concrète.

Par contre, un énoncé linguistique n'a de sens réellement concret qu'en situation. Une phrase comme *Pierre va venir* peut véhiculer une multiplicité de sens concrets différents, selon ce que représente *Pierre* pour les protagonistes de l'acte de communication, selon la fréquence ou l'unicité, connue ou supposée, de l'action, selon le caractère proche ou lointain, défini ou indéfini de sa venue, etc. La même phrase pourra, en s'appuyant sur la situation, vouloir dire par exemple :

> « Comme tous les soirs, Pierre, qui sort de l'école, va arriver vers 17 h »

ou encore :

> « Fait unique, Pierre, fâché depuis vingt ans avec sa famille, va venir le mois prochain d'Afrique pour se réconcilier. »

Etc.

De même, pour reprendre l'exemple de Prieto, un énoncé comme *Donne-moi le rouge* n'est-il compréhensible qu'en situation : le sens concret dépend de la nature des objets environnants (crayon, bouteille de vin, pull-over...).

La communication linguistique prend donc généralement appui sur la situation dont elle n'explicite que certains aspects. Il n'est pas rare non plus de s'interroger sur le sens d'un énoncé qui nous est rapporté. Et le plus souvent pour comprendre ce qu'a voulu dire tel locuteur, il est nécessaire de reconstituer les circonstances dans lesquelles cet énoncé a été émis.

Un énoncé linguistique n'a donc le plus souvent qu'un sens générique abstrait lorsqu'on le considère hors de toute situation. Il n'a de valeur concrète que lorsqu'on peut le rapporter à une expérience non linguistique déterminée, c'est-à-dire à une situation déterminée. Cette disposition particulière que certains pourraient imputer aux imperfections de la langue par rapport aux codes non linguistiques est non seulement un trait inhérent au fonctionnement linguistique mais encore l'une des conditions qui permettent ce fonctionnement. Qu'est-ce qui permet en effet de dire, tout en ne disant pas vraiment, d'utiliser des métaphores, de recourir à des énoncés différents pour l'expression d'un même message, de jouer avec le langage, sinon le fait que l'énoncé n'a pas en lui-même un sens précis, que le sens n'est pas dans les mots ou dans les formes linguistiques, mais dans les situations et l'expérience non linguistique ?

## 5. Sens et contexte

Si la plupart des codes produisent des énoncés dont le sens est relativement indépendant de la situation, ils produisent également des énoncés dont le sens n'est généralement pas influencé par ceux qui précèdent.

Un panneau routier aura un sens précis indépendant du nombre et de la nature des panneaux rencontrés antérieurement. Même chose pour tel numéro de bus, telle sonnerie de clairon, tel grade militaire.

Au niveau linguistique, il faut bien admettre que le sens d'un énoncé peut également être déterminé par le contexte, c'est-à-dire par les énoncés linguistiques antérieurement produits. L'énoncé *Pierre ouvrit la porte du jardin et s'en alla* aura un sens différent selon que les énoncés précédents se rapporteront à une rupture sentimentale, à l'exode rural, au conte de *Pierre et le Loup*.

Par ailleurs, il est banal de rappeler que l'influence du contexte joue à l'intérieur de l'énoncé sur le sens de l'unité. Le mot *tête* qui peut vouloir dire *visage*, *cerveau*, *tout ce qui est au-dessus du cou*, *chef*, etc., verra son sens précisé par le contexte : *il fait une drôle de tête*, *il a mal à la tête*, *il a coupé la tête de son ennemi*, *il a pris la tête des armées*.

Par contre, la valeur signifiée d'une unité non linguistique n'est le plus souvent pas influencée par le contexte : la forme triangulaire signifie pour tous les panneaux routiers exactement la même chose *(danger)* quelle que soit la nature du danger, ce dernier constituant l'une des autres unités de l'énoncé.

Il a été clairement établi que les langues parviennent à une économie considérable du nombre d'unités significatives en laissant au contexte et à la situation le soin de préciser l'infinité des nuances sémantiques. Il est même clair que sans cette économie les langues ne pourraient fonctionner comme elles le font et que celle-ci est donc l'une des conditions du fonctionnement linguistique.

## 6. Communication et style

La plupart des codes visant une finalité presque toujours très précise, ils ne présentent le plus souvent qu'une seule forme pour exprimer tel message déterminé. Informer que M. X... est sergent-chef, que c'est l'heure du rassemblement à la caserne, qu'il va y avoir un virage dangereux à droite, ou qu'il est interdit de passer, renvoie dans chaque cas à un énoncé particulier dont la forme est invariablement la même. Certes il arrive, au gré des changements de signalisation, qu'une même indication soit faite ici à l'aide d'une signalisation ancienne, ici à l'aide de la nouvelle signalisation (ancien et nouveau panneau de *stop*). Mais ces deux énoncés sont alors considérés comme équivalents et non comme des moyens différenciés d'atteindre le même objectif qui auraient leurs caractéristiques propres.

Dans les langues, l'expression d'une expérience non linguistique peut donner lieu à une multiplicité d'énoncés. Ainsi le constat d'ignorance peut passer par des énoncés comme : *je l'ignore*, *j'ai dû le savoir*, *j'ai oublié*, *ça va me revenir*, *je ne sais pas*, « *ché pas* », *je m'en fous*, etc. Ces différents énoncés ne peuvent pas être considérés comme équivalents. Nous avons au contraire affaire à diverses stratégies de communication pour une même expérience à communiquer. Le choix de tel énoncé, au détriment des autres, va dépendre partiellement de la manière dont le sujet apprécie la relation sociale de communication, de l'objet de cette communication, des conditions dans lesquelles elle se produit, etc. Cette pluralité de stratégies pour exprimer linguistiquement toute expérience non linguistique permet au locuteur d'adapter s'il le désire son discours aux circonstances, et l'oblige dans tous les cas à sélectionner une stratégie particulière. C'est cette pluralité de stratégies qui constitue la dimension stylistique de la langue, dimension qui se développe évidemment bien plus dans un code ouvert comme la langue que dans un code fermé. Les langues ne se limitent d'ailleurs pas à véhiculer un contenu informationnel mais permettent également l'expression de la subjectivité du sujet et l'évocation de tout ce que cette subjectivité implique d'expérience personnelle de la réalité et de la vie sociale. Nous avons là ce que les linguistes appellent les CONNOTATIONS. Enfin, les possibilités de reformulation, qu'autorise la dimension stylistique de la langue, permettent d'établir des relations d'équivalence partielle entre énoncés et donc, notamment, d'expliciter la signification de ces énoncés ou des unités qui les composent. Elles sont donc l'une des composantes qui permettent d'expliquer la langue et d'utiliser le langage pour parler du langage (usages métalinguistiques). Toutes ces caractéristiques fonctionnelles doivent être prises en compte non seulement pour appréhender les langues mais aussi pour revenir sur certains problèmes comme celui des rapports entre langage et « pensée ».

## 7. Communication et variation sociale des pratiques communicatives

Les codes non linguistiques donnent généralement lieu à une pratique communicative homogène.

Il est toutefois utile de distinguer les codes dont seul le législateur (ou l'un de ses services administratifs) est habilité à produire des énoncés (signaux routiers et ferroviaires, grades et sonneries militaires, numéros de bus, signes cartographiques, etc.), des codes dont tous les sujets pourraient être des locuteurs (numération, langages scientifiques, schémas et gestes en tant que signaux, etc.). Cette distinction semble assez bien recouper celle de *codes fermés* (essentiellement les premiers) et de *codes ouverts* (essentiellement les derniers).

Si les premiers donnent lieu à une pratique homogène, cela tient au fait que seul le législateur peut être locuteur. Quant aux autres, étant le plus souvent spécialisés dans l'échange d'un type particulier d'informations, ils présentent également une pratique homogène. En ce qui concerne les langues, dans la mesure où les conventions linguistiques sont implicites et la communauté un groupe socialement hétérogène, elles ne présentent, par contre, aucune homogénéité de pratique. Concevoir LA langue comme une réalité homogène ou dégager un usage linguistique standard qui serait commun au plus grand nombre des sujets relève, dans un cas comme dans l'autre, de la pure fiction.

Il est aisé de constater qu'on ne parle pas de la même manière d'une région à l'autre, d'un groupe social à un autre, d'une tranche d'âge à une autre, etc. Cette diversité concerne tous les aspects de la langue : prononciation, organisation syntaxique de l'énoncé, lexique, etc. Elle a son origine dans l'existence d'une pluralité de groupes sociaux dont chacun peut être porteur d'une pratique linguistique particulière. S'il y a intercompréhension entre les groupes, c'est qu'il existe également un système de compréhension, beaucoup plus large que les systèmes de production propres à tels ou tels groupes, système de compréhension rendu possible non du fait de l'identité des diverses pratiques linguistiques mais du fait de leurs convergences.

Comme le langage s'acquiert en parlant avec des gens, c'est-à-dire par l'intermédiaire de relations sociales, il est clair que la manière dont un sujet s'appropriera la langue dépendra des relations sociales qu'il aura contractées et donc, en dernière analyse, de son appartenance à un ou plusieurs groupes sociaux.

Ainsi, des énoncés comme :

« Je suis pas venu pourquoi j'étais malade »

ou

« Il est parti à Gisèle » (pour « il est parti chez Gisèle »)

sont-ils caractéristiques de la pratique linguistique de certains groupes sociaux méridionaux.

Au niveau plus immédiat de la prononciation, certains traits parviennent à la conscience collective et apparaissent dès lors, aux yeux de tous, comme des marqueurs linguistiques de groupes : c'est le cas du dévoisement des consonnes nasales pour certains alsaciens, de la dénasalisation partielle des voyelles nasales avec production d'un appendice consonantique nasal ainsi que de la fréquence de réalisation des E muets pour certains méridionaux, du « r » roulé pour certains groupes ruraux ou géographiques.

Mais à côté de ces traits, que tout le monde peut constater, il en existe bien d'autres qui ne parviennent pas à la conscience collective et qui n'en sont pas moins pour autant spécifiques de l'usage linguistique d'un ou de plusieurs groupes sociaux.

## 8. Fonction de communication, langues et codes

Portant une attention quasi exclusive à la double articulation, les linguistes ont parfois été amenés à affirmer que langues et codes non linguistiques remplissaient la même fonction de communication. La seule différence consentie étant alors que certains codes n'admettaient pas l'échange communicatif du fait que seul le législateur pouvait être locuteur.

En fait, assimiler la fonction linguistique de communication à celle des codes revient à opérer une formidable réduction, à limiter les langues à la seule FONCTION REPRÉSENTATIVE (ou RÉFÉRENTIELLE), c'est-à-dire à la seule narration de faits et d'événements. La fonction communicative des langues est infiniment plus riche que l'échange utilitaire d'informations. Le fonctionnement linguistique permet en effet également l'expression, volontaire ou non, de la subjectivité des sujets, les procédures d'appel visant à influencer l'auditeur, les procédures de vérification du contact nécessaire à la communication, les réflexions sur le langage, les jeux de mots, les formules rituelles et incantatoires, l'ironie, l'allusion, la connivence, etc. Ce sont tous ces usages particuliers de la langue, et bien d'autres encore qui, résultant de sa nature sociale, définissent la spécificité de son fonctionnement.

Ce sont également toutes les caractéristiques fonctionnelles que nous venons d'examiner ainsi que la double articulation qui déterminent les caractères généraux spécifiques aux langues, les opposant ainsi nettement à toutes les formes de codages non linguistiques.

*BIBLIOGRAPHIE*

BARTHES (R.), *Eléments de sémiologie*, *Communications IV*, Paris, 1964.
BRUNER (J. S.), OLVER (R.), GREENFIELD (P.), *Studies in cognitive growth*, New York, Wiley, 1966.
BUYSSENS (E.), *Les langages et le discours*, Bruxelles, Office de Publicité, 1943.
MARTINET (J.), *Clefs pour la sémiologie*, Paris, Seghers, 1973.
MOUNIN (G.), *Introduction à la sémiologie*, Paris, Ed. de Minuit, 1970.
PRIETO (L. J.), *Messages et signaux*, Paris, PUF, 1966.
— La sémiologie, dans *Le langage*, Encyclopédie de la Pléiade, Paris, Gallimard, 1968.
SAUSSURE (F. de), *Cours de linguistique générale*, Paris, Payot, 1916; édition critique préparée par Tullio de MAURO, Paris, Payot, 1972.

# 3 les théories linguistiques

PAR ROBERT VION

Rendre compte, en quelques pages, des théories linguistiques contemporaines, semble inévitablement conduire soit au rituel d'une présentation académique, où chaque doctrine est abordée comme une construction spécifique dont la validité dépend largement de la cohérence interne, soit à une activité purement polémique où la défense étroite d'hypothèses d'école tient lieu de fil conducteur.

Echapper à ce dilemme semble exiger le recours à un type de présentation où l'approche thématique prenne le pas sur la successivité des exposés portant sur des doctrines ou des auteurs.

Aujourd'hui, peut-être plus qu'hier, l'exposé systématique des doctrines semble davantage tenir du jeu stérile, réactivant les dogmatismes et les attitudes spéculatives, que de la prise en compte des problèmes réels de la recherche en linguistique.

Comment ne pas voir, en effet, qu'une telle présentation fige des théories actuellement en mouvement, minimise l'apport de linguistes qui ne prétendent pas à l'esprit de système, et occulte complètement les secteurs les plus dynamiques de la recherche contemporaine, comme la sémiologie, la sociolinguistique, ou l'analyse des conduites discursives qui ne sauraient être réductibles à une simple application de doctrine ?

Pour éviter ces inconvénients et évoquer quelques-uns des problèmes que pose actuellement l'évolution de la linguistique, nous avons choisi une position intermédiaire en trois temps :

A) Dans un premier temps nous présenterons trois doctrines qui appartiennent toutes au passé immédiat de la linguistique et qui conditionnent encore certains débats théoriques. Il s'agit de la théorie saussurienne directement, ou indirectement, à l'origine de la plupart des théories actuelles, et de deux doctrines dont on peut dire qu'elles représentent des formes extrêmes d'un structuralisme dépassé : la glossématique et le distributionalisme.

B) Dans un second temps nous aborderons quelques concepts descriptifs et les problèmes rencontrés par la description linguistique. Il s'agira d'une approche thématique où sera envisagée la relation de la linguistique à son passé immédiat ainsi qu'à de nouveaux secteurs de recherche.

C) Enfin, nous examinerons les problèmes que pose le recours à la synthèse modéliste, c'est-à-dire la construction de modèles logico-mathématiques destinés à rendre compte des langues dite naturelles.

Il va de soi qu'un tel exposé ne peut être qu'incomplet et ne saurait prétendre être une histoire de la linguistique contemporaine.

## A - QUELQUES THÉORIES DE LA PREMIÈRE MOITIÉ DU SIÈCLE

### 1. La théorie saussurienne

S'il est habituel de commencer l'exposé des théories contemporaines par Saussure, il est utile de rappeler que nombre de thèmes saussuriens appartiennent à la culture linguistique du début du siècle. Il paraît difficile, en abordant Saussure, de ne pas citer Whitney, Baudouin de Courtenay, Jespersen ou Meillet qui partageaient avec lui ce qu'il est convenu d'appeler une certaine communauté d'esprit. De même, il peut paraître singulier de ne pas évoquer ce que certaines des conceptions saussuriennes doivent à l'influence de la sociologie de Durkheim ou de la discipline pilote de l'époque : la psychologie.

L'importance théorique de Saussure repose sur la publication posthume du *Cours de linguistique générale*[1] qu'il fit à l'Université de Genève entre 1907 et 1911. L'utilisation de concepts saussuriens, notamment dans le développement de la phonologie pragoise, allait faire du *Cours* un texte théorique fondamental, non seulement au regard de cette linguistique nouvelle qui se constituait, mais également au regard des autres sciences humaines qui, prenant ultérieurement pour modèle la méthode phonologique, faisaient ainsi de Saussure le père spirituel du structuralisme.

#### a - La notion de système

La problématique de Saussure s'articule autour de la notion de système. La langue est un système, c'est-à-dire un ensemble d'unités solidaires les unes des autres et obéissant à des règles. Certes, cette idée n'est pas neuve en linguistique mais Saussure se distingue radicalement sur ce point de tous ses prédécesseurs. Pour ces derniers, connaître le système se ramenait à faire la somme des connaissances acquises sur chacune des unités, considérées comme des données et analysées isolément les unes des autres. Autant dire qu'il n'y avait pas de niveau spécifique de connaissance correspondant au système, ni d'autre perspective qu'une analyse positiviste.

Pour Saussure, on ne saurait identifier une unité indépendamment des autres unités du système auquel elle appartient. Ce qui définit cette unité, c'est la place qu'elle occupe dans le système, c'est-à-dire les relations qu'elle contracte, au sein

1. Ferdinand de SAUSSURE, *Cours de linguistique générale*, Paris, Payot, 1916. (Les références renvoient à l'édition critique préparée par Tullio de MAURO, Paris, Payot, 1972.)

de ce système, avec certaines des autres unités. Pour bien préciser sa pensée il use d'une métaphore : pourquoi peut-on reconstruire une rue de fond en comble sans qu'elle cesse d'être la même ? Parce que son identité ne réside pas d'abord dans sa matérialité mais dans les relations qu'elle entretient avec les autres rues, et donc de la place qu'elle occupe dans la ville (le système). Les unités d'un système ne se définissent donc pas *positivement*, par la description isolée de leur substance, mais *négativement* par les relations (les *oppositions*) qu'elles contractent dans ce système. Est-ce à dire qu'il faille, à l'exemple de Hjelmslev (voir la *Glossématique*), refuser de prendre en compte la matérialité des unités ?

En fait, pour Saussure, les unités ne se conçoivent pas en dehors d'une réalisation matérielle (p. 152) et les variations que subit la réalisation d'une unité sont conditionnées par la position qu'elle occupe dans le système, c'est-à-dire par la nécessité de se maintenir distincte des unités avec lesquelles elle est en relation (pp. 164-165). Il en résulte que la matérialité d'une unité n'est ni une donnée, ni un phénomène externe mais le résultat, au niveau de la substance, des relations que contracte cette unité dans le système.

Autour de ce noyau se greffe un ensemble de distinctions théoriques de caractère dichotomique : langue/parole, synchronie/diachronie, rapports syntagmatiques/rapports associatifs.

### *b - Langue / parole*

Saussure distingue dans le langage un aspect social, la *langue*, et un aspect individuel, la *parole*. Parce que sociale, la langue est organisée en un système de valeurs se définissant réciproquement. Parce que individuelle, la parole est réductible à de simples phénomènes psychophysiques d'intérêt second : « En séparant la langue de la parole, on sépare du même coup : 1° ce qui est social de ce qui est individuel; 2° ce qui est essentiel de ce qui est accessoire et plus ou moins accidentel » (p. 30). Constatant une différence de nature entre ces deux aspects du langage, il va même jusqu'à proposer l'exigence de deux linguistiques : une linguistique de la langue et une linguistique de la parole. S'il est commode d'avoir une distinction permettant de différencier le système de ses actes de communication, il n'est pas possible de suivre Saussure dans sa distinction entre *social* et *individuel* car tout est social dans le langage. La manière dont un sujet prononce et construit son discours dépend largement des conditions sociales dans lesquelles il a appris et utilisé le langage. Autant dire que langue et parole sont des produits de la socialisation. De même l'exigence de deux linguistiques ne paraît pas recevable : comment connaître le système si ce n'est à partir des actes de parole ? et comment comprendre ces derniers sinon en relation avec certaines dispositions du système, et avec la nature sociale de la langue ?

### *c - Synchronie / diachronie*

Saussure distingue deux types d'approche linguistique : la *synchronie* et la *diachronie*. La synchronie est l'étude de la langue à un moment déterminé, abstraction faite de son évolution. La diachronie est l'étude de la langue dans son évolution historique.

Il présente l'étude synchronique comme une étude *statique* et l'étude diachronique comme une étude *dynamique* de la langue.

Pour Saussure, tous les faits linguistiques contemporains forment un système et, par conséquent, toute analyse synchronique nous livrera le système que présente la langue à ce moment-là. Mais il refuse de considérer les faits d'évolution comme systématiques : le passage d'un système à un autre s'opère, selon lui, sous l'action de faits accidentels, isolés et extérieurs au système linguistique lui-même. Sans l'intervention de ces altérations qui lui sont étrangères, le système tendrait à une sorte d'immuabilité. Ainsi exposée, cette distinction exprime plus qu'une complémentarité entre synchronie et diachronie. Elle fait apparaître une complète extériorité entre les deux approches et révèle l'existence de ce que Saussure appelle « deux routes divergentes ».

Lors de l'examen des concepts descriptifs nous reviendrons sur cette distinction et sur les modifications qu'elle a dû subir pour parvenir à un statut théorique plus acceptable.

### *d - Rapports syntagmatiques / rapports associatifs*

Les unités linguistiques peuvent entretenir deux types de relations. *Les rapports syntagmatiques* sont ceux que contractent les unités dans « la chaîne de la parole » comme par exemple *re* et *lire* dans *relire* ou *contre* et *tous* dans *contre tous*.

Il existe également entre les unités des *rapports associatifs* qui ne se réduisent pas à des relations de successivité mais « font partie de ce trésor intérieur qui constitue la langue chez chaque individu » (p. 171). Les rapports associatifs concerneraient donc les relations que contractent les unités au sein du système. La notion de rapport associatif a été, après Saussure, remplacée par celle, apparemment plus opératoire, de *rapport paradigmatique*.

### *e - Théorie du signe et sémiologie*

Deux autres éléments sont à rattacher à la notion de système : la théorie du signe et l'exigence d'une sémiologie.

Chaque mot est un signe qui associe de manière nécessaire, mais néanmoins arbitraire (car conventionnelle), une forme phonique, le *signifiant*, et un sens, le *signifié*. Chacune de ces deux parties du signe est déterminée dans sa substance par sa participation à un système particulier. Les variations de la forme concrète du signifiant sont conditionnées par la nécessité pour les unités phoniques (les *phonèmes*) de rester distinctes les unes des autres à l'intérieur du système. Le contenu d'un signifié est déterminé négativement par les autres signifiés qui existent autour de lui dans le système des signifiés.

Enfin, la langue étant un système de signes parmi d'autres (signaux maritimes, alphabet des sourds-muets...), Saussure envisage l'existence d'une *sémiologie* où serait pris en compte l'ensemble des systèmes de signes. La linguistique ne serait alors qu'une partie de cette vaste discipline.

## 2. La glossématique

Présentée par le Danois Louis Hjelmslev comme le prolongement et la systématisation des thèses saussuriennes, la glossématique est une théorie linguistique qui rejette toutes les théories existantes. Caractérisé par une démarche résolument théorique, le projet vise à constituer une « algèbre immanente des langues ». C'est en 1943 qu'apparaît, en danois, l'exposé systématique de cette théorie[1].

Pour Hjelmslev, la langue est une structure indépendante qui ne peut être définie que par ses relations internes. La théorie habilitée à rendre compte de cette structure doit être déductive, c'est-à-dire se limiter à appliquer aux faits linguistiques les dispositions d'une construction théorique antérieurement et indépendamment constituée. La confrontation avec les langues ne peut ni confirmer ni infirmer la théorie. Selon lui celle-ci est vraie si :

1° Elle ne présente aucune contradiction interne;
2° Elle est exhaustive;
3° Dans le cas où plusieurs procédures répondraient aux deux premières conditions, elle choisit la plus simple.

Reprenant à son compte la distinction *signifiant/signifié*, il appelle *expression* le plan des réalités phoniques, et *contenu* le plan des réalités sémantiques. Dans chacun des plans il distingue entre la *forme* et la *substance* des unités. La substance d'une unité réside dans sa matérialité (phonique ou sémantique), la forme de l'unité dans les relations qu'elle entretient avec les unités de même nature. Ces relations, Hjelmslev les appelle *relations* lorsqu'elles s'établissent dans l'énoncé (qu'il nomme *processus*) ou *corrélations* lorsqu'elles s'établissent dans le système. C'est cet ensemble de relations qui permettent de définir les unités linguistiques, et non leur matérialité. Partant de la notion saussurienne de système et prenant à témoin la phrase du *cours* : « La langue est une forme et non une substance » (p. 169), Hjelmslev en vient à développer une conception immatérielle de la structure, définissant les unités, indépendamment de leur substance, comme le point d'intersection d'un réseau de relations abstraites. Pour lui la substance phonique n'est pas plus fondamentale pour les langues que les substances graphique (écriture), gestuelle (signaux maritimes à bras, alphabet des sourds-muets), visuelle (signaux lumineux en morse), auditive (signaux sonores en morse) qui servent également à transmettre des énoncés linguistiques. Par cette pluralité de substances, la langue montrerait ainsi son indifférence, et son indépendance formelle, vis-à-vis d'une substance déterminée. Il faut toutefois une certaine désinvolture pour voir, dans cette pluralité de substances, l'indice d'une identité de statut : le morse, l'alphabet des sourds-muets, les signaux maritimes à bras sont des codes subordonnés à l'écriture; quant au code écrit, il est à son tour subordonné, au moins partiellement, à la langue parlée.

L'analyse part des unités les plus larges *(textes)* qu'elle divise en parties *(phrases)* qui se subdivisent à leur tour en parties *(propositions)* et ce, jusqu'aux unités ultimes *(figures)*. Ces unités ne peuvent contracter que trois types de relations : *l'interdépen-*

1. Louis Hjelmslev, *Prolégomènes à une théorie du langage*; trad. franç., Paris, Ed. de Minuit, 1968.

*dance*, ou implication réciproque (dans *le garçon* la présence de l'article implique celle du nom, et réciproquement), la *détermination*, ou implication unilatérale (dans *le grand garçon* la présence de l'adjectif implique celle du nom, mais non l'inverse), la *constellation*, ou absence d'implication (dans *le grand garçon*, l'article n'implique pas la présence de l'adjectif et réciproquement).

On peut se demander comment un appareil conceptuel aussi simple pourrait rendre compte de toute la complexité des relations syntaxiques.

Outre le débordement de créations terminologiques, dont on l'accuse souvent, la glossématique présente enfin la particularité de mener la même analyse formelle sur les deux plans, phonique et sémantique, de la langue, ce qui contribue, dans les faits, à faire apparaître un isomorphisme de constitution entre les plans de l'expression et du contenu.

L'indépendance de la structure linguistique, l'approche résolument spéculative et la non-matérialité des unités débouchent sur la constitution d'un modèle linguistique abstrait dont Hjelmslev affirme la validité pour toute langue du passé, du présent et de l'avenir. Il tend donc à instituer une sorte d'immuabilité de cette structure logique, renvoyant l'essentiel des évolutions à de simples modifications de substance.

Importante pour l'histoire de la linguistique, en tant que forme spéculative et a-historique de structuralisme, la glossématique ne se signale plus aujourd'hui que par certaines survivances terminologiques et par l'exigence de rigueur.

## 3. Le distributionalisme

Cette théorie, connue également sous le nom de structuralisme américain, s'est développée aux Etats-Unis à partir de l'œuvre de Léonard Bloomfield. Elle trouve son point de départ dans *A set of postulates for the science of language*[1] et surtout dans *Language*[2], longtemps considéré comme « le plus grand livre de linguistique jamais publié durant notre siècle de part et d'autre de l'Atlantique » (Hall).

La caractéristique fondamentale du distributionalisme concerne son hostilité à l'égard du sens. Alors que la plupart des linguistes considère que la langue met en relation formes phoniques et sens, l'objectif des distributionalistes a consisté à vouloir rendre compte du fonctionnement linguistique par la seule prise en compte de la forme phonique.

Certes, il ne saurait être question, notamment pour Bloomfield, de nier que les unités et énoncés linguistiques ont pour finalité de produire du sens, ni de méconnaître que la distinction entre unités ultimes ne peut être établie en dehors d'une relation au sens : le *phonème* est la plus petite forme phonique dépourvue de sens, le *morphème* la plus petite forme phonique en relation avec un sens (le *sémème*). Mais pour lui la signification renvoie à la totalité de l'expérience humaine et présuppose, pour son explicitation, la connaissance globale du monde, ce qui dépasse largement les possibilités de la linguistique.

1. Publié dans la revue *Language*, 1926/2 (pp. 153-164).
2. *Language*, 1re édition, 1933; trad. franç. : *Le langage*, Paris, Payot, 1970.

Ainsi, « l'étude linguistique doit toujours partir de la forme phonique et non du sens » (*Le langage*, p. 154).

Il en résulte que « tout énoncé peut être totalement décrit en termes de formes lexicales et grammaticales; nous devons seulement nous souvenir que les sens ne peuvent pas être définis dans les termes de notre science. Tout morphème peut pleinement être décrit (son sens mis à part) comme groupe d'un phonème ou plus, disposé d'une certaine façon. (...) Toute forme complexe peut être pleinement décrite (son sens mis à part) en termes de formes constituantes immédiates et de termes grammaticaux *(taxèmes)* qui permettent l'arrangement de ces formes constituantes » (*Le langage*, pp. 158-159).

Pour Bloomfield le sens est un fait externe aux signaux linguistiques qui naît des rapports qu'entretiennent les individus avec les situations et la réalité objective.

Il s'agit donc d'une analyse formelle, le terme formel ne renvoyant pas à non-substantiel comme chez Hjelmslev, mais à ce qui peut être considéré comme faits directement observables : la forme phonique.

Toute forme linguistique peut être appréhendée de deux manières complémentaires.

1° Elle peut être considérée globalement comme pouvant, ou ne pouvant pas, être prononcée seule et former un énoncé de la langue. Toute forme qui peut former un énoncé est une *forme libre*. La phrase est une forme libre maximale qui ne fait donc pas partie d'une forme linguistique plus vaste. Le mot est une forme libre minimale, c'est-à-dire le plus petit fragment d'énoncé qui, pouvant être prononcé isolément, peut encore constituer un énoncé. Cette équivalence entre *mot* et *phrase minimale* n'est pas sans obliger à reconsidérer la définition (ou l'absence de définition) traditionnelle du *mot*.

Si *Jean! Cours!* peuvent, de par leur capacité à constituer un énoncé, être considérés comme des mots, il ne pourrait en être de même pour *mangeait*, *le*, *pour*, etc.

Par contre, toute forme qui, à l'exemple des suffixes *-ette* et *-esse* de *maisonnette* et de *tigresse*, ne saurait former un énoncé qu'en étant liée à une autre forme est appelée *forme liée*.

2° La forme linguistique peut également être considérée comme une construction, c'est-à-dire comme l'arrangement de deux ou plusieurs constituants immédiats. Il paraît donc possible, par une procédure formelle, de la scinder en formes libres immédiatement constituantes. Une phrase comme *Poor John ran away* peut ainsi être décomposée en deux constituants immédiats, *poor John* et *ran away*. Chaque constituant peut à son tour être considéré comme une construction dont il convient de rechercher les constituants immédiats. L'analyse s'arrête aux unités ultimes, *les morphèmes*, qui sont soit identiques aux mots soit leurs constituants immédiats.

Bloomfield distingue parmi les constructions, qui sont des successions de formes libres, les *constructions endocentriques* des *constructions exocentriques*. Sont endocentriques les constructions qui fonctionnent comme l'un de leurs constituants. Ainsi la construction *le Président de la République* est-elle endocentrique car elle fonctionne comme son constituant *le Président*. Sont exocentriques les constructions qui acquièrent un type de fonctionnement distinct de celui des constituants. Ainsi *Pierre mange,* qui est une assertion, est-elle une construction exocentrique car elle fonctionne autrement que *Pierre,* qui peut être soit un appel soit une question, et que *mange!* qui ne peut être qu'un ordre.

Le recours au sens n'étant pas toujours absent des procédures d'analyse de Bloomfield un autre linguiste, Zellig S. Harris, s'est efforcé de radicaliser sa pensée au point d'éliminer complètement toute référence au sens[1]. Cette approche distributionaliste de Harris n'est qu'une des dimensions de sa contribution linguistique. Une contribution ultérieure a consisté à présenter une théorie transformationnelle du discours (voir plus loin). Si Bloomfield postulait que « chaque forme linguistique a une signification constante » (p. 150) (ce qui n'est pas sans poser de sérieux problèmes car les relations signifiant/signifié sont bien plus complexes qu'un simple rapport de bi-univocité), Harris cherche à identifier les morphèmes sur la seule base de ressemblance phonique et de récurrence formelle. Ainsi le *re* de *recevoir* sera considéré comme un morphème à partir de sa ressemblance phonique avec le *re* de *refaire* et de la récurrence formelle qui semble faire de *recevoir* la composition de deux formes indépendantes comme tendrait à l'illustrer le rapprochement entre *recevoir, décevoir* et *refaire, défaire.* Dans ces conditions, *relayer* et *délayer* sont également dissociables en *re-layer* et *dé-layer.* Non seulement une telle analyse arrive à des identifications pour le moins douteuses mais, implicitement, la reconnaissance d'un morphème par sa seule forme exige, sinon une invariabilité formelle, tout au moins l'existence de variations mineures. Ce qui n'est bien évidemment pas le cas de nombre de variations de signifiants et surtout des cas d'amalgame et de monème à signifiant zéro (cas du présent de l'indicatif dans de nombreuses langues).

Cette radicalisation entraîne des modifications de procédure. Harris abandonne la description de l'énoncé en constituants immédiats et rejette tout un ensemble de notions, comme *fonction* ou *système,* jugées trop philosophiques.

La description linguistique se limitera au recensement des unités formelles et à l'étude de leur distribution, c'est-à-dire au relevé de leurs différents environnements dans la chaîne. Ainsi conçue, « la méthode ne nécessitera pas d'autres éléments que des morphèmes et des séquences de morphèmes, et pas d'autre opération que la substitution réappliquée maintes fois »[2]. Par substitution il faut entendre la possibilité pour deux formes d'être introduites dans le même contexte. Les classes de morphèmes seront établies sur la base d'une identité de distribution. Il en résulte une conception large de la commutation où se trouvent, par exemple, réunis dans une même classe, des syntagmes endocentriques, de taille variable, et des unités lexicales. Ainsi le lexème (le) *garçon* sera-t-il jugé équivalent, parce que substituable, à la séquence (le) *plus petit garçon.* Le recensement de ces diverses classes constitue ce que Harris appelle les *structures distributionnelles de la langue.*

Une telle analyse, outre l'impossibilité de parvenir à la description exhaustive des langues, exclut la prise en compte des opérations que supposent les relations entre l'expérience à communiquer et la production linguistique. Elle s'interdit dès lors

1. Z. S. Harris, *Methods in structural linguistics,* University of Chicago Press, 1951.
2. Harris, Du morphème à l'expression, *Langages,* 9, 1968, p. 24.

de voir, dans les rapports syntaxiques, autre chose qu'un simple arrangement de formes, sur le mode de la linéarité, et se condamne à s'épuiser dans une description fastidieuse sans parvenir à l'explication du fonctionnement et du dynamisme linguistiques.

## *B - LES CONCEPTS DESCRIPTIFS ET LES PROBLÈMES DE DESCRIPTION*

### 1. Synchronie / Diachronie

La manière dont on envisage la relation entre la langue et son histoire a une importance considérable pour la linguistique. Nombre de difficultés, d'impasses et de clivages théoriques proviennent de la conception qu'on peut avoir d'une telle relation.

1° La première conception est celle défendue par Saussure et exposée ci-dessus. Rappelons brièvement cette position à travers la métaphore du jeu d'échec (*Cours*, pp. 125-127) et les exemples de pluriel en vieux-haut allemand et en anglo-saxon (pp. 120-121).

Chaque état de jeu correspond à une synchronie, donc à un système où toutes les pièces sont en équilibre. Le passage d'un état à un autre est dû au déplacement d'une seule pièce et non à une réorganisation globale du système. De plus, le déplacement de cette pièce — le fait diachronique — n'appartient ni à l'état de jeu précédent, ni à l'état de jeu suivant. Il est extérieur à chacun des deux systèmes. Par ses exemples linguistiques Saussure assimile les faits diachroniques aux changements phonétiques qui caractérisent la parole. Il en résulte que, sans l'intervention externe des faits de parole, dont les changements sont imprévisibles, la langue tendrait à être immuable.

Une telle conception des rapports entre synchronie et diachronie maintient l'étude de la diachronie dans la situation positiviste qu'elle occupait au XIX^e^ siècle, et tend à faire de la synchronie un objet mythique faisant apparaître une structure sans causalité et présentant une tendance « naturelle » à l'immuabilité.

Cette position, explicite chez Hjelmslev, est également largement caractéristique du structuralisme américain.

2° Avec le développement de la phonologie, des linguistes comme Jakobson ou Martinet n'ont pas admis cette extériorité structurale du changement. Lorsqu'il y a changement linguistique ça n'est pas un élément isolé qui se modifie mais un rééquilibrage structural qui s'opère, rééquilibrage dont le changement linguistique n'est que la partie « visible ». Ainsi, au lieu d'analyser les changements comme autant de faits accidentels, externes au système et sans causalité précise, les phonologues ont-ils cherché à rendre compte de tout changement par les mutations du système et à rechercher ses raisons dans le dynamisme de l'organisation structurale.

Cette deuxième situation théorique, qu'illustre clairement l'étape de la phonologie diachronique, offrait l'avantage de ne plus présenter de divorce aussi marqué qu'auparavant entre l'analyse synchronique et l'analyse diachronique.

3° Plus récemment, les développements de la linguistique ont fait apparaître qu'on ne pouvait plus concevoir la synchronie comme un aspect statique de la langue en réservant le dynamisme pour la seule diachronie.

Ce qui caractérise l'essentiel de la production linguistique contemporaine c'est la conception statique de la synchronie. Cette conception statique s'est exprimée de deux manières différentes :

*a)* Pour ceux qui partent de la description des faits linguistiques, elle consiste à mettre tous les faits contemporains sur le même plan. Aucune différence n'est faite entre ce qui est statistiquement élevé, et qui a de bonnes chances d'être fonctionnellement central et largement productif, et ce qui est plus rare et qui, de ce fait, a de fortes chances de n'être que fonctionnellement marginal et occasionnel. Notons au passage que la fréquence de certains phénomènes est liée à la nature du discours et, compte tenu de la pluralité des conduites discursives (voir plus loin), il existe, au niveau de l'analyse statistique, des pertinences propres aux divers types de discours. Aucune différence n'est établie non plus entre ce qui, en régression, est plus caractéristique du passé, et ce qui tend à s'instituer en règle générale. Enfin, prolongeant en cela la tradition normative, aucune place n'est réservée à l'existence d'une pluralité de pratiques linguistiques partiellement divergentes. Tout est fait au contraire pour parvenir à une grammaire avec des règles homogènes et formelles. Il s'agit donc d'une description « mécanique » où les faits ne sont pas classés selon leur comportement fonctionnel mais sont en quelque sorte « aplatis » pour n'être appréhendés que par leur seule forme. Nous trouvons là tous les traitements formels, qu'il s'agisse du distributionalisme ou des traitements logico-mathématiques.

*b)* Pour d'autres, qui reconnaissaient l'existence de différences fonctionnelles, la conception statique de la synchronie s'est exprimée dans leur volonté de décrire un usage homogène de la langue. Cet usage a tantôt été défini comme « la compétence intrinsèque du locuteur-auditeur idéal »[1] dont les jugements de grammaticalité ont contribué à assurer l'homogénéité; tantôt, c'est dans la recherche d'une pratique linguistique homogène commune à tous les locuteurs — usage standard — que s'est illustrée cette conception statique de la synchronie.

Il semble bien que l'une des conditions pour dépasser les situations présentes et pour prendre correctement en compte le fonctionnement linguistique réside dans une conception dynamique de la synchronie.

La synchronie dynamique doit prendre en compte le fait qu'une langue n'est jamais homogène mais se caractérise par une pluralité de pratiques et de stratégies linguistiques. Cette pluralité exprime le caractère social du langage et représente l'un des moteurs du dynamisme linguistique. C'est elle notamment qui

1. N. Chomsky, *Aspects de la théorie syntaxique*, Paris, Le Seuil, 1971, p. 14.

explique la présence de faits non contemporains au sein d'une même synchronie.

Une étude dynamique de la synchronie implique donc une analyse à la fois fonctionnelle et sociale des phénomènes linguistiques.

## 2. La détermination des unités

Une des questions fondamentales qui se pose à la linguistique est celle de l'identification des unités. Le mode d'identification présuppose en effet une visée particulière de l'objet langue.

Il semble que l'on puisse, avec Saussure, distinguer deux modes d'identification très distincts dont la prise de conscience est à l'origine des thèses saussuriennes. Ou bien on identifie les unités comme des choses, des objets qui nous sont donnés, ou bien on les identifie comme le résultat de rapports.

Saisir les unités comme des objets, procédure en accord avec la conscience spontanée des sujets, conduit inévitablement vers la prise en compte des seules dispositions matérielles de ces objets et donc vers le positivisme de l'analyse de la forme. Définir le phonème par ses réalisations, comme une classe d'allophones, revient à le considérer comme un objet dont la seule réalité est dans sa matière. De même, définir l'unité significative minimale comme une séquence de phonèmes revient à réduire la réalité de l'objet à sa matérialité.

L'identification de l'unité à sa forme, qui caractérise pleinement le distributionalisme, conduit à des impasses : les variations de forme, qui sont compréhensibles si l'on identifie l'unité à des rapports, deviennent de véritables casse-tête pour ceux qui sont inévitablement conduits à rechercher des invariants formels. Toute analyse des unités à partir de leur forme présuppose en effet l'existence d'invariants de forme permettant leur reconnaissance. L'impasse est totale si l'on se réfère au postulat bloomfieldien selon lequel « chaque forme a une signification constante » (*Le langage*, p. 150). Poser ainsi des invariants de forme et de sens en rapport de bi-univocité est une véritable dénaturation des unités linguistiques.

Où est la permanence de la forme pour un monème comme *ten(ir)*, *all(er)* ? Où est la permanence du sens pour une unité comme *fort* dans les énoncés suivants : *un homme fort*, *une femme forte*, *un enfant fort en maths*, *un café fort*, *un papier fort*, *une moutarde forte*, *c'est l'homme fort du régime* ? Certes, Bloomfield parle de traits pertinents de sens, communs à toutes les situations, et donc d'une signification linguistique opposée au sens. Mais les variations du signifié linguistique ne concernent-elles que les seuls traits non pertinents du sens ? L'exemple précédent illustre les difficultés — voire l'impossibilité ? — de postuler un invariant sémantique même en termes de traits pertinents.

L'analyse formelle des unités considérées comme des choses conduit donc à la non-prise en compte de la spécificité des unités et du fonctionnement linguistiques. Le recours au formalisme logico-mathématique poursuivant ces mêmes objectifs ne peut que parvenir aux mêmes résultats.

La deuxième manière d'identifier les unités consiste à les considérer dans leurs rapports. Les unités minimales ne seront pas appréhendées sur une permanence de forme ou une constance de sens. Elles relèvent d'un certain nombre de potentialités concurrentes représentant une partie des dispositions du système linguistique. Chaque unité résulte d'un choix qui exclut les potentialités concurrentes et c'est précisément ce choix, qui, du fait des rapports entretenus avec les unités exclues, est porteur d'information et de valeurs.

Le phonème ne sera donc pas défini comme une forme mais comme l'unité de choix distinctif, c'est-à-dire comme unité d'un système de différences imposé par l'institution. Le monème ne sera pas défini comme une forme mais comme l'unité de choix significatif. Une telle définition n'implique ni une invariabilité de la forme, ni une invariabilité du sens. Bien plus, si l'on peut identifier une même unité sous plusieurs formes différentes (ou plusieurs sens différents) c'est précisément parce que les unités ne sont pas des objets mais résultent de rapports. C'est donc (à l'exemple de la rue reconstruite de fond en comble de Saussure) la permanence des rapports qui permet l'identification d'une unité.

## 3. Langue et pluralité des pratiques linguistiques

Il est banal de constater que les sujets d'une même communauté linguistique n'utilisent pas leur langue de la même manière. Pourtant bien des approches linguistiques semblent présupposer le contraire lorsqu'elles se proposent de constituer une grammaire homogène ou un système phonologique unique et uniforme.

Une manière de concéder l'existence de la pluralité s'est exprimée à travers la notion de niveaux, ou de registres, de langue. Mais la hiérarchisation des usages ainsi obtenue n'était autre que la projection directe, au niveau linguistique, de la hiérarchie des catégories sociales. De plus, chaque usage, dans une échelle de valeurs allant du bien au mal parler, jouissait du même prestige ou du même mépris que la catégorie sociale dont il émanait. Ainsi le « bien » parler ne pouvait être que le fait du socialement « bien situé ». La prise en compte de la pluralité à partir de la notion de niveaux de langue s'inscrit donc dans une conception normative où les jugements de valeur se substituent à l'analyse objective. Il n'est toutefois pas question de rendre compte de cette pluralité linguistique sur le mode idyllique et d'affirmer l'égalité sociale de tous les usages. Comme le rappelle Frédéric François, le fait de norme est un fait objectif « inscrit dans la définition même de la langue comme système de signes arbitraires caractéristiques d'une société donnée »[1]. La norme, qui caractérise les pressions et les rapports de domination entre groupes d'une communauté, conditionne l'équilibre respectif de toutes les pratiques linguistiques.

A côté de ce fait objectif il existe une activité idéologique normative qui s'illustre, notamment, par la prescription d'une surnorme caractérisée « pour l'essentiel par la surévaluation de deux types corrélatifs de traits mineurs, à savoir les traits non pertinents et les traits archaïques »[2]. Cette surnorme plus caractéristique de l'écrit littéraire que de l'oral, et du passé que du présent, se signale par la marginalité de

1. Frédéric François, *L'enseignement et la diversité des grammaires*, Paris, Hachette, 1974, p. 202.
2. Denise François, Sur la variété des usages linguistiques chez les adultes, *La Pensée*, nº 190, décembre 1976, p. 67.

règles comme : « Il faut dire *je me le rappelle* et non *je m'en rappelle.* ». Indice de situation sociale, le langage est utilisé pour justifier l'ordre social : il est « naturel » que le bien parler caractérise les classes « naturellement » supérieures, et le mal parler les classes dominées. Si la linguistique n'a pas à se situer sur ce terrain, il est toutefois dans la tâche du linguiste d'analyser cette idéologie afin d'examiner l'influence qu'elle peut avoir sur les fonctionnements linguistiques réels.

Dans l'examen linguistique des différents usages, le moyen le plus sûr de ne pas renouer avec la tradition normative consiste à ne pas les concevoir comme des réalités linguistiques homogènes.

En fait, chaque usage est hétérogène et comporte une pluralité de stratégies communicatives pour faire face à la diversité des situations de communication. On n'utilise pas les mêmes conduites discursives selon la personne à qui l'on parle, selon l'objet, le lieu, le moment ou la motivation du discours, selon le degré de connivence et de connaissances communes avec le destinataire.

Il n'y a donc pas *une* bonne façon de parler mais des stratégies plus ou moins bien adaptées aux finalités des situations communicatives. Les conduites discursives, survalorisées, d'un académicien face à ses pairs ne sauraient être utilisées dans toutes les situations de communication, comme lorsqu'il parle avec sa femme ou son garagiste.

L'analyse de la pluralité s'appuiera donc sur l'efficacité de l'outil linguistique, sur sa capacité d'offrir des stratégies discursives différentes en fonction de la nature sociale de la communication et de son enjeu.

Si la linguistique veut donc « coller » à la réalité des processus du fonctionnement linguistique, elle devra renoncer à toute description homogène de la langue, qui isolent comme seuls importants un petit nombre de faits effectivement communs, et analyser les conduites discursives dans leur efficience sociale par rapport aux conditions de la communication.

## C - LA SYNTHÈSE MODÉLISTE

Les excès d'un formalisme distributionaliste allait entraîner une réaction très importante avec l'apparition de la *grammaire générative et transformationnelle* de Chomsky.

Avec la théorie générative apparaît un nouveau type d'approche consistant à produire un modèle logico-mathématique universel dont on pourrait faire dériver la totalité des langues existantes. La construction d'un tel modèle, qui doit sa légitimation dans la théorie des systèmes et langages formels, a également donné naissance à la *grammaire générative applicative* du Soviétique S. K. Šaumjan. L'organisation du modèle échappe en principe à toute considération linguistique pour se situer au seul niveau des objets théoriques abstraits. Il ne devrait en fait trouver sa légitimation que dans la cohérence de l'outil logico-mathématique utilisé.

## 1. La grammaire générative et transformationnelle de Chomsky

La théorie chomskyenne a subi plusieurs mutations importantes. On considère généralement l'existence de trois moments distincts : la théorie développée dans *Syntactic structures*[1], la théorie standard développée dans *Aspects of the theory of syntax*[2], la théorie standard étendue développée à partir de *Studies on semantics in generative grammar*[3].

Dans tous les cas Chomsky distingue, pour chaque phrase, une structure abstraite et sous-jacente, la *structure profonde*, et une organisation des unités plus proche de sa forme finale, la *structure de surface.*

### a - La composante générative

Les structures profondes de phrases sont produites par la composante générative de la grammaire qui comprend un ensemble de règles de réécriture puis, dans les étapes ultérieures de la théorie, également tous les termes du lexique ainsi que des règles d'insertion lexicale. L'outillage logico-mathématique concerne plus spécialement les règles de réécriture. Ces règles sont de la forme P → SN + SV. Elles réécrivent un symbole catégoriel (ici P = Phrase) en une séquence de symboles catégoriels (ici SN = syntagme nominal et SV = syntagme verbal). La théorie ne précise rien quant au mode d'existence linguistique de ces symboles catégoriels. Chacun des symboles catégoriels de la séquence devient, à son tour, le point de départ d'une autre règle. Exemple SN → Art. + N (Article + Nom). Et ce jusqu'à ce que des règles terminales introduisent directement les termes du lexique comme

N → fromage, garçon...
V → manger, regarder...

Dans les versions de la théorie postérieures à 1965, les symboles terminaux, comme N et V, ne renvoient plus directement aux termes du lexique. De telles introductions permettaient aussi bien la production d'une phrase comme *le garçon mange le fromage* que la production d'une phrase comme *le fromage mange le garçon.*

Pour éviter cet inconvénient Chomsky intégrera à la composante générative la totalité du lexique, sous-catégorisé en traits phonologiques, sémantiques et syntaxiques.

Les mots du lexique ne seront plus directement introduits par des règles du type N → fromage, garçon..., mais seront soumis à des règles d'insertion lexicale vérifiant la compatibilité des traits syntaxico-sémantiques des mots à combiner.

Ainsi *mange*, exigeant un sujet (+ animé) ne pourrait pas recevoir comme sujet un nom de la catégorie (— animé) comme *table.*

La sous-catégorisation du lexique ressemble fort à une entreprise chimérique tant par l'ampleur de la tâche que par la nature des présupposés idéologiques qui la sous-tendent.

1. Publié en 1957; trad. franç. : *Structures syntaxiques*, Paris, Le Seuil, 1969.
2. Publié en 1965; trad. franç. : *Aspects de la théorie syntaxique*, Paris, Le Seuil, 1971.
3. Recueil d'articles publié en 1972; trad. franç. : *Questions de sémantique*, Paris, Le Seuil, 1975.

Ainsi pourquoi *boire* ne devrait-il recevoir que des sujets animés ? Devra-t-on considérer comme agrammaticale la phrase *le buvard boit la tache d'encre* ? Pourquoi le même verbe ne pourrait-il admettre que des objets présentant le trait (+ buvable) ? Refusera-t-on alors la phrase *il buvait ses paroles* ?

Faudra-t-il également distinguer deux verbes *regarder* dont l'un se combinerait avec des sujets animés comme dans *l'enfant regarde le fromage* et l'autre avec des sujets non animés comme dans *le mur regarde la mer* ?

Ce traitement de la polysémie lexicale et syntaxique qui vise à faire éclater les unités, n'est-ce pas le résultat de la projection du modèle logique sur la réalité linguistique et du même coup la non-reconnaissance de la spécificité du langage à travers la diversité et la polysémie ?

### *b - La composante transformationnelle*

Au terme de cette phase générative, la grammaire produit des structures profondes de phrases du type :

Sing-le-chien-pst-3$^{e}$ pers. sing.-mange-plur.-le-os.

On passe de cette structure profonde à une structure plus proche de la forme finale de la phrase (la *structure de surface*) par une série d'arrangements (permutation, ajout, retrait...) appelés *transformations.*

Dans la phase initiale de la théorie, on distinguait des transformations obligatoires (la transformation affixe) et des transformations facultatives (la transformation passive). Dans les versions postérieures à 1965, toutes les transformations sont obligatoires : les anciennes transformations facultatives sont conditionnées par la présence éventuelle d'un constituant inscrit dans la structure profonde. De même dans la version initiale de la théorie on distinguait des transformations particulières (engendrant des phrases noyaux) et des transformations généralisées (dérivant des phrases complexes à partir de plusieurs phrases noyaux). Après 1965, la notion de transformation généralisée disparaît complètement : la possibilité de combiner plusieurs constructions appartient désormais aux règles de la structure profonde. Toutes ces modifications résultent sans doute de la trop grande « puissance » du modèle initial.

### *c - Les composantes interprétatives*

Si l'histoire de la composante phonologique, qui interprète phonétiquement les structures de surface, n'est pas spécialement mouvementée, celle de la composante sémantique est traversée de vifs débats et de propositions de reformulations théoriques globales. Si pendant longtemps seules les structures profondes étaient déterminantes pour l'interprétation sémantique des phrases, Chomsky propose, dans *Questions de sémantique,* de recourir également non seulement à la structure de surface mais aussi à la phrase phonique totalement constituée issue de la composante phonologique.

Au-delà des diverses formulations une question se pose : Peut-on caractériser le fonctionnement linguistique à partir de langages formels ? Comment le recours au « modélisme » peut-il prendre en compte le caractère social du langage, manifesté par une pluralité de conduites discursives selon l'appartenance sociale, la situation et la nature de la communication ?

De même, la manière dont la grammaire générative rend compte de l'ambiguïté — ce dont on la crédite le plus volontiers — est particulièrement significative.

Ainsi pourquoi faudrait-il que chaque construction syntaxique soit monosémique ? Pourquoi la phrase *J'ai lu la critique de Chomsky* devrait-elle être dérivée de deux structures profondes différentes selon qu'elle veuille dire :

*a) J'ai lu la critique que Chomsky a écrite.*
*b) J'ai lu la critique écrite sur Chomsky* ?

Il faudrait alors faire la même chose avec toutes les phrases et interpréter *Pierre et Marie se sont mariés* comme deux phrases distinctes selon qu'on considère qu'ils se sont mariés ensemble ou séparément chacun de leur côté.

Il faut donc admettre que la bi-univocité entre *forme* et *sens* ou entre *construction* et *sens* qui caractérise les langages formels n'a, à proprement parler, rien de linguistique. Dès lors, les propriétés qu'on prête au langage ne seraient en fait que la projection des propriétés des langages formels.

Il faut néanmoins rendre justice à la volonté de rigueur, au réalisme de l'exigence de la structure par rapport aux simples arrangements linéaires des grammaires de Markow.

Toutefois, cette théorie manque de détermination quant au mode d'existence de ses symboles catégoriels (SN — SV) et ne permet pas, de manière satisfaisante, l'analyse des structures de langues différentes.

Enfin, comment articuler le problème, partiellement vrai, du petit nombre de règles sous-jacentes avec l'existence d'une pluralité de conduites discursives, et donc d'une partie non négligeable de faits syntaxiques caractéristiques d'une partie seulement des compétences linguistiques ?

## 2. La grammaire générative applicative de Šaumjan

Comme le modèle chomskyen, le modèle génératif applicatif[1] présente deux niveaux. Pourtant il s'en différencie radicalement :

1° Dans un premier temps la grammaire générative doit engendrer des objets linguistiques idéaux dont l'ensemble forme une langue idéale appelée *langue génotype.*

2° Dans un deuxième temps la grammaire génotypique doit transformer les objets de la langue génotype en objets de telle ou telle langue naturelle, appelée *langue phénotype.*

La langue génotype est un modèle cybernétique du fonctionnement linguistique, modèle qui peut servir de langue étalon dans les recherches de caractère structural et typologique.

1. Sébastien K. Šaumjan, *Strukturnaja linguistika*, Moscou, 1965; trad. anglaise : *Principles of structural linguistics*, Paris/La Haye, Mouton, 1971.

L'objectif consiste à parvenir à la connaissance des langues à partir de ce modèle idéal.

Šaumjan adresse à ce propos deux critiques de fond à Chomsky :

1° La première vise à mettre en question l'existence de deux niveaux spécifiques dans la théorie chomskyenne. Selon Šaumjan, la théorie chomskyenne est une théorie à un seul niveau : la structure profonde ne peut être pleinement développée hors de son application à une langue particulière. Il n'existerait donc pas une théorie générative universelle mais une grammaire générative de l'anglais, une grammaire générative du français, etc.

2° La deuxième concerne la relative pauvreté du matériel logico-mathématique de Chomsky, qui opère sur des suites linéaires : « A la différence du modèle à états finis, du modèle à constituants immédiats et du modèle transformationnel qui, par leur structure logique, appartiennent aux systèmes de concaténation, le modèle applicatif appartient, lui, aux systèmes non linéaires d'objets abstraits »[1].

Comme Chomsky, il critique les insuffisances de la linguistique qui en reste souvent à la classification des faits. Pour atteindre l'explication et la prédiction des faits, il propose de comparer les langues dans leur fonctionnement afin de découvrir l'invariant fonctionnel que devra simuler le modèle cybernétique, à savoir la langue génotype.

Chaque langue naturelle (phénotype) sera étudiée à partir de cette construction abstraite, comme une transformation de ce langage étalon.

Cette application s'effectue en deux temps :

Dans un premier temps, on remplace les objets abstraits par les lexèmes de la langue à décrire. On obtient ainsi une *langue hybride* dont les énoncés ont la même structure que ceux du génotype. Dans un second temps, des règles de correspondances (des suites transformationnelles) vont permettre de passer de la structure génotypique à des structures linéaires et d'effectuer les ajustements morphologiques nécessaires pour parvenir à la grammaire particulière de la langue étudiée.

Bien que les travaux et descriptions de Šaumjan soient encore mal connus en Occident, on peut craindre que le détour par le calcul mathématique ne soit un nouvel obstacle à la prise en charge de la spécificité du fonctionnement linguistique.

## 3. La grammaire transformationnelle de Harris

La grammaire transformationnelle de Harris n'est pas à proprement parler comparable à l'approche modéliste d'un Šaumjan. Il n'y a pas d'abord constitution d'un modèle puis application aux langues. Il s'agit plutôt d'un traitement mathématique du langage. L'hypothèse de Harris est donc très audacieuse : si le traitement mathé-

1. Conclusion de l'ouvrage *Strukturnaja linguistika,* traduit dans la revue *Langages,* n° 15, septembre 1969, pp. 14-20.

matique caractérisait le modèle, chez Šaumjan, il s'adapte ici directement aux langues. Il y a donc isomorphisme chez Harris entre langues et modèle mathématique.

Les conceptions transformationnelles de Harris apparaissent avec précision dans ses *Notes du cours de syntaxe*[1].

Harris part d'un postulat : « On peut affirmer que les phrases contiennent d'autres phrases; autrement dit, dans une phrase, *Si*, il peut être possible d'identifier une phrase *Sj* accompagnée de matériel supplémentaire X : X peut être une modification de forme, ou bien une séquence de mots (voire d'un mot) de type non propositionnel, ou bien encore une autre phrase entièrement contenue dans *Si* »[2]. Si X n'appartient pas à l'ensemble des phrases de la langue, X est un *opérateur* qui nécessite *Sj* comme *argument*. Dans *le livre de cuisine est tombé*, *de cuisine* nécessite la présence de *livre* comme en témoignent la phrase *le livre est tombé* et la séquence impossible **le de cuisine est tombé*. La séquence *de cuisine* est donc un opérateur qui nécessite la présence de *livre*.

Chaque mot est affecté à un ensemble sur la base de ce qu'il nécessite comme argument. Toute séquence de mots qui consiste en un opérateur concaténé avec un ou plusieurs arguments ordonnés est un *discours*.

Ainsi, dans *Jean a mis du sel sur la laitue*, *mettre* est un opérateur à trois arguments, *Jean*, *sel*, *laitue* pris dans cet ordre et où *sur* est un indicateur d'argument dépendant de *mettre*.

Tout discours contient au moins un *discours élémentaire* comportant au moins un argument élémentaire avec un opérateur élémentaire qui lui est appliqué, comme par exemple *Jean démissionne*.

L'ensemble des discours dont les éléments sont construits uniquement par la concaténation des opérateurs forme *les discours de concaténation*. La première phase de la grammaire consiste à construire ce sous-ensemble des phrases de la langue. Les autres discours peuvent être dérivés des discours de concaténation par des procédures de paraphrase — qui impliquent une relative invariance du sens — accompagnées de modifications de forme. Cette deuxième phase, la phase transformationnelle proprement dite, permet d'instituer des relations d'équivalence entre discours de stricte concaténation et l'ensemble des autres discours. Le calcul des discours de concaténation, comme celui des autres discours, se trouve par ailleurs compliqué du fait que « les phrases (ou les discours) ont des vraisemblances d'occurrence différentes, ce qui revient à dire que l'appartenance à l'ensemble des phrases est graduelle »[3].

Il est à remarquer que dans cette nouvelle direction d'analyse Harris ne rompt pas avec le distributionalisme dans ses dispositions formelles : « Les objets primitifs de départ sont les phonèmes (...) unités de constructions de la structure du langage (et) les mots (...) séquences particulières de phonèmes qui ont été apprises par les locuteurs de la langue »[4].

1. Zellig S. Harris, *Notes du cours de syntaxe*, Paris, Le Seuil, 1976.
2. *Op. cit.*, pp. 13-14.
3. *Op. cit.*, p. 13.
4. *Op. cit.*, pp. 23-24.

Prolongement mathématisé du formalisme distributionaliste, cette théorie met en lumière un mode d'existence des unités, des discours et des langues qui, reproduisant les propriétés d'un modèle formel, occulte largement le dynamisme du fonctionnement linguistique réel. Elle présente néanmoins l'intérêt de proposer un cadre pour le rapprochement de structures discursives différentes.

## *BIBLIOGRAPHIE*


BLOOMFIELD (L.), A set of postulates for the science of language, *Language*, 1926/2 (pp. 153-164).
— *Language*, 1933. Trad. franç. : *Le langage*, Paris, Payot, 1969.
CHOMSKY (N.), *Syntatic structures*, 1957; trad. franç. : *Structures syntaxiques*, Paris, Le Seuil, 1969.
— *Aspects of the theory of syntax*, 1965; trad. franç. : *Aspects de la théorie syntaxique*, Paris, Le Seuil, 1971.
— *Studies on semantics in generative grammar*, 1972; trad. franç. : *Questions de sémantique*, Paris, Le Seuil, 1975.
DUCROT (O.), TODOROV (T.), *Dictionnaire encyclopédique des sciences du langage*, Paris, Le Seuil, 1972.
FRANÇOIS (F.), *L'enseignement et la diversité des grammaires*, Paris, Hachette, 1974.
HARRIS (Z. S.), *Methods in structural linguistics*, Chicago, University of Chicago Press, 1951.
— *Notes du cours de syntaxe*, Paris, Le Seuil, 1976.
HJELMSLEV (L.), *Omkring Sprogteoriens Grundlaeggelse*, 1943; trad. franç. : *Prolégomènes à une théorie du langage*, Paris, Ed. de Minuit, 1968.
LEPSCHY (G. C.), *La linguistique structurale*, Paris, Payot, 1968.
MALMBERG (B.), *Les nouvelles tendances de la linguistique*, Paris, PUF, 1972.
MARTINET (A.), *Economie des changements phonétiques*, Berne, Francke, 1955.
— *Eléments de linguistique générale*, 1960; Paris, Armand Colin, 1967.
— *Langue et fonction*, Paris, Denoël, 1969.
MOUNIN (G.), *Histoire de la linguistique des origines à 1900*, Paris, PUF, 2e éd. mise à jour, 1970.
— *La linguistique du XXe siècle*, Paris, PUF, 1972.
ŠAUMJAN (S. K.), *Strukturnaja linguistika*, 1965; trad. anglaise : *Principles of structural linguistics*, Paris/La Haye, Mouton, 1971.
SAUSSURE (F. de), *Cours de linguistique générale*, 1916. Edition critique préparée par Tullio de MAURO, Paris, Payot, 1972.
TROUBETZKOV (N. S.), *Grundzüge der phonologie*, 1939; trad. franç. : *Principes de phonologie*, Paris, Klincksieck, 1949.

# 4

# éléments de phonétique

PAR ROBERT VION

Toute langue utilise des sons pour communiquer du sens. Les sons constituent le moyen de la communication; le sens en constitue le but. Si l'on ne considère que la nature des deux substances, phonique et sémantique, les sons présentent la particularité d'être le seul aspect manifestement concret des langues.

En tant que relevant du concret, les sons peuvent faire l'objet d'une analyse matérielle, être étudiés en eux-mêmes dans leur réalité physique, abstraction faite du fait qu'ils ne sont que le moyen de la communication linguistique. Ce type d'analyse est pris en charge par la *phonétique*.

En tant que moyen d'établir du sens, ils peuvent être étudiés par rapport à leur contribution au fonctionnement linguistique, c'est-à-dire à leur(s) fonction(s) dans la communication. Dans ce cas, l'analyse pratiquée concerne plus directement la linguistique, et notamment la branche de celle-ci qui traite de l'aspect phonique : la *phonologie*.

La phonétique organise donc une analyse matérielle des sons qui semble devoir la rapprocher des sciences physiques et expérimentales. Il a toutefois fallu attendre le développement récent de la méthode expérimentale en phonétique pour que l'objet de cette dernière se précise aussi nettement, au point de faciliter la constitution de sa contrepartie linguistique : la phonologie. Il est donc nécessaire, si l'on considère l'histoire de la phonétique, de distinguer la période contemporaine où elle se constitue en science expérimentale des périodes antérieures où l'ambiguïté de son statut lui a parfois permis de jouer un rôle important dans le développement de la linguistique, comme ce fut le cas au XIXe siècle avec la linguistique historique.

Les éléments de phonétique présentés se rapportent à la période actuelle de la phonétique expérimentale.

## A - LES DIFFÉRENTS TYPES D'ANALYSE PHONÉTIQUE

L'analyse physique des sons de la parole donne lieu à trois types d'études.

*1* / On peut tout d'abord analyser les conditions et les modalités physiologiques de leur *production*. Il convient alors d'examiner la nature et le fonctionnement des différents organes de la parole et de définir, à propos de chaque son, quelles configurations particulières de ces organes en permettent la production. Le son est ainsi analysé comme le produit d'un ensemble de mouvements articulatoires simultanés, ce qui revient à le définir comme un complexe de traits articulatoires.

Cette analyse physiologique est certes très ancienne. On peut citer la description du sanskrit effectuée par Pânini quatre siècles avant J.-C., ou encore celle de l'arabe établie par Sībawayhi au VIIIe siècle. Plus près de nous, le souci de l'analyse linguistique et de la description universelle des sons a permis, à la fin du siècle dernier, la constitution de l'Alphabet phonétique international.

Toutefois, le développement de la méthode expérimentale a donné un second souffle à l'analyse physiologique. C'est ainsi que l'auto-analyse a cédé la place à l'utilisation de techniques très diverses (kymographie, palatophotographie, puis radiocinématographie, électromyographie, mesure des pressions d'air, glottographie, etc.) permettant une plus grande finesse et surtout une parfaite objectivité de l'analyse physique.

On parlera, pour ce premier type d'études, de phonétique articulatoire.

*2* / On peut ensuite étudier non plus la production mais la *transmission* du son. Le son est alors analysé comme un phénomène vibratoire qui se propage dans l'air. Cette direction d'étude trouve son point de départ dans les travaux de certains physiciens du siècle dernier, portant notamment sur la résonance et la théorie des formants, et dans l'utilisation, plus récente, de techniques comme l'oscillographe ou le sonagraphe *(visible speech)*. L'analyse acoustique ainsi produite est effectuée indépendamment des conditions de perception, un peu comme s'il s'agissait d'étudier un « son sans oreille ». Chaque son est donc produit à une certaine hauteur (*fréquence du fondamental* exprimée en hertz, c'est-à-dire en nombre de vibrations par seconde), avec une certaine *intensité*, une certaine *durée* et surtout avec un certain *timbre* (mise en valeur particulière des *harmoniques* compte tenu de la forme des cavités phonatoires au moment de la production du son). C'est principalement par le timbre que se distinguent les différents sons de la parole.

On parlera dans ce cas de phonétique acoustique. Chaque son est ainsi analysé comme un ensemble de traits acoustiques. Les traits acoustiques qui définissent les timbres vocaliques sont établis à partir de caractéristiques acoustiques appelées *Formants*. Ils correspondent au renforcement de certains des harmoniques du son laryngé, compte tenu de la nature et du volume des cavités supraglottiques traversées. Bien que l'analyse spectrographique fasse apparaître, dans certains cas, de nombreux formants vocaliques, les phonéticiens se sont souvent contentés de trois formants :

— un premier formant, $F_1$, correspondant à une zone de fréquence relativement basse, est lié au volume de la cavité pharyngée;
— un second formant, $F_2$, correspondant à une zone de fréquence plus élevée, est lié au volume de la cavité buccale; c'est le degré d'élévation maximale du dôme de la langue vers le palais qui délimite, de part et d'autre, les cavités buccale et pharyngée;
— enfin, le formant nasal, Fn, combine un formant nasal très bas (de l'ordre de 250 Hz) et un affaiblissement général des autres formants vocaliques.

C'est de la disposition relative des formants $F_1$ et $F_2$ dans le spectre que dépendent la plupart des traits acoustiques caractéristiques du timbre.

Ainsi leur éloignement dans le spectre indique une voyelle *diffuse*, comme [i], alors que leur proximité indique une voyelle *compacte*, comme [a].

De même, le deuxième formant, $F_2$, traduit le degré d'antériorité et, du même coup, le degré d'acuité de la voyelle : situé dans les fréquences élevées du spectre, il indique le caractère *aigu* de la voyelle, comme pour [i]; situé dans les fréquences plus basses, il indique le caractère *grave*, comme dans [u].

*3* / On peut enfin analyser la manière dont cette réalité physico-acoustique est perçue.

Le développement de l'analyse acoustique a clairement fait apparaître que les traits définitoires du son n'apparaissent pas dans la substance physique comme des réalités homogènes. Ce qu'on appelle « nasalité » (et donc trait *nasal*) correspond à tout un ensemble de dispositions physiques comme la discontinuité des formants, la présence d'un formant nasal Fn, l'affaiblissement de l'intensité de tous les autres formants. Le trait nasal n'est donc pas un trait physique mais le résultat d'une interprétation du signal, la synthèse d'un ensemble d'indices acoustiques perceptifs. Comment pourrait-on, en effet, analyser « sans oreille » les caractéristiques acoustiques du son ? Quels traits, quelle variation de substance faudrait-il prendre en compte si l'on fait abstraction du fait que tout dans le signal n'est pas perceptible, que tout n'a pas le même statut pour le décodage et l'interprétation, et qu'en définitive, étant donné l'effet du contexte sur le son, rien n'est semble-t-il physiquement invariant ?

La définition du son en traits acoustiques suppose donc l'analyse perceptive de la réalité physico-acoustique. La théorie des traits acoustiques, un moment située dans le champ de l'analyse physique, semble en fait devoir se présenter comme un modèle de la perception.

Nous assistons donc au développement d'une phonétique auditive ou perceptive qui, en collaboration avec la psychologie expérimentale, se donne comme objet la recherche des indices acoustiques et la connaissance des mécanismes de décryptage et d'interprétation des sons[1].

1. Voir Mario Rossi, Les traits acoustiques, *La Linguistique*, vol. 13/1, 1977, pp. 63-82.

## B - ANALYSES PHONÉTIQUES ET EXPRESSION LINGUISTIQUE DE LA SUBSTANCE PHONIQUE

Si une analyse physique, ou psychophysique, des sons d'une langue ne saurait tenir lieu de description linguistique, il n'en demeure pas moins que toute analyse linguistique du phonétisme présuppose une reconnaissance des unités physiques. D'une manière générale, les linguistes ont pu se satisfaire de données articulatoires. Toutefois certains[1] ont essayé d'élaborer une méthode d'analyse linguistique à partir de données acoustiques.

Les caractéristiques acoustiques étant établies à partir de phénomènes de résonance propres aux cavités physiologiques, il existe, le plus souvent, une relation entre les niveaux articulatoire et acoustique.

La distinction *diffus/compact*, par exemple, correspond au niveau vocalique (car Jakobson l'étend également au niveau consonantique) à la distinction voyelle fermée / voyelle ouverte. De même, le trait acoustique *aigu* est lié à l'existence d'une cavité buccale très réduite pouvant s'exprimer par des traits articulatoires comme « antérieur », « fermé », « dental », etc. Dans ces conditions, sans prétendre à un isomorphisme de descriptions, les correspondances devraient être suffisamment nombreuses pour que le choix d'un mode d'analyse physique au détriment de l'autre n'ait pas grande influence au niveau linguistique.

Toutefois, les tenants de l'analyse acoustique ne l'ont pas limitée à n'être qu'un simple modèle d'analyse physique. Ils l'ont également transposée sur le plan linguistique, ne voulant retenir, comme valeurs acoustiques définitoires, que les seuls traits minimaux nécessaires à la distinction et la spécificité de chacune des unités phoniques. Chaque unité se voit ainsi décrite non pas physiquement en traits acoustiques mais d'abord linguistiquement en TRAITS DISTINCTIFS. Cherchant à réduire au maximum le nombre de ces traits, Jakobson[2] ne retient que douze oppositions binaires de traits distinctifs dont il postule la valeur universelle.

Dès lors, en même temps qu'elle gagne en généralité en se développant sur le terrain de la distinctivité, l'analyse acoustique perd de sa capacité à analyser finement la réalité physique. Ainsi conçus, les traits acoustiques finissent par s'éloigner des caractéristiques réelles de la substance, allant, dans certains cas, jusqu'à symboliser des faits physiques non homogènes (le trait *bémolisé* recouvre à la fois la labialisation et la pharyngalisation).

Voulant être à la fois une analyse linguistique et une analyse physique, le modèle acoustique de Jakobson s'est trouvé, du fait du non-isomorphisme des plans physique et linguistique, dans la situation paradoxale de ne pouvoir être pleinement ni l'une ni l'autre.

1. R. JAKOBSON, G. M. FANT et M. HALLE, *Preliminaries to Speech Analysis. The distinctive features and their correlates*, Cambridge, MIT Press, 1951.
2. JAKOBSON, *Essais de linguistique générale*, Paris, Ed. de Minuit, 1963.

Si l'on ajoute à cela le fait que le modèle d'analyse acoustique se voulait également modèle de perception, il apparaîtra clairement que seul un isomorphisme de tous ces niveaux (physique, linguistique, perceptif) aurait pu lui permettre un développement conséquent. Empêtré dans ces contradictions, ce type d'analyse n'a le plus souvent pas influencé le linguiste au point de lui faire abandonner le recours aux données articulatoires. Au contraire, la phonologie générative, dont les premiers développements s'inscrivaient dans la perspective de Jakobson, tend à n'utiliser aujourd'hui[1] qu'un système de traits articulatoires.

C'est pourquoi nous limiterons ces éléments de phonétique, destinés aux linguistes, à quelques notions de phonétique articulatoire.

A côté de l'analyse des sons, la phonétique développe, également sur le mode expérimental, l'analyse acoustique et psycho-acoustique des faits prosodiques, de l'accentuation comme de l'intonation.

## C - ÉLÉMENTS DE PHONÉTIQUE ARTICULATOIRE

### 1. Les organes phonatoires

Il n'existe pas, à proprement parler, d'organes dont la fonction exclusive ni même centrale soit la production de la parole. Lèvres, dents, langue, larynx, cordes vocales, poumons remplissent avant tout des fonctions biologiques (mastication, déglutition, respiration...), alors que l'activité de langage remplit des fonctions sociales.

Il existe trois types d'organes phonatoires :

— l'appareil respiratoire, fournissant l'air nécessaire à la production et à la transmission des sons;
— le larynx, contenant les cordes vocales, c'est-à-dire l'organe vibrant;
— les résonateurs supra-laryngés (pharynx, cavité buccale, fosses nasales, cavité labiale), permettant de donner au son laryngé les colorations particulières caractérisant le timbre d'un son déterminé.

Lorsque les cordes vocales vibrent, le son émis caractérise les voyelles et les consonnes sonores. Lorsque les cordes vocales sont suffisamment écartées pour ne pas vibrer, le passage de l'air en provenance des poumons n'entraînera la production d'aucun son si par ailleurs rien ne s'oppose à sa progression. Dans le cas contraire, la production d'un son en l'absence de vibration des cordes vocales définit l'existence

1. CHOMSKY et HALLE, *The Sound Pattern of English*, New York, Harper & Row, 1968. Trad. franç. : *Principes de phonologie*, Paris, Le Seuil, 1973.

d'un son *sourd*. Il s'agit le plus souvent dans ce cas de consonnes sourdes. Dans la voix chuchotée les cordes vocales se trouvent suffisamment resserrées pour que le passage de l'air provoque un bruit de friction, mais pas suffisamment fermées pour entrer en vibration. La vibration des cordes vocales détermine la hauteur du son (fréquence du fondamental). Les sons de la parole ont un fondamental dont la fréquence varie, le plus souvent, entre 100 et 400 Hz (100 et 400 vibrations par seconde des cordes vocales), selon la nature de la courbe intonative de l'énoncé, et selon qu'il s'agit d'une voix d'homme ou d'une voix de femme, d'enfant.

Chacune des cavités supra-laryngées va contribuer à la mise en valeur de certains harmoniques du son et contribuer ainsi à la définition du timbre propre à chacun d'eux.

Ces différentes cavités sont : la cavité pharyngée, la cavité buccale, la cavité nasale, la cavité labiale. Le volume et la forme de chaque cavité sont modifiés par l'action de certains organes mobiles :

Ainsi, le maxillaire inférieur commande l'ouverture et la fermeture de la cavité buccale. La langue, dont le niveau d'élévation maximal permet de délimiter vers l'avant la cavité buccale et vers l'arrière la cavité pharyngée, est l'organe le plus actif dans la production des sons. Les lèvres, lorsqu'elles sont projetées, délimitent une cavité supplémentaire, la cavité labiale. Le voile du palais commande l'accès aux fosses nasales. Le larynx enfin, par ses mouvements montants ou descendants, permet notamment la production des sons glottalisés ou préglottalisés.

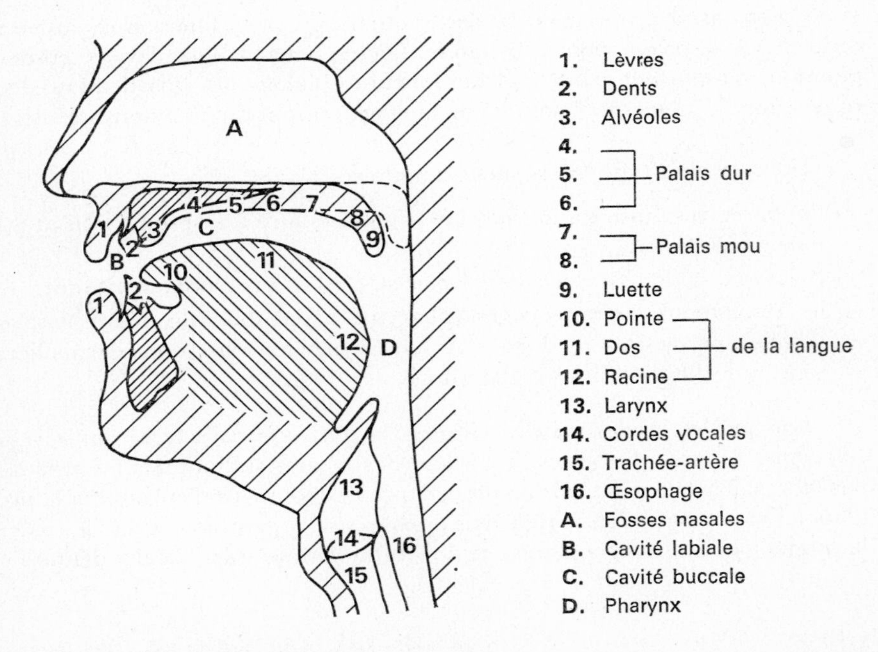


*Schéma des organes de la parole*

## 2. Le classement articulatoire des sons

Si la colonne d'air, porteuse de vibrations glottales, ne rencontre aucun obstacle dans sa progression, le son produit est une voyelle. Au contraire, si la colonne d'air est contrariée dans sa progression par la présence d'un obstacle, le son produit est une consonne.

### a - *Les consonnes*

L'existence d'un obstacle, l'action jouée par les cordes vocales et par le voile du palais permettent de définir, avec quatre traits articulatoires, la plus grande partie des consonnes. Ces traits représentent respectivement : la nature de l'obstacle, le lieu de l'obstacle, l'action des cordes vocales, l'action du voile du palais.

*1 | Nature de l'obstacle*

— Lorsque la progression de l'air est momentanément stoppée par l'existence d'une occlusion, le son obtenu est appelé *occlusive*. Le relâchement de l'occlusion entraîne, du fait de la pression de l'air accumulé, un écoulement brutal et momentané appelé explosion. D'où le nom de *momentanées* parfois utilisé pour parler des occlusives.

Exemples d'occlusives : [p], [t], [k], [b], [d], [g].

— Lorsque la progression de l'air est simplement contrariée par la nécessité de s'écouler dans un chenal étroit, l'air pourra entrer en turbulence et produire un bruit de friction. On parlera dans ce cas de consonnes *constrictives* ou *fricatives*. On les appelle également consonnes *continues* dans la mesure où l'écoulement dans un chenal étroit n'est pas momentané et peut être prolongé à volonté. D'une manière générale, on parlera de *constrictives* pour tous les cas d'écoulements contrariés, qu'il s'agisse de [f], [v], [s], [z], [θ], [ð], [ʃ], [ʒ], même si l'on peut, en fonction de la forme du chenal expiratoire, poursuivre la sous-catégorisation.

— Certaines consonnes semblent présenter à la fois l'occlusion, caractéristique des occlusives, et l'écoulement continu de l'air, caractéristique des constrictives. Il s'agit des *latérales*, comme [l] en français, qui combinent une occlusion centrale, obtenue par l'application de la langue contre la partie alvéolaire ou post-alvéolaire du palais, et un écoulement continu de l'air de part et d'autre de cet obstacle central. Il s'agit également des *vibrantes*, comme le [r] roulé, qui, par une série de battements, combine occlusion et écoulement de l'air.

— Enfin, lorsque l'obstacle est relativement plus lâche, on parlera de *semi-voyelles*. C'est le cas, pour le français, du [j] de [pje] *pied*, du [ɥ] de [lɥi] *lui*, du [w] de [lwi] *Louis*.

*2 | Le lieu de l'obstacle : le point d'articulation*

Le lieu où se situe l'obstacle, le point d'articulation, est également un trait définitoire pour les consonnes.

— Si l'obstacle se situe au niveau des lèvres, la consonne est *bilabiale* : [p], [b] et [m] en français.

— Si l'obstacle est constitué par les dents supérieures et la lèvre inférieure, la consonne est *labiodentale* : [f], [v].

— Si la pointe de la langue (apex) entre en contact avec les dents, les alvéoles ou la région post-alvéolaire, nous avons respectivement des *dentales* comme [θ] [ð] en anglais, des *alvéolaires* comme [s] [z] en français, des *rétroflexes* comme [ɽ] en hindi. Ces trois types articulatoires forment la classe des *apicales*.

— Si le dos de la langue entre en contact avec le palais dur, nous avons successivement, en allant de l'avant vers l'arrière de la cavité buccale, des *palato-alvéolaires* (ou *pré-palatales*) comme le [ʃ] de *chat* [ʃa] en français, des *alvéolo-palatales* comme [ɕ] en polonais, des *palatales* comme [j] en français.

— Si le dos de la langue entre en contact avec le palais mou dans sa partie antérieure, nous avons des *vélaires* comme [k] et [g] en français. Si le contact a lieu dans la partie postérieure du palais mou, nous avons des *uvulaires* comme le [ʁ] français (le r non roulé).

— Si le contact se produit entre la racine de la langue et la paroi du pharynx, la consonne est *pharyngale* comme le [ħ] de l'arabe.

— Si le contact se produit au niveau des cordes vocales, le son obtenu est *glottal* comme l'occlusive glottale [ʔ] de l'allemand ou le « h » initial de l'anglais [h].

*3 | L'action des cordes vocales*

Lorsque les cordes vocales vibrent lors de la production d'une consonne, celle-ci est *sonore*. Exemple : [b], [d], [g], [v], [z], [ʒ] sont des consonnes sonores.

Lorsque les cordes vocales ne vibrent pas, lors de l'écoulement de l'air, la consonne ainsi produite est *sourde*. Exemple : [p], [t], [k], [f], [s], [ʃ].

*4 | L'action du voile du palais*

Si le voile du palais (le palais mou) est relâché et abaissé (comme sur le schéma des organes de la parole), l'air porteur des vibrations glottales s'écoulera à la fois par la cavité buccale et par les fosses nasales. La consonne obtenue est une consonne *nasale* comme [m], [n].

Dans le cas contraire, si le voile du palais est tendu et soulevé (comme l'indiquent les pointillés du schéma), la consonne sera appelée *orale* car tout l'air s'écoulera par le conduit buccal. Exemples : [p], [g], [l], etc.

*Remarque*

Ces quatre traits suffisent pour définir une très grande majorité de consonnes :

[k] est une *occlusive*, *vélaire*, *sourde*, et *orale*.

Toutefois, les langues présentent aussi des sons qui, n'apparaissant pas dans le tableau API (Alphabet phonétique international), semblent être plus complexes. Leur description exige le recours à un ou plusieurs autres traits articulatoires qui sont visualisés, dans la transcription, par des signes diacritiques. Parmi elles, citons les consonnes *palatalisées* (comportant en outre un resserrement du chenal au niveau palatal : cas des consonnes « molles » du russe), les consonnes *vélarisées* (comportant un resserrement au niveau vélaire : cas du « l » dur du russe), les consonnes *glottalisées* (s'accompagnant d'un mouvement montant du larynx : cas de certaines occlusives du sanskrit). Les consonnes *préglottalisées* ou *injectives* (s'accompagnant d'un mouvement descendant du larynx : cas de certaines occlusives du peul), les consonnes *aspirées* (s'accompagnant d'un souffle : comme les occlusives sourdes de l'anglais à l'initiale du mot), les *affriquées* (consonnes combinant de manière homogène la succession d'une occlusive et d'une constrictive : cas du *tch* espagnol).

### *b - Les voyelles*

Les voyelles se caractérisent également à l'aide de quatre traits articulatoires : la zone d'articulation, l'aperture, l'action des lèvres, l'action du voile du palais.

*1 | La zone d'articulation*

— Lorsque la langue se masse dans la partie antérieure de la cavité buccale, la voyelle produite est dite *antérieure* : [i] [y] [e] sont des voyelles antérieures.

— Lorsque la langue se masse dans la partie postérieure de la cavité buccale, la voyelle est dite *postérieure*, comme par exemple [u], [o].

— Lorsque la langue se masse dans la partie centrale de la cavité buccale, la voyelle est dite *centrale*, comme par exemple [ə] (E muet).

*2 | L'aperture*

Du fait de l'action du maxillaire inférieur et de la mobilité de la langue, le degré d'élévation de la langue, par rapport au palais, pourra varier. C'est ainsi qu'on distinguera quatre degrés d'aperture :

— Les voyelles *fermées* comme [i], les voyelles *mi-fermées* comme [e], les voyelles *mi-ouvertes* comme [ɛ], les voyelles *ouvertes* comme [a].

*3 | L'action des lèvres*

Si les lèvres sont projetées en avant, elles produisent une cavité supplémentaire dont l'effet acoustique sera de bémoliser le son obtenu. Les voyelles produites avec projection labiale, comme [y], [u], [o], sont appelées *arrondies*. Les autres, comme [i], [e], produites par rétraction des lèvres, sont appelées *non arrondies*.

*4 | L'action du voile du palais*

Lorsque le voile du palais ferme l'accès aux fosses nasales, la voyelle produite sera, comme [i], [y], [o], une voyelle *orale*. Dans le cas contraire, l'air s'écoulant à la fois par les cavités nasale et buccale, la voyelle obtenue sera *nasale*. Exemple [ã] dans [bã] *banc*.

*Remarques*

En plus des voyelles décrites par le recours à ces traits articulatoires, certaines langues présentent des diphtongues, comme l'anglais, ou des voyelles longues, comme le hongrois (qui distingue [kar] *bras*, de [ka:r] *dommage*).

| Consonnes | Bilabiales | Labio-dentales | Dentales et alvéolaires | Cacuminales | Palatoalvéolaires | Alvéolopalatales | Palatales | Vélaires | Uvulaires | Pharyngales | Glottales |
|---|---|---|---|---|---|---|---|---|---|---|---|
| Occlusives | p b | | t d | ʈ ɖ | | | c ɟ | k g | q ɢ | | ʔ |
| — nasales | m | ɱ | n | ɳ | | | ɲ | ŋ | ɴ | | |
| Latérales | | | l | ɭ | | | ʎ | | | | |
| — fricatives | | | ɬ ɮ | | | | | | | | |
| Vibrantes : roulées | | | r | | | | | | ʀ | | |
| battues | | | ɾ | ɽ | | | | | ʀ | | |
| fricatives | | | ɼ | | | | | | | | |
| constrictives | Φ β | f v | θð\|sz\|ɹ | ʂ ʐ | ʃ ʒ | ɕ ʑ | ç j | x ɣ | χ ʁ | ħ ʕ | h ɦ |
| semi-voyelles | w\|ɥ | | | | | | j (ɥ) | (w) | | | |

| Voyelles | Arr. | antér. | centr. | post. |
|---|---|---|---|---|
| Fermées | (y ʉ u) | ɨ y | i ʉ | ɯ u |
| Demi-fermées | (ø o) | e ø | ɔ | ɤ o |
| Demi-ouvertes | (œ ɔ) | ɛ œ | ɐ | ʌ ɔ |
| | | æ | | |
| Ouvertes | (ɒ) | a | | ɑɒ |

*Alphabet phonétique international*

D'une manière plus générale, ces traits articulatoires sont à prendre comme des valeurs moyennes et ordinaires et non comme des valeurs absolues. Ainsi, le son [k] sera aisément vélaire dans *cou* [ku] mais vraisemblablement palatal dans *qui* [ki]. Le même son [k] pourra également, selon les langues, être appréhendé comme post-palatal ou comme vélaire.

Enfin, les articulations définissant les sons caractérisent la manière la plus habituelle de produire les sons en question. Il est toutefois toujours possible, par des mouvements compensatoires, de produire un son sans nécessairement passer par tous les traits articulatoires attendus. C'est ainsi que les anglophones produiront assez souvent les sons |y| et |u| du français en substituant à la projection labiale un allongement de la cavité pharyngée par abaissement du larynx.

## *BIBLIOGRAPHIE*

AUTESSERRE (D.), La phonétique et ses applications, *Encyclopaedia Universalis*, Paris, 1972.
CRISTO (A. di), *Phonétique générale et phonétique du français*, Middlebury College Press, Etats-Unis, 1976.
DELATTRE (P.), *Studies in french and comparative Phonetics*, The Hague, Mouton, 1966.
JAKOBSON (R.), FANT (G. M.), HALLE (M.), *Preliminaries to speech analysis. The distinctive features and their correlates*, Cambridge, MIT Press, 1951.
MALMBERG (B.), *La phonétique*, Paris, PUF, 1re éd., 1954, coll. « Que sais-je ? ».
— *Les domaines de la phonétique*, Paris, PUF, 1971.
ROSSI (M.), Les traits acoustiques, *La Linguistique*, 1977, vol. 13/1, pp. 63-82.
— L'intonation et la troisième articulation du langage, *Bulletin de la Société de Linguistique de Paris*, t. LXXII, 1977, pp. 55-68.
THOMAS (J. M. C.), BOUQUIAUX (L.), CLOAREC-HEISS (F.), *Initiation à la phonétique*, Paris, PUF, 1976.

# 5

# principes de phonologie

PAR ROBERT VION

## A - LA DISTINCTION PHONÈME / SON

Avec le développement de la méthode expérimentale, la phonétique n'allait plus, comme par le passé, pouvoir s'acquitter des deux missions qu'elle s'était, au moins implicitement, fixées :

— effectuer l'analyse physique des sons, et
— rendre compte linguistiquement des phénomènes phoniques.

Dès la fin du siècle dernier, Baudouin de Courtenay avait affirmé la nécessité de distinguer ces deux missions. A l'analyse physique, il opposait une analyse non physique qui, vu les conditions socio-historiques de la problématique de l'époque, ne pouvait être que « psychologique ». Il distinguait donc la *psychophonétique* (devenue depuis la phonologie) et la *physiophonétique* (la phonétique).

Ce dualisme entre l'*esprit* et la *matière* domine largement les débuts de la phonologie et caractérise la pensée de précurseurs comme Sapir ou Saussure.

Toutefois il entre, d'ores et déjà chez ces derniers, en conflit avec des éléments de problématique linguistique laissant entrevoir pour le PHONÈME un autre mode d'existence.

Ce dualisme est plus net chez N. Van Wijk, pour qui le phonème est réductible au psychisme, ou chez D. Jones, pour qui le phonème n'est que matière, famille de sons apparentés physiquement.

Si la réduction du phonème au psychisme ou au physicisme n'est plus d'actualité, la distinction entre *phonème* et *son* n'a cependant pas toujours donné lieu à des dispositions théoriquement satisfaisantes.

Certes, le regroupement des sons en phonèmes repose, le plus souvent, sur une analyse linguistique, faisant du phonème une unité linguistique et non une simple entité psychique. Mais une fois le phonème dégagé, la tentation est restée grande de le définir, après coup, par réduction aux sons qui le manifestent. C'est ainsi qu'il a été souvent appréhendé comme une classe d'ALLOPHONES (réalisations d'un même phonème pour des contextes différents) ou comme la classe de tous les sons qui ne s'opposent pas de manière distinctive (dont les différences ne sont jamais utilisées pour distinguer des messages dans la langue analysée).

Cette difficulté d'envisager une unité qui, n'étant pas définie par sa nature psychique, ne soit pas pour autant physique explique partiellement la diversité des approches phonologiques. Elle est probablement à l'origine des recherches sur l'identification du phonème à ses combinaisons dans la chaîne.

Or, l'identification du phonème à des dispositions distributionnelles spécifiques, impliquant la délicate appréciation du degré de parenté des supposés allophones, ainsi que l'examen exhaustif des combinaisons, n'aboutit à rien de décisif. Elle n'explique en tout cas ni l'existence d'un SYSTÈME PHONOLOGIQUE, ni l'identité des phonèmes, ni le dynamisme et le fonctionnement linguistiques.

Pour Troubetzkoy, par contre, le phonème n'est ni psychique ni physique. Face à ceux pour qui le non-physique relève de l'abstraction ou de la fiction, il pose l'existence d'un niveau spécifique de réalité, qui n'est manifestement pas physique, mais qui, paradoxalement, présente « plus de réalité » que ce niveau des unités matérielles concrètes.

La pratique linguistique quotidienne des sujets est là pour nous le rappeler : si, à travers la multiplicité des prononciations, les sujets parviennent à se comprendre, c'est que le phonème a plus de réalité que les sons qui le manifestent. Il faut d'ailleurs un entraînement à la discrimination auditive pour qu'un sujet prenne pleinement conscience de la diversité des réalités physiques (comme par exemple le fait que dans *lune* et *lui* nous avons deux unités physiquement très différentes, respectivement [*y*] et [ɥ]).

Cette réalité du phonème réside dans sa fonction sociale, dans sa contribution au fonctionnement du code linguistique.

## *B - L'ANALYSE FONCTIONNELLE*

### 1. Les phonèmes

Il existe deux manières complémentaires de rendre compte des sons de la parole :

1) les considérer dans leur matérialité, comme des phénomènes physiques, abstraction faite du rôle particulier qu'ils peuvent jouer dans la langue;
2) les considérer dans leur fonction linguistique, leur contribution à l'établissement de la communication et au fonctionnement de la langue.

Ces deux approches caractérisent respectivement l'analyse physique du phonéticien et l'analyse fonctionnelle du phonologue, du linguiste.

L'analyse physique consiste à réunir en une même classe les sons qui n'offrent que de très faibles variations par rapport à des caractéristiques articulatoires ou acoustiques considérées comme définitoires. C'est ainsi que les deux [*e*] de *été* seront considérés, du fait de leur ressemblance physique, comme la même unité.

La même analyse consiste à distinguer autant d'unités que de sons physiquement distincts. Ainsi le phonéticien recensera-t-il un [*e*] et un [ɛ], unités physiquement distinctes, même lorsqu'ils se substituent sans incidence pour le message (comme dans [*mezɔ̃*], [*mɛzɔ̃*] pour *maison*), ou qu'ils apparaissent dans des situations complémentaires, comme en français méridional, de sorte qu'il n'est jamais possible de les opposer l'un à l'autre. De la même manière, il distinguera, parce que formant deux réalités physiques très différentes, deux « r » en français : le [r] roulé et le [ʁ] grasseyé.

Ce type d'analyse n'est d'ailleurs pas sans poser quelques problèmes du fait que les caractéristiques physiques d'un son se trouvent parfois notablement modifiées en fonction des contextes où il apparaît.

L'analyse fonctionnelle, de son côté, ne prêtera au départ aucune attention particulière au degré de proximité physique des sons. Deux sons seront considérés comme des réalisations d'un même phonème (d'une même unité linguistique) s'ils remplissent tous deux la même fonction, c'est-à-dire si leur différence n'est jamais utilisée dans la langue en question pour distinguer des messages. On dira que ces deux sons forment une OPPOSITION NON DISTINCTIVE. C'est le cas de [r] et [ʁ] en français.

Inversement, deux sons seront considérés comme des réalisations de deux phonèmes différents si leur différence est utilisée pour distinguer des messages. Dans ce cas ils ne remplissent pas la même fonction et ils forment une OPPOSITION DISTINCTIVE. Il en est ainsi de [t] et [d] en français, dont la différence est utilisée pour distinguer [to] *tôt* de [do] *dos*, [bato] *bateau* de [bado] *badaud*, etc.

L'opposition t/d est donc distinctive et [t], [d] sont des réalisations de deux phonèmes différents.

Une même différence physique pourra, selon les langues, avoir un statut linguistique différent. Ainsi la distinction entre [r] et [ʁ] est-elle distinctive en arabe et non distinctive en français où ce sont des réalisations d'un même phonème /r/. Notons au passage que les phonèmes sont transcrits entre barres obliques, alors que leurs réalisations, les sons, sont transcrites entre crochets.

### *a - La commutation*

L'analyse fonctionnelle des sons permet de les répartir, indépendamment de leur ressemblance physique, en classes fonctionnelles. Elle implique le recours à une opération simple appelée COMMUTATION.

La commutation consiste, au sein d'une unité significative, à remplacer une unité phonique par une autre afin d'apprécier si cette substitution a une répercussion au niveau du signifié.

Ainsi dans [su*e*] *souhait*, la commutation de [u] par [w] qui donne [sw*e*] permet d'apprécier que l'opposition u/w n'est pas distinctive en français.

Inversement, la commutation de [p] par [b] dans [pul] *poule*, permet d'obtenir [bul] *boule* et de noter l'existence, en français, d'une opposition distinctive p/b.

La commutation ne renvoie pas à une analyse sémantique des unités mais seulement à la constatation d'une différence, ou d'une équivalence, significative.

Cette substitution d'unités phoniques à l'intérieur d'une unité significative exige la permanence des autres éléments de manière à pouvoir être tenue pour responsable de l'identité ou de la différence sémantique constatée. On appelle PAIRES MINIMALES les couples d'unités qui, comme [pul] *poule* ~ [bul] *boule*, ne diffèrent que par la commutation d'un son par un autre.

Pour éviter les longueurs et les complications d'analyse, il est utile de remarquer que c'est dans les unités significatives monosyllabiques qu'on a le plus de chances de pouvoir recenser la totalité des potentialités distinctives d'une langue.

C'est donc à partir d'unités comme :

[pu] *pou*, [bu] *bout*, [mu] *mou*, [fu] *fou*, [vu] *vous*, [tu] *toux*, [du] *doux*, [nu] *nous*, [su] *sous*, [zu] *zou* (interjection méridionale), [ʃu] *chou*, [ʒu] *joue*, [ku] *cou*, [gu] *goût*, [lu] *loup*, [ʁu] *roue*

ou comme :

[mi] *mi*, [me] *mes*, [mɛ] *mais*, [ma] *ma*, (éventuellement [m*a*] *mât*), [m*y*] *mue*, [mø] *meuh*, [mə] *me*, [mu] *mou*, [mo] *mot*

que la commutation permet d'analyser la fonction du plus grand nombre d'oppositions phoniques du français.

Partant des oppositions phoniques d'une langue, la commutation permet de les répartir en deux classes complémentaires :

1) les oppositions distinctives, comme t/d en français, dont les termes sont des réalisations de deux phonèmes différents;
2) les oppositions non distinctives, comme r/ʁ en français, dont les termes sont des réalisations d'un même phonème.

En fait, cette distinction entre *distinctif* et *non distinctif* ne saurait être, dans tous les cas, aussi abrupte. Il existe tout d'abord des cas où une opposition, distinctive dans certains contextes, ne l'est plus dans d'autres. C'est le cas de l'opposition *e*/ɛ qui, dans l'usage de certains groupes non méridionaux, existe à la finale de mot (où l'on distingue [*e*t*e*] *été* de [*e*tɛ] *était*; [m*e*] *mes* de [mɛ] *mais*) mais n'existe plus de manière distinctive dans d'autres contextes. Ce phénomène de distinctivité intermédiaire est appelé NEUTRALISATION.

D'une manière plus générale, il ne semble pas souhaitable de développer l'analyse dans le cadre étroit de la problématique *pertinent/non pertinent*, limitant la phonologie à l'étude des seuls faits pertinents, ceux dotés de la fonction distinctive. En effet, lorsqu'on analyse la pratique linguistique d'un groupe, ou d'un usage de convergence (voir plus loin), il sera intéressant de noter qu'à côté d'oppositions qui sont, ou toujours, ou jamais, distinctives, il en existe d'autres qui ne sont distinctives que pour une partie du groupe, ou qu'une partie des groupes de la communauté. C'est le cas de distinctions comme ɛ̃/*œ̃*, a/*a*, *e*/ɛ, etc.

C'est la raison pour laquelle, si l'opposition pertinent/non pertinent paraît encore pouvoir rendre compte de la pratique d'un sujet, il semble fondamental de la remplacer par la notion de *degré de pertinence* pour l'analyse des pratiques de groupes et de leur convergence. Enfin, et nous y reviendrons, c'est l'analyse de tous les faits fonctionnels qu'il conviendra de prendre en compte et non celle des seuls faits hiérarchiquement « supérieurs » (les faits distinctifs).

### *b - Les limites de la commutation*

La commutation est donc l'opération qui permet de décider si deux sons donnés réalisent, ou non, un même phonème. Elle implique que ces deux sons soient effectivement commutables au sein d'une même unité significative, et, par conséquent, qu'ils apparaissent dans un même contexte. Or il arrive fréquemment que les deux sons, dont le linguiste cherche à analyser la fonction, n'apparaissent jamais dans un même contexte. C'est le cas notamment des sons [*e*] et [ɛ] dans la quasi-totalité des usages méridionaux du français. Nous trouvons en effet :

— [*e*] en syllabe ouverte, où [ɛ] n'apparaît jamais, comme dans [m*e*z*ɔ̃*] *maison*, [don*e*] aussi bien *donner* que *donnait*, [pʁ*e*] aussi bien *pré* que *prêt*;
— [ɛ] en syllabe fermée, où [*e*] n'apparaît jamais, comme dans [mɛʁsi] *merci*, [apɛl] *appel*.

L'impossibilité d'opposer [*e*] à [ɛ] dans un même contexte empêche d'utiliser la commutation. Toutefois, cette impossibilité d'opposition peut être interprétée comme résultant de la non-utilisation de leur différence à des fins distinctives, et peut donc permettre de renvoyer les deux timbres à un même choix distinctif, c'est-à-dire un même phonème. Mais à elle seule la distribution complémentaire des timbres ne permet pas de conclure. On dira que [*e*] et [ɛ], distribués complémentairement en français méridional, sont des réalisations d'un même phonème si les RELATIONS PARADIGMATIQUES qu'entretient [*e*] dans les contextes où il apparaît sont les mêmes qu'entretient [ɛ] dans les siens. C'est le cas en français méridional puisqu'en syllabes ouvertes [*e*] s'oppose aux mêmes unités (me ~ mi ~ ma ~ m*y*, etc.) que [ɛ] en syllabes fermées (mɛl ~ mil ~ mal ~ m*y*l, etc.). Nous retrouvons sur ce point la notion saussurienne de système : ce qui fait l'identité d'une unité, ce n'est pas sa matérialité, analysée de manière isolée, mais ses relations au sein du système. Ce qui permet d'identifier [*e*] et [ɛ] comme étant « la même unité » ce n'est pas leur degré de proximité physique mais le fait qu'ils occupent tous deux la même place dans le réseau d'oppositions, c'est-à-dire dans le système.

On appelle variantes combinatoires les réalisations d'un même phonème qui, comme les timbres [*e*] et [ɛ] envisagés, se répartissent dans des contextes complémentaires. Certains linguistes, de l'école bloomfieldienne notamment, ont mis l'accent sur le degré de proximité physique des VARIANTES COMBINATOIRES au point d'en faire l'un des deux critères (l'autre étant la distribution complémentaire) de leur identification.

Cette parenté est d'ailleurs réelle. Il est en effet probable que, lorsque le contexte agit sur les réalisations d'un phonème au point de les différencier physiquement de manière notable, le degré de variation n'est jamais tel qu'on ne puisse faire état d'une ressemblance entre les allophones. C'est le cas de [*e*] et [ɛ] en français méridional, de [d] et [ð] en espagnol, de [p] et [ph] en anglais. Toutefois on a intérêt à considérer que la parenté physique n'est que la conséquence, au niveau des réalisations, de la permanence des relations paradigmatiques entre phonèmes.

De manière plus générale, la commutation des unités phoniques dans un contexte particulier nous livre un ensemble de « candidats phonèmes ». L'examen des résultats de la commutation pour plusieurs positions d'analyse nous livrera par conséquent plusieurs listes de « candidats phonèmes » dont la matérialité peut varier d'une liste à l'autre. Comment identifier les unités de deux listes différentes ? Comment décider que le « p » qui commute, par exemple, à l'initiale du mot est la même unité que le « p » qui commute à la finale ? Là encore, le recours à la parenté physique restitue les données traditionnelles de l'analyse positiviste pour qui l'identité de l'unité, considérée isolément, repose sur la seule analyse de sa matérialité. L'examen des rapports paradigmatiques (le fait que « p » à l'initiale comme à la finale s'oppose aux mêmes unités) permet par contre d'identifier le phonème à ses relations et d'en faire l'objet d'un choix distinctif par rapport à l'ensemble des potentialités distinctives que constitue le système.

### *c - Le cadre de la commutation*

La commutation exige donc le recours à des paires minimales. Ces paires minimales, faisant intervenir des unités significatives, la question se pose de savoir la taille des unités qu'il convient de rapprocher.

Si l'on compare, par exemple, [ku:ʁbɛt] *cours bête !* et [kuʁbɛt] *courbette*, on pourrait être tenté d'en déduire l'existence, en français, d'une opposition distinctive de longueur. En fait, si le premier terme comporte un [u:] cela tient à la possibilité d'introduire une pause entre les deux mots. C'est cette pause virtuelle qui est à l'origine de la modification vocalique.

Pour ne pas introduire de tels inconvénients et les risques que cela comporte quant aux résultats, il est souhaitable que l'analyse fonctionnelle neutralise ce type de variable. Elle limitera donc la commutation à tout segment isolable, signifiant de monème ou mot phonique. On constate d'ailleurs que la quasi-totalité des phénomènes de variance combinatoire interviennent dans le cadre du mot : les phonèmes se réalisent assez souvent de manières différentes selon qu'ils apparaissent à l'initiale, à l'intérieur ou à la finale du mot, selon qu'ils apparaissent dans une syllabe accentuée ou dans une syllabe atone. Telle réalisation peut d'ailleurs caractériser une position particulière du mot, la position finale par exemple, et indiquer ainsi sa limite. On parlera dans ce cas de FONCTION DÉMARCATIVE de la réalisation.

L'analyste devra donc, dans le cadre du mot, préciser quelles sont les positions d'analyse de manière à pouvoir établir, par l'examen des relations paradigmatiques, les principaux types de relation existant entre le paradigme phonologique (l'inventaire des phonèmes) et les paradigmes phonétiques (les différents inventaires de réalisations en fonction du contexte). Il devra enfin mettre en évidence, lorsque ce phénomène existe, les variations qui affectent le paradigme phonologique lui-même. Ainsi dans les langues où les neutralisations existent (phonèmes consonantiques du russe ou phonèmes vocaliques du français non méridional), l'inventaire des phonèmes sera-t-il plus réduit en position de neutralisation que dans les autres positions (voir ci-après le chapitre sur les neutralisations).

#### *d - Le phonème, unité de choix distinctif*

La relation existant entre les réalisations d'un même phonème est caractérisée par l'absence de choix distinctif, qu'il s'agisse des cas de VARIANTES LIBRES, où, comme pour [r] et [ʁ] en français, ces réalisations s'opposent de manière non distinctive, ou qu'il s'agisse des cas de variantes combinatoires, où, comme pour [*e*] et [ɛ] en français méridional, l'absence d'opposition ne permet pas l'exploitation linguistique de leur différence. Il en résulte que le phonème peut être défini comme l'unité de choix distinctif. Chacun des phonèmes de l'énoncé est l'objet d'un « choix distinctif » indépendant. Si dans /mal/ *mal*, il y a trois phonèmes, c'est parce qu'il y a trois choix successifs et indépendants :

— le choix de /m/ qui exclut notamment le choix de /b/ qui aurait donné /bal/ *bal*, etc. ;
— le choix de /a/ qui exclut notamment celui de /u/ qui aurait donné /mul/ *moule*, etc. ;
— le choix de /l/ qui exclut notamment celui de /*t*/ qui aurait donné /ma*t*/ *maths*, etc.

Cette définition a le mérite de permettre la distinction entre phonème et séquence de phonèmes. La séquence /*t*ʃ/, en français, est formée de deux phonèmes successifs puisqu'elle comporte deux choix distinctifs indépendants comme le montrent les exemples suivants :

/ma*t*ʃ/ *match* ~ /ma*t*/ *maths*, /ma*te*/ *mater*...
~ /maʃ/ *mache*, /marʃ/ *marche*...

Par contre, en espagnol, dans la mesure où le choix de [ʃ] implique nécessairement la présence de [*t*], [*t*ʃ] est l'objet d'un seul et même choix distinctif et constitue donc un seul phonème.

## 2. Les tons

A côté des phonèmes, certaines langues présentent des variations distinctives de hauteur appelées TONS. Il s'agit notamment de langues indiennes d'Amérique, de langues du Sud-Est asiatique (chinois, vietnamien...), de langues d'Afrique noire et même de certaines langues d'Europe (suédois, letton...). Les tons ne sont donc pas des réalités linguistiques universelles. Ils peuvent être *ponctuels*, c'est-à-dire caractérisés par une hauteur relative. Ainsi le haoussa (langue « tchadienne ») oppose-t-il un ton haut à un ton bas :

/má:*t*á:/ (avec deux tons hauts) *les femmes* ~ /mà:*t*á:/ (ton bas puis ton haut) *l'épouse*.

Ils peuvent être mélodiques, c'est-à-dire caractérisés par un mouvement mélodique simple (ton montant ou ton descendant) ou par un mouvement mélodique complexe (ton montant-descendant). Ainsi le pékinois présente quatre tons :

/mā/ (ton uni) *maman*, /má/ (ton montant) *chanvre*, /mà/ (ton descendant) *injurier*, /mâ/ (ton montant-descendant) *cheval*.

Certaines langues présentent à la fois des tons ponctuels et des tons mélodiques. C'est le cas, par exemple, du kenga (Tchad), du ngbaka (Centre-Afrique) ou du vietnamien.

Les tons sont, fonctionnellement, comparables aux phonèmes :

1) Ils sont en nombre très réduit (ex. : 3 en ewe, 4 en pékinois, 5 en thaï, 6 en vietnamien...).
2) Comme les phonèmes, ce sont des unités phoniques minimales non significatives.
3) Ce sont également des unités distinctives, intervenant dans le cadre d'unités significatives et permettant, par leur seule opposition, de distinguer des unités significatives différentes, et donc des signifiés différents.
4) Enfin, comme les phonèmes, ce sont des UNITÉS DISCRÈTES, c'est-à-dire qui se définissent de par leurs oppositions. Ainsi, dans une langue qui n'aurait que deux tons (un ton haut et un ton bas), le ton haut n'a de valeur que par opposition au ton bas, et réciproquement. Dans la mesure où les tons, unités de choix distinctifs, se définissent par leurs oppositions, leur matérialité peut se modifier en fonction du contexte intonatif. Ainsi, le ton bas dans un mot soumis à intonation montante pourra-t-il être plus haut que le ton haut d'un mot prononcé avec une intonation descendante. C'est la permanence de l'opposition haut/bas qui déterminera l'existence, dans tous les contextes, de hauteurs distinctives relatives et non l'analyse matérielle des hauteurs physiques absolues. Comme dans le cas des variantes combinatoires, l'analyse des rapports paradigmatiques doit être le seul principe d'analyse.

### 3. L'accent

On appelle ACCENT la mise en valeur d'une syllabe, établissant un contraste entre syllabe accentuée et syllabes non accentuées au sein d'une unité accentuelle, unité dont les dimensions sont variables selon les langues. L'accent se signale donc par sa nature syntagmatique. Ces contrastes ont le plus souvent pour fonction de préciser les limites des diverses unités à l'intérieur de la chaîne. On parlera de FONCTION DÉMARCATIVE lorsque l'accent tombe invariablement sur la première, ou sur la dernière syllabe de l'unité accentuelle.

Ainsi, en français, l'accent porte toujours sur la dernière syllabe du *groupe rythmique* :

*c'est un bel établissement*

En hongrois, il tombe sur la première syllabe du mot :

*buzgólkodik* (faire du zèle)

On parlera de FONCTION CUMULATIVE lorsque la place de l'accent varie selon les mots, que ces variations soient phonétiquement explicables, comme en latin, ou qu'elles semblent échapper à tout déterminisme phonétique, comme en italien.

Enfin, toujours dans ce rôle de délimitation des unités constitutives du discours, certaines langues manifestent une hiérarchie d'accents, constituée, au sein de l'unité accentuelle, d'un *accent principal* et d'un ou plusieurs *accents secondaires*. C'est ainsi qu'en allemand les mots composés reçoivent généralement autant d'accents que de monèmes constitutifs du composé. L'accent principal porte alors, le plus souvent, sur le monème initial :

> *Nachthemd* (chemise de nuit), avec accent principal du *Nacht* et accent secondaire sur *hemd*.

Dans d'autres langues, la hiérarchie s'établit d'une manière très mécanique, comme en hongrois, où l'accent principal tombe sur la première syllabe et où chacune des syllabes impaires comporte un accent secondaire.

L'accent peut, par ailleurs, remplir une FONCTION EXPRESSIVE. Dans ce cas il est facultatif et porte généralement sur d'autres syllabes que celles où il manifeste les fonctions démarcative et culminative.

Ainsi, dans *si vous êtes très gentil...*, avec accent sur *très*, ou dans *c'est impossible !*, avec accent sur *-po-*, l'accent manifeste la subjectivité ou l'affectivité du locuteur. Cet *accent d'insistance* ou cet accent « affectif » ne suppriment pas l'accent « syntaxique » mais, en tant que facultatifs, se surajoutent à toutes les marques accentuelles existantes.

Toutefois, le cas qui intéresse le plus la phonologie est celui où la place de l'accent est libre et où les changements de place s'accompagnent d'une différenciation sémantique. C'est ainsi qu'en anglais la place de l'accent permet de distinguer verbe et nom :

> *a 'subject* (un sujet) ~ *to sub'ject* (soumettre).

De même en espagnol pourra-t-on distinguer :

> *tɛrmi'no* (accent sur la dernière syllabe) : il a terminé
> *tɛr'mino* (accent sur la pénultième) : je termine
> *'tɛrmino* (accent sur l'antépénultième) : le terme.

On dira dans ce cas que la place de l'accent remplit la FONCTION DISTINCTIVE.

## C - PHONOLOGIE D'UN IDIOLECTE, D'UN USAGE DE CONVERGENCE, D'UNE LANGUE

Ces quelques notions de base étant posées, il convient de préciser la nature de l'objet que décrit la phonologie.

- S'agit-il de faire la phonologie de la langue tout entière ?
- Peut-on décrire un usage de référence considéré comme homogène ?
- Va-t-on analyser un usage de convergence non homogène ?
- Faut-il se limiter à faire la phonologie d'un locuteur ?

Autant de questions qui sont décisives pour la description comme pour la théorie phonologiques. Partant de la constatation banale que la langue n'est complète chez aucun individu, la phonologie d'un locuteur déterminé ne pourra que très partiellement rendre compte des pratiques phonologiques au niveau d'un groupe ou d'une communauté.

Les descriptions phonologiques d'idiolectes menées jusqu'ici (on appelle idiolecte la pratique linguistique d'un locuteur) ont clairement fait apparaître la diversité des pratiques linguistiques au sein d'un groupe ou d'une communauté. Cette diversité ne peut le plus souvent pas être ramenée à un simple phénomène de « surface » qui n'affecterait que les réalisations de phonèmes, phonèmes dont le nombre et la nature seraient les mêmes pour tous les sujets. Si le système est la totalité organisée des potentialités distinctives, il faut bien admettre que c'est une totalité variable selon les groupes sociaux. C'est ce qu'a constaté André Martinet dans *La prononciation du français contemporain*[1] puisqu'il a été amené à rendre compte de la phonologie du français en termes de pluralité de systèmes phonologiques. Or, le désir de parvenir à une structuration phonologique simple et homogène a souvent conduit les linguistes à minimiser ces constatations et ce jusqu'à nier, dans certains cas, la variation phonologique. C'est ainsi que la diversité des prononciations a parfois été traitée comme un phénomène n'affectant que les seules réalisations (la phonétique) sans atteindre les phonèmes (la phonologie). Or il est banal de constater que tous les locuteurs français ne présentent pas tous le même nombre de phonèmes : certains ne possèdent pas /ɛ/, /œ/, /ɔ/, /œ̃/, /ɛ:/, /a/, /ñ/ ou /ŋ/.

Mais la manière la plus fréquente de nier la variation phonologique a consisté à vouloir faire l'analyse d'un usage standard dont on postulait au départ et l'existence et l'homogénéité. L'existence de cet usage semblait reposer sur les nécessités de la communication entre les groupes et d'une manière plus générale sur les forces d'unification au niveau d'une communauté. On précisait qu'un tel usage pouvait être appréhendé comme la base commune à toutes les pratiques de la langue et par ailleurs qu'il correspondait à la pratique linguistique réelle de certains sujets. C'est ainsi que selon les auteurs le français standard, par exemple, correspondait soit à la partie commune à toutes les pratiques de français, soit au français de tout le monde, soit à celui d'une certaine catégorie sociale (les Parisiens cultivés). Défini comme une pratique linguistique réelle, et homogène, cet usage standard n'est qu'une fiction.

Quels sont en fait les différents types de réalité linguistique que peut prétendre atteindre l'analyse phonologique ?

Il semble qu'on puisse, au départ, prévoir trois cas de figure :

*1* / Il y a tout d'abord le niveau idiolectal où l'analyse doit rendre compte de la pratique linguistique d'un sujet. A ce niveau il est, le plus souvent, possible de dichotomiser l'opposition pertinent/non pertinent puisque, pour un sujet donné, telle opposition phonique est, généralement, soit pertinente, soit non pertinente. Il peut toutefois y avoir des cas où un sujet ne dispose d'une distinction phonique

1. André Martinet, *La prononciation du français contemporain*, Paris, Droz, 1945.

qu'en certaines circonstances : tel sujet pourra, par exemple, n'utiliser la distinction e/ɛ que lorsqu'il prend la parole en public ou qu'il s'adresse à un supérieur hiérarchique. Mais d'une manière générale, ces cas étant assez marginaux, il n'y a pas de gros inconvénients à considérer qu'au niveau idiolectal la pratique linguistique est relativement homogène, et peut ainsi faire l'objet d'une analyse structurale classique en termes d'invariants.

*2* / Dès lors qu'on examine plusieurs idiolectes, on est amené à constater des variations. Si pour certains petits groupes, relativement fermés, organisés autour d'une grande homogénéité de pratique sociale, il apparaît que chaque sujet présente la même phonologie que les autres membres du groupe, les méthodes habituelles peuvent encore rendre compte de la phonologie de ce groupe. Dans ce cas les variations concernent les réalisations de phonèmes. Il est toutefois très important de ne pas constamment renvoyer l'étude des réalisations de phonèmes à la seule phonétique. La sociolinguistique, et Labov en particulier, a clairement montré que la manière dont un sujet réalise un phonème dépend, entre autres, à la fois de la globalité de son expérience sociale (donc de sa participation à certains groupes sociaux) et de la nature de la relation sociale établie au moment de la communication (voir plus loin le paragraphe sur la « libre variation »). Les réalisations de phonèmes ne sont donc pas à rejeter de l'analyse parce que relevant du domaine de la non-pertinence. Elles sont au contraire porteuses de la dimension sociale du langage qui ne saurait en aucun cas être considérée comme une caractéristique externe. C'est la raison pour laquelle, et nous y reviendrons, fonder une phonologie sur l'analyse des seuls faits pertinents, même si cela a représenté un moment nécessaire dans le développement de la discipline, ne peut plus être, aujourd'hui, le seul objectif des phonologues.

Si l'examen de la phonologie de petits groupes homogènes peut faire apparaître l'existence de variations ne concernant que les réalisations de phonèmes, le plus souvent la confrontation des pratiques linguistiques au sein d'un groupe social réel fera apparaître des divergences plus profondes. Ces divergences sont d'autant plus grandes que le groupe social sera plus vaste et moins homogène. Au niveau d'un groupe, et *a fortiori* au niveau d'une communauté, on est le plus souvent amené à constater une pluralité des pratiques linguistiques. Si, en dépit de cette pluralité de pratiques linguistiques, les sujets d'un groupe ou d'une communauté parviennent à se comprendre, c'est que, à côté des systèmes de production qui commandent ces pratiques, il existe un *système de compréhension.* Ainsi tout locuteur français comprendra ce que dit tel journaliste de radio-télévision, tel porte-parole syndical, telle personnalité du monde des spectacles alors même que ses productions sont à la fois différentes et plus restreintes en potentialités. Ce système de compréhension, dans la mesure où il permet la communication entre des sujets à pratiques linguistiques différenciées, ne saurait se limiter aux seules parties communes à toutes les pratiques de la langue. Toutefois la compréhension n'est possible que parce qu'il existe de larges convergences entre pratiques et, de fait, ce système de compréhension peut être considéré comme un *usage de convergence*, résultant de ce que Saussure appelait la *force d'intercourse* et que Frédéric François appelle *force d'unification.* Par opposition, les *forces de diffé-*

*renciation* contribuent à maintenir la pluralité des pratiques linguistiques de groupes.

Il ne fait aucun doute que, derrière les notions de *français standard* ou de *norme* (à ne pas confondre avec la *surnorme* des puristes), c'est cet usage de convergence que les linguistes cherchaient à atteindre. Mais contrairement à leur définition de l'usage standard, l'usage de convergence, qui est un système de compréhension, ne saurait correspondre à une pratique linguistique réelle propre à tel(s) groupe(s) ou à tel(s) sujet(s). En tant que convergence de pratiques réelles, cet usage est par ailleurs soumis à l'équilibre respectif de ces pratiques et donc, en dernière analyse, à la dynamique des faits sociaux. Il est de ce fait hors de question de le considérer comme une réalité statique homogène. L'analyse phonologique de cet usage de convergence nous amènera donc à dépasser le cadre de la description structurale traditionnelle, à recourir à la notion de *degré de pertinence* et à une conception dynamique de la synchronie.

*3* / Il reste à savoir si l'analyse phonologique de *la langue tout entière* intéresse la linguistique.

Il n'est en fait pas possible, au niveau de la langue tout entière, de saisir d'autres aspects de la réalité que la pluralité des pratiques et leur convergence. Il n'est en effet pas souhaitable de confondre, au sein d'une même analyse, systèmes de production et système de compréhension, et de postuler l'existence d'une réalité linguistique correspondant à cette confusion de plans. Parler de la langue tout entière exige donc soit l'épuisement de tous les aspects de la réalité, soit la constitution d'un objet mythique. Dans un cas comme dans l'autre, vouloir faire la phonologie de la langue tout entière semble être une entreprise chimérique.

L'analyse phonologique ne semble donc devoir être concernée que par trois types de réalité :

*a)* l'analyse des systèmes « individuels » de productions (analyse des idiolectes);
*b)* l'analyse des pratiques phonologiques de groupes présentant une spécificité de pratique linguistique;
*c)* l'analyse de la convergence des pratiques (système de compréhension).

Etant donné que les concepts utilisés pour rendre compte des idiolectes et de l'usage de convergence doivent permettre d'aborder les pratiques phonologiques de groupe, nous limiterons la suite de l'exposé d'une part à la phonologie d'un idiolecte, d'autre part à la phonologie d'un usage de convergence.

## 1. Phonologie d'un idiolecte

Un idiolecte ne s'oppose pas à un usage de convergence comme l'aspect individuel d'une réalité sociale. D'abord parce que l'individuel est le fruit de rapports sociaux, ensuite parce que l'usage de convergence, en tant que système de compréhension, n'est pas de même nature que les systèmes de production. Si l'idiolecte est le produit linguistique des rapports sociaux de l'individu, tel sujet déterminé aura une pratique linguistique totalement ou partiellement représentative de celle d'un ou de plusieurs groupes.

L'analyse des idiolectes est compatible avec une problématique fondée sur l'opposition pertinent/non pertinent. Il est en effet possible, pour un sujet déterminé, de savoir si, en dehors des cas de neutralisation, telle opposition phonique est ou n'est pas distinctive. Les procédures évoquées plus haut, dans *l'analyse fonctionnelle*, permettent donc de recenser la totalité des phonèmes d'un idiolecte. A propos de chaque phonème il sera aisé de relever les réalisations en variations combinatoires et les réalisations en libres variations. On constatera d'ailleurs que bien des phénomènes de libre variation n'existent pas au niveau idiolectal proprement dit mais au niveau de la comparaison entre idiolectes : [r] et [ʁ], par exemple, ne sont des variantes libres qu'au niveau d'un usage de convergence, car, au niveau de tel système de production, le sujet n'aura que telle ou telle réalisation. Une fois la liste des phonèmes établie, le linguiste devra définir chacun des phonèmes de l'idiolecte, afin de procéder ensuite à la constitution du système phonologique caractéristique de cet idiolecte.

### a - La définition des phonèmes

C'est en phonologie que la notion saussurienne de système trouve sa plus éclatante illustration. Pour Saussure, une unité ne possède pas en elle-même les éléments de sa propre définition. Son identité ne réside pas dans sa matérialité mais dans les relations qu'elle contracte avec les autres unités du système. En tant qu'unité d'un système phonologique, le phonème ne peut être défini qu'à partir de ses oppositions avec les autres phonèmes du système. Chacune de ses oppositions contribue donc à le définir en lui fournissant l'un de ses traits définitoires. Les traits définitoires sont des TRAITS DISTINCTIFS : on retiendra comme trait définitoire d'un phonème ce qui, dans une opposition donnée, lui permet de se maintenir distinct du phonème auquel il est opposé.

Dans un idiolecte présentant autour de /p/ le réseau d'oppositions suivant :

/p/ sera défini comme « bilabial » par rapport à /t/, dans la mesure où c'est ce qui le différencie de /t/, et comme « sourd » par rapport à /b/, dans la mesure où c'est ce qui le différencie de /b/.

Si /p/, dans cet idiolecte, ne s'oppose qu'à /t/ et à /b/, sa définition ne comportera que les deux traits définitoires distinctifs « bilabial » et « sourd ».

Dans un idiolecte où le réseau d'oppositions autour de /p/ serait le suivant :

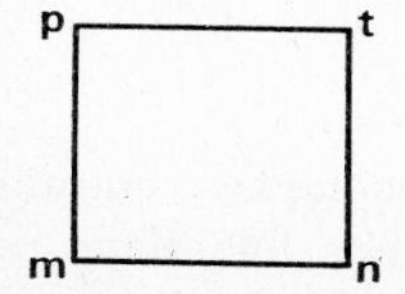

/p/, toujours « bilabial » par rapport à /t/, ne pourrait être défini, comme précédemment, par le trait « sourd ». Dans cet idiolecte, le trait « sourd » n'est pas un trait distinctif du phonème /p/ dans la mesure où il ne lui sert pas à se maintenir distinct d'un phonème avec lequel, sans ce trait, il se confondrait. En l'absence d'un phonème /b/, le trait « sourd » n'est donc pas pour /p/ un trait distinctif, un trait définitoire. On parlera alors de trait non distinctif, caractérisant certaines des réalisations, mais ne contribuant pas à la définition du phonème.

Par contre, dans la mesure où il doit se maintenir distinct de /m/ avec lequel il contracte une opposition, /p/ se verra affecter, dans ce même idiolecte, le trait distinctif « non nasal ».

Un trait distinctif correspondra donc soit à un trait de substance (comme « bilabial »), soit à l'absence d'un trait de substance (comme « non nasal »), mais sera dans tous les cas doté de la fonction distinctive.

Au terme de l'examen de chacune des oppositions qu'il contracte, le phonème sera défini par un ensemble de traits distinctifs. Il arrive toutefois qu'un phonème n'entretienne aucune relation particulière avec tel ou tel phonème mais se distingue globalement de tous les autres phonèmes du système. C'est le cas de /l/ ou de /r/ en français, qui sont marginaux dans le système, et présentent de ce fait un seul et unique trait distinctif correspondant à la globalité des éléments permanents de leur substance.

### *b - La constitution du système*

Dans la mesure où chaque trait pertinent symbolise une ou plusieurs oppositions du système, la totalité des oppositions (c'est-à-dire le système) sera visualisée dans les termes d'une matrice de traits pertinents.

Si l'on dispose en abscisse les traits pertinents de localisation et en ordonnée les autres traits pertinents (en prenant soin de les regrouper selon leur nature), on parvient à constituer le système phonologique caractéristique d'un idiolecte.

Ainsi pourra-t-on, pour bien des usages du français, parvenir au système phonologique idiolectal suivant :

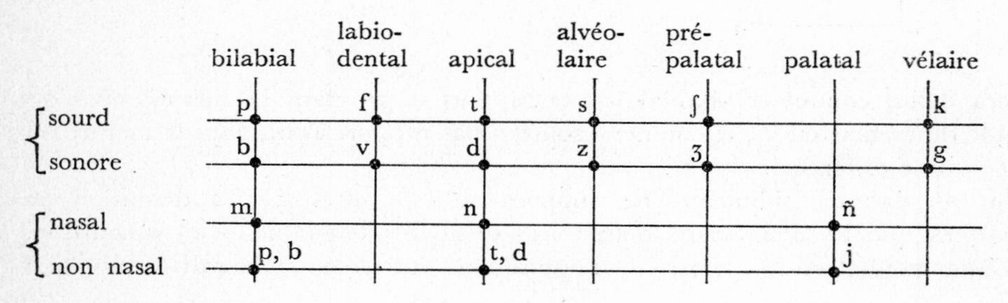


marginaux dans le système : /l/; /r/.

Ce système, qui visualise les oppositions entre phonèmes, entraînera l'obligation pour certains phonèmes d'apparaître plusieurs fois dans le tableau.

Un phonème qui, du fait de ses oppositions, présente *n* traits pertinents, apparaîtra (*n* — 1) fois dans le tableau. Si, comme pour /l/ « latéral » en français, un phonème ne présente qu'un seul et unique trait pertinent du fait de sa marginalité dans le système, il n'apparaîtra pas dans le tableau proprement dit.

Une fois le système constitué, il convient d'en analyser la structure. Celle-ci sera fonction du type d'organisation de cet ensemble et donc des relations qu'entretiennent entre elles les diverses oppositions.

Une opposition se définit par le rapport existant entre ses termes. Ainsi l'opposition de /p/ à /b/ se définit-elle, en français, par le rapport des traits pertinents « sourd » à « sonore », de sorte qu'on peut écrire :

$$\frac{/p/}{/b/} = \frac{\text{« sourd »}}{\text{« sonore »}}$$

On dira qu'une opposition est *proportionnelle* si son rapport caractérise également d'autres oppositions de la même langue. Ainsi les oppositions p/b ou p/t sont-elles proportionnelles en français, puisque l'on peut respectivement écrire que :

$$\frac{p}{b} = \frac{f}{v} = \frac{t}{d} = \frac{s}{z} = \frac{\text{ʃ}}{\text{ʒ}} = \frac{k}{g} = \frac{\text{« sourd »}}{\text{« sonore »}}$$

et que :

$$\frac{p}{t} = \frac{b}{d} = \frac{m}{n} = \frac{\text{« bilabial »}}{\text{« apical »}}$$

Par contre, une opposition est *isolée* si elle est la seule, dans la langue en question, à présenter son rapport. Ainsi, dans les usages du français où elle existe encore, l'opposition ɛ/ɛ:, unique opposition où la longueur est à elle seule pertinente, est-elle une opposition isolée.

Parmi les oppositions proportionnelles, certaines, appelées CORRÉLATIONS, présentent un intérêt particulier pour le phonologue. On appelle corrélation l'ensemble des oppositions proportionnelles qui reposent sur un même RAPPORT CORRÉLATIF. On appelle *rapport corrélatif* la relation existant entre deux traits pertinents contradictoires, de sorte que l'affirmation de l'un revient logiquement à la négation de l'autre. Ainsi le rapport sourd/sonore est, en français, corrélatif, car ces deux qualités se définissent réciproquement. Il en résulte que le système phonologique du français présenté plus haut possède une corrélation de « sonorité », opposant une série « sourde » /pftsʃk/ à une série « sonore » /bvdzʒg/.

Par contre, le rapport bilabial/apical n'est pas corrélatif : « bilabial » n'est pas la simple négation d' « apical » puisqu'en français est « bilabial » ce qui n'est ni « apical », ni « labiodental », ni « prépalatal », ni « palatal », ni « vélaire ». Et réciproquement.

### c - *Les neutralisations*

Lors de l'exposé sur l'*analyse fonctionnelle*, nous avons implicitement supposé qu'une opposition était soit distinctive, soit non distinctive. Or, il arrive fréquemment qu'au niveau d'un idiolecte (comme au niveau de l'usage d'un groupe) une opposition soit à la fois, selon les contextes, distinctive et non distinctive. Il s'agit d'un cas de pertinence intermédiaire selon lequel une opposition distinctive dans certains contextes cesse de l'être dans d'autres. C'est le cas de l'opposition sourd/sonore du russe qui, distinctive dans la plupart des positions, ne l'est plus à la finale du mot où l'on ne rencontre que des consonnes sourdes. C'est encore le cas de nombreux usages non méridionaux du français : l'opposition *e*/ɛ distinctive à la finale du mot ([*e*t*e*] *été* ~ [*e*tɛ] *était*; [m*e*] *mes* ~ [*m*ɛ] *mais*), ne l'est plus dans les autres contextes. Ainsi en syllabes ouvertes non finales, nous avons indifféremment [*é*] ou [ɛ] ([mezɔ̃] ou [mɛzɔ̃] pour *maison*) et en syllabes fermées, finales ou non finales, nous ne pouvons avoir que [ɛ] ([kɛstjɔ̃] *question*, [apɛl] *appel*).

On parlera de NEUTRALISATION dans toutes les positions où une opposition, distinctive par ailleurs, n'est plus représentée que par l'un et/ou l'autre de ses membres, de sorte que leur opposition n'y est plus distinctive. Ainsi l'opposition de sonorité du russe se neutralise à la finale du mot. L'opposition *e*/ɛ de certains usages non méridionaux du français se neutralise ailleurs qu'à la finale du mot.

Lorsqu'une opposition se neutralise, ce n'est pas un phonème qui disparaît mais une opposition qui ne fonctionne plus. De fait, le terme qui se « maintient » ne représente pas l'un des phonèmes de l'opposition neutralisée, mais l'opposition elle-même. Le [t] final du russe [got] (pour « god » *année*) n'est pas la réalisation, en cette position, du phonème /t/ qui existe par ailleurs. En cette position, [t] ne s'opposant pas à un [d] nécessairement absent ne saurait être phonologiquement défini comme « sourd ». Par contre, l'examen des oppositions que ce [t] entretiendra à la finale du mot avec l'ensemble des autres unités fera apparaître que le phonème, dont [t] est ici la réalisation, présente comme traits distinctifs l'ensemble des traits communs à /t/ et /d/.

Ce [t] final sera donc la réalisation d'un phonème représentatif de l'opposition t/d neutralisé : l'ARCHIPHONÈME /T/.

Les archiphonèmes sont phonologiquement transcrits par des majuscules.

Dans les usages non méridionaux du français qui présentent les phonèmes /*e*/ et /ɛ/ à la finale du mot, cette opposition se neutralise dans tous les autres contextes, de sorte que les [*e*] et [ɛ] des positions non finales sont des réalisations de l'archiphonème /E/.

Le concept de neutralisation présente une cohérence et une utilité indéniables puisqu'il est directement en relation avec la nature oppositionnelle des unités, c'est-à-dire la base même de l'analyse fonctionnelle. Toutefois son utilisation n'est pas sans poser quelques problèmes. Ainsi, dans le cas de l'opposition *e*/ɛ en français non méridional, on ne pourra transcrire /*e*/ et /ɛ/ qu'à la finale du mot. Partout ailleurs les [*e*] et [ɛ] seront des réalisations de /E/. *Nécessaire* sera donc transcrit /nEsEsEr/, *détester* /dEtEst*e*/, *détestait* /dEtEstɛ/. La transcription exige donc le recours à trois réalités linguistiques (/*e*/, /ɛ/, /E/) alors qu'ayant le plus souvent affaire à l'archiphonème, la majeure partie des [*e*] et [ɛ] relève du même phonème /E/.

Par ailleurs, en position de différenciation, c'est-à-dire à la finale du mot, ne faudra-t-il transcrire les phonèmes /*e*/ et /ɛ/ que dans les cas où l'existence de paires minimales (comme /ete/ *été* ~ /etɛ/ *était*) atteste la présence de l'opposition distinctive, ou pourra-t-on également transcrire /prəmie/ (et non /prəmiE/) pour *premier* en l'absence d'un mot comme /prəmiɛ/ * *premiait* ?

## 2. Phonologie d'un usage de convergence

En posant l'existence d'un *usage de convergence* qui ne corresponde à aucune pratique linguistique réelle, en le définissant comme un *système de compréhension*, par opposition aux *systèmes de production*, on pourrait être tenté d'en faire avant tout une réalité psychologique et donc de reprendre, sans le vouloir, la distinction *esprit/matière* qui caractérisa les prémisses de la phonologie. En fait, il serait profondément regrettable de vouloir à nouveau faire subir à cet usage de convergence le sort que Saussure réservait à la langue. Comme la langue, l'usage de convergence n'est pas d'abord une réalité psychologique dont il conviendrait de rendre compte par le recours aux sentiments du locuteur. Il n'est pas non plus déposé dans le cerveau des membres d'une communauté sous forme de « traces identiques ». Comme la langue, enfin, il ne peut être connaissable qu'à partir des actes de paroles relevant des systèmes de production. L'usage de convergence exige donc l'analyse de la convergence des pratiques réelles.

### *a - Variation de la pertinence*

Au niveau de la convergence des pratiques réelles, il n'est pas possible de présenter toutes les oppositions phoniques comme étant soit distinctives, soit non distinctives.

Si certaines oppositions phoniques (p/b, p/t, t/d, i/y, i/u...) semblent être effectivement distinctives dans la totalité des pratiques phonologiques, d'autres, en revanche, ne semblent être attestées que pour certains groupes de la communauté.

Ainsi, l'opposition ɛ̃/œ̃ qui existe dans la quasi-totalité des usages méridionaux n'existe pas dans certains usages caractéristiques du Bassin parisien et de la Normandie. L'opposition a/*a* qui entre les deux guerres était largement distinctive à Paris ne l'était pas dans les régions méditerranéennes. L'opposition e/ɛ qui caractérise certaines pratiques non méridionales du français n'est le plus souvent jamais distinctive dans les usages méridionaux où ces deux timbres sont en distribution complémentaire.

D'autres oppositions phoniques connaissent également une variation sociale de leur degré de pertinence. Il s'agit notamment, toujours pour le français, de o/ɔ, ø/œ, ø/ə, n/ñ, n/ŋ, *a*/*ã*, etc.

Dans certains usages, apparaissant en Bourgogne, en Alsace, en Normandie, nous trouvons des oppositions distinctives de longueur caractérisant les phonèmes vocaliques les plus fermés (i-y-u). C'est ainsi que [bu] *bout* sera distinct de [bu:] *boue*. Dans certaines pratiques de groupe du français méridional, il est possible de faire apparaître une absence totale de phonèmes vocaliques nasals : les voyelles nasales sont alors réductibles, comme dans d'autres langues romanes, à la successivité d'une articulation vocalique et d'un appendice consonantique nasal implosif. Ainsi *chante* prononcé [ʃα̃̊ntə], *enfant* prononcé [α̃̊ɱfα̃̊ŋ] pourront faire apparaître, au terme de l'analyse phonologique, que, là où la plupart des Français ont un phonème nasal /ã/, ces sujets méridionaux auront une succession de deux phonèmes /aN/. Ce dernier phonème /N/ se réalisera [m], [ɱ], [n] ou [ŋ] selon le contexte.

De même, bien des usages ne présentent plus le phonème /ñ/ mais la séquence biphonématique /n/ + /j/.

Si le système est la totalité des potentialités distinctives, il faut donc admettre que c'est une totalité socialement variable et conclure à l'existence d'une pluralité de systèmes de production.

La langue n'est pas homogène au niveau d'une communauté parce qu'une communauté n'est pas un groupe socialement homogène. Par contre, elle tend à l'être dans les groupes, généralement de taille restreinte, qui présentent une grande homogénéité de pratique sociale. On peut donc faire l'hypothèse qu'il existe des pratiques phonologiques de groupes, plus ou moins homogènes, selon la nature des groupes. Il n'en demeure pas moins que la communication intergroupes sera possible si, en raison des forces d'unification, de larges convergences existent entre les pratiques. C'est le cas en français, puisque la corrélation de sonorité qui permet de caractériser douze phonèmes consonantiques /pftsʃk - bvdzʒg/ semblent appartenir à toutes les pratiques phonologiques. De même, les corrélations vocaliques permettent de distinguer au moins sept phonèmes vocaliques, /i-y-u-*e*-ø-o-a/, dont on peut penser qu'ils existent dans tous les systèmes de production. En rajoutant les phonèmes /m/, /n/ et /j/, qui semblent également relever de la quasi-totalité des pratiques, nous voyons apparaître une base d'invariants suffisamment large (vingt-deux phonèmes) pour qu'une convergence réelle soit manifeste au niveau des différents systèmes de production.

Nous aurons donc, au niveau de l'usage de convergence, des oppositions phoniques, comme p/t, avec un degré de pertinence maximal, d'autres, comme u/w, avec un degré de pertinence toujours nul, d'autres enfin, comme e/ɛ ou a/*a*, avec un degré de pertinence intermédiaire.

Remarquons, au passage, que la variation de la pertinence ne concerne pas nécessairement que la comparaison des pratiques réelles. Il est en effet possible de constater, au sein d'un même idiolecte, une variation du degré de pertinence d'une opposition en fonction des conditions de l'acte de communication. Ainsi certains sujets méridionaux qui ne font généralement pas la distinction e/ɛ peuvent être amenés, lorsqu'ils parlent avec un sujet parisien, lorsqu'ils sont en relation avec un sujet à statut social valorisé, ou plus simplement, s'ils sont instituteurs, lorsqu'ils font la classe, à surveiller leurs productions et à produire cette distinction phonologique généralement absente de leur pratique. Bien qu'il ait, le plus souvent, limité ces constatations à des phénomènes « infra-phonologiques » portant sur les réalisations de phonèmes, nous avons affaire ici à ce que Labov appelle la stratification stylistique du langage.

Si on constate par ailleurs que l'opposition e/ɛ, parce que neutralisable, présente au départ un pouvoir distinctif limité, on conviendra aisément de la complexité des paramètres qui interviennent pour préciser le degré de variation phonologique. Il ne semble donc pas possible, à moins de cultiver un amateurisme superficiel, de parvenir à mesurer quantitativement le degré de pertinence d'une opposition. La multiplicité des pratiques de groupes, l'existence de variation pouvant intervenir au niveau de chaque pratique particulière (neutralisations, variations stylistiques), le dynamisme et l'évolution rapide de certains usages, ne permettent ni ne rendent souhaitable une telle approche quantitative.

Ce qu'il importe de noter, c'est le dynamisme de l'usage de convergence, l'existence de zones de structuration à cohérence variable. Ainsi, à côté des zones à forte structuration, présentant des organisations d'oppositions phonologiques relativement stables et constantes (les corrélations citées plus haut), nous trouvons des zones à structuration plus lâche où l'incertitude et l'instabilité sont plus grandes (e/ɛ, ø/œ, o/ɔ, n/ñ...).

La notion de degré de pertinence doit donc nous permettre de saisir le dynamisme linguistique, de différencier le *stable* de l'*instable*, le *constant* de l'*occasionnel*, le *central* du *marginal*. Dans cette quête du dynamisme de la structure, il est possible d'établir des *degrés relatifs* de pertinence entre oppositions, selon qu'elles appartiennent à une zone de forte ou de faible structuration, selon qu'elles appartiennent à ce que le système a de nécessaire et de central ou à ce qu'il a d'occasionnel et de marginal. Ce degré relatif de pertinence ne doit pas résulter d'oppositions abruptes entre stable et instable, constant et occasionnel, central et marginal, mais du degré de stabilité, de constance et de marginalité des oppositions.

#### *b - La libre variation*

Si les divergences de pratiques linguistiques affectent le nombre des potentialités distinctives, donc le nombre de phonèmes, elles affectent également les réalisations phoniques des phonèmes. Ainsi la prononciation d'un phonème, par exemple /r/ en français, va-t-elle varier en fonction de critères géographiques et sociaux pour donner [r], [ʁ], [R], etc.

Dans la mesure où il s'agit de productions différenciées d'un même invariant, la phonologie a parlé d'opposition non distinctive, de variantes libres, et renvoyé ainsi leur analyse à la seule phonétique. Or, la limitation de la phonologie à l'étude des seuls faits pertinents n'a pas permis la prise en charge de cette dimension sociale de la langue. Si la manière dont les sujets réalisent leurs phonèmes est révélatrice de l'existence d'une pluralité de pratiques de groupes, si la nature sociale du langage est un critère linguistique interne, alors la dynamique des relations entre réalisations peut être considérée comme l'un des moteurs du fonctionnement et de l'évolution phoniques des langues. Renoncer à prendre en compte ce dynamisme linguistique revient à faire du caractère social de la langue un critère externe et à organiser l'analyse phonologique dans la problématique d'une synchronie statique limitée à l'étude des seuls invariants. C'est la raison pour laquelle la phonologie se doit de réintégrer l'analyse des faits non pertinents, sans bien entendu organiser la confusion des niveaux fonctionnels.

Sous l'appellation de variantes libres, nous avons deux types de réalités linguistiques :

*1* / Tout d'abord, certaines des variantes dites libres font apparaître un ensemble de réalisations qui ne sont pas toutes à la disposition d'un locuteur particulier. Si /r/ ou /a/ présentent plusieurs types de réalisations, cela ne signifie pas que tel locuteur donné utilisera indifféremment telle réalisation plutôt que telle autre. Ainsi la réalisation [r] caractérisera les productions linguistiques de certains groupes (par exemple certains groupes sociaux du Sud-Ouest ou encore certains groupes ruraux) alors que la réalisation [ʁ] caractérisera d'autres groupes. Si, comme dans le cas présent, les réalisations concurrentes sont suffisamment différentes pour parvenir à la conscience sociale des locuteurs, il en résultera tout un ensemble de jugements subjectifs. Ainsi la réalisation [ʁ] sera valorisée parce que relevant notamment des pratiques linguistiques dominantes, la réalisation [r] sera dépréciée en tant que trait marqueur de groupes jugés marginaux. L'inégalité de valorisation des réalisations reflète l'inégalité des pratiques linguistiques et concerne donc, à la fois, le dynamisme des faits sociaux comme celui des faits linguistiques. On constate donc, généralement, une distribution sociale des diverses réalisations d'une même unité linguistique. C'est ce que Labov appelle la *stratification sociale* du langage, laquelle ne se limite d'ailleurs pas, nous l'avons vu précédemment, aux phénomènes de libre variance.

*2* / D'autres variantes dites libres relèvent au contraire des potentialités concurrentes que peut effectivement mettre en pratique tel locuteur déterminé. Ainsi tel locuteur qui habituellement prononce [mezɔ̃] pour *maison* et [Ke] pour *quai* pourra être amené à prononcer [mɛzɔ̃] et [Kɛ] lorsque, par exemple, les circonstances le mettent en demeure de communiquer avec un sujet qu'il juge plus intelligent ou plus haut que lui dans la hiérarchie sociale. De même tel sujet méridional qui prononcera beaucoup de E muets pourra, dans certaines relations sociales, limiter leur existence. Il existe donc, pour tout locuteur, une pluralité de stratégies de prononciations qui ne sont d'ailleurs pas toutes en relation avec le souci de « bien parler ». Les circonstances de la communication (nature de la relation sociale, objet du discours, degré de connivence...) contribuent à guider le choix de telle ou telle stratégie. Cette diversité de stratégies — probablement encore plus manifeste au niveau de l'organisation syntaxique de l'énoncé — caractérise ce que Labov appelle la *stratification stylistique* du langage. Les analyses menées par Labov font apparaître l'existence pour certaines variables d'une covariation entre la stratification sociale et la stratification stylistique. Cela signifie que si, pour un style donné, les différentes réalisations d'un phonème sont socialement distribuées, les modifications entraînées par la variation stylistique font encore apparaître l'existence de réalisations socialement distribuées.

Cette pluralité de stratégies, résultant de la stratification sociale ou stylistique du langage, ne doit pas faire l'objet d'une analyse linguistique instituant entre elles une hiérarchie fondée sur le degré de correction. Il est difficile de suivre sur ce point les inévitables jugements de valeur qui sous-tendent la distinction code élaboré / code restreint chez Bernstein et même, d'une certaine manière, la distinction entre discours familier et discours surveillé chez Labov. Tout jugement de valeur à ce niveau ne peut que restituer les jugements subjectifs et donc, en dernière analyse, la hiérarchie sociale. Mais si le linguiste n'a pas à classer cette diversité de stratégies en fonction d'un « degré de correction » (sous forme de niveaux ou de registres de langues), il ne doit pas ignorer leur inégalité de valorisation du fait de l'existence de formes dominantes de discours.

Enfin, au niveau de la libre variation apparaît également le changement linguistique en cours. La langue ne change en effet pas brusquement pour tous les sujets d'une communauté en même temps. Le changement affecte d'abord la pratique linguistique de certains groupes alors que d'autres continuent à conserver les formes anciennes. Il en résulte, à un moment donné, la coexistence synchronique d'éléments non contemporains. Une partie du dynamisme linguistique provient de cette pluralité concurrente de formes et l'explication de certains changements exige la restitution des conditions sociolinguistiques de leur propagation.

### c - Variation et combinatoire des phonèmes

L'analyse phonologique doit rendre compte aussi bien des potentialités distinctives et des réalisations phoniques propres à tel usage, que des principaux types de combinaisons de phonèmes. On constate sur ce point que toutes les combinaisons de phonèmes ne sont pas exploitées. On constate également que certaines séquences de phonèmes peuvent caractériser telle ou telle position du mot et remplir de ce fait une fonction démarcative destinée à faciliter la compréhension. Le plus souvent ce sont les réalisations de phonèmes qui remplissent cette fonction : ainsi en anglais la nature des réalisations de /t/ contribuera-t-elle à distinguer *night rate* (tarif de nuit), où l'absence d'aspiration et le caractère implosif du [t] indiquent la position finale du mot, de *nitrate* (nitrate).

Qu'il s'agisse de réalisations de phonèmes, des phonèmes ou des séquences de phonèmes, il est possible d'établir, à partir d'échantillons linguistiques, des indices statistiques. L'intérêt d'une telle étude réside plus dans la fréquence relative de chaque unité ou de chaque séquence que dans l'indication de valeurs numériques qui n'ont de signification que par rapport à l'échantillonnage initial. D'une manière générale, on peut faire l'hypothèse que ce qui est fréquent dans la langue a de bonnes chances d'être également productif, relativement central et de posséder un rendement fonctionnel élevé. Ainsi, si la séquence CV (consonne + voyelle) présente une fréquence élevée, cela ne saurait être une remarque externe au système. Un tel type combinatoire peut en partie expliquer des formes comme :

*il a* → *i(l)s ont*
*i(l) chante*
*ges(t)ion*
*j(e) sais pas* → [ʃepa].

Ce type de simplification de la combinatoire semble être très avancé au niveau de l'usage de convergence. Il y aurait donc tendance à utiliser de façon préférentielle certains types de combinaisons, facilitant ainsi dans une large mesure le codage et le décodage linguistiques.

A côté de cette tendance, on constate également une instabilité de certaines combinaisons. Ainsi nous trouvons des formes comme :

*notre* ~ *not(re)* ; *table* ~ *tab(le)* ;
/lɛ̃gyistik/ → [lɛ̃gɥistik] ~ /lɛ̃guistik/ → [lɛ̃gwistik] pour *linguistique*;
/ɛ̃fartys/ ~ ɛ̃farktys/ ~ /ɛ̃fraktys/ pour *infarctus*;
/aeropor/ ~ /areopor/ pour *aéroport*.

Il est indéniable que cette instabilité formelle, cette « tolérance » de la combinatoire ne sont possibles que parce que la quantité d'information de chaque phonème décroît rapidement au fur et à mesure que l'on avance dans l'unité significative, que les risques de confusion ne sont pas considérables, que le système autorise les combinaisons « non attendues ».

Il est probable que cette variation de la combinatoire concerne directement le dynamisme de la langue, restitue d'une certaine manière des dispositions linguistiques centrales ou productives et peut conditionner certains changements linguistiques importants. La phonétique historique, nous allons le voir, avait pour sa part cherché l'explication de certains changements dans les rencontres séquentielles entre unités phoniques.

## 3. Phonologie diachronique

La phonétique historique a donc considéré que les raisons du changement résidaient le plus souvent dans les pressions syntagmatiques auxquelles sont soumis les sons au sein de la chaîne parlée. Si certains changements se produisent dans des contextes précis (les [k] initiaux latins devant [a] > [ʃ] en français : *cantare* > *chanter*; *caballu* > *cheval*), il peut paraître logique de faire porter au contexte la responsabilité du changement. Mais si ce dernier était seul responsable, tous ces [k] initiaux du latin auraient dû également se transformer en [ʃ] dans les autres langues romanes. Or ils sont le plus souvent restés tels quels, notamment en italien, en provençal, en espagnol. Le contexte ne saurait donc, à lui seul, fournir le principe explicatif du changement.

A côté de ce type de changements, appelés *conditionnés* (par le contexte), la phonétique historique constatait l'existence de changements pour lesquels l'effet du contexte ne semblait pas devoir intervenir. Ces changements appelés *inconditionnés* ou *spontanés* (!) (par exemple le passage du [u] latin au [y] français) ne trouvaient aucun début d'explication, si ce n'est des allusions au climat, à la race, à la psychologie des peuples, à l'hérédité des habitudes acquises, à un substrat dont on ne savait généralement rien. Il en résulte que la linguistique historique, science de l'évolution, arrivait à cette conclusion paradoxale, rappelée par Bloomfield dans *Language* : « Les causes du changement phonétique sont inconnues. »

La phonologie a eu pour mérite historique de fournir, avec la notion de système phonologique, un cadre explicatif aux changements phonétiques, qu'il s'agisse des changements « conditionnés » ou des changements « inconditionnés ».

Elle a affirmé la primauté du système qui seul pouvait autoriser les pressions syntagmatiques à déclencher le changement et pouvait imprimer une direction à ce changement. Ainsi dans les parlers gallo-romans méridionaux, la réduction des géminées -tt- (consonnes longues, généralement à l'intervocalique) à la simple correspondante -t-, risquait d'entraîner la confusion de formes comme *atta* et *ata*. D'où l'évolution de -t- intervocalique vers un -d- qui n'existait pas (case vide du système phonologique). La phonologie explique donc la sonorisation du -t- intervocalique par la restructuration du système phonologique rendue nécessaire du fait de la réduction des géminées. La réduction des géminées s'explique généralement par l'augmentation de leur fréquence d'emploi, c'est-à-dire de la fréquence d'emploi des mots qui les contiennent. Ce qui nous renvoie à la dynamique des faits sociaux.

D'une manière plus générale, le principe explicatif réside dans l'équilibre et l'instabilité du système soumis à la double influence des pressions structurales internes (tendance à la différenciation maximale, à l'équidistance des phonèmes...) et des pressions externes (asymétrie des organes de la parole, besoins communicatifs). Du fait de la mise au point de l'analyse structurale, les pressions « externes » se sont vues minorisées et la tentation a été grande d'expliquer les changements par les seules dispositions internes du système. Mais, paradoxalement, la minorisation des influences externes était souvent accompagnés de l'affirmation de leur caractère moteur pour l'évolution. Autrement dit, la structure se contentait de réagir à des sollicitations externes, lesquelles constituaient l'élément moteur du changement. On reconnaîtra aisément la position exprimée par Saussure, selon laquelle la langue tendrait, en elle-même, à être immuable.

Il est indéniable qu'une partie de la causalité réside dans l'équilibre et la « logique » du système. Toutefois, une partie importante des faits considérés comme externes concerne la dynamique des faits sociaux, étiquetée sous le terme de « pressions sociales ». Or il est difficile de revendiquer, en même temps, le caractère social du langage comme critère interne, et de considérer les « pressions sociales » comme un facteur externe. Si la prise en compte de l'évolution s'opère à partir de la pluralité des pratiques linguistiques, et non d'un objet mythique et homogène, un certain nombre de pressions considérées jusqu'ici comme « externes » apparaîtront dès lors comme linguistiques. La linguistique n'a donc pu produire cette problématique de l'interne/externe qu'en raison de sa manière « asociale » et mythique d'aborder la langue.

Il peut sembler plus judicieux, en abandonnant cette distinction, de parler, à la suite de Labov, des *pressions d'en dessus* et des *pressions d'en dessous*. Les pressions d'en dessous opèrent sur la totalité du système et concernent tout autant les pressions structurales que l'effet de la concurrence inégale des pratiques linguistiques. Les pressions d'en dessus concernent les changements qui interviennent par suite de processus de correction explicite, c'est-à-dire d'interventions provenant d'une évaluation subjective des variables. Il existerait donc des conditions objectives et des conditions subjectives du changement, ces dernières étant de toute manière subordonnées à l'existence de possibilités objectives.

Quoi qu'il en soit, on remarquera le caractère généralement plus stable des faits centraux (degré maximal de pertinence, meilleure intégration structurale, faits à rendement fonctionnel élevé, faits de haute fréquence) et le caractère plus instable des faits dont on peut établir le degré de marginalité. Là encore, le dynamisme de la langue justifie une approche non dichotomique de la pertinence, implique la prise en compte de tous les faits phoniques et non des seuls faits pertinents, et exige l'analyse de la convergence des pratiques réelles.

## D - QUELQUES CONFLITS

Nous limiterons l'examen des conflits théoriques à deux questions importantes : la nature de la prise en compte linguistique de la substance phonique et le degré d'autonomie reconnu aux faits phoniques par rapport aux autres faits linguistiques.

### 1. Nature de la prise en compte de la substance phonique

Nous ne reviendrons pas sur ce que nous avons dit, dans le premier chapitre, de la distinction *esprit/matière* qui caractérise les débuts de la phonologie. La question qui se pose sera donc celle de la distanciation prise par rapport aux faits physiques.

*a* / Pour le distributionalisme, le phonème est défini comme la classe de tous les sons physiquement apparentés, présentant une complémentarité de distribution. Une telle définition, outre qu'elle retombe dans le dualisme classique en limitant le phonème à la réalité physique, offre le désavantage de devoir prendre en compte la difficile appréciation du degré de parenté. Analyse de la forme, le distributionalisme ne peut, dans le cas de la phonologie, identifier le phonème qu'à ses réalisations. Et ce n'est pas dans l'analyse des combinaisons qu'il parvient à se soustraire à sa problématique positiviste. L'essentiel du débat porte sur la question de savoir si la linguistique doit être d'abord une analyse de la forme ou une analyse de la fonction. Il est indéniable qu'une analyse visant à établir la nature de la participation des unités aux mécanismes commandant le fonctionnement linguistique a toutes les chances d'offrir plus d'intérêt et d'informations qu'un simple repérage de formes et de distributions.

*b* / A l'opposé, nous avons la démarche de la glossématique pour qui les unités linguistiques doivent être abordées uniquement en fonction des relations qu'elles contractent dans la chaîne et dans le système. Cette approche conduit à une définition immatérielle des unités visant à exclure toute référence à l'aspect phonique des langues. Il s'agit là d'un antiphysicisme absolu. Toute argumentation pourrait paraître superflue du fait que la glossématique n'a pas survécu à son promoteur. Disons toutefois qu'elle a conduit à une vision statique, spéculative et asociale du langage ne permettant pas une connaissance réelle du fonctionnement synchronique et diachronique des langues.

*c* / Pour Jakobson, toutes différences existant entre les phonèmes d'une langue peuvent se ramener à des oppositions binaires de traits distinctifs. Il établit une liste universelle de douze oppositions binaires de traits distinctifs dont la majeure partie est constituée de traits acoustiques établis au terme d'une analyse physico-acoustique. Ainsi pour chaque phonème est-il possible de passer en revue la liste universelle des traits distinctifs. Ou bien le phonème en question n'est pas concerné par une opposition, auquel cas on ne lui affecte aucun des deux traits qu'elle comporte, ou bien telle opposition le concerne et dans ce cas on lui attribue l'une des deux qualités distinctives contradictoires de l'opposition binaire. En affectant le signe + à l'une des qualités et le signe — à l'autre, il est possible de décrire les phonèmes en termes de matrices. En ce qui concerne l'analyse acoustique elle-même (voir chapitre phonétique), l'ambiguïté fondamentale réside dans le fait qu'elle se veut à la fois analyse physique et analyse linguistique. Or une telle ambition n'est possible qu'à la condition que réalité linguistique et réalité physique soient isomorphes. La confusion des plans indique donc la non-reconnaissance de la spécificité de l'analyse linguistique et la poursuite de la problématique physiciste.

En ce qui concerne le binarisme, Jakobson estime qu'il est inscrit dans la structure linguistique mais également qu'il est un modèle de la perception. Par ailleurs, il cherche à justifier la « réalité » des choix binaires par des dispositions particulières au niveau de l'analyse physico-acoustique de la substance. Il en résulte que le binarisme caractérise tout à la fois la réalité physique, la réalité linguistique et la perception de la réalité physique. Toute la linguistique contemporaine s'est appliquée à montrer l'existence d'un niveau spécifique de réalité linguistique distinct des réalités physiques. Par ailleurs, la phonétique et la psychologie expérimentales semblent s'orienter vers la recherche d'indices acoustiques de perception montrant par là que l'analyse physico-acoustique ne peut tenir lieu de modèle de perception.

*d* / La phonologie européenne issue de Troubetzkoy s'est développée, avec Martinet, dans le cadre de la problématique pertinent/non pertinent. La phonologie a donc limité son objet à l'étude des faits dotés de la fonction distinctive. Elle a également limité son ambition à la recherche des invariants dans le cadre d'un usage homogène représentatif d'une communauté ou d'un groupe ou d'un locuteur. Une telle situation a engendré un certain nombre de conflits avec, notamment, la sociolinguistique. L'essentiel de notre exposé a consisté à dépasser ce conflit en présentant un certain nombre d'aménagements théoriques. Ces modifications consistent à prendre en charge la variation et le dynamisme linguistiques et à analyser la totalité, fonctionnellement organisée, des faits phoniques.

## 2. Degré d'autonomie des faits phoniques

Si toutes les approches « structurales » de la phonologie ont, au moins implicitement, admis la relative autonomie des faits phoniques par rapport à l'ensemble des faits linguistiques, les générativistes ont subordonné certains des faits phoniques à la description syntaxique des énoncés. Ils ont donc situé la phonologie en appendice de la grammaire. En lui affectant le statut de composante interprétative, ils ont limité son objet à l'interprétation phonique des séquences de morphèmes engendrées par la composante syntaxique. Deux catégories de règles phonologiques ont été envisagées : les règles cycliques (cycle transformationnel) visant à récupérer l'information syntaxique nécessaire à la prédiction de certains faits phoniques, et les règles non cycliques, de nature syntagmatique, prenant en quelque sorte en charge la part des faits phoniques ne relevant que du niveau phonologique.

Or, au cours de son évolution, la phonologie générative a progressivement minorisé le rôle des règles cycliques, limitées le plus souvent à la localisation des pauses et des jonctures, et a rajouté une composante de réajustement, qui n'a cessé d'enfler, visant à modifier l'information syntaxique et à opérer certaines manipulations formelles sur les énoncés avant de les soumettre aux règles de la composante phonologique. Se limitant souvent à la recherche conjointe des règles non cycliques et des représentations phonologiques, la phonologie générative semble s'être éloignée de son statut initial de composante interprétative et de sa tutelle vis-à-vis de la syntaxe. Cette évolution semble indiquer que, pour l'essentiel, les faits phoniques présenteraient un mode d'existence spécifique.

Toutefois, spécificité ne signifie pas indépendance. Nombreux sont les exemples qui montrent que les changements linguistiques peuvent avoir des répercussions bien au-delà de leur niveau de spécificité. Ainsi l'abandon de la longueur vocalique, en français, peut-il être appréhendé comme l'une des conséquences de la généralisation de l'emploi de l'article. Dans le fonctionnement général de la langue, il y a donc interaction entre les différents niveaux de réalité. Toute économie réalisée sur un plan peut entraîner des perturbations sur un autre. Il est donc souhaitable, tout en analysant la spécificité de chaque aspect de la réalité, de ne pas établir de cloisonnement étanche entre eux car, en dernière analyse, c'est le fonctionnement linguistique général qui détient la clef de toute explication et de toute connaissance.

## *BIBLIOGRAPHIE*

BLOCH (B.), A set of postulates for phonemic analysis, *Language*, XXIV, 1948, pp. 3-46.

CHOMSKY (N.), HALLE (M.), *Sound pattern of english*, New York, Harper & Row, 1968; trad. franç. : *Principes de phonologie*, Paris, Le Seuil, 1973.

FRANÇOIS (D.), *Français parlé. Analyse des unités phoniques et significatives d'un corpus recueilli dans la région parisienne*, Paris, SELAF, 1974.

HAGÈGE (C.), HAUDRICOURT (A.), *La phonologie panchronique*, Paris, PUF, 1978.

HOCKETT (C. F.), A Manual of phonology, *International Journal of American Linguistics Memoir*, 11, vol. 21, nº 4, part I, 1955.

JAKOBSON (R.), *Principes de phonologie historique*, trad. franç. publiée dans *Principes de phonologie* de TROUBETZKOY, Paris, Klincksieck, 1949.

— *Essais de linguistique générale*, Paris, Ed. de Minuit, 1963.

LABOV (W.), *Sociolinguistic Patterns*, University of Pennsylvania Press, 1973; trad. franç. : *Sociolinguistique*, Paris, Ed. de Minuit, 1976.

LÉON (P.), SCHOGT (H.), BURSTYNSKY (E.), *La phonologie. 1 : Les écoles et les théories*, Paris, Klincksieck, 1977.

MARTINET (A.), *La prononciation du français contemporain. Témoignages recueillis en 1941 dans un camp d'officiers prisonniers*, Genève, Droz, 1945.

— *Economie des changements phonétiques*, Berne, Francke, 1955.

PIKE (K. L.), *Phonemics. A technique for reducing languages to writing*, Ann Arbor, The University of Michigan Press, 1947.

SAPIR (E.), La réalité psychologique des phonèmes, *Journal de Psychologie normale et pathologique*, XXX, 1933, pp. 247-265.

TROUBETZKOY (N. S.), *Grundzüge der phonologie*, trad. franç. : *Principes de phonologie*, Paris, Klincksieck, 1949.

WALTER (H.), *La phonologie du français*, Paris, PUF, 1977.

# 6 les unités significatives et leurs relations[1]

PAR RÉGINE LEGRAND-GELBER

## A - *DÉLIMITATION DES UNITÉS*

### *Problèmes théoriques et techniques*

### 1. Phonologie et monématique

Comme les phonèmes, les unités significatives minimales — ou monèmes — ne peuvent être établies sur une base purement physique ou conceptuelle, mais par le jeu complexe des rapports entretenus tant sur le plan paradigmatique que syntagmatique. Segmenter un énoncé en unités significatives, c'est mettre à jour la première articulation du langage par la délimitation des signifiants et le décompte des signifiés, opérations simultanées puisqu'il s'agit de faire apparaître des unités à deux faces mais, dans bien des cas, impossibles à réaliser de façon simultanée. Comme en phonologie, l'épreuve de commutation montre que c'est la différence de formes et non les formes en elles-mêmes qui importe. Donnons un exemple de ces opérations :

*nous chanterons* [nuʃãtrõ]

Par commutation, apparaît la possibilité de trois changements indépendants, qu'on appelle « choix » du locuteur, en précisant qu'il ne s'agit pas ici pour nous d'un *a priori* psychique sur le maniement de la langue par le locuteur mais des possibilités qu'offre la langue.

[nuʃãtrõ] *nous chanterons*
[vuʃãtre] *vous chanterez*
[tyʃãtra] *tu chanteras*

Commutation qui met en lumière l'unité significative qui a pour signifiant [nu ... ô] et pour signifié « première personne du pluriel ».

[nuʃãtrõ] *nous chanterons*
[numãʒrõ] *nous mangerons*
[nudɔnrõ] *nous donnerons*

1. Le lecteur ne trouvera pas ici une présentation de toutes les théories existantes, mais des pistes dans une perspective fonctionnaliste.

Commutation qui met en lumière l'unité significative qui a pour signifiant [ʃɑ̃t] et pour signifié « chanter ».

[nuʃɑ̃trɔ̃] *nous chanterons*
[nuʃɑ̃tjɔ̃] *nous chantions*
[nuʃɑ̃tɔ̃] *nous chantons*

Commutation qui met en lumière l'unité significative qui a pour signifiant [r] et pour signifié « futur ».

On dira donc que le segment complexe « nous chanterons » (souvent considéré comme comprenant deux mots, sur la base d'habitudes venues de l'écriture : un mot est ce qui est séparé du reste du texte par deux blancs) présente trois monèmes, c'est-à-dire trois correspondances forme-sens. Ainsi, l'opération qui permet le découpage des énoncés ou fragments d'énoncés en monèmes n'est-elle pas sans de profondes analogies avec celle qui permet d'analyser les signifiants de ces monèmes en phonèmes. Dans les deux cas, d'ailleurs, il s'agit de déterminer les segments qui ont fait l'objet d'un codage indépendant dans la langue.

Mais la transposition de la méthode phonologique en monématique s'arrête là, aux opérations paradigmatiques présentées plus haut. En phonologie, nous avons vu comment un changement de l'ordre des éléments entraîne soit une unité inexistante dans la langue, soit une nouvelle unité significative :

[mal] *mal*
[lam] *lame*
[mla] ?

Le comportement des unités de première articulation sur le plan syntagmatique ne peut être mis en parallèle avec celui des unités de deuxième articulation essentiellement parce qu'elles sont à double face (signifiant et signifié). Par le jeu complexe de la hiérarchisation syntaxique, elles échappent aux simples contraintes de la successivité syntagmatique. Dans le premier exemple qui suit, les déplacements d'éléments n'entraînent pas de changements dans le sens global de l'énoncé :

*il vient souvent avec son fils à Paris*
*souvent il vient à Paris avec son fils*
*avec son fils à Paris souvent il vient...*

Par contre, dans le deuxième exemple suivant, le sens de l'énoncé change à chaque déplacement d'unités dans la chaîne :

*Le fils de mon voisin a un médecin à Paris*
*le voisin de mon fils a un médecin à Paris*
*le médecin de mon voisin a un fils à Paris...*

Nous verrons avec l'analyse syntaxique combien les problèmes relationnels dans la chaîne entre unités de deuxième articulation et unités de première articulation sont différents et ne peuvent donc être abordés de la même manière. Ajoutons aussi que les unités de première articulation constituent, par rapport à celles de deuxième articulation, dans leur délimitation comme dans leurs possibilités oppositionnelles, une prise de conscience beaucoup plus immédiate pour le locuteur comme pour le récepteur, à cause de leur aspect signifié bien entendu, mais pour deux autres raisons aussi. L'écriture d'abord qui, sous sa forme orthographique, présente un très gros obstacle dans la prise de conscience de la réalité phonologique est relativement moins gênante pour une prise de conscience monématique. Nous reviendrons plus loin sur ces questions de l'image écrite du langage oral. L'enseignement de la langue ensuite, sous forme de « grammaire », qui, quels que soient les aspects négatifs de sa présentation traditionnelle, procure des catégories du discours qui aident à cette prise de conscience. Phénomène qui ne s'est pas produit pour les unités de deuxième articulation. Combien d'enseignants de français connaissent-ils la phonologie de la langue qu'ils enseignent ? Il est vrai que dans une période très récente apparaissent des manuels scolaires initiant à la phonétique[1]. Mais il reste significatif qu'en 1978, sur 178 étudiants en langues étrangères interrogés[2], il ne s'en soit trouvé que cinq qui aient eu à un moment ou à un autre une initiation phonétique.

## 2. Non stricte correspondance signifiants/signifiés

Revenons au problème de la délimitation des monèmes et, en fait, du décompte des signifiés, la langue étant, en dernière analyse, faite pour transmettre la signification.

On constate très vite que délimitation et décompte ne sont pas toujours faciles à réaliser. On peut, en effet, rencontrer plusieurs formes attachées à un seul et unique sens : *nous chanterons* [nuʃãtrõ], [nu] et [õ] représentant la « première personne du pluriel ». On peut, à l'inverse, découvrir sous une forme unique plusieurs sens : *au paradis* [oparadi], [o] représente à la fois la préposition *à* et l'article défini *le*. Dans l'exemple qui suit, on verra aisément comment la commutation fait apparaître les différents problèmes de segmentation de l'énoncé en unités significatives minimales, même quand on n'en reste qu'aux unités apparentes :

*je mange pas à la cantine de l'école*
1 2 3 4 5 6 7 8 9

*nous ne mangeons pas au réfectoire du lycée*
1 2 3 1' 2' 4 6 7 9
5 8

Les problèmes, absents dans la première production, surgissent dans le second exemple : la personne est marquée deux fois (1 et 1') ainsi que la négation (2 et 2'); par contre prépositions et articles n'ont pas toujours de formes dissociables dans la chaîne (au = à le, du = de le). Nous assistons donc à une non stricte correspondance signifiants-signifiés, phénomène qui fait partie de ce que les fonction-

1. On peut par exemple consulter Frank MARCHAND, *Manuel de linguistique appliquée*, n° 2, Paris, Delagrave, 1965, 160 p.
2. Faculté des Lettres de Rouen.

nalistes appellent plus généralement la *morphologie*. Pour délimiter les unités significatives, il faut chercher les manifestations matérielles des signifiés. Or il arrive souvent que « deux signifiés qui coexistent dans un énoncé enchevêtrent leurs signifiants de telle façon qu'on ne saurait analyser le résultat en fragments successifs »[1]. Dans ce cas, on dira que les signifiants sont *amalgamés* : c'est ce qu'on trouve, en latin, dans les formes *orum* = génitif + pluriel + masc. *am* = accusatif + singulier + fém. en français, dans les formes préposition + article *des* = *de les*, *au* = *à le*... Il peut aussi arriver, comme on l'a vu, qu'un seul et même signifiant se manifeste en plusieurs endroits de la chaîne. On parle alors de *signifiants discontinus*. C'est le cas, par exemple en français, des monèmes discontinus de personne *nous... ons* ou de négation *ne... pas*.

L'examen des cas d'amalgames et de monèmes discontinus montre à quel point la langue n'est pas un code artificiel dans lequel découpage formel et découpage signifié se correspondent terme à terme. Et ceci parce que la langue, organisme vivant, directement en prise sur le réel et sur l'histoire, connaît, dans son évolution, des transformations à différents niveaux et se produisant à des rythmes divers. Celles venues de l'extérieur comme les pressions internes du système lui-même engendrent des décalages, laissent en place des « scories ».

## B - MORPHOLOGIE

### Essai de synthèse. Définition

Il s'agit maintenant de savoir :
— quelle est l'étendue de ces distorsions;
— quelle en est la signification sur le plan du fonctionnement de la langue.

### 1. Distorsions multipliant les signifiants

Il s'agit ici de faire le répertoire des cas de redondance formelle sans contrepartie significative.

#### a - Les variantes, phénomène paradigmatique

Comme en phonologie, on nomme variantes d'un même monème plusieurs formes ne pouvant s'opposer dans un même contexte et qui correspondent toutes pour le locuteur à un même choix signifié. Ces variantes dépendent simplement du *contexte phonique* comme dans le cas des liaisons, obligatoires ou non.

1. André Martinet, *Eléments de linguistique générale*, Colin, 1970, p. 10.

| | |
|---|---|
| *les bêtes* | [le bĕt] |
| *les animaux* | [lezanimo] |
| *comment parlez-vous ?* | [komã parle vu] |
| *comment allez-vous ?* | [komã ale vu] |
| | [komatalevu] |

Ceci montre que le problème de la liaison, que les grammaires ne savent où traiter, est un simple problème de morphologie.

Ces variantes peuvent dépendre du *contexte signifié*. Nous distinguerons dans ce cas entre variantes de lexèmes-racines et variantes de morphèmes, nous reportant à la distinction que fait André Martinet[1] entre unités en inventaires ouverts et unités en inventaires limités. Ce qui nous donne des variantes de signifiants le tableau général suivant. Nous ne donnons ici que de grandes lignes générales, des sous-catégories apparaissant dans une approche plus fine du problème, approche que les limites de l'ouvrage ne nous autorisent pas à faire.

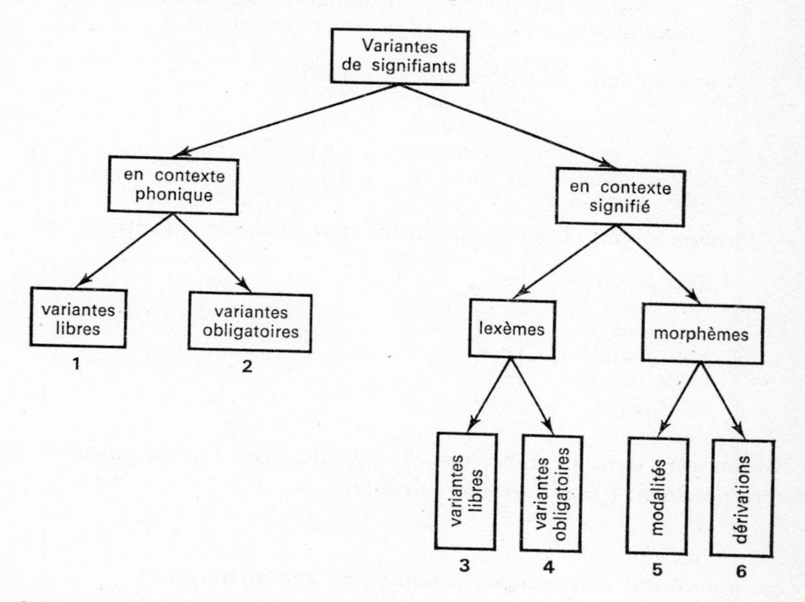


Nous donnons maintenant rapidement quelques exemples de chacune des catégories :

| | |
|---|---|
| 1. *aller à Paris* | [ale a pari] |
| | [aler a pari] |
| 2. *la baie des souvenirs* | [la bẽ de suvanir] |
| *la baie des anges* | [la bẽ dez ãz] |
| 3. *je peux venir* | [pø] |
| *je puis venir* | [pyi] |
| *je m'assois par terre* | [zə maswa] |
| *je m'assieds par terre* | [zə masje] |

1. André Martinet, *op. cit.*, p. 119.

4. Selon le contexte temporel ou modal :

| | | |
|---|---|---|
| « aller » : | *je vais* | [v] |
| | *j'allais* | [al] |
| | *j'irai* | [i] |
| | *que j'aille* | [aj] |

Selon le contexte de genre :

| | | | |
|---|---|---|---|
| *fou* | [fu] | *folle* | [fɔl] |
| *vieux* | [vjø] | *vieille* | [vjɛj] |

Selon le contexte de nombre :

| | | | |
|---|---|---|---|
| *cheval* | [ʃəval] | *chevaux* | [ʃəvo] |
| *corail* | [koraj] | *coraux* | [koro] |

5.

| | | |
|---|---|---|
| *je chanterai* | [e] | « 1re personne du singulier » |
| *tu chanteras* | [a] | « 2e personne du singulier » |
| *nous chanterons* | [õ] | « 1re personne du pluriel » |

6.

| | | |
|---|---|---|
| « habitant de » : | *chinois* | [wa] |
| | *français* | [ɛ] |
| | *espagnol* | [ɔl] |
| | *vietnamien* | [jɛ̃] |
| | *russe* | [/] |

— Passage d'une classe à une autre, par exemple adjectif > nom :

| | | |
|---|---|---|
| *jeune* | *jeunesse* | [ɛs] |
| *beau* | *beauté* | [te] |
| *haut* | *hauteur* | [oer] |
| *plat* | *platitude* | [ityd] |
| *trouvé* | *trouvaille* | [aj] |
| *fidèle* | *fidélité* | [ite][1] |

Notons que dans de rares cas, l'opposition des formes existe et présente un caractère pertinent : *froid / froidure / froideur.*

### *b - Les signifiants discontinus, phénomène syntagmatique*

Nous avons parlé plus haut de signifiants discontinus puis de monèmes discontinus. Une précision s'impose donc. En effet, la discontinuité formelle résulte souvent du phénomène appelé traditionnellement « accord » en genre et en nombre. Mais là encore, la grammaire traditionnelle regroupe sous une terminologie commune — parce que proches sur le plan strictement formel — des phénomènes très différents sur le plan du fonctionnement de la langue. Prenons des exemples :

*les chevaux hennissent* [le ʃəvoenis]

1. Dans le cas de *seul-solitude*, le problème de la dérivation se double de celui de la variation morphologique de la racine.

Dans cet énoncé le monème pluriel apparaît en trois points différents de la chaîne parlée et ceci se vérifie dans la commutation avec le singulier : « le cheval hennit ».

[l|e|ʃə|vo|eni|s|]
[l|ə|ʃə|val|eni|-|]

*la belle route verte* [l(a)b(ɛl)rutvɛr(t)]

Ici encore on remarque que le féminin apparaît en trois endroits de la chaîne parlée. Mais ce n'est pas par simple commutation avec le masculin que cela peut être mis à jour mais en changeant le terme concerné par la marque du genre, par exemple :

*le beau chemin vert* [l(ə)b(o)ʃəmɛ̃ver(-)]

Alors que l'expression du singulier et du pluriel provient d'un choix possible que la langue offre au locuteur, celle du féminin et du masculin est imposée par l'unité lexicale choisie. C'est pourquoi la comparaison des marques oblige à un changement du terme noyau. Le locuteur n'a pas choisi de façon indépendante *route* et *féminin*, comme cela avait été le cas pour *cheval* et *pluriel*, mais il s'est soumis au lien contraignant en français *route + féminin*, *chemin + masculin*.

Les marques du singulier et du pluriel constituent toujours une véritable opposition signifiée, ce qui n'est que rarement vrai pour le féminin et le masculin. Voir quelques exemples où l'opposition est significative comme :

*a)* A l'écrit comme à l'oral :

*la poêle* [la pwal]
*le poêle* [lə pwal]
*la voile* [la vwal]
*le voile* [lə vwal]

*b)* A l'oral seulement :

*la poignée* [la pwaɲe]
*le poignet* [lə pwaɲe][1]
*la statue* [la staty]
*le statut* [lə staty]

En français, mises à part les exceptions du type de celles présentées plus haut — et à condition dans certains cas de se baser sur le langage oral — la variation formelle liée au genre n'est pas pertinente et ne présente qu'une simple coloration imposée par le lexème et qui n'a comme intérêt que celui d'unifier l'aspect formel de l'ensemble du syntagme, intérêt sans doute non négligeable sur le plan de la reconstitution de l'organisation syntaxique pour celui qui reçoit le message. Nous parlerons donc de signifiants discontinus dans le cas des marques non pertinentes du genre, et de monèmes discontinus dans tous les autres cas.

1. Pour certains locuteurs faisant l'opposition /e/-/ɛ/ en finale, le cas de poignée-poignet ne peut être produit ici.

## 2. Distorsions réduisant les signifiants

Nous faisons ici le point des cas où à une forme signifiante unique correspondent deux ou plusieurs signifiés.

### *a - Des phénomènes paradigmatiques*

▶ *L'homonymie* qui se confond presque toujours avec la polysémie[1], peut se présenter sous des aspects divers que nous résumons dans le tableau suivant :

| *Homophones et homographes* | | *Homophones* | | |
|---|---|---|---|---|
| *Signifiés et champs sémantiques différents* | *Signifiés différents et même champ sémantique* | *Signifiés différents* | | |
| *1* | *2* | *3* | | |
| La pompe (à eau) | Le cours (d'un fleuve) | Saint | sot | vert |
| La pompe (chaussure) | Cours ! (impératif) | Ceint | saut | verre |
| La pompe (l'éclat) | | Sein | sceau | vers |
| | | Seing | seau | vair |
| Etc. | Etc. | Etc. | | |

▶ *Le syncrétisme* est un cas d'homonymie beaucoup plus subtil à repérer, portant sur un aspect très étroit de la signification parce que concernant une même unité lexicale, l'opposition signifiée joue simplement sur l'actualisation du lexème choisi. Dans les exemples qui suivent il s'agit de l'opposition signifiée fournie par l'indicatif et le subjonctif.

Si nous prenons le verbe *être*, nous avons deux possibilités formelles correspondant à des sens différents : « Je cherche un travail qui *est* payant », « Je cherche un travail qui *soit* payant ». Prenons maintenant le verbe « donner », nous n'avons qu'une possibilité formelle pour les deux interprétations (indicatif et subjonctif) : « Je cherche un travail qui me *donne* de quoi vivre. »

Autres exemples :

*Pierre veut un copain qui le craint*
*Pierre veut un copain qui le craigne*
*Pierre veut un copain qui l'aime*
[Se travonõpazatɛ̃ynnɔt syfizɑ̃t]

[se] est un syncrétisme du possessif et du démonstratif puisqu'on ne peut choisir entre « ces » et « ses ».

▶ *Le signifiant zéro :* il peut arriver qu'aucune forme ne corresponde à un choix signifié qui est cependant obligatoire pour les locuteurs de la langue. Donnons quelques exemples :

*je chante* [ʒəʃɑ̃t-]
*je chantais* [ʒəʃɑ̃tɛ]

1. Nous ne pouvons nous étendre sur ce sujet, mais notre tableau illustre les limites floues entre les deux catégories.

Au signifié présent ne correspond pas de signifiant formellement identifiable. C'est en fait cette absence qui constitue la « marque » du présent.

*l'enfant* [l-ãfã]
*les enfants* [lezãfã]

Par opposition au signifiant [ez] du pluriel, on peut considérer que le singulier possède un signifiant zéro. Le cas des adjectifs en français présente assez massivement ce problème de l'absence de forme comme marque :

*un tissu vert / une toile verte*
*un vase rond / une coupe ronde*
*un gros budget / une grosse affaire*, etc.

Revenons à l'exemple donné plus haut :

[ʒəmãʒpazalakãtindəlekɔl]

Nous y avions vu 9 monèmes, il y en a en fait 11 si l'on tient compte de la notion de signifiant zéro où l'absence de forme indique le sens

| | |
|---|---|
| [ʒəmãʒɛ] | [lezekɔl] |
| [ʒəmãʒ-] | [l/ ekɔl] |
| signifiant séro du présent | signifiant zéro du singulier. |

#### *b - Un phénomène syntagmatique : l'amalgame*

C'est, comme nous l'avons vu plus haut, l'enchevêtrement de signifiants ne permettant plus de segmenter les formes correspondant aux différents signifiés impliqués dans un syntagme. L'amalgame a pour origine la fréquence de certaines successions syntagmatiques : par exemple préposition + article (*à* + *le*, *de* + *le*...). Ces éléments, fréquemment associés, finissent par entremêler leurs signifiants d'autant mieux que les contraintes de la langue ont rendu impossible toute introduction d'autres monèmes entre ces éléments. Du fait donc à la fois de la fréquence et de la non-séparabilité de certains éléments successifs, on assiste à un « brouillage » des frontières entre monèmes.

## 3. Monématique et diachronie

Ce que nous venons de dire au sujet de la morphologie montre combien la segmentation en unités de première articulation est le résultat synchronique de facteurs diachroniques complexes.

Pour compléter notre tableau du repérage des monèmes dans l'énoncé, nous voudrions ajouter quelques points.

#### *a - Amalgames de signifiants et amalgames de signifiés*

Nous avons vu que la fréquence de contact entre deux monèmes pouvait s'accompagner d'un brouillage de leurs signifiants, ce que nous avons appelé

« amalgame ». Elle peut aussi s'accompagner d'un brouillage des signifiés, ce qu'André Martinet nomme « amalgame sémantique »[1].

Par exemple, « œil-de-bœuf » désigne un objet n'ayant que peu de chose en commun avec « œil » ou avec « bœuf ». Dans l'amalgame de signifiants, nous constatons donc une réduction morphologique des formes, plusieurs signifiés fondus en un seul signifiant, dans l'amalgame sémantique, au contraire, une réduction morphologique des sens, plusieurs signifiants réduits à un seul choix signifié.

### b - Amalgame sémantique et synthème

Dans l'amalgame sémantique, les éléments composants ont chacun perdu leur individualité sémantique. On ne peut pas déduire le sens de « chemin de fer » des sens respectifs de « chemin » et de « fer ». Ici, deux unités associées dans la chaîne ont fini par constituer un choix unique dont on ne distingue plus la formation signifiée du départ, comme cela se produit pour la plupart des faits de diachronie. Ceci constitue un cas particulier d'un phénomène plus général : la synthématisation. Prenons l'exemple suivant : « poule au pot » constitue un seul choix signifié, comme « ragoût ». Mais, à la différence de l'amalgame sémantique, l'individualité sémantique des termes demeure et l'on peut deviner le sens global à partir du sens des parties, mieux que pour « œil-de-bœuf ». Le point commun à tous ces synthèmes — présentant ou non un amalgame sémantique — réside essentiellement dans leur comportement syntaxique. Dans leurs rapports avec les autres éléments de la phrase, ils se comportent exactement comme des monèmes uniques apparaissant dans les mêmes contextes qu'eux.

{ *ta poule au pot ne vaut rien*
{ *ta cuisine ne vaut rien*

{ *ton arbre de commande est cassé*
{ *ton appareil est cassé*

### c - Syntagmes et synthèmes

Quelles sont les conséquences de ce fonctionnement syntaxique global ?

— Les monèmes unis dans ce type de composition sont formellement indissociables; on ne peut introduire entre les termes soudés une nouvelle unité :

* *une machine à* (bien) *écrire*
* *une chaise* (très) *longue*

On dira alors, par exemple :

*une bonne machine à écrire*
*une chaise-longue très longue*

1. André Martinet, *op. cit.*, p. 114.

Le problème ici n'est pas un problème de sens mais de syntagmatique, c'est-à-dire un problème lié à la successivité des éléments dans la chaîne (linéarité). L'ordre à l'intérieur du syntagme est lui-même figé. Les éléments sont non seulement indissociables mais aussi non déplaçables : *la petite-fille*, **la fille petite*; *le bonhomme*, **l'homme bon*, etc.

— Par ailleurs, on constate que chacun des éléments a perdu son autonomie syntaxique, c'est-à-dire la possibilité de continuer à recevoir les compléments, les actualisations — ce que nous appellerons, en syntaxe, les expansions — qui le caractérisaient avant son entrée en composition.

| | |
|---|---|
| **un savoir-faire* | *des exploits* |
| **un château fort* | *comme un Turc* |

Ainsi, toute nouvelle actualisation portera non sur l'une des parties, mais sur l'ensemble du complexe :

*une pomme de terre gelée*

*une* → *pomme de* ***terre*** → *gelée*

*une* → ***pomme de terre***
↑
*gelée*

Le premier des deux schémas est peu probable.

— Cette perte de l'autonomie syntaxique est plus ou moins nette dans les cas de composition qui, dans l'évolution de la langue, n'ont pas atteint le stade du figement total.

- *une machine à laver la vaisselle*
- *une machine à écrire en caractères cyrilliques*

Mais l'indissociabilité des éléments est déjà forte.

* *une machine à peu laver*
* *une machine de qualité à écrire*

Les études diachroniques montrent que l'on passe de façon continue d'une construction libre, mais habituelle, à un figement, c'est-à-dire du syntagme au synthème. Des cas comme *machine à laver* sont l'exemple même de syntagmes en voie de synthématisation. Nous définirons donc le syntagme comme une construction libre d'éléments et le synthème comme une construction figée ne correspondant qu'à un « choix unique » du locuteur. Dans son fonctionnement, le synthème est un monème constitué comme un syntagme.

Cette étude des problèmes diachroniques de la monématique nous conduit aux frontières de la syntaxe. C'est dire combien les différents niveaux de l'analyse linguistique sont imbriqués et combien il serait dangereux de trop scinder les analyses. Toute recherche à un niveau débouche irrémédiablement sur les facteurs qui régissent le fonctionnement du niveau suivant et, en dernière analyse, de l'ensemble de la langue. On ne peut analyser exhaustivement un niveau sans déboucher sur les autres parce que ceux-ci n'existent pas séparément dans la langue. C'est seulement quand on veut en pénétrer l'organisation que l'on se donne une méthodologie définissant des niveaux d'analyse. Dans toute recherche, il est nécessaire que soient clairement distingués objet étudié et procédures méthodologiques d'analyse.

Pour résumer[1] l'évolution des constructions de la langue de la libre combinatoire au figement, nous proposons le tableau suivant (qui, bien sûr, schématise encore la réalité du maniement linguistique dans son déroulement diachronique) :

| | *« Amalgame sémantique »* | *Synthème* | *Syntagme en voie de synthématisation* | *Syntagme* |
|---|---|---|---|---|
| Sens global non déductible de ceux des parties | + | — | — | — |
| Perte de l'autonomie syntaxique | + | + | — | — |
| Indissociabilité des éléments | + | + | + | — |
| Exemples | œil-de-bœuf | poule au pot | machine à laver | espoir de vivre |

*Déroulement diachronique* →

## 4. Etendue de la morphologie

Partie de l'idée que la morphologie concernait l'étude des variations de signifiants pour un même signifié, la linguistique fonctionnelle a petit à petit étendu cette notion à tous les phénomènes de non-pertinence en première articulation, et même dans certains cas et de façon excessive à tous les phénomènes de contrainte linguistique.

Précédemment, nous avons examiné la morphologie issue des problèmes de délimitation des unités significatives, c'est-à-dire les divers cas de non-correspondance signifiant-signifié. Nous voudrions, pour montrer toute l'étendue qui peut être donnée à la morphologie, étudier, entre beaucoup d'autres, trois cas de contrainte de la langue, de non-pertinence par conséquent des structures.

1. Nous n'aborderons pas ici les problèmes de la « conscience » et de l' « intuition » du locuteur, que ce soit du point de vue du degré de déductibilité ou de l'autonomie syntaxique des unités considérées. Ceci constitue une recherche psycho et socio-linguistique prenant en considération facteurs synchroniques et diachroniques, recherche à peine entreprise à l'heure actuelle.

### *a - Le cas du « subjonctif » en français*

En français, le subjonctif est très rarement l'objet d'un choix, c'est-à-dire que rares sont les contextes dans lesquels il s'oppose à l'indicatif. L'exemple connu de Martinet montre un de ces cas fort rares.

*Je cherche une maison qui / a / des volets verts*
*/ait/*

Dans un tel exemple, le subjonctif est bien un monème, une indifférence de sens étant la conséquence de la variation de forme. Mais on peut se demander combien de locuteurs français utilisent et reçoivent ce type de nuance. Il est certain que cette opposition n'a qu'un extrêmement faible rendement dans la langue. Dans la grande majorité des cas, la forme indicative ou subjonctive est imposée :

*je* sais *que ton idée* surprend
*je* veux *que ton idée* surprenne

Nous avons donc là encore affaire à une variation du verbe selon le contexte. C'est pourquoi nous pensons que l'alternance des deux modes en français n'est, massivement, qu'un fait de morphologie.

### *b - Le cas de l' « ordre » dans la phrase*

Nous verrons en syntaxe que l'ordre des unités dans la phrase peut être pertinent, ce qui signifie que tout déplacement peut entraîner un changement du sens de l'énoncé.

*le brave homme*
*l'homme brave*
*un enfant curieux*
*un curieux enfant*
*un certain esprit*
*un esprit certain...*
*la ville domine la forêt*
*la forêt domine la ville*
*la réponse de l'enfant inquiète la mère*
*la réponse de la mère inquiète l'enfant*

Mais dans de très nombreux cas, ce changement de sens n'a pas lieu :

*un enfant joli*
*un joli enfant*
*le matin l'air est pur*
*l'air est pur le matin*
*le chemin court le long de la rivière*
*le long de la rivière court le chemin...*

Dans ces cas l'ordre n'est pas pertinent, d'autres éléments entrent en jeu pour marquer les rapports entre les unités.

— Ceci étant dit, on observe que des successions non pertinentes d'unités sont cependant rendues obligatoires par des habitudes de la langue.

*il a été profondément convaincu*
* *il profondément a été convaincu*
*j'aime les crêpes farcies*
* *j'aime les farcies crêpes*
*j'aime les bonnes crêpes*
* *j'aime les crêpes bonnes*, etc.

#### c - Les cas de « restriction » à la libre combinaison des unités dans l'énoncé

Toute langue impose des limitations à la libre combinaison des unités dans l'énoncé : en français, par exemple, on ne peut combiner un article et un possessif, ce qui est parfaitement admis dans d'autres langues (italien par exemple) :

* *la ma maison*

On peut bien sûr étendre la notion de morphologie à ces phénomènes de contrainte linguistique dans la mesure où — comme on le verra plus en détail dans la partie sur l'acquisition du langage par l'enfant — ils s'apprennent de la même façon que l'ensemble de la morphologie « coup par coup » et non par généralisation de procédés récurrents. Mais cette extension pose des problèmes par rapport à l'étude syntaxique dont l'objet de départ — l'étude de la combinaison des unités significatives — se trouve réduit à l'aspect étroit des seules combinaisons pertinentes. La syntaxe, partie centrale, essentielle de l'analyse linguistique risque, dans cette voie, d'être vidée d'une part importante de son contenu.

Du point de vue théorique, l'analyse du contenu de la morphologie d'une langue permet de mieux comprendre le fonctionnement concomitant de trois notions fondamentales dans la linguistique fonctionnelle : celles de pertinence, de choix, de non-contrainte.

## C - SYNTAXE

### 1. Définition de la syntaxe

#### a - Expérience vécue et langue

Nous avons vu que les facultés réceptrices de l'homme étaient limitées et que s'opérait une sélection des stimulus reçus en fonction des possibilités physiologiques humaines et des modèles d'interprétation socialement acquis. Cependant, cette sélection étant effectuée, nous sommes capables de recevoir simultanément des informations provenant de tous nos canaux sensoriels. Par exemple, en même temps que je suis une conversation entre amis, je peux admirer la couleur des rideaux de la pièce, apprécier le café qui m'a été servi, constater que j'ai trop chaud et enlever mon châle, me demander d'où vient cette agréable odeur... Or, si je veux rendre compte de toutes ces informations simultanées au moyen de la langue, je suis obligée de les présenter les unes après les autres, selon un axe unique, celui du temps. Et quand on pense que la réalité vécue est bien plus complexe que ces simples expériences perceptives, on comprend que des moyens très puissants soient nécessaires pour passer de l'expérience vécue à la langue.

Ceci amène à une première constatation : la transmission linguistique des expériences prend plus de temps que les expériences vécues. Le cinéma qui se sert de deux canaux (ouïe et vue) permet de présenter en deux heures ce qui demande de nombreuses soirées de lecture. Et même n'a-t-on pas essayé, dans certaines salles, de transmettre des informations olfactives aux spectateurs!

Deuxième constatation : avec le réel, nous avons affaire à une expérience multidimensionnelle qui doit obligatoirement être organisée de façon linéaire pour la transmission linguistique. Autrement dit, tout énoncé linguistique ayant pour fonction la transmission d'un certain nombre de faits d'expérience, la question fondamentale à laquelle doit répondre l'analyse linguistique est donc : comment l'auditeur peut-il, à partir du déroulement linéaire de la chaîne parlée, aboutir à la reconstruction de la complexe réalité appréhendée par le locuteur ?

Il y a dans toute langue — et c'est un des principaux universaux linguistiques — des procédés servant à passer de la succession linéaire des signes aux relations non linéaires que l'on veut communiquer : ce sont les procédés syntaxiques. On peut donc dire que la raison d'être de la syntaxe découle de la contradiction entre la globalité de l'expérience et le caractère linéaire du langage humain. L'étude syntaxique rend compte de la façon dont une langue opère le passage du multidimensionnel au linéaire, de l'extra-linguistique au linguistique.

La syntaxe, c'est donc un ensemble d'outils spécialisés qui permet de retrouver à travers le continu de l'énoncé la diversité de l'expérience, c'est ce qui permet de produire comme de reconstituer à travers les rapports des signes ceux de l'expérience. C'est cet aspect que nous retiendrons comme premier élément de définition du phénomène syntaxique.

Donnons un exemple :

*l'enfant dessine une fleur*

Première remarque : le fait que *l'enfant* soit placé avant *dessine* ne reflète pas plus la réalité que s'il était placé à un autre endroit de l'énoncé.

Deuxième remarque : l'implication sémantique des termes peut souvent suffire à les relier sans que les procédés syntaxiques interviennent : *une fleur dessine l'enfant*; en se basant sur ce qui est le plus probable (le plus fréquent dans l'expérience), on attribuera, dans cet exemple, comme dans le précédent, le rôle d'agent à *l'enfant*[1].

1. Encore qu'il n'y ait pas d'énoncés sémantiquement impossibles, le contexte pouvant toujours éclairer le contenu de ce qui est produit, aussi inattendu soit-il par rapport à ce qui est le plus probable dans l'expérience la plus fréquente; ici, par exemple, l'enfant peut bien rêver qu'une fleur, rencontrée dans un pays enchanté, le dessine.

Troisième remarque : mais dans une large mesure, il y a nécessité de règles de regroupement des unités au sein de l'énoncé, permettant ainsi de repérer les fonctions, c'est-à-dire, dans une première approche, les rapports de ces unités les unes avec les autres pour « désambiguïser » la linéarité.

*Jean dessine Marie*
*Marie dessine Jean*

Ainsi donc, s'il est possible d'imaginer une langue sans morphologie — ou, ce qui existe, avec très peu de morphologie — il semble beaucoup plus difficile d'imaginer une langue sans syntaxe, c'est-à-dire sans procédés spécifiques de passage du multidimensionnel à l'unidimensionnel.

### b - Transmission des relations spatio-temporelles et linéarité

— Face à un langage oral, donc linéaire, l'expérience spatiale exige pour sa verbalisation de nombreux outils linguistiques du type *dessus-dessous*, *avant-arrière*, *à côté*, *au milieu*, etc. Sans la maîtrise de ces moyens linguistiques et de leur insertion syntaxique, les rapports spatiaux ne peuvent être correctement transposés dans la chaîne. L'enfant, par exemple, ne peut se faire comprendre sans eux en dehors d'une situation extra-linguistique suffisante pour « montrer » ce que la langue ne dit pas.

Nous donnerons des exemples dans deux domaines : le langage de l'enfant avant la possession des outils de codage des rapports spatiaux de la langue[1], une expérimentation que nous avons effectuée avec des élèves de 1re année de CAP de CET.

▶ Les énoncés suivants d'Ariane (22 mois) ne peuvent se comprendre sans le recours à la situation dans laquelle ils ont été produits, parce que les moyens linguistiques concernant les informations spatiales sont totalement absents :

| | |
|---|---|
| [nitola lasjɛt lemɛ̃] | « Nicolas, les mains *dans* l'assiette. » Ariane mange en face de son frère Nicolas qui tripote sa nourriture avec les mains; la phrase est produite avec geste de l'indication du doigt vers l'assiette. |
| [nõ anan nu mamã] | « Non, c'est Ariane qui va *sur* les genoux de maman. » Dispute entre Ariane et Nicolas pour savoir qui sera sur les genoux de maman. |
| [jɛ̃ nitola asi anan] | « Viens Nicolas t'asseoir *à côté* d'Ariane. » Assise sur un coussin par terre un livre sur les genoux, Ariane tapote avec sa main le coussin d'à côté pour que son frère vienne s'y installer. |
| [liv a lor tobẽ la tabl] | « Le livre de Laure est tombé *sous* la table. » Ariane, accroupie, désigne le livre de sa grande sœur qui est tombé sous la table. |

1. Voir Emilie SABEAU-JOUANNET, in *La syntaxe de l'enfant avant cinq ans*, Paris, Larousse, 1977, le chapitre IX.

[i pør nitola la pɔrt] « Il pleure, Nicolas, *derrière* la porte. »
Nicolas a été puni et envoyé dans sa chambre; il n'ose sortir sans autorisation et pleure derrière la porte; Ariane est venue coller son oreille à la porte.

— Des outils linguistiques plus élaborés peuvent faire l'objet d'un véritable apprentissage scolaire. A titre d'exemple, nous avons tenté une expérience qui met en lumière la difficulté à transmettre des informations spatiales complexes.

▶ Il s'agit de confronter une classe avec le jeu dit du ballon-couloir[1]. Dans un premier temps, la classe est sur le terrain de jeu avec le professeur d'éducation physique et apprend sur le vif les règles. Les élèves jouent une partie complète. Revenus en classe, ils doivent élaborer collectivement un texte écrit pour expliquer ce jeu à un autre groupe. Rapidement, l'inefficacité du texte pousse les élèves à joindre un schéma. On transmettra donc à l'autre groupe un schéma suivi d'un texte.

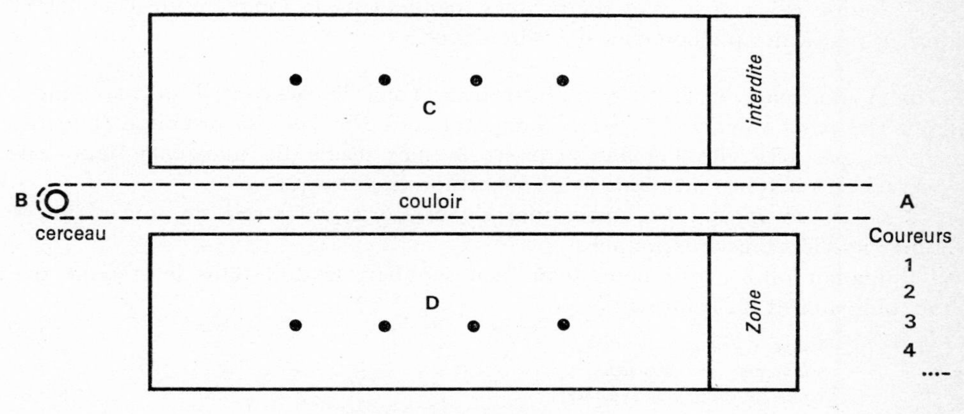

en C et D : les passeurs-tireurs

« Un coup de sifflet donne le signal du départ. Le coureur nº 1 vient se placer en A. L'arbitre lui donne le ballon. Le coureur doit lancer ce ballon sur les terrains C et D. Couloir central et zone hachurée sont interdits. Aussitôt, il s'élance en courant jusqu'en B, contourne le cerceau et revient en A. Pendant ce temps, les passeurs-tireurs ont récupéré le ballon et essaient de toucher le coureur pendant sa course dans le couloir. Dès qu'un passeur-tireur a le ballon, il n'a plus le droit de se déplacer et ne peut donc que tirer sur le coureur ou faire une passe à un autre passeur-tireur en C ou en D. Un coureur non touché rapporte 1 point à son équipe à l'aller et 2 points au retour. S'il est touché, les points vont à l'équipe adverse des passeurs-tireurs. »

Les élèves constatent alors que le texte sans schéma est insuffisant. Avec l'aide de l'enseignant, ils essaient de produire un texte écrit et suffisant sans schéma.

1. INRDP, CRDP Rennes, mai 1974.

Quand celui-ci est réalisé, on le compare au précédent tant du point de vue quantitatif (longueur) que qualitatif (moyens linguistiques très élaborés). Enfin, on étudie un texte littéraire (en l'occurrence : Fabrice à Waterloo) qui montre comment la langue peut reproduire efficacement les données spatiales.

— Les données temporelles pourraient sembler être plus faciles à reproduire sur le plan de la langue puisque l'axe est « le même » : celui du temps. Il n'en est cependant rien parce que d'une part le temps vécu par le locuteur est le présent, ce qui implique des moyens pour la mémorisation et la projection. C'est encore grâce à des outils permettant de verbaliser les diverses données temporelles que le temps réel, vécu, peut être transgressé. On crée une mobilité dans le temps qui n'existe pas dans l'expérience vécue à l'aide d'outils du type *après que*, *avant que*, *pendant que*, *tandis que*... et de marquage verbal, ce que nous appellerons plus loin les modalités verbales. D'autre part, une autre source de difficultés vient de ce que le vecteur linguistique a lui-même son propre temps. Les possibilités de mémorisation de ce qui vient d'être dit dépendent de la longueur de l'énoncé et donnent lieu à des phénomènes de redondance.

▶ A nouveau, et à titre d'illustration, voici le passage d'un maniement caractérisé par l'absence de système temporel chez Nicolas à sa première ébauche. On voit que très vite l'enfant acquiert le mécanisme de marquage temporo-aspectuel en référence au moment de l'émission linguistique.

Nicolas, 20 mois : les indications de rapports temporels ne sont données que par les éléments situationnels.

[ʒu anan nitola] qui peut aussi bien signifier, traduit dans le système des choix obligatoires du français :

*Ariane a joué avec Nicolas*
*Ariane joue avec Nicolas*
*Ariane va jouer avec Nicolas*

mais déjà à 24 mois, on trouve des différenciations :

| | |
|---|---|
| [a tape anjan a nikola] | *Ariane a tapé Nicolas* |
| [i plør anjan lə mask] | *Ariane pleure à cause du masque* |
| [don mɛ̃nã a nikola] | *Donne maintenant à Nicolas!* |
| [mãʒ anjan, ʒu apre] | *Mange Ariane, tu joueras après* |

On assiste donc à la mise en place d'un système double, aspectuel et adverbial, présentant le maximum de précision au présent et simplement une ébauche d' « orientation » vers un passé et un futur encore très étroitement liés au présent de l'émission.

| *Passé* | *Présent* | *Futur* | *Moyens linguistiques* |
|---|---|---|---|
| action accomplie (passé composé) | action en cours (présent de l'indicatif) | | marques verbales |
| | maintenant | après | adverbes |

Par rapport à ce système embryonnaire, limité et encore très « centré » sur le locuteur et son univers immédiat, la langue présente une très grande souplesse, une remarquable mobilité pour permettre non seulement de situer dans le temps, mais aussi de rendre compte des modalités de son déroulement et de la façon dont le locuteur envisage cet ensemble. C'est cette complexité qui apparaît dans le maniement simultané des temps, des modes, des aspects et des implications signifiées du lexique, maniement automatique chez le locuteur adulte, mais qui demande un long apprentissage à l'enfant.

▶ Nous donnons page 144 un exemple d'exercice proposé par l'enseignant pour faire prendre conscience à l'élève de certains moyens linguistiques servant à situer l'expérience par rapport au moment où le message est émis. On se rendra vite compte de la complexité des rapports entre temps « réel » et temps du discours et de la difficulté à se familiariser avec les outils linguistiques qui permettent de passer de l'un à l'autre.

### *c - Délimitation des faits de syntaxe*

Nous avons dit plus haut que nous ne pensions pas que l'on puisse imaginer une langue sans syntaxe. Cela ne veut pas dire, comme nous l'avons vu, que la simple juxtaposition de monèmes ne puisse pas suffire dans des cas très particuliers. Dans une situation de communication présentant des éléments extra-linguistiques très clairs et une connaissance profonde du locuteur, l'auditeur peut recevoir un message composé d'unités juxtaposées. Ariane (20 mois) se poste devant sa mère qui tient un élastique dans la main :

[kø ʃwal bɛl] « Maman fais-moi une queue de cheval avec ton élastique pour que je sois belle. »

Voir aussi l'image traditionnelle du bandit masqué faisant irruption dans une pièce le pistolet au poing : « Silence! Ça! Vite! »

Il est vrai aussi que certains procédés syntaxiques sont automatiquement employés alors qu'ils ne sont pas, à tout coup, nécessaires, comme l'antéposition du sujet en français ou l'ordre fixe des déterminants par rapport au nom. Nous avons alors parlé de morphologie, parce que le procédé positionnel n'était, dans ce cas, pas pertinent. Mais cela ne veut pas dire que de telles habitudes syntagmatiques soient sans rôle dans la langue. Bien au contraire, elles participent à l'économie du tout. Cette économie tient principalement à ce que l'existence de relations syntaxiques permet de ne pas avoir à produire un nombre infini de messages différents correspondant à des expériences différentes. Elle tient aussi à ce qu'il est moins coûteux d'utiliser en permanence les mêmes schémas, les mêmes procédés plutôt que de n'y avoir recours que dans le cas d'une pertinence manifeste. A l'inverse, des phénomènes massivement non pertinents comme l'accord, peuvent de façon marginale « désambiguiser » l'énoncé :

*La maison de son fils qui est très [kony] se trouve au bout du chemin,* « connu » ou « connue » ?

**1 Passé composé - présent**

**1.1** a) Dans la vignette du haut, en tenant compte de la situation et des gestes de Petisuix, dites si la phrase : «*Je vous ai apporté...*» exprime une «action» passée par rapport au moment où parle Petisuix.

b) Petisuix aurait-il pu employer ici le passé simple? le présent?

c) Dans la vignette de gauche, relevez un passé composé employé de la même façon que «*Je vous ai apporté*».

**1.2** Comparez le passé composé de la vignette ci-dessous avec ceux des vignettes précédentes.

a) «*Je suis tombé*» marque-t-il ici le passé par rapport au moment où parle Obélix?

b) Que relevez-vous dans la phrase de cette bulle, qui n'a pas d'équivalent dans les phrases au passé composé de l'exercice 1.1?

Mais il n'y a plus aucune ambiguïté dans :

*La maison de son fils qui est très beau...* ou *la maison de son fils qui est très belle...*

Dans tous ces cas, on doit mesurer ce qui est fondamental et ce qui est marginal dans le fonctionnement du système. Au-delà des procédés syntaxiques utilisés de façon non pertinente et des faits de morphologie récupérés à des fins significatives, apparaît essentiellement dans la langue une opposition entre phénomènes rigoureusement liés à des contraintes syntagmatiques et phénomènes jouant un rôle syntaxique, c'est-à-dire servant à dépasser la contradiction entre succession nécessaire des signifiants dans la chaîne et mise en relation obligée des signifiés pour permettre que soit transmise la complexité du réel extra-linguistique. En distinguant morphologie et syntaxe nous faisons apparaître deux aspects opposés du fonctionnement linguistique mais participant tous les deux, et de façon indissociable, à l'économie monématique de la langue.

Nous arrivons au point où il est possible de préciser ce que les fonctionnalistes appellent *pertinence*, notion qui, comme celle de morphologie à laquelle elle est étroitement liée, a connu une extension conceptuelle très importante. A chaque niveau de l'analyse, on distingue phénomènes pertinents et phénomènes non pertinents. Ainsi, selon les individus et plus largement les régions, les deux [e] du français traduisent soit un phénomène de variantes, soit une véritable opposition phonologique... En monématique, les diverses formes [i], [a], [y] *(il naquit, il aima, il mourut)* ne sont que des variantes d'un même signifié « passé simple » qui connaît par contre une opposition pertinente avec le « passé composé » : *il aima / il a aimé*. On souligne ensuite les variations non pertinentes de l'organisation des unités significatives : *un gentil enfant / un enfant gentil*, face à une permutation qui entraîne un changement dans l'organisation du message et par conséquent dans son sens : *le tigre attaque l'éléphant / l'éléphant attaque le tigre*. Enfin, allant encore plus loin dans l'idée que la notion de pertinence est liée au système des choix informatifs potentiels, on peut distinguer dans la complexité de la réalité à transmettre ce qui est ou non « pertinisé » par le modèle communicationnel global. En effet, le nombre d'aspects sous lesquels une réalité peut être envisagée est ouvert et c'est le choix du point de vue qui en « pertinise » tel ou tel aspect. Il suffit de voir comment un même événement est transmis par différentes personnes. C'est un des moyens littéraires *(Beau masque)* et cinématographiques *(Le Glaive et la Balance)* bien connu et exploité de longue date.

Ce que nous venons de dire nous amène dans un deuxième temps à définir la syntaxe de façon négative par ce qu'elle n'est pas. La syntaxe c'est, d'une part, ce qui n'est pas que contrainte formelle et, d'autre part, ce qui n'est pas la mise en relation des unités par leurs seules implications signifiées. Comme on le voit, isoler la syntaxe de l'ensemble des faits de langue n'est pas chose facile et constitue, à notre sens, un moment important de l'analyse de la langue sans lequel on risque de s'aventurer par la suite sur une voie imprécisément tracée.

## 2. L'analyse syntaxique

### *a - Diversité des théories*

Nous avons vu qu'il n'y avait pas de procédure univoque de délimitation des unités de la langue. Nous allons maintenant voir que les faits de syntaxe ne se laissent pas non plus analyser de façon automatique. En effet, si l'on s'accorde généralement sur le fait qu'il y a entre les unités d'une phrase des relations de dépendance, les divers critères utilisés pour les mettre à jour dans l'organisation syntaxique conduisent à des résultats variés. Prenons l'exemple très simple de la succession sujet-verbe-objet en français. Cette structure si connue, si fréquente, peut cependant être analysée de trois façons différentes selon les critères retenus :

Centralité du verbe et symétrie des deux autres facteurs, en tenant compte du fait que c'est la position de ceux-ci, avant ou après le verbe, qui leur confère leur fonction : sujet antéposé, objet postposé. Ordre qui permet en effet de distinguer entre :

*l'élève décrit le maître*
*le maître décrit l'élève*

Cette méthode se trouve, par exemple, chez Lucien Tesnière.

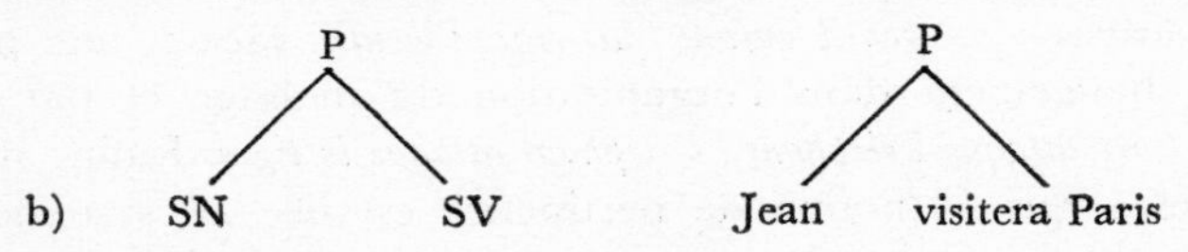


Schéma à deux noyaux, contrairement à l'exemple précédent; la force du lien verbe/objet peut se voir dans les cas de figements du type *donner libre cours à*, *faire peur*, *avoir envie*, *prendre place*, etc. C'est, entre autres, la présentation de Noam Chomsky et dont la schématisation est presque généralisée dans les manuels scolaires (P → SN + SV).

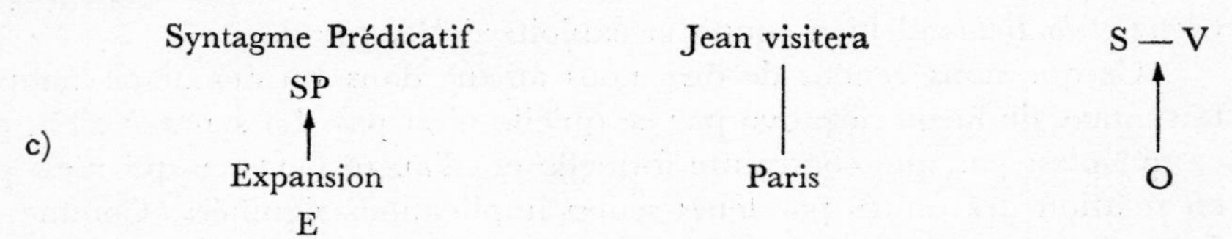


Cette présentation se justifie par l'aspect syntaxiquement toujours nécessaire du sujet dans le cadre de l'assertion et par l'aspect syntaxiquement facultatif de l'objet. En effet, ce qui caractérise ce qu'on appelle le sujet dans une langue comme le français est uniquement l'impossibilité de son omission. Le critère sémantique n'est pas valable, le sujet pouvant être agent *(Jean coupe du bois)*, patient *(Jean a été*

*renversé par une voiture)*, bénéficiaire *(Jean a reçu une claque)*, etc. Le critère formel ne l'est pas plus, on peut trouver des formes nominales *(**ton propos** est excessif)*, des formes verbales *(**tant boire** est excessif)*, des formes adjectivales *(« je la trouve belle », « **belle** est excessif ! »)*, etc. C'est donc l'aspect obligatoire qui reste le seul critère valable pour la définition fonctionnelle du sujet.

*Jean visitera Paris*
* *visitera Paris*

On trouve cette analyse chez André Martinet et elle constitue le point de départ des notions d'énoncé minimum et d'expansion que nous verrons plus loin.

Ces trois présentations ont chacune leur intérêt puisqu'elles mettent l'accent sur des faits de langue réels bien que différents. L'essentiel dans l'étude étant que, une fois les critères choisis, la cohérence de l'analyse soit assurée. C'est ce que nous allons essayer de montrer dans l'exposé qui va suivre des principes généraux de la syntaxe fonctionnelle.

### b - La syntaxe fonctionnelle

Lorsque l'on prend l'acte de communication dans sa totalité — c'est-à-dire les interlocuteurs, leurs messages et l'ensemble des données extra-linguistiques présentes au moment de l'échange — on se rend compte qu'un très grand nombre de procédures peuvent être utilisées pour transmettre l'expérience : recours à la « situation » (gestes, mimiques, schémas même si l'on a du papier et de quoi griffonner...), recours à tout le domaine « supra-segmental » (débit, intonation, modifications de la voix, imitation, accent...). Le premier recours, d'ordre situationnel, est du ressort de la communication dans son ensemble et ne met pas en jeu des procédures linguistiques. L'enregistrement magnétoscopique peut en conserver pour le chercheur une partie non négligeable. Le deuxième recours est d'ordre linguistique et peut être préservé par l'enregistrement au magnétophone. Mais si l'on réduit la reproduction à la seule transcription phonétique, phonologique ou orthographique, on se trouve devant le fonctionnement des seuls procédés linguistiques et c'est là la première analyse à effectuer. Après quoi, il sera nécessaire d'examiner comment des procédés para ou non linguistiques se constituent en systèmes de « rattrapage » du message verbalisé déficient. Déficient soit parce qu'il n'était pas utile de le produire autrement, la présence des autres moyens permettant une communication efficace, soit parce que le système linguistique, même dans son emploi le plus élaboré, présentait des ambiguïtés. Tout peut donc être utilisé pour aider à ce que se fasse le passage de l'extra-linguistique au linguistique. Avec l'étude syntaxique, nous examinerons les seuls moyens linguistiques qui jouent un rôle dans ce passage. Car, si l'on peut considérer la syntaxe comme un important intermédiaire entre linéarité du message et globalité du réel, il n'en reste pas moins qu'elle est largement épaulée dans cette tâche par :

— les informations diverses issues de sources non linguistiques;
— le contenu signifié des unités combinées qui constitue un fait linguistique non directement syntaxique de grande importance.

C'est donc l'ensemble des diverses données, sens des unités + syntaxe + informations extra-linguistiques, qui donne pour le locuteur les axes de la retransmission et de la « mise en forme » de son expérience et pour l'auditeur les clés de sa reconstitution.

Ceci étant précisé, quelles sont donc maintenant les notions fondamentales de l'analyse des faits de syntaxe ? Signalons que la présentation qui suit, si elle rappelle de temps à autres des aspects propres à des langues autres que le français, ne fait dans son ensemble référence qu'à cette langue, laissant aux chapitres réservés à cet effet l'analyse de la diversité des structures.

### *1 / La première notion nécessaire à la compréhension de l'étude syntaxique est celle de hiérarchie*

En effet, pour qu'il y ait énoncé, il faut que les unités de première articulation soient organisées donc hiérarchisées.

— Il y a des unités centrales et d'autres périphériques. On parle du noyau et de ses satellites, du centre et de ses expansions.

*a) Un grand chat noir*

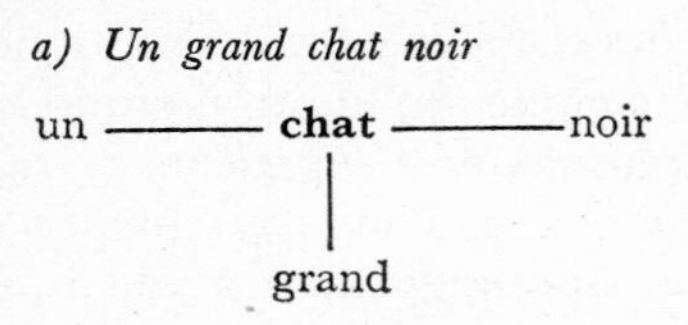


*b) Le matin papa prend son café en vitesse dans la cuisine*

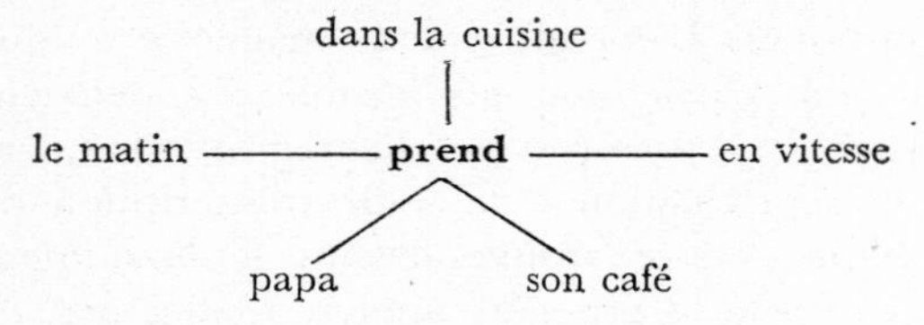


Avec l'exemple *a)*, nous avons affaire à un syntagme, c'est-à-dire une combinaison d'unités non indépendantes, alors que dans l'exemple *b)*, il s'agit d'un énoncé, c'est-à-dire d'un ensemble complet du point de vue syntaxique et pouvant fonctionner en tant que tel dans la langue.

— On appelle « prédicat » le centre des énoncés et nous emploierons ce terme pour ne pas rompre avec les habitudes, mais en regrettant ce choix car, à notre avis, il est bien trop surdéterminé par l'idée qu'est prédicat ce qui est dit de quelque chose d'autre. Définition sémantique qui ne peut convenir lorsqu'il ne s'agit que de désigner le centre d'une structure. Nous appellerons donc prédicat le centre de l'agencement syntaxique de l'énoncé, centre qui constitue le sommet de la pyramide hiérarchique dans une représentation en arbre ou le noyau des circonférences dans une représentation en ondes :

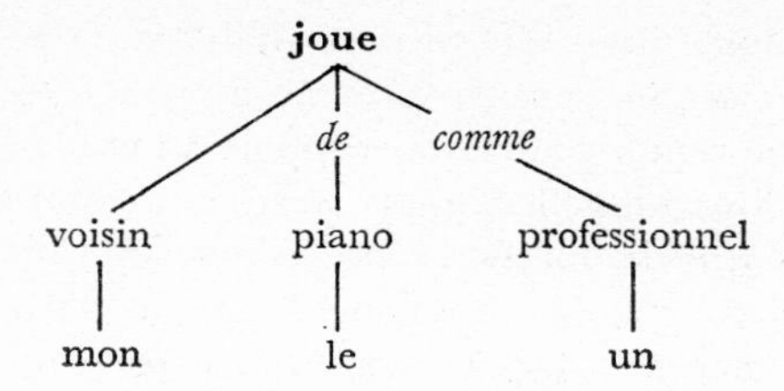


*mon voisin joue du piano comme un professionnel*

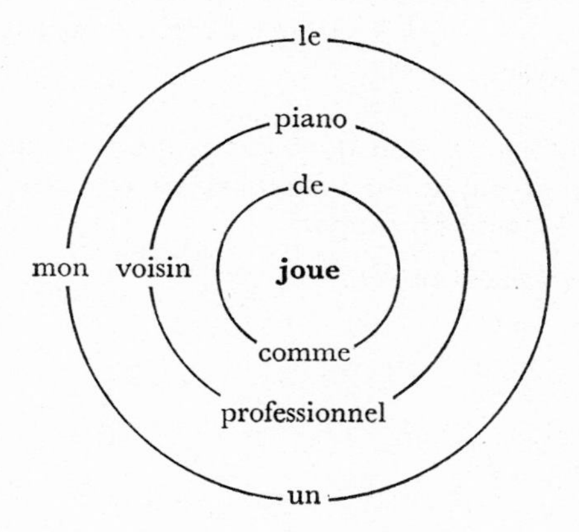


Mais dans un énoncé complet, indépendant, le prédicat n'est pas seulement le point de rattachement de tous les éléments : « celui autour duquel s'organise la phrase »[1], mais aussi celui « par rapport auquel les autres éléments marquent leur fonction ». Ce deuxième aspect traduit une idée nouvelle : certains des rapports de l'expérience apparaissent sur le plan linguistique dans les rapports entretenus par les unités de l'énoncé avec le prédicat. On peut prendre l'exemple devenu célèbre[2] d'un énoncé sans hiérarchie, c'est-à-dire composé d'éléments portant en eux l'expression de leur fonction, autrement dit l'expression du rôle qu'ils jouent dans le message global : *patient-canard agent-fermière action - tuer temps-hier lieu - basse-cour*. Le message est compréhensible mais peu économique puisqu'on ajoute à chaque unité une nouvelle unité précisant sa fonction par rapport à l'ensemble. Sans hiérarchie, sans prédicat qui la permette, qui en donne la clé, il n'y a pas de mise en forme économique des rapports de l'expérience. L'exemple pris précédemment pouvait trouver une expression compréhensible grâce à quelques unités dont le contenu relationnel était très simple : action, lieu, temps, agent, patient. Mais prenons l'énoncé suivant : « Quand on relit aujourd'hui un tel texte, on peut difficilement n'être pas frappé par tout ce qui y garde sa valeur, par tout ce que les deux dernières décennies sont venues y confirmer, et qu'il y avait perspicacité et courage à mettre en lumière, il faut le dire, à une époque où la critique marxiste

1. André MARTINET, *op. cit.*, 4-29, p. 127.
2. Edouard SAPIR, *Le langage. Introduction à l'étude de la parole*, Paris, Payot, chap. V, pp. 82 et s.

était fort loin d'avoir conquis l'audience dont elle dispose maintenant »[1]. On voit ici que la hiérarchie syntaxique avec ses moyens propres de marquer les fonctions constitue non seulement une économie remarquable par rapport à l'enfilade d'unités lexicales couplées avec des unités fonctionnelles, mais permet aussi l'expression d'un vécu hautement complexe, ce que la méthode précédente aurait été incapable de réaliser. L'absence de syntaxe produit donc un langage lourd, très peu maniable, limité aux expériences concrètes, à des rapports vécus simplifiés[2]. Ce qui apparaît ici, c'est la nécessité du prédicat. S'il doit y avoir prédicat, c'est qu'entre la globalité de l'expérience au sens large et la linéarité de la langue le fossé ne peut être franchi que par une organisation hiérarchisée et donc par l'existence d'un terme servant de point d'ancrage pour tous les autres.

— La plupart des rapports syntaxiques sont donc des rapports de dépendance ou de subordination. C'est pourquoi on utilise volontiers les représentations en « arbres », les flèches symbolisant la mise en rapport.

*regarde la coiffure de la dame au manteau vert !*

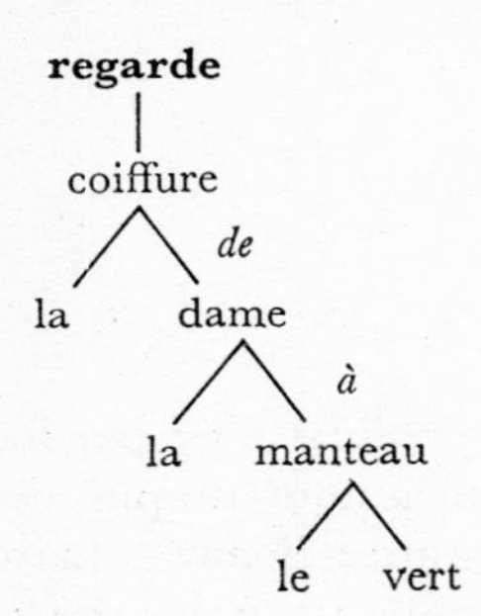


Mais il y a quelques cas où les choses se passent autrement :

— Il peut arriver que plusieurs unités soient réciproquement nécessaires pour qu'une fonction se réalise, les deux unités ne se définissent syntaxiquement que par leur implication réciproque. Prenons la relation sujet-verbe en français. Tous les deux sont nécessaires pour la constitution d'un énoncé minimum de type processif :

*Pierre* ↔ *court* (la double flèche permet alors de symboliser ce rapport réciproque).

*Pierre regarde la dame*
Pierre ↔ regarde
↑
dame
↑
la

1. *Pour une théorie marxiste de la théorie psychanalytique*, Ed. Sociales, 1973, pp. 198 et 199.
2. Voir par exemple Pierre OLÉRON, Etude sur le langage mimique des sourds-muets, *Année psychologique*, 52, 1952, p. 47 à 81.

On connaît, à cet égard, les exemples *il faut, il pleut*, etc., où le pronom personnel ne joue enfin de compte que le rôle d'un remplisseur de fonction obligatoire et, à la limite, ne constitue plus une unité significative.

— Le cas de la coordination représente aussi un nouvel exemple d'absence de hiérarchie. On distingue, en effet, deux types de relations entre les éléments d'un énoncé : *a)* la présence de l'un des éléments — l'expansion — implique celle d'un autre — le noyau — dont il est dépendant; *b)* la présence d'un élément n'implique pas celle d'un autre. Dans le premier cas il y a subordination, dans le second coordination.

| Comparer : | le chien court *vite* | le chien court et *aboie* |
|---|---|---|
| | le chien court dans la *rue* | le chien et le *cheval* courent |
| | le chien de *Pierre* court | le chien boit de l'eau ou du *lait* |

Il y a expansion par coordination et non par subordination lorsqu'il y a identité de fonction entre l'élément ajouté et l'élément préexistant. En supprimant l'élément préexistant et la marque de la coordination, on retrouve la structure de l'énoncé primitif.

*il / aime* ***et*** *protège / la nature*
*il protège la nature*

La coordination ainsi définie est un procédé strictement syntaxique : le remplacement d'un coordonnant par un autre n'influence aucunement la structure de l'énoncé. Il faudrait une étude spécifiquement sémantique pour déterminer le signifié de chaque coordonnant et ses variations.

*2 / Voyons maintenant comment se répartissent les fonctions syntaxiques et quels sont les moyens linguistiques de leur réalisation*

▶ Remarquons d'abord qu'il y a des expansions directement liées au centre et d'autres qui ne le sont qu'indirectement :

*le chat noir de la vieille dame*

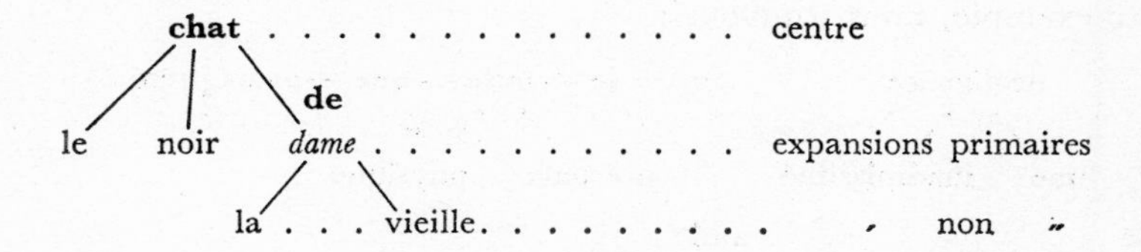

*va voir cette exposition de peinture très moderne*

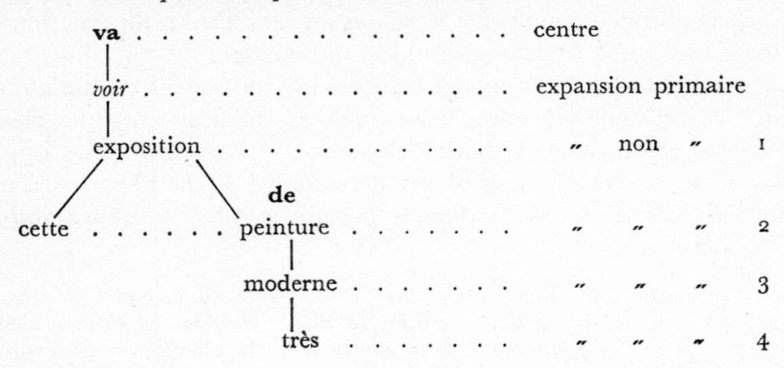


Les fonctions primaires correspondent aux rapports constitutifs de l'énoncé : « Avec une *négligence* inadmissible l'*ami* de mon père a *malheureusement* égaré le précieux *livre* de physique que je lui avais prêté. »

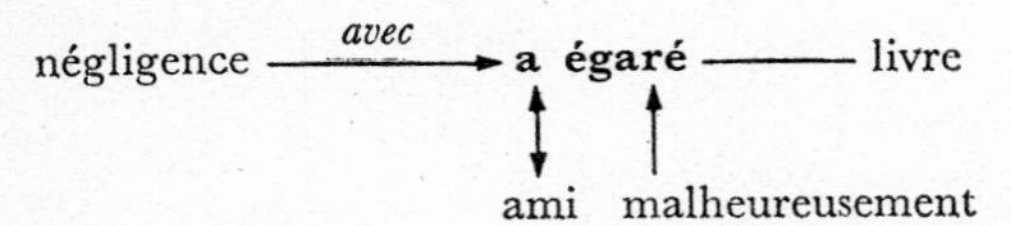


Les fonctions primaires concernent des éléments qui se rattachent directement au prédicat, c'est-à-dire qui entretiennent des rapports avec la globalité de l'énoncé et non avec un de ses segments seulement — ce qui sera le cas des fonctions non primaires. Dans l'exemple précédent, on voit que peuvent jouer une fonction primaire :

— des substantifs : *négligence, ami, livre,* le premier substantif est fonctionnellement « marqué » par la préposition *avec,* les deux autres par leur position respective autour du prédicat, sujet antéposé, objet postposé.
— un adverbe : *malheureusement* qui n'a besoin ni d'une position particulière, ni d'une autre unité du type préposition pour indiquer son rapport direct au prédicat.

Les fonctions non primaires se rattachent à un segment de l'énoncé total : dans notre exemple, nous trouvons :

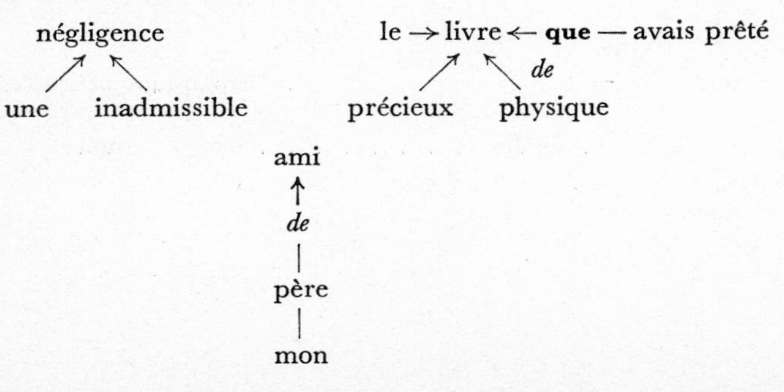

On peut voir que les fonctions non primaires peuvent être assurées par :

— des articles : *une*, *le*;
— des possessifs : *mon*;
— des adjectifs : *inadmissible*, *précieux*;
— des substantifs : *physique*, *père* (une préposition concrétise alors leur lien avec le centre du syntagme : *de*) ;
— une relative : *que je lui avais prêté* (le rôle de subordonnant étant alors tenu par le relatif *que*).

Notons que, au-delà de l'exemple proposé, si l'on peut dresser la liste des unités spécialisées dans les fonctions non primaires, on se rend compte qu'il est difficile de le faire pour les fonctions primaires car tout ce qui n'est pas spécialisé dans le non-primaire peut être primaire. Il s'agit d'un domaine donc ouvert.

▶ Examinons maintenant comment une étude fonctionnelle de la langue peut analyser et présenter ces différentes classes d'unités.

*a* / En premier lieu, on distinguera entre monèmes lexicaux et monèmes grammaticaux; les premiers existent en très grand nombre dans la langue, on a l'habitude de dire qu'ils sont en « inventaire ouvert ». Les seconds entrent dans des paradigmes plus ou moins restreints, on dit qu'ils sont en « inventaire fermé ». Ce sont, en français, les articles, les possessifs, les démonstratifs, les prépositions, les conjonctions, les numéraux, les dérivatifs, les marques de temps, de mode, de personnes, d'aspect. Mais il y a deux caractéristiques au moins aussi importantes que le nombre limité de ces unités : d'abord, elles sont très fréquentes dans le maniement de la langue (on peut lire un ouvrage de 500 pages ou parler pendant toute une matinée sans trouver ou employer une seule fois le lexème *table* ou *chant*, mais on aura forcément rencontré de multiples fois des pronoms personnels, des articles ou des prépositions, *il*, *les*, *mon*, ou *dans*), ensuite elles ont une grande stabilité alors que le lexique évolue à une grande rapidité (disparition et création d'unités, déplacement de sens, etc.), les grammaticaux présentent une remarquable permanence dans la langue.

*b* / En deuxième lieu, on fera de nombreuses distinctions entre ces « grammaticaux » parce que la réalité du fonctionnement de la langue montre que de nombreux problèmes se posent à leur sujet et que tous sont loin d'être résolus[1].

*Première distinction :* celle entre « modalités » et « fonctionnels ». Cette différence est, sur le plan du fonctionnement de l'énoncé, fondamentale. Comparons dans le syntagme « avec une négligence inadmissible » les rôles respectifs de *avec* et de *une*. Le premier élément a un rôle « centrifuge », c'est-à-dire qu'il met en rapport le centre du syntagme *négligence* avec le prédicat *a égaré* :

**a égaré** ← *avec* — négligence

1. J. Legrand et R. Legrand-Gelber, Classes syntaxiques et modalités, *La Linguistique*, n° 2, 1979.

Par contre, le deuxième élément présente un rôle « centripète » de détermination du centre négligence :

**a égaré** ← avec — négligence
une →

Cette différence se trouve ici schématisée par les sens inverses des deux flèches. On appelle « fonctionnels » les éléments centrifuges et « modalités » les éléments centripètes. Sont des fonctionnels les prépositions, les conjonctions et les cas. Sont modalités nominales les articles définis et indéfinis, les possessifs, les démonstratifs, etc. Sont modalités verbales toutes les marques de temps, de mode, d'aspect.. répertoriés dans la « conjugaison » traditionnelle. Signalons à nouveau que les modalités n'assurent que des fonctions secondaires et que les fonctionnels sont des indicateurs de fonctions.

*Deuxième distinction :* celle entre « grammaticaux » et « pronoms personnels ». Ceux-ci ont en commun avec les grammaticaux de faire partie d'un inventaire limité et stable, mais ils ont en commun avec les lexèmes de pouvoir assurer des fonctions primaires, ce que ne peuvent faire les modalités.

**nous** sommes satisfaits de **toi**
**tu nous** déçois

*Troisième distinction :* celle entre modalités et éléments de dérivation; ceux-ci ont en commun avec les modalités de contribuer à conférer aux unités minimales (lexèmes) une classe syntaxique :

[krwa]... [ʃãs]... racines lexicales
[krwa/jãs] « croyance »... [la/ʃãs]... « la chance »... noms

mais ils diffèrent sur le plan de l'inventaire : leur nombre est d'une part plus important que celui des modalités, variable d'autre part, mais surtout cette variation se réalise sans entraîner une réorganisation structurale. Citons André Martinet à ce sujet : « On est peu tenté de rechercher combien le français comporte de suffixes comme *-age* ou *-is*... parce qu'ils constituent un système assez lâche pour qu'à tout moment puisse apparaître un autre suffixe du même type qui n'affecterait pas leur valeur et leurs empois. Il en va autrement d'un système comme celui du nombre ou celui de l'article en français où deux unités opposées recouvrent l'ensemble du

| | *Lexèmes* | *Modalités* | *Pronoms personnels* | *Eléments de dérivation* | *Fonctionnels* |
|---|---|---|---|---|---|
| Inventaire ouvert | + | | | | |
| Inventaire fermé | | + | + | + | + |
| Inventaire instable | + | | | + | |
| Inventaire stable | | + | + | | + |
| Plurifonctionnel | + | | + | | |
| Unifonctionnel | | + | | + | + |

domaine de telle sorte que, là où la question se pose, il faut nécessairement choisir entre singulier et pluriel, défini et indéfini »[1].

Le tableau de la page ci-contre montrera sans doute mieux la complexité du fonctionnement des grandes classes d'unités de la langue. On voit là où les différentes unités se rejoignent et se différencient en fonction des différents critères envisagés. On voit aussi combien certaines de nos options exigeraient une étude plus approfondie.

*c* / LES LEXÈMES, quant à eux, se caractérisent au départ par l'ouverture de leur inventaire, leur instabilité formelle et signifiée[2] et leur totale plurifonctionnalité, plurifonctionnalité qui se réduit plus ou moins selon les multiples combinaisons possibles entre lexèmes, modalités et éléments de dérivation :

— la plurifonctionnalité la plus grande est celle de combinaisons qu'on appelle traditionnellement les NOMS (ils peuvent être sujet, objet, prédicat, compléments...) ;
— l'unifonctionnalité est celle de combinaisons qu'on appelle traditionnellement les VERBES (ils ne sont que prédicats sauf marque explicite de subordination) ;
— entre les deux, tous les degrés existent et donnent lieu à des catégories telles que les adverbes et les adjectifs. On présente souvent l'opposition verbo-nominale comme une opposition lexicale. Cependant, pour être plus précis et conforme aux données de la monématique, il nous semble nécessaire d'écarter les dénominations de lexème / monème } verbal et lexème / monème } nominal, dénominations très fréquentes. Prenons des exemples :

*nous mangerons*

Nous avons ici un pronom personnel et une partie verbale qui est elle-même segmentable en trois monèmes :

[mãʒ/r/õ]
le monème lexical [mãʒ] « mange »
le monème grammatical [r] « futur »
le monème grammatical [õ] « première personne du pluriel »

En dehors de toute combinatoire [mãʒ] est une unité lexicale qui n'est ni verbale, ni nominale, mais qui devient une unité complexe, assignable à une classe syntaxique, dès qu'elle se combine à des modalités ou à des moyens de dérivation, ou aux deux ensemble :

| | |
|---|---|
| [mãʒ] « mange » | lexème, unité minimale |
| [la **mãʒaj**] « la mangeaille » | nom, — complexe |
| [nu **mãʒõ**] « nous mangeons » | verbe, — — |
| [**mãʒ**/abl] « mangeable » | adjectif, — — |

1. André MARTINET, *op. cit.*, p. 136.
2. Comme nous l'avons souligné plus haut, c'est dans cette partie de la langue que les rapports de causalité entre social et linguistique sont les plus visibles.

Et c'est cette unité complexe (composée de plusieurs monèmes et que l'on nomme souvent « le mot ») qui est uni ou plurifonctionnelle.

L'opposition verbo-nominale n'est donc pas dans le cas présent comme dans la plupart des langues une opposition lexicale mais une opposition fonctionnelle conférée par les modalités (et/ou des dérivatifs) aux lexèmes.

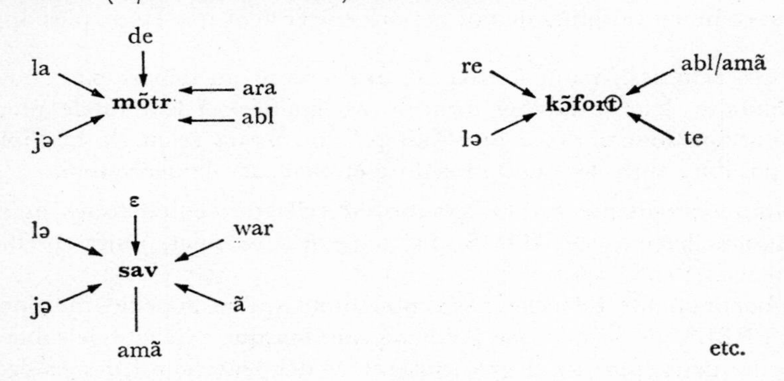


On trouvera toujours dans la langue cette possibilité de faire entrer grâce à des moyens linguistiques de type grammatical (modalités et dérivations) un lexème (la « racine » comme cela est dit dans les grammaires) dans un plus ou moins grand nombre de classes syntaxiques.

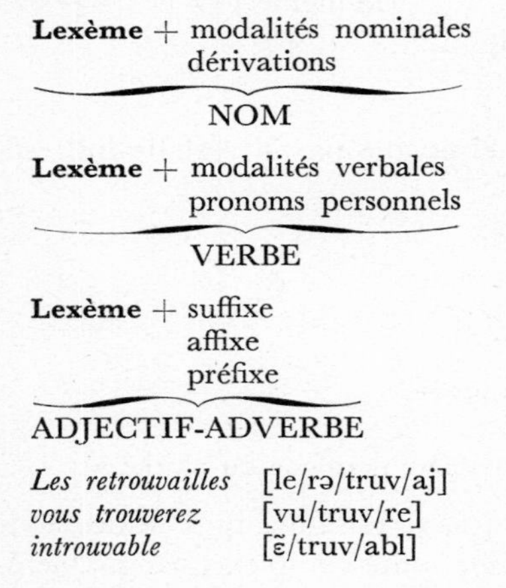


*Les retrouvailles* [le/rə/truv/aj]
*vous trouverez* [vu/truv/re]
*introuvable* [ɛ̃/truv/abl]

Cependant, dans une langue comme le français, on ne trouve que très rarement le lexème-racine employé seul (le cas le plus courant étant celui de l'impératif : *mange!*, *donne!*, etc.). C'est ce qui explique l'impact de la notion de mot, notion à laquelle sont liés deux types de combinatoires :

*a)* Le mot est l'équivalent de ce que nous avons appelé synthème, c'est-à-dire un choix unique résultant d'une dérivation ou d'une composition :

— unité en inventaire fermé + unité en inventaire ouvert : *re-jeter contamin-ation*, etc.;

— unité en inventaire ouvert + unité en inventaire ouvert : *serre-tête*, etc.

*b)* Il est l'équivalent de l'association lexème + modalité, c'est-à-dire d'une combinaison présentant des choix différents :

*mangerais* — [mãʒ/r/e]

Le mot peut être, enfin, le résultat de la combinaison de tous ces facteurs :

*ils réembarqueront à l'aube*
[re/ã/bark/r/õ]

synthème dérivé — modalités verbales

MOT

Revenons maintenant à l'opposition unifonctionnels/plurifonctionnels. L'uni ou la plurifonctionnalité ne concerne pas le fonctionnement syntaxique, mais le classement d'unités se situant entre le syntagme (constituant immédiat de la phrase) et le monème (constituant ultime) et que, selon la combinatoire dans laquelle ils entrent nous appellerons noms, verbes, adjectifs... reprenant en cela la terminologie, mieux connue du lecteur, de la grammaire traditionnelle.

Nous disions que la classe plurifonctionnelle par excellence est celle des noms; donnons un exemple :

« *le matin* je me promène dans le jardin »
« *le matin* est le meilleur moment pour travailler »
« j'aime *le matin* avant que la rue s'éveille »
« j'aime l'odeur *du matin* »
« ah, *le matin* en été! »

Les adjectifs et les adverbes peuvent remplir plusieurs fonctions, mais en nombre relativement limité :

*Terminé, les voyages!* (prédicat)
*Cet extraordinaire monsieur Dupont!* (déterminant)
*L'extraordinaire est qu'il soit encore en vie* (sujet)
*Je crains tellement les animaux*
*La venue, tellement désirée, de cette enfant*
*Vivement les vacances!*
*(Dialogue)* *Il est merveilleusement beau!*
*Ce « merveilleusement » est de trop!*

Les verbes, enfin, c'est-à-dire des lexèmes associés à des marques temporelles, modales, aspectuelles et de personnes (et non les infinitifs et les participes qui ne sont que des nominaux) ne peuvent être que prédicats ou prédicatoïdes, c'est-à-dire unifonctionnels indépendants ou unifonctionnels subordonnés. En effet, le verbe, élément indépendant quand il est prédicat, peut perdre cet aspect quand il devient noyau d'une proposition subordonnée : il n'en reste pas moins unifonctionnel mais dépendant. On parle de prédicatoïde. La dépendance se fait par le moyen d'un fonctionnel (conjonction de subordination).

*j'aime la vie bien qu'elle me déçoive tout le temps*

je↔ *aime* ← vie
|
**bien que**
|
elle↔ *déçoive* ← me

— Remarquons ensuite que les procédés de mise en rapport sont de diverses sortes : trois procédés syntaxiques se retrouvent à des degrés divers dans toutes les langues.

▶ Le langage étant linéaire, la succession nécessaire des unités significatives dans la chaîne peut correspondre, comme nous l'avons déjà vu, soit à des habitudes plus ou moins contraignantes (cf. *infra* morphologie), soit à un ordre pertinent :

— *il a une grande gueule* : ordre contraignant
1 2 3 4 5
— *le soldat / qui chante / la chanson* : ordre pertinent
1 2 3
(cf. *la chanson qui chante le soldat*)

On parle d'ordre « pertinent » lorsque la position d'un élément par rapport aux autres lui confère sa fonction dans l'énoncé :

{ soldat = sujet
{ chanson = objet

Concernant le procédé de l'ordre, nous ferons trois remarques :

— Il semble difficile d'imaginer une langue dans laquelle l'expression de tous les rapports syntaxiques serait confiée à l'ordre, chaque élément déterminant le suivant dans un schéma du type :

Les problèmes de mémorisation liés aux conditions du fonctionnement du langage humain rendent ce système totalement impossible.

Cette utilisation de la stricte successivité se limite, en français, par exemple, à deux ou trois éléments :

— ordre « déterminant-déterminé », que l'on trouve très fréquemment pour la succession adjectif-nom :

*grosse affaire*
*bel ouvrage*
*merveilleux voyage*, etc.

— ordre « déterminé-déterminant », que l'on trouve plus rarement et dans des syntagmes plus ou moins synthémisés :

*Boulevart Durant* *match* { *aller*
*Hôtel Dieu* { *retour*

*budget* { *nourriture* / *loisirs*      *attaque surprise*
*Etat patron*

*garde* { *barrière* / *côtes*      etc.

— ordre « sujet-verbe-objet » du type :

*Pierre bat Paul*

— De toute façon, et ce sera notre deuxième remarque, l'utilisation de l'ordre progressif ou régressif (ce qui est plus rare puisque contraire au sens de la successivité temporelle) implique une subordination, c'est-à-dire que l'utilisation de l'ordre se fait toujours par rapport à un noyau.

— Enfin, troisième et dernière remarque : il apparaît que l'ordre, procédé extrêmement simple puisque donné par la nature même de la langue, est essentiellement utilisé pour les fonctions syntaxiques de base. Par exemple, pour le syntagme : article + adjectif + nom, pour la phrase : sujet + verbe + objet. Il semble donc que, si l'on en reste au niveau statistique, la simplicité du procédé est en rapport direct avec la récurrence des fonctions. Et c'est une des chances de la pédagogie des langues (maternelle ou seconde) que de pouvoir, en commençant par enseigner le plus simple, présenter aussi le plus fréquent.

▶ Toute langue possède des monèmes spécialisés dans l'indication des relations des unités entre elles, c'est-à-dire que l'on recourt explicitement à une dissociation entre signification et relation.

*Je travaille* avec **rapidité**
*la* **rapidité** *de mon travail étonne*

On appelle monèmes fonctionnels ces monèmes spécialisés. Dans le premier exemple, rapidité doit sa fonction au fonctionnel *avec*, dans le second elle la doit à l'ordre sujet-verbe.

En français, les fonctionnels sont les mots désignés par la grammaire comme prépositions et conjonctions. Comparez la différence de « marquage » du terme *Jean* :

*c'est la maison, Jean !*
*c'est la maison* de *Jean !*

L'introduction du fonctionnel change, dans cette paire, les rapports entre les unités et le sens global de l'énoncé.

Soulignons que l'utilisation des fonctionnels est un procédé structurel et ne peut donc recevoir de définition « sémantique ». Cependant, dans une langue comme le français, on retiendra une grande fréquence dans l'utilisation de ce procédé et l'expression des domaines désignés sémantiquement comme représentant les « circonstances » de l'expérience transmise (compléments circonstanciels).

*Je pars* pour *trois jours* en *voyage* avec *des amis* dans *les Landes*

On retiendra aussi la fréquence de la relation vague de détermination (attribution) produite par l'utilisation des fonctionnels *à* et *de* : le chapeau { de / à } papa.

Dans de nombreuses langues, les fonctionnels se présentent sous la forme de « cas ». Nous ne nous étendrons pas sur ce sujet, mais nous signalerons seulement que l'utilisation formelle d'une préposition et d'un cas n'est pas comparable, mais que leur utilisation fonctionnelle est identique. Ce qui prouve, une fois de plus, l'impossibilité de fonder une analyse fonctionnelle sur la seule ressemblance formelle des phénomènes.

Après ce que nous avons dit précédemment, le procédé de marquage par fonctionnels peut sembler non économique. Il l'est pourtant de façon très importante dans le cas d'unités pour lesquelles la dissociation entre expérience et fonction est fréquente, ce qui se traduit, en fait, par une plurifonctionnalité potentielle.

Dans le cas des fonctionnels, la représentation la plus adéquate nous semble être la présence de l'unité au milieu de la flèche pour bien montrer qu'en fait c'est cette unité fonctionnelle qui joue le rôle de flèche.

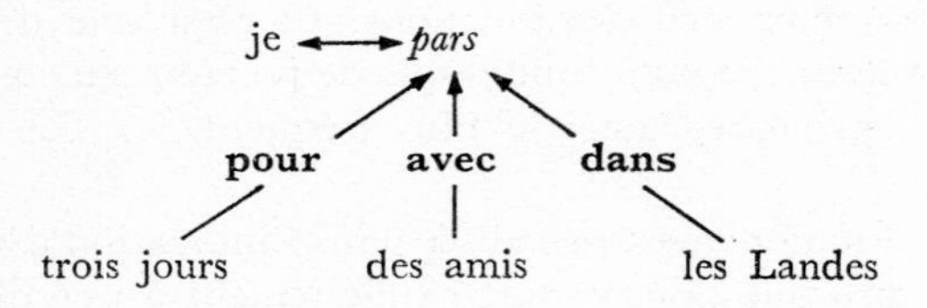


▶ Il y a enfin des unités qui indiquent elles-mêmes leurs relations aux autres éléments de l'énoncé, autrement dit on assiste à une intégration de la fonction dans le monème. On parle alors de monèmes autonomes.

*l'oiseau mange*
*je mange*

*Je* indique lui-même qu'il est sujet. Pas l'*oiseau* qui présente une fonction sujet marquée grâce à l'ordre des éléments de l'énoncé (*mange l'oiseau* en fait un objet).

L'autonomie est un procédé linguistique inverse du marquage par fonctionnels et n'existe que dans le cas où il y a une réelle affinité entre un élément de l'expérience et une relation signifiée déterminée. Et c'est dans cette mesure que le procédé est économique pour la langue.

*aujourd'hui* { découpage social du temps
relation temporelle }

*vite* { mouvement
relation de « manière » }

L'élément autonome présente par ailleurs une déplaçabilité importante dans l'énoncé :

**aujourd'hui** je vais pouvoir me reposer un peu
je vais **aujourd'hui** pouvoir me reposer un peu
je vais pouvoir **aujourd'hui** me reposer un peu
je vais pouvoir me reposer **aujourd'hui** un peu
je vais pouvoir me reposer un peu **aujourd'hui**

Au sujet de cette déplaçabilité, nous ajouterons deux choses : il s'agit simplement d'un moyen de reconnaissance et non d'une définition; il s'agit d'une déplaçabilité de droit et non de fait car les habitudes non pertinentes d'ordre poussent les usagers d'une langue à ne pas faire varier la position d'une unité même si cela est possible du point de vue du sens[1]. Mais il n'y a pas d'autre moyen de repérage formel et cette absence de mise en évidence de la fonction rend l'analyse des autonomes difficile. Ce qui explique que la grammaire n'ait pas pu en identifier la nature et les ait globalement désignés sous le terme d' « adverbes ». Cela explique aussi que l'enfant puisse utiliser dans les premières années la structure moins économique mais analysable : fonctionnel + unité significative. Laure (3 ans) :

*avant ce matin = hier*
*après ce jour-là = demain*
*après les autres demains = plus tard*, etc.

Une étude diachronique montrerait que les adverbes français en *-ment* témoignent d'un état ancien correspondant à une dissociation de l'élément d'expérience et de la fonction, l'élément *-ment* représentant un intégrateur de fonction. Mais en synchronie on ne peut plus distinguer un fonctionnel *-ment* et *rapidement* doit être traité en syntaxe moderne de la même manière que *vite*, c'est-à-dire comme un autonome.

Notons, en dernier lieu, que les monèmes autonomes ne sont pas les seuls à porter en eux-mêmes leurs rapports avec l'ensemble de l'énoncé : les verbes en fonction prédicative impliquent aussi non seulement leur sens mais leur emploi comme prédicats. Mais, étant donné leur statut central et hiérarchiquement le plus élevé dans l'organisation syntaxique, on les désigne comme monèmes indépendants.

Ce rapide coup d'œil sur les trois procédés syntaxiques essentiels montre comment l'économie de la langue (c'est-à-dire sa recherche en vue d'un équilibre assurant au mieux la fonction de communication) se réalise. Rappelons les trois hypothèses impossibles :

— Une langue où les fonctions ne seraient assurées que par l'ordre; dans ce cas, par exemple, on devrait avoir un système du type :

1re unité de la phrase = toujours le sujet
2e — = — le verbe
3e — = — l'objet
4e — = — la qualité
5e — = — le lieu
6e — = — le temps
7e — = — le moyen, etc.

1. Voir le « belle marquise vos beaux yeux me font mourir d'amour » (MOLIÈRE, *Le bourgeois gentilhomme*).

De plus, il faudrait une prolifération d'unités pour marquer les fonctions non remplies dans la transmission d'expériences ne réclamant pas toutes ces significations !

— Une langue composée uniquement d'autonomes; cela donnerait lieu à une multiplication de formes pour un même sens selon la variation fonctionnelle; par exemple *chien* aurait autant de formes totalement différentes que de fonctions possibles

chien - sujet = $F_1$
chien - objet = $F_2$
chien - complément de nom = $F_3$
chien - complément d'attribution = $F/_4$ etc.

— Une langue sans hiérarchie, où tous les termes seraient marqués par un fonctionnel; c'est l'exemple que nous avons donné plus haut en soulignant les batteries formidables d'unités marqueuses de fonctions que ce système exigerait.

On voit que, finalement, c'est la combinaison de chacun de ces trois procédés qui crée la souplesse, l'efficacité de la langue, qui s'avère offrir l'économie maximale.

*3 | Dans ce chapitre sur les unités significatives, nous commençons à apercevoir qu'il y a des niveaux différents de l'analyse*

— les monèmes = notion centrale, base de toute combinatoire;
— le mot = notion complexe mais commode pour une langue comme le français;
— le syntagme = notion nécessaire pour comprendre les rouages de la phrase, unité syntaxique maximale.

On classe les syntagmes en exocentriques et endocentriques. Les syntagmes exocentriques sont ceux dont les constituants isolés ne fonctionnent pas de la même façon; par exemple :

*Jean parle | avec méchanceté*
*Jean*↔ *parle*, sujet↔ verbe, syntagme prédicatif
← *avec - méchanceté*, préposition + mot, syntagme primaire fonctionnel + nominal.

Les syntagmes endocentriques présentent une combinaison d'éléments fonctionnant de la même façon que le seul élément central du syntagme; ils peuvent être :

+ coordonnés : ***(Pierre et) Jean*** *parle(nt)* syntagme sujet
+ subordonnés : ***(Le petit) Pierre*** *parle* —

— La phrase : c'est la construction syntaxique maximale. Cela ne signifie pas qu'elle ne fasse pas partie d'une construction plus grande; il y a des moyens linguistiques du type connecteurs de phrase qui permettent de trouver une unitédiscours plus vaste que la phrase : *j'ai fait cela... alors... et puis... c'est pourquoi.* Mais la saturation purement syntaxique se réalise avec la phrase.

Nous nous rangerons à la définition martinétienne de la phrase : « (la phrase est) l'énoncé dont tous les éléments se rattachent à un prédicat unique ou plusieurs prédicats coordonnés... »[1], qui présente un double avantage : ne faire intervenir aucun *a priori* de sens, ne pas retenir le critère de l'intonation, trop fluctuant en fonction de la variable situationnelle du discours.

Essayons de voir maintenant comment peuvent se classer les énoncés de la langue. Nous reprenons ici les deux grands axes fournis par Frédéric François[2] : le caractère syntaxiquement minimal (nécessaire) ou non (expansion), le type d'unités constitutives.

▶ ENONCÉS À STRUCTURE MINIMALE

Ce sont des constructions *irréductibles* du point de vue syntaxique, parce qu'elles présentent des fonctions nécessaires, *susceptibles de recevoir des expansions*, c'est-à-dire toutes sortes de fonctions facultatives, et enfin *productives*, autrement dit constituant des formes d'énoncés récurrentes qui sont toujours à la base des énoncés plus complexes. Ainsi : *Pierre court vite* n'est pas un énoncé minimum car *vite* est facultatif. *Pierre court*, par contre, est cet énoncé minimum. *Mon sac !* doit aussi

**1** Il y a une dame et un chien
*Elle fait signe*
*Il boude*

**2** *Elle sourit*
*Il boude*

lui fait signe de partir
*'en va*

**4** *Elle crie*
*Il revient*
*Il est contrariant*

**5** Elle l'appelle doucement
*Il s'en va*

1. André MARTINET, *op. cit.*, p. 131.
2. Frédéric FRANÇOIS, *L'enseignement et la diversité des grammaires*, Paris, Hachette, 1974, p. 136.

être écarté car il n'y a pas de possibilités d'expansions. Enfin, la structure sujet-verbe peut être à la base d'énoncés de plus en plus complexes :

> « *Pierre*, qui aime se dépenser physiquement car cela le détend de son travail au bureau, *court* tous les dimanches pendant plusieurs heures dans la forêt de Fontainebleau. »

L'énoncé à structure minimale peut donc être défini comme un énoncé qui comporte *seulement* les éléments nécessaires à une construction syntaxique de base mais *tous* ces éléments. Ces énoncés minimaux ne sont pas ce qui est le plus courant dans le maniement de la langue et on ne les trouve pas en grand nombre dans l'observation brute. Il y a des situations de production linguistique qui les favorisent : pour notre part, nous en avons obtenu dans la description d'une série d'images par des enfants (de 14 ans environ) ; l'enfant a l'image sous les yeux et ne produit qu'un minimum linguistique : il dira *il revient* et non *il revient l'air content, la queue frétillante, à petits pas*. Voici un exemple dans lequel, sur 12 énoncés, 9 sont minimaux (soulignés).

On en trouve aussi assez souvent dans les situations de dialogue : *Que fais-tu ? je pars.*

Mais, dans le maniement courant de la langue, les données numériques permettent de voir qu'apparaissent préférentiellement des structures comme :

{ sujet + verbe + expansion primaire
— — + expansion autonomisée par un fonctionnel
— — + — autonome

{ *il choisit un gâteau*
*il choisit sans réfléchir*
*il choisit vite*

On nomme « énoncés préférentiels » ces énoncés fréquents présentant des éléments non syntaxiquement nécessaires à l'existence de la phrase.

Voyons maintenant les différents types d'énoncés minimaux en français.

— Il y a d'abord le cas de l'impératif, où l'énoncé se réduit au verbe (c'est-à-dire à un lexème racine combiné avec des marques temporelles et personnelles).

*rentre !* sois rentré !
*rentrons !* soyons rentrés !
*rentrez !* soyez rentrés !

Remarquons qu'il y a, dans ce cas, « amalgame » de la syntaxe et de la sémantique, car le signifié « ordre » s'attache forcément à ce schème syntaxique.

— En situation, réponse, question, exclamation, l'énoncé minimal peut être réduit à n'importe quelle unité :

« qui a crié ? », *lui.*
*magnifique !*
« J'ai vu M. Dupont », *notre voisin ?*
« aimes-tu le raisin ? », *beaucoup*, etc.

Semblent exclues cependant de cet emploi solitaire sous forme d'énoncé : les modalités verbales et nominales, les pronoms atones *(je, me, il, elle)*, les prépositions et certaines conjonctions.

— L'énoncé peut se réduire au sujet et au prédicat verbal, c'est la construction exocentrique de base du français :

*je travaille*
*l'enfant joue*, etc.

— On trouve de façon extrêmement fréquente en français des structures minimales bifonctionnelles composées d'un actualisateur *(c'est, il y a, voilà)* — élément en inventaire très fermé et non susceptible de recevoir des expansions — et d'un nominal.

*c'est Pierre*
*voilà le résultat*
*il y avait du monde*

— Les énoncés bifonctionnels peuvent présenter un prédicat dit complexe, parce que présentant la combinaison de plusieurs éléments jouant conjointement le rôle prédicatif :

*faire peur*
*prendre froid*
*avoir mal*
*être dangereux*, etc.

▶ PHRASE SIMPLE ET PHRASE COMPLEXE

Le problème de la phrase simple n'est pas lié à la longueur de la phrase, mais à sa structure : pour qu'il y ait phrase simple, il faut qu'il n'y ait qu'un seul prédicat et pas de prédicatoïdes. Des constituants immédiats, directement liés à ce prédicat, peuvent présenter un nombre très important d'expansions qui allonge considérablement l'énoncé. Comparez les deux exemples suivants :

« *Ces faits* remarquables rencontrés dans une partie très large du corpus recueilli par le chercheur dans des conditions exceptionnelles d'enregistrement ne *permettent* cependant pas la mise à jour de données généralisables pour ce genre de maniement de la langue. »
« Je ne sors pas parce qu'il pleut. »

Le premier exemple est une phrase simple, le second une phrase complexe présentant un prédicat et un prédicatoïde.

Je ⟷ **sors** ⟵ ne... pas
↑
quand
|
il ⟷ *pleut*

Traditionnellement, on définit la phrase complexe comme une phrase à plusieurs « propositions », la proposition étant ce qui pourrait à soi seul constituer une phrase simple (indépendante), mais qui se trouve coordonnée ou subordonnée à un ensemble plus vaste. Cette complexité se situe dans la structure et non dans les rapports signifiés exprimés. Dire : *il pleut; je ne sors pas* ne transmet pas un sens moins complexe que de dire : *je ne sors pas parce qu'il pleut.*

La phrase complexe implique obligatoirement l'existence de plus d'un centre prédicatif. Chaque centre a des expansions qui lui sont propres et gère la mise en rapport des éléments de son groupe. Cependant, ces différents prédicats et les unités qui en dépendent font partie d'un même ensemble syntaxique. Quels sont donc les moyens linguistiques qui permettent cette cohabitation ? Prenons des exemples :

— *Le maître a promis hier aux élèves qu'il les emmènerait au spectacle avant les vacances.*

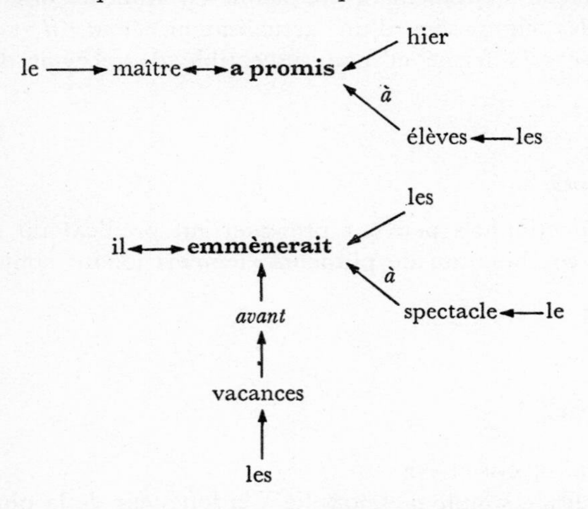


Il y a donc deux centres prédicatifs avec chacun sa structure expansionnelle propre. Le seul élément qui met en relation ces deux ensembles est le conjonctif *que* :

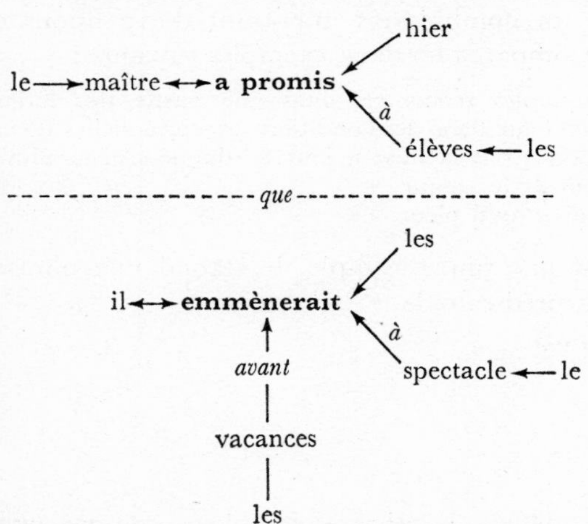


L'élément fonctionnel *que* qui met en relation les deux prédicats permet du même coup la cohabitation de tous les éléments dépendants de ces deux prédicats et confère à l'ensemble son unité syntaxique. Le « relais » créé par le fonctionnel et qui rend possible la cohérence de la construction hiérarchique peut être établi par de nombreux autres éléments de la langue :

**comme** tu *triches*, je me *méfie*
je me *méfie*, **car** tu *triches*
je me *méfie*, **parce que** tu *triches*
je n'*aurai* plus confiance en toi **si** tu *triches*, etc.

— *J'ai vu hier un film qui m'a beaucoup plu.*

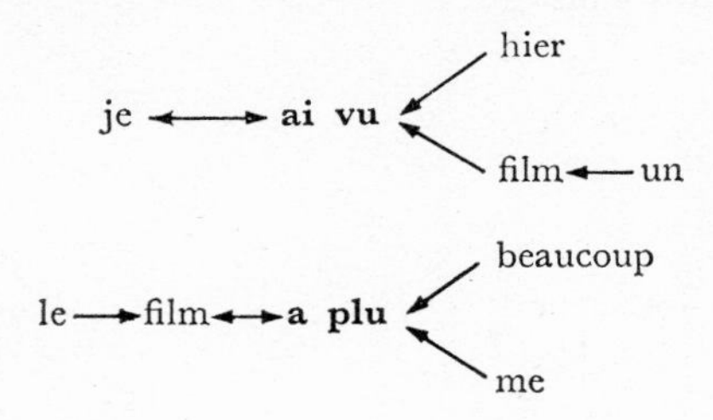


Ici aussi, nous avons deux centres prédicatifs avec leurs éléments propres. Mais ces deux prédicats ont en commun un élément : *film*, qui présente des relations explicitées avec eux deux : il est à la fois objet du prédicat *ai vu* et sujet du prédicat *a plu*. Nous dirons que cet élément est « bipolarisé »[1] puisqu'il entretient des relations explicitées simultanément avec les deux centres prédicatifs. C'est cette bipolarisation qui permet la cohabitation — pour reprendre le terme employé dans l'exemple syntaxique précédent — dans un même ensemble syntaxique des deux organisations. L'élément linguistique indiquant cette bipolarisation est le relatif *qui*.

— *Le film que j'ai vu hier m'a beaucoup plu.*

Dans cet exemple, aucune des relations n'est changée; l'enchâssement de la relative ne fait que varier la forme du relatif *(que* au lieu de *qui)*, mais *film* reste toujours objet de *ai vu* et sujet de *a plu*.

— *J'ai vu hier le film dont l'acteur te plaît tant.*

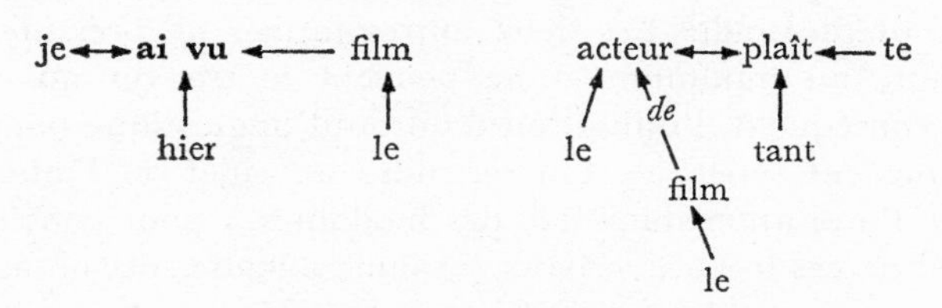


Dans ce cas, nous trouvons les éléments suivants :

prédicat 1 : *ai vu*
prédicat 2 : *plaît*

1. Alain Bentolila, polycopié UER de Linguistique de Paris V, 1973.

élément bipolarisé : *film*
{ fonction primaire (objet) pour 1
{ fonction secondaire (complément de nom) pour 2
bipolarisateur : relatif : *dont*

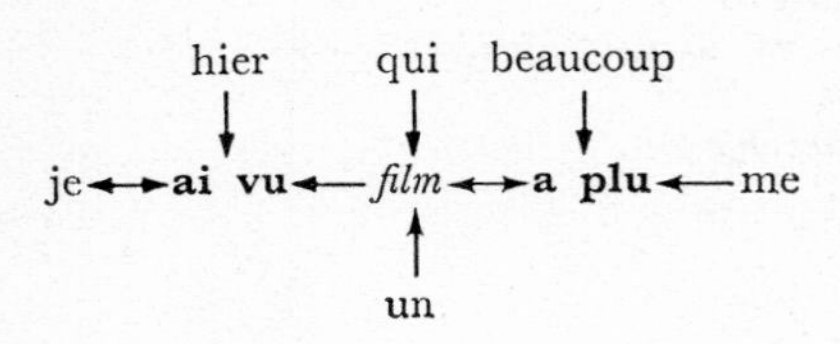


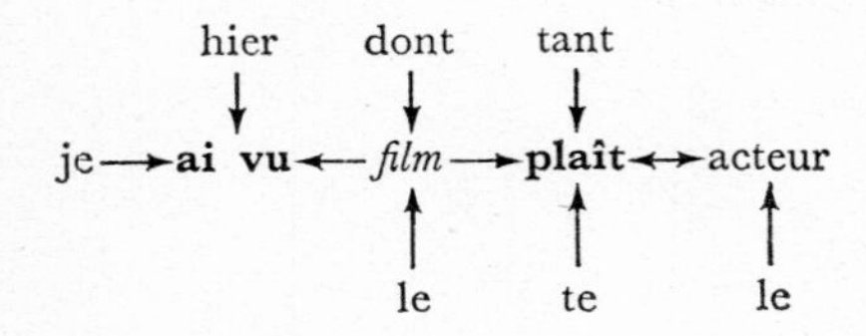


Disons, pour terminer, un mot des propositions dites infinitives ou participiales, Comparons : « il observe les fourmis qui travaillent avec acharnement ».
« il observe les fourmis travaillant avec acharnement »,
« il observe les fourmis travailler avec acharnement ».

Dans les trois cas, on a un élément bipolarisé ou objet du prédicat 1 et sujet du prédicat 2

il ↔ observe ← *fourmis* ↔ { travaillent / travaillant / travailler }
↑
les

Mais dans le cas de la relative seulement apparaît l'indicateur *qui* de bipolarisation. Cette absence provient de la différence entre la forme verbale *travaillent* et les deux autres formes *travaillant* et *travailler*. La première de ces formes apparaît pourvue de toutes les marques aspectuo-temporelles et personnelles. Elle pourrait être prédicat comme prédicatoïde. Les deux autres formes ne présentent qu'une marque modale réduite au minimum et ne peuvent se trouver qu'en position de prédicatoïde. Par conséquent, l'utilisation d'un outil linguistique pour indiquer cette subordination devient superflue. On retiendra au sujet de l'infinitif et du participe français que l'utilisation minimale des modalités a pour conséquence un statut plurifonctionnel de ces formes verbales (et donc aucune spécialisation prédicative). Bien sûr, en tant que plurifonctionnels, infinitifs et participes gardent, à côté des utilisations nominales et adjectivales, des utilisations prédicatives, mais seulement comme prédicatoïdes.

▶ Au-delà de la phrase

Les phrases qui se succèdent dans un discours ont forcément un certain rapport entre elles. La cohérence du tout est fournie par des moyens linguistiques dont l'étude commence à se développer. On remarque d'abord le moyen privilégié que représente la reprise lexicale : termes à termes ou pronominale :

> « J'ai cueilli des *champignons*. Comme ces *champignons* n'étaient pas comestibles, je *les* ai jetés. »

Tout un syntagme peut être réintégré plus loin par un élément comme *ça* :

> « Je lui raconte souvent l'histoire de notre famille, mais *ça* n'a pas l'air de l'intéresser. »

Il y a aussi des « connecteurs » qui réfèrent à ce qui a précédé ou à ce qui suit : *alors, et puis*.

### *c - Linguistique et grammaire*

Depuis un certain temps déjà, il est devenu habituel de ne plus employer le terme de grammaire dans son sens premier, à savoir l'art de bien écrire. Le terme tend plutôt à désigner l'ensemble des mécanismes qui président à la combinaison des éléments linguistiques pour former des énoncés dans une langue donnée. Désignation qui repose en fait sur l'hypothèse que les énoncés linguistiques présentent une régularité dans leur constitution ou, plus exactement, un ensemble de régularités de divers ordres qui permettent à l'émetteur de construire des énoncés variés et au récepteur de les comprendre.

Deux problèmes se posent cependant au sujet de l'établissement d'une grammaire de la langue :

— l'hétérogénéité du maniement linguistique;
— la double utilisation, orale et écrite.

#### *1 / Hétérogénéité de la langue*

L'acquisition du langage est une activité spontanée de l'homme. Elle se fait en prise directe sur le réel et ne repose donc pas sur la connaissance préalable d'un système médiateur entre ce réel et la langue. C'est en associant comportement verbal et situations vécues — et dans leur répétition — que l'enfant acquiert sa langue maternelle qui portera, par conséquent, chez lui l'empreinte des habitudes linguistiques d'un entourage donné, à la fois géographique, culturel et social. Ainsi, la langue présente des variations selon les sujets parlants. L'erreur de certaines théories sur la langue est justement d'ignorer cette variation linguistique. Cela n'empêche pas qu'existe une réelle intercompréhension entre locuteurs d'une même langue, et malgré cette variation linguistique; ce qui est plus gênant, c'est lorsque la théorie, sous forme de grammaire, réduit la richesse, la variété de la langue à des systèmes normalisés; ce qui est encore plus difficile à accepter c'est que cette variation linguistique soit considérée comme un ensemble de dégénérescences de la langue normalisée (d'où le sens péjoratif attaché au mot « dialecte », et le terme de « niveaux » de langue utilisé pour décrire la variation sociale). Pourtant, à l'origine tout au moins, la langue considérée comme la vraie langue nationale — en l'occurrence, le français que l'on entend sur les ondes et que l'on apprend sur les bancs de l'école — n'est qu'un dialecte (un aspect de la variation donc) qui, pour des raisons non linguistiques, mais sociales, a eu plus de chance que les autres et a de ce fait acquis une prééminence linguistique dans une communauté donnée. La variation linguistique est à la fois géographique et sociale (et souvent, il apparaît difficile de distinguer les deux aspects). Elle dépend aussi de l'âge du locuteur et, en dernier ressort, on se rend compte que chaque individu présente dans son activité linguistique quelque chose de spécifique. On parle alors d'idiolecte. Faire l'étude d'un idiolecte — du maniement linguistique d'un membre de la communauté linguistique — ne peut renseigner que partiellement sur le fonctionnement de la langue en général. Un autre aspect de la variation du système linguistique réside dans le fait que l'usage de la langue varie selon les situations de communication. Il s'agit de voir ici que l'outil linguistique lui-même, au-delà de la diversité géographique et sociale, présente un fonctionnement différent selon les types de discours envisagés. Jusqu'à présent, les grammaires n'ont pas tenu compte de cette variable situationnelle et aucune ne présente une typologie des diverses situations de communication dans lesquelles peuvent être enregistrés des maniements différents de la langue. Ce travail reste encore à faire et il est à l'ordre du jour chez la plupart des linguistes actuels.

Cependant, une première grande distinction est dès maintenant reconnue par tous les spécialistes comme fondamentale : celle entre langage en situation et langage hors situation. Entre deux individus qui se parlent, il peut y avoir un langage « hors situation », c'est-à-dire une utilisation de la langue sans que le locuteur pour émettre et le récepteur pour recevoir puissent recourir à des données perceptives communes (par exemple, ils se téléphonent) ou à des informations connues des deux parts (ils se rencontrent par exemple pour la première fois et ne connaissent rien l'un de l'autre). Il existe, par contre, un langage « en situation » caractérisé par la possibilité de recourir à l'univers perceptif commun aux deux interlocuteurs et à des informations de tous ordres communes aussi.

Le langage en situation a des caractéristiques propres : les énoncés produits présentent un contenu non explicite sans recours à la situation extra-linguistique. Ces énoncés « non décidables » présentent des unités linguistiques particulières et des schèmes syntaxiques particuliers qui constituent une économie considérable du point de vue linguistique, ce sont :

— Des unités dont le signifié pourrait se traduire par :

> « l'élément que je désigne par le geste » dans *passe-moi* ***ça****, qu'est-ce que c'est que* ***cette chose****?...*
>
> « l'élément connu auquel je fais référence » dans *as-tu vu* ***machin*** *hier ?, j'ai vu ton père hier : en effet, il a un drôle de* ***truc****!...*

— Des unités au contenu déictique, qui ne déterminent leur objet que par rapport aux interlocuteurs et à la situation *je*, *tu*, *ici*, *là*, *maintenant*, *ensuite*, etc.

Ces unités sont souvent appelées exophoriques car elles font référence à des données extérieures au discours contrairement aux anaphoriques qui renvoient à l'intérieur du discours :

« les études de Pierre... je *les* ai suivies...
*ça lui* a permis d'aller loin... »

— Donnons quelques précisions en ce qui concerne les pronoms personnels : dans l'acte de communication, ceux de première et de deuxième personne sont interchangeables, un même interlocuteur pouvant être *je*, *tu* et dans *nous* et *vous* à des moments différents de l'échange. On peut dire que ces unités n'ont pas de désignation simple dans la langue puisque, se reportant à des personnes différentes selon les cas, ils prennent de ce fait une signification nouvelle qui ne peut exister en dehors de la situation présente. C'est une difficulté très remarquable dans l'acquisition du langage par l'enfant qui hésite à s'approprier un *je* employé par d'autres (qui, de leur côté d'ailleurs, le désigne comme *tu*). Les noms propres, par contre, clairement attachés à une personne unique sont longtemps employés par les enfants à la place des pronoms personnels.

— Du point de vue syntaxique, on note des faits de mauvaise structuration ou de rupture syntaxique non gênants sur le plan de la communication parce que désambiguïsés par les éléments situationnels; on note aussi moins de phrases complexes (donc de prédicatoïdes) que dans le discours hors situation, et, au niveau de la phrase simple, moins d'expansions (concernant les circonstants facultatifs).

Par rapport à ce langage en situation, le langage hors situation apparaît comme un maniement de la langue non conditionné dans sa forme par le fait que les interlocuteurs comptent sur des éléments non linguistiques pour communiquer entre eux. On peut donc considérer le maniement hors situation comme le cas d'utilisation maximale des procédés linguistiques. Ce fonctionnement de la langue apparaît nettement au niveau de l'écrit, dans le récit surtout, car le maniement épistolaire (surtout dans le cas où celui qui écrit est un intime de celui qui reçoit!) présente le plus souvent un langage en situation. La langue orale de son côté ressort le plus souvent d'un maniement en situation basé sur la présence matérielle des référents, les gestes et les mimiques.

L'intérêt pour cette distinction entre langage en situation et langage hors situation provient d'une constatation générale : plus la situation apporte d'informations, moins il est nécessaire d'utiliser les procédés linguistiques, moins l'actualisation s'opère linguistiquement. C'est pourquoi, en pédagogie le plus souvent, on assimile langue élaborée à langue hors situation. Ce qui, d'après ce que nous venons de dire au sujet de l'oral et de l'écrit, donne les associations suivantes :

{ en situation — oral — relâché
{ hors situation — écrit — élaboré

Ce qui est bien rapide étant donné que le critère du bon usage de la langue réside essentiellement dans l'adéquation entre type de situation *hic et nunc* et type de maniement de la langue. Rien ne sert d'utiliser le maniement maximal dans une situation où le minimal suffirait. Il n'est pas mieux de dire : « Je prie Pierre de bien vouloir me donner le manteau qui est sur la chaise devant lui » que de lancer simplement : « S'il te plaît! » quand il est évident que cela s'adresse à Pierre et qu'il est prêt à tendre le manteau à celui qui le réclame. Notons pour conclure sur ce point qu'entre langage en et hors situation tous les degrés existent.

Il est donc nécessaire qu'une grammaire sache prendre en compte tous ces phénomènes de variation.

*2 | L'oral et l'écrit*

Les Instructions officielles donnent comme objectif à l'enseignement du français dans les écoles la maîtrise du maniement oral et écrit de la langue. Dans les faits, seule la langue écrite fait réellement l'objet d'un enseignement théorique. Et ceci parce que d'une part les livres de grammaire ne donnent qu'une description de la langue écrite, d'autre part parce que les enseignants de français ignorent comment fonctionne la langue orale.

Tout le monde se plaint que les élèves « parlent mal », mais l'enseignement théorique qu'on leur propose au sujet de leur langue ne concerne que l'écrit, comme si l'oral ne méritait pas un enseignement théorique ou même plutôt — ce qui est plus grave — comme si la théorie de l'écrit présentait un contenu suffisant pour décrire et expliquer l'oral. Ceci révèle une méconnaissance profonde des différences d'organisation du système écrit et du système oral. Les matériaux linguistiques existent pourtant déjà[1], mais ils n'ont pas encore pénétré la pratique de la pédagogie de la langue. Nous donnerons quelques exemples de ces matériaux.

▶ En syntaxe

La syntaxe de l'oral se distingue de celle de l'écrit par le fait que sont présents deux éléments inconnus dans le système écrit : les données extra-linguistiques (l'univers perceptif) et les phénomènes linguistiques supra-segmentaux (débit, intonation, accentuation, rythme, pauses) dont la richesse informative se trouve réduite à l'écrit à la ponctuation. Décrire et comparer la syntaxe à l'oral et à l'écrit demanderait un ouvrage à lui seul; contentons-nous de deux exemples :

- *il est reparti tout de suite, il était pressé*

La modulation de la phrase orale permet presque toujours d'économiser l'utilisation des moyens linguistiques de subordination ou de coordination; le jeu des modulations suspensives et conclusives aboutit à un profil mélodique qui suffit seul à signaler les différentes propositions, le contenu de leurs rapports étant généralement rendu évident par les lexèmes utilisés.

- *le chapeau, mon père, il l'avait sur sa tête!*

Il semble que l'on préfère souvent respecter, à l'oral, un ordre plus conforme à la façon dont on ressent la réalité, quitte à opérer ensuite sur le plan de la langue des rattrapages de type syntaxique à l'aide d'anaphoriques.

1. Consulter Jean Dubois, *Grammaire structurale du français*, Paris, Larousse, 1965; André Rigault, *La grammaire du français parlé*, Paris, Hachette, 1971.

▶ EN MONÉMATIQUE

Ici aussi, nous nous en tiendrons à quelques exemples seulement. Prenons d'abord les verbes. Il est frappant de voir que, quel que soit le verbe, les formes orales sont en nombre inférieur aux formes écrites, la proportion variant de 47 % (type *chanter*) à 59 % *(être)*; voici à titre d'illustration un tableau[1] :

| | *Oral* | *Ecrit* |
|---|---|---|
| *chanter* | 10 | 21 |
| *sortir* | 11 | 23 |
| *aller* | 13 | 25 |
| *avoir* | 14 | 28 |
| *être* | 16 | 27 |

Prenons ensuite l'exemple connu des marques du nombre. Dans la majorité des cas — morphologie du type *travail/travaux* mise à part — on a, à l'oral, une totale invariabilité numérale du nom. Cette unité étant invariable dans sa forme audible, l'expression du nombre repose donc exclusivement sur la modalité qui précède. Remarquons que le singulier doit être marqué aussi bien que le pluriel, ce qui autorise, comme nous l'avons vu plus haut, à parler dans certains cas de signifiant zéro.

*les écoles* [ez] pluriel
*l'école* [ ø ] singulier
*mes écoles* [ez] pluriel
*mon école* [õn] singulier

Ce fonctionnement oral est bien différent du modèle écrit pour lequel on enseigne :

pluriel = singulier + S (ou x)

En ce qui concerne les marques du nombre dans le verbe, les différences entre écrit et oral dépendent du verbe envisagé et de sa morphologie. Les verbes dits du premier groupe — la grande majorité dans le lexique — présentent à l'oral une totale ambiguïté numérale accentuée par les pronoms personnels également non marqués.

« il chante »
[il ʃãt] = ?
« ils chantent »

Les verbes dits du troisième groupe, par contre — moins nombreux mais très fréquents — présentent deux variantes morphologiques de leur radical qui caractérisent, entre autres, le choix du nombre.

[prã] [prɛn]
il prend ils prennent

1. Aurélien SAUVAGEOT, *Français parlé*, Paris, Hachette, 1975.

| [sɛr] | [sɛrv] |
|---|---|
| il sert | ils servent |
| [dor] | [dorm] |
| il dort | ils dorment |

Mais cette différenciation numérale a des limites : elle est inexistante pour certains temps : l'imparfait par exemple

| | |
|---|---|
| [il prənɛ] | il prenait / ils prenaient |
| [il sɛrvɛ] | il servait / ils servaient |
| [il dormɛ] | il dormait / ils dormaient |

Seul, dans certains cas, une « liaison » peut venir lever l'ambiguïté :

| | |
|---|---|
| [il ɛm] | il aime |
| [ilzɛm] | ils aiment |

Précisons que, pour nous, le problème de la liaison se traduit par une variation morphologique du pronom personnel selon que le verbe commence par une consonne ou une voyelle.

L'oral possède rarement un nombre de marques du nombre égal à celui de l'écrit. Il faut pour cela bien choisir ses exemples :

[le ʃəv**o** eni**s**] → 3
*les* chev*aux* henniss*ent* → 3

Dans la majorité des cas, ce nombre est inférieur :

[le*z* ãfã ɛm l*e* frijãdiz] → 2
l*es* enfant*s* aim*ent* l*es* friandi*ses* → 5

Cela ne signifie pas que l'oral soit « moins bien » que l'écrit. Voici deux exemples où l'écrit produit une moins bonne communication que l'oral :

*Dans cette famille, ils ont tous les défauts les plus graves*

A l'écrit, on ne peut savoir quel est le point d'incidence de *tous* : *ils* ou *défauts* ? A l'oral, il existe une réelle opposition signifiée :

[ilz õ *tu* le defo]
[ilz õ tus le defo]

Prenons un autre exemple :

*il est parti sans bagage(s)*
*il est parti sans raison(s)*
*il ne lit jamais de roman(s)*
*il a mené une existence sans histoire(s)*, etc.

Ici, l'écrit est obligé de faire un choix que l'oral laisse en suspens. Ce cas rare et précieux où la langue française peut enfin ne pas choisir entre le singulier et le pluriel est supprimé à l'écrit et, en même temps, un aspect de la signification disparaît.

▶ En morphologie

Nous choisirons l'exemple déjà bien étudié des marques du genre.

Ces marques existent dans les unités elles-mêmes et apparaissent à l'oral comme à l'écrit. Des études statistiques ont montré que la fin du signifiant des mots est souvent un véritable indice formel de genre. Ainsi, au fur et à mesure qu'est pris en considération un nombre de sons plus important, l'indication de genre se confirme : en se servant du *Petit Larousse*, on constate que :

— 70 % des substantifs se terminant par [õ] sont féminins
— 91 — — [jõ] —
— 99,8 — — [sjõ] —
[zjõ]

Comme nous l'avons déjà dit, le genre du substantif se répercute formellement sur l'ensemble des éléments centripètes qui l'actualisent et le déterminent. Mais là les choses se font différemment à l'oral et à l'écrit. Un tableau donnera rapidement un aperçu de ces différences (le choix de la prononciation : le français de Paris)[1].

| *Modalités et déterminants* | | *Ecrit* | *Oral* | *Ecrit* | *Oral* |
|---|---|---|---|---|---|
| *Modalités* | + articles | un | ɛ̃ | + | + |
| | | une | yn | + | + |
| | | le | la | + | + |
| | | la | la | + | + |
| | + possessifs | mon | mõ | + | + |
| | | ma | ma | + | + |
| | + démonstratifs | ce, cet | sə, sɛt | +, + | +, — |
| | | cette | sɛt | + | + |
| | + indéfinis | aucun | okɛ̃ | + | + |
| | | aucune | okyn | + | + |
| | | certain | sɛrtɛ̃ | + | + |
| | | certaine | sɛrtɛn | + | + |
| | | tel | tɛl | + | — |
| | | telle | tɛl | + | — |
| | | nul | nyl | + | — |
| | | nulle | nyl | + | — |
| | | chaque | ʃak | — | — |
| | | chaque | ʃak | — | — |
| *Adjectifs* | + finale vocalique | joli | ʒoli | + | — |
| | | jolie | ʒoli | + | — |
| | | bleu | blø | + | — |
| | | bleue | blø | + | — |
| | + finale consonantique | cruel | kryɛl | + | — |
| | | cruelle | kryɛl | + | — |
| | | noir | nwar | + | — |
| | | noire | nwar | + | — |
| | + ajout en finale | petit | pəti | + | + |
| | | petite | pətit | + | + |
| | | vert | vɛr | + | + |
| | | verte | vɛrt | + | + |

1. Les signes + et — indiquent la présence ou l'absence d'une marque formelle de genre.

| *Modalités et déterminants* | *Ecrit* | *Oral* | *Ecrit* | *Oral* |
|---|---|---|---|---|
| + modification du timbre vocalique | bon | bɔ̃ | + | + |
| | bonne | bon | + | + |
| + changement de voyelle | fou, fol | fu, fol | +, + | +, — |
| | folle | fol | + | + |
| + changement de consonne | vif | vif | + | + |
| | vive | viv | + | + |
| | moqueur | mokœr | + | + |
| | moqueuse | mokœz | + | + |
| + suffixes différents | évocateur | evokatœr | + | + |
| | évocatrice | evokatris | + | + |

▶ LA PROSODIE

L'ensemble des phénomènes que l'on classe sous ce terme apparaissent essentiellement à l'oral, l'écrit ne pouvant les transcrire que de trois façons essentiellement, ce qui réduit fortement leur paradigme :

— le point d'interrogation : *tu viens ?*
— le point d'exclamation : *tais-toi !*
— et les majuscules : *m'as-tu TOUT dit ?*

L'étude de la prosodie est actuellement en plein développement. Notons seulement qu'elle marque tout d'abord la relation du locuteur à son message et à l'interlocuteur (émotion, modalité de l'assertion), cette relation variant selon le statut du locuteur, âge, sexe, classe sociale... Elle joue d'autre part quatre rôles :

— *Démarcatif :* mise en lumière de groupes syntaxiques et sémantiques par le détachement mélodique de la dernière syllabe articulée, phénomène qui facilite la segmentation.

— *Contrastif :* mise en valeur d'une unité d'un énoncé, opération qui fait seulement varier la hiérarchie sémantique des unités émises mais qui n'a aucune répercussion sur leur hiérarchie syntaxique :

*c'est TOI qui me l'as dit !*
*c'est toi qui ME l'as dit !*

— *Distinctif :* lorsque le procédé de mise en valeur change la hiérarchie syntaxique et donne par là même un contenu signifié différent à l'énoncé[1] :

j'ai vu descendre / les passagers du bateau
j'ai vu descendre les passagers / du bateau

— *Significatif*, enfin, lorsque la forme de la courbe et l'accent indiquent un ordre (le plus souvent par une montée rapide) ou une question : intonation descendante dans *OÙ tu vas ?*, montante dans *tu vas OÙ ?* De même l'intonation *recto tono* marque l'incise ou la parenthèse.

1. La barre oblique indique une pause de la voix.

▶ Du point de vue du lexique

*Le Petit Larousse* contient environ 50 000 mots dont une proportion importante nous est inconnue ou ne fait pas partie de notre maniement actif. Par contre, une proportion certaine de ceux que nous utilisons est absente du dictionnaire parce que appartenant justement à un maniement oral. Donnons quelques exemples de ces exclus qui, pourtant, sont la « chair vivante » de la langue française actuelle. Prenons la lettre B, on ne trouve pas des termes comme : bidule, bigleux, bosseur, bourratif, bourrage (de crâne)... La lettre C : cailler, casquer, chocottes, cramer... Il s'agit là d'un vocabulaire actif que tous comprennent et pratiquent sans qu'on puisse parler de niveau argotique. C'est donc bien que la langue parlée a son vocabulaire propre qu'il ne convient pas d'utiliser dans la langue écrite. En effet, foisonnent dans la conversation courante des termes qui détonneraient dans un texte rédigé. Il ne serait donc pas inutile que soit délimitée l'aire d'emploi des deux types de lexique, que l'un et l'autre trouvent leur place dans les dictionnaires et que ne soit pas ignorée la création lexicale à l'oral au profit des unités acceptables à l'écrit[1].

## D - LEXIQUE

Nous avons déjà dit que le sens est linguistiquement transmis à la fois par la situation, la syntaxe et le lexique. La distinction entre syntaxe et lexique n'est pas toujours facile à faire, les unités lexicales de la langue ne possédant en fin de compte qu'un sens potentiel qui s'actualise dans le mot d'une part, le syntagme d'autre part, et la phrase enfin. Comparer :

*la caravane passe* (mouvement horizontal)
*le café passe* (mouvement vertical)
*il est passé maître* (= devenir)
*champ libre* (« laissons le champ libre à l'oiseau »... = niveau spatial)
*amour libre* (amour libéré des préjugés sociaux = niveau moral)
*école libre* (école privée = niveau institutionnel).

Pour se faire une idée de l'étendue du lexique d'une langue — c'est-à-dire du système constitué par les unités significatives à l'exclusion de leurs variations de forme de type morphologique — il ne suffit pas, ni n'est nécessaire, de faire le décompte des mots de cette langue. Et ceci pour deux raisons :

— Comme nous l'avons déjà vu, les mots ne sont pas des unités minimales, mais déjà des combinaisons : *remettre*, *retirer*, *repartir* ne sont pas seulement des mots différents, ils sont aussi l'exemple d'un procédé identique de combinaison lexicale. Il apparaît par conséquent plus intéressant et plus utile d'étudier les procédés de fonctionnement et de création lexicaux que d'en compter les unités résultantes.

1. Aurélien Sauvageot, *op. cit.*

— Ces unités différentes ne sont pas utilisées de la même façon dans le maniement et varient, en particulier, du point de vue de la fréquence. Ainsi, il semble difficile de considérer de la même façon des verbes comme *faire* (grande fréquence) et *traiter* (faible fréquence) dans la mesure où, dans l'élaboration du sens en général, ils jouent des rôles et présentent des utilisations très différentes.

Nous examinerons successivement ces deux points[1] sur l'exemple du français.

## 1. La productivité lexicale

Lorsque l'on prend *Le Petit Larousse*, on remarque que plus de 80 % des termes enregistrés sont des composés ou des dérivés, ce qui prouve à quel point le lexique ne peut être considéré comme une série d'unités qui s'additionnent, mais comme un système qui fonctionne au moyen de procédés divers de production lexicale.

### *a - Les procédés de composition*

Examinons d'abord les procédés de composition : nous pouvons distinguer trois grands types de composition dont le tableau qui suit rend compte : précisons que les composés obtenus l'ont été en donnant à un groupe d'étudiants une dizaine de minutes pour les trouver; on remarque tout de suite les différences quantitatives entre les trois séries : 12 / 7 / 24.

Rappelons que nous considérons comme endocentriques des composés dans lesquels les unités combinées jouent le même rôle syntaxique que leur élément central, comme exocentriques ceux où le composé dans son ensemble joue un autre rôle que son élément central.

On peut, pour tous ces composés, se poser à chaque fois deux questions :

▶ Le procédé est-il productif ou non, c'est-à-dire a-t-il un rendement important dans la langue ? A première vue, le tableau laisse apparaître que l'on trouve beaucoup plus d' « exocentriques » que de « syntaxiques » et plus de « syntaxiques » que d' « endocentriques ». Seulement, au-delà des procédés, il y a des unités qui, par elles-mêmes, sont à la base d'une importante productivité;

— cela se trouve un peu chez les syntaxiques :

machine à laver<br>
— coudre<br>
— tricoter<br>
— écrire<br>
— taper...

1. Frédéric François, *Eléments de linguistique appliquée à l'étude du langage de l'enfant*, Les cahiers Baillière, orthophonie 6, Paris, 1978.

*COMPOSÉS*

| *Formés par procédures syntaxiques ordinaires* | *Formés par procédures combinatoires spécifiques* | |
|---|---|---|
| *NOM + Fonctionnel + NOM (ou infinitif)* | *Endocentriques NOM + NOM (ou adjectif)* | *Exocentriques VERBE + NOM* |
| cul de sac | arrêt-buffet | compte-minutes |
| couteau à pain | timbre-poste | amuse-gueule |
| chemin de fer | cité-dortoir | monte-charge |
| lune de miel | passage-piétons | lave-vaisselle |
| œil de bœuf | coupe-sombre | tue-mouches |
| pomme de terre | grand-mère | faire-part |
| verre à dents | château-fort | gratte-ciel |
| poudre de riz | . . . . . . . . . . . . . . . | couvre-lit |
| pot aux roses | | perce-neige |
| machine à laver | | accroche-cœur |
| bateau à voile | | cure-dents |
| tête à claques | | pèse-personne |
| . . . . . . . . . . | | serre-tête |
| | | fourre-tout |
| | | prête-nom |
| | | tire-bouchon |
| | | casse-noisettes |
| | | lance-pierres |
| | | trouble-fête |
| | | croque-monsieur |
| | | pique-assiette |
| | | attrape-nigaud |
| | | pense-bête |
| | | crève-cœur |
| | | . . . . . . . . |

— pas du tout chez les endocentriques;
— très fréquemment chez les exocentriques :

porte { manteaux, serviettes, parapluies, bonheur, avions, monnaie }

tire { bouchon, au-flan, larigo }

cure { dents, pipes }

casse { noisettes, pieds }

faire { part, valoir }

presse { papier, bouton, citron }

couvre { lit, livre, pieds, chef }

▶ Le sens de ces composés est-il ou non immédiatement déductible à partir du sens des éléments qui les composent ? On se rend compte que, dans la plupart des cas, ce sont les procédures productives qui présentent statistiquement la plus grande déductibilité signifiée. Cela s'explique parce que l'économie de la langue fabrique une régularité de sens dès que l'utilisation d'un procédé atteint un nombre important de faits linguistiques :

coupe-papier
vent
légumes
jarret
file
cigares
feu
choux
circuit
coupe
. . .

### b - Les procédés de dérivation

Comment se présentent maintenant les procédés de dérivation ?

*Première distinction :* selon la place dans le mot des affixes de dérivation :

avant la racine : préfixes
dans la racine : infixes
après la racine : suffixes

*Deuxième distinction :* selon que l'affixe est ou non spécialisé dans ce rôle de dérivation, ce qui est la majorité des cas, mais on trouve aussi des prépositions ayant un rôle indépendant par ailleurs :

*un sur-homme, une sous-catégorie, un sans-culotte*

*Troisième distinction :* selon l'endo- ou l'exocentricité du procédé : statistiquement, on trouve la coïncidence suivante :

- les préfixes sont surtout endocentriques :

son/ultrason
calculable/incalculable
battre/débattre

...tout exocentriques :

...ıer

... *:* le critère de productivité; comparer les préfixes *anti*
...et *apo* (loin de) peu productif.

| | |
|---|---|
| anti gang | apo théose |
| anti militariste | apo gée |
| anti mite | apo gamie |
| anti poison | |
| anti tabac | |
| anti raciste | |
| anti tétanique | |
| anti gel | |
| anti nomie | |
| anti pathie... | |

*Cinquième distinction* : le critère de déductibilité qui, ici encore, coïncide avec celui de productivité. La non-déductibilité présente pour les dérivés un cas extrême : celui où la dérivation n'est même plus perçue : *compagnon*, *apothéose*; dans ces deux exemples se trouvent accumulées une très faible productivité de l'affixe et une non-utilisation isolée du reste.

Pour tous les mots de la langue se présentant comme le résultat d'une combinaison d'unités minimales (lexicales et grammaticales, ou lexicales entre elles) on peut se poser toute une série de questions dont la nature recouvre les dichotomies abordées plus haut : composition/dérivation, endocentricité/exocentricité, productivité/improductivité, déductibilité/indéductibilité. Le système est très complexe et impossible à manier en synchronie, surtout pour le critère de productivité. Quant à celui de déductibilité, la variable socioculturelle pèse d'un poids considérable et rend son maniement très difficile.

## 2. La fréquence lexicale

### a - La combinatoire lexicale

La combinatoire lexicale est un fait presque aussi ouvert que la combinatoire syntaxique et rend possible, comme nous venons de le voir, une productivité lexicale très importante. Si l'on tient compte des différents sens d'une même unité, des facteurs d'évolution du lexique et des diverses terminologies techniques, le décompte des mots d'une langue est impossible. En écartant ces sources de permanent mouvement lexical, un dictionnaire comme *Le Grand Larousse* atteint près de 200 000 articles. Mais ce grand nombre d'unités n'est pas utilisé de façon homogène : à une haute fréquence d'un petit nombre d'unités s'oppose une faible fréquence du plus grand nombre de ces unités. Donnons pour illustration quelques chiffres du *Français fondamental* :

— corpus : 312 135 mots;
— mots différents : 7 995 mots;
— les 278 mots les plus fréquents : 80 % du texte;
— les 38 mots les plus fréquents : 50 % du texte, et présentent la caractéristique d'être les mêmes dans tous les textes indépendamment du thème abordé.

### *b - Fréquence et classes d'unités*

Si nous reprenons notre distinction entre unités lexicales et unités grammaticales, nous pouvons faire les remarques suivantes : parmi les unités très fréquentes, on trouve essentiellement des grammaticaux et quelques verbes. Au contraire, les unités peu fréquentes sont essentiellement constituées par des noms, quelques verbes et adjectifs et très peu de grammaticaux. D'autre part, si la fréquence des verbes est à peu près constante, celle des adjectifs est très irrégulière. En fonction d'une répartition plus ou moins élevée des mots de la langue, on trouvera la succession : grammaticaux, verbes, adjectifs, noms, ce qui a pour conséquence que c'est à partir du sens des noms, référentiellement plus spécifiques puisque leur apparition est très dépendante du thème du discours, que s'actualise le sens des verbes et des adjectifs :

| | |
|---|---|
| *prendre froid* | *un grand homme* |
| *prendre au piège* | *un grand panier* |
| *faire peur* | *un accident sérieux* |
| *faire un gâteau...* | *un élève sérieux...* |

### *c - Fréquence et synthèmes*

Si l'on considère les 120 premiers mots du *Français fondamental*, classés selon la fréquence, on se rend compte qu'aucun d'entre eux n'est — en synchronie tout au moins — un composé ou un dérivé. Prenons les premiers exemples dans les verbes, adjectifs et noms :

| | | |
|---|---|---|
| *être* | *petit* | *heure* |
| *avoir* | *grand* | *jour* |
| *faire* | *bon* | *chose* |

Ces termes relèvent en général d'un fonds ancien relativement stable, et où se trouve concentrée une part importante de ce qu'on appelle les « racines »[1].

### *d - Fréquence et disponibilité*

Ce que les grammaires appellent « mots usuels » doit être par conséquent bien distingué de ce que nous caractérisons dans le lexique comme fréquent, car ces mots n'ont pas un bon coefficient de fréquence. Des mots comme *pied* ou *maison* sont en fait peu souvent utilisés mais « disponibles » dans le maniement linguistique des individus : « Tous les matins, nous utilisons un peigne, nous connaissons son nom, le petit enfant le connaît tout de suite, mais quand le prononçons-nous ? Nous nous servons tous les jours de nos dents, nous n'en parlons que quand nous en souffrons »[2]. Ainsi, toute une partie du lexique, disponible en permanence chez le locuteur, ne trouve une utilisation orale ou écrite que selon les circonstances, le hasard des rencontres, les thèmes de conversations. Le sujet parlant disposerait

1. *Elaboration du français fondamental*, Paris, Didier, 1967, 302 p.
2. R. Michea, *Français fondamental*, *op. cit.*, p. 139.

donc de trois vocabulaires. Celui de la haute fréquence qui lui fournit le cadre de son discours, celui de la disponibilité où les signes s'organisent en fonction des besoins de la communication, celui correspondant à sa pratique sociale.

## 3. L'évolution lexicale

La satisfaction de nouveaux besoins de communication dès qu'ils apparaissent est surtout perceptible en matière de lexique. Ces besoins se manifestent en permanence parce que la réalité évolue sans cesse du fait de l'activité même des hommes. Des choses, des pratiques, des comportements... disparaissent. D'autres surgissent. La langue doit faire constamment face à un mouvement profond et rapide. Qu'est-ce qui disparaît, qu'est-ce qui apparaît dans la langue ? C'est un vaste problème que nous n'aborderons que superficiellement dans les limites que ce chapitre nous fixe.

### *a - Le lexique varie*

On peut noter la vitesse d'apparition et de disparition des mots de la langue[1] :

*Petit Larousse* 1949 : 36 000 entrées;
1960 : 5 105 suppressions;
3 973 ajouts.

C'est donc le quart du lexique qui est concerné sur une courte période par l'évolution. On remarque, en outre, que les suppressions concernent surtout des termes de la langue commune alors que les ajouts portent essentiellement sur des termes scientifiques et techniques. Voici quelques exemples de termes disparus : *boise* (tromperie), *noc* (cadenas), *forc* (branche fourchue), *hourt* (palissade), *covin* (projet)... De plus, toute une partie du lexique demeure en se déplaçant dans les champs conceptuels de la langue. Cette mouvance d'une partie importante du stock lexical commun rajeunit la langue en permanence :

*la voiture :* véhicule monté sur quatre roues et tiré par un animal (XIIe siècle)
*la voiture :* le compartiment, voiture de tête, de queue, de première, de seconde (XXe siècle)

Par contre, c'est par le lexique particulier, la création lexicale face à de nouveaux aspects de la réalité que le lexique s'enrichit.

### *b - La création lexicale*

Ici se pose donc le problème du « mot nouveau » dont voici quelques éléments d'analyse :

▶ Un vocabulaire nouveau peut se créer en réinvestissant des termes pris dans un autre champ sémantique. C'est ce qu'ont montré les études de Louis Guilbert sur *La formation du vocabulaire de l'aéronautique*[2], ou celles de Christiane Marcellesi

1. J. et C. Dubois, *Introduction à la lexicographie : le dictionnaire*, Paris, Larousse, 1971, 218 p.
2. Louis Guilbert, *La formation du vocabulaire de l'aéronautique*, Larousse.

sur celle de l'*Informatique*[1]. On voit comment l'aéronautique a pu, par exemple, utiliser les termes de la navigation à voile et l'informatique ceux de l'activité humaine quotidienne (entrée, sortie, tête, mémoire, alimenter, accès, adresse...). Tout ceci témoigne de ce phénomène massif de réinvestissement de formes empruntées à d'autres champs lexicaux avec glissement du sens des termes lors du passage d'un champ à l'autre. Ce type de néologie concerne essentiellement les vocabulaires techniques et se repère facilement parce que la réalité concernée par ces dénominations est facile à circonscrire dans le temps et dans l'espace et concerne, sur le plan social, des groupes d'individus aisément identifiables.

▸ Des termes nouveaux peuvent apparaître par recours aux emprunts (tel le « franglais », fortement décrié par certains). Ces emprunts sont pourtant légitimes puisque la chose, la pratique, le comportement, l'institution... considérés ont trouvé naissance et, en même temps, dénomination à l'étranger. L'emprunt de la pratique et celui du nom se font simultanément et le passage à la langue emprunteuse transforme le terme au point qu'on ne reconnaît plus (à l'oral) son origine. C'est l'orthographe étrangère qui choque en fait le puriste plus que l'utilisation réelle du mot, presque toujours francisé — sauf par ceux qui répandent le snobisme de la bonne prononciation en langue étrangère[2].

| | | |
|---|---|---|
| *tramway* | [tramwe] | |
| | [tram] | comme « trame » |
| | [we] | que l'on trouve dans *loué, noué, doué, ouais...* |
| *camping* | [kãpiŋ] | |
| | [kã] | comme « camp » |
| | [piŋ] | que l'on trouve dans *ligne, vigne, pigne...* |
| *beefsteack* | [biftεk] | |
| | [bif] | comme « biffe » |
| | [tεk] | comme « tèck » |
| | ici même l'écrit est atteint car on trouve souvent chez le boucher : bifteck. | |

Et que dire de *reading-coat* (redingote), *bowling-green* (boulinrgin), *Dover* (Douvres), *London* (Londres)...

Bien sûr, il est des termes moins bien assimilés : *dumping, leasing, check-up...* mais parce que d'un emprunt beaucoup plus récent.

▸ Enfin, une source importante de création lexicale s'observe dans la formation des composés et des dérivés dans les cas où le procédé de composition ou de dérivation est hautement productif :

| | |
|---|---|
| casse-noix | tire-bouchon |
| casse-noisettes | tire-au-cul |
| casse-pieds | tire-au-flanc |
| casse-pipe | tire-balle |
| casse-bonbon | tire-bonde |
| casse-figure | tire-bottes |
| casse-croûte | tire-bouton |

1. Christiane Marcellesi, *Le vocabulaire de l'informatique*, IIIe génération, IIIe cycle, Paris-Nanterre, 1972.
2. Georges Mounin, *Clefs pour la sémantique*, Paris, Seghers, 1972.

| | |
|---|---|
| casse-tête | tire-braise |
| casse-cou | tire-clou |
| casse-gueule | tire-fesse |
| | tire-feu |
| | tire-filet |
| | tire-fond |
| | tire-jus |
| | tire-laine |
| | tire-lait |
| | tire-larigot |
| | tire-ligne |
| | tire-pied |
| | tire-son... |

Ce procédé de dérivation montre parfois une créativité extrême. Voici le relevé effectué par Georges Mounin de la productivité du suffixe *-rama*[1] qui pouvait donner lieu en 1963 à l'inventaire suivant :

| | | |
|---|---|---|
| autorama | cinématorama | musicorama |
| babyrama | créditrama | pathérama |
| bardorama | cyclorama | skirama |
| beautérama | décorama | stick'rama |
| bijourama | diaporama | stylorama |
| blagorama | foodarama | succèsrama |
| buffetrama | multiplirama | tricoskirama |
| chocorama | minuirama | visiorama |

Et auquel on peut ajouter en 1974 :

| | | |
|---|---|---|
| acquarama | cadet-rama | dalirama |
| altirama | calorama | dictorama |
| antarama | championrama | diorama |
| audiorama | cinérama | discorama |
| bâtirama | coiffurama | electrorama |
| bergerama | colorama | espiorama |
| bibliorama | combirama | exorama |
| biorama | conforama | exporama |
| boots-rama | construirama | figurama |
| bricorama | couturama | florama |
| globerama | motorama | signaturama |
| historama | naturama | skirama |
| hyperama | philirama | solarama |
| illustrama | photorama | sonorama |
| imprimorama | plastirama | sporama |
| innorama | prestirama | stéréorama |
| jardirama | promorama | tapirama |
| jouets-rama | publirama | technicorama |
| lavorama | pyjarama | technirama |
| lorirama | racorama | télérama |
| lolorama | reporterama | tiercérama |
| maille-rama | restaurama | tropicorama |
| meurama | sandorama | vistarama |
| mignorama | scoutorama | |
| montrarama | semiorama | |

1. Georges Mounin, *Clefs pour la langue française*, Paris, Seghers, 1975, pp. 90 et 91.

Pour nous, le problème n'est pas d'approuver ou non ce genre de prolifération, ou même de se poser le problème de la survie des unités qui en résultent, ce serait un point de vue fixiste. Ce qui apparaît ici c'est que, lorsqu'elle en a besoin, la langue possède toutes les ressources nécessaires à l'évolution de son lexique.

## 4. Lexique et structurations sémantiques

Dès qu'on aborde des phénomènes linguistiques, on tente d'en rechercher la structure, c'est-à-dire la construction : quelles sont les unités qui construisent les systèmes et les règles de fonctionnement de ces unités.

Cette méthode d'analyse fonctionnelle et structurale a connu des succès éclatants en phonologie, en morphologie et en syntaxe. Mais les faits de sens et — pour ce qui nous intéresse ici — leur manifestation formelle la plus visible : le lexique opposent de très fortes résistances à toutes les tentatives d'analyse de ce type. Aujourd'hui, si celles-ci sont poursuivies avec acharnement, ce n'est pas simplement pour justifier à tout prix l'hypothèse structuraliste, mais parce que les besoins de la vie sociale exigent la mise sur pieds de telles structurations : l'évolution des besoins de traduction, de documentation, d'analyse du discours (que ce soit celui du malade, de l'enfant, d'un écrivain ou de groupes politiques). On en arrive donc au paradoxe suivant : d'une part, on sait que le lexique n'est pas un tas de mots et qu'il présente une organisation; d'autre part, on constate la résistance du lexique à toute analyse exhaustive de type structural. L'analyse semble beaucoup plus simple à mener lorsqu'on fragmente le lexique en portions. Les règles d'organisation de certaines de ces portions commencent à être bien connues : grades militaires, noms de couleurs, termes de parenté, le monde animal, l'habitat, les termes d'adresse, etc. Le problème consiste donc à réduire les classes ouvertes du lexique à de petites classes couvrant des domaines plus ou moins étendus de l'expérience humaine Et étant bien entendu que la même unité peut appartenir à plusieurs de ces classes. Ce travail, qui est celui de la structuration de « champs lexicaux », conduira-t-il à comprendre la structure générale du lexique ou simplement à décrire des structures limitées, parties prenantes du tout lexical, mais irréductibles les unes aux autres ?

La structuration des champs lexicaux ainsi définie présente cependant de plus ou moins grandes difficultés selon le domaine considéré, la rigueur de délimitation dépendant de la rigueur de définition du concept envisagé. Il est plus facile de cerner le concept d'*habitat* et sa structuration lexicale (voir le travail de Georges Mounin in *Clefs pour la sémantique*, Seghers, 1972, pp. 103 à 129) que celui de *démocratie* et sa structuration lexicale (voir le travail de Jean Dubois, *Le vocabulaire politique et social en France de 1869 à 1872*).

Il s'agit à chaque fois, en partant de corpus clairement établis (une synchronie et des textes), de mettre à jour des systèmes sémantiques fermés dont les termes constituent de véritables unités de communication, chacun des termes possédant au moins un trait définitoire en commun avec tous les autres termes du système et au moins un trait définitoire distinct qui l'oppose à tous les autres et, par conséquent, au système dans son ensemble. Idée qui va dans le sens de la thèse saussurienne selon laquelle le sens d'un mot, sa « valeur », est constitué uniquement par des rapports et des différences avec les autres termes de la langue. La difficulté essentielle réside dans la tentative de circonscrire le champ sémantique par des procédures exclusivement linguistiques et formelles. Or, on l'a vu en phonologie, faire apparaître un système, c'est faire l'inventaire des unités susceptibles d'apparaître à un point déterminé de l'énoncé, le choix de l'une excluant toutes les autres en ce point. En ce qui concerne les phonèmes, on peut ainsi mettre à jour des systèmes en des points particuliers de l'énoncé — c'est-à-dire des contextes privilégiés : consonnes à l'initiale, à l'intervocalique, à la finale, dans les groupes consonantiques; voyelles en syllabes ouvertes, fermées, préaccentuées, accentuées, etc. On relève ainsi des sous-systèmes, en nombre limité, une dizaine environ, dont l'articulation d'ensemble produit le système phonologique global. Pour les unités lexicales, la méthodologie employée en phonologie ne peut s'adapter parce que, d'une part, les unités sont à double face, en nombre indéfini et participant à une combinatoire syntaxique bien plus complexe que la syntagmatique phonologique, et parce que, d'autre part, le nombre des contextes à explorer est immense. La solution réside dans le choix du corpus. Avec un type de discours fortement organisé au départ sur le plan conceptuel (discours politique en particulier), on peut prévoir, avant l'analyse formelle, les unités qui formeront système et, à partir de là, élaborer des procédures proprement linguistiques pour mettre en rapport données du champ conceptuel et termes du champ lexical correspondant. Quand nous abordons le discours politique, ce n'est jamais avec des yeux de naïfs, venus d'une autre planète. Le champ conceptuel concerné nous est déjà connu par notre idéologie et notre pratique, ce qui nous conduit à réintroduire une décision, d'ordre conceptuel implicite, dans le circuit opératoire. Ceci ne diminue en rien les études remarquables faites dans ce sens, mais précise que, le terrain choisi étant favorable, cela ne laisse pas de grandes chances de réussite aux recherches de délimitation des champs lexicaux par des procédures exclusivement linguistiques. La linguistique formelle semble avoir fourni tout ce qu'elle était capable d'apporter dans ce sens et laisse la place à une sociolinguistique qui est encore à construire.

## *BIBLIOGRAPHIE*


Dubois (Jean), *Grammaire structurale du français*, Paris, Larousse, 1965.
Dubois (J. et C.), *Introduction à la lexicographie : le dictionnaire*, Paris, Larousse, 1971.
François (Frédéric), *L'enseignement et la diversité des grammaires*, Paris, Hachette, 1974.
Frei (Henri), *La grammaire des fautes*, Paris, Geuthner, 1929.
Léon (P. R.) et Martin (Ph.), *Prolégomènes à l'étude des structures intonatives*, Paris, Didier, 1969.
Martinet (André), *Eléments de linguistique générale*, Paris, Armand Colin, 1970.
Mounin (Georges), *Clefs pour la langue française*, Paris, Seghers, 1975.
— *Clefs pour la sémantique*, Paris, Seghers, 1972.
Rigault (André), *La grammaire du français parlé*, Paris, Hachette, 1971.
Ruwet (Nicolas), *Introduction à la grammaire générative*, Paris, Plon, 1970.
— *Théorie syntaxique et syntaxe du français*, Paris, Ed. du Seuil, 1972.
Sauvageot (Aurélien), *Français parlé*, Paris, Hachette, 1975.

# 7 l'analyse sémantique et la mise en mots

PAR FRÉDÉRIC FRANÇOIS

Une double question se pose ici à nous. D'une part pouvons-nous décrire la façon dont les messages signifient, dont, pour employer une formule intentionnellement vague, ils valent pour « quelque chose d'autre qu'eux-mêmes » ? De l'autre, si cette description est possible, quelle doit être sa relation aux autres modes d'analyse linguistique ? Plus précisément, devons-nous considérer qu'il existe, par exemple, comme en phonologie, des éléments proprement linguistiques, des traits pertinents de signification qui s'opposeraient aux variations de sens liées à la diversité indéfinie des objets du discours ? C'est la possibilité d'une analyse linguistique du sens que nous voudrions exposer ici. Mais en même temps ses limites : l'échange linguistique est pris dans l'ensemble des pratiques, des échanges extra-linguistiques. L'analyse intra-linguistique du sens débouche sur l'autre que le langage dans lequel il est pris. Il faut donc tout d'abord replacer la sémantique dans la sémiologie, dans l'ensemble du circuit de l'échange. Ce qui dépasse la compétence du seul linguiste. Mais il faut de plus que le fonctionnement du langage soit confronté aux pratiques extra-linguistiques, seule référence qui permet finalement de jauger comment un message fonctionne : en cachant la réalité, en la dévoilant par l'ouverture de nouvelles perspectives, en rapprochant par les mots ce qui ne peut être rapproché dans la réalité. Plutôt que de sémantique, on parlera alors de l'efficacité des différents codages. Mais une telle analyse suppose que le signifié linguistique ne soit pas représenté selon un modèle peut-être pédagogique mais fictif d'analyse en éléments de sens, dont on voudrait montrer qu'il n'est que très partiellement conforme à la réalité.

Notre exposé portera donc sur :

A) la possibilité de l'analyse sémantique;
B) la relation signification-réalité extra-linguistique;
C) les différents types de signification intra-linguistique, tout d'abord;
D) les fonctions sémantiques de la syntaxe,
puis
E) le signifié lexical dans l'énoncé.

## *A - LA POSSIBILITÉ DE L'ANALYSE SÉMANTIQUE*

Le principe même de l'analyse sémantique ne nous semble pas pouvoir sérieusement être mis en cause. Il se fonde en effet sur des caractéristiques fondamentales du système linguistique.

### 1. Sémantique et paraphrase

Contrairement aux autres (à la majorité des autres ?) systèmes de signes, la langue comporte dans sa pratique la plus quotidienne la possibilité de paraphrases, d'explicitations. On peut soit trouver une équivalence entre deux unités lexicales : *une framboise, ça rassemble à une mûre*, soit entre une unité lexicale et un syntagme, *méchant ça veut dire qui fait mal exprès*. Il importe peu ici, d'une part, qu'il n'y ait pas de synonymes absolus, d'autre part qu'on puisse discuter telle explicitation. C'est la possibilité même de la paraphrase qui compte : un morceau de musique pourra ressembler à un autre morceau de musique, comme un tableau à un autre tableau. Ils ne constitueront pas des explications du sens de l'un par l'autre. De telles explicitations ne sont pas limitées au plan lexical. On peut paraphraser une phrase, un texte, par exemple résumer la Bible ou *Le Capital* (cf. chapitre « Codage et textes »). Mais ces relations d'équivalence introduisent déjà une différence fondamentale avec le modèle phonologique où les phonèmes sont décrits d'une part par leurs oppositions, d'autre part par leurs rapports de combinaisons. Ici les rapports ne sont pas ou des rapports d'opposition *chaud/froid* ou des rapports de combinaison *bain chaud*. Le rapport de combinaison peut actualiser le rapport d'opposition : *il n'est pas chaud ce bain, il est froid* ou *froid c'est le contraire de chaud*.

### 2. Degrés d'équivalence

On peut classer ces relations de paraphrase tout d'abord selon le degré d'équivalence entre les messages considérés. *Grosso modo*, on peut considérer qu'il y a :

*1* / Une équivalence sémantique forte, celle qui concerne deux messages ou deux segments de message qui déterminent de la même façon la réalité considérée (qu'on considère l'équivalence de fait dans les conduites d'explication ou l'expérience mentale de la variation imaginaire). La syntaxe présente un grand nombre de phénomènes de ce type. Ainsi, dans *il y a un garçon qui court* / *il y a un garçon. Il court.* Une telle équivalence sémantique forte peut caractériser tous les usages d'un couple d'unités, comme ici *il y a un... qui...* / *il y a un... Il...* Plus souvent, elle ne caractérisera que certains usages d'un des termes ou de tous les termes comparés. Ainsi *le garçon court* pourra dans la description d'un dessin être fortement équivalent aux formules qui précèdent. Mais dans d'autres cas *le* + nom + verbe au présent pourra indiquer une vérité générale (*l'homme est mortel* ne correspondant plus alors à *il y a un homme qui / il est mortel*). C'est dans la mesure même où des faits syntaxiques comme ceux-ci n'impliquent qu'un nombre très limité d'éléments de signification (*il*, *qui* ou le fait d'être sujet ne déterminent que très peu la signification des termes auxquels ils s'appliquent) qu'on peut trouver fréquemment en syntaxe de telles équivalences fortes.

*2* / Lorsqu'il s'agit de la relation de deux ou plus de deux lexèmes ou de celle entre lexèmes et syntagmes, même lorsque la substitution est possible, une certaine différence subsistera. Ne serait-ce que parce qu'un des termes ou syntagmes sera plus fréquemment utilisé que l'autre ou que la paraphrase ne se fera pas indifféremment dans les deux sens. On parlera alors, tout en reconnaissant une équivalence forte, de différences qui résultent de l'appartenance à deux univers du discours, à deux pratiques linguistiques différentes de deux unités par ailleurs substituables. Pour prendre un exemple célèbre, *ophtalmologiste* et *médecin des yeux* sont synonymes, sauf qu'on voit mal dans quels cas le premier servirait à expliquer le sens du second.

*3* / Il y a d'autre part les différentes formes d'équivalence sémantique faible ou partielle. Par exemple, lorsque la substitution se fonde sur une relation d'inclusion : *j'ai vu un animal* ← *j'ai vu un chien*. Ou bien : *tu as acheté un animal ? — oui un chien*. Cette inclusion peut se manifester soit sous forme explicite : *j'ai vu des animaux : des chiens, des chats*, soit sous forme non explicite : *je ne veux pas un chien mais un chat*. L'équivalence partielle entre deux termes pourra également se manifester non sous la forme orientée de la relation d'inclusion mais sous la forme de relation d'intersection, intersection non seulement sur le plan des réalités dénotées, mais aussi des éléments de sens impliqués. Ainsi *claque* et *gifle* pourront être substitués, non seulement comme applicables à un même objet, mais comme le déterminant (partiellement) de la même façon. En essayant d'imaginer les conditions dans lesquelles j'utilise pour ma part ces deux termes, il me semble que les deux sont données avec le plat de la main, mais que la *gifle* est sur la joue, assez violente et intentionnellement agressive ou blessante alors que la *claque* peut être donnée sur une autre région corporelle, les fesses en particulier, avec toutes les énergies possibles, sans agressivité (*petite claque affectueuse* ne posera pas problème). Il importe de noter qu'à l'intérieur d'une collectivité certains de ces éléments de sens sont fortement codés (ne peuvent être transgressés), d'autres faiblement codés. Si j'entends *il a reçu une gifle amicale sur le genou*, je corrigerai immédiatement mon système d'émetteur pour m'adapter à ce message. Notons que les présentations scolaires (ou autres) de l'analyse en traits aboutissent souvent à donner des traits faiblement codés ou des traits partiels pour des traits fortement codés ou constants. Ainsi[1] lorsqu'on suppose un trait « qui n'a pas une valeur artistique reconnue » pour opposer *ancien* à *antique*. Des bijoux anciens peuvent avoir autant ou tout aussi peu de valeur artistique que des bijoux antiques. On fabrique ainsi à partir de quelques exemples un pseudo-univers sémantique paradigmatique,

1. Nous reprenons ici une remarque de Emile GENOUVRIER et Nicole GUEUNIER, Travailler sur le lexique, *Bref*, 1975.

alors qu'il s'agit plutôt d'une relative fréquence syntagmatique : *ancien* est un terme général, s'appliquant à des réalités multiples, *antique*, surtout à des civilisations disparues auxquelles par la force des choses nous avons le plus souvent affaire par ce qui reste de leurs œuvres d'art.

*4* / Il peut enfin y avoir équivalence référentielle sans équivalence sémantique' ou, ce qui revient au même, les éléments sémantiques communs peuvent être de très peu d'importance par rapport aux éléments différenciateurs : *catastrophe* et *miracle* pourront s'appliquer au même événement; les éléments communs : « événements » (et non « états stables ») « inattendus » « d'une certaine importance », ayant moins d'importance que l'aspect positif ou négatif. Ce n'est évidemment pas uniquement le fruit du langage que le même événement puisse être codé de deux façons opposées, mais il est nécessaire de tenir compte de cette possibilité de codages soit faiblement équivalents soit fortement différents, pour comprendre les conditions de l'efficacité linguistique, de la force de la mise en mots. Bien entendu, c'est surtout dans les relations fortement codées, par exemple entre mot et syntagme, qu'on pourra rencontrer des relations fortement équivalentes : il faudrait qu'un texte soit bien peu spécifique pour être équivalent à un autre texte.

### 3. Equivalences et transformations

Nous ne reviendrons pas ici (cf. chap. III) sur le problème du lien entre syntaxe et sémantique chez les deux principaux auteurs (Harris et Chomsky) qui ont développé la notion de transformation. Ils ont tous deux évolué à cet égard. Très nettement dans les textes où il renvoie la sémantique à l'interprétation, Chomsky sépare syntaxe et sémantique. De façon moins nette, Harris préfère parler de degré équivalent d'acceptabilité entre diverses séquences plutôt que d'équivalence sémantique entre ces séquences. Pour lui il s'agit de noter que si *Pierre est gentil* est acceptable, plus que *Pierre est crémeux*, *je dis que Pierre est gentil* le sera également plus que *je dis que Pierre est crémeux* et qu'une grammaire qui voudrait rendre compte séparément de ces acceptabilités serait extrêmement lourde. Le problème n'est pas ici de remarquer qu'en particulier les verbes « d'opération de l'esprit » modifient l'acceptabilité des énoncés : *je rêve que Pierre est crémeux* ou *il prétend que Pierre est crémeux* sont plus acceptables que *Pierre est crémeux*. Ce n'est pas non plus de se demander si « acceptabilité » est un concept homogène. A notre sens non, car les raisons pour lesquelles un énoncé peut ne pas être acceptable sont différentes : contradiction avec les règles générales de la syntaxe de la langue, avec une sous-règle combinatoire *(aller au coiffeur)*, difficulté à se représenter le sens du message... On veut seulement noter que la sémantique n'est possible que parce qu'il y a dans la pratique linguistique quotidienne de telles équivalences sémantiques (plus ou moins fortes). Ainsi sur le plan lexical, à partir de la division en désignateurs d'êtres, de procès, de qualités, qui coïncide partiellement avec la division en noms, verbes, adjectifs, y a-t-il un système de correspondances permettant de passer d'un de ces aspects de l'expérience à l'autre :

| | | entrée | | |
|---|---|---|---|---|
| | | nom | verbe | adjectif |
| sortie | nom | | *courir* → *course* | *beau* → *beauté* |
| | verbe | *bêche* → *bêcher* | | *petit* → *rapetisser* |
| | adjectif | *père* → *paternel* | *il finit* → *fini* | |

On observera tout d'abord que le système permet de produire des unités formellement apparentées, mais dont en synchronie le lien n'est pas évident *(faillir* et *faillite)*.

D'autre part que ce système est un système à trous, qui oblige à distinguer la règle productive générale et les attestations effectives : on a *jaune* → *jaunir* et non *orange* → *orangir*. En règle générale, les champs de dispersion des termes ne sont pas identiques : la *grandeur* sera principalement caractéristique d'un comportement d'une réalité « non matérielle », non d'une dimension spatiale, ce qui ne sera pas le cas de *grand*. Il y a fréquemment soit spécialisation, soit changement d'univers du discours : il y a peu de raisons qu'on soit amené à dire d'un objet qui a des ailes qu'il est *ailé*, ne serait-ce que parce que c'est généralement une caractéristique stable et seront le plus souvent « ailés » dans le discours des objets qui ne le sont pas dans la réalité. Ou bien on peut « *faire du social* » sans *socialiser*. Même dans les cas où les procédures de dérivation jouent, on constate que les différents éléments de la série dérivationnelle n'ont ni la même fréquence, ni la même combinatoire, ni ne relèvent des mêmes univers de discours. Ainsi *jauni* ne s'applique pas à tout ce qui peut effectivement être devenu jaune, mais par exemple à des séries du type détermination *(jauni par le soleil)* ou coordination *(jauni, vieilli, racorni)*, ni *imbibition* ni *beuverie* ne correspondent au seul fait de *boire*, et la combinatoire de *cracher* est plus large que celle de *crachat*.

La correspondance lexicale est corrélative d'une correspondance syntaxique, qu'on peut présenter sur le même modèle où, à partir d'un syntagme nominal, verbal ou adjectival, on obtient un syntagme qui garde le sémantisme originel de sa classe première et acquiert également le sémantisme de la classe syntaxique dans laquelle il entre. Par exemple *Pierre mange beaucoup* constitue une indication de procès (quelle que soit la capacité du présent français à constituer tantôt l'indication d'un événement ponctuel tantôt d'une propriété générale), mais la relativisation fait commuter cette indication de procès avec la classe des « qualifiants », comme le montre la possibilité même de coordonner : *un homme obèse et qui mange beaucoup*. On a donc un tableau du type 2 (cf. page suivante).

Dans le cas des noms, il s'agit surtout, pour les « en-verber », de les combiner avec un verbe peu spécifique *(avoir, faire, être)*. Il est remarquable qu'en français actuel s'étende la procédure où le nom est en quelque sorte conjugué par un verbe peu spécifique *avoir peur*, *envie*, *faim*. Cette procédure est sémantiquement équivalente à

| | | entrée | | |
|---|---|---|---|---|
| | | nominale | verbale | adjectivale |
| sortie | nominale | | *il a mangé →* *qu'il ait mangé* | *bleu →* *le bleu* |
| | verbale | *médecin →* *faire le médecin* | | *bleu →* *devenir bleu* |
| | adjectivale | *médecin →* *de médecin* | *il a mangé →* *qui a mangé* | |

la création de verbes spécifiques *(craindre, désirer)* ou à l'utilisation de structures à *être* + adjectif : *il craint, il a peur, il est effrayé par,* les structures se séparant par leurs latitudes combinatoires plus que par leur sens de base. Sur un plan plus général, il apparaît fondamental qu'un « désignateur d'êtres » *(homme, chien, chat)* puisse fonctionner comme déterminant, en perdant du même coup sa valeur référentielle : *un collier de chien.* Ou bien qu'un indicateur de procès devienne un qualifiant de « quasi-chose » ou de thème de discours. Une des grandes différences entre le niveau ici étudié et le niveau phonologique est qu'on ne peut plus se contenter de décrire des relations de combinaisons syntagmatiques et d'oppositions paradigmatiques. Il faut aussi tenir compte des procédures d'intégration des structures les unes dans les autres ou aussi de correspondance entre structures (par exemple intégration : *le garçon est gentil → le gentil garçon est venu,* correspondance : *il est arrivé vite → la vitesse de son arrivée*).

La nominalisation et l'adjectivation des verbes sous la forme :

| | |
|---|---|
| *la pomme*<br>*que tu sois venu* | *m'a fait plaisir* |

| | |
|---|---|
| *un homme* | *riche*<br>*qui mange beaucoup* |

pose moins de problèmes, mais constitue une procédure tout aussi fondamentale. Il s'agit en somme sur le plan syntaxique de « décaler d'un rang » le verbe, de lui faire jouer le rôle de participant ou de déterminant, sur le plan sémantique d'en faire un indicateur de participant ou un qualifiant : *qui a bu boira, un homme qui a bu.* On notera que dans une langue comme la nôtre l'infinitif constitue une procédure qu'on peut ranger dans la dérivation lexicale ou dans la syntaxe (à notre sens plutôt dans la syntaxe, car pourquoi appeler lexicale une procédure applicable à l'ensemble d'une classe, ici la classe verbale ?) et qui aboutit bien à faire du « désignateur de procès » un « désignateur de participant » :

| | |
|---|---|
| *je veux* | *du pain*<br>*arriver à l'heure* |

de même qu'on a en fonction sujet :

| | |
|---|---|
| *arriver à l'heure*<br>*l'argent* | *est nécessaire* |

et en fonction de complément périphérique :

*il vient* | *tous les matins*
| *pour manger*

De la même façon que les « participes », *enrhumé*, *fatigué*... constituent bien des « adjectifs verbaux », plus ou moins éloignés par l'usage qui en est fait de leur verbe d'origine. Ces procédures ne se manifestent pas de la même façon dans les différentes langues. Dans tel cas, la description se fera en termes de procédures de passage d'une catégorie à une autre, catégories qu'on aura d'abord posées comme différentes. Ainsi, en français, on n'hésitera pas à classer *ton départ* et *que tu sois parti* comme des nominalisations de *tu pars*. Dans d'autres cas, comme dans beaucoup de langues où il n'existe pas de mots préspécialisés dans les rôles verbaux ou nominaux, on considérera plutôt qu'il existe une première classe couvrante, qui ne se distinguera qu'ensuite en utilisations verbales et nominales.

Ainsi, si on peut en français isoler une classe adjectivale séparée dans la fonction de détermination, beaucoup de langues n'ont pas d'opposition primaire nomino-adjectivale ou adjectivo-verbale, sans qu'il soit nécessaire de distinguer lexicalement « bleu » et « le bleu » ou « bleu » et « être bleu ». Même en français, le passage de l'adjectif au nom se fait en quelque sorte « au minimum », étant marqué seulement par l'utilisation de modalités nominales et l'entrée dans le jeu de nouvelles fonctions : *j'aime le bleu*, *le bleu de ce manteau*; ici l'adjectif est en quelque sorte précodé comme adjectivo-nominal. Sur le plan des combinaisons libres, au contraire, il est fondamental de voir que n'importe quel syntagme peut passer de la fonction qualification ou indicateur de procès à la fonction sujet et par là au rôle sémantique de thème ou de « participant complexe » : *il apprécie beaucoup la musique : qu'il apprécie beaucoup la musique ne doit pas l'empêcher de penser à autre chose.*

Il ne s'agit pas là de constructions de linguistes, mais de mécanismes sans cesse à l'œuvre dans le dialogue, l'explicitation, la discussion. A notre sens, si beaucoup de linguistes sont restés réticents à l'égard de ce type de présentation, c'est (en dehors de facteurs accidentels : raisons polémiques ou de l'urgence : quand on décrit une langue inconnue ou mal décrite, on cherche d'abord à mettre en évidence ses structures spécifiques avant de s'occuper de ces problèmes d'équivalence) parce que les « transformationnalistes » ne se sont pas toujours beaucoup souciés du mode d'être de ces équivalences ou au contraire en ont traité avec beaucoup d'imprudence.

## 4. Le mode d'être des équivalences

La première question qui se pose est celle du caractère général ou particulier des relations ainsi établies. Pour des raisons extra-linguistiques, l'homme doit distinguer entre choses ou personnes, devenir ou état de ces choses ou de ces personnes. Pour des raisons de délinéarisation des unités qui se succèdent il doit distinguer des noyaux, des expansions primaires, des expansions d'expansions. Mais il n'y a pas de corrélation nécessaire entre ces deux systèmes : spécialisation d'un indicateur de procès en fonction prédicative (ce qui ne se trouve pas dans les langues à prédicat nominal), relation complément-complété et qualité-chose : ainsi sont centrales en birman les relations du type *quel amour d'enfant* où le déterminant *(enfant)* est l'indicateur de participant. L'exemple même que nous donnons en français montrant d'ailleurs qu'au-delà des corrélations syntaxico-sémantiques fréquentes on trouve dans les langues des sous-segments de « corrélation inversée » : *quel amour d'enfant, drôle de type, saloperie d'Auguste.*

D'autre part, les catégories de la combinatoire syntaxique, en nombre limité, parce que conditionnées par la linéarité du signifiant, peuvent manifester des relations sémantiques différentes : *je dors, je crois, je mange, je cours...* constituent bien un même contraste entre un « participant » et un « procès », mais il peut n'y avoir aucune parenté entre toutes les façons dont *je* est en relation au procès qui suit.

Les corrélations syntaxico-sémantiques que l'on peut rencontrer dépendent à la fois de l'existence d'un petit nombre de procédures combinatoires et de celle d'aspects prégnants de la réalité. Mais cela n'empêche pas que des relations sémantiquement différentes puissent être codées syntaxiquement de la même façon. C'est cette extension qui explique la croyance à la possibilité d'écrire une syntaxe complètement indépendante de la sémantique, même si l'existence même d'une syntaxe devient alors radicalement incompréhensible.

D'autre part, on devra distinguer ce qui est correspondance entre structures et ce qui est dérivation d'une structure par rapport à une autre structure attestée ou par rapport à une structure relationnelle abstraite non attestée. On peut en effet se contenter de noter la possibilité d'intratraduction : entre la structure nom-adjectif et nom + est + adjectif *le garçon est gentil, le gentil garçon* (indépendamment des relations de spécification qui font que *chaleur solaire* ou *boîte crânienne*, constituant en quelque sorte des désignants uniques, s'accompagnent mal d'énoncés du type *la chaleur est solaire, la boîte est crânienne*, de même qu'un *tableau noir* n'est pas un *tableau* qui est *noir*). On peut, en partant de l'idée que la prédication est la forme linguistique essentielle, considérer qu'il y a relation de dérivation entre *le garçon est gentil* → *le gentil garçon.* On peut enfin poser une relation abstraite « garçon »-« gentil » qui se réalisera alternativement sur le mode *le garçon gentil, le garçon qui est gentil, la gentillesse du garçon...*

Avant de choisir, si c'est possible, entre ces trois présentations, la question se pose du critère que l'on doit avoir pour choisir :

— Critères de simplicité, de régularité du résultat ainsi obtenu. Ainsi lorsque des structures sont marquées en termes d'expansion, il semble normal de les considérer comme dérivées, ainsi pour *il est très gentil* par rapport à *il est gentil.* Dans d'autres cas, la fréquence même des constructions : *il vient* par rapport à *Pierre vient* ou à *Pierre il vient*, peut faire douter, malgré la tradition grammaticale qui parle de pronom, de l'opportunité de dériver les constructions pronominales des constructions nominales (sans parler du fait que quand il s'agit de montrer et non d'un anaphorique la reconstruction du nom sous-jacent peut poser des problèmes).

— Critères diachroniques qui, en cas d'attestation, ne sont pas à leur propre niveau douteux, ainsi du processus de passage des lexicaux aux grammaticaux :

*casa* → *chez*, *homo* → *on* ou d'un grammatical relativement libre à un grammatical plus contraint *ille* → *il*.

— L'enthousiasme transformationnel s'est fréquemment accompagné d'arguments externes très rapides, par exemple ceux selon lesquels les processus mêmes de décodage supposent une dichotomie entre énoncés de base reconstruits et modifications, alors que rien n'oblige à reconstruire *le chapeau est bleu* « sous » *le chapeau bleu est tombé*. Ce à quoi s'ajoute que certaines de ces mises en relations sont nécessaires : l'énoncé marginal *il n'est pas sans ne pas avoir négligé de...* devra sans doute être décomposé et restructuré pour être compris; en revanche, un adverbe en *-ment* peut en quelque sorte s'autonomiser par rapport à son adjectif d'origine et *évidemment* fonctionner sans relation à *évident*.

A notre sens, le problème est loin de pouvoir recevoir une solution univoque. Certes dans de nombreux cas, l'explicitation d'un syntagme ou au contraire d'énoncés complexes se fait par paraphrases sous forme de phrases. Mais ceci ne nous oblige pas à considérer la phrase comme le lieu du jugement ou le lieu du sens. En effet :

— Un syntagme peut ne pas correspondre exactement à un énoncé : un *non-violent* n'est pas seulement quelqu'un qui n'est pas violent, mais devrait être glosé à peu près « quelqu'un qui fait profession de vouloir résoudre les problèmes qui se posent à la société sans recours à la violence ».

— L'acquisition et le maniement oral du langage se font sous forme de dialogues, d'échanges de syntagmes qui ne prennent pas forcément la forme monologique codée de la phrase : *sale temps* (ou *sale gosse*) n'a pas besoin d'être recodé pour être compris.

— Inversement des formes syntaxiques complexes, comme nous l'avons vu, introduisent une modification sémantique (ainsi la relative introduit une modification où le procès devient en quelque sorte qualifiant).

— Si certains éléments fortement codés de la phrase peuvent être compris indépendamment de la situation ou du contexte, l'élaboration sémantique ne se fait pas sous la forme du jugement phrastique, mais dans des ensembles plus complexes.

On considérera donc comme central le concept de paraphrase forte ou faible sans chercher des formes canoniques de la signification, qui nous semblent au contraire relever d'hypothèses trop simples sur le fonctionnement du langage.

## B - SIGNIFICATION ET RELATION EXTRA-LINGUISTIQUE

La notion de signifié comme différent de la référence nous est donc apparue comme légitime en fonction de l'existence de relations de paraphrase, qui non seulement rendent possible de définir une signification sans avoir à montrer dans l'expérience l'objet correspondant, mais encore permettent de faire entrer la « même » réalité dans deux univers signifiés différents, de la coder différemment, ce qui constitue bien l'efficacité linguistique fondamentale. De même que peut avoir sens pour nous quelque chose qui ne correspond à rien dans l'expérience, mais sur lequel nous pouvons faire un discours cohérent, qu'il s'agisse d'êtres de fiction (chimères) ou de données conceptuelles qui par définition n'ont pas d'équivalent dans l'expérience (l' « indicible », l' « invisible », l' « impossible » ou « la totalité de l'univers »...).

Mais montrer qu'il peut y avoir de la signification intra-linguistique, pour une part irréductible à la signification extra-linguistique, ne signifie pas qu'on peut faire comme si cette signification extra-linguistique était négligeable.

1. Tout d'abord, la signification comme monstration fonde la signification comme relation intradiscursive. C'est manifeste dans l'acquisition du langage par l'enfant : il y a un décalage entre le moment où apparaît la possibilité de répondre à la consigne : « montre-moi une fleur » ou « donne-moi un verre » et celui où il devient possible de définir verbalement *fleur* et *verre*. Mais il ne s'agit pas seulement d'une antériorité chronologique. Si l'on suppose un être sans connaissance préalable de notre univers, un martien, on peut douter qu'à partir d'une définition purement verbale d'une fleur ou d'un marteau il reconnaisse à coup sûr les objets en question. Si les définitions intra-verbales peuvent fonctionner, c'est en fait parce que nous avons une connaissance non linguistique du réel. Ce qui apparaît si on veut expliquer avec des mots ce que signifie un mot comme *dans*, sans faire ni dessin, ni geste, ou sans se contenter de dire : « C'est le contraire de *en dehors de* » (ce qui peut servir, mais seulement pour quelqu'un qui connaît déjà la relation intérieur-extérieur).

2. La relation signification linguistique - signification extra-linguistique se manifeste également par le rôle de l'exemple typique, qu'il soit entièrement verbal : *un fruit c'est une poire* ou non : *un fruit c'est ça*. Dans un cas comme dans l'autre, il est peu vraisemblable que l'on choisisse le raisin sec ou la tomate comme exemple de fruit, les mots croisés comme exemple de sport ou le patin à roulettes comme exemple de moyen de transport. Pendant longtemps, on a cru qu'en sémantique comme en phonologie on pouvait dire : niveau linguistique d'analyse = unités discrètes parce qu'oppositionnelles, niveau de l'analyse « réelle » = variations continues.

Déjà sur le plan de la phonie, la dichotomie est discutable : on ne peut dire qu'en première approximation que le phonème est une réalité culturelle, la réalité phonétique particulière un phénomène naturel, physique. En effet, un sujet n'apprend pas seulement à distinguer /i/ et /e/, il apprend aussi des réalisations typiques de /i/ et de /e/. Il y a des prononciations que personne n'hésitera à identifier comme /i/ ou /e/, d'autres qui apparaîtront comme un « drôle de i ». C'est encore plus net sur le plan significatif. Dans un certain nombre de cas le mot s'appliquera sans difficulté à la chose et réciproquement la chose constituera un bon exemple du mot : *il est bête ; plus bête que lui, il n'y a pas.* Dans d'autres cas, on l'utilisera à la limite : *il est presque bête, il a l'air bête,* et l'on dira sans difficulté d'un meuble perdu dans une pièce : *il a l'air tout bête.*

La sémantique telle qu'elle s'est développée jusqu'ici a porté sur un objet largement fictif s'il est isolé : le lexique dans un cadre également fictif, l'étude intra-linguistique de ce qui est avant tout relation entre la langue et la non-langue. D'où un certain nombre d'apories théoriques ou pratiques. Théoriques, lorsque, par exemple, on se représente le système grammatical d'une langue comme constituant une vision du monde stable et sous-jacente à la perception que les sujets ont du réel. Mais en fait le lexique évolue beaucoup plus vite que les systèmes grammaticaux, essentiellement sous la pression de l'évolution des réalités à communiquer (l'usage actuel d'*atome* contredit sa définition comme insécable). Corrélativement, le sens lexical peut s'intégrer dans le cadre des implications grammaticales ou au contraire, et c'est en cela qu'il n'y a pas vision du monde contrainte, il peut s'opposer aux implications grammaticales. (Dans *un vent de liberté, un* n'individualise pas *vent de liberté* comme dans *un train.*)

On retrouve sous une forme pratique un problème similaire, par exemple lorsqu'on essaie de distinguer des dictionnaires de mots et des dictionnaires de choses. Comment donner une définition « proprement linguistique » de *dérivée* sans exposer l'ensemble des concepts mathématiques ? Ou bien, même si cette pratique est institutionnalisée, comment séparer dans une classe de langue (ou de littérature) l'étude du *texte* de celle de l'ensemble des réalités culturelles dans lesquelles ce texte prend sens ? L'isolement de la « classe de français », comme lieu privilégié de l'étude du sens, nous semble répéter sur le plan de l'inculcation culturelle la division du travail qui fait que dans nos sociétés il y a des « spécialistes de la parole ». Avec toutes les conséquences, pratiques de ségrégation sociale, théoriques d'illusion d'indépendance de l'objet dit, en somme d'idéalisme que cela comporte. C'est pourquoi il nous paraît impossible d'isoler absolument la sémantique linguistique de l'étude des pratiques où se mettent en relation mise en mots et réalité extra-linguistique. On risque, sinon, d'hypostasier on ne sait quels universaux sémantiques ou textuels, reflets de la « nature humaine ». Il s'agit au contraire de montrer que tout discours, que ce soit l'appel de l'enfant, le poème ou le discours politique, se trouve pris dans un certain nombre de relations de convergence ou d'opposition à ces pratiques « non langagières » ou non exclusivement langagières extra-linguistiques.

La chose est d'autant plus difficile que la confusion et le conflit des doctrines sont la règle. Si l'on peut se permettre de schématiser sur un sujet aussi vaste, il nous semble que, tant dans les philosophies classiques que dans les théories psychologiques du développement de l'enfant ou dans le discours tenu par les linguistes sur le fonctionnement général du langage, on se trouve confronté à des théories unilatérales parce que fondées sur l'hypothèse d'une relation univoque langage-réalité extra-linguistique. Qu'il s'agisse par exemple des différentes espèces de philosophies sensualistes-empiristes pour qui la signification linguistique se ramène toujours à être une généralisation-abstraction des données sensorielles. Ou au contraire de la tradition rationaliste pour qui, sous forme d'intuition ou de catégories, la pensée est autre chose que les mots qui en sont une traduction plus ou moins adéquate (généralement moins), dans la mesure où de Platon à Descartes entre autres les théories rationalistes ont considéré généralement les mathématiques, par opposition au discours, comme le modèle de la rationalité.

A l'opposé de ces deux grands courants, sous des formes diverses, qu'il s'agisse de la pensée hégélienne, de certains passages de Marx ou d'Engels (cités chap. 1) ou d'une tendance répandue dans la linguistique contemporaine, on a fréquemment fait du langage la forme objective de l'esprit, que ce soit pour s'opposer à l'image de la pensée sans matière ou à celle de l'individu source dernière de la pensée.

Mais on risque alors de poser le langage en forme unique de la « pensée », introduisant ainsi entre l'animal et l'homme une nouvelle frontière absolue. Ce à quoi il nous semble nécessaire d'opposer trois grands ordres de faits (cf. chap. 1) :

*a* / Si effectivement le passage au langage correspond à des changements qualitatifs dans les capacités de l'homme, ces changements qualitatifs supposent l'ensemble du développement préalable. C'est-à-dire que pour pouvoir fonctionner le langage ne peut se fonder sur un univers de pures qualités sensorielles. Il ne fonctionne qu'à partir de quelque chose de déjà structuré : l'objet polysensoriel et non monosensoriel. Il ne peut y avoir nomination que si aux « sens à proximité » (tact-goût) se sont combinés les « sens à distance » (vue-ouïe) ainsi qu'à partir de la possibilité d'identifier le même objet sous ses apparences mono- ou polysensorielles différentes.

Les espèces animales ne constituent pas un ensemble unique caractérisé par un progrès univoque : chacune saisit, « pertinentise » des aspects particuliers de l'expérience corrélatifs du développement de son propre organisme (sensibilité aux couleurs, aux formes, aux odeurs). On peut néanmoins trouver une ligne régulière de croissance sur l'axe des différentes conduites de présence de l'absent : modification du comportement par l'expérience passée - présence d'un but absent (conduite du détour, recherche, etc.); capacité de faire semblant. Piaget de ce point de vue a entièrement raison de parler d'une fonction symbolique, d'une fonction du « comme si » qui ne peut provenir de l'acquisition externe du langage, ce qui serait le cas si on se représentait l'enfant comme un chien de Pavlov plus un second système de signalisation verbal.

*b* / La caractéristique la plus importante du développement de l'enfant est sa particulière prématuration qui fait que ses capacités cérébrales pourront être orientées dans des voies non entièrement prédéterminées par son stock neuronique. Il est alors pris dès sa naissance dans un double circuit de relation à la réalité. D'une part, le circuit de relation directe à la réalité extra-linguistique, circuit qui est d'abord pour l'espèce humaine le circuit de la relation visuo-manuelle : l'objet est d'abord ce qu'on voit, qu'on cherche, qu'on manipule. D'autre part, le circuit où la relation au monde extérieur est médiatisée par la relation à autrui. Ces deux relations ne constituent pas des univers clos, séparés l'un de l'autre. Non seulement les objets sont pour la plupart des objets humains dont il s'agit de récupérer la signification (biberon, peigne...) mais ils sont donnés, repris, etc., par un humain. Inversement, le rapport à autrui est d'abord un rapport physique : être pris, tenu, nourri... Reste qu'il y a là deux circuits qui ne pourront qu'avoir des implications partiellement différentes. Si le signe *(maman, lolo)* peut accompagner la réalité, sa nature même, vocale, arbitraire, le fait qu'il ne représente qu'une faible dépense entraîne qu'il pourra particulièrement aisément être repris quand l'objet n'est pas là, pour jouer, pour désigner métaphoriquement un objet qui n'est que faiblement apparenté au premier, pour s'auto-affecter. Dès les débuts de l'utilisation du langage c'est surtout à travers lui que la relation à autrui ou à soi échappe partiellement au circuit du « principe de réalité ». Surtout : le bout de chiffon peut valoir, d'une façon à déterminer, pour le sein, et cela on ne pourrait pas l'apprendre à l'enfant. Mais et par ses caractères matériels propres et par son rôle dans la société où arrive l'enfant, le langage devient, non forcément le principal moyen de codage, mais le principal moyen de codage de l'absent.

L'enfant, de façon différente selon les modalités dominantes de sa socialisation, se trouve alors pris aussi bien en ce qui concerne la signification de tel terme, de telle structure linguistique ou de tel usage global du langage, entre les cas où il y a accord entre les données extra-linguistiques et le codage linguistique et les cas où ils se contredisent. Accord par exemple lorsque le mouvement accompagne le discours : *c'est pour toi*, ou la constatation : *il est parti*; désaccord, ne serait-ce que parce que l'enfant acquiert des exemples d'utilisation d'un signe et que, le voudrait-on, personne ne pourrait lui enseigner l'ensemble des réutilisations permises ou non qui feront sens. Ici aussi les relations varient entre codage linguistique et codage extra-linguistique : le sens de certains mots pourra être enseigné (et même ne pourra être enseigné qu')à partir d'exemples extra-linguistiques. D'autres codages au contraire ne pourront être saisis que par les mécanismes intra-linguistiques d'opposition *(non, pas demain : hier)* ou de redondance partielle (ainsi lorsque la modalité verbale *-ra* est comprise grâce à son association avec *demain*). Inversement, il est peu probable qu'on puisse commencer par enseigner le sens de *carré*, de *rond* ou de *maman* par une procédure intra-linguistique.

Le lien du sémantisme intra-linguistique et du sémantisme extra-linguistique se manifeste dès les premiers comportements linguistiques de l'enfant. Les premières significations renvoient globalement à une expérience extra-linguistique recouvrant situation, besoin, désignation d'une réalité, processus : ainsi *dodo* ou *caca*. L'entrée dans le circuit des énoncés articulés est corrélative de divisions syntaxico-sémantiques du type participant-procès *bébé boum* ou acteur-but de l'action : *bébé gâteau* (quelle que soit l'indétermination de ces significations contrastives).

Mais bien avant ce mouvement de détermination se produit un perpétuel mouvement de déplacement, la nature même du signe arbitraire lui permettant de pouvoir se déplacer dans le champ du sémantisme. Certains auteurs ont voulu identifier le trait de ressemblance qui permet ce déplacement métaphorique. Ainsi Eve V. Clark[1] isole un trait « goût » qui rendrait compte du passage de la

1. Eve V. Clark, What's in a word ? On the Child's Acquisition of Semantics in his First Language, *in* Timothy E. Moore (ed.), *Cognitive Development and the Acquisition of Language*, New York, Academic Press, 1973.

première utilisation de *candy* employé en fonction du langage adulte face à des bonbons et ensuite pour tout ce qui est doux, *cerises*, etc. De même isole-t-elle la caractéristique « taille » pour justifier le passage de *Dina*, nom d'une petite fille, à *Dina* désignant toutes les petites filles, comme si c'était le trait taille qui était forcément le plus important. Ce qui semble au contraire le plus important, c'est la possibilité qu'a l'enfant de passer continuellement de *tic-tac* onomatopée à *tic-tac* montre, à *tic-tac* cœur. Ce que les premiers usages linguistiques de l'enfant mettent en évidence c'est à la fois l'aspect fondamental du sens référentiel, l'association du mot et de la situation extérieure ou du signe extra-linguistique et en même temps la possibilité infinie de métaphore comme façon première de manier le signe linguistique.

Plutôt qu'un univers bien réglé de traits, on a donc à la fois le renvoi du mot à une expérience extra-linguistique et, en fonction même de sa nature arbitraire, la possibilité de faire glisser le mot, de jouer avec lui.

*c* / Plus généralement, on peut caractériser les différentes activités sociales de l'homme par la place qu'y jouent les différentes formes de codage de l'expérience. Bruner[1] a proposé les trois termes : d'*enactif*, ce qui est montré en le faisant; d'*iconique*, ce qui est montré par une image; de *symbolique*, ce qui est montré par un dire, ou par un autre système de signes. On peut discuter cette division. La division est peut-être plutôt entre *pratique*, *symbolique* et *linguistique*, le symbolique étant l'ensemble des significations imagées ou corporelles, montrer, mais aussi sourire, embrasser, prendre dans ses bras sur la base desquelles le langage peut se développer. Toujours est-il qu'on peut poser que ces trois codages sont tous les trois sociaux : il n'y a pas un réel en soi donné par la sensation. D'autre part, que notre société et en particulier la séparation du travail verbal et du travail manuel qui y règne tend toujours à nous faire valoriser le codage verbal et à nous faire oublier que ce codage verbal, s'il a son efficacité propre, ne fonctionne néanmoins que par sa relation aux deux autres.

*C. 1.* — Plus précisément, les significations portées par le langage renvoient à celles portées par les relations perceptivo-émotivo-pratiques à la réalité physique et au corps d'autrui. Il faut en particulier rappeler que les qualités sensorielles ne sont pas d'abord ni des qualités spécifiques (son, odeur, couleur) ni des qualités premières au sens de Descartes : éléments spatio-temporels intersensoriels, mais de l'agréable-désagréable, familier-étrange, à chercher - à fuir, c'est-à-dire que le codage affectif de la réalité est premier par rapport aux autres. C'est ce champ qui permet la communication et il y a idéalisation linguistique à appeler présupposé (ou comme on voudra), c'est-à-dire à concevoir sur le mode d'être de l'énoncé ou sur un mode apparenté ce qui est au contraire la condition de possibilité non langagière de l'énoncé.

*C. 2.* — Qu'il s'agisse des classes sociales, des sexes, des « rôles d'âge »..., les groupes humains à l'intérieur d'une collectivité se caractérisent par l'importance

1. En particulier J. S. Bruner, R. R. Olver, P. M. Greenfield *et al.*, *Studies in cognitive growth*, New York, J. Wiley & Sons, 1966.

relative des modèles dits et non dits. (Il en est de même pour les différences interindividuelles.) Aussi bien en ce qui concerne les activités pratiques que les activités d'échange avec autrui, nous devons constater que les codages linguistiques de l'expérience renvoient à des savoir-faire (savoir agir ou savoir se conduire), à des modes d'être corporels qui ne se réduisent pas à ce qu'on en dit, même si une des caractéristiques de notre civilisation est le fait que l'inculcation verbale ou par images y a plus d'importance que dans des civilisations sans école où la transmission des modes de faire ou d'être par imitation est plus fondamentale.

*C. 3.* — Surtout, il nous semble que si le problème de la traduction se pose à l'intérieur du maniement linguistique, il se pose encore bien plus entre comportements linguistiques et non linguistiques. Les auteurs qui ont insisté sur les liens spécifiques entre « langage » et « pensée » se sont en particulier fondés sur le fait que le langage constituait une sorte de médium universel, un code qui, par opposition aux codes spécifiques, n'avait pas un objet prédéterminé. C'est exact. Mais il faut aussi considérer toutes les variations qu'on rencontre dans les relations entre codage linguistique et codage non linguistique. D'un côté, le signe linguistique est l'équivalent du geste de monstration : *là... quelque chose... regarde* : il peut s'appliquer à tout objet sans être spécifique d'aucun. A un autre niveau d'utilisation, le discours pratique, tout en étant composé de signes arbitraires, peut être homologue à une activité extra-linguistique ou à une information portée par un système de symboles motivés iconiques. Ainsi la liste des parties d'un carburateur divise le carburateur comme le fait la pratique du fabricant ou du réparateur. Inversement, un certain nombre d'aspects du réel tel qu'il est dit ont pour spécificité qu'aucune expérience sensible pratique ne peut leur correspondre directement. Ne serait-ce que l'abstraction au sens traditionnel de « ce qui peut être isolé dans le discours sans pouvoir l'être dans l'expérience » : ainsi la qualité *rouge* qui n'est le rouge d'aucune matière. Ou la détermination négative : ce n'est pas « en lui-même », mais dans le circuit de la « pratique dite » qu'un objet peut « ne pas être un porte-plume ».

Enfin, et tout en reconnaissant que l'absent, l'irréel sont déjà présents dans les conduites non linguistiques de l'enfant et de l'animal, c'est bien principalement par le médium du langage que l'absent peut prendre corps, qu'il s'agisse du projet dans le monologue intérieur, de la rêverie, de la possibilité de rendre présents ensemble « dans » notre discours les objets qui ne pourront jamais être réunis effectivement.

Décrire correctement l'expérience c'est montrer le fonctionnement de ce double système d'enveloppement. D'une part, comme les phénoménologues, en particulier Merleau-Ponty, y ont beaucoup insisté, l'univers perçu constitue en quelque sorte le sol, le point de renvoi de toute signification. C'est à ce monde-là auquel renvoie la science même si elle s'en sépare. C'est pourquoi il arrive fréquemment que nous comprenions un discours en tant que suite de significations linguistiques sans le comprendre au sens fort, c'est-à-dire sans pouvoir retrouver les expériences qui constituent son univers de référence. Mais d'autre part l'ici-maintenant de l'expérience renvoie au passé, au futur, à l'irréel, même l'inconnu est nommé. Ce qui fait que l'expérience effective est prise dans le circuit du dire.

C'est cette relation de double enveloppement, d'équivalence relative ou d'opposition entre dit et non-dit qui nous semble devoir constituer le cadre dans lequel on peut élaborer une analyse des effets de la mise en mots. En essayant de se garder d'un double danger. D'une part, neutraliser l'existence du langage, comme allant de soi. Ce que fait à notre sens Piaget, lorsque critiquant à juste titre l'idée d'un langage qui par sa seule efficace structurerait le champ du réel, il oublie que l'enfant se trouve pris dans le champ des questions et des réponses, dans le champ des mots qui à chaque instant l'obligent à se demander : « Ces deux objets s'appellent-ils de la même façon ? », ou au contraire : « Qu'est-ce qui peut faire qu'on appelle du même mot ce qui a l'air si différent ? » L'autre erreur est de croire que le mode d'être intra-linguistique de la signification constitue le mode d'être par excellence de toute signification. Avant de constituer une sémantique, on doit donc constituer une sémiologie du langage, c'est-à-dire montrer comment le langage signifie de façons différentes selon l'usage qui en est fait. Ne serait-ce que lorsque le langage sert à accompagner une action ou qu'il fonctionne tout seul, qu'il montre un objet qui pourrait être montré autrement ou un objet qui n'est montrable qu'en mots. C'est cette sémiologie que nous tenterons d'ébaucher plus loin en traitant des différentes formes de codage. Nous voudrions rappeler brièvement maintenant les traits spécifiques qui relient problème du sens et organisation du langage.

## *C - LA SIGNIFICATION INTRA-LINGUISTIQUE*

Comment essayer de se représenter alors la composante intra-linguistique du sens ? On a déjà noté que les rapports linguistiques n'étaient pas ou syntagmatiques ou paradigmatiques : le rapport paradigmatique peut être actualisé dans un syntagme : *il ne fait pas beau*, *il fait mauvais*. Inversement, un changement syntagmatique induit une transformation paradigmatique : l'entrée dans un autre univers de discours : *belle* dans une *belle cafetière* n'entre pas dans le même système d'oppositions que dans *une belle femme* : la cafetière sera, à la rigueur *gracieuse*, *raffinée*... il y a peu de chances qu'elle puisse être *belle et accueillante* ou *belle mais bête*.

Mais la différence avec un modèle oppositionnel simple va plus loin. Tout d'abord, les dimensions du champ ne sont pas prédonnées. Comme on l'a vu précédemment, il y a des marges, mais surtout des mécanismes d'adaptation qui font que *les idées vertes dorment furieusement* ne sont assurément pas un exemple d'énoncé dénué de sens (les idées peuvent concerner la campagne, et être intensément refoulées). On ne peut donner d'exemple d'énoncé a-sémantique, mais seulement des exemples d'énoncés qui demandent à des degrés divers des efforts d'interprétation. Corrélativement, cela manifeste qu'il n'y a pas sous-jacent à l'utilisation de *dormir* quelque chose comme un trait « calme » ou « absence d'activité » qui serait incompatible avec le trait « énergie ».

D'autre part, nous avons vu précédemment que si *violettir* n'existe pas sur le modèle de *bleuir, devenir violet* était toujours disponible. Ce qui revient à dire que les systèmes lexicaux et les systèmes combinatoires ne constituent pas deux univers indépendants l'un de l'autre. Non seulement donc l'eau pourra être *chaude* ou *froide*, ou bien la gradation pourra comporter un nombre ouvert de degrés, *tiède, tempérée, bouillante...* Mais deux systèmes différents pourront *in situ* faire partie d'un système commun d'oppositions; *elle est à 37°. C'est pas chaud* (ou *pas froid*). Davantage, des déterminations syntagmatiques pourront entrer dans ce système : *presque froid, froid comme la mort, un peu plus chaud...* La possibilité même de modifier les systèmes lexicaux transmis constitue le principal argument contre l'identification du système lexical transmis et d'une vision du monde. Ou, en d'autres termes, le rapport de détermination syntaxique n'est pas forcément un rapport de spécification sémantique : *socialisme bureaucratique* est-il encore un socialisme, *misère sexuelle* une espèce de misère parmi d'autres ?

Ceci nous amène à revenir sur l'évolution même du système saussurien. Il est vrai qu'en particulier l'école de Prague, mais aussi toutes les analyses en termes de distribution ont abouti à remplacer la nébuleuse présentée par Saussure sous le nom de champ associatif par le concept plus précis d'axe paradigmatique. Pour que cette substitution soit entièrement bénéfique il faudrait que l'axe des oppositions et l'axe des combinaisons épuisent l'univers de la signification linguistique, sans parler du non (ou du non exclusivement) linguistique. Or ce n'est pas le cas.

Si l'on reprend en effet le tableau que présentait Saussure, on voit que plutôt que de pouvoir être réduit à un axe syntagmatique ou un axe paradigmatique le champ *d'enseignement* comporte un lien avec :

*a* / Un ensemble dérivationnel : *enseigner, enseignant...* (qui n'a pas forcément un rapport syntagmatique précis).

*b* / Un ensemble de termes sémantiquement apparentés, même s'il ne l'est pas formellement : *apprentissage, éducation.*

*c* / Un ensemble d'éléments ayant même forme dérivationnelle, même si le signifié de la dérivation n'est pas identique : *changement, armement.*

*d* / Un ensemble de termes n'ayant qu'une parenté acoustique : *clément, justement*, rapport qui n'est pas paradigmatique au sens de *b*.

Ce à quoi, plutôt que de retrancher, il faut ajouter :

*e* / Les termes en rapport syntagmatique et/ou paradigmatique étroit avec *enseignement* : *libre, laïque, confessionnel...*

*f* / Les différents champs conceptuels qui ne constituent plus un lien unique codé du point de vue des structures linguistiques, qui font que par exemple *enseignement* renverra aux problèmes des coûts, des différences entre pays développés et sous-développés, aux différentes relations entre sciences, ensemble d'univers sémantiques disjoints ou réunis.

*g* / Enfin les renvois, communs ou non aux sous-groupes de locuteurs, à leur expérience passée ou actuelle d'éducateur ou d'éduqué.

A cette diversité ne peut correspondre une méthode univoque d'analyse linguistique du sens. D'autant que, selon les cas, le précodage linguistique commun pourra permettre une communication sans problème ou au contraire ne constituer qu'une base minimale de peu d'importance (lorsque nous parlons de *Dieu*, la part du signifié commune aux différents interlocuteurs peut être pratiquement nulle).

Mais il faut aussi noter que ceci ne nous renvoie pas à une atomisation du sens. Selon les types d'usage du langage, tel type de signification ou tel conflit entre types de signification l'emportera, la contradiction principale restant celle qui se manifeste dès les tout débuts du langage entre référence extra-linguistique et utilisation des potentialités propres de la langue.

## D - LES FONCTIONS SÉMANTIQUES DE LA SYNTAXE

La pensée européenne a été marquée en ce domaine par la tradition aristotélicienne, qui tout d'abord considère comme centrale la relation de prédication, d'autre part, afin que le raisonnement soit possible, considère que le mode central de prédication est le jugement du type *Socrate est mortel*, signifiant à la fois l'appartenance de Socrate à la classe des mortels et l'inhérence de la qualité mortel à la substance Socrate. D'où une tradition de reformulation des syntagmes et des énoncés complexes pour les ramener à cette forme canonique afin de permettre le syllogisme. Ainsi pour reprendre l'exemple de Port-Royal sur lequel est revenu Chomsky[1], analyser la valeur de vérité de *Dieu, invisible a créé le monde visible* c'est ramener cette proposition à trois propositions *Dieu est invisible, Dieu a créé le monde, le monde est visible*, la relation de subordination et de contraste entre *visible*, et *invisible* étant renvoyée à un effet rhétorique, l'essentiel de ce point de vue étant la possibilité de prendre en compte trois jugements.

A ce « réductionnisme logico-grammatical » on a fait beaucoup d'objections :

Tout d'abord, l'existence de propositions qu'il faut torturer pour les ramener à cette forme prédicative. Ainsi les jugements indiquant un fait, un processus : *il pleut, il y a quelqu'un.* Ou au contraire des jugements de relation : *Pierre est plus grand que Paul, Versailles est entre Paris et Le Mans*, ce qui pose à la fois la question de jugements reliant plusieurs termes et celle de l'inhérence de la propriété à un des termes.

D'autant que c'est seulement en fonction d'une finalité très particulière, celle de l'analyse des valeurs de vérité qu'on peut considérer les questions, les ordres, les réponses, etc., comme des structures secondaires, dérivées par rapport à celle des énoncés assertifs (c'est cependant ce que font encore la plupart des grammaires).

D'autres arguments ont été utilisés contre le « parallélisme logico-grammatical » ; on a fréquemment noté le non-parallélisme entre structures de l'énoncé et structures du contenu signifié, soit que plusieurs formes soient sémantiquement équivalentes :

1. Noam Chomsky, *Le langage et la pensée*, 1re éd., New York, 1968, trad. franç., Paris, Payot, 1970, 145 p.

*a* = *b*, *a est égal à b*, *a et b sont égaux*. Inversement, une même forme peut recevoir différentes interprétations sémantiques, pour emprunter un exemple à Ducrot[1] : *j'aime le whisky et l'eau* peut signifier qu'on les aime séparément ou mélangés. De même, *je cherche un homme* peut signifier un homme en général ou un homme particulier.

Si c'était là le seul argument, les relations entre logique et linguistique seraient simples : la logique aurait pour tâche d'expliciter les inférences, les relations entre termes qui restent obscures au plan linguistique.

D'autres difficultés sont sans doute plus importantes. L'idée même d'une logique formelle suppose qu'on puisse séparer forme et contenu d'un énoncé. Et il est bien vrai qu'une infinité de discours prononcés sont de la forme : *si A, alors B, or A donc B*, ou peuvent s'y ramener, Reste que la langue ne distingue pas forcément forme et contenu de l'énoncé : ainsi dans *il fait beau : je pars*, c'est le sens même des lexèmes qui permet le raisonnement, sans que des outils syntaxico-logiques soient nécessaires. D'autre part, le fait que les messages fonctionnent en situation entraîne que l'analyse même des relations impliquées par le message ne sont pas forcément décidables : *les enfants grandissent* ne décide pas de savoir s'il s'agit de quelques enfants, de tous les enfants, d'enfants déterminés ou non, d'une proposition de fait ou d'une proposition analytique.

Ajoutons enfin que les fonctions du langage ne constituent pas des univers distincts et stables, qu'il n'y a pas de raison que l'on puisse décider à chaque instant de ce qui est transmission d'information et mode d'action sur autrui. Certes, dans le sous-code qu'est la logique, on doit distinguer entre discours portant sur la réalité et discours portant sur le discours. Mais l'enfant (ou l'adulte) qui répond à la question : *Est-ce que tu aimes la campagne ? — Des fois*, n'a pas à décider s'il s'agit d'une « affirmation atténuée » d'une espèce de modalité, d'un jugement de temps ou d'un jugement de quantification.

La forme syntaxique et les unités en inventaire grammatical ne constituent pas une forme du message indépendante de la matière qui serait portée par les lexèmes. Ou plutôt, tantôt on peut isoler à la limite une forme et un contenu, ainsi dans la relation *a est b* ou *a ou b*, où *est* et *ou* constituent des relateurs quasi purs, tantôt l'indice syntaxique est lui-même porteur d'information sémantique : *a* a battu *b* indique une relation et la spécifie et cela sans qu'on doive décider entre *battre* relation entre *a* et *b* ou *battre b*, prédicat de *a*.

D'où la difficulté d'établir une liste close des opérations syntactico-sémantiques.

## 1. Les opérateurs syntactico-sémantiques

C'est cependant une telle analyse que nous voudrions rapidement ébaucher, en nous inspirant plus particulièrement de U. Weinreich et de Hockett[2]. De même qu'un verbe n'indique pas forcément une action, ni un nom un « participant », de même

1. Oswald Ducrot, D'un mauvais usage de la logique, in *De la théorie linguistique à l'enseignement de la langue*, J. Martinet édit., Paris, PUF, 1972, 246 p.
2. Charles F. Hockett, The Problem of Universals in Language, et U. Weinreich, On the Semantic Structures of Language, *in* Joseph H. Greenberg, *Universals of Language*, MIT Press, 1963.

une « mise en relation » peut être établie par une préposition, un adverbe, un verbe, un nom, un adjectif... Surtout, plus que des classes sémantiques ou logiques, il s'agit de différents types de fonctionnement sémiologique.

On peut distinguer :

*a* / Des *désignateurs*, termes qui peuvent servir à « montrer » une réalité. Parmi ceux-ci, toute langue comporte des *noms propres*, qui « n'ont pas de sens » dans la mesure où ils ne peuvent être traduits, mais désignent seulement. Comme dans tous les autres cas, les noms propres effectifs n'obéissent pas forcément à cette définition. Rien n'est plus fortement connoté qu'un prénom, le nom propre de famille peut signifier l'origine nationale ou régionale, le nom célèbre devient qualifiant.

*b* / De la même façon, toute langue comporte en petit nombre des *déictiques*, termes qui réfèrent sans nommer : *ici*, *là*, *celui-là* (déictiques purs). D'autres déictiques se combineront avec la catégorie des *formateurs*.

*c* / On appellera faute de mieux *sémantèmes directs* les unités qui à la fois servent à indiquer qu'un participant, un état, une qualité se manifeste et d'autre part à déterminer cette réalité *un chien* (et non *un chat*) *gros* et non *petit*, *court* et non pas *dort*. (Ici aussi, il est bien entendu que les noms, verbes ou adjectifs de nos langues pourront être sémantiquement moins ou plus complexes.) Moins lorsque l'unité syntagmatiquement isolable n'est pas réellement porteuse de signification : *Quelque chose* dans *je vais vous dire quelque chose de bizarre* ou *est* dans *il est méchant*.

Plus lorsque le nom ou le verbe sera aussi indicateur de relation : *frère de* ou *dépasse*. Parler de sémantèmes n'implique pas une signification ni stable ni, on y reviendra, analysable en un nombre limité de caractères.

*d* / On appellera *formateurs* l'ensemble des unités qui ne fonctionnent pas par elles-mêmes, déterminent les autres unités ou les mettent en relation. La classification de Weinreich, inspirée par Reichenbach, n'est pas (ne peut pas être ?) homogène. Il distingue :

— des opérateurs pragmatiques : principalement les modalités d'assertion (doute, ordre, impératif : modes classiques) ;
— les instruments de déixis déterminés (par opposition aux « déictiques purs » : *ce*, *ici*...) : ... *hier*, *demain* ;
— les instruments d'anaphore (*un* garçon... *ce* garçon) ;
— les opérateurs propositionnels (*ou*, *et*, *ni* sont les exemples classiques. Mais aussi amalgamés à des opérateurs métalinguistiques *mais*, *cependant*) ;
— les quantificateurs : *un*, *des*, *deux*, *tous* ;
— les opérateurs métalinguistiques : *il est vrai que*...

Non seulement il y a des amalgames, *hier* = indication de temps + déixis. Mais la même unité peut entrer dans des systèmes différents : *des fois* peut être un indicateur temporel et être paraphrasé *quelquefois*, mais il peut aussi être un modalisateur identifiable à « il se peut que ». De plus, les termes peuvent être recodés, comme dans le discours enfantin où *demain* vaut pour *à un autre moment* ou dans les textes où les « lendemains qui chantent » ne sont pas demain.

D'où la difficulté qu'il y a à vouloir présenter sous une forme déductive ce qui relève de la transmission-modification des signes.

Ainsi Jakobson a tenté de présenter une classification systématique des « embrayeurs » dans son article consacré à « les embrayeurs, les catégories verbales et le verbe russe »[1]. Partant de la distinction entre code et message, il déduit l'existence en dehors des messages « simples » centrés sur le référent de quatre possibilités :

1) Message centré sur le message : discours indirect, discours rapporté et en règle générale toutes les relations explicites du discours à un autre discours.

2) Le code peut renvoyer au code. C'est, nous dit Jakobson, la définition même du nom propre. Dans la mesure où le nom propre n'a pas de signification, on ne peut finalement que dire que *Fido* désigne le chien qui s'appelle *Fido.*

3) Le message peut renvoyer au code, dans l'ensemble des comportements définitionnels : *chiot désigne un jeune chien.*

4) Enfin, le code peut renvoyer au message : c'est le cas des déictiques.

Certaines caractéristiques fondamentales du maniement linguistique se trouvent alors intégrées dans un ensemble déductif. Mais il semble qu'on puisse présenter quelques remarques sur la valeur du système déductif en question :

*a* / Comme Jakobson l'a noté, les langues se distinguent plus par ce qu'elles doivent dire que par ce qu'elles peuvent dire. Or, à l'exception, rare, des langues comportant une « testimonial », indication du discours rapporté (Jakobson cite le bulgare, le kwakiutl, le hopi) ou des formes de discours indirect (possibles, mais non obligatoires), il faut noter qu'il s'agit souvent ici de comportements qui peuvent être accomplis à l'aide du langage, sans pour autant exiger des moyens linguistiques spécifiques. Il ne s'agit pas de phénomènes codés, au moins dans tous les cas. Ainsi pouvons-nous ne pas distinguer formellement un discours portant sur la réalité et un discours métalinguistique : *les chiens ont des poils* peut être un énoncé factuel ou définitoire. De même qu'*il est peut-être vivant* peut modaliser l'assertion ou le contenu considéré (cf. *drôle d'animal*).

Il reste donc nécessaire de distinguer les catégories sémantiques fortement codées que l'on peut définir à partir du fil conducteur des inventaires restreints et des choix forcés et l'ensemble ouvert de ce qui peut être dit dans le langage ou plutôt dans tel maniement qui en est fait, où le fil directeur de la recherche se trouve plutôt dans la situation globale de communication que dans les structures linguistiques.

*b* / Surtout, si on peut trouver dans le maniement linguistique ces quatre espèces de renvois, ce n'est pas parce que la nature structurale aurait horreur du vide qu'elle remplirait toutes les cases du tableau. Il s'agit en fait des conditions sociales d'utilisation du langage. Ainsi l'utilisation de noms propres ne correspond pas concrètement à un code renvoyant au code, mais au fait qu'un certain nombre de personnes, d'animaux ou d'objets sont désignés par un terme qui les identifie en tant que tels, permet qu'on les apostrophe, etc. C'est cette caractéristique de la vie sociale qui distingue les objets ou animés interchangeables et ceux qui ne le sont pas ou plutôt les mêmes considérés de l'un ou de l'autre point de vue qui est ici déterminante.

1. Roman Jakobson, Les embrayeurs, les catégories verbales et le verbe russe, trad. franç., in *Essais de Linguistique générale,* Paris, Ed. de Minuit, 1963, 260 p.

De la même façon définir le *shifter* par le code renvoyant au message doit pour le moins être glosé, ne serait-ce que parce qu'il ne s'agit généralement pas de conduite linguistique « pure », *ce* ou *ici* (plus que *maintenant*) s'accompagnant généralement d'un geste. De même que *le* pourra désigner ce qu'on montre, ce qui a déjà été dit, ce qui est supposé connu des interlocuteurs. Là aussi il ne s'agit pas d'analyser des caractères abstraits, généraux des codes, mais des comportements linguistiques en distinguant ce qui est obligatoire ou facultatif, ce qui a un degré élevé de généralité et ce qui n'appartient qu'à un usage particulier du langage.

## 2. La syntaxe et le sens. Niveaux d'analyse

Il est donc nécessaire de montrer que les opérateurs linguistiques ne fonctionnent pas de manière univoque. Mais, plus généralement, il faut constater qu'il n'y a pas qu'une seule contribution de « la » syntaxe au sens du message. Si l'on veut examiner ces diverses contributions de la syntaxe au sens, on isolera tout d'abord :

*a* / L'existence des combinaisons :
— contraintes : *il court* (on ne dit pas en français *court* pour indiquer qu'une course a lieu) ;
— non contraintes : *il court dans la rue, parce qu'il est pressé...*

Même si on peut parfois hésiter sur le caractère contraint ou non d'une classe d'unités, une des caractéristiques essentielles des systèmes linguistiques est de distinguer ainsi une zone centrale (*court* ne fonctionne pas tout seul...) et une zone périphérique, l'ensemble des circonstants, *dans la rue, avec sa sœur...* qui n'est pas saturable.

Ce qui peut se présenter sous forme de valence : ainsi *court* est monovalent dans *il court, sous* divalent : *a est sous b* (si dans la même situation, on dit *a est dessous* référentiellement la situation sera toujours divalente : il faut bien être sous quelque chose, mais linguistiquement seule la monovalence sera marquée), trivalent : *a donne b à c.*

*b* / La syntaxe comporte des procédures d'intégration : *il fait froid* → *qu'il fasse froid me fatigue*, qui justifient le principe sinon le détail d'une décomposition des énoncés complexes en « jugements », telle qu'elle a été pratiquée par Port-Royal. Il faut toutefois noter d'une part que cela n'implique pas que les énoncés doivent être analysés sous forme de sujet et de prédicat ni de fonction et d'argument (gagne-t-on quelque chose à dire que dans *il y a un chien dans la rue* l'argument *chien* vérifie la fonction *être dans la rue* ?). D'autre part que la syntaxe est un moyen d'intégration, non le seul ni même le principal : *il fait froid. Ça me fatigue*, ou même sans aucune reprise explicite : *il fait froid, je ne sors pas*, constituent des ensembles intelligibles par leurs implications lexicales ou plutôt situationnelles (puisqu'il ne s'agit pas du sens de *froid* et de *sortir* en général mais d'une situation sociale où l'un dépend de l'autre, ce qui n'est pas toujours le cas).

*c* / Cette contribution de la syntaxe au sens du message variera selon sa relation aux autres composantes du sens. Il nous semble en effet qu'on peut isoler trois niveaux :

— celui du sémantisme impliqué par les relations syntaxiques;
— celui du sémantisme impliqué par les lexèmes;
— celui du sémantisme impliqué par les conditions de la communication.

On appellera simples les messages où les significations apportées par les trois types d'information sont additives. On appellera complexes les messages où les significations lexicales, syntaxiques et contextuelles se contredisent ou en tout cas se modifient les unes les autres. *Le singe mange la pomme* appartient à la première espèce, dans la mesure où le signifié des lexèmes s'accorde avec l'implication syntaxique de la relation acteur-action-patient et où *le* et *la* renvoient par exemple à un spectacle commun à l'émetteur et au récepteur.

En revanche, les implications lexicales particulières des termes font que *la vérité dépasse la fiction* ne constitue pas l'indication d'un processus comportant déplacement spatial, ce qui se manifestera dans la paraphrase puisque *dépasse* pourra être paraphrasé « est plus extraordinaire que » ce qui ne sera pas le cas dans *ce coureur dépasse l'autre*.

Enfin, la situation de communication changeant le mode de fonctionnement du message change du même coup sa signification. Lorsque *je suis parfait* est un exemple de grammaire ou lorsqu'il est répété par le récepteur, il perd sa fonction d'être une assertion (problématique) sur un état de fait.

On reviendra, à l'occasion du lexique, sur la possibilité d'isoler un nombre fini de *cas*. Disons dès maintenant qu'il existe dans chaque langue un nombre limité de types de messages et d'indicateurs de détermination que les locuteurs sont donc amenés à réutiliser dans un très grand nombre de messages et que la signification de ces modèles de phrases ou de syntagmes reste largement indéterminée (mais non nulle) hors de leur utilisation dans des phrases précises, dans des situations concrètes.

L'impossibilité de séparer absolument syntaxe et lexique est d'autant plus nette que si certaines grandes fonctions sont marquées par la position ou un fonctionnel indéterminé (*de* en français), d'autres fonctions, et en particulier les fonctions « circonstant », sont indiquées par des connecteurs en inventaire ouvert, prépositions, conjonctions, synthèmes prépositionnels ou conjonctifs : *à la manière de, au cours de* qui montrent qu'il n'est pas possible de faire un inventaire complet des types de compléments caractéristiques d'une langue.

*d* / Si la syntaxe constitue une sorte de carte forcée, d'indication des choix obligatoires possibles ou impossibles dans les grands rôles : dénommer, indiquer un processus, un état, il faut ajouter que les unités en inventaire grammatical semblent plus particulièrement spécialisées dans certains rôles sémantiques. D'une part parce qu'il y a une forte corrélation entre choix en inventaire grammatical et choix obligatoire : ainsi en français, sauf dans des cas très spéciaux, le nom ne peut pas plus que le verbe être utilisé sans ses modalités spécifiques. Certes, on ne doit pas considérer que ces choix obligatoires sont contraignants au sens où ils traduiraient la vision du monde sous-jacente à une langue. Et parce qu'ils peuvent fonctionner comme pure contrainte désémantisée (ainsi *il* dans *il faut*) et surtout parce que leur sens peut être modifié par celui des unités en inventaire libre. Si l'arabe est principalement une langue grammaticalement aspectuelle et le français une langue grammaticalement temporelle, dans les deux langues la relation au temps et la structure interne du processus sont d'abord marquées soit par les implications propres aux verbes (verbes impliquant ou non un achèvement : *apprendre*, *mourir*, ou non *savoir*) ainsi que par les indicateurs lexicaux (*hier*, *à 7 heures*, *longtemps*).

Certes, toute combinaison lexicale précise ou modifie le sens des termes utilisés, de même que toute utilisation situationnelle, y compris dans les énoncés à un seul terme (*papa* ou *viens*). En ce sens, on peut considérer tout message comme comportant une *actualisation* des unités les unes par les autres ou par la situation. Cependant, il apparaît qu'au moins pour une part les unités en inventaire grammatical sont plus particulièrement spécialisées dans le rôle d'actualisateurs, d'embrayeurs, pour reprendre la formule de Jakobson, c'est-à-dire d'outils spécialisés dans le passage du sens potentiel au sens actuel du message. Et, inversement, lorsque des personnes qui se connaissent parlent d'un objet familier (par exemple des parents et des enfants), on comprend qu'elles puissent faire l'économie de ces mécanismes d'actualisation.

On sera alors conduit à distinguer dans la participation au sens du message de ces unités grammaticales :

*a)* leur rôle syntaxique : *je* est sujet, *le* déterminant du nom, *sous* fonctionnel, *dessous* autonome.
*b)* leur système sémantique : *je* s'oppose à *tu*, *le* à *ce*, à *les*, *sous* à *sur*, *dessous* à *dessus*.
*c)* leur rôle sémiologique, c'est-à-dire leur relation globale aux conditions de la communication.

Il faut noter tout d'abord que la réussite ou l'échec sémiologique dépend de facteurs extra-linguistiques. Il ne dépend pas de la seule structure linguistique, mais de l'interaction entre les locuteurs que *la* dans *la femme* renvoie ou non à la même personne. D'autre part, de même que le sens lexical n'est pas forcément prédéterminé, de même il se peut que le *tu* biblique ou militant s'adresse en fait à l'homme en général. Il y a là « métaphore sémiologique » aussi fondamentale que la métaphore sémantique.

Il est difficile de proposer une classification systématique de ces rôles sémiologiques. On peut peut-être, en s'inspirant de la classification par Jakobson des fonctions du langage, noter que par opposition au modèle « cognitiviste » du langage qui serait seulement une façon de « transmettre des informations » sur la réalité, ce fonctionnement sémiologique peut être centré sur la présence même de l'objet dont il est question, sur le texte lui-même, sur l'acte de parole lui-même, sur le contact entre interlocuteurs, enfin sur l'adéquation des termes utilisés à ce qu'on communique.

Certes, le terme d'actualisation est vague, mais il reflète bien le problème posé par la distance entre un code forcément générique (les unités et les procédures linguistiques doivent être réutilisables) et une situation, partiellement répétitive, partiellement spécifique. Dans certains cas le message indéterminé se trouve actualisé par la situation même de communication (ainsi quand on dit *donne-moi à manger*) sans préciser davantage sur le plan conceptuel (s'agit-il de « donner » ou de « vendre » ?... quel genre de nourriture ?).

Dans d'autres cas, ce sera le langage qui apportera les éléments de spécification : *donne-moi à manger tout de suite*, *des pommes*, etc. La syntaxe et le lexique seront donc analysés d'une part dans leurs effets de constitution du message. D'autre part, les analyser dans leur fonction d'actualisation, c'est les analyser sémiologiquement.

*a* / On isolera tout d'abord la fonction d'actualisation corrélative de la relation de détermination : *des chiens* ou *des gros chiens* ont un sens plus précis que *chien*. Corrélativement, ils peuvent aussi (mais ce n'est pas nécessaire) renvoyer à une expérience plus déterminée.

Parmi les outils grammaticaux spécialisés dans l'actualisation du signifié, les quantificateurs (*le*, noms de nombre, *certains, tous*) jouent ici un rôle important (même si la tradition aristotélicienne a outrageusement privilégié la relation d'inclusion parmi toutes les relations possibles).

Outre cette actualisation par détermination qualitative ou quantitative, on aura une actualisation qui consiste à replacer l'objet du discours dans le champ de l'expérience, primordialement dans l'espace et le temps (en notant que la majorité des relations marquées par des autonomes ou des fonctionnels apporte de telles déterminations). Mais si l'on tient compte du fait qu'il ne s'agit pas d'une description du réel à la mode du physicien, mais d'une pratique humaine, il n'est pas étonnant que parmi les déterminations actualisantes les plus fréquentes, marquées grammaticalement, on trouve celles qui renvoient aux personnes (relation dite de possession : *mon, notre*) ou à la mise en relation d'une action et d'une autre action ou d'un projet *(pour)*.

*b* / A cette actualisation par détermination s'opposera celle qui fonctionne par renvoi à l'expérience : *shifters*, soit simples, équivalents au geste *ce, ici*, soit amalgamés à une détermination *hier*.

*c* / L'actualisation peut se faire par anaphore ou par renvoi à ce qui va être dit. En se limitant ici à ce qui est fortement codé grammaticalement, il semble qu'on ait deux grands groupes d'unités : d'une part les anaphoriques (le plus souvent un déictique peut être utilisé comme anaphorique) *j'ai vu un garçon... ce garçon* ou *il*. D'autre part les connecteurs de phrases, indéterminés : *et puis, et alors...*, ou déterminés *mais*.

*d* / Le renvoi à l'acte de parole peut se faire par des *shifters* spécialisés, avant tout les personnels : *je, tu...* Mais la relation du discours à son énonciation peut aussi se marquer par des moyens lexicaux. Ainsi dans le cas des termes modaux : *je crois que, il me semble que, je t'affirme que, à mon avis, mais...* C'est une des caractéristiques centrales de la langue que de pouvoir y manifester cette relation du processus d'énonciation à l'énoncé (ce qui ne signifie pas qu'il y a plus de « subjectivité » dans un discours qui utilise ces marques que dans un discours qui ne les utilise pas).

*e* / Ce « champ de l'énonciation » ne porte pas seulement sur la relation « qui parle à qui », mais aussi « qui parle de quoi », manifestée linguistiquement sous forme de thème-propos. Mais, de même qu'il faut bien que quelqu'un parle, mais que ce n'est pas forcément marqué dans le message, de même la relation thème-propos ne coïncide pas forcément avec les procédures grammaticalisées de son expression. Ainsi dans *Tu connais ce type ? Ce type, je ne le connais pas*, il y a bien thématisation, mais les formules nom + *il* ou *le* peuvent être aussi des automatismes de codage. De la même façon, la nominalisation des verbes ou leur reprise par *que (ton arrivée, que tu sois arrivé me fait plaisir)* peuvent être une procédure de thématisation du propos précédent. Mais la seule anaphore peut y suffire : *quand t'es venu, ça m'a fait plaisir.* Ces changements de rôle sont ici la règle : de même que les outils de dialogue changent de statut dans le monologue. Dans le dialogue *mais* est un moyen de coder la réalité en s'opposant à autrui, dans le monologue ce peut être un moyen de désarmer une objection potentielle.

*f* / En principe, les modalités du contact sont plutôt des « phrasillons », *hein,* ou des expressions figées, *tu vois, d'accord.* Mais l'ensemble des mécanismes qui font que l'usage d'un sous-code est une façon de manifester son appartenance à un groupe sont d'une certaine façon des mécanismes de connivence de ce type.

*g* / Il semble qu'on n'ait pas toujours noté que la fonction métalinguistique et la fonction de paraphrase ne se manifestent pas seulement dans les textes qui sont explicitement des traductions, des explications. Aussi bien des termes de subjectivation du discours, de modalisation : *peut-être, à peu près, presque,* des quantificateurs : *tout à fait, absolument,* peuvent fonctionner comme moyen d'indiquer l'adéquation ou le contraste de la forme linguistique utilisée et du réel visé : *c'est un parfait imbécile, c'est un drôle de cheval, c'est un extraordinaire imbécile.*

Ces relations ne sont pas forcément fortement codées : d'où des analyses trompeuses, ainsi quand on veut toujours trouver dans un discours un thème et un propos ou quand on veut toujours faire coïncider cette relation avec la relation syntaxique sujet-prédicat. D'autre part (on y reviendra dans le chapitre consacré aux textes), la relation entre ces niveaux de codage n'est pas une caractéristique de « la langue ». Elle sera complètement différente dans le discours pratique, la discussion, le discours religieux ou le poème lyrique. Mais il est certain que c'est de ne pas avoir voulu prendre en compte la diversité de ces relations pour ne considérer que « la syntaxe » et « le lexique » qui a souvent fait que l'analyse linguistique a manqué les caractéristiques spécifiques de la mise en mots.

## *E - LA MANIFESTATION DU SIGNIFIÉ LEXICAL DANS L'ÉNONCÉ*

Si l'on emploie cette formule et non tout simplement « la sémantique », c'est tout d'abord qu'il y a des manifestations référentielles du sens par le geste, le corps, d'autres signes. D'autre part, que ce sens peut se manifester au-delà du seul énoncé dans le texte. Enfin, que nous ne pensons pas qu'une paraphrase épuise le sens d'une unité : elle sera seulement suffisante pour tel interlocuteur (adulte par exemple, appartenant à la même sous-communauté que nous) afin de lui permettre d'être à son tour capable d'identifier sa signification ou d'en donner à son tour une explication.

On peut essayer de classer ces pratiques de monstration du sens :

*a* / Comme on l'a vu, les relations ne sont pas en elles-mêmes paradigmatiques ou syntagmatiques. En effet, si la « définition » est possible c'est que le paradigme peut être projeté sur le syntagme : *lourd c'est pas léger*. D'autre part, le même rapport sémantique peut être marqué, comme on l'a vu, par des relations grammaticales différentes : *une pomme c'est un aliment*, *une pomme c'est pour manger*. Constatons seulement que, pour certains mots, une majorité de sujets préférera en expliciter le sens par un terme de la même catégorie, quel que soit le signifié de la relation entre ces termes (équivalence partielle : *briser c'est casser*, inclusion : *un chien c'est un animal*, exemple : *un animal c'est un chien*, opposition : *chaud c'est pas froid*). Dans d'autres cas, les sujets préféreront renvoyer à un terme d'une autre catégorie grammaticale. Ainsi lorsqu'un adjectif sera renvoyé au nom typique qu'il détermine *jaune c'est le soleil*, *c'est un œuf* ou un verbe, soit à son agent préférentiel : *meugler c'est la vache qui meugle*, soit à son objet préférentiel : *conduire c'est conduire une voiture*. Enfin, une définition pourra combiner relation homo et hétérofonctionnelle : *un serpent c'est un animal qui rampe*.

*b* / Certaines de ces structures sémantiques seront fortement précodées, d'autres non. Cette opposition étant évidemment affaire de degré. On constate que dans certains cas la grande majorité des sujets feront appel à la même détermination, dans d'autres cas non. Ainsi la grande majorité des objets fabriqués seront définis par leur fonction (quelle que soit la forme que prendra cette définition) :

*le marteau c'est un outil :*
*c'est pour enfoncer les clous*
*c'est un outil pour enfoncer les clous.*

De même que le plombier sera défini primordialement par les opérations qu'il fait. De ce point de vue, on peut distinguer les sens « premier » d'une unité hors contexte et d'autres sens qui ne seront pas attribués à une unité indépendamment d'un contexte plus particulier. *Table* utilisé seul renvoie le plus souvent à un meuble, *saucisson* à un aliment. Il faut un contexte particulier pour que *table* renvoie à *table de logarithmes* et *saucisson* à un *chien.*

Certains liens d'inclusion seront fortement codés *(chien → animal)* d'autres non *(éponge → animal)*; de même certains liens d'opposition *(petit-grand)* d'autres moins (*admirable* n'a pas d'opposé spécifique). De même pour certaines actions corrélatives *(acheter-vendre)*. Mais *regarder* n'aura pas forcément d'opposé spécifique. Bien entendu ces systèmes fortement précodés varieront à l'intérieur d'une même communauté. Les luttes idéologiques comportent, entre autres, la capacité de modifier ces systèmes préférentiels :

*charité → vertu*
*→ maintien de l'ordre établi*
*socialisme → tyrannie*
*→ liberté...*

*c* / Ces systèmes peuvent être *récurrents* ou *spécifiques*. On entend ici par systèmes récurrents ceux qui introduisent des rapports identiques entre différentes unités. Ces rapports récurrents se manifestent tout d'abord au niveau de la combinatoire grammaticale.

Un grand nombre de langues du monde opposent par exemple de la même façon singulier et pluriel et cela sous diverses formes :

$$\frac{\text{le}}{\text{les}} = \frac{\text{un}}{\text{des}} = \frac{\text{ce}}{\text{ces}} = \frac{\text{mon}}{\text{mes}}.$$

C'est de la même façon qu'on rencontre des rapports réguliers marqués sur le plan de la dérivation et de la composition :

$$\frac{\text{faire}}{\text{défaire}} = \frac{\text{friser}}{\text{défriser}}$$

(même si souvent ce rapport formel de dérivation s'accompagne d'une spécificité sémantique d'un des termes : *démettre* est très spécifique par rapport à *mettre, dérider* par rapport à *rider*...).

C'est cette régularité partielle qui explique en partie la relative rapidité de l'acquisition des systèmes lexicaux par l'enfant et en particulier le fait que différents observateurs aient pu rencontrer chez des enfants différents les mêmes « créations », correspondant à la fois à l'unité du processus disponible et à l'urgence de l'expression d'une certaine relation :

$$\frac{\text{faire}}{\text{défaire}} \rightarrow \frac{\text{fabriquer}}{\text{défabriquer}}$$

Enfin, ces rapports récurrents peuvent être reconnus même lorsqu'une donnée formelle ne sert pas à les manifester :

$$\frac{\text{cheval}}{\text{jument}} = \frac{\text{coq}}{\text{poule}}$$

ou bien lorsqu'il s'agit d'une équivalence entre lexèmes et syntagmes : *grandir*, *grossir*, *devenir obèse*.

En revanche, la relation d'*obèse* par rapport à *gros* est relativement spécifique même si elle est approximativement égale à celle qui relie *maigre* à *mince* : applicable à l'homme et à certains animaux, sans doute surtout des mammifères (une *fourmi maigre* ?), impliquant un élément pathologique ou en tout cas péjoratif.

Dans d'autres cas, il est manifeste que le champ lexical obéit strictement à des contraintes référentielles : qu'il y ait des cigares, des cigarettes, du tabac à pipe, à priser et à chiquer n'obéit pas à un principe de structuration du codage humain, mais résulte directement de pratiques extra-linguistiques.

*d* / A la distinction sur le plan des formes entre séries fermées et séries ouvertes (grammaire et lexique) correspond la distinction entre inventaire sémantiquement clos *(je, tu, il)* et ensembles ouverts : la série des prénoms comme désignateurs de personnes ou la série des noms d'habits ou de meubles (ce qui ne signifie pas qu'on ne puisse pas trouver dans la série ouverte sur le plan syntaxique des noms et des verbes des sous-ensembles sémantiquement fermés).

La question qui se pose est de savoir si on peut établir une liste systématique des types de relations sémantiques. La réponse est difficile à donner : d'une part, il y a bien des structures récurrentes. Mais, d'autre part, l'inventaire de ces structures récurrentes ne saurait être déductif. Ainsi la tradition aristotélicienne préoccupée avant tout par le problème de la démonstration a privilégié les relations d'inclusion. Mais d'autres séries, corrélatives de l'organisation de la pratique humaine, sont tout aussi importantes : ainsi la relation de partie à tout. Surtout rien n'oblige à penser que des caractéristiques externes (relation de lieu, de temps, de causalité) sont moins fondamentales que des relations de type « conceptuel ».

En se donnant un fil conducteur lié à la forme linguistique, on a tout d'abord des relations qui se regroupent autour de la relation *a est, a n'est pas b* : *horrible = effroyable*, d'inclusion ou d'exemplification *un chien c'est un animal, un fruit c'est une pomme.* On peut également avoir des relations de quasi-synonymie + détermination (ce qui n'est pas exactement semblable à un rapport d'inclusion) : *courir c'est marcher très vite.*

Dans d'autres cas la relation sera d'opposition, de division d'un genre commun, soit d'opposition en inventaire fermé, à deux termes : *bon c'est le contraire de méchant*, soit à un plus grand nombre de termes : *chaud, tempéré, froid.*

L'opposition pourra également être entre un nombre ouvert de termes : *brûlant, très chaud, chaud, tiède, froid, glacé...* en notant que les séries en inventaire limité sont aussi les séries généralement les plus contraignantes. Apparentées aux relations d'opposition mais ne pouvant s'y réduire, on rencontrera également des relations spécifiques d'actions corrélatives : *acheter-vendre, donner-recevoir.* Il faut rappeler encore une fois que les relations de ce type ne sont pas forcément marquées par l'utilisation de termes appartenant à la même catégorie syntaxique et réciproquement que l'appartenance à la même catégorie syntaxique ne garantit pas l'appartenance à une même série sémantique. Néanmoins, on peut considérer qu'il y a là un pôle de coappartenance (intensité, inclusion) souvent marqué par une relation monofonctionnelle.

On peut à l'autre extrémité considérer qu'il y a un pôle de relations hétérogènes souvent marqué par les relations syntaxiques hétérofonctionnelles :

Relation déterminant-déterminé ou l'inverse : *une grenouille c'est vert* ou *vert c'est la couleur de la grenouille.*

Relation d'action à agent, patient ou bénéficiaire : *soigner c'est ce que fait le médecin, manger c'est ce qu'on fait avec les bonbons...* (en notant que chacune de ces relations peuvent être prises dans l'autre sens).

Relations de finalité : *un fauteuil c'est pour s'asseoir* (même si en langage plus savant on rendra cette relation sous forme homofonctionnelle : *un fauteuil c'est un siège*).

Enfin, il y a l'ensemble des relations de localisation dans l'expérience : en particulier relations spatio-temporelles, en notant que ces relations syntaxiquement extrinsèques ne le sont pas forcément du point de vue sémantique : il est difficile de ne pas préciser que le chapeau se met sur la tête ou les chaussures aux pieds, que l'anthropopithèque n'existe plus...

On a présenté intentionnellement ces relations dans un relatif désordre. C'est intentionnel, car il n'y a pas une liste finie des rapports sémantiques possibles. Mais davantage, on voudrait rappeler que ces relations sémantiques n'épuisent pas le sens des termes, qu'elles sont variables ou plutôt que le mouvement fait partie de leur nature même. C'est-à-dire que même s'il existe, comme on vient de le rappeler, des systèmes de relations récurrentes, cela n'implique pas que l'on puisse se livrer à une analyse hiérarchique des systèmes de traits constituant une science fermée qu'on pourrait appeler « la sémantique ».

Ainsi lorsqu'on examine un système spécifique comme le lexique de l'habitation[1], on notera qu'on peut bien isoler certains sous-systèmes récurrents, corrélatifs de la récurrence de pratiques humaines :

Habitation des animaux / habitation des hommes : *aire*, *aquarium*, *bauge*.
Habitation des morts / des vivants : *caveau*, *hypogée*, *mastaba*...
Non construit / construit : *grotte*, *abri*.

Mais par ailleurs il faut tenir compte d'autres aspects :

*a)* les déplacements figés : *c'est un vrai cercueil* (appliqué à une maison);
*b)* le fait que tous les traits ne sont pas déterminés : *l'abri* n'est pas forcément construit, pas forcément non construit;
*c)* les transgressions toujours possibles : une termitière c'est « la maison des termites »;
*d)* les déterminations valorisantes qui, liées aux rapports humains, peuvent être tout aussi fondamentales : *piaule*, *taudis*, *bauge*...;
*e)* de plus, n'importe quel mot peut servir à dénommer une maison : *mon désir*;
*f)* les déterminations géographiques *(igloo, mas, chalet)* peuvent être tout aussi fondamentales que de prétendus sèmes binaires;
*g)* enfin, les termes qui reflètent la variété des pratiques sociales : *monastère*, *prison*, *église*, *temple*...

En somme, un lexique ne constitue pas une totalité homogène, réductible à un système discret de traits précodés. Certes, la possibilité de la paraphrase est corrélative de la mise en évidence de régularités signifiées. Mais vouloir réduire toute la signification à un tel système d'analyse en traits, c'est ne pas voir que la langue ne préexiste pas à ses utilisations, à ses capacités de modification. Surtout, qu'elle peut fonctionner selon des modes qualitativement différents.

C'est sur le statut de ces traits génériques qu'on voudrait revenir. Nous voudrions remarquer :

— qu'ils ne constituent pas un système structuré;
— qu'ils laissent en dehors d'eux la majeure partie de la signification;
— que même lorsqu'ils sont déterminables, ils restent modifiables;
— qu'il est donc illusoire de vouloir constituer une liste finie et homogène de cas censés être sous-jacents à la pensée humaine et surtout de vouloir en faire l'élément fondamental de l'analyse du message.

1. Cf. Georges Mounin, La structuration du lexique de l'habitation, *Cahiers de Lexicologie* n° 6, 1, 1965, repris in *Clefs pour la sémantique*, Paris, 1972, 268 p.

## 1. Organisation signifiée et analyse en traits

On constate donc qu'un certain nombre de relations sémantiques sont récurrentes. Ainsi aura-t-on plus fréquemment :

| | | |
|---|---|---|
| *le chien* | | *la balle* |
| *le chat* | *a mordu* | *la jambe* |
| *le tigre* | | *la gorge* |

que l'inverse.

Et, en généralisant, un grand nombre de verbes *(regarder, désirer, déplacer...)* auront plus facilement un sujet « animé » et un objet « inanimé » que l'inverse. De même peut-on noter qu'en anglais la dichotomie sémantique nombrable/non nombrable se manifeste pour les non-nombrables par la possibilité d'être utilisés sans article au singulier : *butter* ou *virtue* mais *a boy* ou *the table.* De même qu'on aura plus facilement en français *du beurre* et *du pain* que *du* + nom d'homme (l'usage n'étant pas de couper les hommes en morceaux).

Sauf pratique technologique, scientifique ou normative explicite, de tels traits ne relèvent pas du « fortement codé ». Ni sur le plan de la compréhension, de la définition de ce qu'il faut entendre par animé, ni sur celui de l'extension, de la liste des êtres auxquels une telle qualité serait attribuée, le code ne nous oblige à des décisions discrètes : « Animé » implique-t-il « capable de penser » et qu'est-ce que ce terme signifie ? On peut discuter de la valeur scientifique d'énoncés comme *le chien a fait exprès de casser l'assiette* ou *le chat réfléchit à ce qu'il va faire*, reste qu'il n'y a pas un ensemble déterminé des êtres auxquels l'intentionnalité est ou n'est pas attribuable, mais plutôt, comme dans les cas précédents, des bons exemples à qui on attribuera sans question la capacité de réfléchir, d'autres à qui on la refusera sans difficulté (objets fabriqués). D'autres enfin pour lesquels on hésitera (nourrissons, mammifères supérieurs, animaux domestiques).

De plus, les « traits » en question ne sont pas strictement ordonnés; l'enfant ou l'adulte qui range ensemble des « animés » n'a pas besoin pour cela de savoir quels sont les liens entre alimentation, motricité, reproduction, comportement intentionnel, structure moléculaire... C'est bien pourquoi, *a contrario*, on ne peut fabriquer un énoncé absolument dénué de sens. Dire *la montagne réfléchit* et *la lampe pense* aboutira en règle générale à modifier sans difficulté le sens d'un des termes ou des deux.

Déjà, sur le seul plan de l'acceptabilité formelle, l'usage d'utiliser des astérisques pour caractériser des énoncés comme déviants est discutable. Ou bien, en effet, il s'agit des règles de la combinatoire. Et là, on acceptera sans peine que la structure verbe + objet sans sujet ne corresponde pas à l'organisation de la langue française. Ou bien, il s'agit des possibilités combinatoires de tel ou tel lexème. Et là, il faut reconnaître d'une part que la variabilité dialectale est grande. D'autre part, que s'occuper de l'acceptabilité d'énoncés comme *le poisson rigole* ou *je pense donc je suis* sans déterminer leur contexte est une tentative dénuée de sens. Il en est de même si on se demande combien de sens différents une même expression peut recevoir. Tout message à des degrés divers dépendant de ses conditions de fonctionnement pour signifier, il est absurde de considérer comme ambigu un message qui pourrait être paraphrasé de façons différentes. Ainsi G. Lakoff[1] appelle ambigu l'énoncé *l'archéologue a découvert neuf tablettes*, parce qu'il peut signifier qu'il les a découvertes ensemble ou séparément. A ce compte-là, on ne voit pas comment on pourrait trouver un exemple d'énoncé non ambigu.

Certes, il existe une « logique naturelle » ou plutôt des implications lexicales qui feront que : « il est tombé et il s'est fait mal » ne pose pas de problèmes d'interprétation et que « il est tombé mais il s'est fait mal » en pose. Mais, on passe continûment de ce qui n'exige pas d'interprétation à ce qui en exige. D'autant qu'un sous-code pourra toujours spécifier des règles particulières de combinaison. Ce n'est pas l'examen de « la langue » qui nous permet de décider si « la matière pense » est compréhensible ou pas ou s'il faut préférer : « la démocratie exige le socialisme » ou « démocratie et socialisme sont incompatibles ».

Plutôt que d'imaginer une théorie des mondes possibles ou du sens en général, il nous semble nécessaire de distinguer ce qui dans un message relève du code commun ou de codes spécifiques, du précodé ou du néo-codage, de codages lâches ou stricts.

## 2. Analyse en traits et pratique linguistique

Il n'est pas question de nier que le sens d'un message ou d'un terme puisse être paraphrasé, donc analysé, et que cette explication aboutisse dans un certain nombre de cas à isoler des caractéristiques générales récurrentes : ainsi « qualité », « chose », « animal » font partie de la métalangue courante. Mais il est question de se demander si toute signification ou l'essentiel de la signification peut être analysé sur ce modèle, d'autre part, dans les cas où elle s'applique, quel est le « statut cognitif » de cette hiérarchie de traits génériques.

On emprunte un premier exemple à l'ouvrage *Sémantics*[2] de Geoffrey Leech, non pour le plaisir de critiquer, mais parce que sa démarche nous semble caractéristique d'un certain courant structuraliste. L'ouvrage commence par rappeler la diversité des sens du terme signification. Il les divise en trois grands groupes :

1. Sens conceptuel (celui qui s'analyse en traits discrets et stables).
2. Sens associatif divisé à son tour en :

— connotatif (dépendant de l'objet et non du mot) ;
— stylistique (au sens d'individuation d'un sous-code : l'émetteur apparaît par l'utilisation d'un mot comme rural, citadin, cultivé, ignare) ;
— affectif (caractérisant les sentiments de l'émetteur) ;
— réfléchi, lorsque le sens d'un terme est contaminé par celui qu'il y a dans d'autres contextes : ainsi lorsque l'*érection* d'un monument nous fait passer à un autre univers de référence ;
— collocatif, lorsqu'un terme se trouve caractérisé par ceux auxquels il est le plus fréquemment associé.

1. George LAKOFF, *Linguistique et logique naturelle*, trad. franç., Paris, Klincksieck, 1976, 138 p.
2. Geoffrey LEECH, *Semantics*, Pelican Books, 1974, 386 p.

3. Thématique enfin, en fonction de la mise en relief de l'aspect asserté explicitement ou présupposé.

Ce qui est frappant c'est que dans la suite de l'ouvrage seul le sens « conceptuel » est analysé, sans que la relation de ce sens « conceptuel » aux autres aspects du sens soit jamais prise en compte, sans d'autre part que le fait que ce sens conceptuel soit constitué d'un ensemble discret et stable de traits soit jamais discuté.

Certes, à partir de l'exemple qu'il donne lui-même : *femme* = + *humain* — *mâle* + *adulte*, il note (p. 14) que d'autres caractères de « femme » peuvent être pris en compte : « Il y a une multitude de propriétés additionnelles, non déterminantes *(criterial)*, dont nous avons appris à attendre qu'un référent de femme devait les posséder. Ils comprennent non seulement des caractères physiques : *bipède*, *ayant un utérus*, mais aussi des propriétés psychologiques et sociales : *grégaire*, *sujet à l'instinct maternel*, et peut s'étendre à des traits qui sont plutôt typiques que des concomitants invariables de la féminité : *capable de parler*, *sachant faire la cuisine*, *portant une jupe ou une robe*. Leech ajoute que font partie du sens de *femme* des propriétés putatives et variables « irrationnelle, inconstante » ou « sensible », « ne portant pas de pantalon ». La question n'est pas de l'appréciation que l'on peut porter sur l'humour britannique de l'auteur, ni sur le sens que l'on doit donner à *femme* mais sur la valeur qu'il y a à faire de ce sens baptisé conceptuel l'élément central d'une analyse linguistique. Or, il nous semble qu'une telle analyse en traits binaires est en un sens triviale, mais surtout fictive et discutable. Triviale : personne ne nie que *femme* ne puisse être caractérisé comme ci-dessus. Mais discutable, car chacun des traits en question peut être transgressé dans le discours : les traits conçus comme temporaires ne s'ajoutant pas seulement aux traits conçus comme stables mais les modifiant. *La femme est plus courageuse que l'homme* peut s'appliquer aussi aux petites filles, un comportement féminin être attribué à une chatte. De même, dire qu'une femme est un vrai homme ou qu'un homme est une vraie femme n'est pas faire allusion à la matérialité de leurs organes sexuels.

Ajoutons que c'est faire bien de l'honneur à ce paquet de traits de les appeler sens conceptuel. Disons plutôt que si c'est cela la signification « proprement linguistique », c'est du même coup ce qu'il y a de moins important, que cela d'autre part ne relève pas d'une méthodologie scientifique d'analyse : l'étude de quels corpus nous prouve que ce sont vraiment ces aspects-là qui caractérisent la structuration linguistique « elle-même » ?

## 3. Catégories sémantiques, transitions et transgressions

On empruntera ici un certain nombre d'exemples à l'ouvrage de Bernard Pottier, *Linguistique générale, théorie et description*[1], qui constitue une tentative de classement des catégories sous-jacentes à l'organisation sémantique. Certes, les grandes lignes de la classification ne posent pas problème, dans la mesure même où elles sont

1. Bernard Pottier, *Linguistique générale, théorie et description*, Paris, Klincksieck, 1974, 338 p.

récurrentes. Mais les classifications ne doivent pas faire oublier le rôle des transgressions. Les traits sont des opposés polaires, non des concepts déterminés. Un procès continué n'est pas forcément différent d'un état : *il n'arrête pas de pleuvoir, il pleut sans arrêt, il fait extrêmement pluvieux* (où, dans le semi-figement de la combinatoire lexicale, c'est le verbe *faire* qui est le plus proche de l'indication d'un état).

Bien davantage dans les sous-classifications. Est-il nécessaire de distinguer un équatif : *Paris est la capitale de la France* ou *le chat est un animal*, et le descriptif type adjectival : *Jean est menteur...* ? Il nous semble que là encore la nature des choses ne nous impose pas une liste de catégories stable : *le blé est un aliment, est pour manger, est bon à manger*. De même, il est vrai que, empiriquement, le crayon est matériel, l'espoir non matériel. Mais on risque de faire croire que phénomènes physiques ou mentaux constituent deux univers réellement différents et que cela est inscrit dans la nature du langage. Or, on peut coordonner *ce livre est très intéressant mais trop gros* ou *trop cher*. Ou bien :

*Il a peur. Ça se voit*
*Il a peur. Ça ne se voit pas*

Ce critère de la coordination met en évidence que des caractérisations comme : *spatial-non spatial* ne constituent nullement une dichotomie obligatoire de base sous-jacente au maniement du langage, que le primat qui lui est accordé relève d'un recodage idéologique assurément fort répandu dans beaucoup de civilisations, entre autre chrétiennes, mais pas plus que la colère ou la joie ne sont forcément états d'âme ou mouvements pas plus le codage linguistique que nous en faisons ne nous oblige à appliquer une telle dichotomie.

De telles remarques ne signifient pas seulement qu'il n'est pas vrai que la binarisation-discrétion serait la règle et la transgression l'exception. Il faut aussi constater que le développement du structuralisme s'est accompagné d'une valorisation non fondée du nombre 2. On sait que même dans le cas favorable de la phonologie on doit distinguer les cas où les oppositions sont effectivement binaires (sourdes-sonores) et les cas où on peut présenter un système binaire sans que ce soit un codage nécessaire (degrés d'aperture ou séries de points d'articulation). Surtout, la binarisation éventuelle ne constitue pas le tout de l'analyse, d'autant que chaque trait phonologique est réalisé par un faisceau de traits phonétiques, réalisations centrales ou périphériques.

Sur le plan des unités significatives, la binarisation est encore moins une caractéristique fondamentale du système. Et parce que d'autres aspects de la signification sont aussi fondamentaux : séries lexicales ou exemples prototypiques. Et parce que la binarisation est une réalité seulement potentielle de la communication : le réel peut être dichotomisé en présent-absent, bien-mal, mais l'interlocuteur peut refuser cette dichotomie, dire que le problème ne se pose pas ainsi. Sans parler de la tradition philosophique de la discussion sur la signification même des oppositions binaires : bien et mal, vrai et faux constituent-ils une opposition équipollente entre termes également positifs ou une opposition privative entre une réalité et son absence ? Est-il besoin de le dire, ce n'est pas l'analyse de la structure linguistique qui permet de résoudre, si cela est possible, de tels problèmes. Ou plutôt il y a une relative neutralité de la langue par rapport aux sous-codes qui peuvent s'y structurer.

Corrélativement, la réalité du maniement linguistique se caractérise par une organisation plus complexe que les systèmes qui sont censés l'exprimer. Cette complexité apparaît particulièrement nettement dans l'article de Sapir[1] consacré à la gradation. Sapir y montre qu'il ne s'agit pas là d'un problème particulier, lié par exemple aux seules unités comportant le signifié de degré *(chaud* et *froid)*. Aussi bien *maison* que *rouge* que *courir* comportent la quantification : ainsi telle maison est tellement plus petite que telle autre qu'elle doit être reléguée au rang de « jouet » ou de « cabane ». On ne peut donc dire : « C'est dans l'expérience qu'il y a du continu, du variable. Sur le plan linguistique, conceptuel ou « du signifié », la différence est absolue entre *maison* et *non-maison.* » Au contraire, la discrétion concerne le signifiant lexical isolé, non le signifié ni la combinaison des signes. Chacun comprend l'énoncé : *c'est presque un maison.*

De même Sapir essaye d'analyser les amalgames sémantiques qui font que par exemple dire *a est moins stupide que b* implique que *a est encore stupide* alors que *mon stylo est meilleur que le vôtre* n'implique pas qu'on ne puisse dire : *mon stylo est très mauvais.*

De la même façon on doit constater avec R. Blanché[2] d'une part que le lexique ne code pas seulement des opposés contraires ou contradictoires, positifs ou négatifs, mais aussi des termes « couvrants », *décidé* signifiant à la fois *accepté* ou *exclu* et inversement *quelquefois* englobant *souvent* et *rarement.* Surtout que ces modèles oppositionnels se combinent ou se confrontent à des modèles différents. Il ne s'agit plus alors d'oppositions binaires, mais de gradations où *inoffensif* n'est plus le contradictoire de *nocif*, mais où les termes se rangent dans une série de degrés *excellent, bienfaisant, peu actif, inoffensif, inefficace.* Ce à quoi on doit ajouter deux remarques. D'une part que dans la plupart des cas le système oppositionnel n'est pas présent dans le discours : quand nous disons *c'est froid* nous ne précisons pas si le système est à deux, trois ou *n* termes. D'autre part que nous ne parlons pas avec des lexèmes isolés et que le système effectif est au contraire plus complexe.

Le problème de la mise en mots ne se pose en effet pas tant parce qu'il s'agit de savoir quel codage lexical s'applique à la réalité, mais quel codage combiné s'y applique. Un médicament n'est pas seulement *efficace* ou *inefficace*, mais *très efficace, mais dangereux* ou *mais cher* ou inversement *mais sécurisant pour le malade*[3].

Les définitions de dictionnaire sont une nécessité pédagogique; il serait trompeur d'y chercher la manifestation du fonctionnement sémantique effectif des messages.

1. Edward Sapir, La gradation, trad. franç., in *Linguistique*, Paris, Ed. de Minuit, 1968, 290 p.
2. Robert Blanché, *Structures intellectuelles*, Paris, Vrin, 1966, 148 p.
3. Ce qui explique que, quand on demande à des sujets de porter des jugements d'acceptabilité sur des phrases du type : « il est bête ou intelligent », « il n'est ni bête ni intelligent », « il est bête et intelligent », on puisse trouver des majorités, pas des unanimités. De telles phrases relèvent du recodage *in situ*, non de structures précodées. Sur ce point F. François, Coordination, négation et types d'oppositions significatives, in *Journal de Psychologie normale et pathologique*, n° 1-2, janvier-juin 1976. C'est sous forme de critique de Chomsky que se sont développées aux Etats-Unis les écoles dites de sémantique générative, qui cherchent à trouver, sous-jacents aux messages, un certain nombre discret de cas sémantiques. Cf. par exemple J. Fillmore, The case for case, in *Universals in Linguistic Theory*, Bach and Harms ed., Holt, Rinehart & Winston, 1970, 210 p.

## 4. Universaux sémantiques et cas

C'est un des mérites de la pensée chomskyenne d'avoir reposé le problème des universaux au-delà d'un mot d'ordre de prudence empiriste. Mais il a été posé avec de tels présupposés que la recherche en a été obscurcie.

Le premier présupposé souvent à l'œuvre a été : universel = inné. Sophisme manifeste : que chaque société humaine comporte des tabous et des tabous portant généralement sur les mêmes ordres de phénomènes : la mort et la violence, le sexe et les relations familiales, les objets et leur « possession » signifie seulement que toute société suppose des règles et que ce sont là les principaux domaines où les rapports des hommes entre eux doivent être réglés. De la même façon ni les universaux formels de la langue ni ses universaux matériels n'ont de raison d'être innés. Les universaux formels sont ceux qui sont liés justement à l'utilisation des signes : toute langue comporte des possibilités de variation du signifié selon les contextes, toute langue comporte un rapport de détermination, toute langue comporte la possibilité d'avoir des rapports plus ou moins strictement codés. Ce qui dépend de la nature des pratiques sociales linguistiques, non d'un préalable de l'esprit humain. De la même façon, il est bien vrai que certains contrastes de base sont sous-jacents à l'utilisation du langage. Toute langue comporte des oppositions binaires ou plutôt binarisables : *ici-là-bas*, *bon-méchant*, qui renvoient à la nature binaire de la pratique (et non de la réalité elle-même). De la même façon, qu'elle comporte ou non sur le plan précodé une opposition noms-verbes-adjectifs, toute langue sera amenée à distinguer des dénominations d'êtres relativement stables : « objets », de processus, de qualités ou de relations entre ces processus. Cela correspond bien à ce qu'on pourrait appeler le niveau de la pratique humaine quotidienne (non celui de la physique atomique). Bien évidemment, la distinction d'une substance et de ses propriétés ne renvoie pas plus que la binarité ni à une nécessité de toute pensée ni à une caractéristique des « choses elles-mêmes » mais à un certain niveau de codage pratique, lié à la polysensorialité de la perception humaine de l'objet, d'autre part à la possibilité de modifier cet objet ou de le reconnaître malgré la variation de ses formes.

Le second présupposé pourrait être formulé « universel = important ». Qu'il y ait une opposition substance-procès sous-jacente au sémantisme de phrases du type *Pierre mange le canard* n'est pas plus important que la possibilité de dire *la vapeur se dégage*, énoncé où *la vapeur* n'a pas la stabilité que nous attribuons d'ordinaire aux choses et où le fait de se dégager n'est pas différent de celui d'exister en tant que vapeur. Que l'on compare *il est vrai que*, *c'est vrai que*, *la vérité est que*, *il se vérifie que* : on aura bien des différences de sous-codes plus ou moins nobles, des facilités ou des difficultés combinatoires introduites par chacune de ces formules, non une différence substance-procès-qualité sous-jacente à l'utilisation de noms, de verbes ou d'adjectifs. Cette différence sera ici « textuellement neutralisée ».

La recherche d'universaux liés soit à ce que les hommes ont en commun à se dire soit à la structure du moyen de communication est donc légitime. Elle n'a pas *a priori* plus d'importance que l'étude de la spécificité de telle langue ou de tel sous-code.

Le problème des universaux matériels (coder le corps, la nourriture, les phénomènes météorologiques...) a déjà été évoqué plus haut.

Mais qu'il s'agisse du lexique transmis ou des pratiques de « recodage », on ne peut séparer la nécessité d'exprimer par exemple des relations temporelles, spatiales, causales des formes spécifiques que prennent ces expressions, par exemple dans le contraste entre l'espace familier : *à la maison*, *dans la rue*, et l'espace géographique nommé ou l'espace quantifié. Surtout, ces déterminations sont en rapport métaphorique perpétuel : *à la maison*, *à l'école* signifient pour l'enfant un lieu aussi bien qu'un temps ou qu'un type d'activité de même que pour l'adulte *au boulot* ou *chez moi*.

D'où la difficulté à manier la notion de cas sémantique profond. Cette recherche des cas est partie d'une constatation bien connue. Les fonctions syntaxiques les plus générales (comme sujet et objet dans nos langues) sont sémantiquement indéterminées : le sujet peut être agent, patient, lieu du processus... Mais ce qu'on ne nous dit pas c'est d'où provient la croyance selon laquelle cette diversité doit se ramener à un nombre discret de cas sémantiques. Il semble préférable de noter qu'il y a adaptation réciproque du sens syntaxique et du sens lexical, sans que les locuteurs aient à décider si, dans *Pierre pense*, *Pierre* doit être l'agent, le lieu du processus ou son possesseur (cf. *mon opinion est que*). D'où les variations des listes de cas qui nous sont proposées.

Les descriptions diachroniques rencontrent les mêmes difficultés ou plutôt construisent de la même façon des objets fictifs quand elles veulent compter les sens d'un cas ou d'une préposition.

On emprunte ici deux exemples à Emile Benveniste[1]. C'est à partir de la pratique du dictionnaire que l'on peut s'étonner par exemple qu'une préposition indiquant une relation spatiale, *prae*, qu'on traduit « devant », puisse aussi être traduite comme exprimant une relation causale. En fait, il n'y a pas là deux « cas profonds », une relation spatiale et une relation causale, mais une utilisation spécifique de *prae* dans certains contextes, le sens causal n'étant pas « dans » l'unité mais impliqué par un sous-groupe des unités avec lesquelles elle se combine. *Prae* causal a toujours pour complément un terme de sentiment, ce terme affecte toujours le sujet. En fait, il s'agit toujours de signifier « à l'avance », « à la pointe », « à l'extrême d'un sentiment » : *prae laetitia lacrimae prosiliunt mihi*, « à l'extrême de ma joie mes larmes jaillissent », le sens causal pur n'apparaissant que dans la traduction approximative. De même qu'inversement si dans un certain nombre de cas *prae* peut être traduit comme *pro*, en fait *pro* signifie plutôt le mouvement de mise en avant d'où « couverture, protection, défense ou équivalence, permutation, substitution ».

De la même façon, c'est parce qu'on attribue au génitif des sens qui proviennent de ses combinaisons qu'on peut ou qu'on doit avec de Groot isoler huit sens du génitif latin. Par exemple, génitif de localité qui est en fait porté par la sous-espèce de noms de lieux utilisée ou génitif de « type de personne » : *sapientis est aperte odisse* dont la spécificité ne provient que du fait que le sujet est un infinitif et non un nom. Benveniste montre que finalement l'ensemble de ces sens provient de la transposition d'une relation (p. 148) : « On voit finalement que dans la conception esquissée ici la fonction

1. Emile BENVENISTE, Le système sublogique des prépositions en latin et Pour l'analyse des fonctions casuelles : le génitif latin, in *Problèmes de linguistique générale*, Paris, Gallimard, 1966, 356 p.

du génitif se définit comme résultant d'une transposition d'un syntagme verbal en syntagme nominal, le génitif est le cas qui transpose à lui seul entre deux noms la fonction qui est dévolue ou au nominatif ou à l'accusatif dans l'énoncé à verbe personnel. » D'où de façon similaire l'absurdité qu'il y a dans la pratique scolaire comme dans la pratique savante à vouloir établir une série complète des compléments ou des sens que peut porter en français la préposition *de*, qui peut en fait être glosée dans la mesure où on peut la déterminer par un verbe différent, un indicateur de relation lexical, verbe ou adjectif *sourire d'enfant* = « comme en fait un enfant », *panier de pêches* = « plein de »...

De même que dans l'utilisation d'un lexème on a des centres et des périphéries, de même n'y a-t-il pas une liste de cas sous-jacents à une préposition mais des sens centraux et périphériques...

## 5. Déplacement et sémantique

On voudrait donc illustrer l'idée selon laquelle le déplacement est le mode normal du fonctionnement sémantique, par opposition à une analyse des figures réservées traditionnellement à l'étude littéraire. Il est difficile de classer les facteurs qui conditionnent ces changements. On peut isoler, assez rarement, des facteurs purement ou principalement linguistiques. Qu'ils soient liés à la forme du signifiant. Ainsi comme le note Frei dans *La grammaire des fautes*[1], lorsqu'on utilise *compendieusement* à l'opposé de son sens étymologique : « en résumé » avec le sens de « longuement » par croisement avec *copieusement* ou lorsqu'une *coupe sombre*, qui signifie dans le langage des forestiers « coupe qui ne laisse pas pénétrer la lumière jusqu'au sol », donc où l'on coupe peu de bois devient dans « pratiquer une coupe sombre dans les effectifs » équivalent de « suppression très importante », en fonction de la connotation grave, sévère de *sombre*.

Dans d'autres cas (cf. Meillet, Comment les mots changent de sens, in *Linguistique historique et linguistique générale*[2], résumé ici dans le chapitre sur la variété) le changement est fondamentalement un changement de la réalité, lorsque *père* désigne une réalité institutionnelle différente dans la famille du XVII^e^ siècle et dans la nôtre (ce qui bien entendu se traduit sur le plan linguistique : ce que le père est et ce que le père fait apparaissant dans les messages : on ne voit pas pourquoi le sens du mot *père* serait davantage en lui que dans les combinaisons dans lesquelles il entre).

Le plus souvent le déplacement a sa source à la fois dans la réalité extralinguistique et dans la pratique linguistique. C'est la fréquence effective de la chose qui fait la fréquence de l'emploi et qui entraîne que des déterminants : noms de marque, soient déplacés et commutent avec des noms d'objets sur le plan syntaxique, désignant aussi fréquemment (généralisation) l'ensemble des objets similaires : *mobylette* ou *frigidaire*. Que ce lien soit également lien dans la réalité et lien dans la

1. Henri FREI, *La grammaire des fautes*, Paris, Genève, Geuthner, Kundig, 1929, 317 p.
2. Antoine MEILLET, *Linguistique historique et linguistique générale*, Paris, Champion, 1921-1936; rééd. 1952-1958, 2 vol., 335-235 p.

langue correspond généralement au fait noté par Meillet : le changement de sens est lié au changement de locuteurs et/ou au changement d'univers du discours (p. 255) : « La valeur précise et rigoureuse d'un terme tient à l'étroitesse d'un milieu où dominent les mêmes intérêts et où l'on n'a pas besoin de tout exprimer; sorti de ce milieu étroit auquel il devait sa valeur spéciale, le mot perd immédiatement de sa précision et tend à devenir de plus en plus vague. Pour le marchand des rues *camelote* signifie la marchandise quelconque qu'il a entre les mains (et de même pour le chiffonnier); en entrant dans la langue commune, le mot a pris le sens vague de « marchandise de peu de valeur, mauvaise marchandise » (présenté de façon purement intralinguistique, le processus serait au contraire un processus de précision croissante, puisque le sens linguistique passe de celui de « marchandise » à celui de « marchandise dévalorisée »).

En ce qui concerne le résultat signifié, on peut toujours classer le changement en détermination plus grande, généralisation ou déplacement, même si ce ne sont pas forcément des traits discrets qui sont perdus, ajoutés ou changés.

Ainsi, par exemple, dans la mesure même où dans les situations coloniales ou néo-coloniales les conditions d'utilisation des termes empruntés aux langues européennes ne sont pas les mêmes pour les locuteurs africains que pour les locuteurs européens. C'est pourquoi l'évolution sémantique de ces termes est particulièrement importante.

Ainsi on peut citer, tirées de l'étude de Musanji Ngalasso Mwata, un certain nombre de modifications de sens qui dépendent primordialement des conditions dans lesquelles les termes sont utilisés[1].

*a* / Restrictions :

*lâbe* « prêtre noir » par opposition à *mûpe* « prêtre européen »
*bologa* < fr. *bloc* employé uniquement dans le sens de « prison »
*dîne* « repas de fête »
*sânji* < *essence* → uniquement dans le sens de « carburant »
*mátámu* < *madame* → « femme mariée blanche », de même pour les termes signifiant « monsieur » ou « mademoiselle ». La liste serait longue : *disque* réservé à « enregistrement », *bulletin* seulement *scolaire*, *compagnie* « société industrielle », *fer* « fer à repasser »...

*b* / Extensions :

*bândi* → « toute personne turbulente »
*gápítá* < *capitao* → « responsable d'un groupe »
*gínìní* < *quinine* → « tout médicament »
*fulamá* < *flamant* → « belge »
*falanga* < *franc* → « toute monnaie »

*c* / Déplacements (dé)valorisants : sans commentaire

*ávugá* < *avocat* → « homme corrompu »
*lêso* < *leçon* → « mensonge »
*pólotígi* < *politique* → « discours mensonger »
*micinɲi* < *meeting* → « mensonge »

1. Musanji Ngalasso Mwata, *Contacts de culture et acculturation lexicale. Etude socio-linguistique des emprunts romans en langue pende*, thèse soutenue à Louvain en 1978.

Ajoutons que ces déplacements ne sont pas les seuls : on a aussi des déplacements métonymiques :

> *mánanábi* < *mariage* → « parfum » utilisé à l'origine à l'occasion des mariages
> *lâméle* < *la mer* → « le poisson »

En ce qui concerne le mécanisme linguistique de ces déplacements, beaucoup a été écrit et les classifications sont contradictoires. Classiquement, Darmesteter[1] considérait des synecdoques ou changements d'extension : *un Rembrandt* → *un tableau de Rembrandt*, des métaphores par changement en fonction d'une ressemblance *feuille* (d'arbre) → *feuille* (de papier), des métonymies enfin *tasse*, « contenant » > « contenu ».

En fonction de la distinction des deux axes, Jakobson a tenté[2] de ramener tous les déplacements à des déplacements paradigmatiques (métaphores), fondés sur l'existence d'une ressemblance, et syntagmatiques (métonymies), fondés sur l'existence d'une contiguïté : *voile* > *navire*.

On a essayé[3] de montrer que la métaphore renvoyait à une double synecdoque. Ainsi si la jeune fille peut être rapprochée du bouleau c'est parce que d'abord on est allé (généralisation) du bouleau au trait « fragile », puis (particularisation) du trait « fragile » à la jeune fille. Il est vrai que comme les auteurs distinguent entre rapprochement fondé sur le concept (ici *fragile* comme commun à *jeune fille* et à *bouleau*) et au contraire rapprochements fondés sur la relation réelle entre les parties (*voile* pour *bateau*), on retombe à peu près sur la classification traditionnelle.

Il nous semble pour notre part que l'assimilation entre proximité dans la chaîne et proximité dans la réalité est sous-jacente à la définition par Jakobson de la métonymie. Or, cela n'est pas évident : d'une part parce qu'un rapport métaphorique peut être actualisé dans la chaîne (par exemple sous forme de comparaison) et qu'inversement il peut y avoir rapport d'opposition linguistique entre deux termes désignant des réalités qui en tant que telles ont un rapport de partie à tout *(manche* et *couteau)*. D'autre part, le déplacement métonymique entraîne bien un « valoir pour » *il lève le coude* → *il aime la bouteille*.

Comme il est difficile d'être toujours sûr du « sens premier », qu'il n'est pas toujours possible (c'est même le plus souvent le contraire) de décrire les énoncés qui sont à la base de la modification de sens (qu'un nom d'animal soit appliqué à un homme ne se fait pas forcément par une métaphore ou une comparaison), on caractérisera plutôt ces déplacements d'une part par leurs caractères syntaxiques le plus souvent homofonctionnels *(mourir* → *mourir de plaisir)*, quelquefois hétérofonctionnels (*rouge* → *un rouge* « un verre de vin rouge »), la nécessité ou non d'un contexte explicite pour que le déplacement puisse fonctionner, son caractère reconnu ou nouveau.

1. Arsène Darmesteter, *La vie des mots étudiés dans leur signification*, Paris, Delagrave, 1887, 13e éd., 1921, 212 p., longuement analysé *in* Louis Guilbert, *La créativité lexicale*, Paris, Larousse, 1975, 285 p.
2. Roman Jakobson revient souvent sur ce point. Entre autres *in* Deux aspects du langage et deux types d'aphasie, in *Essais*, *op. cit.*
3. J. Dubois, F. Edeline, J. M. Klinkenberg, P. Minguet, F. Pire, H. Trinon, *Rhétorique générale*, Paris, Larousse, 1970, 206 p.

De ce point de vue on aura :

*a)* Des modifications inscrites dans la langue, qui n'exigent ni contexte ni situation spécifique : à partir d'*argent* « métal », *argent* « monnaie » ou « billet ». C'est au contraire argent-matière qui exige alors un contexte explicite pour être actualisé *(mines d'argent)*.

*b)* Des changements de sens qui exigent un contexte ou une situation, mais sont codés, transmis comme tels : chez le marchand de vin « donnez-moi une bouteille » peut être paraphrasé (ce n'est pas pour autant la « vraie façon » de le dire) *vendez-moi une bouteille pleine de vin*. Le sens « vendre » et non « donner », « plein » et non pas « vide » ne peut être transgressé sérieusement ni par l'acheteur ni par le vendeur. Ce sont les déplacements où l' « autre sens » est effacé et ne resurgit que par plaisanterie. Certes, *donner* sera du côté de la métaphore, de la proximité de sens entre *donner* et *vendre* et *bouteille* du côté de la métonymie. Cependant, il ne s'agit pas seulement entre *donner* et *vendre* d'une relation conceptuelle mais d'une relation réelle : une partie des gestes accomplis sont les mêmes. Surtout l'effet contextuel-situationnel est ici automatique et, comme le notait Meillet, il s'agit fondamentalement d'un passage d'un domaine d'activité dans un autre, d'un univers du discours et d'une pratique sociale dans une autre, et non d'une procédure purement « langagière ».

*c)* Dans un dernier cas les déplacements peuvent fonctionner en gardant le contraste entre les deux sens, soit pour l'ensemble des interlocuteurs, soit, dans les cas de « communication inégale », que le changement de sens aille de soi pour l'un et pas pour l'autre. Ainsi quand le mot d'enfant est naturel pour celui-ci mais fait rire l'adulte.

C'est en particulier dans ces cas de double sens qu'on s'aperçoit que la distance entre le code de l'émetteur et celui du récepteur peut être tout aussi importante dans l'analyse du processus de communication que leur proximité.

Mais ici encore nous devons éviter de reconstituer un univers fictif de traits sous-jacents.

Non seulement il y a des déplacements figés, mais on peut hésiter à parler de déplacements. Ainsi dans les exemples que donne Frei : « c'est couru, le moment est psychologique, un livre passionné, les compétences hésitent à se prononcer » qui a édicté la règle que seul un homme pouvait être passionné et que ce qu'il produisait ne l'était pas ? Il y a une reconstruction fallacieuse du sens propre et des sèmes impliqués qui correspond peut-être à une certaine pédagogie, certainement pas à la réalité. D'où l'inquiétude quand on nous présente (*Rhétorique générale*, p. 103) « l'homme prit une cigarette et l'alluma » comme une synecdoque généralisante où *l'homme* remplace *la main*. De la même façon ne partageons-nous pas l'opinion des auteurs[1] qui écrivent que (p. 155) *les Renault ont accéléré dans le virage* vaut pour *les coureurs de l'écurie Renault*. Tout d'abord parce que celui qui émet comme celui qui reçoit ce message n'a pas à décider si ce qui a accéléré c'est la voiture ou son conducteur (à la limite le problème est comique). D'autre part, lorsqu'il est question de courses de voitures le générique

1. J. L. Chiss, J. Filliolet, D. Maingueneau, *Linguistique française, initiation à la problématique structurale*, t. 2, Paris, Hachette, 1978, 168 p.

voiture est en quelque sorte porté par la situation et le nom de la marque est la façon normale de désigner l'objet. De même lorsqu'on nous dit (*ibid.*, p. 153) : « Dans les vers d'Eluard *(Les tours d'Eliane)* :

> Un espoir insensé
> Fenêtre au fond d'une mine

le sème commun à *espoir* et *fenêtre* est /ouverture/ mais la métaphorisation permet d'attribuer à *espoir* un sème /luminosité/ que met d'ailleurs en valeur *au fond d'une mine* », il nous semble d'une part que le fonctionnement de ces vers n'exige pas qu'on puisse dénommer exactement le sème commun « ouverture » mais aussi qu'*une fenêtre ouverte sur l'espoir* est un syntagme relativement figé, qu'on pourra actualiser en termes de ciel, de soleil... D'autre part, on se donnera le ridicule de rappeler prosaïquement qu'il n'y a pas de fenêtres au fond des mines, c'est-à-dire que s'ouvre ici un autre espace où les réalités « non spatiales » et les réalités « spatiales » bougent l'une par rapport à l'autre.

## 6. L'efficacité métaphorique

S'il y a efficacité métaphorique (où métaphore désigne tout déplacement du pôle métonymique ou du pôle métaphorique) c'est que, dans certains cas, il n'y a pas simple remplacement d'un sens par un autre mais jeu où les deux univers, les deux sens sont alternativement manifestes et cachés. Comme le dit Jakobson[1] dans un texte de jeunesse (p. 120) : « Toute expression verbale stylise et transforme, en un certain sens, l'événement qu'elle décrit. L'orientation est donnée par la tendance, le pathos, le destinataire, la « censure » préalable, la réserve des stéréotypes. Comme le caractère poétique de l'expression verbale marque avec force qu'à proprement parler il ne s'agit pas de communication, la « censure » peut ici s'adoucir et s'affaiblir. » On voit en quel sens on peut parler d'un écart. La notion du style comme écart a, à juste titre, été critiquée, car il ne peut s'agir d'un écart en tant que tel : dire *le portail* pour *la porte* sera seulement ridicule. Il y a écart d'abord parce que le langage poétique transgresse la censure de la communication comme simple transfert d'information, qui est cependant bien ce que nous attendons d'un message. On peut ici appliquer à la poésie ce que Freud dit du mot d'esprit. Il y a un bénéfice primaire de la poésie : sortir de la contrainte prosaïque du signe arbitraire en remotivant la matière phonique ou en réunissant les mots pour voir « ce que cela va faire ». Il y a un bénéfice secondaire, lorsque apparaît ainsi dans le discours ce qui ne peut être dit par le maniement ordinaire du code (de même qu'il y a un bénéfice primaire du calembour de l'enfant qui rit de *mures mures*, un bénéfice secondaire de l'allusion au « premier vol de l'aigle »). C'est pourquoi analyser un poème (ou bien sûr la force poétique d'un texte en prose) ne saurait être seulement analyser l'ensemble des structures matérielles (sonorités, rimes, accents, rythmes...) du poème, ni traduire

1. Roman JAKOBSON, Qu'est-ce que la poésie ?, in *Questions de poétique*, Paris, Ed. du Seuil, 1973, 510 p.

ce sens caché en sens manifeste. O. Mannoni[1] nous donne l'exemple du poème comme énigme, qui perd toute vertu pour nous lorsque nous avons compris que

> « je marche sur la peau de la morte la vache
> une mouche me met du soleil au talon »

est une façon compliquée de dire que j'ai des chaussures en cuir qui brillent parce qu'elles sont cirées avec du cirage à base de cire d'abeille.

La même gêne se produira lorsque nous lisons dans Baudelaire :

> « Et qui ne s'est nourri des choses du tombeau »

pour signifier « de la viande » ou un poème pédagogique où la « mise en vers » ne peut servir au mieux qu'à la mémorisation, mais où le décodage passe par la remise en prose.

Ici encore, on le voit, l'analyse ne peut se faire en termes d'une dichotomie langue commune à tous — parole individuelle. Si efficacité métaphorique il y a, c'est que certaines situations de communication (la transmission d'une information pratique ou scientifique) exigent une monovalence aussi grande que possible du discours. Que d'autres situations, qu'il s'agisse de tromper autrui, selon la condamnation par Platon des poètes, qu'il s'agisse aussi du simple plaisir de transgresser la norme ou de manifester justement les aspects de la réalité qui ne relèvent pas du simple « transfert d'information », rendent possible ou nécessaire le « pluricodage ».

Plus généralement, s'il est vrai qu'on peut trouver dans les langues un certain nombre d'oppositions récurrentes, grammaticales (singulier-pluriel), syntaxiques (acteur-action) ou lexicales (animé-inanimé), vouloir analyser la signification en constituant une science du sens intra-linguistique, « la sémantique »[2] ne tenant compte ni du processus de communication, ni du caractère fondamental du déplacement de sens, ni de la relation du codage linguistique au codage extra-linguistique, ni de la diversité des moyens de signifier corrélative de la diversité des pratiques sociales dans lesquelles entre le langage, nous semble un leurre.

## *BIBLIOGRAPHIE*

Il est assurément impossible de constituer une bibliographie sur l'ensemble des problèmes de l'approche linguistique et non linguistique de la signification.

Parmi les ouvrages qui cherchent à ne pas s'en tenir à l'approche linguistique :

MAURO (Tullio de), *Une introduction à la sémantique*, Paris, Payot, 1969, 220 p.
REY (Alain), *Théories du signe et du sens*, 2 vol., Paris, Ed. Klincksieck, 1976, 408 p.
SCHAFF (Adam), *Langage et connaissance*, trad. franç., Paris, Ed. Anthropos, 1969, 372 p.
— *Introduction à la sémantique*, trad. franç., Paris, Ed. Anthropos, 1969, 334 p.

Parmi les ouvrages de sémantique linguistique :

DUBOIS-CHARLIER (Françoise) et GALMICHE (Michel), La sémantique générative, *Langages*, n° 27, septembre 1972.
LYONS (John), *Eléments de sémantique*, trad. franç., Paris, Larousse, 1978, 296 p.
POTTIER (Bernard), *Linguistique générale, théorie et description*, Paris, Klincksieck, 1974, 338 p.

1. O. MANNONI, Le besoin d'interpréter, in *Clefs pour l'imaginaire ou l'autre scène*, Paris, Seuil, 1969, 322 p.
2. Sur la critique d'une telle sémantique homogène : Michel PÊCHEUX, *Les vérités de La Palice*, Paris, Maspero, 1975, 280 p.

[illegible]

[illegible]

[illegible]

[illegible]

[illegible]

[illegible]

[illegible]

# 8 linguistique et analyse de textes

PAR FRÉDÉRIC FRANÇOIS

Sous le nom d'analyse de textes, il nous semble que se trouvent liées deux recherches associées mais distinctes. Il s'agit d'une part de décrire l'ensemble des structures linguistiques plus grandes que les structures traditionnellement analysées dans le cadre de la phrase. Même en ne considérant que les unités grammaticales, il apparaît en effet de plus en plus nettement qu'on ne peut se limiter au cadre de la seule phrase. C'est manifeste dans le cas des connecteurs : *alors*, *et puis*, *mais*, qui supposent justement une certaine relation entre phrases. Ça l'est tout autant dans le cas des modalités nominales ou des « pronoms personnels » : *le* comme *il* renvoient ou bien à ce qui est montré ou à ce qui a été dit dans une phrase précédente. Ça l'est également dans le cas des modalités verbales qui bien plus que par le renvoi à un axe du temps fonctionnent en indiquant un rapport de figure à fond : *il faisait beau*; *le garçon se leva*[1]. Encore plus évidemment l'étude du sémantisme lexical suppose qu'on ne se contente pas d'une méthode distributionnelle où l'on rapproche tous les contextes d'une unité, mais que l'on tienne compte du déroulement du récit, de l'argumentation : un texte ne fonctionnera pas de la même façon si c'est au début ou à la fin qu'on indique en quel sens particulier un terme est pris.

Mais d'autre part considérer un texte comme texte, c'est chercher à le replacer dans l'ensemble du circuit de la communication (ou de la non-communication), à répondre aux questions : « Qui s'adresse à qui ? », « En utilisant quel code ? », « En renvoyant à quelle réalité, connue ou non autrement que par le discours, en taisant au contraire tel ou tel aspect de la réalité ? » Comme chacun le constate, le sens d'un roman, d'un poème ou d'un discours politique est tout autant dans ce qu'il tait que dans ce qu'il dit.

Une précision doit être apportée. Le terme *texte* renvoie généralement au maniement de la langue écrite. Ici au contraire il s'agit d'étudier tout message oral ou écrit indépendamment de sa longueur, en le replaçant dans ses conditions d'échange.

1. H. Weinrich, *Le temps*, trad. franç., Paris, Le Seuil, 1976.

Cela ne signifie pas que la nature orale ou écrite du texte n'ait pas d'importance : on retrouvera au contraire cette question à tous les niveaux :

— conditions d'élaboration, de réception et d'échange;
— nature différente des codes et des moyens non linguistiques;
— identité des émetteurs et des récepteurs (chacun se sert de la langue orale, non de la langue écrite).

Dans la mesure où les échanges linguistiques oraux comme écrits sont le plus souvent de dimensions supérieures à celles de la phrase, les deux sens d'analyse de textes sont liés. D'autant que les effets de sens fondamentaux, la relation à la réalité extra-linguistique, la modification du sens des éléments du « code » ne se manifestent pas — pour l'essentiel — au niveau de la phrase. Reste que les effets textuels au sens d'effets au niveau des grandes unités tout autant que les effets lexicaux, phoniques, syntaxiques ne sont pas étudiés ici en eux-mêmes, mais dans leur contribution au fonctionnement global du texte. Ce qui pose le problème des limites de l'approche linguistique de la signification.

### *Les limites de l'analyse linguistique du sens*

Qu'il s'agisse de l'analyse de l'ensemble des systèmes sémiologiques ou du rôle du langage dans ce qu'on désigne (mais qu'on n'analyse pas pour autant) du nom de « la pensée », il nous semble qu'on a largement tendu dans les développements récents des sciences humaines, peut-être surtout en France, à oublier que la signification même du sémiotique et du linguistique ne pouvait apparaître que dans leur relation à l'extra-sémiotique et à l'extra-linguistique. Principalement à l'ensemble des pratiques qui, éventuellement signifiantes, sont d'abord des pratiques de modification de la nature et ne sont que secondairement ou éventuellement signifiantes. La construction de maisons n'est pas d'abord une pratique signifiante. On risque, si on oublie cela, de remplacer l'idéalisme de la conscience subjective par l'idéalisme objectif du « tout est signification ».

Plus précisément, le fait qu'une pratique humaine passe par l'utilisation du langage et que le langage soit un mode de communication « universel », non limité *a priori* dans son objet, ne signifie pas que le linguiste est au centre de l'analyse de cette pratique. Pour prendre deux exemples opposés :

*a)* Considérer un texte comme idéologique, c'est non pas en faire une analyse interne en cernant des traits structurels qui distingueraient « le » discours idéologique du discours scientifique (au cas où de tels traits existeraient, ce qui est loin d'être prouvé) mais renvoyer ce discours à la situation et aux intérêts, aux pratiques effectives des groupes au nom desquels ce discours est tenu.

*b)* De même, c'est d'abord en tant que chimiste ou mathématicien que l'on peut juger des textes de chimie ou de mathématiques : dans la mesure où c'est leur valeur de vérité qui est le problème essentiel, ce n'est pas ce que le linguiste a à en dire qui est central.

Et parce que, contrairement au « discours-discours », le discours scientifique n'a de sens que par son renvoi à une pratique. Et parce que dans cette pratique il est amené à modifier ses formes de langage, à inventer des mots ou des algorithmes.

Peut-on alors dire que le linguiste n'a à s'intéresser au discours que dans la mesure où il ne s'occupe pas du problème de la vérité des textes, mais seulement des « moyens linguistiques » utilisés ? En fait, la délimitation de compétence entre disciplines ne peut être établie une fois pour toutes. Car très souvent, par exemple, le scientifique fait comme si la matérialité de son discours (les mots, les types de phrase) importait peu, comme si la perméabilité du rapport « langue-pensée » pour le sujet épistémique pur allait de soi. On s'interroge sur les mots de l'autre quand on trouve que son discours n'est pas clair. Mais rétrospectivement les mots du discours vrai d'hier font problème...

Pour essayer de préciser ce qui est de la compétence du linguiste, on dira qu'il s'agit de linguistique dès que ce n'est plus ce qui est dit qui importe, mais comment c'est dit, de quelle façon les différents niveaux de codage : voix ou graphie dans leur matérialité; phonèmes, schèmes intonatifs, lexique, syntaxe, grandes unités participent à la signification de façon concurrente ou contrastée (lorsque par exemple l'intonation s'oppose au sens lexical).

A nos yeux, cette définition n'implique pas qu'on puisse faire passer une limite tranchée entre le proprement linguistique, la linguistique interne, ou comme on voudra l'appeler, et la linguistique « externe ». Il s'agit au contraire de voir l'interpénétration du linguistique et de l'extra-linguistique. De même qu'il ne peut y avoir un « pur phonologue » qui ne se préoccuperait pas de la matérialité de l'anatomie et de la physiologie de la bouche et de l'oreille, de même étudier le lexique de la botanique ou les noms de famille dans une civilisation donnée suppose qu'on connaisse les plantes elles-mêmes et qu'on sache à quelles pratiques sociales correspondent les classifications de parenté en question. Analyser par exemple l'organisation linguistique des *Cahiers de doléances*[1] ou du *Congrès de Tours*[2] n'est pas chercher à faire apparaître un secret linguistique de ces moments de l'histoire qui ne serait dévoilé qu'au seul linguiste. Il s'agit de mettre en évidence comment les formes de codage soit sont spécifiques d'un groupe soit au contraire se reprennent, se modifient, s'échangent partiellement. Cela ne changera pas radicalement la signification de la Révolution française ou de la Scission. Cela nous aidera seulement — peut-être — à mieux comprendre les multiples modalités de l'efficacité de la « mise en mots » et de ses relations au non-dit.

Cette limitation — relative — du pouvoir du linguiste s'accompagne en même temps de l'ouverture d'un champ immense. En effet, jusqu'à un passé récent, c'est un tout petit échantillon d'activités langagières, principalement celles qui étaient considérées comme « littéraires » qui étaient l'objet d'un commentaire linguistique. Car c'est une chose de dire, comme nous venons de le faire, que la linguistique n'est

1. D. Slakta, Esquisse d'une théorie lexico-sémantique : Pour une analyse d'un texte politique (cahiers de doléances), in *Langages*, 23 septembre 1971.
2. J.-B. Marcellesi, *Le Congrès de Tours (décembre 1920). Etudes sociolinguistiques*, Le Pavillon, 1971, 375 p.

pas forcément au centre de l'analyse de la signification d'un texte. C'en est une autre de considérer qu'il n'existe pas de texte véritablement transparent, c'est-à-dire de texte où la question des modalités de la signification, des moyens utilisés ne se poserait absolument pas. Le champ d'une analyse textuelle est donc potentiellement infini. C'est dire aussi que dans les quelques pages qui suivent on n'a pas l'intention de proposer une méthode, une grille qui s'appliquerait aussi bien au jeu de l'enfant avec le langage qu'à *L'Iliade* ou au *Capital*.

Cela d'autant plus qu'à l'hétérogénéité de l'objet et des niveaux d'analyse correspond l'hétérogénéité des méthodes et des doctrines. L'idée qui nous servira de fil directeur est qu'on ne peut parler en général de la langue, qu'on ne peut isoler une « grammaire de textes » homologue en grand à ce que serait la grammaire des phrases en petit. Ce à quoi nous sommes confrontés, c'est bien plutôt à l'hétérogénéité des modes de maniement du langage ou si l'on préfère des « sous-codes » linguistiques.

### *La langue et les sous-codes*

Même si l'accord sur les solutions est loin d'être fait, le constat négatif est largement partagé. Isoler l'objet générique : *la* langue ne peut plus suffire à fournir un cadre au travail du linguiste. Non que cet objet soit une pure fiction. Il y a dans toute collectivité linguistique des phénomènes à la fois généraux et fortement codés qui transcendent la diversité des usages. Ainsi en français les caractéristiques majeures du système phonologique ou du système des principales fonctions syntaxiques. En revanche, les mécanismes d'appel, le lexique dépendront presque complètement du texte ou plutôt du type de texte considéré. Enfin, entre les éléments ou les structures qu'on retrouve en tout texte et ceux qui sont spécifiques de tel sous-code, on rencontrera ceux qui sont présents dans des textes différents mais avec des fréquences spécifiques. Ainsi par exemple l'utilisation en français des prédiqués nominaux par *c'est* ou *il y a*, des déictiques, du système des temps ou des propositions subordonnées.

La question qui se pose alors est : peut-on constituer un inventaire complet des genres ou des sous-codes qui rendrait compte des différentes formes d'utilisation du langage ? Il nous semble fondamental de répondre non, pour plusieurs sortes de raisons.

*a)* Les règles caractéristiques d'un sous-code ne sont pas forcément contraignantes comme les règles générales de la combinatoire linguistique. Il y a des traits codiques du récit ou de la discussion, mais ces traits peuvent être transgressés. Un récit peut devenir argument dans le cadre d'une discussion abstraite. Plus généralement, un discours d'un type A peut toujours être rapporté à l'intérieur d'un discours d'un type B. La transgression des genres peut constituer soi-même un genre.

*b)* Par ailleurs, des facteurs d'ordre différent interfèrent. La forme prise par le genre « discours démonstratif », déterminée à l'intérieur d'une pratique scientifique, peut se trouver réorganisée en fonction d'autres données qui deviennent alors dominantes, par exemple la relation de connivence qui existe entre les interlocuteurs.

*c)* Qu'il s'agisse des règles générales regroupées sous le nom de « la langue » ou des règles d'un sous-code, leur relation à un texte particulier n'est pas une relation du type genre-espèce, dans laquelle le particulier se réduirait à n'être qu'un exemple de la règle générale. A des degrés divers, ne serait-ce que par sa combinaison ou son opposition avec les systèmes de signification non linguistique ou avec les pratiques sociales (trivialement, il n'y a jamais adéquation absolue entre ce qu'on dit et ce qu'on fait), il y a toujours autre chose dans la signification d'un message que la seule actualisation de possibilités inscrites dans la « langue » ou dans le « genre ».

*d)* D'autant que l'utilisation même des sous-codes en question les modifie. On ne peut en constituer une liste stable, censée préexister au réel. Se demander si les ressemblances entre tout ce qui est discours poétique ou discours politique sont plus importantes que les différences constatées à l'intérieur de chacun de ces genres n'a pas grande signification.

Le terme de code utilisé ici est en grande partie inadéquat. Il est juste dans la mesure où il désigne des usages *a)* particuliers du langage, *b)* qui mettent en forme la réalité telle qu'elle passe par les mots. Il est inadéquat dans la mesure où il ne s'agit pas d'un ensemble de règles plus ou moins explicites, mais seulement de messages qui fonctionnent à leur tour comme modèles culturels, sont repris et modifiés. La relation des textes à ces codes, ou plutôt à ces modèles culturels, est variable.

On pourra distinguer les textes homogènes, conformes à un « code » : le récit qui n'est que récit, les textes qui à l'intérieur d'un genre transgressent partiellement les règles de ce genre (les confidences personnelles à l'intérieur du discours politique). Enfin les textes qui introduisent une nouvelle forme de codage (le roman sans intrigue, le poème surréaliste ou la tragi-comédie, pour en rester au domaine littéraire).

Face à la complexité, au « sur-codage » des textes, nous ne pensons donc pas qu'il soit possible d'essayer d'écrire une syntaxe ou une sémantique textuelle. C'est plutôt les diverses formes d'organisation textuelle que nous voudrions cerner — ou plutôt désigner dans ce chapitre, en analysant d'une part les divers types de codes, d'autre part les relations entre homogénéité et hétérogénéité textuelles.

## *A - LES TYPES DE « CODES »*

On ne prétend donc pas ici donner des différents types de codes une classification déductive, non plus qu'un examen empirique exhaustif, toutes choses qui nous semblent radicalement impossibles.

Seulement présenter un certain nombre de différenciations de base dont il est nécessaire de tenir compte afin d'éviter d'attribuer au langage en général ce qui ne caractérise qu'un de ses sous-usages.

### 1. Codes d'émission, codes de réception

En dehors de la distinction déjà faite — sur laquelle on reviendra — entre conforme - non-conforme au « code », on notera tout d'abord que les codes fonctionnent comme *règles d'émission* ou comme *règles d'interprétation*. On peut être récepteur de messages poétiques, scientifiques, politiques sans en être émetteur. Les sous-codes se caractérisent bien sûr par le nombre de ceux qui les dominent : le nombre des utilisateurs est en lui-même un facteur accélérateur d'évolution. Ils se caractérisent plus précisément par l'écart entre le nombre des émetteurs et le nombre des récepteurs. Codes secrets (quelles que soient les intentions des utilisateurs) où les deux nombres sont restreints. Codes où les deux sont élevés (qu'on prend à tort pour le modèle normal de la communication), codes à nombre faible d'émetteurs, élevé de récepteurs : discours du prêtre, du chef d'Etat, du spécialiste, discours éventuellement partiellement repris et modifié dans le discours de tous.

On peut se poser la question de savoir si le dernier cas de figure : messages comportant un grand nombre d'émetteurs et un faible nombre de récepteurs, peut correspondre à une réalité. Sans doute, en particulier dans le cas des pratiques non principalement signifiantes, où seuls certains peuvent avoir acquis l'usage d'interpréter ces pratiques comme signes...

L'importance des situations de communication inégale constitue une remise en cause de l'interprétation trop simple du « langage comme instrument de communication » où un message serait entièrement transparent parce que l'émetteur et le récepteur auraient exactement le même code. Il est tout aussi important de noter que ce qui constitue matériellement, en tant que fait physique, le même message peut être interprété en termes de codes différents et constituer en fait deux messages complètement différents. Ce n'est pas là une simple possibilité théorique, mais une donnée fondamentale. Ainsi, dans les relations d'une civilisation à une autre, quand une prière est perçue comme poème, un Dieu comme statue. Ou bien, lorsqu'un message, centré sur le contenu pour l'émetteur, est perçu par le récepteur comme « parler pour ne rien dire » ou « pour amuser la galerie ». L'analyse linguistique s'est jusqu'ici surtout placée du point de vue d'un émetteur idéal, qui était en fait le récepteur linguistique transposé. Pour analyser les textes en tant qu'échange effectif, il est nécessaire de se placer au contraire tout autant du point de vue du récepteur ou plutôt des récepteurs, les codes ne fonctionnant pas seulement comme mécanismes de décodage, mais aussi comme mécanismes d'attente, filtrant ou modifiant tout ce qui n'est pas conforme à ce qu'on attend de l'émetteur. Ce qui est central par exemple pour analyser les situations d' « échange inégal » qu'il s'agisse de la situation scolaire, où le plus souvent le maître ne reçoit pas ce qui ne correspond pas à son attente, ou du filtrage du discours poétique ou politique en fonction des normes reçues.

On peut douter qu'on puisse composer en comparant les lectures un « archilecteur » cohérent[1]. En tout cas qu'il s'agisse de littérature ou de perception du discours politique, la diversité des pertinentisations par les différents récepteurs est une donnée de base. Certes, chacun de nous apprend — c'est un des aspects de ce qu'on appelle culture — à intégrer des points de vue qui ne sont pas les siens. Reste que pour un texte pris dans sa globalité la notion de « récepteur-émetteur idéal » est dépourvue

1. Même si la notion d'archilecteur est difficilement maniable, la prise en compte de la diversité des codes de réception est fondamentale. Sur ce point, cf. Michael Riffaterre, *Essais de stylistique structurale*, Paris, Flammarion, 1971.

de sens. Ce qui ne signifie pas que nous sommes renvoyés au « subjectivisme de culture ». Mais à constater justement que les textes ne constituent pas des réalités homogènes quant à leur « perméabilité culturelle ».

## 2. Code commun, code dominant, codes conflictuels

En effet, il importe ici de ne pas confondre l'existence d'un code commun à l'ensemble des membres d'une communauté et l'existence dans cette communauté d'éléments de codage dominants.

On évite ici de désigner le code commun sous le nom de langue. Ce terme en effet sert à désigner tantôt ce qui est effectivement commun, tantôt ce qu'on rencontre dans l'ensemble de la collectivité sans pouvoir se rencontrer chez aucun locuteur pris individuellement : le vocabulaire français par exemple.

Le code commun nous semble avoir deux caractéristiques essentielles. Tout d'abord, il s'agit d'éléments généraux qui constituent des abstraits-réels. Ainsi, l'existence même de la phonologie est liée au fait que tous les locuteurs d'une langue, par exemple le français, opposent entre autres le /i/ au /u/, ce qui n'empêche pas que leur façon de prononcer ces voyelles puisse distinguer géographiquement ceux qui les allongent et ceux qui ne les allongent pas, les hommes des femmes... De la même façon, il n'y a pas de Français qui mettent l'article après le nom. Tous les Français ont vraisemblablement à leur disposition l'opposition *le-un* ou *le-les*. Mais tous n'utiliseront pas de la même façon l'article devant un prénom ou un nom propre : *la Marie* pourra être normal dans une sous-communauté, usage marqué, par exemple comme plaisanterie, allusion à la ruralité dans une autre, absent dans une troisième. De même pour l'utilisation de l'article générique *(le travailleur...)*. De la même façon, il y a bien un lexique commun, dont font partie par exemple *avoir* et *être*, non toutes les utilisations de *avoir* et de *être*.

D'autre part, les différentes composantes de la langue n'appartiennent pas également à ce code commun. Il est facile — relativement — à isoler en ce qui concerne la phonologie, les règles générales de constitution de l'énoncé, le lexique le plus fréquent, les grandes règles d'interprétation sémantique, comme l'opposition participants-procès. En revanche, la différenciation culturelle pourra être absolue (il n'y aura pas de dénominateur commun) en ce qui concerne certaines structures intonatives (le point d'ironie), la majorité du lexique, certaines règles de maniement des grandes unités, par exemple dans la conduite de l'argumentation et du monologue.

Le code commun, abstrait-réel ainsi isolé, ne doit pas être confondu avec le discours de « Monsieur Tout-le-Monde » qui n'est pas une réalité structurale, mais bien plus le fruit de la répétition d'un discours dominant, qu'il passe par les circuits de l'inculcation familiale, de l'Eglise[1], de l'école ou des mass media. Le discours du bon sens est le discours particulier qui a réussi à s'imposer. Ou plutôt le fruit de la répétition de différents discours tout faits réorganisés sous forme de discours dominant. Ainsi Gramsci note à la fois[2] : « Les éléments principaux du sens commun sont

1. A. Gramsci, Notes critiques sur une tentative de Manuel populaire de sociologie, in *Gramsci dans le texte*, Paris, 1977, 798 p., p. 304 sqq.
2. *Ibid.*

fournis par les religions », qui ont été le principal lieu d'élaboration de l'idéologie dominante. Et en même temps : « Le sens commun n'est pas une conception unique, identique dans le temps et dans l'espace : c'est le « folklore » de la philosophie et, comme le folklore, il présente des formes innombrables : son trait fondamental et le plus caractéristique est d'être (même au niveau de chaque cerveau) une conception fragmentaire, incohérente, inconséquente, conforme à la situation sociale et culturelle de la multitude dont il est la philosophie. » Certes, le système phonologique ou syntaxique d'un individu est aussi le résultat d'un phénomène de mélange, mais le mélange est relativement stable, homogénéisé. Il n'en est pas de même de ses jugements favoris ou de ce qui les porte principalement : son lexique. L'idéologie dominante ou le discours critique sont des façons de reformuler ou de reprendre ce discours commun, non une relation directe à une réalité extra-linguistique.

La perception que chacun prend des phénomènes linguistiques constitue une bonne illustration de ce phénomène à la fois de mélange et de dominance. Mélange : chacun a des jugements de valeur complexes, liées à son milieu familial, de travail... Dominance : la scolarisation partiellement commune, le statut de l'écrit (exemple typique d'un mode de communication inégalitaire : nombre faible d'émetteurs, nombre plus élevé de récepteurs) tendent à faire percevoir comme « vraie langue » des structures en fait minoritaires et, inversement, des structures utilisées par tous les sujets (« le chapeau, il est tombé ») seront perçues comme « faute » ou comme « non-langue » : « C'est pas du français... » Pour la majorité des Français le code effectivement commun se distingue du codage dominant, de la perception qu'ils en prennent, où la langue écrite sert de (fausse) conscience de la langue orale.

C'est cet aspect multicodé du texte qui nous semble faire la différence essentielle entre l'analyse du fonctionnement d'un texte et celle d'une structure (phonologique, grammaticale, lexicale). Mais, en même temps, cela n'empêche pas qu'il y ait des traits dominants. Ici la fausse conscience de norme.

Ce phénomène de dominance dans le codage reprend et amplifie sur le plan institutionnel, avec l'appui du « bras linguistique séculier » : échec aux examens, refus d'un emploi..., les phénomènes plus généraux de « répression linguistique », qui se rencontrent tout autant au niveau des petits groupes, familiaux, scolaires, de travail. Dans chaque communauté, on perçoit plus facilement les différences, les déviances que ce qui est commun; elles sont objet de rire ou de scandale, comme si l'unité de la langue allait de soi.

Ces phénomènes de dominance se manifestent à tous les niveaux : prononciation, lexique, syntaxe, « grandes unités », droit à la « prise de parole ». Dans un pays comme la France, la dominance géographique de la région parisienne vient se combiner à l'existence de couches hégémoniques. Comme l'a noté J.-B. Marcellesi, il s'agit de couches et non de classes : ce n'est pas la bourgeoisie monopoliste qui impose ses usages du langage, mais les couches qui dans notre société ont soit droit à la parole publique (journalistes, speakers...) soit droit à la répression (enseignants). Dans la mesure où en toute société tendances à l'unité et tendances à la diversité sont en lutte, on retrouvera partout des phénomènes de ce type. Linguistique interne et analyse sociologique sont ici inséparables : la pression d'une forme de discours dominant est plus forte en France, pays d'ancienne centralisation, qu'en Allemagne, pays de centralisation plus récente. Mais ces phénomènes de dominance ou de répression linguistique prennent surtout de l'importance au niveau du maniement global du discours. Soit sous forme de tabous. Tabous constants : en règle générale, on ne parle pas du détail de l'accomplissement des fonctions sexuelles, excrétoires. Ou, en tout cas, il y a tabous partiels. C'est seulement à certains moments (de fête, d'intimité) qu'on peut en parler. Ou bien seules certaines personnes en ont le droit (le plaisantin du groupe). La dominance se manifeste tout autant sous forme positive de discours attendu, repris, avec toutes les modalités individuelles possibles. On peut n'avoir jamais songé à transgresser les valeurs du discours dominant (travail, famille, patrie), on peut, sans trop y croire pour soi, trouver nécessaire de le répéter aux enfants, on peut se sentir obligé de le répéter...

L'existence de discours dominants s'appuyant éventuellement sur une répression extra-verbale entraîne des résistances sous forme de phénomènes de masquage. Ainsi, dans une civilisation catholique dominante, le discours matérialiste prend une forme théologique. Ou bien l'imposition contraignante d'un codage marxiste de la réalité[1] a-t-elle fait que tout discours, quel qu'il soit, a pris la forme d'un discours marxiste. Sous une forme plus atténuée, on sait que, dans les collectivités à forte pression, la critique ne peut se manifester que si on a commencé par rendre hommage, sous forme de citation ou de rappel de généralités, aux « grands principes ».

On distinguera donc les phénomènes de code commun, effectivement partagés, et les phénomènes de dominance qui impliquent au contraire conflit. Corrélativement, parmi les différences linguistiques, il sera nécessaire de distinguer celles qui sont de pures et simples *différences* et celles qui constituent des codages *opposés*.

La différenciation situationnelle du langage est ici la donnée de base. Chacun d'entre nous parle différemment à un enfant et à un adulte, à quelqu'un qu'il connaît et qu'il ne connaît pas... Si à chaque situation correspondait un codage et un seul, il y aurait seulement des codages différents. Tel n'est pas le cas. Ainsi peut-on transposer à l'écrit les usages oraux, parler à ses parents comme à ses camarades, coder le même individu comme « ouvrier exerçant son droit au travail » ou comme « briseur de grève ». Le point qui nous semble important ici est que ça n'est pas en eux-mêmes que deux codes sont ou différents ou conflictuels, mais dans la relation des groupes d'émetteurs entre eux. La façon la plus fréquente, dans la théorie comme dans l'usage pédagogique de masquer l'existence de codages conflictuels, est de ramener l'analyse des différences de codes à celle des « niveaux de langue ». Il y aurait alors une différence du haut, littéraire, soutenu au bas, familier, populaire, vulgaire, avec éventuellement un trop haut : affecté. C'est oublier (cf. chapitre sur la diversité linguistique) que, d'une part, la diversité ne s'explique pas par un facteur unique, que les phénomènes ne se laissent pas classer sur une échelle unique de valeurs, de l'autre. La pratique de l'analyse en termes de niveaux de langue, telle qu'on la trouve dans les dictionnaires, fréquemment dans la pratique scolaire, telle qu'elle fonctionne sans doute dans la conscience de la majorité des locuteurs aboutit à remplacer la croyance à

1. Cette référence obligée à un certain discours se présentant comme « le marxisme » est un des aspects dominants de ce qu'on regroupe sous le nom de stalinisme. Sur ce point, cf. G. Aczel, *Culture et démocratie socialistes*, Paris, Ed. Sociales, 1971, 367 p.

l'unité de « la » langue par celle d'une hiérarchie du « bas en haut ». On retrouve alors l'autoperception idéologique de la société, qui ne tient compte ni de différences non hiérarchisables ni non plus de codages conflictuels et non simplement différents.

### *a - Luttes de classes et « langue de classe »*

Il serait également simplificateur d'oublier la réalité et du code commun et des codages différents pour considérer l'ensemble des rapports linguistiques comme rapports de dominance. Reste que la division en classes sociales est redoublée par la division du travail en travail verbal et travail non verbal ou non essentiellement verbal. Cette façon de dire nous semble plus conforme à la réalité que d'opposer dans un codage lui-même valorisant et non innocent « travail manuel » (comme si on ne travaillait qu'avec ses mains) et « travail intellectuel » (comme s'il suffisait de parler pour qu'il y ait de l' « intellect »). Dans les sociétés les plus diverses, on trouve une division entre travail comme action directe sur la nature et travail comme action sur les hommes essentiellement par inculcation linguistique. Plus précisément, on retrouve à l'intérieur des groupes non directement productifs une sous-division entre groupes économiquement et politiquement directement dominants et des couches (Eglise, enseignants, intellectuels) chargés de renvoyer à la société une certaine image d'elle-même).

Ce qui n'implique pas qu'il n'y ait jamais aucun conflit entre les groupes socialement dominants et ceux qui sont chargés de la mise en mots. L'Eglise a pu entrer en conflit avec la noblesse féodale. Cela peut bouger. Ainsi a-t-on vu fréquemment dans l'histoire le groupe des jeunes spécialistes du travail verbal non encore intégrés au monde du travail (en d'autres termes les étudiants) se soulever contre l'ordre établi et s'associer dans leur soulèvement avec ouvriers ou paysans.

Reste que la division des facultés reflète bien les fonctions du travail « à dominante verbale » dans notre société. Les quatre grands groupes : sciences (naturelles), lettres, droit et économie, médecine et pharmacie se divisent tout d'abord selon l'importance du langage : grand en lettres et droit, plus faible ailleurs. D'autre part, selon le rôle plus ou moins important qu'y joue le langage :

- — transfert d'un pouvoir qui ne peut être transmis directement par la pratique,
- — inculcation des normes de la société,
- — acquisition par les individus du rôle de domination ou en tout cas de persuasion,
- — fonctions non directement liées à la transmission du savoir et à l'exercice du pouvoir, dites de culture au sens limité du terme.

Chacune des facultés plus ou moins selon sa nature et les groupes sociaux qui y sont représentés se caractérise par le poids relatif de ces fonctions. Il est en revanche frappant que les lieux destinés à former ceux qui auront une action à base théorique sur la matière soient (tout au moins en France : écoles spécialisées, IUT...) en partie écartés du domaine universitaire. Et l'on sait au contraire comment ceux qui sortent des grandes écoles, où en principe les fonctions de transmission de savoir scientifique l'emportent, se trouvent en grande majorité à des postes de domination et non de recherche quelques années plus tard. Le mélange entre ces fonctions et la relative homogénéité sociale de ceux qui les exercent expliquent qu'au sein du prolétariat agricole et industriel l'identification intellectuel-bourgeois a des raisons d'être tenace.

Analyser un texte c'est — entre autres — analyser sa place dans ce circuit inégal du maniement linguistique. Qu'il s'agisse d'un poème, d'un roman ou d'un discours politique, par combien est-il reçu avec un codage partiellement semblable à celui de l'émetteur, chez combien est-il avant tout modifié, chez combien n'est-il pas reçu du tout ?

On ne peut développer ici une telle sociologie. On fera seulement quelques remarques. Il y a des sociétés à mouvements lents. D'autres à mouvements rapides. Actuellement, croissance rapide de la science, « scientifisation de la production », centralisation et « technicisation » des fonctions d'Etat, transfert massif des populations rurales vers les villes, en majorité vers la classe ouvrière, développement d'une couche de salariés non directement productifs (employés) se sont accompagnés d'une extension massive du code écrit et plus généralement des éléments du code commun. Par ailleurs, le développement de la société a fait que ce qui pouvait fonctionner à un moment donné comme codes différents est devenu codes conflictuels. Par exemple, les manuels de la III^e République ont pu développer l'idéologie du « chacun à sa place en jouant de père en fils le même rôle » de même que « la servante » est un rôle éternel. Une telle idéologie ne fonctionne plus que faiblement ou par îlots.

En même temps, surtout en ce qui concerne les fonctions culturelles, le rôle du cinéma et de la télévision a profondément transformé la place du langage. Les deux fonctions centrales de description et de récit n'étant plus majoritairement jouées par le langage ou par le seul langage. De même que le langage « poétique » s'est trouvé massivement repris-modifié sous forme de chanson.

Enfin, la transmission de masse s'est accompagnée d'une diversité sans précédent de la richesse culturelle. Dans une société où les modèles gréco-romains, plus quelques œuvres contemporaines, étaient perçus comme « la » culture, où les lettrés au sens tout simple de « sachant lire » étaient peu nombreux, il était facile de faire fonctionner la relation à ces textes comme signe d'identification de l'élite. A l'heure actuelle, les « élites » ne peuvent se targuer d'un monopole, ni d'un modèle unique de la culture. D'autant que les techniques de diffusion imprimées ou visuelles se combinent avec les exigences d'une production de masse. En même temps les mécanismes de différenciation subsistent : les récepteurs de Bach restent massivement différents de ceux de la musique pop ou de Mireille Mathieu. Mais il y a aussi des phénomènes de succès qui dépassent les limites des groupes sociaux (Simenon), les phénomènes de transfert sont nombreux (roman policier et jazz élevés au niveau de genres nobles). Il ne nous semble donc pas que l'on puisse caractériser la relation sociale au codage linguistique par une tendance unique : il y a à la fois développement du code commun, développement des codages différents, développement des codages conflictuels.

Ce sont ces tendances contradictoires que l'on retrouve aux différents niveaux de la réalité linguistique. Dans le cas du français actuel, les structures de base de la syntaxe et du lexique, à un moindre degré de la phonologie relèvent du code commun. Par rapport aux pratiques normatives d'il y a cinquante ans, les diversités articulatoires, intonatives ou lexicales commencent à être reçues comme différences et non comme marques d'inégalité. En revanche, en ce qui concerne le droit à la prise de parole en public, l' « aisance », la connaissance du maniement des grandes unités, qu'il s'agisse d'un discours à dominance technique, de persuasion ou de « culture », les mécanismes inégalitaires continuent à jouer à plein. Le facteur de base reste la différence entre classes sociales. Pour l'essentiel paysans et ouvriers pensent que ce sont les autres qui ont le monopole du maniement du « beau langage ». Même ceux qui parlent en leur nom, leaders syndicaux et politiques, ressentent cette gêne qui va de la peur du « cuir » à la difficulté à jouer avec le langage, difficulté qui ne signifie évidemment pas difficulté à « mettre en mots » puisqu'on sait combien l'aisance linguistique peut n'être qu'une façon de « noyer le poisson » en déplaçant le problème ou en s'en tenant à des considérations d'une haute généralité. L'inégalité en question se trouvera redoublée par une inégalité régionale (villes-campagne, Paris-province), sexuelle (hommes-femmes). En partie d'âge ; mais ici les choses changent : si de 15 à 40 ans les structures de domination coïncident avec les structures d'âge, la revendication du droit à la parole jeune s'affirme (non sans ambiguïté étant donné le caractère de la valeur « jeune ») et inversement, contrairement à ce qui se passe dans beaucoup de sociétés traditionnelles, on ne lie plus de façon générale prestige du discours et âge. L'homme de 70 ans n'est plus écouté comme tel.

C'est dans cette double opposition code commun - codes différents - codes conflictuels (et donc codes dominés-dominants) que doivent être replacées d'une part la distinction traditionnelle entre synchronie et diachronie, d'autre part l'analyse quantitative en termes de fréquence. Dans un cas comme dans l'autre en effet, il ne s'agit pas seulement de constater qu'une forme a disparu et qu'une autre est apparue, que tel mot est rare, l'autre fréquent. Un discours se manifeste comme respect ou transgression de la tradition, comme reprenant les codages habituels ou s'en démarquant (ce qui aura beaucoup de chances de se manifester sur le plan fréquentiel).

### *b - Synchronie-diachronie*

Plutôt que d'opposer absolument synchronie à diachronie, on doit constater que tout texte se trouve composé d'éléments d'âge différent et que la perception des éléments comme non homogènes chronologiquement fait partie de la saisie du message. Tout d'abord parce que effectivement les différents niveaux de réalité linguistique n'évoluent pas à la même vitesse, le lexique et les grandes unités, la relation du dit au non-dit évoluant plus vite que la phonologie ou la syntaxe. Pour s'en tenir au plan du lexique et des grandes unités, l'efficacité d'un discours est liée partiellement à cette identification chronologique. Le travestissement du règne de Louis XIV en *Iliade* ou en Empire romain comme celui de Mussolini, celui de la Révolution française en République romaine, ne sont pas seulement de vains jeux : la fonction culturelle s'y trouve reprise sur le plan de la fonction de domination. Ce jeu chronologique avec la tradition peut, selon les mécanismes de reprise, fonctionner différemment. Le premier rôle étant celui de la justification par les grands ancêtres. Mais il peut se transformer en son contraire : fonction de dérision ou possibilité de tenir un discours critique qu'on ne pourrait pas tenir dans un discours manifestement actuel. On sait que l'Antiquité a joué à la fois le rôle de support des valeurs éternelles et de machine de guerre contre l'Eglise catholique, dans un équilibre souvent difficile. De même que la « modernité », concept par définition fugace dans son contenu, signifie qu'une mise en mots se présente d'abord comme une différence avec les codages précédents. C'est-à-dire que tout codage est polémique (la polémique pouvant se fonder explicitement sur un retour au traditionnel, l'être sans le dire ou constituer un mélange).

D'autre part, chacun de ces niveaux n'est pas non plus homogène. Le discours politique contemporain comporte au moins trois strates : celle des termes classiquement valorisés *(égalité, démocratie)*, celle, plus récente, liée au conflit du capitalisme et du socialisme *(exploitation, libre entreprise...)*, celle enfin qui renvoie aux référents, aux événements politiques récents *(Communauté européenne, euro-communisme)*. Ces éléments lexicaux fonctionnent eux-mêmes selon différentes modalités, comme allusions, « fond de discours », supports d'évidences explicites ou non.

Le renouvellement romantique de la poésie ou du roman a consisté en partie à faire entrer dans le champ de la culture digne les contenus et les lexiques tabous. De ce point de vue, les strates chronologiques constituent en même temps des déplacements entre les pratiques et les groupes sociaux, l'évolution ne se faisant pas par tout ou rien, mais par passage au premier plan ou retrait dans des usages marginaux.

On ne revient pas sur les raisons théoriques et polémiques qui ont amené Saussure, comme Auguste Comte, à distinguer entre synchronie et diachronie, métaphoriquement entre statique et dynamique. On constate seulement que les inégalités chronologiques font partie intégrante du fonctionnement linguistique. Que ce soit pour étudier l'acquisition du langage par l'enfant ou les codages politique ou littéraire, on ne peut penser ni en termes de filiations diachroniques linéaires ni de systèmes qui se succéderaient les uns aux autres, mais de reprises-modifications à rythmes inégaux. Ainsi, il fait partie du développement de l'enfant qu'il acquière de façon relativement indépendante relation aux mots et relation aux choses. De même c'est la relation inégale entre les nouvelles réalités extra-linguistiques à mettre en mots et les codages transmis qui sont la contradiction motrice des textes et qui font en même temps la difficulté qu'il y a à les comprendre : le « jeune Marx » parle Hegel ou Feuerbach, le « jeune Freud » la neurologie de son temps.

Ce sont principalement ces décalages nécessaires qui rendent toujours aléatoire la communication avec les contemporains ou *a fortiori* l'explication historique des textes. L'une comme l'autre ne sont possibles que par une acculturation du récepteur, qui entre progressivement dans le champ de la problématique de l'autre. En même temps que la signification des textes change parce que la réalité change et amène à leur poser de nouvelles questions.

### c - *Fréquent-rare*

Contre une certaine simplification structuraliste, qui oppose la langue comme système aux aléas de l'usage, il nous semble au contraire qu'on ne peut pas séparer l'étude d'un phénomène linguistique de l'étude de sa fréquence. Cette fréquence manifeste son mode de fonctionnement. On ne revient pas ici sur le fait que les unités lexicales les plus fréquentes sont généralement les plus brèves, les plus stables, mais en même temps les plus polysémiques. On retrouve ici la relation : il y a bien code commun sur le plan signifiant ; les unités grammaticales ou les verbes fréquents se retrouveront dans tous les textes, mais *avoir*, *faire* ou *être* ne fonctionneront pas forcément toujours de la même façon. D'où la valeur et les limites de la statistique lexicale. La valeur : quelles que soient les « intentions du sujet parlant », la statistique lexicale permet de mettre en évidence les caractéristiques dominantes de l'organisation d'un type de discours ou d'un discours individuel et la question de savoir s'il y a ici choix intentionnel ou non n'est pas pertinente et d'ailleurs pas soluble. L'apport des analyses quantitatives est d'autant plus grand que les textes justement ne se différencient pas par la présence ou l'absence de telle classe d'unités ou de telle unité, mais justement par leur fréquence. Ainsi, sur le plan des classes d'unités, Guiraud a montré[1] que l'ensemble de la poésie lyrique (1860-1920) se caractérisait par rapport à la prose moyenne par un excès des noms (1,10) et surtout des adjectifs (1,40), un déficit relatif des verbes (0,75) et des adverbes (0,82). D'autre part, que chaque auteur se classe par rapport à cette différence. Ainsi Rimbaud est au maximum un auteur substantival (1,32), Baudelaire un auteur adjectival (1,60). En revanche, Claudel est marginal par rapport à ses contemporains. Il est le seul à avoir un indice adjectival inférieur à la moyenne de l'usage (0,95). C'est lui qui a l'indice verbal le plus élevé (0,79) même s'il reste plus bas que la moyenne d'usage. C'est le seul qui a un indice adverbial égal à la moyenne de l'usage non poétique.

De même en ce qui concerne l'usage de chaque unité. On peut pour chaque auteur calculer des mots thèmes à partir de leur fréquence et des mots clés : mots thèmes dont la fréquence sera très différente de la fréquence moyenne. On obtient ainsi une sorte de portrait-robot de chaque œuvre : les mots clés des *Fleurs du mal* étant par exemple : « Ange, Cœur, Comme, Beauté, Œil... », ceux des *Illuminations* : « Mer, Fleur, Monde, Ciel », et des *Poésies* de Mallarmé : « Azur, Baiser, Or, Pur, Rêve, Rose... » Ici encore Claudel se distingue : ses mots clés appartenant beaucoup plus aux termes par ailleurs fréquents : « Parole, Eau, Dieu, Comme, Esprit », même s'ils appartiennent à un champ spécifique et s'ils constituent par leur rapprochement un ensemble caractéristique. La comparaison peut porter sur la relation entre un texte et l'usage moyen. Elle peut également porter sur la fréquence comparée des unités d'un même texte. Ainsi note-t-on que dans les discours du général de Gaulle[2] *Démocratie* apparaît 3 fois et *République* 150 fois, *capitaliste* 1 fois, *ouvriers* 5 fois et *prospérité* 30. Prendre en compte ces fréquences ne signifie pas qu'un auteur ne sait que se répéter : il peut tout autant changer en fonction des interlocuteurs, de ce que la réalité lui impose. Mais cela nous évite d'imaginer un sujet transparent à lui-même qui partirait de ce qu'il a à dire pour sélectionner les moyens dans l'ensemble de tous les possibles que constituerait la langue.

Cela dit, on ne sait évidemment pas ainsi ce que veut dire un texte, la façon en particulier dont les unités y fonctionnent effectivement. D'où la critique fréquente des inventaires statistiques lorsqu'ils se fondent sur la croyance à un parallélisme

1. Pierre Guiraud, *Les caractères statistiques du vocabulaire*, Paris, PUF, 1954, 116 p.
2. Jean-Marie Cotteret et René Moreau, *Le vocabulaire du général de Gaulle*, Paris, Armand Colin, 1969, 246 p.

strict unités signifiantes - systèmes signifiés. Ainsi Miller[1] rapporte-t-il les hypothèses de Busemann, qui met en parallèle le rapport nombre d'adjectifs et nombre de verbes chez les enfants et le jugement sur leur stabilité émotionnelle porté par les enseignants : « Il semble que style actif (où le nombre des verbes est relativement élevé) correspondît à mobilité, émotion, moindre objectivité, caractère moins concret et moindre intellectualité. » Moralité : si vous voulez vous faire bien voir de vos maîtres, mettez beaucoup d'adjectifs. Une telle conception est évidemment insuffisante, puisqu'elle suppose une interprétation sémantique univoque de l'ensemble « adjectifs », que rien ne vérifie.

Plus précisément, les décomptes fréquentiels ne prennent réellement de signification qu'en fonction de l'étude des contextes verbaux d'apparition et d'autre part des situations extra-linguistiques. Il ne suffit pas seulement de compter les fréquences absolues de *je*, *nous* et *vous* dans les discours du général de Gaulle : ces fréquences s'éclairent, lorsqu'on note[2] :

— que les discours se rangent en deux groupes : ceux à dominance *je-vous* et ceux à dominance *nous*;
— que les premiers constituent des appels, par exemple électoraux, les seconds des bilans, par exemple, discours de fin d'année.

Ce que confirme le fait que le couple *je-vous* est surtout présent au début et en fin de discours. Enfin que *je* est principalement utilisé en proposition principale, que les verbes qu'il détermine sont des verbes d'action par la parole. En bref, « *je* appelle, *vous* répond ».

La statistique n'est donc pas condamnée à l'atomisme. Mais il est vrai que la constitution d'ensembles signifiants ne se fait pas automatiquement, mais par l'élaboration de regroupements et de contrastes. Ainsi, lorsque comparant les discours de M. Giscard d'Estaing et de M. Mitterrand au premier et au second tour des élections présidentielles, il apparaît qu'entre les deux tours les discours se « dépolitisent »; *Programme commun* passant de 16 à 2 occurrences chez le premier, *Nationalisation* de 18 à 2 chez le second[3], p. 127, ce que confirme chez l'un comme chez l'autre la diminution des termes fortement politiques : respectivement 48 à 12, 50 à 19.

Le problème sera ici encore de distinguer ce qui relève du code commun, de sous-codes et des maniements spécifiques.

## 3. Pré-codage et néo-codage

On voit combien il est dangereux de parler de « la langue » en général, comme si tout ce qui passe par la langue était structuré de la même façon. Face à la méthodologie d'analyse du corpus, les premiers textes de Chomsky ont fait l'effet d'une révo-

1. Georges MILLER, *Langage et communication*, trad. franç., Paris, PUF, 1956, 404 p.
2. Muriel COLLIN-PLATINI, *Une analyse linguistique des discours de De Gaulle*, thèse ronéotée, Paris, Université René-Descartes, 1976, 329 p.
3. J.-M. COTTERET, C. EMERI, J. GERSTLÉ, R. MOREAU, *Giscard d'Estaing, Mitterrand, 54 774 mots pour convaincre*, Paris, PUF, 1976, 348 p.

lution épistémologique. Il est bien vrai que l'aspect fondamental de la langue est son ouverture liée à son caractère combinatoire, « créativité » conçue par Chomsky avant tout sur le modèle de la syntaxe, de la fabrication à partir d'un nombre limité de règles et d'éléments, d'un nombre indéfini d'énoncés.

Mais si la « créativité » est bien la caractéristique de base du langage, par opposition à l'utilisation d'un code limité dans ses moyens, dans un nombre prédéterminé de situations, il faut ajouter que cette créativité ne prend pas la même forme à tous les niveaux de l'organisation linguistique.

*1* / La première, au sens de première chronologiquement — et aussi de première comme essentielle —, forme de créativité ne dépend pas de l'application d'un petit nombre de règles combinatoires de façon récurrente à des signes, mais du caractère arbitraire de ces signes, qui fait que par rapport à la réalité non linguistique les limites de réutilisation d'un signe et donc de sa valeur ne sont pas strictement prédéterminées. L'enfant qui a appris le mot *chien* face à un chien le réutilisera face à un autre animal, à un tapis laineux, à quelque chose qui fera du bruit (ce n'est que par rapport à un système déjà structuré que l'on pourra distinguer métaphore et métonymie). Les signifiants, identifiés par leur forme phonique, sont fortement précodés, les champs d'utilisation d'un terme sont au contraire variables, même s'il fait partie de certaines conduites linguistiques de chercher à imposer un usage contraint, conforme à une définition explicite, de tel ou tel mot. La créativité n'est dans ce cas ni une propriété mystérieuse de l'esprit humain ni un pur résultat du système, au sens où on pourrait donner à un ordinateur le moyen de faire « un nombre infini d'énoncés avec un nombre fini de règles ». La créativité est bien plutôt ici dans la confrontation système-réalité extra-linguistique. Soit la réutilisation d'un mot dans une nouvelle situation (chaque enfant créera ainsi de la signification en appliquant les mots à des situations non préprogrammées), soit la combinaison des unités permettent de modifier les significations premières.

A chaque niveau d'analyse on pourra établir non pas un système préprogrammé de règles, mais une relation entre ce qui est préprogrammé et ce qui ne l'est pas, ce qui nous semble correspondre plus exactement au caractère créatif du langage, étant bien entendu que ne pas être préprogrammé à un niveau donné ne signifie pas ne pas être préprogrammé du tout. Lorsqu'il y a seulement préprogrammation : prononcer telle parole dans telle ou telle situation, il n'y a plus créativité du tout mais langage automatique, rite...

Les règles de combinaison sont plus ou moins strictes : généralement assez contraignantes en ce qui concerne la forme des énoncés de base ou les modalités grammaticales, elles le sont moins en ce qui concerne les types d'expansions facultatives. Mais surtout, de même que les règles d'interprétation sémantique sont beaucoup plus souples que les règles de combinaison syntaxique, de même nous n'avons pas de raison *a priori* de supposer que les règles sous-jacentes aux grandes unités : récit, discussion, etc., sont aussi contraignantes que les règles syntaxiques.

*2* / Tout d'abord, il faut noter que, dans l'ensemble que constitue un texte, pré-codage et néo-codage s'articulent d'une autre façon : par la remotivation éventuelle de ce qui n'est pas précodé à un niveau donné de structuration. Ainsi, par exemple, l'antériorisation ou la postériorisation des phonèmes en français comme signe de « distinction » ou de « populisme », distinction elle-même motivée au niveau de la connotation « viscérale »[1] des prononciations d'arrière. (Dans d'autres langues où ils ne sont pas intégrés au système, ce seront les arrondissements vocaliques qui seront perçus comme érotiquement connotés.) Toutes les caractéristiques physiques de la voix (hauteur, vitesse de débit, lenteur, géminations non pertinentes) pourront ainsi être remotivées. De même, à un autre niveau, l'ordre des mots lorsqu'il n'est pas syntaxiquement contraint ou pertinent (cf. le vers latin). Ou l'ensemble des caractéristiques matérielles propres à la graphie : mise en pages, types de caractères, transformation du texte en dessin.

Le danger est ici l'interprétation automatique des voyelles comme lumineuses ou sombres, des consonnes comme apaisantes ou rocailleuses. En fait, ces éléments motivés du texte ne fonctionnent que par leur corrélation avec la structure lexico-syntaxique ou au contraire leur contraste. Corrélation lorsque rapidité et brièveté confortent le sens de *veni, vidi, vici*. Contraste, lorsque la lassitude de la voix démentira le « je t'aime ». Le néo-codage, soit individuel soit par identification aux usages d'un sous-groupe par opposition au code commun, manifesté en particulier par les accords et les conflits entre le sens arbitraire et la matérialité du message, constitue une large part de ce qu'on isole traditionnellement sous le nom de « fonction poétique » (réalité en fait surdéterminée, définie à la fois par ses procédures, ses contenus privilégiés et sa place dans le circuit du discours et de la pratique : il y a généralement des « moments réservés » pour le discours poétique).

Reste qu'il faut distinguer procédures phoniques et fonctionnement poétique. Tout recodage phonique n'est pas pour autant « effet poétique ». Sinon, comme le rappelle Mounin[2], on sera dans l'incapacité de répondre à la question posée par J. Hopkins (que Jakobson cite dans *Linguistique et poétique*, mais à laquelle il est vrai qu'il ne répond pas) : « Pourquoi les deux vers du décalogue du catéchisme :

> *tes père et mère honoreras*
> *afin de vivre longuement*

ne sont-ils pas un sommet de la poésie française, avec ces belles symétries du premier vers :

> t/ pr/ mr/ n/ rr
> *ou* tp/ rm/ rn/ rr /
> *et* éè/ éè oo e a /? »

Comme le notent aussi bien Mounin que Riffaterre (dans le commentaire qu'il fait de l'analyse des chats de Jakobson et Lévi-Strauss), ce n'est pas par insuffisance mais par excès que pèchent les analyses structurales : des répétitions phoniques ou

1. Ivan Fonagy, Les bases pulsionnelles de la phonation, *Revue française de Psychanalyse*, nos 34 et 35, 1970 et 1971, et La vive voix, dynamique et changement, *Journal de Psychologie normale et pathologique*, no 3-4, juillet-décembre 1976.

2. Georges Mounin, *La littérature et ses technocraties*, Paris, Casterman, 1978, 194 p.

des structures syntaxiques, on peut toujours en trouver. Le problème, plus difficile, est de savoir comment elles agissent sur le récepteur.

*3* / Un troisième type de recodage provient du mélange, du transfert de règles d'un domaine dans un autre. Le français écrit a été fabriqué à partir du français oral et contre lui. Quelles que soient leurs différences entre eux et à l'égard de l'oral effectif, le français de Céline et de Queneau constitue des reprojections de l'oral sur l'écrit. De la même façon la rupture du temps, la non-indication obligatoire du référent, la centralité du mécanisme associatif peuvent constituer dans un roman ou dans un essai, non des créations absolues, mais des réutilisations dans un cadre communicatif des procédures normales du discours à soi-même. On retrouvera une telle créativité par transfert dans le calque. Qu'il s'agisse de jeu parodique ou de traduction, on peut fabriquer (au moins pour les Français, sinon pour les Anglais et les Chinois) du français qui a l'air anglais ou chinois. Le transfert peut se faire d'un sous-code dans un autre : le discours poétique peut reprendre la forme du slogan publicitaire ou la philosophie faire semblant d'être axiomatique. Le transfert peut également se faire d'un système de signes dans un autre, en grande partie parce que certaines caractéristiques non spécifiques, comme le rythme, peuvent se retrouver, quel que soit le médium utilisé, et permettent de rapprocher Delacroix, Berlioz et Victor Hugo.

De la même façon, l'introduction de portions de discours codées dans un ensemble appartenant à un autre code en change la signification. Ainsi un récit concret devient argument à valeur générique à l'intérieur d'une discussion. Les genres, les pratiques discursives ne constituent pas des univers clos sur eux-mêmes et contraignants, sauf justement dans les relations normatives de type scolaire ou polémique (cf. ce roman « n'est pas un vrai roman »).

Enfin, rappelons encore une fois que le sens d'un texte n'est pas en lui-même, mais dans la relation à des pratiques et à une réalité extra-linguistique. Le « même » texte reprononcé ou relu deviendra figement ou au contraire prémonition.

La distinction entre pré-codage et néo-codage amène à distinguer deux sens différents du terme de *fonction*. On doit distinguer en effet les fonctions inscrites dans le code tel qu'il est transmis : fonction distinctive des phonèmes ou fonction idéationnelle, de « découpage de l'expérience » dans le lexique par exemple. Ce qui est tout différent de la fonction jouée *hic et nunc* par tel message global. D'une part, parce que l'usage actuel peut comporter tous les degrés de transgression par rapport à l'usage pré-codé. D'autre part, parce que ce sont avant tout les structures de base de la langue qui sont précodées, ce qui permet de déterminer un nombre limité de fonctions. Le néo-codage porte au contraire sur des usages globaux au niveau desquels on ne voit pas pourquoi les fonctions devraient se ramener à un inventaire fini discret et préalable à l'utilisation que nous en faisons. Il est bien vrai que les caractères fondamentaux du codage linguistique sont les mêmes en toute langue. Cela n'implique pas que l'argumentation, la théorie ou le récit doivent obéir de toute éternité aux mêmes types de contrainte.

## 4. Fortement codé et faiblement codé

Les considérations précédentes nous amènent à penser qu'il est dangereux et inefficace d'essayer d'appliquer à la totalité de la langue et en particulier aux grandes unités le modèle des règles qui vaut en syntaxe ou plus exactement dans une toute petite partie — justement celle qui est fortement codée — de la syntaxe. La contrainte codique varie selon les niveaux de structuration de la langue et les types d'utilisation qui en sont faits. Toutes choses égales d'ailleurs, les systèmes signifiants sont plus fortement codés que les règles d'interprétation. Pour un même niveau de structuration, on ne constate pas forcément non plus le même degré de contrainte. Ainsi en phonologie : les latitudes de réalisation des phonèmes seront généralement inversement proportionnelles au nombre de phonèmes de la langue.

Sur le plan du lexique et de sa combinatoire, les relations sont complexes entre l'opposition précodé - néo-codé d'une part, fortement codé - faiblement codé de l'autre. Toutes les considérations que l'on connaît sur « langue pauvre - langue riche » reviennent à juger les langues à partir des codages lexicaux transmis sans tenir compte ni des procédures combinatoires ni des modifications du sens des unités. De même en ce qui concerne la relation code transmis - vision du monde. Il est vrai que les précodages transmis contribuent à préorganiser l'expérience. Ainsi en ce qui concerne les systèmes grammaticaux, aspectuels ou temporels par exemple. Mais il s'agit de significations potentielles, relativement indéterminées, non de concepts fortement structurés. D'une part, la signification grammaticale est toujours déterminée par le reste du message et/ou la situation. Ainsi *le* sera générique ou concret, le présent manifestera le moment actuel, l'habituel ou l'éternel, *ici* une relation spatiale ou temporelle (« à ce moment du récit »).

D'autre part que la signification grammaticale doive être actualisée entraîne que nous comprenons même des recodages non conformes à la norme. Ainsi lorsqu'un enfant utilise *hier* et *demain* comme des termes équivalents signifiant « pas maintenant ».

C'est au niveau du maniement des grandes unités du langage que se manifeste particulièrement le lien des deux couples d'opposition : pré-codé/néo-codé, fortement codé / faiblement codé. Les usages dits poétiques du langage (qu'il puisse ou non y avoir une définition univoque de ces usages) se caractérisent certes par la remotivation des structures phoniques, la « centration sur le message » selon la formule de Jakobson, mais aussi, à des degrés divers, par l'ouverture du champ associatif ou, ce qui revient au même, par le fait que la contrainte référentielle qui ordinairement est portée par le langage se trouve levée.

Inversement, un discours scientifique aboutit à introduire un usage réglé des signes, non prédéterminé linguistiquement, mais par une pratique d'hypothèses et d'actions sur la nature. Ce qui fait que le concept scientifique de *masse* ou d'*atome* n'a plus grand-chose à voir avec la notion désignée par le même mot, qui sera, au contraire, surdéterminée, caractérisée selon le mot de Bachelard par un profil épistémologique variable où se mêleront de façon contradictoire tous les niveaux de codage, de l'expérience sensorielle à la mécanique quantique en passant par l'usage de la balance.

Cette variation du degré de contrainte codique dans l'utilisation d'un « même discours » constitue la raison fondamentale qui fait que partager la même langue n'implique pas se comprendre. Reste que les différents niveaux d'analyse linguistique se distinguent en grande partie par l'aspect plus ou moins contraignant de leur codage. On peut dire que le danger principal présenté par le « modèle phonologique » a été de faire comme si le sémantisme devait être structuré comme l'est la phonologie. De la même façon, même s'il existe des sonnets et des tragédies, nous devons nous garder de considérer que les grandes unités sont fortement codées, par exemple de croire que tout récit doit comporter des obstacles, des adjuvants et une conclusion. Il s'agit là d'une attente facile à décevoir (cf. plus bas sur continuité textuelle).

Il est alors fondamental de constater que le récepteur peut reconstituer les caractères du code à partir du message, introduisant par exemple des systèmes d'attente qui à nouveau pourront être trahis.

## 5. Codes équivalents ou non équivalents

D'une part, le fait que tout message linguistique puisse être reformulé en d'autres mots est un trait fondamental du langage, qui organise le tissu des relations entre les hommes comme le tissu de la relation du sujet à lui-même. On notera qu'il s'agit d'une transparence potentielle, dépendant, comme la réussite ou l'échec de toute communication de la nature du code, du message, de la réalité considérée et de ceux qui échangent le message. Un code scientifique ou technique se caractérise comme fortement codé, c'est-à-dire que les limites de réutilisation d'un terme y sont ou doivent y être bien déterminées. Cet aspect fortement codé fait que, potentiellement, les codes techniques et scientifiques sont les plus traductibles : qu'on utilise une représentation spatiale, une formule ou un mot (sulfure, sulfite, sulfate), en principe le contenu reste invariant. Le définissant y est en principe équivalent au défini et l'utilisation d'une formule ou de son développement est une affaire d'économie, non de différence de codage. Il s'agit d'une traductibilité de principe, car chacun de nous ressent bien que l'entrée dans un univers du discours qu'il ne connaît pas bloque d'abord sur un certain lexique. Le sentiment que le beau langage est la propriété d'une minorité se fonde avant tout sur la constatation des différences lexicales. Reste qu'un texte de type scientifique peut être reformulé, ce qui dépend des différents sujets étant seulement le degré d'explicitation. C'est cette traductibilité qui fonde le sentiment de l'indépendance de la pensée et du langage, sentiment qui provient de l'extrapolation trompeuse d'une donnée effective : un certain nombre de formes linguistiques sont potentiellement traductibles. L'erreur consiste à prendre la « remplaçabilité » d'une forme par une autre pour la « remplaçabilité » d'une forme linguistique par une absence de forme. Reste que l' « aisance linguistique » à l'égard d'un contenu donné se résume bien dans la capacité de le reformuler. Que cette capacité de reformulation soit fondamentale n'implique pas que l'on doive considérer les différentes formes manifestes, les différents discours comme des structures « superficielles » traduisant une « structure profonde ». Il n'y a pas d'univers sémantique non formulé indépendamment de la mise en mots. Il y a des règles de traduction entre messages sans que cela implique que ces structures doivent être dérivées les unes des autres. D'autre part, que la reformulation soit possible n'implique pas qu'elle soit parfaite, ni non plus que toutes les catégories de messages puissent être exprimées par tous les types de sous-codes.

Au contraire, si la division du travail s'accompagne de l'utilisation de sous-codes spécifiques, c'est en partie au moins parce que ces sous-codes ont des propriétés qui ne peuvent être transposées. Par exemple, l'impossibilité d'exprimer une loi physique indépendamment d'une forme mathématique montre bien que les mathématiques ne sont pas « un langage » au sens de « formulation qu'on pourrait remplacer par une autre ». Ou plutôt qu'elles ont en tant que langage des caractéristiques qui entraînent leur non-traductibilité en langage verbal : la formulation d'une loi en mots (même dans le cas d'une relation simple, « proportionnel » ou « inversement proportionnel ») constitue un « mauvais abstrait » parce que indépendant des caractéristiques numériques que prend le phénomène dans chaque cas concret. Alors que la formule mathématique peut prendre une infinité de valeurs différentes.

Ce à quoi il faut ajouter que des codages scientifiques équivalents potentiellement peuvent ne pas l'être en tant qu'instrument de découverte, en tant qu'instrument de rapprochement de réalités apparemment différentes, en tant qu'instrument de pédagogie.

Quoi qu'il en soit, la possibilité de l'intratraduction ne renvoie pas seulement ni même fondamentalement à des caractères internes au seul code linguistique. Elle renvoie aux relations de la langue aux pratiques sociales. D'une part à ce que Piaget appelle l'abstraction à partir des opérations : la possibilité de faire se correspondre un discours et sa double négation ayant un homologue dans la double inversion d'un mouvement spatial. D'autre part, il ne s'agit pas seulement d'actions abstraites sur une matière abstraite, mais d'actions concrètes impliquant la participation d'autrui. De ce point de vue, deux discours qui aboutissent à faire faire par autrui le même acte sont équivalents. Il faut rappeler ici que le langage fonctionne primordialement pour faire agir autrui et non pour évoquer dans son univers intérieur des représentations dont, par définition, je ne peux pas savoir si elles sont semblables aux miennes. L'argument pragmatique contre le solipsisme n'a rien de vulgaire. La réalité n'est pas en elle-même composée d'unités discrètes. Ou plutôt la question de la nature discrète ou non de la réalité en elle-même est dépourvue de signification. En revanche, les oppositions entre éléments linguistiques correspondent à des oppositions entre conduites pratiques. L'intratraductibilité linguistique se fonde sur le fait que, dans une situation appropriée, les différentes formules : *passe-moi ça, du pain s'il te plaît, passe-moi le pain* sont pragmatiquement équivalentes.

De ce point de vue les trois questions de la traduction d'une langue dans une autre, de l'intratraduction dans la même langue, de la compréhension du « même message » par des locuteurs différents constituent un seul et même problème. Comme le note G. Mounin, le problème n'est pas un problème de tout ou rien, mais de degré de traductibilité. Un texte complètement intraduisible serait un texte complètement incompréhensible. Un texte complètement traductible serait un texte où les particularités du sous-code utilisé n'auraient aucune importance, ne refléteraient aucune modalité particulière d'action sur le monde ou sur autrui, n'auraient donc aucun intérêt.

On a envisagé ce problème de la traductibilité sur les plans lexicaux et syntaxiques. Encore plus nettement en ce qui concerne l'organisation globale du message, on doit se garder ici à la fois d'un « structuralisme du même » qui considère que tous les textes ne sont que la reproduction d'un petit nombre de possibilités structurales et sont donc fondamentalement traduisibles et d'une philosophie de la profondeur et de l'ineffable individuels, donc de la non-traductibilité. Le structuralisme du même parce que s'il est bien vrai que tout texte comporte des récurrences qu'on retrouvera dans d'autres, que par exemple un récit doit comporter un point de départ et une arrivée, d'une part il peut faire partie de la spécificité du récit de le laisser sans conclusion (par exemple). Surtout, on ne peut déterminer *a priori* si ces éléments généraux sont ce qui permet au texte de fonctionner ou constituent au contraire un canevas tel que la pertinence du texte lui vient d'ailleurs (étrangeté des personnages, relation de l'histoire particulière à d'autres histoires, transgression des tabous...). Autrement dit, le général n'est pas forcément le pertinent. Inversement, s'il est vrai que tout texte constitue non une répétition mais une synthèse de l'hétérogène, cela n'implique pas pour autant son caractère non traductible (pas plus qu'un texte nouveau n'est par cela même incompréhensible). A tous les niveaux il y a contrepoint du commun et du différent.

Si l'on part de l'exemple le plus défavorable, il est vrai que les structures phoniques (inventaire des phonèmes, des rythmes, des accents, des types de succession) distinguent profondément les langues et rendent donc la traduction poétique aléatoire. En même temps les contrastes de brièveté, de lenteur, de répétition, de changement seront sous-jacents à toute utilisation du matériau phonique. De même sur le plan du contenu, certes, dans les différents pays d'Europe, les relations à la religion, à la nature, etc., ne sont pas les mêmes, mais il y a des « romans de formation » dans l'ensemble de l'univers culturel de la bourgeoisie du XIXe siècle.

La problématique de la traductibilité - non-traductibilité est, par-delà ses aspects techniques, prise dans un champ polémique et idéologique. D'un côté une problématique de la nature humaine, manifestée au niveau profond, qui considérera toutes les différences comme superficielles. De l'autre, une tendance différentielle, élitiste, qu'il s'agisse des tenants de telle ou telle langue de culture considérée comme supérieure aux autres ou des pratiques normatives à l'intérieur d'une même langue qui visent à considérer comme sans intérêt ce qui est « commun ». De même que les universaux linguistiques ne sont pas forcément des universaux « au départ » mais peuvent être des universaux de convergence, parce que dans différentes sociétés se manifestent les mêmes besoins. De même, il fait partie de la pratique humaine du langage que des textes qui avaient tout d'abord leur spécificité culturelle deviennent, parce que nous avons les moyens de reconstruire le code à partir du message, à leur tour des modèles productifs.

## B - CODAGE HOMOGÈNE ET CODAGE HÉTÉROGÈNE

Le fonctionnement d'un texte dépend des différents caractères que l'on vient d'évoquer. Mais encore faut-il noter qu'il n'est pas nécessaire qu'un texte relève d'*un* codage. Au contraire il peut s'agir d'un mélange, d'un codage hétérogène. On doit, avec Mikhaïl Bakhtine[1], insister sur le fait que cette distinction entre codage homogène et codage hétérogène se recoupe avec la distinction entre codage monologique et codage dialogique, qui se recoupe également avec l'opposition entre écrit et oral.

Pour l'essentiel, nous apprenons à parler dans le dialogue, dialogue qui a ses formes propres de continuité, par reprise d'un terme, élaboration progressive... Dialogue qui d'autre part marque l'affrontement de deux codages différents. Bien sûr la parole du maître peut être reprise par « le disciple » qui ne fait qu'acquiescer, mais pour que le dialogue fonctionne comme tel, il faut qu'au-delà des structures syntaxiques et d'un lexique récurrent s'affrontent deux codages, que la réponse ne soit pas que d'acquiescement.

Ce primat du dialogue se retrouve dans la question complexe de ce qu'on appelle relation entre langage et pensée, où le discours intérieur est avant tout interrogation sur un déjà dit, où la parole de l'autre intériorisée se trouve confrontée aux expériences extra-linguistiques qui résistent à ce codage.

De ce point de vue, le monologue, par exemple du discours scientifique ou celui qui impose la loi, loin de devoir être considéré comme la forme « normale » du discours dont le dialogue ne serait qu'une forme dégénérée doit être considéré comme entouré de dialogue. Et parce que parler (ou écrire) c'est se placer dans le champ d'un discours déjà dit, qu'on reprend, qu'on modifie. Et parce que le discours « achevé » biffe les processus d'élaboration qui se manifestent dans le discours entre interlocuteurs différents ou dans le discours avec soi. Et parce qu'à son tour, il sera repris-modifié.

Ce caractère homogène ou hétérogène se manifeste d'abord sur le plan syntagmatique du déroulement du texte : les messages peuvent s'enchaîner les uns aux autres ou au contraire s'opposer les uns aux autres. Il se manifeste d'autre part sur le plan simultané, où l'on peut distinguer les textes homogènes « monocodés », relevant d'un seul codage, et les textes « épais », « surdéterminés », relevant de plusieurs codages. Etant bien entendu que le texte qui semble transparent pour l'émetteur peut être surdéterminé pour le récepteur, et inversement.

Nous avons présenté très rapidement les précédents caractères différenciateurs des textes. Nous voudrions insister un peu plus longuement sur cette dernière dichotomie parce que c'est elle qui organise d'abord l'analyse si expliquer ou comprendre un texte, c'est d'abord reconstituer son ou ses codes.

1. Mikhaïl Bakhtine, *Esthétique et théorie du roman*, trad. franç., Paris, Gallimard, 1978, 490 p.

## 1. Homogénéité et hétérogénéité syntagmatiques

Bien loin de pouvoir établir une liste *a priori* des types de continuité, il faut tout d'abord noter :

*a* / La continuité ne sera pas fondée sur les mêmes éléments dans un récit, une discussion, un poème...

*b* / Dans la mesure où il existe des contrastes fortement codés, par exemple la différence dans un récit entre présentation des personnages ou de la situation, déroulement, conclusion éventuelle, ces contrastes se caractériseront par des types de phrases différents :

— phrases à présentatif : *il était une fois, c'est...*
— phrases processives : *il court, il tombe*;
— phrases équatives à « valeur éternelle » : *les petits enfants ne doivent pas...*

On ne peut donc dire que la continuité d'un texte ne se fonde que sur la répétition d'éléments identiques. De la même façon, il y a des formes de rupture fortement codées (la parenthèse apportant une notation subjective, la différence entre le récit et le dialogue dans le roman, les propos propres à l'auteur et la citation). D'autres formes de rupture seront au contraire plus spécifiques (le *flash- back*). Mais ce qui importe c'est que des contrastes fortement codés sont des instruments normaux de continuité.

Ce à quoi s'ajoute que ces continuités par reprise ou par contraste peuvent se manifester à différents niveaux, éventuellement contradictoires :

— Unité situationnelle (ou à l'écrit unité d'un titre, d'un « propos ») : dans une discussion politique un fait concret, une anecdote personnelle seront, au niveau des « bienséances de la communication », perçues comme devant avoir une relation avec le thème général.

— Unité manifestée par la matérialité : phonique (rythme, intonation, reprise de sonorités...), graphique (disposition typographique des pages, des paragraphes ou des chapitres).

— Unité grammaticale : phénomènes d'anaphore : *le garçon..., il*, de contrastes temporels : *il pleuvait, les nuages se déchirèrent.*

— Unité lexicale où la répétition d'un mot, d'un terme apparenté, la reprise de termes qui impliquent une succession *(naître - grandir - mourir, commencer - continuer)* manifestent une telle relation.

Parfois tous ces niveaux s'accordent : par exemple la prose écrite équilibre « gestuellement » les adjectifs dans le syntagme nominal pour qu'ils forment une unité intonative. Dans d'autres cas il y a rupture : il ne suffit pas de numéroter ses paragraphes pour qu'il y ait continuité conceptuelle du texte. Ou bien, ce qui est fréquent dans les situations de « discours imposé », la continuité proposée lexicalement : « on va parler de la liberté » se trouve recodée par les interlocuteurs en termes d'animaux, d'argent ou de chômage.

### a - Continuité thématique et lexicale

La donnée primordiale est ici que la continuité du lien entre messages successifs ne s'exprime pas forcément par des outils syntaxiques ou par des connecteurs *(cependant)*, mais soit par le seul fait que des messages émis successivement doivent avoir quelque chose en commun *(il fait beau, je sors)*, soit par la répétition d'un terme ou sa reprise par un pronom *(je pars, je ne peux plus rester)*, soit par la succession de termes opposés *(toi, pars, moi, je reste)*, soit par des procédures un peu plus complexes, mais toujours fondées sur les implications lexicales des termes (thématisation d'un élément secondaire : *quand je suis à la campagne je me promène... moi, j'aime mieux la mer*, ici combinée avec une reprise paradigmatique : *campagne* → *mer*).

Si la continuité s'établit principalement par les implications lexicales des termes, réciproquement, le même énoncé : *il fait beau*, fonctionnera différemment selon qu'il est accompagné d'une question : il sera réponse, d'un ordre : il sera alors justification : *va te promener, il fait beau*, d'un énoncé rapportant un événement : il fonctionne alors comme circonstant : *il fait beau, ils vont se promener*. Ici le présupposé : il y a un lien attendu entre *beau temps* et *promenade*, fait partie du code commun ou en tout cas de la vision du monde la plus fréquente dans notre culture. Dans d'autres cas, les sujets pourront partager la même langue, mais avoir des systèmes de « présupposés implicatoires » opposés. Ce sera particulièrement net dans les jugements de valeur implicites : *le salut de la patrie exige que...* impliquera pour l'émetteur que le salut de la patrie ne se discute pas, pas forcément pour le récepteur.

### b - Continuité et rupture dans le dialogue enfantin

Plus que des exemples « littéraires », « élaborés », on voudrait présenter ici quelques exemples de dialogues enfantins. Parce qu'ils illustrent la spécificité du dialogue et son primat à l'égard du monologue, parce qu'ils montrent aussi le primat de la continuité lexicale et thématique sur la continuité syntaxique ou par connecteurs explicites[1].

Ajoutons que ces structures de base se retrouveront plus tard et ne sont sans doute jamais « définitivement dépassées ».

On présente tout d'abord des exemples obtenus en maternelle, à l'occasion de l'introduction en classe par la maîtresse d'un lapin en peluche et d'un lapin « en vrai ».

On constate trois types de continuités différentes : entre l'adulte et les enfants, entre les enfants, à l'intérieur du discours de chaque enfant, continuités toujours fondées sur la reprise lexicale, quelquefois sur l'utilisation d'anaphoriques ou d'anticipateurs :

*a* / Adulte-enfant. Question-réponse : *Que vous ai-je apporté ? — Des lapins.* (Ici l'adulte apporte le thème et les enfants le propos.) Dans les corpus qu'on a enregistrés il y a peu de questions enfant-enfant mais inversement les structures

1. Frédéric FRANÇOIS, L'enfant et l'argumentation, in *Pratiques*, numéro spécial, *L'argumentation*, 1980.

qui vont suivre sont très rares entre adultes et enfants : ils ne discutent pas au sens où ils ne présentent que rarement deux codages différents de la même réalité.

*b* / Enfant-enfant. Structure « en étoile », où un terme : soit un nom soit ici un déictique, apporte la base commune et où le reste du message constitue l'indication d'un autre aspect du réel, d'un complément d'information. On a par exemple : Maîtresse : *Pourquoi ne bouge-t-il pas ?*

— *parce qu'il ne marche pas*
— *parce qu'ils sont tout petits ceux-là*
— *y'en a un gros, il est en peluche*
— *ils ont pas envie de bouger. C'est des jouets*
— *c'est des faux.*

Cette structure très fréquente chez l'enfant nous semble fondamentale. Avant qu'il y ait discussion au sens strict ou essai de démonstration, il faut bien que les enfants (ou les adultes) soient en état de présenter différents codages d'une même réalité. Le rôle de la pluralité des locuteurs est ici fondamental : il sera très rare qu'un enfant seul, face à l'adulte, présente différents aspects d'une même réalité.

*c* / Dans d'autres cas les codages ne sont pas seulement différents, mais opposés :

— *il n'a pas de pattes*
— *si, il a des pattes*

(on note que chez les plus jeunes la confrontation des codages opposés en reste là, mais ce n'est pas non plus une caractéristique du seul langage enfantin).

*d* / Parfois, la série oppositionnelle peut être précodée. On change alors d'objets de discours au lieu d'apporter des caractérisations différentes d'un même objet. Là aussi, il s'agit d'une structure fondamentale : la possibilité de passer d'un thème à un autre :

— *c'est un lapin...*
— *là c'est la maman*
— *c'est les bébés...*
— *c'est le papa.*

*e* / Toujours entre enfants, une des fonctions premières de l'échange est d'évoquer une réalité absente à partir du thème actuel : dans les enregistrements effectués, cela s'effectue toujours à partir de *moi, je*, comme plus tard chez l'adulte, cette continuité-rupture se manifestera à partir du sacramentel *à propos...* : la maîtresse donne à manger aux lapins :

— *moi, j'ai apporté du pain pour eux*
— *moi, je mange du pain chez moi*
— *moi, je veux leur en donner*
— *moi, j'en ai des lapins comme ça, ils ont une cage, ils (?) s'en va pas.*

*f* / Enfin, à l'intérieur d'un même discours, avant l'apparition des discours explicitement métalinguistiques, on constate que la juxtaposition de deux énoncés est la structure de base sur laquelle se développeront ensuite la coordination et la subordination (présentation de deux aspects de la même réalité) :

*y'en a un gros, il est en peluche*
*moi, j'en avais un lapin, il était gros comme ça*

ou présentation d'un aspect et explicitation :

*ils ont pas envie de bouger, c'est des jouets.*

Le mélange de ces différentes structures (avec ici une question enfant-enfant, détermination, étoile, paradigme) produit la séquence effective :

— *qu'est-ce que c'est ?*
— *des lapins*
— *c'est un lapin*
— *pourquoi c'est un lapin ?*
— *là, c'est la maman*
— *c'est les bébés*
— *des bébés lapins*
— *y'en a beaucoup*
— *a beaucoup de bébés lapins*
— *c'est le papa*
— *mon papa est parti au travail*
— *tu sais maîtresse ma maman est partie au travail avec la voiture*
— *c'est papa qui conduit...*

Série qui nous semble exemplaire, parce que montrant à la fois l'existence d'un petit nombre de mécanismes de base de la signification, le rôle des continuités lexicales, l'antériorité de la continuité thématique sur la cohésion syntaxique ou interphrastique marquée par des connecteurs. En même temps ces messages structurellement simples mettent en place la donnée fondamentale sur laquelle se fonderont les discussions plus complexes : la présence de codages différents de la même réalité.

Il est difficile de présenter une direction unique d'évolution ultérieure. Elle se manifeste tout d'abord par le nombre des codages différents associés sous une unité thématique : les « paragraphes » deviennent plus longs. D'autre part, l'entrée dans la discussion proprement dite est corrélative de l'apparition d'énoncés généraux (qui du même coup rendent la « réfutation » possible : les énoncés particuliers comme ceux qu'on a vus précédemment ne peuvent que se juxtaposer). Ainsi dans une discussion au CP sur la différence entre garçons et filles, les changements de thème seront introduits par des énoncés génériques (dont la fausseté éventuelle permettra d'autant mieux l'entrée dans le circuit de la discussion)[1]. Il y a bien là une façon de signifier une « sémiologie » nouvelle fondée sur l'opposition générique-particulier qui fait entrer à proprement parler dans le sous-code de la discussion.

En même temps il faut rappeler que, déjà chez les jeunes enfants, l'acquisition et l'utilisation sémiologiques des grands types de structures (phrases à présentatifs,

1. Corinne Giraux et Caroline Lions, *Analyse de la conduite de discussion chez des enfants de cours préparatoire* (mémoire pour le certificat de capacité d'orthophoniste Pitié-Salpêtrière, 1977-1978).

ordres, question-réponse, phrases acteur-action, etc.) ne se font que sous des formes qui varieront avec les conditions de communication (est-ce qu'on raconte des histoires à tel enfant, de quoi parle-t-on chez lui ?). Une grille générale de l'acquisition et de l'utilisation du langage sera inévitablement pauvre, dans la mesure même où ce qui est subsumé sous le nom de langue constitue en fait le mélange, le jeu de sous-codes différents ou opposés. Ce sera encore plus net ici. Et encore plus net dans les textes culturels « épais ». On ne dira pratiquement rien d'intéressant d'un poème en le réduisant à être une actualisation de la « fonction poétique » ou d'un discours du général de Gaulle à être un modèle du genre « discours politique ». De façon empirique et provisoire, même s'il n'y a pas une essence du code argumentatif ou rhétorique, on voit apparaître ici de nouveaux types d'organisation textuels :

*1* / Les énoncés explicitement génériques :

— *parce que d'abord une petite fille ça a pas les cheveux pareils qu'un garçon et puis que les garçons ça a les cheveux courts* ou
— *les filles des fois, elles ont des jupes et puis les garçons ils en ont jamais.*

*2* / Les énoncés particuliers négatifs, qui par le seul fait des conditions d'échange fonctionnent comme arguments, contre-exemples :

— *un jour, en promenade, j'avais vu une fille qu'avait les cheveux courts mais presque comme les gars;*
— *et les Ecossais ils portent des jupes aussi les Ecossais.*

*3* / L'opposition des codages aboutit à une troisième solution :

— *les filles, elles ont pas de zizi*
— *si elles en ont un*
— *plus court.*

*4* / De même l'intégration du discours de l'autre aboutit à l'argumentation réfutative, le discours de l'autre se trouvant contredit par un élément que chacun accepte :

— *si euh elles avaient pas de sexe, comment elles feraient pipi alors ?*

repris sur le mode ludique :

— *si les filles n'avaient pas de zizi euh le pipi ne serait pas assez fort pour faire un trou dans la peau hein.*

Ce à quoi sorti s'ajoute la série :

— *le pipi y sortirait par la bouche*
— *non par le nez*
— *non par les nénettes.*

C'est-à-dire que la conduite antérieure « épuiser la série paradigmatique » se retrouve prise dans un ensemble d'une part explicitement ludique mais en même temps argumentatif, puisqu'on sait bien que ça ne se passe pas comme ça.

5 / En même temps, ce qui était présent chez les plus jeunes sous forme de *moi, je*, apparaît ici sous forme plus complexe, de confrontation des expériences particulières, qu'elles soient effectives ou culturelles, ce qui avec l'introduction d'une structure ternaire donne :

— *et qui a des seins ?*
— *c'est les mamans*
— *ben toi quand tu seras une maman, t'en auras. Pas les garçons en tout cas*
— *si des petits, ouais des petits*
— *mon papa, il les a moitié gros parce qu'il travaille aux transports*
— *et puis moi dans mon livre d'Astérix, y'a, y'a Astérix et puis le chef des Gaulois et les Romains, et puis ils jouent à la basque et y'en a un qu'a un gros ventre et puis des gros seins.*

Ces deux exemples nous semblent mettre en évidence certaines formes fondamentales de continuité, qu'on retrouvera dans des discussions plus élaborées :

— Continuité fortement codée de la série, de l'opposition oui-non, de l'opposition avec restructuration ou du conflit énoncé générique - expérience particulière.

— Continuité moins fortement codée par déplacement, évocation des objets absents ou thématisation de ce qui n'était qu'un des éléments d'une série.

On peut sans doute proposer que, parmi les textes, on retrouvera des textes de type non conflictuel, en étoile, où les différents points de vue se juxtaposent, et des textes conflictuels à deux, trois termes, conflits homogènes (restant génériques) ou conflits où s'opposent discours générique et particulier, marqués par la reprise d'un lexème, d'un lexème du même champ ou même sans éléments formels manifestes. Etant bien entendu d'autre part que l'unité thématique (le paragraphe si l'on veut) n'est pas une unité fortement codée, qu'elle comporte des ruptures, des retours en arrière, des mélanges, des contrepoints.

C'est seulement sur cette base lexico-thématique qu'on peut essayer de classer les moyens grammaticaux de manifestation de la continuité textuelle.

#### *c - Continuité grammaticale*

Il nous semble en effet que la continuité thématique, marquée principalement sur le plan lexical et pouvant l'être en particulier par les ruptures elles-mêmes, est la principale forme de continuité et que la continuité grammaticale est au contraire pour l'essentiel facultative. La plupart des auteurs qui ont traité de continuité textuelle nous semblent au contraire avoir surtout insisté sur ces outils grammaticaux, en oubliant parfois leur rôle facultatif. En s'inspirant principalement ici de Halliday[1], même si le titre même de son ouvrage fait problème, puisque parler de *Cohesion in English* ne s'accompagne pas d'une problématique suffisante sur les traits communs à beaucoup de langues (on donne ici des exemples transposés de Halliday en français) et sur ceux au contraire qui dépendent d'un type de discours spécifique (argumentation, récit). Avec Halliday on isolera tout d'abord la relation de *référence*, qui se subdivise en fonction de la relation au discours en relations de

1. M. A. K. HALLIDAY et Ruqaiya HASAN, *Cohesion in English*, London, Longman, 1976, 374 p.

*personne (je, tu, il, on)*, relations de *monstration* (ce) qui peuvent toutes deux renvoyer en dehors du texte : *il court* (je le montre) ou dans le texte : *Pierre arrive, il a l'air fatigué.* Enfin, relations de *similarité* : renvoi au codage précédent. *Je veux ce vin. Donnez-moi le même* (qui peut plus rarement être également exophorique).

La relation de *substitution* sera plus proprement grammaticale, elle ne fera que renvoyer au codage précédent sans apporter une organisation sémantique propre (comme le font les séries : *je, tu, on* ou *même, différent*). On aura des substitutions nominales, en anglais par *one*, en français par *un* (dans certains de leurs usages) : *voilà un tapis. J'en veux un* ou *j'en veux un autre.*

La substitution verbale est assurée en anglais par *do*, en français par *faire.* La différence entre les deux étant une différence de fréquence corrélative d'une différence de contrainte syntagmatique. *Yes, I did* est la forme non marquée de reprise en anglais. En français, on aura : *tu as couru ? — Oui*, et seulement dans certains cas, insistant sur l'accomplissement d'une tâche : *tu as rangé tes affaires ? — Oui, je l'ai fait.*

On aura enfin la relation de substitution de proposition : *il est parti. J'en ai peur.*

La troisième relation sera celle d'*ellipse* : nominale : *quel chapeau voulez-vous ? — le plus beau;* verbale : *Pierre a couru, Jean aussi. Il n'a pas rangé ses habits, moi non plus.* Comme on l'a noté, le phénomène fondamental est ici la continuité thématique qu'elle soit marquée formellement : *il est parti, c'est triste*, ou non : *il est parti. Tant pis.*

Enfin la dernière sorte de relation de continuité grammaticale sera selon Halliday la relation de *conjonction.* Halliday pense pouvoir classer la coordination selon quatre grands types sémantiques : *additive (et-ou), adversative (mais), causale (ainsi), temporelle (alors).* Surtout, il met en évidence que le plus souvent on ne peut distinguer entre coordination « objective » portant sur le contenu et coordination subjective ou métadiscursive portant sur l'énonciation elle-même. Dire *davantage (furthermore)* ou *à propos (incidentally)* constitue ce que Halliday appelle des « emphatiques » ou « déemphatiques », c'est-à-dire que les éléments liés à l'énonciation permettent de structurer le contenu lui-même. De même que l'introduction d'une conclusion peut être nettement centrée sur le processus même du discours : *en résumé, pour conclure*, ou porter de façon indéterminée sur le processus de discours ou sur le contenu : *finalement, dans ces circonstances.* On peut dire que ces outils structurant du monologue constituent des intégrations dans le discours monologique des procédures du dialogue : *au contraire, au moins, cependant...*

Mais cette organisation, caractéristique du discours, ne doit pas faire oublier non seulement le fait que même des relations spécifiques comme la concession ne sont pas forcément portées par un opérateur spécialisé : *il fait beau, ça ne m'empêche pas de prendre mon parapluie, on ne sait jamais*, mais aussi que même dans les cas où le dialogue semble « fortement codé », *il fait beau, quand est-ce que tu pars ?*, la réponse peut toujours être une réponse indirecte (p. 206) portant sur le processus d'énonciation — *ça ne te regarde pas*, restructurant la question : *quand est-ce qu'il est parti ? — il est parti ?* ou se fondant sur une continuité partielle introduisant en même temps une rupture : *tu as une voiture ? — Non, sauf si tu es venu avec la tienne.*

Ce à quoi s'ajoute l'existence d'une continuité intonative corrélative, de l'accumulation, de la parenthèse, de l'évidence ou au contraire de la distance à l'égard de son propre discours. Mais, même s'il en traite rapidement, Halliday est bien amené à constater que les phénomènes grammaticaux en question sont pris dans l'ensemble des connexions lexicales :

— Reprise par un terme générique : *j'ai vu tomber les plus célèbres : ce fait...*

— Reprise par un terme opposé (ce qu'il appelle *collocation*) : *les garçons ont chahuté : les filles ne feraient pas cela.*

— Reprise par un terme quelconque, par ailleurs en relation avec le terme-thème de départ : *j'ai dormi dans un hôtel près d'une gare. Le bruit est insupportable.*

Le lien entre *gare* et *bruit* fait ici partie du code ou plutôt de l'univers commun à la majorité des francophones (ou plutôt de ceux qui vivent dans une civilisation à trains). Autrement dit, la connexion linguistique n'est ici que le reflet de la connexion extra-linguistique, comme dans bien d'autres cas. Les connecteurs grammaticaux renvoient au lexique qui renvoie lui-même aux réalités extra-linguistiques.

Bien entendu, des connexions lexicales-référentielles renvoient aussi à des connexions liées aux structures du monologue et du dialogue : question-réponse ou propos-thème, mais cette structuration linguistique ne fonctionne que sur le fond de la structuration référentielle, en relation au fait que les phénomènes réels soit sont effectivement associés, soit peuvent le devenir dans l'imaginaire du « ça me fait penser à ».

Ce qui revient à dire que la continuité d'un texte n'a que peu de chose à voir avec une « grammaire de la récurrence ». Cela d'autant plus que si, dans certains cas, par exemple lorsqu'il s'agit de transmettre une indication, un texte doit relever du même système de décodage pour l'émetteur et le récepteur, le plus souvent un message est pluri-codé, correspond à plusieurs types de décodage différents.

## 2. Homogénéité et hétérogénéité textuelles

Si l'on a insisté un peu plus longuement sur cet aspect homogénéité-hétérogénéité c'est d'abord qu'il est fondamental pour définir une réalité comme texte. C'est aussi parce que, en même temps, il est important de ne pas limiter les phénomènes grammaticaux au domaine de la seule phrase. D'où la nécessité d'écrire des grammaires d'interphrase ou plutôt des grammaires de l'ensemble textuel. En notant bien qu'il ne s'agit pas forcément de trouver dans les unités plus grandes que la phrase (ou plutôt dans les unités comme celles du dialogue qui ne sont pas forcément décodables en termes de phrases) des équivalents de liens syntaxiques : la continuité thématique, marquée lexicalement ou non, ou les semi-ruptures (*à propos*, thématisation d'un élément secondaire, retour des éléments précédents, continuité indirecte, continuité métadiscursive : « ... qu'est-ce que ça veut dire, pourquoi tu dis ça ? »...), continuité oppositionnelle sous la forme *moi, je* ou sous une forme plus raffinée constituant la base sur laquelle prend place (éventuellement) la continuité formellement marquée.

La continuité textuelle n'est pas forcément marquée formellement, elle ne relève pas en général du « fortement codé ». Certes, certains sous-codes culturels sont construits sur des modèles stricts, correspondant par exemple aux genres littéraires fortement codés et aux attentes correspondantes au niveau du récepteur. C'est ce qui a permis à Propp[1], dans les conditions spécifiques de l'élaboration du conte populaire russe, de retrouver un certain nombre de situations, de personnages récurrents. On voit même pourquoi, pour qu'il y ait récit, il se trouve fréquemment qu'il peut y avoir obstacle. Sinon « il ne se passe rien ». Mais vouloir[2] présenter comme caractéristiques du déroulement de toute histoire une succession du type :

situation initiale : *nous étions en voiture*
complication : *le moteur a eu des ratés*
évaluation : *la voiture était vieille*
résolution : *il y avait un garagiste dans le village*
morale : *on a eu de la chance*

(ou quelque modèle du même genre plus élaboré) nous semble constituer une erreur théorique très grave : parce qu'un récit peut comporter moins que tout cela : un événement comme tel peut suffire à faire récit. Au contraire, le récit peut comporter bien d'autres éléments, entremêler discours rapporté, considérations explicatives, etc. De toute façon, les éléments récurrents ne sont pas forcément les éléments pertinents d'un texte.

Sur ce point, on peut revenir à l'analyse de textes d'enfants. Ce qui présente de nombreux avantages : la docilité scolaire relative qui permet de demander aux enfants de raconter la même histoire. En même temps, on se trouvera à égale distance du surcodage sophistiqué et de l'inhibition de la majorité des adultes éloignés de la « chose littéraire ». Si les enfants sont confrontés à une situation contraignante, comme le récit d'une bande dessinée[3], la stratégie dominante sera celle de l'introduction d'un codage homogène fondé sur la succession des événements encadrés éventuellement de la présentation des personnages et d'une conclusion et coupée de « codages subjectifs » : *il veut, il a peur*. Il y aura là, si l'on veut, des réalisations proches de l'archétype du récit. Mais moins le point de départ, le référent extra-linguistique, est contraignant, plus on obtient des codages différents. Ainsi[4], à partir d'un château fort et de deux marionnettes baptisées roi et reine obtiendra-t-on des textes soit plus réduits que ce qu'on obtient à partir d'une bande dessinée (les procès ne sont pas induits), soit au contraire plus diversifiés. On aura d'un côté : « Va construire son château, il rentre, il monte, après ils vont dans l'herbe, après je sais plus », codage minimum induit par la situation. Ou bien

1. V. Propp, *Morphologie du conte* (1928), trad. franç., Paris, Seuil, 1970, 256 p.
2. Cf. le résumé proposé des travaux de Van Dijk et d'Isenberg par J. M. Adam, La cohésion des séquences de propositions dans la macro-structure narrative, in *Langue française*, nº 38, mai 1978 : *Enseignement du récit et cohérence du texte*, Paris, Larousse.
3. Frédéric François, Systèmes grammaticaux et lexicaux dans la dénomination des participants et des procès, in *Langage et classes sociales, une étude transversale, Psychologie et éducation*, nº 4, vol. 2, décembre 1978, Université de Toulouse-Le Mirail.
4. F. Clavié et H. Wodrascka, *Comportements linguistiques d'enfants de milieux sociaux contrastés dans trois situations différentes*, Mémoire pour le certificat de capacité d'orthophoniste Pitié-Salpêtrière, 1977-1978.

« y'a le château, ils mangent, ils vont se promener et puis après ils ferment le grillage ».

Dans d'autres cas, on aura mélange avec d'autres sous-codes disponibles : « Alors par des fois, ils ont deux enfants, par des fois il y a aussi des Indiens avec le roi et la reine, y'a aussi le château, une porte, y'a aussi un parc aussi y'a une reine. Par des fois y'a des Indiens qui partent par des fois ils ont pas la même chambre et alors c'est fini. »

On peut dire qu'ici la subjectivité se manifeste par le mélange des codes. Et pourquoi ce mélange dans le discours intérieur ou manifeste de ce qui relève de codages différents ne serait-il pas une des bases de ce qu'on peut appeler « subjectivité », tout autant que le sujet du refus ou que le sujet métalinguistique de la reformulation ou de la mise à distance ?

Mais ici le texte (et le « sujet » corrélatif qu'on peut en déduire) reste constitué de parties de codages qui, au moins pour le récepteur, sont juxtaposés. Dans d'autres cas la « mayonnaise textuelle » prend : « C'est un roi et ben un jour le roi il est allé dans une charrette, alors la charrette, elle est tombée dans l'eau et puis le roi il était plein de boue alors la reine et ben elle l'a changé et puis le roi était encore tout propre et puis il y avait une grande flaque d'eau et puis encore ils sont retombés dans une flaque d'eau et puis maintenant, la roue, tous les trucs, tous les bâtons de la roue, ben, ils étaient cassés, alors ils avaient plus d'autre roue alors ils ont marché à pied. C'est fini. » Ou : « Un jour la reine, elle est partie faire son marché et puis elle a rencontré un ogre, il avait perdu ses dents et ses oreilles, et puis alors, elle l'a amené chez le dentiste et il lui a remis ses dents et puis l'a amené au château avec son, avec où qu'y a son roi et puis le roi i s'attendait pas à ça et puis il était pas là, il était avec ses guerriers alors un moment après, il était revenu, il était tout essoufflé. »

Soit à partir de codages plus prosaïques : « C'est la dame qui va faire le ménage dans le château et puis après, le roi il dit t'as pas encore fini de faire le ménage, il dit ça à la reine et puis la reine elle dit non... » Ou encore plus prosaïquement : « Ils vont dîner... puis ils se disputent... puis ils vont faire des courses puis le roi il va travailler. La reine elle revient dans le château puis le roi, il lui dit : « Qu'est-ce que tu as acheté ? » Elle lui dit : « J'ai acheté deux poires. » C'est fini. »

Cette situation semi-contrainte mettant bien en évidence les différentes stratégies possibles : codage minimum impliqué par la situation, mélange avec d'autres précodages, réinvestissement à partir d'autres précodes, irruption de la vie familière, tous phénomènes de mélange entre lesquels nous voyons qu'on ne peut introduire une hiérarchie linéaire de valeurs et qui nous rappellent que les genres ne constituent pas des ensembles fermés aux limites inviolables.

Mais si au lieu de considérer seulement des enfants appartenant à une même civilisation on considère des textes issus de cultures différentes, on voit que rien n'oblige à supposer que la récurrence du même importe plus que les différences. Surtout, on doit constater que par rapport au récit homogène ou qui tend à l'être (et qui a sans doute peu de chance de nous fasciner) le roman effectif fonctionne avant tout comme texte hétérogène.

On peut beaucoup discuter de la possibilité même de définir un genre « roman ». On peut à coup sûr, face aux textes qui se donnent comme homogènes : récit d'événements « réels », textes scientifiques, discours politiques, constater l'importance des textes hétérogènes, où dans le cours d'un récit s'articulent souvenirs, anticipations, discours généraux, venant rappeler sur le plan de la conduite du discours que, quelle que soit l'analyse scientifique que l'on peut faire, la vie concrète se caractérise par le hasard, par la rencontre, par le mélange des différents plans que la volonté de rationalité nous mène à distinguer. Il est frappant à cet égard de constater l'importance actuelle du genre roman, aussi bien en Union soviétique qu'aux Etats-Unis comme « discours hétérogène assumé ». En même temps c'est dans ces romans, sous forme de discours concret ou plutôt de va-et-vient entre concret et générique, que s'exprime une critique de la société qui ne peut s'exprimer sous une forme « théorique ».

## C - MONOCODAGE ET PLURICODAGE

De ce point de vue, plus peut-être que l'aspect homogène ou hétérogène du déroulement textuel importe ici l'aspect de monocodage ou de pluricodage simultané d'un même texte. Cela ne signifie pas que le texte *épais, pluricodé* soit en soi supérieur au texte monocodé ou qui y tend, mais qu'une théorie de l'analyse des textes doit tenir compte de ce pluricodage.

*a / Pluricodage et strates d'analyse.* — On peut tout d'abord isoler le pluricodage sur le plan de la corrélation ou du contraste entre structures linguistiques de niveaux différents. Ainsi entre structures syntaxiques et lexicales. Ou syntaxiques et textuelles : fréquemment l'ironie du récit voltairien (cf. *Candide*) consiste à opposer l'implication syntaxique d'évidence, de factualité et l'inattendu lexical (par exemple : « Le prieur déjà un peu sur l'âge était un très bon ecclésiastique, aimé de ses voisins après l'avoir été autrefois de ses voisines. Ce qui lui avait donné surtout une grande considération, c'est qu'il était le seul bénéficier du pays qu'on ne fût pas obligé de porter dans son lit quand il avait soupé avec ses confrères », *L'ingénu*, chap. 1, p. 1).

Ce sont les codages lexicaux et phoniques qui peuvent le plus aisément soit se renforcer soit s'opposer. Dans un grand nombre de textes poétiques, poèmes ou litanies, chansons, comptines, on aura parallélisme des trois plans : syntaxique, lexical et phonique. On présente ici ces mécanismes à l'état de plus grande pureté, dans les comptines :

> « Quand mon père va-t-à la chasse
> Il rapporte des bécasses
> Il les tue et les fricasse... »

Dans d'autres cas c'est la phonie qui amène à rapprocher ce qui ne l'est pas forcément au niveau du précode :

> « Une pomme
> Deri derum
> Carium nostrum
> Filium du rhum
> Pour tous les hommes
> Qui sont à Rome... »[1]

le rapprochement « marchant » éventuellement, faisant tilt ou non.

Dans le premier cas le champ référentiel domine le champ phonique associatif *(chasse-bécasse-fricasse)*. Dans le second le champ associatif phonique est maître, rapprochant dans le discours ce qui ne peut être rapproché dans le réel.

Par rapport au texte monocodé qui, de ce point de vue, sera le texte prosaïque, apparaîtra comme pluricodé le texte « poétique » où la matérialité sonore du mot agira. Agira plutôt qu'elle ne signifiera : il n'y a pas grand sens, en ce qui concerne cette efficacité symbolique du jeu des sons et des mots à parler de « signifié », terme qui s'applique mieux à la relation arbitraire telle qu'elle est codée. Cette efficacité sera celle du parallélisme lorsque les deux types de fonctionnement linguistique se renforceront. Au contraire, ils pourront s'opposer, malencontreusement ou intentionnellement dans le « bon mot », lorsqu'un mauvais sens (qui pourra être le bon) naîtra du rapprochement et du redécoupage malsonnant de signifiants.

> *comme un vieillard en sort*
> *comme un vieil hareng saur*[2]

Certes, ce n'est pas directement l'efficacité phonique qui est ici en cause, mais c'est bien le fait que la signification passe par un signifiant (l'effet ne se produit plus si on traduit ou si on dit *comme sort un vieillard*).

Dans la mesure où il y a lien entre l'arbitraire du signe et les usages pragmatiques du langage, la remotivation phonique sera bien à la source d'un plaisir premier, celui de se rapporter au langage sur le mode ludique, sans craindre les conséquences de l'erreur et/ou le blâme d'autrui. Certes, si poésie et religion peuvent avoir un lexique et une syntaxe à la limite incompréhensibles à l'immense majorité de la population c'est bien parce que s'introduit alors, des comptines à la messe en latin, un autre fonctionnement du langage. Ou plutôt, il ne fonctionne à ce moment-là que parce qu'il est différent (on ne pourrait satisfaire les besoins immédiats de la communication dans une langue qu'on ignore).

*b / L'interprétation.* — Un peu dans la même relation que la motivation phonique au message se trouvent tous les cas où le pluricodage d'un texte se manifeste par le fait qu'il doit être interprété, soit qu'il s'agisse du texte répété par des « diseurs

1. *Les comptines de langue française*, Paris, Seghers, 1961, 366.
2. C'est sans doute dans les textes de Freud qu'apparaît le plus clairement le fait que l'usage poétique du langage est d'abord jeu, transgression des contraintes pragmatiques : cf. Sigmund Freud, *Le mot d'esprit et ses rapports avec l'inconscient*, 1905, trad. franç., Paris, Gallimard, 1930, 284 p., et in *Essais de psychanalyse appliquée*, 1933, 254 p., Paris, Gallimard, p. 69-83 : « La création littéraire et le rêve éveillé. »

différents », soit bien davantage, au théâtre, au cinéma, lorsqu'il s'agit de montrer le personnage, de le réaliser et que le corps réel ou représenté de l'acteur sera l'interprétant, qui en dira toujours plus ou autrement que le texte « tout seul ». De même pour les décors, les costumes, la musique qui soit renforceront le texte, soit y introduiront des déplacements d'accent, soit, éventuellement, en changeront complètement le sens.

*c* / Plutôt que de connotation, mot lui-même fortement connoté, on parlera plutôt de *signification latérale*, pour désigner le fait que, de toute façon, ni l'émetteur, ni le récepteur ne sont centraux par rapport à la signification du texte, au sens où personne ne peut contrôler la monosémie d'un discours, sauf situation de contrainte exceptionnelle, par exemple quand la valeur pragmatique de « Attention! il y a un trou » renvoie au second plan toute question sur « Pourquoi me dit-il cela ? » ou « Pourquoi utilise-t-on ce codage-là ? ». Il y aura signification latérale et parce que la situation de communication et le contexte verbal ne peuvent pas contrôler l'ensemble des procédures de compréhension d'un message. Et cela d'autant moins que le message est plus inattendu, relève davantage d'un sous-code particulier ou porte sur les domaines « tabous ».

*d* / Ce à quoi s'ajoute que, si la métaphore du code vaut pour ce qui concerne la phonologie, la syntaxe et le lexique pris isolément, en ce qui concerne l'acte de dire dans sa généralité, on a affaire plutôt à des successions de modèles, repris-modifiés. D'où à la fois le fait qu'il est juste de parler de thèmes : la mort, l'amour, la liberté; d'archétypes : le héros, le traître, le père, le séducteur, et qu'en même temps ces données de base ne fonctionnent que dans des recodages, des reprises, où le personnage ne peut que se modifier, qu'il devienne figement, lieu commun par sa répétition même ou qu'une part du réel nouveau apparaisse à travers le codage ancien. Que certaines données thématiques, par exemple, les « grands thèmes de la poésie lyrique », amour, nature, mort et leurs combinaisons soient récurrents, c'est évident. Il est tout aussi évident qu'on ne peut savoir *a priori* si ce qui importera c'est la reprise ou la modification. D'autant que le codage précédent ne peut pas vraiment se répéter : la bergerie répétée se ridiculise, Don Juan n'est plus semblable à lui quand la femme est moins objet, la mort se médicalise...

*e* / Les modèles synchroniques du circuit de la communication sont alors tout aussi inadéquats que les modèles de l'éternelle incompréhension. Il y a un arrière-fond extra-linguistique sous-jacent à toute communication. Il y a des structures récurrentes ainsi qu'une part de « sémantique stable ». Il y a des sous-codes ou plutôt des modèles culturels de discours plus ou moins repris. Il y a enfin des « bonheurs textuels » : arriver à mettre en mots ce qui ne l'a pas encore été. Il y a inversement l'usure du discours répétitif qui ne dit plus rien.

On ne peut donc oublier que tout texte, quelle que soit la volonté qu'il traduit d'être homogène dans sa structure, relève en fait de la causalité de l'hétérogène ou, pour revenir sur la comparaison présentée par Claude Lévi-Strauss, du bricolage[1]. Par ce terme celui-ci caractérise par opposition au travail scientifique où les moyens utilisés sont soumis aux projets et hypothèses théoriques l'utilisation d'un matériau déjà là, prédonné, qui est utilisé par le bricoleur pour autre chose que ce pour quoi il était fait préalablement et manifeste à des degrés divers dans sa nouvelle utilisation les caractères de son ancienne finalité. Sans traiter de la question de savoir si « la » science est aussi pure par rapport à son passé qu'on voudrait nous le dire, il est sûr que ce qui caractérise le travail avec les mots, l'élaboration d'un texte, c'est que le poète, le philosophe ou le politique bricolent, c'est-à-dire prennent du déjà là, des types de phrases, d'enchaînements, de mots et essayent de les faire signifier autrement qu'ils ne signifiaient, cela non pas dans la totalité du texte mais autour de certains points clés : lexèmes, types de phrase, types de grandes unités autour desquels le reste s'organise, constituant l'arrière-fond d'intelligibilité de base qui permet à son tour de comprendre les règles du « néo-codage ».

Si bricolage il y a c'est que tout texte n'est pas création ou au contraire simple actualisation des potentialités inscrites dans un code, mais reprise-modification. C'est cette reprise-modification qui fait que l'analyse ne saurait se contenter d'isoler la structure d'un texte, mais doit chercher comment les mots y sont repris, changent de fonction, s'usent ou renaissent. C'est manifeste sur le plan du discours politique[2]. L'on voit par exemple le défenseur de l'Ancien Régime parler en termes de souveraineté du peuple ou Montesquieu « changer de mains ». On voit aussi le discours rousseauiste de la volonté populaire servir à empêcher la création d'organisations ouvrières ou tout simplement les clubs eux-mêmes. Mais une telle analyse des mots qui circulent vaut tout autant pour la métaphore qui devient figement ou le conte de fées ironie.

## 1. Codage explicite et codage implicite

Ce caractère inévitable de l'hétérogène, qui fait qu'on ne saurait opposer explication interne et externe fait aussi qu'aucune pratique linguistique n'est totalement consciente, qu'en même temps ce caractère plus ou moins conscient fait partie du mode de fonctionnement du texte. En réaction contre les pratiques normatives répressives, les linguistes ont parfois eu tendance à considérer aussi bien l'acquisition du langage par l'enfant que l'évolution des langues comme des processus naturels, biologiques, devant obéir à la loi du laisser-faire. Cette image est tout aussi trompeuse que l'image inverse d'une création parfaitement consciente. La réalité est bien plutôt celle d'une conscience variant en fonction du degré d'organisation de la langue : nous sommes normalement plus conscients du lexique que de la syntaxe et de celle-ci que de la phonologie. D'autre part plus conscients des différences (« Maman elle dit comme ça, toi tu dis comme ça ») que des traits communs qui

1. Claude Lévi-Strauss, *La pensée sauvage*, Paris, 1962, 390 p., pp. 26 sqq.
2. Un modèle d'analyse de la transformation du discours dans sa transmission est fourni par Roger Barny, Mots et choses chez les hommes de la Révolution française, *La Pensée*, décembre 1978, n° 202.

« vont de soi ». Reste que tout adulte qui apprend à parler à un enfant théorise, non au sens où il essayerait d'inculquer un savoir théorique à l'enfant, mais parce qu'il ne se contente pas de viser des contenus à travers ses paroles. Son discours est plein de considérations métalinguistiques : « dis ça, ne dis pas ça », « ça s'appelle comme ça ». L'enfant théorise également : lorsqu'il joue avec les mots pour voir l'effet qu'ils feront sur autrui, lorsqu'il demande : « Dieu qu'est-ce que c'est ? » ou qu'il accompagne tout énoncé de l'adulte de la question « pourquoi ? ».

Un texte est forcément surdéterminé. C'est pourquoi, *a contrario*, la conscience que nous en prenons est, à des degrés divers, partielle et par là même fausse. L'histoire de la linguistique est ici édifiante : mythe de la phrase, structure fondamentale, homologue en fait à la prédication aristotélicienne, mythe de la définition exhaustive et seule digne d'être prise en considération par genre et différence spécifiques, mythe également lié à la figure aristotélicienne de la raison, mythes de l'universalité des parties du discours telles que les connaissent les langues indoeuropéennes. Quant aux « grands genres », le décalage entre la théorie, avant tout polémique, que poètes et romanciers se font de leur pratique et cette pratique elle-même a souvent été noté. Selon la remarque de Lotman[1], ce décalage s'accompagne de la tendance à percevoir comme non-langue la langue dont on n'a pas fait la théorie, comme non-art l'art de l'autre. Ce n'est pas parce que nous parlons que nous savons ce que c'est que parler. Un certain décalage de la théorie par rapport à la pratique est sans doute inévitable A notre sens, il n'y a pas à théoriser ce décalage sous forme de retard systématique. Nous devons plutôt constater que la théorie n'est pas homogène, qu'elle comporte des zones de clarté et des points obscurs, que l'extrapolation à partir des zones de clarté est d'ailleurs une des principales façons de créer des zones d'obscurité. Reste — et c'est ce qui importe ici — qu'aussi bien dans le comportement de l'enfant que dans celui de l'écrivain le fait pour un élément du code d'être conscient n'est pas une caractéristique qui reste indépendante du fonctionnement du code lui-même.

Dans la mesure même où les hommes ne peuvent être entièrement conscients ni de la part de reprise, ni de la part de modification de leur propre discours ni non plus de la façon dont leur discours sera repris-modifié, on peut paraphraser la formule : « Ce sont les hommes qui font les textes, mais ils ne savent pas les textes qu'ils font. » Que tout texte soit polémique, conflit avec les codages précédents ou les autres usages du langage doit être perçu si on veut avoir une conscience relative de son mode de fonctionnement. Mais, en même temps, il est frappant de voir que les auteurs font sur leur propre pratique des discours d'autant plus comiques qu'ils se veulent définitifs. Ainsi, comme le note Georges Mounin *(op. cit.)*, lorsque Mallarmé (in *Hérésies esthétiques*, *l'art pour tous*) condamne les « éditions populaires » au nom de la valeur éminente de la poésie réservée à « l'élite », telle qu'elle est incarnée par Théodore de Banville...

L'analyse des textes ne peut se faire en dehors des processus de prise de conscience tels qu'ils se manifestent dans les procédures d'inculcation, de hiérar-

1. *Ecole de Tartu, travaux sur les systèmes de signes*, textes choisis et présentés par Y. M. Lotman et B. A. Ouspenski, Ed. Complexe, 1976.

chisation ou de refus qui caractérisent chaque groupe — et d'abord l'institution scolaire.

Face au dogmatisme sans cesse renaissant des « formes dominantes de codage » que produit toute société, on doit constater qu'il n'y a ni claire présence à soi où le texte coïnciderait avec l'intention ni opacité absolue de l'histoire, mais travail sans cesse à reprendre d'élucidation de ce qui semblait aller de soi, des présupposés de chaque codage. Le travail ici sera toujours critique, non directement connaissance explicative.

## 2. Le texte et son fonctionnement

On peut tenter de classer les différents types de textes en fonction de ces différentes modalités du codage. Mais en notant que les différents modes de codage ainsi isolés ne se recoupent pas forcément. D'autre part, que les oppositions dégagées sont plus polaires que dichotomiques. Enfin, que l'analyse doit replacer le texte dans le circuit de la réalité extra-linguistique.

C'est pourquoi nous n'avons pas, ni en tant que linguiste, censé être dépositaire d'un savoir technique spécifique, ni en tant qu'individu lié à une culture particulière, de place privilégiée pour classer scientifiquement les modes de fonctionnement du langage. On voudrait seulement indiquer quelques garde-fous.

*1* / Le problème des genres linguistiques et des fonctions du langage est profondément lié au statut social de la communication : discours où l'ensemble de la communauté est émetteur et récepteur, discours émis par une minorité, reçu par le grand nombre (la plupart des genres, littéraires, politiques, scientifiques, relèvent de ce statut d'inégalité), discours ésotérique dans l'émission comme dans la réception.

*2* / Les types de maniement linguistique ont une relation différente aux pratiques extra-linguistiques et à l'ensemble de la culture. Selon les usages qui en sont faits, le langage peut constituer un médium universel, où toutes les réalités sont mises en mots ou, au moins, évoquées. Ce degré de « transparence » se manifeste par la possibilité de traduire d'une langue dans une autre. A un autre niveau, tant en fonction de sa matérialité phonique que de ses caractéristiques syntaxiques et lexicales ou des usages textuels qui en ont été faits, un usage du langage peut apparaître spécifique.

*3* / Mais ce n'est pas parce que l'acquisition de la « langue maternelle » est contemporaine de l'appropriation par un sujet de l'ensemble de sa culture : types de pratiques de domination du réel, de modèles d'interactions, de codages symboliques, qu'il faut croire que cet ensemble culturel est coextensif à ce qui en est transmis linguistiquement.

En cela l'analyse textuelle devra toujours être analyse sémiologique de la part d'adéquation et de la part de contraste ou de modification qu'apporte le langage au non-linguistique.

En particulier les types de messages linguistiques ne peuvent s'analyser qu'en fonction de l'évolution de la technologie : la radio a augmenté considérablement le nombre des récepteurs d'un même message, en même temps qu'elle en a fait des « purs récepteurs ». La télévision a joué le même rôle, en même temps qu'elle chassait le langage de son rôle descriptif, comme la photo l'avait fait de la peinture. De même, beaucoup de codes techniques, à la fois en fonction de leur support écrit et de la nature même du contenu à communiquer (relations chimiques, modèles d'électrons...), se sont libérés de la contrainte de la linéarité, inhérente à l'oral et seulement transposée au graphisme.

L'analyse linguistique du texte suppose donc que ces conditions de la transmission soient prises en compte. Mais on ne peut alors retourner à une analyse purement interne, puisque la relation ne s'établit pas entre un texte et un code, mais entre un discours et un déjà répété, modifié ou nié. Il s'agira donc tout d'abord de remettre en cause l'illusion d'unité que procure tout texte, d'y retrouver les sources contradictoires du codage. Plutôt que d'un signifié, on parlera ici de l'efficacité d'une mise en mots, par opposition à l'image du discours reflet ou au contraire du discours création. Une vieille tradition philosophique, de Platon à Descartes au moins, vise à condamner le texte poétique ou littéraire comme *mimésis*. Et il est bien vrai que l'imagination bricole, qu'elle n'est pas créatrice au sens de création *ex nihilo*, de même que, comme le note Freud, le rêve, le rêve éveillé ou la création littéraire partent des « restes diurnes », des bribes d'éléments vécus. Encore faut-il essayer de comprendre les conditions de l'efficacité de la mise en mots.

*L'interprétation des rêves* de Freud[1] constitue entre autres une des premières réflexions systématiques sur les relations du *voir* et du *dire*. Il semble que Freud mette l'accent sur deux aspects opposés. D'une part sur tout ce qui ne peut que mal ou pas du tout être rendu par l'image. Ainsi, p. 269 : « Quelle forme peuvent prendre dans le rêve les « quand », « parce que », « de même que », « bien que », « ceci ou cela », et toutes les autres conjonctions sans lesquelles nous ne saurions comprendre une phrase ni un discours. Il faut bien dire tout d'abord que le rêve n'a aucun moyen de représenter ces relations logiques entre les pensées qui le composent... Ce défaut d'expression est lié à la nature du matériel psychique dont le rêve dispose. Les arts plastiques, peinture et sculpture, comparés à la poésie, qui peut, elle, se servir de la parole, se trouvent dans une situation analogue : là aussi, le défaut d'expression est dû à la nature de la matière utilisée par ces deux arts, dans leur effort d'exprimer quelque chose. » Et un peu plus loin Freud insiste sur le fait que le rêve en tant qu'image fonctionne dans le plein, qu'il « paraît ignorer le non » ou inversement, p. 275 : « Une seule des relations logiques est favorisée par le mécanisme de la formation du rêve (ou plutôt de l'image F. F.). C'est la *ressemblance*, l'*accord*, le *contact*, le « même que ». »

Tout autant que les relations codées lexicalement, Freud note qu'une des difficultés d'interprétation du rêve c'est qu'y manquent ce qu'on pourrait appeler les grands types de relations textuelles; p. 269 : « Il y a des pensées de premier plan et des pensées d'arrière-plan, des digressions et des éclaircissements, des conditions, des démonstrations et des oppositions », organisation qui, bien plus

1. S. Freud, *L'interprétation des rêves*, trad. franç., Paris, PUF, 1re éd., 1926, nouv. éd. révisée, 1977, 570 p.

que la structure des implications logiques au sens strict, constitue la logique d'un texte.

En ce sens, on peut dire qu'il y a partie liée entre la langue et le principe de réalité-rationalité. En un sens opposé (et Freud fait ici allusion au mot d'esprit dont il a traité ailleurs (p. 293)) : « Il ne faut pas s'étonner du rôle que joue le mot dans la formation du rêve. Le mot, en tant que point nodal de représentations nombreuses, est en quelque sorte prédestiné aux sens multiples : et les névroses (les obsessions, les phobies) utilisent aussi hardiment que le rêve les possibilités de condensation ou de déguisement que le mot présente. »

On peut donc dire que l'opposition entre les deux pôles de la réalité-rationalité et de ce qui y résiste se retrouve à l'intérieur du langage dans l'opposition entre champ de l'organisation discursive et champ de l'association, de la surdétermination lexicale.

Si pessimisme freudien il y a, c'est sans doute parce qu'il nous représente une seule élation comme possible entre ces deux ordres : selon une formule lapidaire des *Essais de psychanalyse appliquée* : « Le rêveur éveillé ou plutôt son désir sait exploiter une occasion offerte par le présent afin d'esquisser une image de l'avenir sur le modèle du passé. »

On peut aussi considérer que l'histoire de la mise en mots suppose qu'on prenne en compte son ironie. Ainsi le discours le plus révolutionnaire, celui de Freud entre autres, peut se transformer en dogme et en instrument d'intégration sociale, de même qu'il y a aussi des rêves qui se réalisent. Surtout que les objets culturels que sont les textes manifestent un mode d'être qui n'entre pas dans la dichotomie ou objet externe ou fantasme interne : ils ont la quasi-réalité de s'appuyer sur la matérialité des sons et des mots et de circuler entre les hommes comme ils circulent entre sons et sens.

C'est pourquoi une classification sous forme de liste des « fonctions du langage » est doublement insatisfaisante. D'abord parce que ces fonctions ne sont pas simplement juxtaposées. La fonction poétique ne consiste pas à « se centrer sur le message lui-même », mais à transgresser les règles usuelles de l'arbitraire du signe, à jouer de la matière phonique et du plaisir de laisser les mots libres. De la même façon, le discours scientifique n'est jamais contact direct avec les choses, mais critique du discours précédent, du codage tel qu'il circule.

Mais davantage les différentes « fonctions du langage » passent les unes dans les autres. Analyser un texte c'est chercher à reconnaître quels éléments fonctionnent pour structurer ce texte (ce ne sont pas forcément les mêmes pour tous les récepteurs) et lesquels vont de soi. Par exemple à l'intérieur d'une sous-communauté politique et scientifique, les présupposés (ce qui est nécessaire à savoir pour comprendre le message sans être dit) peuvent être considérés comme communs, donc comme neutralisés. De même les formes syntaxiques et lexicales seront transparentes et on aura l'illusion que seul compte le contenu communiqué. Alors que pour quelqu'un d'extérieur au groupe considéré le style apparaîtra comme jargon et les présupposés comme idéologie.

Classer un texte comme rhétorique, c'est, avec les connotations péjoratives que l'on sait, signifier que le contenu passe au second plan, que les assertions factuelles sont dominées par la considération du « qui parle à qui » (donner de moi telle image à autrui, le mettre en mouvement de telle façon). Mais faire comme si cette dimension n'existait pas, c'est faire comme si le sujet était effectivement un pur sujet épistémique, en lien direct avec son objet, sans lien spécifique avec l'autre à convaincre ou les autres qui ont déjà parlé ou écrit (dimension dialogique).

Pas plus qu'on ne peut établir une liste stable des fonctions du langage l'une à côté de l'autre, on ne peut constituer une liste des niveaux d'analyse, opposant par exemple une syntaxe qui ne serait que règles de combinaisons, une sémantique qui serait mise en mots, une pragmatique qui serait mode d'action sur autrui. Ainsi le sens d'un texte ne peut s'analyser par sommation des niveaux structurels mais par son lien aux discours précédents, à l'image qu'il donne de l'émetteur et du récepteur, à tout ce qu'il laisse non dit.

De ce point de vue, on peut isoler :

*a / Un mode de fonctionnement dominant manifeste*

Certains aspects du codage caractérisent de façon explicite les messages. Ainsi ils peuvent se manifester comme monologue ou comme dialogue, ordre, question, énoncé factuel, énoncé générique, modalisation métalinguistique...

De même, les « objets textuels » globaux apparaîtront le plus souvent comme relevant d'un genre (récits, fictions, théories, poèmes, plaisanteries, satires, discours...). Selon la remarque de Bakhtine, tout texte sera monologue ou dialogue, visera à agir sur autrui, à dire le réel ou à être avant tout source de plaisir (le bon, le vrai, le beau...). De même qu'il se caractérisera forcément comme ayant une portée générale ou comme se voulant spécifique, comme ayant une relation à la réalité actuelle ou à venir ou comme fiction.

*b / Une transgression ou une modification de cette dominance*

Au niveau de la communication la plus quotidienne, il peut y avoir métaphore, déplacement de la fonction : dire *il fait froid* peut renvoyer à *fermez la porte* ou la question *tu crois vraiment ?* à *moi, je ne sais pas*, la réponse à *tu vas faire ça ? oui, oui* sur un ton suffisamment traînant signifiant *certainement pas* ou *tu verras bien.* Si le décodage de la signification première relève pour une grande part des mécanismes codiques communs, le décodage des significations secondes suppose avant tout la possession ou la construction par le récepteur d'un code d'interprétation : « Quand on lui pose une question, Paul répond toujours oui, mais il ne fait jamais rien, donc le *oui* qu'il me dit signifie « laissez-moi tranquille ». »

Il faut se convaincre que ce pluricodage est la règle et non pas l'exception. Par exemple, répondre à une question en plus de l'information factuelle manifeste toujours une certaine bénévolence à l'égard de l'interlocuteur, ce qu'illustrera *a contrario* le fait de ne pas répondre. C'est ce pluricodage qui fait qu'on ne peut jamais supposer que le code de l'émetteur et celui du récepteur coïncident, qu'on ne peut jamais dire qu'analyser un message c'est retrouver l'intention du sujet sous son discours, que dire que le langage est un instrument de communication ne veut pas dire que ceux qui ont le même langage se comprennent.

C'est encore plus net dans le cas des messages longs et complexes, « œuvres ». A la détermination du genre : c'est une œuvre scientifique, un discours politique, un roman ou un poème, s'ajoute immédiatement la nécessité de l'analyser aux autres niveaux.

Une œuvre qui se donne comme scientifique renvoie à des pratiques d'isolement du réel, d'action sur lui, d'expérimentation mentale ou effective. La compréhension de ce texte scientifique renvoie donc à une analyse à ce premier niveau. Pour celui qui ne connaît pas la science en question, le même discours sera seulement opinion, éventuellement respectable : qui d'entre nous peut démontrer que la Terre tourne autour du Soleil ? A un second niveau, il s'agira de reconstituer l'origine des questions posées par le texte, ses renvois aux codages précédents, de savoir s'il reprend une forme précédente de discours ou le modifie, quels sont les aspects de la réalité qu'il suppose connus, mais que du même coup il occulte, quelle est la relation entre le détail de son expérience et la conclusion générale qu'il en tire, pour quels interlocuteurs parle-t-il ? De ce point de vue il y a une rhétorique scientifique exactement comme une rhétorique littéraire ou politique. Ainsi on attendra de certains (ceux qui passent une thèse par exemple) qu'ils rendent compte exactement du détail de leur expérimentation. Alors que le savant connu pourra ne présenter qu'un résultat global. Dans la mesure où un texte renvoie à du déjà dit et à du non-dit il n'y a pas d'une part une analyse interne linguistique, de l'autre une analyse externe : comprendre le texte c'est toujours soit l'éclairer par ce qu'on sait de la situation de communication, soit reconstruire cette situation de communication et son ou plutôt ses codes, ses messages de référence à partir du message lui-même. Il en sera de même d'un discours politique. En un premier moment, il pourra s'analyser en fonction des caractères contraints du genre qui reflètent directement les conditions de la communication.

Tout discours politique devra :

— donner une image de celui qui parle, du bien-fondé de son droit à la parole, soit explicitement lorsqu'il se présentera comme l'élu légitime, le sauveteur providentiel, soit latéralement lorsqu'il apparaîtra comme le simple porte-parole du *nous*;
— donner une image de l'interlocuteur : tous les Français, les bons Français...; ou jouer de l'indétermination lorsqu'il va en quelque sorte de soi que mes interlocuteurs partagent mon point de vue;
— donner une image de l'avenir, à terme ou plus tard... conforme au passé ou opposé au passé;
— présenter des valeurs ou des objets porteurs de valeurs (la liberté, la nation...) ou éventuellement des antivaleurs : les autres, le passé, le danger qui nous menace... ;
— articuler l'ensemble selon une rhétorique dominante : celle du danger inévitable, du risque à courir, de la décision scientifiquement prise, du changement dans la stabilité...

Ce codage dominant sera pris dans un triple mouvement : celui de la pertinentisation par association dans le texte des éléments qui par ailleurs dans la langue ou plutôt les autres textes ne sont pas nécessairement associés. Ainsi le codage gaullien :

> les autres = le passé, moi = l'avenir
> les autres = les partis, moi = la nation,

celui de la relation du discours aux autres discours, ainsi, comme on l'a déjà dit, lorsque l'on voit converger les thèmes de Giscard d'Estaing et de Mitterrand.

Enfin, bien sûr, l'ironie de l'histoire qui fait que nous ne pouvons considérer qu'avec mélancolie ou sourire, selon les cas, les discours gaulliens sur la paix des braves ou la « République nouvelle ». « Comprendre un texte » sera donc, non en isoler la structure, mais y chercher les mélanges, les reprises, les modifications du discours de l'autre. Et aussi, ce qui y est accentué, tu ou masqué.

De la même façon l'œuvre littéraire apparaîtra d'abord comme obéissant aux contraintes d'un genre. Non seulement par référence à un mode de circulation du discours (roman, pièce, poème). Mais aussi par rapport à ce qu'on pourrait appeler les codages dominants d'une époque. Bakhtine parle de chronotope romanesque pour indiquer que, centrés autour d'un processus, les romans ne peuvent renvoyer qu'à une certaine figure de l'espace et du temps. Ainsi les romans grecs au voyage, à la route, ainsi qu'au temps de la rencontre, temps de l'accident qui en même temps est le temps où il n'arrive rien puisque après toutes ces aventures les héros se retrouvent beaux, jeunes, semblables à leur destin. Alors qu'un compte plus précis de la durée de l'aventure entraîne (Candide) que les héros se retrouvent vieillis, usés, sans dents... De même que l'espace du roman de Balzac ou de Stendhal sera le salon où l'individu audacieux, l'aventurier, se fait reconnaître. Mais que repris actuellement le salon ne sera plus que dérision ou répétition.

Il y a bien une ironie de l'histoire qui fait que la radicalité du scandale du roman réaliste qui ose dire ce que les autres ont tu ou de la philosophie fondée sur une base enfin scientifique apparaît à l'époque suivante comme bons sens ou comme platitude.

Si tout texte est toujours en son fond dialogue (renvoi au discours de l'autre) et mélange dominé par la contradiction entre le déjà dit et le à dire, on a peut-être ici les limites de l' « objectivité scientifique » : il pourra toujours y avoir une distance entre le code de l'émetteur et les codes du récepteur (de l'analyste). En même temps la méthode de lecture sera toujours complexe. En même temps anachronique : le Moyen Age nous pose d'autres problèmes qu'aux hommes de la renaissance, de la royauté triomphante ou qu'à Chateaubriand. Et d'autre part, l'objectivité relative existe bien : nous pouvons, par familiarisation avec les textes, reconstruire l'univers de discours, la relation du dit au présupposé d'une époque.

Nous sommes tout autant pris dans l'histoire que l'étaient nos prédécesseurs. Le mouvement linéaire du progrès scientifique se trouve composé au mouvement cyclique des codages opposés les uns aux autres. Disons simplement qu'en l'état actuel de la polémique, la reconstitution de la nature dialogique des textes nous semble mieux manifester leur fonctionnement qu'une analyse structurale interne ou qu'une analyse « en extériorité » à partir de la race, du moment, du milieu et des sources...

## *BIBLIOGRAPHIE*

Comme dans le cas de l'analyse sémantique, on peut distinguer des ouvrages qui portent globalement sur le mode d'être des textes et d'autres plus spécifiquement sur l'analyse linguistique de la continuité du message.

Sur le premier point, on peut consulter :

BAKHTINE (Mikhaïl), *Esthétique et théorie du roman*, trad. franç., Paris, Gallimard, 1978, 490 p.

Un assez grand nombre d'ouvrages sont consacrés en France à l'analyse du discours politique. On consultera en particulier :

ROBIN (Régine), *Histoire et linguistique*, Paris, Armand Colin, 1973, 308 p.

On trouvera sans doute la vision d'ensemble la plus claire des différentes problématiques dans :

MAINGUENAUD (Dominique), *Initiation aux méthodes de l'analyse du Discours*, Paris, Hachette, 1976, 192 p.

Sur la continuité textuelle :

HALLIDAY (M. A. K.) et HASAN (R.), *Cohesion in English*, London, Longman, 1976, 374 p.

Sur la relation analyse textuelle, analyse de contenu :

BARDIN (Laurence), *L'analyse de contenu*, Paris, PUF, 1977, 234 p.
UNRUG (M. C. d'), *Analyse de contenu et actes de parole*, 2e éd., Paris, J.-P. Delage, 1974.

## deuxième partie

# LA DIVERSITÉ LINGUISTIQUE ET LES LANGUES

*Sommaire*

# 1 la variation linguistique ou la langue dans l'espace, le temps, la société et les situations de communication

PAR JOSEPH DONATO

## A - INTRODUCTION

Au moment d'aborder les faits et les processus linguistiques sous l'angle de leurs différenciations, de leurs changements — en diachronie, bien sûr, mais surtout synchroniquement parlant —, surgissent plusieurs difficultés. Elles touchent par exemple à la place, tout à fait secondaire, généralement accordée au point de vue des changements linguistiques dans les manuels d'introduction à notre discipline comme dans la production linguistique en général. Il est clair qu'il ne s'agit pas là d'une prise de position récente ou locale. Au contraire, s'il existe des exceptions, notables, dans ce domaine — la dialectologie européenne, la tradition lexicologique française, la phonologie diachronique d'André Martinet et plus récemment la sociolinguistique de William Labov aux Etats-Unis[1] — beaucoup reste à faire.

C'est qu'une croyance très répandue — peut-être encore chez les linguistes eux-mêmes — veut que l'unilinguisme ou encore l'unité linguistique soit la règle, et, la diversité, l'exception ou le marginal.

Cette « règle » exprime en fait à la fois un rêve millénaire — celui de Babel — et pour une part la réalité des nécessités, des volontés et des hasards de l'histoire des sociétés humaines. Cette faveur exclusive qui s'attache à l'unité linguistique a donc des racines profondes et anciennes. Elles ont nourri par exemple la renaissance que la linguistique a connue avec et depuis Saussure. Mais l'obstacle ancien demeure renouvelé par la vigueur théorique du *Cours de linguistique générale* et du mouvement structuraliste qui se développe à sa suite. C'est aussi que la terminologie courante manifeste cette façon de voir et du même coup oriente

1. Pour la dialectologie, se reporter aux *Atlas linguistiques* des différents pays par exemple. La tradition lexicologique française qui se poursuit va de l'étude de Paul Lafargue sur *La langue française avant et après la Révolution* (reprise dans *Linguistique et marxisme* de L.-J. Calvet, Payot, 1977) à Antoine Meillet, Comment les mots changent de sens, dans *Linguistique historique et linguistique générale*, Paris, Champion, 1958; J. Dubois, L. Guilbert, etc. Cf. bibliographie.

pour une part essentielle tout examen nouveau[1]. On peut à cet égard considérer le couple langue-langage et le classement des faits selon les deux axes de la successivité et de la simultanéité. Mais déjà et encore dans le titre même de ce chapitre sont discutables et sources d'erreurs, si l'on n'y prend garde, les valeurs véhiculées par le défini et le singulier dans « la variation », « la langue », « l'espace », « le temps », « la société », « la situation ». Comme si les opérations de généralisation et d'abstraction tout à fait caractéristiques de l'élaboration et de l'acquisition d'un instrument social de communication conduisaient aussi, et contradictoirement, à l'impuissance à prendre en charge et à rendre compte du concret, du réel, du singulier, c'est-à-dire de la diversité. Autrement dit, tous ces concepts n'auront de sens pour nous que dans la mesure où ils désignent, chacun, des réalités très hétérogènes par définition.

La terminologie donc est révélatrice, doublement peut-être. Des insuffisances de certaines conceptions bien sûr, mais aussi, c'est ce qu'il faudrait montrer, des possibilités de solution. Lorsqu'on évoque les problèmes terminologiques à la fois comme des effets et des causes, c'est pour simplifier. Il est banal d'écrire que les questions terminologiques sont aussi des questions théoriques et pratiques. Parler d'une langue comme « le français », c'est à la fois une commodité de langage et de pensée, une légitimation de « la norme » avec tout ce qu'elle entraîne de répressions et d'inégalités, et la possibilité d'appréhender les faits linguistiques en terme de système unique, autonome et invariant[2].

On se retrouve continuellement dans l'ambiguïté, à notre avis, faute de séparer nettement ce qu'on appelle langage d'une part et langue de l'autre. Dans leur acception courante, et commune aux linguistes, ces deux notions sont le plus souvent mêlées. Qui plus est, les langues allemande, anglaise et russe ne les distinguent pas.

Si le langage est bien, et cela dès Saussure[3], cette fonction symbolique universelle qui relève d'un apprentissage de type très général et à ce titre d'un traitement théorique très abstrait en tant qu'instrument de communication, audio-oral, plus ou moins redondant et économique (au sens de la meilleure adaptation des moyens utilisés à l'information à transmettre dans une situation donnée)[4]; composé de signes arbitraires et structuré (« doublement articulé », dit A. Martinet) en unités et en règles. Système de systèmes, dans lequel tout autre système peut être traduit pour Hjelmslev.

Si le langage, donc, est cette faculté humaine universelle, il est clair alors

1. Comme l'avait bien vu Benjamin Lee Whorf dans *Language, thought and reality*, New York, 1956; trad. franç. sous le titre *Linguistique et Anthropologie*, Denoël-Gonthier, 1971. Pour un compte rendu, cf. Georges Mounin, pp. 122-138, dans *Bulletin de la Société linguistique de Paris*, t. 56, fasc. 1, Klincksieck, 1961.
2. Cf. Knud Togeby, *Structure immanente de la langue française*, Paris, Larousse, 1965, p. 5 : « La vie intellectuelle du xx^e siècle peut être caractérisée avant tout par deux principes : celui de la structure ou de la totalité et celui de l'immanence ou de l'indépendance. »
3. *Cours de linguistique générale*, Payot, 1966, pp. 26 et s., avec quelques flottements dus à l'usage indifférencié des termes de langue et de langage l'un pour l'autre, Saussure écrit par exemple (p. 26) : « (...) ce n'est pas le langage parlé qui est naturel à l'homme, mais la faculté de constituer une langue, c'est-à-dire un système de signes distincts correspondant à des idées distinctes. »
4. Cf. Luis Prieto, La sémiologie, in *Le langage*, sous la direction d'A. Martinet, La Pléiade, 1968. Cf. en particulier pp. 118 et s.

que la linguistique générale, de Saussure à Noam Chomsky, est bien la « science du langage » — et non pas des langues — avec ce double caractère :

1) D'oubli ou d'exclusion, dans les faits, de « la langue-fait-social » et des pratiques linguistiques concrètes, différentes, voire inégales. C'est dans son fonctionnement même — la définition générale de la fonction symbolique l'oublie — que le langage varie qualitativement.

2) Ces aspects tout à fait centraux que sont le changement et la variation sont omis dans les définitions déjà très réductrices du langage. Et, ici, en un certain sens, ce sont davantage ses disciples que Saussure lui-même[1] qui en portent la responsabilité. Le *Cours de linguistique générale* signale comme un caractère important du signe linguistique sa « mutabilité et son immutabilité », mais il s'articule autour de deux coupures « langue/parole » et « synchronie/diachronie » qui constituent une double exclusion de la variation. Renforcée par cette remarque très juste selon laquelle valeur synchronique et diachronie sont différentes. Science du langage — entendu comme fonction symbolique, définie du point de vue de l'espèce en quelque sorte —, réductrice et abstraite au mauvais sens du terme, voilà ce qu'est la linguistique générale dominante, avons-nous dit. C'est ce que montrent bien les définitions suivantes de la langue.

> — « C'est à la fois un produit social de la faculté du langage et un ensemble de conventions nécessaires, adoptées par le corps social pour permettre l'exercice de cette faculté chez les individus » (p. 25). Tandis que le langage est hétérogène, la langue ainsi délimitée (« extérieure à l'individu », « distincte de la parole ») est de nature homogène : « C'est un système de signes où il n'y a d'essentiel que l'union du sens et de l'image acoustique » (p. 32, Saussure).
>
> — « Nous réservons le terme de langue pour désigner un instrument de communication doublement articulé et de manifestation vocale » (p. 20, A. Martinet, *Eléments de linguistique générale*[2])

dont il faudrait citer aussi la page 145 pour l'aveu critique (et la confirmation) qu'elle apporte[3].

> — « Un langage est un ensemble (fini ou infini) de phrases, chacune finie en longueur et construite par concaténation à partir d'un ensemble fini d'éléments ». Chomsky et Miller, cités par N. Ruwet[4].
>
> — « L'objet premier de la théorie linguistique est un locuteur-auditeur idéal, appartenant à une communauté linguistique complètement homogène, qui connaît

1. Qui exprime souvent un double intérêt et cela même quand il a décidé de s'en tenir à l'étude des éléments « internes » de la langue (cf. pp. 40 et 306 du *Cours*) : « Les mœurs d'une nation ont un contrecoup sur sa langue et, d'autre part, c'est dans une large mesure la langue qui fait la nation. » En témoigne également ce propos rapporté par R. Godel dans *Les sources manuscrites du CLG de F. de Saussure*, « C'est en dernière analyse seulement le côté pittoresque d'une langue, celui qui fait qu'elle diffère de toutes les autres comme appartenant à un certain peuple ayant certaines origines, c'est ce côté presque ethnographique, qui conserve pour moi un intérêt (...) »
2. A. Colin, 1970.
3. « (...) l'analyse d'une langue supposée uniforme est chose assez délicate pour qu'on ait intérêt à simplifier au maximum les données du problème. Cependant, une fois réalisée cette analyse, il est indispensable de faire intervenir dans l'examen celle des données qui avaient été provisoirement écartées. »
4. *Introduction à la grammaire générative*, Plon, 1967, p. 46.

> parfaitement sa langue (...). La grammaire d'une langue se propose d'être une description de la compétence intrinsèque du locuteur-auditeur idéal », pp. 12 et 14 de Chomsky[1].

Que la linguistique doive être aussi cela, la science du langage, faculté humaine universelle, n'est pas vraiment discutable. Mais force est de constater que les langues, les pratiques linguistiques concrètes et variables demeurent pour l'essentiel à étudier si l'on met de côté des considérations précisément trop générales[2].

Pour les raisons les plus diverses apparemment, mais convergentes quant au fond, cette confusion langage/langue semble traverser toute l'histoire de la linguistique. Cette Histoire, en tout cas, que nous présente Georges Mounin par exemple[3] de la double articulation à travers les siècles. Mounin a bien vu le poids de l'histoire avec ses dominantes : problèmes de l'origine du langage, des rapports entre langage et pensée, langage et norme, langage et fonction d'un système formel et invariant avec le structuralisme qui nous apprend beaucoup sur le langage ou (précisément) la langue comme instrument de communication. Les instruments théoriques sont nouveaux mais le traitement des faits est toujours exclusif des conditions réelles d'usages, rejetées dans la subjectivité et la parole conçues comme sans structurations possibles[4].

Même la connaissance objective massive apportée par la linguistique historique et comparée du XIX^e^ reste tributaire de la conception homogène du social. Et il faut bien reconnaître que l'hétérogénéité du social n'est pensable que depuis peu et souvent de façon marginale, surtout dans le savoir universitaire, où dominent par ailleurs les conceptions d'une histoire indéchiffrable.

L'œuvre de Saussure est un bon exemple de la difficulté à penser de manière dialectique et cohérente les concepts plus ou moins opposés de la langue comme forme et en tant qu'institution; du social et de l'individuel; de la convergence et de la divergence linguistique; de la linguistique interne et externe, etc. On touche ici au poids de l'idéologie — comme expression d'intérêts, de privilèges, de pouvoirs et de conflits incarnés dans des représentations et des jugements de valeur — qui légitime à partir du XVII^e[5] en France (il faut se rappeler que « le français » n'est étudié, à côté et après le latin, que depuis deux siècles au mieux) le mouvement d'unification linguistique (et politique) qui recevra après la révolution de 1789 une impulsion décisive et souvent fatale pour les parlers régionaux autres que le francien, parler d'Ile-de-France promu langue nationale. Le jugement saussurien sur le changement linguistique est typique à cet égard. Il repose sur une valorisation évidente de la stabilité et de l'unité linguistique :

> « (...) Le phénomène phonétique est un facteur de trouble. Partout où il ne crée pas des alternances, il contribue à relâcher les liens grammaticaux qui unissent

1. *Aspects de la théorie syntaxique*, Paris, Ed. du Seuil, 1971.
2. C'est ce qu'a bien vu Emile BENVENISTE, *Problèmes de linguistique générale*, I, Paris, Gallimard, 1966, p. 19.
3. *Histoire de la linguistique : des origines au XX^e^ siècle*, PUF, 1967.
4. Cf. SAUSSURE, prisonnier des apparences, qui oppose l'individu et la parole au social et à la langue, quand il affirme : « Il n'y a rien de collectif dans la parole » (p. 38) et « le mode d'existence de la langue peut être représenté par la formule : $1 + 1 + 1 + 1 + 1 ... = I$ (modèle collectif) » *(ibid.)*. D'un côté l'individu est posé comme extérieur au social, de l'autre le social n'est qu'une somme d'individus.
5. Cf. VAUGELAS, *Remarques sur la langue française*, 1647.

les mots entre eux; la somme des formes en est augmentée inutilement; le mécanisme linguistique s'obscurcit et se complique (...) Heureusement, l'effet de ces transformations est contrebalancé par l'analogie » (p. 221).

Et plus loin, à propos du double mouvement de convergence et de divergence inhérent à toute réalité linguistique, si Saussure met en évidence « la force d'intercourse », « principe unifiant qui contrarie l'action dissolvante de l'esprit de clocher » (p. 282), en définitive, seule existerait vraiment la force d'intercourse; « on peut faire abstraction de la force particulariste, ou, ce qui revient au même, la considérer comme l'aspect négatif de la force unifiante ».

Quant à nous, loin d'évacuer la variation, nous pensons qu'elle est incessante, centrale, normale, comme le montrent à rebours les « langues mortes ». Une autre preuve — indirecte — est fournie par toute comparaison entre les langues humaines, sociales, et les communications animales connues. On constate que celles-ci ne comportent ni invention ni interprétation le plus souvent, en d'autres termes, aucune variation, alors que celle-ci est constitutive, inhérente aux langues humaines. On peut imaginer par exemple que « le langage des abeilles » n'a pas varié depuis des millénaires à la différence de celui des hommes, ou constater que le chant du coq est le même sous toutes les latitudes.

Cette différenciation se manifeste à plusieurs niveaux : géographique, historique, social et situationnel (en allant du plus évident et du plus global à ce qui l'est moins). A quoi il faut ajouter que :

*1* / Cette variation n'est pas fractionnée à l'infini mais définissable à l'aide d'une typologie des usages — qui n'existe pas encore — et dont nous pensons qu'elle ne relève pas d'un mélange inanalysable de causes mais que tel ou tel facteur (interlocuteur, âge, classe sociale, contenu, etc.) devient à tel moment le facteur dominant.

*2* / Ces différents types de causalité interfèrent au point qu'il est possible de parler d'unité profonde et globale de la variation linguistique; c'est ce que montre bien le travail de Meillet[1] sur le changement sémantique par exemple.

Quant à penser, comme Labov, que la linguistique d'aujourd'hui ne peut être que sociolinguistique, il y a là, de notre point de vue, une polémique nécessaire mais aussi une absence provisoire de réalisme.

En fait, il y a évidemment place pour des analyses, des hypothèses et des recherches différentes sur l'objet-langue, aux multiples facettes. Quant à l'aspiration d'une analyse globale dans l'optique sociolinguistique, elle a plutôt besoin de faire ses preuves. De manière très empirique. En théorie, il ne fait pas de doute que les langues ne se réduisent ni à leurs systèmes phonologiques, ni aux règles syntaxiques et pas davantage au « sens » isolé de la situation, de la subjectivité et des rapports sociaux.

1. *Op. cit.*, ci-dessus.

## B - LA DIFFÉRENCIATION LINGUISTIQUE DANS L'ESPACE

Considéré en lui-même, le concept *d'espace* (tout comme celui de *temps* d'ailleurs) est bien abstrait par rapport à la réalité concrète et immédiate de la variation sociale. Et pourtant, paradoxalement, la diversité géo-linguistique apparaît comme une caractéristique première évidente.

> « Ce qui frappe tout d'abord dans l'étude des langues, c'est leur diversité, les différences linguistiques qui apparaissent dès qu'on passe d'un pays à un autre, ou même d'un district à un autre. Si les divergences dans le temps échappent souvent à l'observateur, les divergences dans l'espace sautent tout de suite aux yeux; les sauvages eux-mêmes les saisissent, grâce aux contacts avec d'autres tribus parlant une autre langue. C'est même par ces comparaisons qu'un peuple prend conscience de son idiome »[1].

On ne résistera pas à l'envie d'ajouter qu'on a mis bien du temps, dans le monde des savants, à étudier ce qui saute aux yeux des « sauvages » eux-mêmes. C'est sans doute que l'évidence est une notion relative et historique. Georges Mounin, parmi d'autres, a écrit sur l'incuriosité totale des grammairiens grecs (puis latins) pour les autres langues. Une incuriosité faite d'hostilité et de mépris (les « barbares », étymologiquement, ce sont les autres et ceux qui ne savent pas parler : les mêmes en fait) prolongée, pour l'essentiel (cf. p. 817, *La Pléiade*), semble-t-il, jusqu'aux premières remises en cause par le mouvement romantique allemand du XIXe (le classicisme s'était incarné dans les langues grecque, latine et française), qui donnera naissance en linguistique aux études historiques et comparées[2] après la découverte du sanskrit, langue sacrée de l'Inde antique, et de ressemblances entre celle-ci et le latin, le grec, les langues germaniques, etc. Ressemblances dont Daniel Jones écrivait qu'elles ne pouvaient pas être le fait pur et simple du hasard.

### *Les langues dans le monde*

Deux acquis essentiels caractérisent le comparatisme européen du XIXe. L'établissement de liens de parenté génétique entre les langues et de lois d'évolution phonétique. Ces recherches amènent aujourd'hui à considérer qu'il existe environ quatre mille langues parlées différentes sur terre. C'est un chiffre approximatif et c'est un chiffre relativement considérable. L'approximation tient d'une part à l'instabilité relative — plus ou moins provoquée — des phénomènes socio-

1. SAUSSURE, p. 261.
2. On peut noter (une fois de plus) au passage l'écart qui sépare des évolutions en tous genres (découvertes; nouveaux moyens de communication, de production; rapports nouveaux entre communautés plus ou moins éloignées; etc.) et la prise en charge des faits ainsi révélés par les spécialistes des différentes disciplines. Découverte de continents — et de langues « nouvelles », unification nationale — politique et linguistique, révolutions sociales et politiques d'une part et développement des études de linguistique historique et comparée, de dialectologie, de sociolinguistique d'autre part, par exemple.

linguistiques et aux différences de statut qui en découlent selon qu'il s'agit d'une « langue nationale », d'une « langue écrite » ou non, de « dialectes », etc. D'autre part à la connaissance imparfaite — et souvent dépassée aujourd'hui — de certaines régions plus ou moins vastes d'Afrique ou d'Amérique latine[1].

C'est un chiffre considérable si on le compare aux quelques langues considérées (où ? quand ? par qui ? de quel point de vue ?) comme importantes en raison de critères économiques, politiques et/ou démographiques : l'anglais, le russe, l'arabe, l'espagnol, le chinois, le français, le japonais, le portugais, l'allemand.

Si la place de l'anglais, parlé par près de 300 millions de locuteurs natifs, est explicable à l'aide de ces trois facteurs, il n'en va pas encore de même du mandarin parlé par quelque 500 millions de Chinois mais dont le rôle international, dans l'organisation économique et politique du monde actuel, est secondaire. Les facteurs démographiques n'expliquent pas tout donc, loin s'en faut. Dans ce domaine, les rapports de force, de domination économique et politique — et leurs effets durables — prévalent.

## 1. Réduction de cette diversité

Ceci dit, la tendance semble être aujourd'hui à la réduction de cette diversité. Pour deux raisons essentielles, semble-t-il. D'une part — mais, toutes choses inégales entre elles par ailleurs, cela s'est déjà rencontré dans l'histoire avec le latin, après le grec et avant le français par exemple — certaines langues, l'anglais surtout, tendent à devenir internationales. D'autre part, et c'est le plus important, le rôle de l'intervention politique est devenu plus grand — dans une grande mesure parce qu'aujourd'hui toutes les régions du monde sont concernées. Ce qui ne veut pas dire qu'un passé de conquêtes et de colonisation n'a pas apporté une éminente contribution dans ce domaine.

Les différentes politiques de planification linguistique illustrent bien ce phénomène. En général elles tendent à imposer, sur des territoires fréquemment multilingues, une langue officielle et une seule, avec tous les prestiges culturels, sociaux, etc., tous les pouvoirs — Etat, école, médias — que cela implique et confère à la fois. Ainsi des mouvements de décolonisation les plus anciens comme ceux de l'Amérique du Sud, aux plus récents, ceux de l'Afrique, c'est le monolinguisme officiel qui l'emporte. Ce qui ne peut pas ne pas avoir de conséquences sur l'avenir des autres langues. Situation encore aggravée, en un certain sens, par les taux élevés d'analphabétisme dans beaucoup de pays en voie de planification linguistique, et la volonté délibérée — le plus souvent — d'ignorer et les réalités « dialectales » et/ou les changements linguistiques qui se sont

1. Un recensement des langues tenu à jour demanderait des moyens assez considérables en budget de recherche mais en spécialistes aussi. Quatre mille langues environ pour 120 à 150 Etats-nations, c'est beaucoup avons-nous dit; il faut constater la permanence des rêves d'unité linguistique. Expression de la vanité (tragique) d'une recherche du point zéro de l'histoire humaine, le mythe de Babel se transforme et renaît. Mais on sait, peut-être mieux aujourd'hui, qu'il n'y a pas que fraternité ou volonté égalitaire dans cette hostilité profonde envers la diversité.

produits en quelques siècles. N'est-ce pas le cas — jusqu'à ces dernières années au moins — dans les pays du Maghreb[1] ?

Force est de constater que dans cette construction d'unités nationales et linguistiques seuls comptent, dans le meilleur (?) des cas, les critères d'efficacité et de rentabilité. Observons d'abord que le point de vue qui permet d'en décider se discute, si l'efficacité des politiques centralisatrices et unificatrices se mesure à l'anéantissement des formes, des contenus et des particularités locales et régionales. Tel était le but avoué des révolutionnaires de 1789[2]. Uniformisation et aliénations diverses y gagnent à coup sûr. C'est ce qui se vérifie dans toutes les constructions nationales. Les contradictions y sont éludées d'un triple point de vue : géographique, social et ethnique.

Rentabilité ? Du point de vue du mode de production capitaliste sans doute[3]. Ce qui n'est pas niable c'est le poids dont l'un et l'autre modèles ont pesé sur tous les continents, les dominations coloniales aidant. Un pays pourtant semble s'inscrire en faux contre ces idées reçues : la Yougoslavie qui pratique le pluralisme linguistique et l'égalité des langues dans tous les domaines sans mettre particulièrement en péril l'unité nationale ou le développement économique[4].

## 2. Classement, répartition géographique et nombre de locuteurs

Nous reprenons ici le tableau mis au point par Maurice Coyaud[5] (p. 289 à 298).

Bien évidemment, il ne peut être considéré comme complet : que signifient la présence d'*un* italien, d'*un* arabe, l'absence du sarde, du sicilien, du corse, du ou des occitans, pour prendre des exemples qui nous sont familiers ? Reste que ce classement montre déjà la complexité de la situation. Il repose globalement sur une base géographique évidente. Est-ce à dire que les facteurs géographiques peuvent servir à expliquer cette diversité ? Il apparaît bien que non dans la

1. Le problème n'est pas simple, certes. Encore faut-il le poser. Voilà des pays qui connaissent en gros une dualité langue écrite (arabe du Coran (VIIe siècle)) et langues parlées. Ces parlers englobent les « dialectes » arabes différents en Tunisie, en Algérie, au Maroc et dans chacun de ces pays eux-mêmes selon la région, à quoi s'ajoutent des langues comme le berbère et ses variantes locales, le français — dans les grandes villes des trois pays —, l'italien (en Tunisie) et l'espagnol (dans l'Ouest algérien). Et on a, dans ces conditions, préconisé l'arabe classique comme langue officielle. Avec des échecs inévitables (la langue des cultes pouvait difficilement être celle du travail ou même des médias) et des rectifications. Une situation analogue se retrouve dans les pays — de langue officielle espagnole — en Amérique du Sud. A un moindre degré, en Espagne aussi d'ailleurs (cf. Jean RONY, *La lente rupture*, L'Espagne entre le franquisme et la démocratie, chap. I : « Espagne ou Etat espagnol ? », pp. 17-67, Ed. Sociales, 1977).

   S'il n'y a pas de rapport causal entre la différenciation linguistique — comme phénomène « naturel » — et l'inégalité sociolinguistique des idiomes, celle-ci peut entraîner leur élimination. Or la disparition qui menace (pour ne pas parler de toutes celles qui ont irrémédiablement disparu) les langues dominées n'est ni inévitable ni nécessaire. C'est un appauvrissement absolu (sans compter qu'il accompagne et « justifie » en même temps en général d'autres aliénations plus ou moins radicales sur les plans économiques, politiques et socioculturels).
2. Cf. *Une politique de la langue*, La Révolution française et les patois, par M. de CERTEAU, D. JULIA et J. REVEL, Gallimard, 1975.
3. Cf. *Le français national*, Politique et pratique de la langue nationale sous la Révolution, par Renée BALIBAR et D. LAPORTE, Hachette, 1974.
4. Cf. Denis CREISSELS, Contacts de langues et politique linguistique en Voïvodine (Yougoslavie), *Cahiers de Linguistique slave* de l'Université de Grenoble, 1977.
5. Les langues dans le monde, p. 1064-1068, vol. 9 de l'*Encyclopedia Universalis*.

*Tableau des langues dans le Monde**

| groupe ou sous-famille | langue | nombre de locuteurs | | | | | | | localisation |
|---|---|---|---|---|---|---|---|---|---|
| | | a | b | c | d | e | f | g | |
| **1. Famille indo-européenne** | | | | | | | | | |
| slave | russe | ● | | | | | | | U.R.S.S. (et émigration) |
| | biélorusse | | | ● | | | | | ouest de l'U.R.S.S. |
| | ukrainien | | | ● | | | | | sud de l'U.R.S.S. |
| | polonais | | | ● | | | | | Pologne (et émigration) |
| | tchèque | | | ● | | | | | Tchécoslovaquie |
| | slovaque | | | | ● | | | | Tchécoslovaquie |
| | serbo-croate | | | ● | | | | | Yougoslavie |
| | slovène | | | | ● | | | | Yougoslavie |
| | macédonien | | | | ● | | | | Yougoslavie, Bulgarie, Grèce |
| | bulgare | | | | ● | | | | Bulgarie |
| balte | letton | | | | ● | | | | Lettonie (U.R.S.S.) |
| | lituanien | | | | ● | | | | Lituanie (U.R.S.S.) |
| germanique | anglais | ● | | | | | | | États-Unis, Royaume-Uni, Pacifique, Afrique, Canada, Asie |
| | frison | | | | | | ● | | Frise |
| | néerlandais | | | | ● | | | | Pays-Bas, Belgique, France |
| | afrikaans | | | | ● | | | | Afrique du Sud |
| | allemand | ● | | | | | | | Allemagnes, Autriche, États-Unis, Suisse, Pologne |
| | danois | | | | ● | | | | Danemark, Groenland |
| | suédois | | | | ● | | | | Suède |
| | norvégien | | | | ● | | | | Norvège |
| | islandais | | | | | | ● | | Islande |
| (isolats) | albanais | | | | ● | | | | Albanie |
| | grec | | | | ● | | | | Grèce, Méditerranée orientale |
| | arménien | | | | ● | | | | U.R.S.S. (et émigration) |
| celtique | breton | | | | | ● | | | France |
| | gallois | | | | | ● | | | Royaume-Uni |
| | irlandais et gaélique d'Écosse | | | | ● | | | | Royaume-Uni |
| roman | roumain | | | ● | | | | | Roumanie, U.R.S.S. |
| | italien | | ● | | | | | | Italie, États-Unis, Argentine, Brésil |
| | portugais | ● | | | | | | | Brésil, Portugal, Angola et Mozambique |
| | espagnol | ● | | | | | | | Amérique, Espagne, Philippines |
| | français | | ● | | | | | | France, Canada, Belgique, Suisse, Afrique |
| | romanche | | | | | | | ● | Grisons (Suisse) |
| | ladin | | | | | | | ● | Tyrol du Sud (Haut-Adige, Dolomites) |
| | frioulan | | | | | | ● | | Udine (Italie) |
| indien* | hindi | | ● | | | | | | Inde et Pakistan |
| | bengali | | ● | | | | | | Bengale (Pakistan) |
| | bihari | | ● | | | | | | État du Bihar (Inde) |
| | kosali | | | ● | | | | | Uttar Pradesh et Madhya Pradesh (Inde) |
| | marathe | | | ● | | | | | État de Bombay (Inde) |
| | singhalais | | | | ● | | | | Ceylan |
| iranien | persan | | | ● | | | | | Iran |
| | kurde | | | | ● | | | | Iran, Irak, Syrie |
| | baluchi | | | | ● | | | | Baluchistan, Turkménie, Pakistan |
| | tat | | | | | | ● | | U.R.S.S. |
| | talysh | | | | | | ● | | U.R.S.S. |
| | ossète | | | | | | ● | | U.R.S.S. |

* D'après *Encyclopaedia Universalis*, t. 9, p. 1064-1068.

| | | | | | | | | | |
|---|---|---|---|---|---|---|---|---|---|
| **2. Famille finno-ougrienne** | | | | | | | | | |
| nord | samoyède | | | | | | | ● | Kanin, Iénisséi, Dvina, Taymyr, Narym |
| | lapon | | | | | | | ● | Norvège, Suède, Finlande, U.R.S.S. |
| baltique | finnois | | | | ● | | | | Finlande, U.R.S.S. |
| | carélien | | | | | | | ● | Carélie (U.R.S.S.) |
| | estonien | | | | | ● | | | Estonie (U.R.S.S.) |
| centre | mordv | | | | ● | | | | cours moyen de la Volga (U.R.S.S.) |
| | tchérémisse | | | | | | ● | | |
| | votiak | | | | | | ● | | |
| | zyriène | | | | | | | | bassin de la Volga, région |
| | vogul | | | | | | | ● | de Xanty-Mansisk (U.R.S.S.) |
| est | ostiak | | | | | | | ● | est et sud des Voguls |
| | hongrois | | | | ● | | | | Hongrie (et émigration) |
| **3. Famille caucasienne** | | | | | | | | | |
| nord-ouest | abkhaz | | | | | | | ● | U.R.S.S., Turquie |
| | oubykh | | | | | | | | Turquie |
| | circassien | | | | | | ● | | Kabardie (U.R.S.S.), Turquie |
| nord-est | tchétchène | | | | | | ● | | Kazakhstan (U.R.S.S.) |
| | avar | | | | | | ● | | Daghestan, Azerbaïdjan (U.R.S.S) |
| | lak | | | | | | | ● | |
| | dargwa | | | | | | ● | | |
| | lesghien | | | | | | ● | | |
| sud | géorgien | | | | ● | | | | Géorgie, Azerbaïdjan (U.R.S.S.) |
| | zan | | | | | | ● | | Géorgie, Turquie |
| **4. Famille altaïque** | | | | | | | | | |
| toungouze | mandchou | | | ● | | | | | Mandchourie, Xinjiang |
| | nanaj | | | | | | | ● | cours moyen et infér. de l'Amour |
| | — gald | | | | | | | ● | Sakhalin (U.R.S.S.) |
| | — ocha | | | | | | | ● | |
| | evenk | | | | | | | ● | Iénisséi; Ob, Léna, Baïkal, Nikolaevsk, Sakhalin; Kamchatka |
| mongol | mogul | | | | | | | | Afghanistan |
| | oirat | | | | | | ● | | Kirghizie (U.R.S.S.); Tianshan, vallée du Tli (Chine); Kobdo, K'o-la-hu, Kokonor (Mongolie) |
| | xalxa | | | | | ● | | | Rép. populaire de Mongolie |
| | xorein | | | | | ● | | | Mongolie intérieure (Chine). |
| | ordos | | | | | | ● | | |
| | pao-an | | | | | | ● | | |
| turc | turc | | | ● | | | | | Turquie, Bulgarie, Chypre, U.R.S.S. |
| | azerbaïdjan | | | | ● | | | | Azerbaïdjan, Iran |
| | gagauz | | | | | | ● | | Ukraine, Moldavie, Bulgarie, Roumanie |
| | turcoman | | | | ● | | | | Turkménie, Ouzbékistan, Iran, Afghanistan |
| | kumyk | | | | | | ● | | Daghestan |
| | karachai | | | | | | | ● | |
| | nogay | | | | | | | ● | |
| | tatar | | | | ● | | | | Tatarie (U.R.S.S.) |
| | kazakh | | | | ● | | | | Kazakhstan (U.R.S.S.) |
| | kirghiz | | | | ● | | | | Kirghizie (U.R.S.S.) |

| groupe ou sous-famille | langue | nombre de locuteurs | | | | | | | localisation |
|---|---|---|---|---|---|---|---|---|---|
| | | a | b | c | d | e | f | g | |
| **4. Famille altaïque (suite)** | | | | | | | | | |
| turc (suite) | ouzbek | | | | ● | | | | Ouzbékistan, Afghanistan |
| | ouigour | | | | ● | | | | Xinjiang (Chine) |
| | yakoute | | | | | | ● | | bassin de la Lena |
| coréen | coréen | | | ● | | | | | Corée, Chine, Japon |
| japonais | japonais | ● | | | | | | | Japon, Hawaii, États-Unis, Brésil |
| aïnou | aïnou | | | | | | | ● | Sakhalin, Hokkaidō (Japon) |
| (isolats) | basque | | | | | ● | | | France, Espagne |
| | paléo-sibérien | | | | | | | | |
| | — tchouktche | | | | | | | ● | péninsule d'Ichouktche |
| | — kamchadal | | | | | | | ● | Kamchatka |
| | — koryak | | | | | | | ● | |
| **5. Famille malayo-polynésienne** | | | | | | | | | |
| indonésien | malais | | | ● | | | | | Malaisie, Sumatra, Djakarta |
| | javanais | | | ● | | | | | Java, Sumatra, Bornéo, Célèbes |
| | sundanais | | | ● | | | | | Java-Ouest |
| | maduran | | | | ● | | | | Madura, Java-Est |
| | batak | | | | ● | | | | Sumatra |
| | minangkabau | | | | ● | | | | côte ouest Sumatra |
| | bugis | | | | ● | | | | Célèbes |
| | makasar | | | | | ● | | | |
| | dayak | | | | | | | | Bornéo |
| | njakju | | | | | | | | |
| | tagalog | | | ● | | | | | Philippines |
| | bisayan | | | | ● | | | | |
| | bikol | | | | ● | | | | |
| | ilongo | | | | ● | | | | |
| | malgache | | | | ● | | | | Madagascar |
| | biak | | | | | | | | nord-ouest de la Nouvelle-Guinée |
| | waropen | | | | | | | | |
| | tobati | | | | | | | | |
| | cham | | | | | | ● | | Vietnam |
| | rade | | | | | | | ● | Vietnam, Cambodge |
| | jorai | | | | | | | ● | |
| | bih | | | | | | | ● | |
| | chamorro | | | | | | | ● | îles Mariannes |
| | palau | | | | | | | ● | ouest des Carolines |
| mélanésien | banoni | | | | | | | ● | Bougainville |
| | areare | | | | | | | ● | Salomon |
| | tanna | | | | | | | ● | Nouvelles-Hébrides |
| | lifu | | | | | | | ● | Lifu |
| | huailu | | | | | | | ● | Nouvelle-Calédonie |
| | fidjien | | | | | | | | Fidji |
| polynésien | maori | | | | | | ● | | Nouvelle-Zélande |
| **6. Famille dravidienne** | | | | | | | | | |
| | télégu | | | ● | | | | | Mysore, Andhra Pradesh (Inde) |
| | tamoul | | | ● | | | | | Mysore, Madras, Ceylan |
| | malayalam | | | ● | | | | | Côte de Malabar |
| | kannada | | | ● | | | | | Mysore |

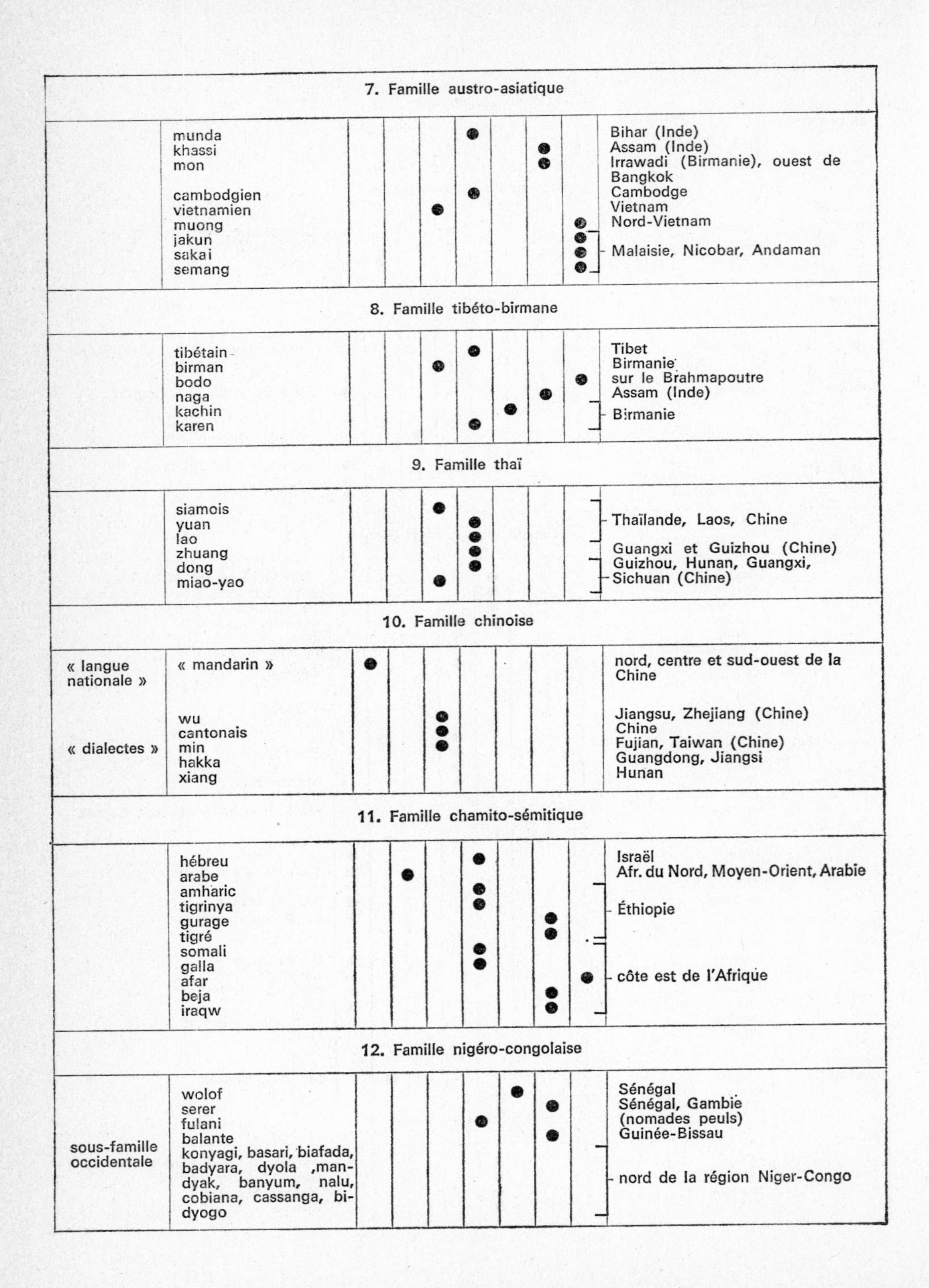

| | | | | | | | | | |
|---|---|---|---|---|---|---|---|---|---|
| **7. Famille austro-asiatique** | | | | | | | | | |
| | munda | | | | ● | | | | Bihar (Inde) |
| | khassi | | | | | | ● | | Assam (Inde) |
| | mon | | | | | | ● | | Irrawadi (Birmanie), ouest de Bangkok |
| | cambodgien | | | | ● | | | | Cambodge |
| | vietnamien | | | ● | | | | | Vietnam |
| | muong | | | | | | | ● | Nord-Vietnam |
| | jakun | | | | | | | ● | Malaisie, Nicobar, Andaman |
| | sakai | | | | | | | ● | |
| | semang | | | | | | | ● | |
| **8. Famille tibéto-birmane** | | | | | | | | | |
| | tibétain | | | | ● | | | | Tibet |
| | birman | | | ● | | | | | Birmanie |
| | bodo | | | | | | | ● | sur le Brahmapoutre |
| | naga | | | | | | ● | | Assam (Inde) |
| | kachin | | | | | ● | | | Birmanie |
| | karen | | | | ● | | | | |
| **9. Famille thaï** | | | | | | | | | |
| | siamois | | | ● | | | | | Thaïlande, Laos, Chine |
| | yuan | | | | ● | | | | |
| | lao | | | | ● | | | | |
| | zhuang | | | | ● | | | | Guangxi et Guizhou (Chine) |
| | dong | | | | ● | | | | Guizhou, Hunan, Guangxi, Sichuan (Chine) |
| | miao-yao | | | ● | | | | | |
| **10. Famille chinoise** | | | | | | | | | |
| « langue nationale » | « mandarin » | ● | | | | | | | nord, centre et sud-ouest de la Chine |
| « dialectes » | wu | | | ● | | | | | Jiangsu, Zhejiang (Chine) |
| | cantonais | | | ● | | | | | Chine |
| | min | | | ● | | | | | Fujian, Taiwan (Chine) |
| | hakka | | | | | | | | Guangdong, Jiangsi |
| | xiang | | | | | | | | Hunan |
| **11. Famille chamito-sémitique** | | | | | | | | | |
| | hébreu | | | | ● | | | | Israël |
| | arabe | | ● | | | | | | Afr. du Nord, Moyen-Orient, Arabie |
| | amharic | | | | ● | | | | Éthiopie |
| | tigrinya | | | | ● | | | | |
| | gurage | | | | | | ● | | |
| | tigré | | | | | | ● | | |
| | somali | | | | ● | | | | côte est de l'Afrique |
| | galla | | | | ● | | | | |
| | afar | | | | | | | ● | |
| | beja | | | | | | ● | | |
| | iraqw | | | | | | ● | | |
| **12. Famille nigéro-congolaise** | | | | | | | | | |
| sous-famille occidentale | wolof | | | | | ● | | | Sénégal |
| | serer | | | | | | ● | | Sénégal, Gambie |
| | fulani | | | | ● | | | | (nomades peuls) |
| | balante | | | | | | ● | | Guinée-Bissau |
| | konyagi, basari, biafada, badyara, dyola, mandyak, banyum, nalu, cobiana, cassanga, bidyogo | | | | | | | | nord de la région Niger-Congo |

| groupe ou sous-famille | langue | nombre de locuteurs | | | | | | | localisation |
|---|---|---|---|---|---|---|---|---|---|
| | | a | b | c | d | e | f | g | |
| **12. Famille nigéro-congolaise (suite)** | | | | | | | | | |
| sous-famille occidentale (suite) | temne, baga, landoma, limba, gola | | | | | | | | sud de la région Niger-Congo |
| | kissi | | | | | | ● | | Sierra Leone |
| | bulom | | | | | | ● | | |
| mandé | soninké | | | | | ● | | | Sénégal |
| | malinké | | | | ● | | | | Mali, Guinée |
| | bambara | | | | ● | | | | Mali |
| | dyula | | | | | | | | Côte-d'Ivoire |
| | numu, ligbi, huela, vai, kona, | | | | | | | | sources du Niger |
| | koranko, susu, khasonké, dyalonké | | | | | | | | Fouta-Djalon |
| | sya, mandé | | | | ● | | | | Liberia |
| | loko, gbandi, gbundé, loma, kpellé | | | | | | ● | | Nigeria |
| | mano, dan | | | | | | | | sur le Bandama |
| | kweni | | | | | | ● | | Côte-d'Ivoire |
| | mwa, nwa, samo bisa, busa | | | | | | | | Haute-Volta |
| gur | senufo | | | | | | | | cours supérieur du Bandama |
| | lobi, dogon | | | | | ● | | | Haute-Volta, Bandiagara |
| | grusi | | | | | | | | |
| | mossi, | | | | ● | | | | Haute-Volta |
| | dagomba, kusasi tem, kabre, oelo bargu gurma | | | | | | | | |
| kwa | kru | | | | | ● | | | Liberia, Côte-d'Ivoire |
| | ewe, | | | | ● | | | | Togo |
| | akan (parlers twi, anyi, baule, guang, metyibo, abure), | | | | | | | | |
| | avatime, nyangbo, tafi, logba, likpe, ahlo, akposo, lefana, bowili, akpafu, santrokofi, adele kebu, anyimere, | | | | ● | | | | Ghana |
| | aladian, avikam, gwa, kyama, akye, ari, abe, adyukru, ga, adangine | | | | | | | | |
| | yoruba, igala | | | | ● | | | | Nigeria, Dahomey, Togo |
| | nupe, gbari, igbira, gade bini, ishan, kukuruku, sobo idoma, agatu, iyala | | | | | | | | |
| | ibo ijo | | | | ● | | | | Nigeria |
| Benue-Congo | plateau : kambari jukunoïde : jukun, kentu cross-river : boki, ibidio, efik | | | | | | | | |
| | bantoïde : tiv, bantu, (swahili, ruanda, rundi, luba) | | | ● | | | | | Kenya, Tanzanie, Congo-Kinshasa |
| Adamawa-Est | Adamawa : tula, cham, dama, mbum Est : gbaya, masa, zande ndogo, amadi, mba | | | | | | | | |

| 13. Famille afro-asiatique | | | | | | | | | |
|---|---|---|---|---|---|---|---|---|---|
| 1** | hausa<br>gwandara<br>ngizim | | | | ● | | | | pays haoussa |
| 2 | kotoko<br>logone<br>ngala | | | | | | | | confluent du Chari et du Logone |
| 3 | bata-margi | | | | | | | | |
| 4 | hina<br>daba<br>musgoi<br>gauar<br>gisida<br>balda<br>muturua<br>mofu<br>matakam | | | | | | | | |
| 5 | gidder | | | | | | | | |
| 6 | mandara<br>gamergu | | | | | | | | |
| 7 | musgu | | | | | | | | |
| 8 | bana<br>banana<br>lame<br>kulung | | | | | | | | |
| 9 | somrai, tumak, ndam,<br>miltu, sarwa, gulei<br>gabre, chiri, dormo,<br>nangire<br>sokoro, barein<br>modgel<br>tuburi<br>mubi, karbo | | | | | | | | |
| **14. Famille nilo-saharienne** | | | | | | | | | |
| songhai | songhai | | | | | | | | **boucle du Niger, Tombouctou** |
| saharien | kanuri, kanembu<br>teda, daza<br>zaghawa, berti | | | | | | | | |
| maban | maba<br>runga<br>mimi | | | | | | | | |
| Fur | fur | | | | | | | | |
| Chari-Nil | nubien nilotique, kor-<br>dofan, midob, birked<br>murle, longari, didinga,<br>sari, mekau, murzu,<br>surma, masongo | | | | | | | | |

| groupe ou sous-famille | langue | nombre de locuteurs | | | | | | | localisation |
|---|---|---|---|---|---|---|---|---|---|
| | | a | b | c | d | e | f | g | |
| **14. Famille nilo-saharienne (suite)** | | | | | | | | | |
| Chari-Nil (suite) | barea | | | | | | | | |
| | ingassana | | | | | | | | |
| | nyima, afitti | | | | | | | | |
| | temein, teis-um-danab | | | | | | | | |
| | merarit, tama, sungor | | | | | | | | |
| | dagu de Darfur, | | | | | | | | |
| | dagu de Dar-Daga, | | | | | | | | |
| | sila, baygo | | | | | | | | |
| | nilotique de l'ouest : | | | | | | | | |
| | burun, shilluk, | | | | | | | | |
| | dinka, | | | | ● | | | | |
| | nuer | | | | | | ● | | |
| | nilotique de l'est : | | | | | | | | |
| | bari, masai, nandi | | | | | | | | |
| | nyangiya, tenso | | | | | | | | |
| coman | koma | | | | | | | | |
| | ganza | | | | | | | | |
| | uduk | | | | | | | | |
| | gule | | | | | | | | |
| | gumuz | | | | | | | | |
| | mao | | | | | | | | |
| **15. Famille nigéro-kordofanienne *** ** | | | | | | | | | |
| 1 | koalib | | | | | | | | |
| | kanderma | | | | | | | | |
| | heiban | | | | | | | | |
| | laro | | | | | | | | |
| | otoro | | | | | | | | |
| | kawama | | | | | | | | |
| | shwai | | | | | | | | |
| | tira | | | | | | | | |
| | moro | | | | | | | | |
| | fungor | | | | | | | | |
| 2 | tegali | | | | | | | | |
| | rashad | | | | | | | | |
| | tagoi | | | | | | | | |
| | tumale | | | | | | | | |
| 3 | talodi | | | | | | | | |
| | lafofa | | | | | | | | |
| | eliri | | | | | | | | |
| | masakin | | | | | | | | |
| | tacho | | | | | | | | |
| | lumun | | | | | | | | |
| | el-amira | | | | | | | | |
| 4 | tumtum | | | | | | | | |
| | tuleshi | | | | | | | | |
| | keiga | | | | | | | | |
| | karondi | | | | | | | | |
| | krongo | | | | | | | | |
| | miri | | | | | | | | |
| | kadugli | | | | | | | | |
| | katcha | | | | | | | | |
| 5 | katla | | | | | | | | |
| | tima | | | | | | | | |

| | | | | | | | | | |
|---|---|---|---|---|---|---|---|---|---|
| 16. Famille khoisane | | | | | | | | | |
| | hottentot<br>bushman<br>sanbawe<br>hatsa | | | | | | | ●<br>● | Angola, Botswana, Zambie<br>Tanganyika<br>sud-est du lac Victoria |
| 17. Famille eskimo-aléoute | | | | | | | | | |
| | eskimo<br>aléoute | | | | | | | ● | Groenland, Canada, îles Aléoutes |
| 18. Famille algonkine **** | | | | | | | | | |
| | massachussets<br>powhatan<br>delaware<br>mohegan<br>penobscot<br>pasamaquoddy<br>micmac<br>cree<br>ojibwa<br>fox<br>menomini<br>potawatomi<br>illinois<br>shawnie<br>blackfoot<br>arapaho<br>cheyenne | | | | | | | ●<br>●<br>●<br>●<br>●<br>●<br>●<br>●<br>●<br>●<br>●<br>●<br>●<br>●<br>●<br>●<br>● | côte est des États-Unis<br>baie d'Hudson<br>rive nord des Grands Lacs<br>Wisconsin<br>Michigan<br>Tennessee<br>ouest des États-Unis |
| 19. Famille natchez-muskogean | | | | | | | | | |
| | creek<br>alabama<br>chickasaw<br>choctaw<br>natchez<br>cherokee<br>tuskarora | | | | | | | ●<br>●<br>●<br>●<br>●<br>●<br>● | sud-est des États-Unis<br>(total : env. 20 000) |
| 20. Famille iroquoise | | | | | | | | | |
| | huron<br>erie<br>oneida<br>mohawk<br>seneca<br>onondaga<br>cayuga<br>conestoga<br>susquehanna | | | | | | | ●<br>●<br>●<br>●<br>●<br>●<br>●<br>●<br>● | Canada et État de New York<br>(total : env. 18 000) |
| 21. Famille sioux | | | | | | | | | |
| | biloxi, ofo, tutelo, catawba<br>dakota, mandan, winnebago<br>chiwere, dhegiba (omaha, ponca, osage, kansa, quapaw, arkansa), hidatsa, crow | | | | | | | ●<br>●<br>● | sud-est des États-Unis<br>nord des États-Unis<br>Iowa, Missouri |

| groupe ou sous-famille | langue | nombre de locuteurs a | b | c | d | e | f | g | localisation |
|---|---|---|---|---|---|---|---|---|---|
| | **22. Famille caddoan** | | | | | | | | |
| | caddo | | | | | | | ● | centre des États-Unis, au sud de l'aire sioux |
| | wichita | | | | | | | ● | |
| | pawnee | | | | | | | ● | |
| | **23. Famille tunican** | | | | | | | | |
| | tunica | | | | | | | ● | bas Missisipi |
| | atakapa | | | | | | | ● | |
| | chitimacha | | | | | | | ● | |
| | **24. Famille mosan** | | | | | | | | |
| | salish (bellacoola, | | | | | | | | côte Pacifique nord |
| | cœur d'alène, | | | | | | | | |
| | chehalin, kalispel) | | | | | | | ● | |
| | wakashan (nootka, | | | | | | | | |
| | kwakiutl, bellabella) | | | | | | | ● | |
| | chimacuan, quilente | | | | | | | ● | |
| | **25. Famille hokan** | | | | | | | | |
| | karok | | | | | | | ● | Californie |
| | shasta | | | | | | | ● | |
| | chimariko | | | | | | | ● | |
| | pomo | | | | | | | ● | |
| | yana | | | | | | | ● | |
| | esselen | | | | | | | ● | |
| | salinan | | | | | | | ● | |
| | chumash | | | | | | | ● | |
| | yuman | | | | | | | ● | Arizona |
| | tlapanec | | | | | | | ● | Sud mexicain |
| | tequistlatec | | | | | | | ● | |
| | subtiaba | | | | | | | ● | Nicaragua |
| | jicaque | | | | | | | | Honduras |
| | comecrudo | | | | | | | | nord-est du Mexique |
| | tonkawa | | | | | | | | Texas |
| | **26. Famille maya ******* | | | | | | | | |
| | mam | | | | | | | | Guatemala |
| | kekchi | | | | | | | | |
| | quiche | | | | | | | | |
| | cakchiquel | | | | | | | | |
| | pokomam | | | | | | | | |
| | pokonchi | | | | | | | | |
| | ixil | | | | | | | | |
| | tzeltal | | | | | | | | Mexique oriental |
| | tzotzil | | | | | | | | |
| | chol | | | | | | | | |
| | tojolabal | | | | | | | | |
| | chontal de Tabasco | | | | | | | | |
| | yucatec | | | | | | | | nord du Mexique |
| | huaxtec | | | | | | | | centre côtier du Mexique |
| | **27. Famille uto-aztèque** | | | | | | | | |
| | nahuatl | | | | | ● | | | Mexique (langue aztèque, seule à avoir une écriture autochtone) |

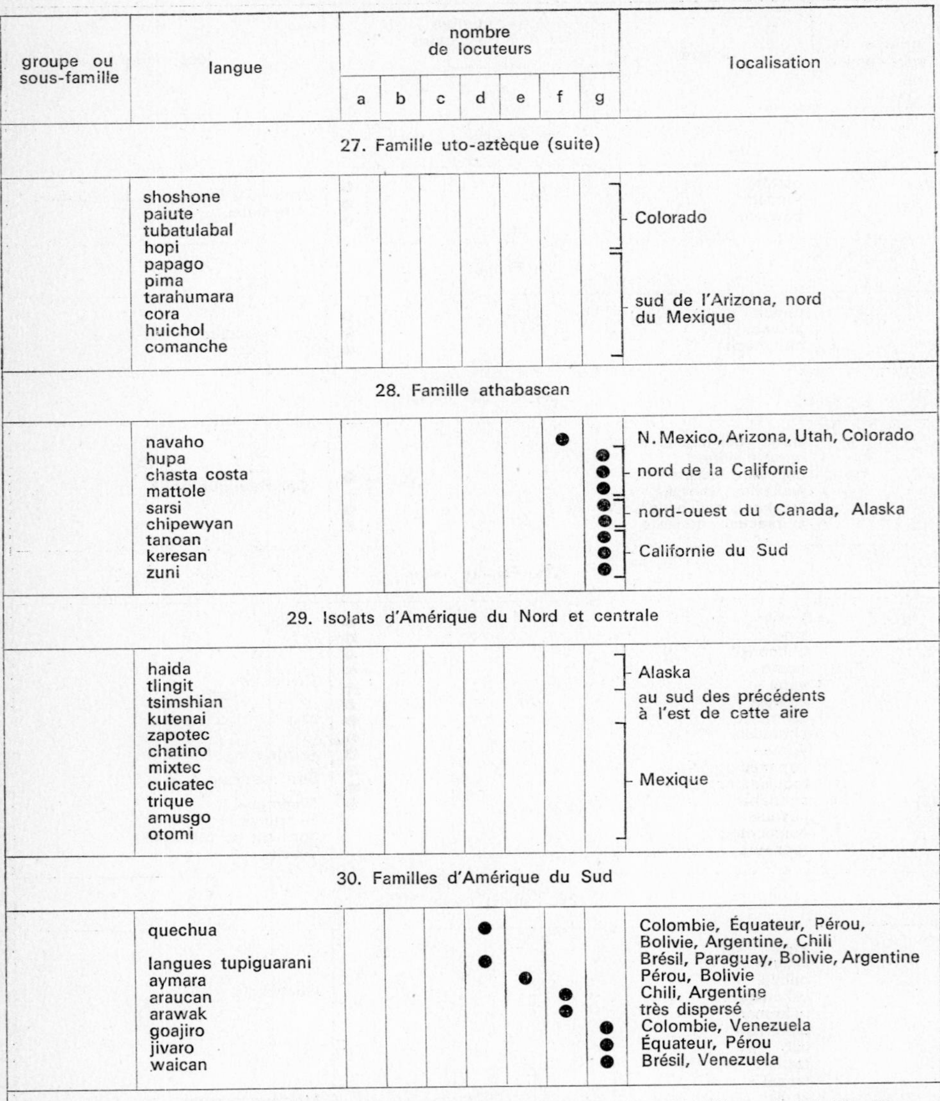

| groupe ou sous-famille | langue | nombre de locuteurs a | b | c | d | e | f | g | localisation |
|---|---|---|---|---|---|---|---|---|---|
| **27. Famille uto-aztèque (suite)** | | | | | | | | | |
| | shoshone | | | | | | | | Colorado |
| | paiute | | | | | | | | |
| | tubatulabal | | | | | | | | |
| | hopi | | | | | | | | |
| | papago | | | | | | | | sud de l'Arizona, nord du Mexique |
| | pima | | | | | | | | |
| | tarahumara | | | | | | | | |
| | cora | | | | | | | | |
| | huichol | | | | | | | | |
| | comanche | | | | | | | | |
| **28. Famille athabascan** | | | | | | | | | |
| | navaho | | | | | | ● | | N. Mexico, Arizona, Utah, Colorado |
| | hupa | | | | | | | ● | nord de la Californie |
| | chasta costa | | | | | | | ● | |
| | mattole | | | | | | | ● | |
| | sarsi | | | | | | | ● | nord-ouest du Canada, Alaska |
| | chipewyan | | | | | | | ● | |
| | tanoan | | | | | | | ● | Californie du Sud |
| | keresan | | | | | | | ● | |
| | zuni | | | | | | | ● | |
| **29. Isolats d'Amérique du Nord et centrale** | | | | | | | | | |
| | haida | | | | | | | | Alaska |
| | tlingit | | | | | | | | |
| | tsimshian | | | | | | | | au sud des précédents |
| | kutenai | | | | | | | | à l'est de cette aire |
| | zapotec | | | | | | | | Mexique |
| | chatino | | | | | | | | |
| | mixtec | | | | | | | | |
| | cuicatec | | | | | | | | |
| | trique | | | | | | | | |
| | amusgo | | | | | | | | |
| | otomi | | | | | | | | |
| **30. Familles d'Amérique du Sud** | | | | | | | | | |
| | quechua | | | | ● | | | | Colombie, Équateur, Pérou, Bolivie, Argentine, Chili |
| | langues tupiguarani | | | | ● | | | | Brésil, Paraguay, Bolivie, Argentine |
| | aymara | | | | | ● | | | Pérou, Bolivie |
| | araucan | | | | | | ● | | Chili, Argentine |
| | arawak | | | | | | ● | | très dispersé |
| | goajiro | | | | | | | ● | Colombie, Venezuela |
| | jivaro | | | | | | | ● | Équateur, Pérou |
| | waican | | | | | | | ● | Brésil, Venezuela |

Nombre de locuteurs : a, plus de 100 millions ; b, 50 à 100 millions ; c, 10 à 50 millions ; d, 1 à 10 millions ; e, 500 000 à 1 million ; f, 100 000 à 500 000 ; g, moins de 100 000.

* Total : env. 350 millions de locuteurs. Autres langues : assam, oriya, gujerat, sindhi, panjabi, kashmiri, nepali.

** L'ordre d'énumération des neuf sous-familles suit la direction du Tchad vers l'ouest.

*** Cinq sous-familles parlées dans les collines de Nubie.

**** Environ 100 000 locuteurs au Canada et aux États-Unis.

***** Total : env. 2 millions de locuteurs. Sont liés de loin au maya : mixe, zoque, popoluca de Vera-Cruz, totonac, tepehua, huave.

*Les langues dans le monde actuel*

mesure où l'extension géographique d'une langue est pratiquement indélimitable sur la base des grandes unités continentales : l'anglais, l'arabe, mais aussi l'espagnol, le portugais, le français, l'italien sont parlés en Europe et en Amérique, en Afrique et en Orient. Mais non, surtout, si on a en vue d'identifier régions, pays, Etats-nations et langues.

> « Qu'est-ce qui a créé ces différences? Quand on croit que c'est l'espace seul, on est victime d'une illusion. Livré à lui-même, il ne peut exercer aucune action sur la langue. Au lendemain de leur débarquement en F', les colons partis de F parlaient exactement la même langue que la veille. On oublie le facteur temps, parce qu'il est moins concret que l'espace; mais en réalité, c'est de lui que relève la différenciation linguistique. La diversité géographique doit être traduite en diversité temporelle »[1].
>
> « Sans doute, (tel) fait linguistique ne se serait pas différencié sans la diversité des lieux, si minime soit-elle; mais à lui seul, l'éloignement ne crée pas les différences » (*ibid.*, p. 272).

Une chose est à peu près certaine : on n'est jamais arrivé à déterminer une influence directe des faits de géographie physique sur la nature des changements linguistiques. Tout au plus, une communauté isolée — par le relief ou le climat — aura-t-elle été — une longue période durant — moins exposée aux contacts et aux mélanges avec d'autres populations. L'histoire « mondiale » n'a pas toujours existé. Elle a été véritablement créée par la grande industrie moderne. Si la société capitaliste approfondit les antagonismes de classes, elle les simplifie aussi en un certain sens.

> « Au demeurant, les recherches des préhistoriens montrent aujourd'hui que l'espèce humaine ne s'est répandue qu'à une date relativement récente dans certaines parties du globe (par exemple sur le continent américain) et que l'isolement (« primitif ») apparaît bien souvent comme le *résultat* de cette extension géographique du peuplement humain »[2].

On ajoutera encore qu'il en est, vraisemblablement, de la diversification linguistique comme de la « diversification culturelle » dont parle Leroi-Gourhan, cité par J.-J. Goblot (*op. cit.*, pp. 100-104) :

> « Si, sur plusieurs centaines de milliers d'années, de Grande-Bretagne en Afrique du Sud, le biface reste inchangé, au Paléolithique supérieur en l'espace de vingt mille ans et pour la seule Europe occidentale, les vingt types fondamentaux d'outils offrent plus de deux cents variantes »[3].

Pourquoi cette diversification ? Le préhistorien remarque que cette « diversification culturelle » coïncide d'une part avec une accélération considérable (une « transformation ») du rythme de l'évolution technique, d'autre part avec l'apparition de l'*homo sapiens*, qui marque l'achèvement de l'hominisation biologique. Avec

1. SAUSSURE, *Cours*, p. 271. Tout le chapitre III (« Causes de la diversité géographique ») de la quatrième partie (« La linguistique géographique »).
2. Voir à ce sujet Graham CLARK, *La préhistoire de l'humanité*, Payot, 1962, p. 37, cité par J. J. GOBLOT et A. PELLETIER, *Matérialisme historique et histoire des civilisations*, Ed. Sociales, 1973, p. 103.
3. A. LEROI-GOURHAN, *Le geste et la parole*, t. 1, Albin Michel, 1964, p. 204.

l'évolution proprement historique — technique et culturelle, économique et sociale — apparaît le fractionnement de l'espèce zoologique humaine en une multiplicité d'ethnies culturellement hétérogènes. Mais il serait faux d'imaginer que la diversité des cultures exprime un isolement absolu de chaque groupe. Au contraire. Contacts, emprunts, influences réciproques sont la règle.

## 3. Regroupement génétique et regroupement typologique

L'ordre introduit dans cette diversité des langues parlées dans le monde repose sur deux types d'apparentement : l'un historique ou génétique, l'autre typologique[1]. Disons, en passant (parce que c'est bien connu), que cette terminologie se discute. « En ce qui concerne le langage, la même question se pose que pour la constitution de l'espèce. On ne peut pas encore décider si le langage ne s'est formé qu'une fois et s'est différencié ensuite en des quantités de parlers, avec les divisions de l'humanité, ou s'il s'est formé plusieurs fois en divers lieux, comme il est probable », écrit Marcel Cohen qui néglige, dans son *Histoire d'une langue, le français*[2], les inconvénients de cette analogie. Mais nombreux sont les linguistes contemporains à refuser la théorie de l'arbre généalogique (cf. Schleicher et la Stammbaumtheorie) représentant la filiation des langues comme celle des familles indo-européennes sous la forme d'un arbre. La « langue mère » représentant le tronc et les branches successives « les langues filles » à leur tour plus ou moins ramifiées. C'est une image trompeuse.

> « Une langue ne donne pas naissance à une autre : nul linguiste ne saurait fixer l'heure où la naissance se serait produite » (A. Meillet).

Le terme de « parenté » n'a rien de commun avec celui qu'on emploie en physiologie. Comme toujours, ce transfert notionnel, inévitable sans doute et qui est de tous les temps et de toutes les disciplines, élude ce qui est particulier ici.

Ainsi les langues romanes sont apparentées — génétiquement — parce qu'elles sont issues pour une grande part de l'évolution diversifiée selon le lieu et le moment d'une langue dite par convention unique ou commune mais hétérogène, le latin et ses variétés, qu'elles continuent. Au nom de ressemblances structurelles que l'histoire et les documents disponibles ne permettent pas d'expliquer, ou bien sur la base de convergences jugées fortuites — ce qu'on désigne habituellement du terme d'affinités[3] —, on a rapproché parfois des langues comme l'albanais, l'arménien, le basque, le grec ou le japonais, de tel ou tel groupe.

Ainsi, si dans les cas les plus favorables c'est l'histoire et ses documents qui permettent de fonder la parenté génétique (cas des langues slaves, germaniques, romanes, sémitiques, indoues, etc.), le plus souvent, il faut recourir à des méthodes dites de reconstruction et de comparaison[4].

1. « Aucune famille de langues n'appartient de droit et une fois pour toutes à un type linguistique », SAUSSURE, pp. 313-317.
2. Ed. Sociales, 1967, p. 20.
3. Cf. A. MARTINET, *Evolution*, p. 24 et s.
4. Pour un résumé de la méthode comparative en linguistique historique, voir ci-dessous.

## 4. Langue unique et diversité géographique

La diversité linguistique dans l'espace qui résulte de la vision planétaire adoptée jusqu'ici n'est pas moins grande à l'intérieur du cadre national. Qu'il résulte d'une ruralisation ancienne ou qu'il soit le fruit d'une colonisation relativement récente (comme aux Etats-Unis) ; qu'il s'agisse de la coexistence — plus ou moins pacifique — de langues différentes, d'ethnies différentes, de plusieurs langues nationales, de différences seulement « dialectales », d'une langue nationale et de plusieurs langues ou parlers locaux, de langues très proches ou pas et ainsi de suite, le plurilinguisme ou l'hétérogénéité linguistique est un phénomène *universel*[1]. Mis à part le cas de communautés de quelques dizaines de personnes comme chez les Esquimaux polaires[2].

Cette tendance *naturelle*, au sens où elle est produite et reproduite par l'usage même, se poursuit même dans les cas d'unification les plus avancés.

Plusieurs cas de figure peuvent se présenter selon le poids respectif d'un ensemble de facteurs comme l'étendue du territoire, l'ancienneté de l'unification nationale et linguistique, le mode de peuplement, la nature des rapports — linguistiques et socioculturels — entre les langues en présence. En allant du plus complexe et fréquent au plus simple et rare, on peut distinguer les cas où sont en présence :

*1* / Plusieurs langues appartenant à des familles différentes (cf., pour exemple, les 85 familles de langues amérindiennes d'Amérique du Nord, réparties en plusieurs centaines d'idiomes; cas extrême, sans doute à cause de l'absence d'une formation nationale. Mais c'est aussi le cas de l'URSS multinationale avec ses dizaines de langues différentes, et des nations relativement plus homogènes — ou de territoire moins étendu... — comme l'Espagne, la France, la Chine, etc.). On doit considérer les *créoles* comme le résultat de l'interaction linguistique de deux groupes sociaux d'origines différentes en situation d'inégalité (ici colons européens et esclaves africains).

*2* / Plusieurs langues issues d'une même origine (cf. l'Italie avec sa vingtaine de langues régionales; mais aussi l'Allemagne, la France, etc.).

*3* / Une langue commune avec des réalisations locales différentes (cf. la situation de l'anglais aux Etats-Unis, par exemple; mais là non plus l'anglais n'est pas seul).

En fait, lorsqu'on y regarde de près, ces trois situations sont pratiquement toujours — avec des différences plus ou moins grandes quant au poids relatif de chaque composante — étroitement imbriquées. Avec tous les degrés possibles entre l'intercompréhension et l'incompréhension. Dans la situation plurilingue française, ce n'est pas seulement le « français-langue-officielle » qui en tant que langue

1. Il est bien entendu que ces dénominations : langue, parler, dialecte, patois, etc., ne désignent pas des différences de nature purement linguistiques, mais des différences ou plutôt des inégalités économiques, sociales et culturelles. Ces différences et ces inégalités sociolinguistiques sont le résultat de transformations historiques. Pas plus que les « langues nationales », les « dialectes » ne sont des produits « naturels ». Voir dans cette diversité des « niveaux » linguistiques différents n'est pas satisfaisant non plus. Pour la bonne raison que cette notion de « niveaux » implique une hiérarchisation (niveau bas, niveau élevé ou 1^er^, 2^e^, 3^e^ niveau) reposant sur des critères socioculturels historiquement — et non pas en soi — explicables.

2. Jean Malaurie, *Les derniers rois de Thulé*, Plon, 1975, fait état de 250 Esquimaux polaires en tout (chiffre de 1950).

commune se diversifie selon les régions; mais aussi, selon les villes, les villages, les langues régionales elles-mêmes. Ni l'occitan, ni le breton, ni le corse, pas plus que le basque ou le picard ne présentent d'homogénéité idéale (ou idéaliste). Presque aussi généralisé — le cas 3 mis à part — que la différenciation, le bilinguisme — comportant obligatoirement, en général, une langue commune, officielle et/ou nationale — est, lui, imposé par l'organisation socio-linguistique des nations.

## 5. La dialectologie

C'est à la dialectologie que revient — entre autres différenciations[1] — l'étude de ces faits géo-linguistiques.

Elle est née, en un certain sens, des recherches comparatistes pour établir les « lois phonétiques », et en réaction contre les grammairiens du XVIIIe siècle qui opposaient langues et dialectes comme des formes classiques, canoniques, à des formes abâtardies.

Etablir la vérité géo-linguistique de la différenciation linguistique en tant que tendance normale de toute langue vivante sur un territoire assez vaste et parmi une population assez nombreuse, a conduit d'abord à l'établissement de cartes et d'atlas linguistiques.

> « Un Allemand, Georg Wenker, a commencé par publier en 1881 six cartes, premier élément d'un atlas de l'Allemagne du Nord et du Centre. Ayant étendu ses ambitions à tout l'Empire allemand, il procède ensuite à une vaste enquête. Avec l'aide du gouvernement, il fait traduire dans quarante mille (!) dialectes locaux ou points d'enquête, quarante phrases-tests. Le report sur une carte des diverses réponses obtenues pour une question donnée visualise les variations géographiques de la langue. Pour imparfaites qu'aient été ces recherches (comment faire des relevés sérieux sans enquêteurs qualifiés, sans alphabet phonétique ?), les cartes de Wenker ont fait apparaître comme évident que les dialectes locaux n'étaient pas plus proches des formes anciennes que la langue standard.
>
> En outre, les zones dans lesquelles on rencontrait des variations étaient loin de coïncider pour des traits différents : les lignes dites « isoglosses » qui réunissaient les points ultimes où on trouvait un trait linguistique donné avaient chacune son propre tracé »[2].

Alors qu'en français [k + a] latin aboutit à [ʃ + a], les relevés faits pour le normand (vers 1910) donnent des isoglosses différents selon les mots (pour l'explication, voir p. 319) :

*Chat* se dit *ca* dans toute la région;

*Champ* a le plus souvent conservé la forme régionale, sauf dans l'Est et dans le Sud, où une bande importante doit être retranchée;

*Chandeleur* n'est plus connu qu'en deux points isolés de l'Est sous sa forme régionale; de même

*Chandelle*, mais les deux points ayant gardé la forme régionale se situent ici à l'Ouest; pour

1. Cf. les différenciations dont rend compte l'étude de J.-L. FOSSAT sur le vocabulaire de la boucherie qui sera présentée sous la rubrique « La variation sociale ».
2. *Dictionnaire de linguistique*, Larousse, 1973, p. 231.

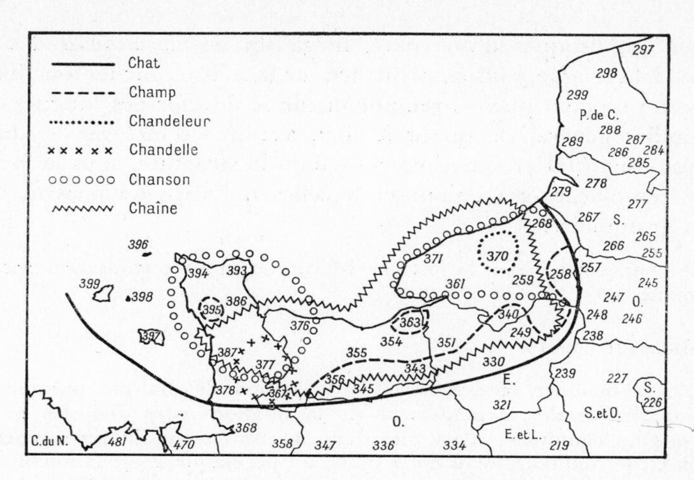


D'après l'*Alf,* carte des résultats de [k + a] en Normandie[1]

*Chanson,* la forme régionale *canchon* s'est conservée dans deux grandes régions de l'Est et de l'Ouest, alors que *chanter* présente partout le son initial *ch*, une autre répartition encore est donnée par la carte;

*Chaîne,* sur laquelle, à l'exception de quelques points dans le Sud et dans l'Est, toute la presqu'île du Cotentin et les îles anglo-normandes présentent le son initial français[1].

Avec *L'Atlas linguistique de la France (ALF)* de Jules Gilliéron et Edmond Edmont :

> « Le questionnaire passait à 1 500 phrases et mots usuels, environ (on était loin des 40 phrases-tests de Wenker, mais aussi, avec 630 lieux différents, des 40 000 points d'enquête de l'atlas allemand), donnait l'essentiel des systèmes lexicaux, phonétiques, morphologiques et même syntaxiques; il devait faire surgir les archaïsmes et les néologismes, la flexion des pronoms, les conjugaisons, etc. » (*ibid.*, p. 231).

Ceci dit, ces travaux valent surtout pour le rôle d'avant-garde et de modèle qui a été le leur dans le passé. La recherche dialectologique s'est, dans ce domaine, orientée vers les atlas régionaux, en corrigeant les défauts précédents. En apportant, par exemple, des réponses plus rigoureuses aux problèmes de la transcription, de l'enquêteur, de l'informateur, du questionnaire.

Au total, cela a conduit à rejeter la classification courante qui identifiait frontières politiques et frontières linguistiques.

Autrement dit, les deux aspects de la différenciation : linguistique et sociopolitique, apparaissent nettement. Les dialectes sont soit des langues régionales, soit, après unification politique et linguistique, des formes locales d'une langue commune. Ainsi ce qu'on appelle « la » langue — par opposition — ne désigne plus alors qu'une réalité *sociolinguistique*.

1. Wartburg et Ullmann, *Problèmes et méthodes de la linguistique*, PUF, 1969, p. 40.

Différences linguistiques d'une part, inégalités *sociolinguistiques* d'autre part, qui ne sont pas, à la longue, sans conséquence sur la nature, sur les fonctions qu'une langue peut — ou ne peut plus — remplir et sur le devenir des langues dominées.

La grammaire générative, quant à elle[1], s'efforce d'intégrer le changement — diachronique, dialectal et situationnel — dans la structure, sous la forme d'une règle nouvelle remplaçant ou s'ajoutant à celles qui déjà définissent, en termes chomskiens, la grammaire.

> « Le changement est à la fois une rupture et une réorganisation perpétuées de la grammaire. »

Les auteurs sont ensuite

> « conduits à modifier la définition de la notion de dialecte puisque dans une description structurale, le fondement de la relation entre dialectes ne peut être qu'une origine commune, alors que dans un traitement de type génératif, cette définition est le résultat obtenu après qu'on ait pu établir une relation entre les deux descriptions en termes de règles ajoutées ou supprimées dans un ensemble de règles communes. Les ressemblances et les différences entre les dialectes ne relèvent pas d'une affirmation préalable non fondée linguistiquement [?], mais apparaissent comme le résultat d'une analyse proprement [?] linguistique » (p. 36).

Ainsi, tout changement est ramené à une « règle de réécriture ». Pour une part, une question de présentation (mais n'est-ce que cela ?) peut passer pour un exposé théorique, pour une autre part, cette théorie — ou ce qui se donne tel — ne nous dit rien des causes du changement; elle ne permet pas de distinguer les différents types de « dialectes », selon qu'il s'agit de langues régionales plus ou moins apparentées (ce qui s'établit linguistiquement aussi!) ou de formes locales d'une langue commune.

A la limite, n'est-ce pas le processus de différenciation lui-même qui se trouve ainsi nié ? Suivant les deux postulats d'une tradition grammaticale poursuivie et par l'universalisme (*une* langue, *une* — ou *la* — grammaire, quelles que soient les différences de « surface ») et par le purisme formaliste (« les règles d'une analyse proprement linguistique »).

Pour résumer, nous dirons que l'espace est un facteur de différenciation dans la mesure où une même langue évolue et se différencie dans le temps certes, mais se transforme selon la nature du *substrat* local (langue antérieure à celle qui lui succède pour fait de conquête, par exemple; le *superstrat* désigne une langue de domination provisoire — linguistiquement parlant; on appelle *adstrat* toute interférence entre deux langues coexistantes. Tous ces phénomènes ayant en commun de désigner des contacts de langues). Ces recherches, beaucoup plus riches et diversifiées que ne le donne à voir cette présentation, se sont maintenues à côté des travaux dominants de « linguistique interne »[2]. Elles n'ont certainement pas toute la place qu'elles méritent. Si l'ethnocentrisme, encore présent chez Saussure (p. 261).

1. Cf. A. Delaveau, H. Huot, F. Kerleroux, Questions sur le changement linguistique, *Langue française*, n° 15, septembre 1972, pp. 33-36.
2. Cf. pp. 41-43 et pp. 261-290 du *CLG*. De ce point de vue se trouve reproduite l'inégalité de traitement, de jadis, entre langue écrite et parlée.

a quand même bien reculé, il résiste encore assez bien ailleurs; sur le plan régional par exemple (et social aussi, on y reviendra, où on commence seulement à le traquer). Il est temps d'aborder les différenciations dues à l'action du temps.

*BIBLIOGRAPHIE*

BRETON (Roland), *Géographie des langues*, PUF, 1976, coll. « Que sais-je ? », nº 1648.
CALVET (Louis-Jean), *Linguistique et colonialisme*, Payot, 1974.
FISHMAN (Joshua A.), *Sociolinguistique*, Fernand Nathan, 1971.
HAUGEN (Einar), *The Norwegian Language in America : a Study in Bilingual Behavior*, Univ. of Pensylvania Press, 1953.
HOUIS (Maurice), *Anthropologie linguistique de l'Afrique noire*, PUF, 1971.
MEILLET et COHEN, *Les langues du monde*, Paris, CNRS, 1952.
SAUSSURE, *Cours de linguistique générale*, Payot, 1966, cf. 4e partie.
WALD (Paul) et MANESSY (Gabriel), *Plurilinguisme, normes, situations, stratégies*, L'Harmattan, 1979.
WARTBURG et ULLMANN, *Problèmes et méthodes de la linguistique*, PUF, 1969.
WOLFF (Philippe), *Les origines linguistiques de l'Europe occidentale*, Hachette, 1970.

## C - LE CHANGEMENT HISTORIQUE (ou la variation diachronique)

Saussure, nous l'avons vu, pensait, en traitant de la variation linguistique dans l'espace, qu' « en un mot, l'instabilité de la langue relève du temps seul » (p. 272 du *CLG*). Il parvenait ainsi, et dans une certaine mesure, à dépasser les apparences. Dans une certaine mesure seulement.

En effet, le terme est ambigu. Considérer le temps comme facteur capital, s'il en est, du changement dans les comportements sociaux les plus divers, c'est prendre le nécessaire pour le suffisant, le cadre de l'évolution pour ses causes. Cette confusion se trouve encore renforcée par l'utilisation indifférenciée des notions de temps et d'histoire, l'une pour l'autre.

> « (...) Strictement parlant, l'évolution d'une langue n'est jamais fonction du temps. (...) Le passage du temps ne fait que permettre à divers facteurs d'agir les uns sur les autres »[1].

Cette ambiguïté nous semble en œuvre tout au long de l'histoire de la linguistique. Et selon la part plus ou moins grande de prise de conscience de cette dualité, selon la conception qu'on se fait de l'histoire ensuite, s'organisent les coupures ou les discontinuités, les révolutions dans les hypothèses centrales des grammairiens-philosophes grecs, des rationalistes logiciens du XVIIIe, des comparatistes historicistes du XIXe, du structuralisme saussurien ou de la socio-linguistique contemporaine. On sait que, longtemps, et pour l'essentiel, ignoré, le changement des langues dans le temps ne constituera un objet d'études qu'au XIXe siècle, sous l'impulsion, en

1. John LYONS, *Linguistique générale, introduction à la linguistique théorique*, trad. franç., Paris, Larousse, 1970, p. 40.

Europe, d'un faisceau de facteurs non sans rapports entre eux : « la découverte » du sanskrit[1], le mouvement romantique, l'avènement de l'histoire comme science, le darwinisme ou le point de vue évolutionniste, enfin la connaissance d'un plus grand nombre de langues. Il sera ensuite assez rapidement relégué par Saussure dans une zone d'ombre au nom de principes théoriques et pour des raisons de bon sens méthodologique : la description de chaque « état de langue » doit précéder l'étude du passage d'un état à l'autre, par exemple. En un certain sens, parce que Saussure reste prisonnier d'une conception empirique du temps et événementielle de l'histoire.

## 1. Un mot de l'âge du langage

Parce qu'incontestablement cette question s'inscrit dans ces deux dimensions, et du temps nécessaire à cette acquisition, et de l'histoire, conditions et causes mêlées. Il ne s'agit pas de traiter ici en détail du problème — des plus importants à notre sens et encore ouvert peut-être — de l'origine du langage. Ce problème est évoqué plus précisément dans le premier chapitre du présent ouvrage. On y revient non pour des raisons techniques, mais pour une question de principe. Nous ne dirons rien par exemple des hypothèses les plus diverses : théologiques, biologiques ou anthropologiques sur un imaginaire point zéro du langage dans la très longue histoire de l'espèce. On évitera cependant, pour ce qui nous concerne, de mettre dans le même sac toutes ces hypothèses. Marx et Engels, notamment, font preuve d'une préscience extraordinaire dans leurs spéculations philosophiques. Il y a ces formules importantes et habituellement citées de *L'Idéologie allemande*[2] :

> « Le langage est aussi vieux que la conscience — le langage est la conscience réelle, pratique, existant aussi pour d'autres hommes, existant donc alors seulement pour moi-même aussi et, tout comme la conscience, le langage n'apparaît qu'avec le besoin, la nécessité du commerce avec d'autres hommes. »

Mais surtout ce (long) passage d'Engels dans *Dialectique de la nature*[3] :

> « La réaction directe et susceptible de preuve du développement de la main sur le reste de l'organisme est bien plus importante. Comme nous l'avons déjà dit, nos ancêtres simiesques étaient des êtres sociables; il est évidemment impossible de faire dériver l'homme, le plus sociable des animaux, d'un ancêtre immédiat qui ne le serait pas. La domination de la nature qui commence avec le développement de la main, avec le travail, a élargi à chaque progrès l'horizon de l'homme. Dans les objets naturels, il découvrait constamment des propriétés nouvelles, inconnues jusqu'alors. D'autre part, le développement du travail a nécessairement contribué à resserrer les liens entre les membres de la société en multipliant les cas d'assistance

1. Si l'événement est capital pour la linguistique historique, le terme est impropre, à strictement parler, écrit Jacqueline Manessy-Guitton, pp. 818-819 de *Le langage* sous la direction d'André Martinet, Encyclopédie de la Pléiade, 1968. « On connaissait depuis deux ou trois siècles l'existence du sanskrit, ancienne langue de l'Inde, et quelques traits de sa grammaire. Mais au cours du XVIIIe siècle, la conquête de l'Inde par les Anglais avait permis de recueillir des documents plus nombreux. »
2. K. Marx, F. Engels, Ed. Sociales, 1968, p. 59.
3. Ed. Sociales, pp. 174-175, 1952, cité par Marcellesi-Gardin, *Introduction à la sociolinguistique*, Larousse, 1974, pp. 50-51.

mutuelle, de coopération commune, et en rendant plus claire chez chaque individu la conscience de l'utilité de cette coopération. Bref, les hommes en formation en arrivèrent au point où ils avaient réciproquement *quelque chose à se dire*. Le besoin se créa son organe, le larynx non développé du singe se transforma, lentement mais sûrement, grâce à la modulation pour s'adapter à une modulation sans cesse développée, et les organes de la bouche apprirent peu à peu à prononcer un son articulé après l'autre.

« La comparaison avec les animaux démontre que cette explication de l'origine du langage, né du travail et l'accompagnant, est la seule exacte. Ce que ceux-ci, même les plus développés, ont à se communiquer est si minime qu'ils peuvent le faire sans recourir au langage articulé. A l'état de nature, aucun animal ne ressent comme une imperfection le fait de ne pouvoir parler ou comprendre le langage humain. Il en va tout autrement quand il est domestiqué par l'homme. Dans les relations avec les hommes, le chien et le cheval ont acquis une oreille si fine pour le langage articulé qu'ils peuvent facilement apprendre à comprendre tout langage, dans les limites du champ de leur représentation. Ils ont gagné, en outre, la faculté de ressentir, par exemple, de l'attachement pour les hommes, de la reconnaissance, etc., sentiments qui leur étaient autrefois étrangers; et quiconque a eu beaucoup affaire à ces animaux pourra difficilement échapper à la conviction qu'il y a suffisamment de cas où ils ressentent *maintenant* le fait de ne pouvoir parler comme une imperfection à laquelle il n'est toutefois plus possible de remédier, étant donné la trop grande spécialisation dans une direction déterminée de leurs organes vocaux. Mais là où l'organe existe, cette incapacité disparaît aussi à l'intérieur de certaines limites. Les organes buccaux des animaux sont assurément aussi différents que possible de ceux de l'homme; et pourtant les oiseaux sont les seuls animaux qui apprennent à parler, et c'est l'oiseau à la voix la plus effroyable, le perroquet, qui parle le mieux. Qu'on ne dise pas qu'il ne comprend pas ce qu'il dit. Sans doute répétera-t-il pendant des heures, en jacassant tout son vocabulaire, par pur plaisir de parler ou d'être dans la société des hommes. Mais dans la limite du champ de sa représentation, il peut aussi apprendre à comprendre ce qu'il dit. Apprenez des injures à un perroquet, de sorte qu'il ait quelque idée de leur sens (un des amusements de prédilection des matelots qui reviennent des régions tropicales); excitez-le, et vous verrez bien vite qu'il sait utiliser ses injures avec autant de pertinence qu'une marchande de légumes de Berlin. De même lorsqu'il s'agit de mendier des friandises.

« D'abord le travail; après lui, puis en même temps que lui, le langage : tels sont les deux stimulants essentiels sous l'influence desquels le cerveau d'un singe s'est peu à peu transformé en un cerveau d'homme, qui, malgré toute ressemblance, le dépasse de loin en taille et en perfection. Mais en marchant de pair avec le développement du cerveau, il y eut celui de ses outils immédiats, les organes des sens.

« De même que déjà, le développement progressif du langage s'accompagne nécessairement d'une amélioration correspondante de l'organe de l'ouïe, de même le développement du cerveau s'accompagne en général de celui de tous les sens. La vue de l'aigle porte beaucoup plus loin que celle de l'homme; mais l'œil de l'homme remarque beaucoup plus dans les choses que celui de l'aigle. Le chien a le nez bien plus fin que l'homme, mais il ne distingue pas le centième des odeurs qui sont pour celui-ci les signes certains de diverses choses. Et le sens du toucher qui, chez le singe, existe à peine dans ses rudiments les plus grossiers, n'a été développé qu'avec la main humaine elle-même, grâce au travail.

« Le développement du cerveau et des sens qui lui sont subordonnés, la clarté croissante de la conscience, le perfectionnement de la faculté d'abstraction et de raisonnement, ont réagi sur le travail et le langage et n'ont cessé de leur donner, à l'un et à l'autre, des impulsions sans cesse nouvelles pour continuer à se perfectionner. Ce perfectionnement ne se termina pas au moment où l'homme fut définitivement séparé du singe; dans l'ensemble, il a, au contraire, continué depuis. Avec des progrès différents en degré et en direction chez les divers peuples et aux différentes époques, interrompus même çà et là par une régression locale et temporaire, il a marché en avant d'un pas vigoureux recevant d'une part une nouvelle et puissante impulsion, d'autre part une direction plus définie d'un élément nouveau qui a surgi de surcroît avec l'apparition de l'homme achevé : *la société.* »

Cela étant, rien ne saurait remplacer la connaissance scientifique, spécifique. Les travaux d'André Leroi-Gourhan[1] font ici autorité. Si Engels ne parle que du travail, Leroi-Gourhan insiste sur la précocité des rites et autres comportements symboliques en général. On nous permettra de reprendre la présentation que Georges Mounin — qui a manifesté un intérêt suivi de ces questions[2] — en donne dans son *Histoire de la linguistique des origines au XX*e *siècle*[3].

### *De la préhistoire à la linguistique*

« Les linguistes ci-dessus [il s'agit de spécialistes de la reconstruction des langues et d'études de lexico-statistique] remontent le cours du temps vers une origine du langage qu'ils savent bien qu'ils n'atteindront jamais. Au contraire Leroi-Gourhan, paléontologiste, ethnologue et préhistorien, se propose de descendre le courant du temps, porté par l'évolution des vertébrés : en cours de route, il doit forcément rencontrer le moment de l'apparition du langage. [Dans un autre registre, c'est la même démarche que préconise Jespersen. Partir de l'analyse des langues actuelles et remonter vers l'origine (cf. *Nature, évolution et origine du langage*, Payot, 1976, pp. 389, 399, 409, etc.)].

« Leroi-Gourhan présente une synthèse appuyée sur l'état présent des faits acquis. La linguistique y trouve une mise à jour des problèmes posés, sinon par l'origine, du moins par l'âge du langage. Tout d'abord, on y suit depuis les premiers poissons les rapports de dépendance qui se manifestent entre capture mobile de la nourriture et symétrie bilatérale, dans le monde animal; entre vie terrestre et libération de la tête par rapport au squelette; entre mécanique de la mâchoire (conditionnée par le régime alimentaire) et structure du crâne; entre station verticale, libération partielle ou totale des membres antérieurs pendant la locomotion, face courte et volume du crâne — toutes choses qui situent l'apparition des possibilités de langage dans une longue chaîne biologique.

« Sur l'âge du langage, Leroi-Gourhan apporte des vues neuves. Les découvertes en Afrique du Sud (Australanthrope, Zinjanthrope) reportent l'apparition de l'espèce *homo* beaucoup plus haut dans les temps géologiques qu'on ne l'imaginait il y a trente ans : vers la fin du tertiaire, il y a peut-être un million d'années, ce qui allonge considérablement les temps d'évolution de tous les phénomènes proprement humains, notamment le langage. Concernant celui-ci, Leroi-Gourhan pense, avec plus de précisions qu'il y a cinquante ou trente ans, pouvoir se fonder sur deux espèces de preuves indirectes : structure du cerveau, rapports entre outillage technique et langage. Sur le premier point, l'essentiel est l'observation, chez les animaux puis chez l'homme, du développement du cortex en avant du sillon de Rolando. Dès l'australanthrope, le cerveau humain possède, selon Leroi-Gourhan, des aires qui lui sont propres au moins par leur étendue, et ce sont celles où l'on localise aujourd'hui les centres du langage — alors que ces aires manquent chez les grands singes. En second lieu, dès l'australanthrope il y a fabrication d'outils.

1. *Evolution et techniques* : 1° *L'homme et la matière*, 1943; 2° *Milieu et techniques*, 1945 (rééd. 1973). *Le geste et la parole* : 1° *Technique et langage*, 1964; 2° *La mémoire et les rythmes*, Albin-Michel, 1965.
2. Cf., pour ses analyses les plus récentes, L'origine sociale du langage et la communication animale, *Revue roumaine de linguistique*, 1975, n° 4, pp. 389-392, et Langage, communication, chimpanzés, *Current Anthropology*, Université de Chicago, mars 1976, repris dans *Raison présente*, n° 39, 1977.
3. PUF, 1967, pp. 28-29.

Or l'outil préhistorique, jamais déterminé par « le hasard des fractures » du matériau correspond à un stéréotype fonctionnel toujours attesté à des millions d'exemplaires. Leroi-Gourhan constate que les aires cérébrales de la motricité technologique et celles du langage sont interdépendantes. Il constate aussi que toute l'histoire connue établit qu'à partir du moment où il faut choisir entre plusieurs comportements fabricateurs, ce choix entre des chaînes opératoires qui constituent l'apprentissage implique toujours une transmission par le langage. Les sciences compétentes pourront contester ces vues; mais pour le linguiste, elles ont le mérite de substituer, à trop d'hypothèses philosophiques assez gratuites, des données objectives — configuration du cerveau, outils — sur lesquelles il y a prise. »

Pour atténuer un peu le côté peut-être positiviste de cette dernière phrase, on citera encore des recherches « philosophiques » qui visent d'abord à établir un parallèle entre les grandes phases d'évolution biologique et culturelle de l'espèce et les différents stades du développement de l'enfant — y compris sur le plan linguistique (du mot isolé à la phrase en passant par la juxtaposition) — et qui montrent ensuite comment le langage est à l'origine pris dans un système continu d'associations entre perceptions, comportements-actions, gestes et sons qui vont progressivement s'isoler pour valoir en tant que signes (cf. Trân Duc Thao, *Recherches sur l'origine du langage et de la conscience*, Ed. Sociales, 1973 et le compte rendu de F. François, *La pensée*, avril 1974, p. 32-52).

## 2. Et pourtant elles changent

Le changement historique — les autres types de changements aussi *a fortiori* — a d'abord été longtemps ignoré. C'est le cas chez les philosophes-grammairiens grecs de l'Antiquité — et cela ne vaut pas que pour eux si on se rappelle l'influence très grande de leurs analyses sur leurs disciples latins, médiévaux et classiques (jusqu'au XVIIe siècle pour l'essentiel). On sait qu'ils se sont presque exclusivement intéressés à la nature du signe et aux « parties du discours ». Les recherches qui suivirent sur le caractère plus ou moins logique des langues[1] et la définition de la norme d'une bonne et belle langue[2], s'inscrivent clairement dans la même optique a-historique.

La recherche historique est chose relativement récente donc, sauf en un sens si l'on considère l'importante entreprise philologique dans la colonie grecque d'Alexandrie au IIIe siècle avant notre ère, d'établissement et d'explication de la langue des chefs-d'œuvre littéraires du passé (les poèmes homériques, par exemple). Cette langue avait changé; c'est pourquoi il convenait à la fois de la commenter et de la protéger. Pour éviter qu'elle disparaisse et qu'elle soit abîmée, on l'a figée. Cette défense de la pureté et de la correction de la langue littéraire aura une très longue vie.

Ainsi — les recherches philologiques ne sont pas des recherches marginales à cette époque — la prise de conscience du changement n'est pas vraiment absente.

1. Cf. *La grammaire générale et raisonnée de Port-Royal*, 1660, pliant les langues, leurs organisations grammaticales, aux règles « universelles » de « la » logique.
2. Cf. Vaugelas, Malherbe, Ménage.

C'est plutôt qu'elle s'accompagne d'un jugement de valeur, d'une idéologie hostile. C'est le paradoxe fréquent (ou « la philosophie spontanée des savants ») qui découle des liens indissociables et complexes entre les faits et les conceptions à partir desquelles on les perçoit. Car les faits ne sont pas que les faits. Sinon on ne peut pas comprendre comment et pourquoi les préoccupations philologiques en quelque sorte déterminées (là est le paradoxe) par les changements historiques — et autres — qui affectent les langues, conduisent à renforcer l'orientation a-historique.

C'est ce qui ressort clairement des caractères de l'objet des recherches philologiques : la langue écrite et la langue écrite par les écrivains, pas n'importe quels écrivains, les classiques. A partir de là, la force des choses, les structures sociales, etc., ont fait le reste. Des préjugés maintenus durant plus de deux millénaires, les variations appréhendées en termes de dégradation, de destruction et de disparition. Conception qui a nourri l'attitude normative dans ce qu'elle a de répressif, et légitimé ses institutions (académies, écoles pour une bonne part, médias, etc.).

Les comparatistes eux-mêmes, au début, donnent une « théorie » de la décadence des langues. Et ceci sous l'influence, par-dessus le marché, pour ainsi dire, du très puissant modèle biologique d'une part, et de la découverte qu'ils font du rôle de l'analogie dans l'évolution des langues, d'autre part. En fait, Saussure lui-même — et, de nouveau, on sait la mesure de son influence dans la linguistique contemporaine y compris — participe de cette « idéologie du changement »[1].

## 3. La linguistique historique et comparée

Illustration des dangers de tout transfert inconsidéré des concepts et métaphores d'une discipline à une autre, la problématique naturaliste amène à traiter les langues comme des organismes vivants qui naissent, se développent et meurent; les rapports entre les langues seraient à l'image des liens entre espèces animales et entre individus d'une même espèce : « langue mère, langues filles, familles de langues », etc.

Le social et l'historique — linguistiquement parlant au moins — sont ainsi assimilés au biologique.

Lorsque, à côté des lois d'évolution phonétique, une place est faite à l'action plus ou moins contraire de l'analogie qui explique, par exemple, la régularité du paradigme des désinences de la seconde personne du pluriel en français, ou le « je boivais » chez l'enfant parlant le français ou le « c'est d'alcool » d'un adulte (entendu pour « c'est de l'alcool » sur le modèle « je ne bois pas d'alcool », vraisemblablement), cette manifestation de la tendance à la simplification et à l'unification est d'abord accusée d'introduire dans la langue des formes « incorrectes », indices certains de sa dégénérescence.

En même temps, et à l'opposé, les implications de ces descriptions phonétiques, diachroniques, conduisent peu à peu à remettre en cause la primauté de la langue

1. Cf. Marcellesi et Gardin, *Introduction à la sociolinguistique*, Larousse, 1974, p. 200.

écrite sur la langue parlée (remise en cause nécessaire qui a abouti aujourd'hui à un renversement pur et simple avec les mêmes excès et les mêmes erreurs) et, sur un autre plan, à « une compréhension plus exacte de la relation entre les *langues* et les *dialectes* »[1].

C'est, on le voit, très tard — au XIXe siècle — et de manière imparfaite que s'impose la compréhension du changement historique des langues. En Allemagne notamment et dans le cadre général de la réaction romantique au logicisme universaliste de la période classique (grecque, latine, française, italienne aussi mais pas allemande), des travaux de Darwin, de la « découverte » du sanskrit et du développement d'une nouvelle science : l'histoire. Au total, les travaux et les résultats seront importants[2].

### *a - Parenté génétique et lois phonétiques*

Dans le chapitre précédent, nous en avons donné le résultat essentiel : « les familles de langues »; c'est le plus spectaculaire. Mais avant d'en arriver là, il a fallu surmonter bien des difficultés. Aussi bien, le plus précieux est sans doute dans les concepts, les principes et les méthodes qui, chemin faisant, ont été élaborés.

On peut en retenir quelques-uns pour l'exemple :

*1* / L'évolution des langues est continue (en tout cas celle-là seule intéresse les comparatistes);

*2* / Les unités linguistes rapprochées pour être comparées sont des signes arbitraires, c'est-à-dire vraiment linguistiques parce que de nature conventionnelle et sociale;

*3* / Les lois phonétiques obéissent au principe de constance, c'est-à-dire de régularité;

*4* / Les correspondances de nature structurelle et grammaticale sont seules probantes;

*5* / Les comparaisons doivent autant que possible porter sur les formes les plus anciennes des langues rapprochées.

Prétendre atteindre les origines ou plutôt les états les plus reculés possibles dans le temps — compte tenu des documents recueillis — implique une conception du changement qui élimine les mutations brusques parce que, quelles que soient les différenciations incessantes (phonétiques, lexicales, grammaticales) affectant une langue (commune, par définition), celle-ci doit continuer à assumer pleinement sa fonction de communication. D'où le principe de la continuité des changements. On touche ici à une question importante. Il faut se garder de toute approche unilatérale. L'ancien et le nouveau coexistent. Il ne faut donc pas attendre que « toute la langue » change pour parler de rupture ou de révolution. Enfin il n'est pas possible de déterminer *a priori* la durée nécessaire à un changement radical. On y reviendra.

1. Cf. J. Lyons, *op. cit.*, pp. 29-30.
2. Cf. pour un rapide et très clair résumé de l'essentiel des œuvres comparatistes, J. Manessy-Guitton, La parenté généalogique, in *Le langage*, La Pléiade, 1968, pp. 818-821.

Ensuite, pour être significatives, les ressemblances (portant sur le signifiant *et* sur le signifié) — ce qui élimine les sons comme les phonèmes isolés — entre les unités appartenant à des langues différentes doivent porter sur des « faits particuliers sans base naturelle », c'est-à-dire sur des mots totalement arbitraires d'une part et peu susceptibles d'avoir été empruntés d'autre part; ce qui demande quelques explications.

Avec les caractères généraux — opposés aux faits particuliers — d'une langue, on a en vue ce qui est plus ou moins commun à toutes les langues : la double articulation, une certaine utilisation de l'ordre des mots, l'usage de deux ou trois pronoms « je », « tu », « il » (exemple signalé par Emile Benveniste), etc.

De même, les concordances entre termes expressifs ou symboliques, comme les onomatopées, ne constituent pas des preuves.

Quant aux emprunts, on sait que, d'une manière générale, le vocabulaire, directement lié aux transformations économiques et culturelles et à tous les échanges et au renouvellement, s'emprunte plus facilement que les structures grammaticales particulières.

Exemple de L. Bloomfield, *Language*, cité par J. Manessy-Guitton, p. 847 :

| | *Anglais* | *Néerlandais* | *Allemand* | *Danois* | *Suédois* |
|---|---|---|---|---|---|
| Maison | (haws) | (høys) | (haws) | (hu:?s) | (hu:s) |
| Souris | (maws) | (møys) | (maws) | (mu:?s) | (mu:s) |
| Pou | (laws) | (løys) | (laws) | (lu:?s) | (lu:s) |
| Dehors | (awt) | (øyt) | (aws) | (u:?s) | (u:t) |
| Brun | (brawn) | (brøyn) | (brawn) | (bru:?n) | (bru:n) |

Exemple de Meillet, cité par J. Manessy-Guitton, p. 843 :

| | *Français* | *Italien* | *Espagnol* |
|---|---|---|---|
| Singulier | Je me | io mi | yo me |
| Pluriel | tu | tu | tu |
| | nous | noi | nos |

Ici et là les ressemblances formelles et les similitudes de fonction rendent très improbable un emprunt.

Mais il y a vocabulaire et vocabulaire. Ainsi les emprunts de notions et de termes nécessairement universels (« feu », « eau », « ciel », « terre », « homme », « femme », « nuit », « jour », par exemple) sont plus improbables que d'autres.

Ceci dit, les ressemblances retenues peuvent encore être soit le fait du hasard (cf. « bad » = mauvais en anglais et en persan), soit explicables par une relation historique entre les langues considérées. Dans ce cas, il peut s'agir d'une origine commune :

Les ressemblances entre les formes de sens identique

Fr. « rouge »
It. « rosso »
Esp. « rojo »

s'expliquent par leur formation à partir du latin « rŭbeus »; mais il peut s'agir aussi d'un emprunt comme dans ces formes presque identiques et de même sens :

Fr. « cidre »
It. « sidra »
Esp. « sidro »

Seul, le français « cidre » est issu du latin « cisera », c'est par emprunt, à partir du français, que le mot est passé en italien et en espagnol.

Cependant, des régularités nombreuses et cohérentes (un système de correspondances) rendent à peu près certaine la parenté génétique.

Le critère décisif qui permet de trancher souvent entre l'emprunt et la continuation d'une même unité (sens et forme) d'origine, c'est la régularité et la généralité des concordances phonétiques — pour une langue donnée, et à un moment donné de son histoire — dites « loi de constance des changements phonétiques » :

> « La conservation ou l'altération d'un phonème se réalise, à une certaine époque de la même manière dans tous les mots d'une langue où le phonème se présente dans les mêmes conditions »[1].

Exemple donné par E. Bourciez dans *Précis de phonétique française*[2].

Du latin au français, le [o] long et accentué de « flōrem » ayant abouti à [oe] dans « fleur », on doit retrouver le même changement dans des mots comme « sapōrem » > « saveur » et calōrem > « chaleur ».

Régularité phonétique, qui n'est jamais totale dans la mesure où elle entre en conflit avec la régularité morphologique (analogie) et/ou des faits d'emprunts, d'assimilation ou de dissimilation phonétique[3] :

1) En latin, la 2e personne du pluriel *-tis* est commune à

« ama-tis »
« debè-tis »
« dormī-tis »
« dici-tis »

2) En français, l'évolution phonétique aurait donné : « am-ez », « dev-eiz » (et « dev-oiz »), « dorm-iz », « di-tes ». L'analogie est intervenue en rétablissant la régularité. A l'exception de « dites », on trouve partout *-ez*.

Pour nous résumer, disons que, partant de « ressemblances » notion très empirique et toujours provisoire dans le processus d'analyse, parce qu'en fait, la parenté généalogique entre deux langues, c'est-à-dire la continuation, de manière

1. Cf. Jean PERROT, *La linguistique*, PUF, 1969, p. 77 (coll. « Que sais-je ? », n° 570), qui cite A. MEILLET, *Sur la méthode comparative en linguistique historique*, Oslo, 1925.
2. Paris, Klincksieck, 1958, p. 31.
3. Cf. pp. 81-82, l'exemple du nombre *cinq* dans diverses langues indo-européennes.

plus ou moins indépendante d'une même ancienne unité (forme et sens — et organisation, ajouteront les structuralistes —), n'implique aucune ressemblance mais seulement des correspondances par rapport à la langue commune initiale[1]. On peut être en présence d'une preuve de parenté ou d'un fait de convergence, c'est-à-dire d'un parallélisme dans le développement — indépendant — entre deux langues — parentes ou non. Dans ce dernier cas, on parle d'affinité linguistique ou typologique. Ce qui n'explique rien, on en conviendra. On connaît l'exemple des langues à tons d'Extrême-Orient qui se trouvent être en même temps, et ceci explique cela, des langues monosyllabiques. Mais pourquoi ces monosyllabes ?

On peut aussi avoir à faire à un fait d'analogie, à un emprunt (pour résumer d'un mot la diversité dans la nature et les types de contact entre les langues), ou encore, faute de mieux (?), au hasard. Dans ce dernier cas, pour réduire, autant que possible les ressemblances fortuites, il est recommandé de comparer les formes les plus anciennes des mots en question. On connaît l'exemple de « bad » en anglais et en persan. Autre exemple :

> « Si l'on peut être certain que le malais [mata] « œil » n'a rien de commun avec le grec moderne [máti] c'est que le premier contient un radical proprement malais, alors que [máti] est issu, à date relativement récente du grec classique [ommátion] « petit œil » »[2].

Tout ceci montre combien les certitudes sont rares et difficiles à atteindre ici. La possibilité même de distinguer parenté génétique de ce qui ne l'est pas a d'ailleurs été plus ou moins remise en question dans le cadre de la « théorie des ondes ». Pour H. Schuchardt, par exemple, « le mélange pénètre tout le développement linguistique; il intervient entre langues distinctes, entre parlers proches, entre langues parentes et entre langues non parentes. Qu'il s'agisse de mélange ou d'emprunt, d'imitation, d'influence étrangère, nous sommes en présence de phénomènes essentiellement semblables »[3].

Pour A. Martinet *(Evolution des langues et reconstruction)*[4] : « La théorie des ondes passe encore pour théorie, sans plus, en face de la divergence, vérité d'évidence et

1. Problème très délicat si on sait que cette « langue-mère » est dans le meilleur des cas une reconstruction théorique, plus symbolique que réelle. En tout cas quelque chose de provisoire. La méthode comparative traditionnelle, dite encore reconstruction externe, est utilisée lorsqu'on peut établir des correspondances entre plusieurs langues apparentées : sanscrit *asti/santi*, latin *est/sunt*, grec *esti/*henti (il est/ils sont)*. On postule alors l'existence d'unités indo-européennes originelles **esti/*senti* (cf. A. Meillet, *op. cit.*).

   En l'absence de telles correspondances il ne peut y avoir reconstruction. On conclut alors à l'absence de telle unité dans l'état primitif de cette langue ancienne commune (ce qui soulève une autre question qui est de savoir comment cette unité s'est répandue...).

   Depuis Saussure au moins, une autre méthode de reconstruction — interne ou structurale — a été élaborée. Elle vient palier les insuffisances de la documentation et/ou de la méthode (cf. le cas des langues isolées comme le basque par exemple). Dans la mesure où on ne procède pas à la comparaison entre des langues différentes mais pour une même langue entre différentes synchronies, illustrant ainsi toute l'importance des notions de système, d'économie, appuyées sur les recherches typologiques (cf. A. Martinet, *Economie des changements phonétiques*). C'est dire aussi qu'on retrouve la diversité des points de vue de la philologie et de la linguistique.
2. J. Manessy-Guitton, La Pléiade, p. 834.
3. Cité par J. Perrot, p. 87.
4. puf, 1975, chap. III, pp. 24 et s.

indiscutée. » Aussi il stigmatise le fait que « beaucoup de linguistes continuent, en pratique, à opérer comme si l'évolution linguistique se ramenait à une perpétuelle ramification ». Alors qu'il y a aussi[1] place, souligne-t-il, pour un « vaste domaine, si souvent négligé, de la convergence linguistique », autre dénomination de l' « affinité linguistique » qu'il explique premièrement par « l'influence réciproque de deux langues en contact, avec ou sans prédominance de l'une des deux »; deuxièmement par « l'influence exercée par une troisième langue, substrat, superstrat ou adstrat ». Et à partir de « l'idée qu'une innovation phonétique (peut) s'étendre de proche en proche très loin de la région où elle est apparue », il est conduit à distinguer quatre types différents de changements. Le type I désigne « les changements indigènes », au moins partiellement conditionnés par le système phonologique du parler dans lequel ils apparaissent. Les types II, III et IV étant des « changements propagés », soit par adoption du processus lui-même, soit par adoption des résultats de ce processus, ou encore par l'emprunt de certains traits phoniques seulement. A cette typologie des faits de convergence linguistique, on ajoutera trois remarques :

*1* / La convergence peut s'expliquer par l'apparition d'un même besoin en plusieurs langues;
*2* / On peut distinguer apparition spontanée ou emprunt;
*3* / Il faut séparer les facteurs de réussite, de succès social de ceux qui expliquent l'apparition même de la forme nouvelle.

Ces quelques indications, forcément rapides, ne donnent que très imparfaitement idée de la complexité des faits qu'il s'agit de débrouiller. Encore faut-il disposer de données. Or, pour la plupart des langues — non indo-européennes — les documents sont rarissimes et l'histoire mal connue. On a tenté d'utiliser dans ce cas des méthodes d'analyse statistique.

### *b - La glottochronologie*[2]

La méthode glottochronologique part de l'hypothèse, vérifiée sur des langues dont l'histoire est connue, qu'un certain « vocabulaire de base », dans n'importe quelle langue (liste de 215 notions « universelles », cf. pp. 866-872 de *Le langage*, Ed. la Pléiade), change moins vite que le reste. L'établissement d'une liste de mots « de base » et qui plus est, valable pour toutes les langues, soulève de nombreuses questions. Où commence et où finit ce lexique « de base » ? Au nom de quels critères ? Serait « de base » ce qui est universel (et réciproquement), ce qui est commun et résistant. C'est parfaitement tautologique. D'une période à l'autre (mille ans) et d'une langue à une autre, l'appartenance d'une unité à la « base » ou au « particulier » peut changer. Il n'est pas facile de trouver des équivalents

1. Cf. Saussure, opposant « force d'intercourse » et « esprit de clocher », p. 281 et s.
2. Ou lexico-statistique. Cf. Morris Swadesh, Lexicostatistic Dating of Prehistoric Ethnic Contacts, dans *Proceedings of the American Philosophical Society*, 96, pp. 452-463, Philadelphie, 1952, présenté par Thomas Penchoen dans *Le langage*, ouvr. collectif, La Pléiade, pp. 865-884.

exacts. Enfin, les mots retenus ne peuvent pas être *également* communs, résistants, universels. Ces problèmes ont conduit Swadesh à réduire sa liste à 200 puis à 100 mots[1].

Ce changement ou renouvellement du vocabulaire de base serait de l'ordre de 20 % sur mille ans. Autrement dit, le taux de rétention ou « pourcentage de « cognats », c'est-à-dire de mots génétiquement semblables et de sens sensiblement identique », se situerait entre 76 et 85 % par millénaire.

*Tableau des langues de contrôle de la liste de 215 notions* ([1])

| *Etat le plus ancien* | *Etat le plus moderne* | *Rétention par millénaire* |
|---|---|---|
| Egyptien moyen, ~ 2100 à ~ 1700 | Copte, 500 (23 siècles) | 76 % |
| Latin classique, ~ 50 | Roumain moderne | 77 – |
| Ancien haut allemand, 850 | Allemand moderne | 78 – |
| Chinois classique, 950 | Chinois moderne (du Nord) | 79 – |
| Latin de Plaute, ~ 200 | Français de Molière, 1650 | 79 – |
| Caraïbe dominicain, 1650 | Caraïbe moderne | 80 – |
| Latin classique, ~ 50 | Portugais moderne | 82 – |
| Koinè | Grec cypriote | 83 – |
| Koinè | Grec athénien | 84 – |
| Latin classique, ~ 50 | Italien moderne | 85 – |
| Ancien anglais, 950 | Anglais moderne | 85 – |
| Latin (Plaute), ~ 200 | Espagnol de 1600 | 85 – |

([1]) P. 872.

Cette relative stabilité est supposée constante, comme une moyenne.

Ces indications, une fois établies — sur la base d'une comparaison pour 215 unités, entre deux états, à mille ans de distance, d'une même langue, indo-européenne neuf fois sur dix — on les applique à des langues différentes — il s'agit de tenter d'établir un éventuel et lointain lien de parenté — et contemporaines, dont on ignore l'histoire : les langues amérindiennes et africaines, par exemple, qui n'ont pas de tradition écrite; or, on sait que l'écrit littéraire et religieux en particulier, contribue fortement à ralentir le changement linguistique.

En un mot, c'est dans ces extrapolations que réside l'essentiel des faiblesses d'une technique encore peu perfectionnée. Ceci dit, ce qui est juste c'est l'idée que

1. Arbre, beaucoup, blanc, voire, bon, bouche, brûler, ceci, cela, cendres, chaud, chemin, cheveux, chien, cœur, corne, cou, dent, deux, dire, donner, dormir, eau, écorce, entendre, être assis, être étendu, être debout, étoile, femme, feu, feuille, foie, froid, fumée, genou, graine, grand, graisse, griffe, homme, jaune, je, langue, long, lune, main, manger, marcher, montagne, mordre, mourir, nager, ne pas, nez, noir, nom, nous, nouveau, nuage, œil, œuf, oiseau, oreille, os, peau, personne, petit, pied, pierre, plein, pleuvoir, plume, poisson, pou, que ?, queue, qui ?, racine, rouge, sable, sang, savoir, sec, soleil, terre, tête, tout, trois, tu, tuer, venir, ventre, vert, viande, voir, voler, un.

les différentes parties du lexique évoluent à des rythmes différents. Ce qui est discutable, c'est la définition d'une base universelle et un chiffrage indépendant de toute donnée ethnographique et sociale.

### *c - Changement historique : développements et explication*

Au total, les limites des travaux en linguistique historique sont triples.

*1* / Les comparatistes ont, pour l'essentiel, travaillé sur des sons et des sons isolés. (« Le passage de [K] latin à [ʃ] français »...) Le mouvement structuraliste, dès Saussure, mais surtout avec la théorie phonologique des linguistes du cercle de Prague et les travaux de Martinet, en particulier, sur la phonologie diachronique, a permis d'avancer considérablement dans la description et la compréhension de l'évolution phonétique. Encore faut-il signaler, au moins en passant, que si Saussure compte parmi les deux ou trois linguistes de ce début du siècle, qui ont découvert le système dans la langue, il le fera en rejetant et l'eau du bain, et l'enfant, c'est-à-dire les phénomènes de changement considérés soit comme des variations seulement individuelles (cf. l'opposition langue/parole et la notion de système homogène), soit comme uniquement liés au temps et donc (?) sans rapport avec le système (synchronie et structure d'un côté, diachronie de l'autre).

Si Martinet et d'autres comme Frei, Haudricourt et Juilland, etc., ont clairement remis en question l'assimilation saussurienne entre synchronie et structure statique par des travaux de synchronie dynamique, l'identité posée par Saussure entre système et homogénéité (« la langue, dictionnaire dont tous les exemplaires, identiques, seraient répartis entre les individus ») n'a été contestée que récemment, et à la suite des études de Weinreich et Labov[1] :

> « Le but de Weinreich demeure bien de pouvoir décrire la langue comme un système, mais qui fonctionne non pas *en dépit* des variations de tous ordres que l'on constate (et l'on parle alors de « moyenne », de changements « négligeables », d' « idéalisation nécessaire ») mais *avec* ces phénomènes de variation ! Ce qui est posé c'est que la maîtrise naturelle, le contrôle natif des structures hétérogènes n'est ni un fait de « multidialectisme », ni un fait de pure « parole » ou « performance », mais ressortit à la compétence linguistique d'un locuteur unilingue. Et l'un des corollaires de cette thèse est que, dans une langue en usage dans une communauté complexe (c'est-à-dire réelle), c'est *l'absence* d'hétérogénéité structurée qui serait dysfonctionnelle »[2].

Quant à Labov, il aura successivement, *et sur le terrain*, étudié les causes sociales du changement diachronique des sons (de l'anglais parlé sur l'île de Martha's Vineyard), les corrélations entre statuts socio-économiques et pratiques linguistiques (enquêtes dans les grands magasins de New York), la langue dans le ghetto noir de Harlem pour aboutir à la conclusion que la variation est *inhérente* au système. On y reviendra.

1. Chomsky est très explicite : « telle me semble avoir été la position des fondateurs de la linguistique moderne et aucune raison contraignante de la modifier ne m'est apparue ». *Aspects de la théorie syntaxique*, Le Seuil, Paris, 1965, p. 12.
2. *Langue française*, nº 15, septembre 1972, « Langage et histoire », p. 40.

Ajoutons que ces recherches sociolinguistiques (de « dialectologie sociale » disent de manière suggestive les auteurs américains) prennent à contre-pied aussi bien le structuralisme européen que le générativisme chomskyen. Rappelons que pour Chomsky, dans le droit fil de Saussure, de ce point de vue[1], le locuteur-auditeur idéal dont il s'agit de décrire la compétence, est situé « à l'intérieur d'une communauté linguistique *complètement homogène* ». Mais revenons à la linguistique historique.

*2* / Au bénéfice d'une religion — positiviste et scientiste — des « faits », les linguistes comparatistes ont eu, en outre, tendance à négliger les hypothèses, les concepts, comme instruments théoriques pour rendre compte des processus concrets. Et ce sera le troisième reproche.

*3* / Ils n'expliquent pas le changement. Même lorsqu'il leur arrive d'en formuler — sans le savoir — certaines causes.

Quand il s'agit d'expliquer, on retrouve en fait la très importante contribution apportée par la phonologie avec l'usage qu'elle fait de la notion de système pour comprendre et le fonctionnement et l'évolution des langues, plus les découvertes touchant au rôle de l'intonation[2]. C'est ce qu'on appelle d'une manière discutable « les causes internes ». Tels l' « inertie » ou « loi du moindre effort » et les « besoins d'expression », forces opposées, poussant à l'amélioration du rendement de l'instrument langue. (Progrès des langues ? Téléologie ? Confusion entre fonction et finalité ? But et cause ?) Comme si l'on pouvait sérieusement, en matière de langues, considérer les données psychologiques et sociales, par exemple, comme « causes externes ». Faut-il écrire qu'il n'y a pas de langue vivante, c'est-à-dire concrète, réelle, sans société, sans individu, et réciproquement ? Que nous sommes en présence du type même du faux problème quand il s'agit de déterminer, en termes généraux, toujours et partout valables, la prépondérance des unes sur les autres ?

Il y a aussi, donc, tout ce qui découle de la transmission des langues d'une génération à l'autre. (Et l'on sait mieux aujourd'hui que l'apprentissage n'est jamais pure et simple répétition)[3]. Comme, la prise en compte, encore peu répandue, de l'environnement, des conditionnements culturels, sociaux, historiques, quelquefois très particuliers. Pour donner un premier exemple[4], très rapide, pris dans l'histoire des Slaves, trois événements sont à retenir pour expliquer certaines différenciations importantes entre les langues slaves. Au Moyen Age, l'adoption du christianisme, à l'époque moderne, la perte de l'indépendance, à l'époque contemporaine, la renaissance nationale. Selon qu'il s'agissait du christianisme romain ou byzantin, la langue religieuse, et, partant, littéraire, était le latin ou une langue

1. U. Weinreich, W. Labov, M. Herzog, Empirical foundations for a theory of language change, *in* Lehmann et Malkial eds., pp. 95-188, 1968, et W. Labov, *La sociolinguistique*, trad. franç., Ed. de Minuit, 1976.
2. Cf. W. von Wartburg et S. Ullmann, *Problèmes et méthodes de la linguistique*, puf, 1949, pp. 59 et s.
3. Cf. F. et D. François, E. Sabeau-Jouannet, M. Sourdot, *La syntaxe de l'enfant avant 5 ans*, Larousse, 1977.
4. Tiré du Séminaire dirigé par P. Garde, à Aix-en-Provence.

locale. Les conséquences en sont considérables, sur le statut et le devenir des langues en présence. En situation orthodoxe, le vieux slave, dialecte macédonien devient langue commune sacrée et immuable jusqu'au XVIIIe siècle. En pays catholique, en revanche, le latin est perçu comme langue étrangère et les langues locales — polonais, tchèque, croate, slovène — continuent à être utilisées et évoluent. Il faut souligner, à ce point, que les contributions des études dialectologiques ont été ici essentielles. Elles ont permis d'établir un certain nombre de principes quelquefois en opposition avec le comparatisme. Ainsi, les travaux de Gillieron *(Atlas linguistique de la France)* révélant, à propos d'un dialecte à aire géographique même très réduite, la régularité, non pas des lois phonétiques, mais des différences dans les résultats de l'évolution pour les mêmes mots, en un même village. Ainsi une évolution déjà effectuée peut être renversée, et selon des voies différentes. Chaque mot — suivant sa place dans la langue, la nature du concept désigné, fréquent ou pas, local ou importé, peut avoir son propre mouvement. Ce qui pose aussi le problème des niveaux d'analyse qu'il faut distinguer — phonétique, lexical, etc., entre eux, et de leurs interférences. On peut se reporter à la carte d'isoglosses pour [K + a], donnée p. 303. L'uniformité en est absente.

« C'est la conséquence du fait que chaque mot occupe dans la langue de la région une situation différente », écrivent W. von Wartburg et S. Ullmann[1].

▶ Ex. 1 (p. 41). — « Ainsi le son français [ʃ] repousse ici dans des proportions très différentes le [K] primitif. Pour le mot agricole « champ », il s'agit seulement d'une infiltration progressive le long de toute la frontière (comme on le constate également pour le mot « chanvre ») ; pour « chandeleur », l'église est incontestablement la cause de l'extirpation presque totale du [K] ; la chandelle est un article dont le paysan s'approvisionne en ville, où il apprend précisément la forme française du nom; la différence entre le tableau donné par les deux cartes *chanson* et *chanter* doit reposer sur le fait que le verbe est soumis plus fortement que le substantif à l'influence de l'école et surtout de l'église (on chante en effet à l'église, mais on n'y saurait tolérer de chansons!). Quant à l'appellation du chat, rien n'impliquait la possibilité d'une forte pression du français, aussi la carte est-elle restée absolument intacte. La situation est inverse pour une expression d'architecture domestique, comme *chambre*, où la forme française règne sans partage. La carte de *c* devant *a* en normand n'est donc pas uniforme, elle ressemble plutôt à une surface aux bords déchirés et trouée en plusieurs endroits. C'est la conséquence du fait que chaque mot occupe dans la langue de la région une situation différente. »

▶ Ex. 2. — La mutation [r] → [z]. Elle est attestée d'abord dans la France méridionale (XIIIe) ; et à partir du XVe dans le Nord. « Prononciation caractéristique des femmes et de l'ensemble du bas peuple », elle entraîne une réaction des milieux soucieux de pureté et de tradition linguistique. En faveur de [r]. Elle réussit, sauf pour deux mots : « besicles » et « chaise ». Ce dernier en concurrence avec « chaire » (chaise toujours occupée par des ecclésiastiques).

« La forme populaire sert ainsi à désigner le meuble utilisé par tout le monde, la forme savante, une chaise de clerc ou une chaire proprement dite. Une différenciation sociale, qui n'avait à l'origine qu'un caractère linguistique, est passée dans l'ordre concret » (pp. 42-43).

1. *Op. cit.*, p. 41.

Le même phénomène, répercuté dans l'espace géographique, peut se trouver inversé !

« En Saintonge, par exemple, la mutation de *r* en *z* n'était pas intervenue; *chaire* « chaise » s'y était par conséquent maintenue. Or, de larges milieux de la capitale disaient *chaise*, et c'est cette prononciation qui faisait autorité en province, bien qu'elle fût à Paris l'apanage des classes inférieures. Ce crédit linguistique de Paris aida le mot à percer, mais précisément pour l'objet seul qui était ressenti comme plus distingué, alors que la forme ancienne demeurait comme appellation du siège ordinaire » (p. 43).

Alors qu'à Paris le couple *chaise/chaire* résulte de la compétition entre différentes classes sociales, nous sommes ici en présence de la répercussion des mêmes phénomènes dans l'espace où émerge une autre contradiction... entre centre et périphérie.

▶ Ex. 3. — « Le latin préclassique avait laissé tomber l'*s* final devant un mot commençant par une consonne. Il disait donc *omnibu princeps* mais *optimus omnium*. A l'époque classique, l'*s* fut partout rétabli dans la langue des lettrés; on rendit la forme du mot indépendante de sa position. Mais les profanes gardèrent la vieille prononciation; mieux même, ils généralisèrent la forme sans *s*. Le traitement de l'*s* reflétait donc l'opposition entre les différentes couches sociales. Dans les pays conquis, la langue latine n'était pas introduite partout par les mêmes milieux. En Ibérie, en Gaule, en Sardaigne, en haute Italie, la latinisation est partie plutôt des villes et des classes supérieures. L'école, l'administration, le culte y avaient une part prépondérante. En Dacie, au contraire, pays dépeuplé par une longue guerre, on introduisit de nombreux colons, autrement dit des gens appartenant aux classes sociales inférieures. La conséquence en fut que l'Ibérie, la Gaule, la Sardaigne, la haute Italie adoptèrent les mots et les formes avec l'*s* prononcé par les lettrés, alors qu'en Dacie (aujourd'hui Roumanie) se répandirent les formes sans *s*. Naturellement celles-ci triomphèrent aussi dans l'Italie centrale et du Sud, où la langue de la population rurale l'emporta définitivement sur la couche de plus en plus restreinte des lettrés. L'opposition sociale entre prononciation cultivée et prononciation vulgaire s'est donc transformée en une opposition géographique » (p. 46).

Il reste que le changement et l'étude diachronique — contrairement à certaines affirmations de Saussure ou du *CLG*[1] ne sont pas limités aux phénomènes phonétiques. L'évolution est partout. Aussi bien, on a cru voir une contradiction entre le fait qu'une langue change à tous les instants et le fait qu'elle ne cesse pas, en général, de fonctionner, c'est-à-dire de répondre aux besoins.

Nous disons d'abord que cette façon même, habituelle[2], de présenter la question est discutable. N'est-ce pas dans le « en général » même que réside le problème ? Dans la très large mesure où cela dissimule les difficultés issues des phénomènes de divergence. « Fonctionner », « répondre aux besoins » : à propos de quoi ?, à quel moment ? entre qui et qui ?

Ensuite et sur le fond, les réponses portent le plus souvent sur la « lenteur » du changement. En réalité, écrit A. Martinet :

« C'est que le changement ne leur est pas imposé de l'extérieur, mais qu'ils (les locuteurs) en sont eux-mêmes les agents inconscients. (...) Il n'y a pas contra-

1. Cf. p. 122 et pp. 196-197.
2. Cf. A. Martinet, *Evolution*, p. 11.

diction entre les fonctionnements de la langue et son évolution, mais coïncidence. Ce n'est pas un paradoxe de dire qu'une *langue change parce qu'elle fonctionne* » (p. 12)[1].

Ce qui est fort bien dit. On ajoutera seulement avec Weinreich et Labov que ce qui est, sans doute, paradoxal, c'est de persister à poser comme identiques dans le cadre de « la » langue, du point de vue saussurien toujours dominant, chez les structuralistes comme chez les générativistes, structure et homogénéité.

### *d - L'évolution en morphologie et en syntaxe*

On sait d'une part la diversité des structures morpho-syntaxiques selon les langues (cf. chap. « Typologie »). D'autre part, chacun peut constater de la part des enfants comme des adultes des réalisations — pas seulement en langue parlée — qui s'écartent de la « norme » très rigide dans ces deux domaines.

Ici on donnera seulement quelques exemples — empruntés à Henry G. Schogt[2] — des changements diachroniques pour une « même » langue.

*1* / Sur le plan des modifications morphologiques, H. Schogt envisage les possibilités suivantes (p. 799).

*a)* La catégorie morphologique se maintient, la modification concerne le signifiant.

▶ Ex. 1. — L'opposition de nombre [cəval] ~ [cəvals] devient [cəval] ~ [cəvaus] et [ʃəvəl] ~ [ʃəvo].

▶ Ex. 2. — La modification porte sur l'utilisation d'unités nouvelles pour manifester une opposition existante. Lorsqu'en moyen français la désinence [s] du pluriel n'est plus prononcée, [li myr ~ li myrs], l'opposition de nombre est prise en charge par l'article « le ~ les ».

*b)* Avec la disparition progressive — et d'abord en langue parlée « populaire » — du passé simple ou de l'imparfait du subjonctif, ce sont des unités, des oppositions mêmes qui disparaissent. Pour le passé simple, H. Schogt montre que son élimination est liée, sur le plan des signifiés, à l'extension du passé composé et au sort de l'imparfait (cf. pp. 800-804) ; sur le plan des signifiants à la morphologie du passé simple, plus complexe que celle des autres temps.

*c)* Création d'une nouvelle catégorie par l'utilisation nouvelle de différences formelles existantes ou même à partir d'une autre catégorie : l'opposition passé surcomposé ~ passé composé : « dès qu'il a eu bu, il a appelé », remplace l'opposition passé antérieur ~ passé simple : « dès qu'il eut bu, il appela », par suite de la disparition du passé simple, donc de la possibilité de former le passé antérieur.

*2* / Du latin au français moderne, la syntaxe de la phrase tendra de plus en plus vers un ordre fixe des mots. Et lorsque l'ordre reste cependant différent entre une principale et une subordonnée relative : « Je lui donne un livre »

1. Cf. aussi pp. 188-189 de *Langue et fonction*, Denoël, 1969.
2. La dynamique du langage, *Le langage*, La Pléiade, pp. 775-813.

~ « l'homme à qui je donne un livre », le parallélisme complet tend à être rétabli dans certaines formes de la langue familière — pas seulement « parlée » — « l'homme que je lui donne un livre », ou plutôt « l'homme à qui je lui donne un livre ». Henri Frei[1] en a donné plusieurs exemples :

> « Mon mari que je n'ai pas de nouvelles de lui;
> Un magasin qu'on (n')y trouve jamais rien;
> Ceux que le malheur des autres les amuse »...

H. Schogt qui le cite, reproche à H. Frei de mélanger dans ses exemples « langue parlée » ou « langue courante », « spontanée » et « langue écrite cursive », c'est-à-dire non littéraire mais « hypercorrecte » par désir de « bien faire » [...], « qui joue certainement un grand rôle dans cette langue épistolaire du peuple ».

Que l'absence de ces distinctions soit gênante, c'est certain. Mais la valeur de cette opposition « spontanée-hypercorrecte » ne nous apparaît point. Il s'agit plus simplement des moyens dont disposent ces personnes « sans instruction » pour suppléer, dans leur correspondance, à l'absence d'une situation *in presentia*, des ressources de l'intonation et de la mimique, du référent, etc. Toutes choses qui fondent la distinction langue écrite ~ langue parlée.

On sera, par contre, tout à fait d'accord pour considérer que :

> « En matière de syntaxe, comme ailleurs, [...], il est impossible d'observer à l'état pur les mécanismes de la dynamique qui résultent de tensions internes du système, le système n'évoluant pas en vase clos. L'enseignement scolaire, le respect de la tradition, les facteurs politiques [l'action des médias, les faits de « prestige »], tout joue un rôle dans l'évolution du système » (p. 811).

Ceci dit, il est frappant de relever à un demi-siècle de distance — dans un corpus de plusieurs dizaines de lettres écrites par une adulte (66 ans) « sans instruction » :

> « Pense à me dire Sophie qu'esqu'elle a dit de la danseuse que je lui et donné a Jo. »
> « Dit moi aussi Sophie et Fabrice ce qui on dit des jouets. »

Il est assez vraisemblable que change, dans chaque cas, la part respective du système, et des facteurs socioculturels, mais on retrouve un même type de situation de communication.

Ceci dit, la distinction langue parlée - langue écrite ne paraît pas suffisante, à preuve :

> « Celle de Sophie la coccinelle elle savait envolée »

*entendu* d'un enfant de 7 ans. Mais il ne faut pas confondre, on le sait, langue écrite et langue élaborée.

1. Dans *La grammaire des fautes*, Paris-Genève, 1929.

### e - « Comment les mots changent de sens »[1]

De Lafargue à Meillet puis Dubois, Guilbert, Fossat[2], etc., la tradition française d'étude de la variation ou du changement lexical et sémantique se caractérise par son orientation globalisante ou totalisante — au bon sens du terme qui n'exclut pas le pluralisme des points de vue — en prise avec la complémentarité, voire l'unité profonde des causes linguistiques, géographiques, historiques, sociales et culturelles du changement dans les vocabulaires.

Le travail d'Antoine Meillet sur ces questions revêt aussi une importance théorique. Dans la conclusion à l'article cité, il propose une méthode pour une triple approche de l'étude sémantique : structurale, référentielle, sociale.

*1* / Il faut examiner « le degré d'isolement » de tel mot dans la langue en question. Il y a, entre les mots d'une langue, différence dans le degré d'intégration, donc de stabilité. Meillet recommande aussi de ne pas négliger la forme du mot, les associations phoniques auxquelles elle peut donner lieu, ainsi que le rôle joué dans la phrase.

*2* / Ensuite, suivre « l'histoire des choses signifiées ».

*3* / Enfin et surtout, marquer par quels groupes sociaux le mot a été transmis, passant d'une langue particulière (il s'agit de ce que tout groupe a de particulier) à une autre langue particulière.

A. Meillet ajoute qu'il y a un croisement incessant entre ces trois plans (comme entre langue commune et langues particulières). A cette difficulté qui tient à l'inextricable des conditionnements et des causalités s'ajoutent toutes celles qui sont propres au recueil des données. Pas seulement pour le passé éloigné d'ailleurs. A la suite de quoi, il faut admettre que les certitudes ne peuvent être dans ce domaine que fort rares.

Mais c'est tout l'article qu'il faudrait citer tant il présente d'intéressantes considérations et de portée générale. A la p. 234 :

> « Il convient de ne pas envisager tous les changements de sens d'une manière globale. » Une démarche nouvelle n'est possible que si l'on refuse les limites d'une linguistique descriptive et « pratique ». Sinon on pourra « constater des rapports plus ou moins définis [...] sans jamais arriver à déterminer quelles sont les conditions générales qui en règlent l'apparition et le devenir, c'est-à-dire sans en jamais déterminer les causes » (p. 231).

Maintenant, les conditions générales dans lesquelles interviennent les changements de sens sont connues :

*1* / Le caractère essentiellement discontinu de la transmission du langage : l'enfant qui apprend à parler ne reçoit pas la langue toute faite et tout entière d'un coup.

1. Titre d'un article d'Antoine Meillet dans *Linguistique historique et linguistique générale*, Paris, 1921, t. 1, pp. 230-271 ; cf. aussi *La sémantique* de P. Guiraud, PUF, 1955, « Que sais-je ? », et S. Ullmann, *Précis de sémantique française*, Berne, Francke, 1952.
2. Pour la France; mais d'autres auteurs et d'autres pays aussi sont mentionnés dans l'excellente bibliographie de Marcellesi/Gardin, *Introduction à la sociolinguistique*, déjà citée pp. 253-260.

*2* / « Une circonstance importante est que le mot prononcé ou entendu n'éveille presque jamais l'image de l'objet ou de l'acte dont il est le signe. » Il est clair que l'arbitraire qui caractérise les rapports entre signifiant et signifié ne s'oppose pas au changement. Au contraire.

*3* / « Les changements de forme ou d'emploi contribuent indirectement aux changements de sens. » La diversité des emplois fait penser à la polysémie qui en est une conséquence directe et qui caractérise les langues naturelles.

Mais ces conditions nécessaires ne sont pas suffisantes. D'où la recherche de ce qu'A. Meillet appelle « les causes efficientes des innovations » :

*1* / Les conditions proprement linguistiques : structure de phrases et rôle spécial de certains mots.

Au fait qu'en général les mots n'éveillent pas l'image des objets désignés, s'ajoute l'inexpressivité résultant de répétitions fréquentes :

- ▶ Ex. 1. — Latin *homo* « homme » → *on* en français.
- ▶ Ex. 2. — Sous l'influence de *ne*, les mots français *pas*, *rien*, *personne*, ont pris dans les phrases négatives une valeur de négation.
- ▶ Ex. 3. — Latin *magis* « plus, de plus, bien plus », souvent en tête de phrase, mot de liaison → *mais* français.

*2* / Les choses exprimées par les mots viennent à changer.

- ▶ Ex. — Avec la disparition de la famille patriarcale, les notions de « père » et de « mère » ne désignent plus des relations sociales (propriété, autorité, dignité) mais une relation d'abord — et de plus en plus — physiologique.

*3* / Le plus grand nombre de changements de sens vient de « l'action de la division des hommes en classes distinctes ». Le lexique plus que les grands traits syntaxiques traduit cette diversification sociale, qui va de la simple différence de sens d'un mot comme *opération*, chirurgicale, arithmétique, militaire ou bancaire, à la création d'*argots* ou de *jargons* techniques, permettant l'intercompréhension des membres du sous-groupe et l'exclusion des autres (fonction *cryptique*).

Dans le même ordre d'idées, on peut ajouter à ces facteurs linguistiques, historiques et économiques, sociaux, tout ce qui relève de la dimension psychologique et symbolique des langues. Sur le plan de l'affectivité et des tabous par exemple.

Sur les causes sociales nous reviendrons au chapitre suivant. Nous avons vu chemin faisant que les changements linguistiques dans le temps touchaient les langues dans leur totalité; que les causes en sont multiples et imbriquées : structurales et socio-historiques. Ces dernières ne sont pas vraiment ignorées — pour les conditionnements historiques au moins — mais théoriquement et pratiquement marginalisées, elles font partie de l'enfer extra-linguistique — et c'est vrai surtout de la variation sociale.

### *BIBLIOGRAPHIE*

BENVENISTE (E.), *Problèmes de linguistique générale*, I, Gallimard, 1966.
HAGÈGE (C.), HAUDRICOURT (A.), *La phonologie panchronique*, PUF, 1978.

JAKOBSON (R.), *Essais de linguistique générale*, Ed. de Minuit, 1963.
*Langue française*, nº 15, septembre 1972, Larousse, « Langage et Histoire ».
MANESSY-GUITTON (J.), La parenté généalogique, in *Le langage*, dir. A. MARTINET, La Pléiade, 1968.
MARTINET (A.), *Economie des changements phonétiques*, Berne, Ed. Francke, 1970.
— *Evolution des langues et reconstruction*, PUF, 1975.
MEILLET (A.), *Sur la méthode comparative en linguistique historique*, Oslo, 1925.
— *Linguistique historique et linguistique générale*, Paris, 1921.
MOUNIN (G.), *Histoire de la linguistique des origines au XX^e siècle*, PUF, 1967.
PENCHOEN (T.), La glottochronologie, in *Le langage*, La Pléiade, pp. 865-884.
PERROT (J.), *La linguistique*, PUF, 1969, coll. « Que sais-je ? ».
SCHOGT (Henry G.), *La dynamique du langage*, La Pléiade, pp. 775-813.
WARTBURG (W. von) et ULLMANN (S.), *Problèmes et méthodes de la linguistique*, PUF, 1969.
WEINREICH (U.), LABOV (W.), HERZOG (M.), Empirical foundations for a theory of language change, *in* LEHMAN and MALKIAL eds, 1968, pp. 95-188.

## D - LA VARIATION SOCIALE

### 1. Une réalité longtemps méconnue

Inscrites dans l'espace, vivantes dans le temps, les langues — on ne devrait utiliser cette notion qu'au pluriel ou à l'indéfini — sont aussi, sont avant tout, essentiellement, des réalités sociales. D'un point de vue génétique, pour l'espèce comme pour l'individu, mais du point de vue fonctionnel aussi. Et selon le mot de Martinet, déjà cité, « une langue change [socialement] parce qu'elle fonctionne [socialement] ».

C'est un aspect qui a été longtemps ignoré, contre l'évidence. Les langues (ou le langage, nous avons vu que la distinction est le plus souvent mal faite) ont été successivement interprétées en termes d'entité naturelle, biologique ou divine (cf. Lucrèce d'une part et les grands mythes religieux de l'autre); d'entité conventionnelle, anthropologique, spirituelle et logique (période classique surtout); entité historique dans la visée naturaliste du XIX^e siècle. Whitney[1] a été le premier, semble-t-il, à voir dans « la langue, un fait social, une institution ». Avec celle de Durkheim, son influence sur Saussure est connue[2].

Mais la suite a montré qu'on pouvait reconnaître un fait comme « social » sans en apercevoir la *nature* sociale; c'est-à-dire hétérogène, conflictuelle, dynamique. Caractères les plus généraux des sociétés, conçues non pas comme la simple juxtaposition, sans ordre, d' « individus libres », mais au contraire comme l'existence imbriquée de groupes — à commencer par la famille —, de couches, de classes différenciés et réunis à la fois, selon des critères économiques, techniques, culturels, idéologiques et politiques.

Or, lorsque Saussure définit « la langue » (réalité sociale, institution, forme) c'est, bien entendu, avec les conceptions de son époque, de son milieu, qui ignorent Marx.

1. William Dwight WHITNEY, *La vie du langage*, Paris, Baillière, 1877.
2. Cf. G. MOUNIN, *Saussure ou le structuraliste sans le savoir*, Seghers, 1973, coll. « Philosophes de tous les temps ». Cf. aussi *Pour et contre Saussure*, pamphlet de L.-J. CALVET, Payot, 1974.

Lorsque Saussure oppose « la langue » à « la parole » : « (...) la langue est la partie sociale du langage, extérieure à l'individu » (p. 31), il conçoit ce dernier comme différent, comme du non-social. Si l'ordre social est contraignant alors l'individu sera la liberté même. Saussure est prisonnier des apparences.

Quand Saussure distingue « la langue » des autres institutions, c'est au nom de son caractère sémiologique :

> « (...) La langue est une institution sociale; mais elle se distingue par plusieurs traits des autres institutions politiques, juridiques, etc. Pour comprendre sa nature spéciale, il faut faire intervenir un nouvel ordre de faits. La langue est un système de signes (...) » (p. 33).

Et le propre de ces signes se trouve dans leur nature arbitraire, affirme Saussure. Mais « arbitraire » s'oppose-t-il à « social » ? (Et si le lien qui définit le signe linguistique était nécessaire, naturel, la variation sociale serait-elle d'ailleurs possible ?) En outre, si on analyse les signes, les langues, replacées dans leur contexte social, les conditionnements peuvent-ils être ignorés ? (Sur la langue comme sur les autres institutions.)

Mais le *CLG* définit aussi « la langue » comme « une forme et non pas une substance » (p. 169). L'étude de la structure exclut, ici, l'étude de la substance phonétique et sémantique. C'est la langue « système de systèmes » de Hjelmslev. « *Instrument* de communication » dont il faut étudier le fonctionnement chez Martinet. Les résultats se trouvent dans l'oubli des fonctions socio-linguistiques. A moins de prétendre rendre compte de l'ensemble complexe des rapports sociaux à l'aide de « la » communication.

Ainsi tout a contribué, dès ses débuts, à faire que la linguistique tourne le dos au champ social. Par-dessus le marché, peut-être, s'affirme la volonté de construire une discipline « autonome ». L'objet s'en est trouvé déformé. Et, avec ou sans recours au critère du sens — ce qui ne veut pas dire à l'étude du sens — cette priorité absolue donnée au traitement formel des langues se retrouve dans les différentes écoles structuralistes et générativistes, européennes et américaines.

## 2. Visions du monde et analyse du réel

Les réflexions aujourd'hui les plus connues et les hypothèses considérées comme premières sinon uniques, au sujet des rapports entre langues d'une part et sociétés, cultures, idéologies de l'autre, sont vraisemblablement celles de Benjamin Lee Whorf, ethnolinguiste américain de la première moitié du XXe siècle[1]. Selon lui, c'est notre langage qui nous fournit la forme de l'expérience que nous croyons avoir de l'univers, notre « vision du monde ». Le découpage du réel que nous effectuons, en processus, est un aspect de la grammaire. Par exemple :

> « Les conceptions newtoniennes de l'espace, du temps, de la matière, ne sont pas des intuitions (liées à la nature de tous les hommes). Ce sont des acquisitions,

1. Cf. *Language, Thought and Reality*, New York, 1956, trad. franç., 1969 ; *Linguistique et anthropologie*, Denoël-Gonthier.

qui dérivent de la culture et du langage (de Newton). C'est de là que Newton les a tirées. »

« La métaphore qui revient avec insistance dans ses formules, écrit Mounin[1], c'est celle d'un découpage : *to segment the world, to segment the situation, to dissect nature, to break up the flux of experience, to chop up the continuous spread and flows of existence ; (...)* »

« Chaque langue est un vaste système de structures, différent de celui des autres langues, dans lequel sont ordonnées culturellement les formes et les catégories par lesquelles l'individu non seulement communique, mais aussi analyse la nature, aperçoit ou néglige tel ou tel type de phénomènes ou de relations, dans lesquelles il coule sa façon de raisonner, et par lesquelles il construit l'édifice de sa connaissance du monde.

« (...) nous disséquons la nature suivant des lignes tracées d'avance par nos langues maternelles. »

En vérité, et comme toujours lorsqu'on y regarde de plus près, Whorf n'est pas le premier et il n'est pas tout seul. C'est ce que Mounin montre avec beaucoup de détails, dans *Les problèmes théoriques* (pp. 41-58). Il attribue la naissance de ces hypothèses à Wilhelm von Humboldt et signale la riche postérité linguistique qui va de Cassirer, Trier, Ullmann, von Wartburg, Whorf, Nida, Harris à M. Cohen, Ch. Serrus, Martinet, Benveniste, etc.[2].

Tout un courant de pensée humaniste, néo-kantien, réagit donc avec Humboldt dans l'Allemagne des années 1800, contre l'universalisme de la période classique qui concevait la pensée (universelle) comme découpant, partout et toujours l'expérience (universelle) d'un même univers suivant les mêmes catégories logiques et psychologiques. Nous empruntons à Georges Mounin les citations (et les commentaires) qui suivent.

« Se réclamant de Humboldt, cette philosophie refusait de voir dans la langue un outil passif de l'expression. Elle l'envisageait plutôt comme un principe actif qui impose à la pensée un ensemble de distinctions et de valeurs : Tout système linguistique renferme une analyse du monde extérieur qui lui est propre et qui diffère de celle d'autres langues ou d'autres étapes de la même langue. Dépositaire de l'expérience accumulée des générations passées, il fournit à la génération future une façon de voir, une interprétation de l'univers; il lui lègue un prisme à travers lequel elle devra voir le monde non linguistique »[3].

Ce commentaire d'Ullmann sur l'ouvrage de Cassirer, *Le langage et la construction du monde des objets*, constitue également une des plus claires interprétations des formules ambiguës de Humboldt (p. 43).

1. Cf. compte rendu de G. Mounin dans le *Bulletin de la Société de linguistique de Paris*, 1961, pp. 122-138, et *Les problèmes théoriques de la traduction*, Gallimard, 1963, pp. 46-47. Sur les mêmes questions, cf. les très suggestifs *Aspects linguistiques de la traduction* de Jakobson, pp. 78-87 des *Essais*.
2. Marcellesi et Gardin, remontent, eux, avec A. Schaff et R. Miller jusqu'à Herder dont Humboldt aurait radicalisé la théorie. Aux côtés de Whorf, ils font une place, originale, à Sapir et nous renseignent sur les enquêtes qui, aux Etats-Unis, ont tenté de mettre à l'épreuve les thèses whorfiennes. A signaler aussi les rectifications importantes qu'Hoijer leur fait subir (p. 30 de l'*Introduction à la sociolinguistique*), dont celle-ci, que l'absence, dans une langue à un moment donné, de telle opposition lexicalisée (dans le vocabulaire des couleurs ou de la parenté par exemple) ne doit pas faire oublier que les locuteurs peuvent recourir à des périphrases. (C'est vrai même quand le lexème existe d'ailleurs; mais c'est un autre problème.)
3. S. Ullmann, *Précis de sémantique*, p. 300.

Cassirer, lui-même, s'exprime ainsi :

« Le monde n'est pas (seulement) compris et pensé par l'homme au moyen du langage : sa vision du monde et la façon de vivre dans cette vision sont déjà déterminées par le langage » (p. 44)[1].

Voici la position de Jost Trier énoncée par lui-même :

« Chaque langue est un système qui opère une sélection au travers et aux dépens de la réalité objective. En fait, chaque langue crée une image de la réalité, complète, et qui se suffit à elle-même. Chaque langue structure la réalité à sa propre façon et, par là même, établit les éléments de la réalité qui sont particuliers à cette langue donnée. Les éléments de réalité du langage dans une langue donnée ne reviennent jamais tout à fait sous la même forme dans une autre langue, et ne sont pas, non plus, une copie directe de la réalité. Ils sont, au contraire, la réalisation linguistique et conceptuelle d'une vue de la réalité qui procède d'une matrice structurelle unique mais définie, qui continuellement compare et oppose, relie et distingue les données de la réalité. Naturellement, dans ce qui précède, est impliquée comme évidente l'idée que rien dans le langage n'existe de manière indépendante. Dans la mesure où la structuration constitue l'essence fondamentale du langage, tous les éléments linguistiques sont des résultats de cette structuration. La signification finale de chacun de ces éléments est déterminée précisément et seulement par sa relation à la structure linguistique totale, et sa fonction dans cette même structure »[2].

Louis Hjelmslev, parti d'une tout autre province de la linguistique structurale, illustre à la perfection la généralisation de Trier, aboutissant aux mêmes conclusions :

« Ce n'est pas par la description physique des choses signifiées[3] que l'on arriverait à caractériser utilement l'usage sémantique adopté dans une communauté, les appréciations collectives, l'opinion sociale. La description de la substance (du contenu) doit donc consister avant tout en un rapprochement de la langue aux autres institutions sociales, et constituer le point de contact entre la linguistique et les autres branches de l'anthropologie sociale[4]. C'est ainsi qu'une même « chose » physique peut recevoir des descriptions sémantiques bien différentes selon la civilisation envisagée. Cela ne vaut pas seulement pour les termes d'appréciation immédiate, tels que « bon » ou « mauvais », ni seulement pour les choses créées directement par la civilisation, telles que « maison », « chaise », « roi », mais aussi pour les choses de la nature. Non seulement « cheval », « chien », « montagne », « sapin », etc., seront définis différemment dans une société qui les connaît (et les reconnaît) comme indigènes et dans telle autre pour laquelle ils restent des phénomènes étrangers — ce qui n'empêche pas, on le sait bien, que la langue dispose d'un nom pour les désigner, comme par exemple le mot russe pour l'éléphant, *slon*. Mais l'éléphant est quelque chose de bien différent pour un Hindou ou un Africain qui l'utilise et le cultive, et, d'autre part, pour telle société européenne ou américaine pour laquelle l'éléphant n'existe que comme objet de curiosité, exposé dans un jardin d'acclimatation, et dans les cirques ou les ménageries, et décrit dans les manuels de zoologie. Le

1. Pathologie de la conscience symbolique, dans *Journal de Psychologie*, 1929, p. 29.
2. Das sprachliche Feld, dans *Neue Jahrbücher für Wissenschaft u. Bildung*, 10 (1934), pp. 428-449.
3. Par exemple, la définition du cheval dans un traité de zoologie, celle de la montagne dans un traité de géographie physique, celle du sapin dans un traité de botanique.
4. Hjelmslev, dans *Les Prologomena*, pp. 32-36 et pp. 48-49, a donné une analyse indépendante de celles de Trier et de Whorf, du fait que les langues sont des découpages différents de l'expérience, des organisations différentes de ce que les locuteurs saisissent dans le monde.

« chien » recevra une description sémantique tout à fait différente chez les Eskimos, où il est surtout un animal de trait, chez les Perses, où il est animal sacré, dans telle société hindoue, où il est réprouvé comme paria, et dans nos sociétés occidentales dans lesquelles il est surtout l'animal domestique, dressé pour la chasse ou la vigilance »[1].

« Les anciens Grecs, écrit Bloomfield, n'étudièrent que leur propre langue; ils considérèrent comme évident que la structure de cette langue incarnait les formes universelles de la pensée humaine ou, peut-être, de l'ordre du cosmos. En conséquence, ils firent des observations grammaticales, mais les limitèrent à une seule langue, et les formulèrent en termes de philosophie »[2]. Et Charles Serrus, essayant de démontrer qu'il n'y a pas de parallélisme logico-grammatical, apercevait déjà que l'opinion contraire provenait de ce qu' « on était dupe d'une certaine métaphysique spontanée de la langue grecque »[3]. E. Benveniste a fourni sur ce point, finalement, la démonstration formelle de cette vue en établissant que les catégories logiques, telles qu'Aristote les énonçait, sont seulement la transposition, en termes de philosophie, *des catégories de langue* propres au grec. Il démontre même que la considération des catégories grammaticales grecques (notamment des verbes moyens, et des parfaits) permet seule de comprendre correctement « l'être en posture » *(il est couché, il est assis)* ; et « l'être en état » *(il est chaussé, il est armé)* — catégories logiques dont les historiens de la philosophie se trouvaient généralement embarrassés, qu'ils considéraient comme épisodiques, logiquement parlant[4]. Benveniste, avant d'en donner cette illustration remarquable, avait déjà formulé la thèse en ces termes : « On discerne, écrivait-il en 1952, que les *catégories mentales* et les *lois de la pensée* ne font, dans une large mesure, que refléter l'organisation et la distribution des catégories linguistiques »[5]. Et encore : « Les variétés de l'expérience philosophique et spirituelle sont sous la dépendance inconsciente d'une classification que la langue opère du seul fait qu'elle est la langue et qu'elle symbolise. » En bref : « Nous pensons un univers que notre langue a d'abord modelé »[6].

C'est désormais, sur ce point, *l'enseignement constant.*

On prendra encore quelques exemples et des preuves particulières et pratiques chez Nida (cf. Mounin, pp. 58-68).

« Nida classe les problèmes posés par la recherche des équivalences — lors du passage d'un monde culturel à un autre au cours d'une traduction — selon cinq domaines : l'écologie, la culture matérielle (toutes les technologies au sens large, toutes les prises de l'homme sur le monde au moyen d'outils, d'actions matérielles), la culture sociale, la culture religieuse et la culture linguistique. (...) Quand il s'agit de traduire la Bible dans les langues de l'Amérique centrale, l'agriculture offre déjà mille pièges, comme celui de la *vigne* (pour lequel il faudrait chercher des équivalents non pas botaniques mais alimentaires) (...) La notion de *semeur* est inaccessible à des populations entières; et, dit Nida, « seules des explications considérables parviendront à convaincre l'Indien que le semeur de la parabole fameuse n'était pas complètement fou ». »

Enfin (cf. Mounin, pp. 53-58), tout en affirmant à l'encontre de Whorf que ses thèses ne sont pas « sérieusement contrôlables tant que nous n'avons pas plus de

1. Hjelmslev, *La stratification*, pp. 175-176.
2. *Language*, p. 5; trad. franç., Payot, 1970, p. 11.
3. *Le parallélisme*, p. 386.
4. *Catégories*, pp. 419-429.
5. *Tendances récentes*, p. 133.
6. *Ibid.*, pp. 133 et 134.

connaissances sur les catégories de la perception chez les hommes », Harris fournit trois sortes de raisons pour refuser de voir dans les langues un pur et simple reflet du réel :

*1* / Des langues différentes expriment par des structures linguistiques différentes un même fait physique invariable, cf. l'exemple repris par Mounin, pp. 55-56, *He swam across the river* ~ *Il traversa la rivière à la nage*[1] ;

*2* / « Des structures physiques différentes (quant au niveau de la connaissance que nous en avons) sont exprimées par une structure linguistique inchangée » (Mounin, p. 57), cf. l'expression « le soleil se lève ».

N'est-ce pas là d'ailleurs ce qui se produit, sans cesse, sur le plan politique et idéologique où les mêmes mots peuvent véhiculer des idées différentes, voire opposées : « liberté, démocratie, ordre, intérêt national », etc. Et cela contrairement à une conception naïve et mécaniste (la conception whorfienne ?) selon laquelle il existerait une relation directe entre les mots et les idées.

*3* / « La structure (socialisée) du langage ne se conforme pas nécessairement à la structure de l'expérience subjective » (Harris, *Distributional Structure*, p. 151).

Ce qui ne signifie pas, faut-il le souligner, que l'individuel s'opposerait au social comme, en termes saussuriens, la parole à la langue. Dans la mesure où la langue et la parole appartiennent également au social. Si l'on veut bien admettre la diversité, les contradictions dans l'unité sociale.

Si le survol de ces thèses[2] (humboldto-whorfiennes, si on veut) permet de constater l'existence d'un large accord sur l'idée que chaque langue véhicule sa conception du monde, ce que l'on nomme aussi « le relativisme linguistique », ce constat peut dissimuler des différences non négligeables d'un auteur à l'autre et chez le même quelquefois. Ainsi, si Nida d'un côté et Whorf de l'autre sont conduits à mettre en relief la diversité des structurations linguistiques, ils l'expliquent de manière assez différente. Là où Nida discerne l'influence des réalités extralinguistiques, Whorf, lui, hésite entre plusieurs explications. Si les conditions matérielles et techniques de vie sont évoquées, ce sont surtout les structurations conceptuelles différentes qui comptent. Sans que l'on sache très bien si celles-ci sont le produit ou la cause (ou les deux à la fois) des différences dans les découpages linguistiques.

D'un autre côté, la distinction n'est pas toujours faite entre la multiplicité des représentations et des traductions linguistiques d'une « même » réalité et le problème de la mise en mots de réalités différentes dans le passage d'une langue à une autre, d'une culture à l'autre, d'une ethnie à une autre ethnie.

Que l'on songe à la part quasiment irréductible d'incompréhension qui subsiste, malgré tout, entre deux interlocuteurs dont l'un, berger-nomade du Nord-Niger,

1. On peut, sans courir de grands risques, imaginer que ce qui est vrai d'un « fait physique » ne se révélera pas faux pour un « fait social » comme la division des sociétés humaines en classes et toutes ses conséquences économiques, sociales, culturelles, idéologiques... dont la traduction linguistique est elle-même un enjeu. Nous y reviendrons.

2. Cf. aussi leur importance pour une optique psycholinguistique chez Hans Hörmann, *Introduction à la psycholinguistique*, Larousse, 1972, pp. 262-288.

demande (à l'auteur de ces lignes) : « Mon sorcier m'a dit : des hommes sont allés sur la lune; ce n'est pas bien. C'est vrai ? »

De la même façon, de longs commentaires sont nécessaires à ce Touareg pour nous faire reconnaître (?) les différences que lui voit entre un homme noir et un homme bleu (tous deux couleur ébène).

Mais c'est peut-être à un autre type de difficulté que se heurtera le Touareg voulant faire comprendre à un Mozabite ou à un Algérois traditionaliste qu'il ne peut ôter le voile qui recouvre son visage qu'en présence de sa femme.

Enfin, quand Saussure, Bloomfield, Hjelmslev, chacun à sa manière, contribue à ruiner l'idée d'une « langue-répertoire », « catalogue » de mots correspondant à des choses, reflet passif du non-linguistique, en même temps chacun aide à fonder une linguistique qui va théoriser l'exclusion de l'étude de la variation linguistique, des rapports « langue ~ société », « langue ~ réalité ». Ce qui ne veut pas dire (mais ce qui a longtemps voulu dire) que les langues ne sont ni des réalités ni des réalités sociales. Mieux vaut alors parler des relations entre les langues et les autres faits sociaux, les langues et les réalités non linguistiques[1].

Ces remarques faites, s'il demeure un certain consensus sur l'idée que les langues structurent, découpent, modèlent le réel[2], cela ne doit pas empêcher de noter qu'il n'est pas si simple de le prouver.

D'une part, écrit Mounin[3], Whorf s'enferme dans un « cercle vicieux méthodologique : les différences de visions du monde expliquent les différences des structures linguistiques, et ce sont ces différences des structures linguistiques elles-mêmes qui établissent l'existence des différences de visions du monde ».

D'autre part, fait remarquer F. François, la langue ne structure pas une réalité amorphe mais déjà structurée en partie par des usages, des pratiques non linguistiques diverses. Ce que vérifie peut-être le fait trivial qu'une pratique riche s'accompagne d'un vocabulaire précis, différencié, fourni (dans la mesure où cette pratique doit être transmise linguistiquement).

C'est en ce sens que le non-linguistique agit sur les langues et les langues sur le non-linguistique.

Ce va-et-vient entre l'un et l'autre n'implique aucun rapport de type biunivoque et nécessaire, ou *a fortiori* stable et définitif.

En d'autres termes, les langues n'emprisonnent pas le réel, pas plus que les représentations — diverses et variables — de cette réalité. Il n'est pas en général d'unité ou de structure linguistique unique et obligatoire à l'expression d'une idée. Ce qui ne veut pas dire que paraphrase et traduction[4] sont choses faciles.

1. Cf. Marcellesi et Gardin, *Introduction...*, p. 229.
2. Ce qui, au passage, permet de concevoir et d'utiliser la notion d'un « signifié » distinct du « référent », signale F. François dans *L'enseignement et la diversité des grammaires*, Hachette, 1974, p. 10.
3. Compte rendu de Whorf, *op. cit.*, p. 136.
4. Ce n'est sans doute pas un hasard si Mounin est conduit, à l'occasion des problèmes posés par la traduction, à l'examen de ces questions. Or Whorf en particulier pose que, théoriquement (ce qui ne veut pas dire de manière purement spéculative — comme chez Humboldt — Whorf, Sapir, Nida, par exemple, tirent leurs hypothèses d'une pratique sur le terrain des langues amérindiennes. Ce qui ne fait que souligner la

C'est tout cela que les affirmations les plus aventurées de Whorf méconnaissent. En outre, et cela ne s'applique pas seulement à Whorf, on ne peut pas considérer *le* réel d'un côté, *le* linguistique de l'autre. Selon les domaines, ces découpages linguistiques de l'expérience seront plus ou moins spécifiques, plus ou moins dépendants des pratiques extra-linguistiques, etc. La problématique whorfienne péche aussi par sa généralité.

Une autre critique, fondamentale, à la problématique humboldo-whorfienne, est formulée par Marcellesi et Gardin de la manière suivante :

> *1* / « C'est encore une insuffisance dans la connaissance des phénomènes sociaux qui pousse à réduire le *social* au *national*. En effet, chaque fois le groupe social qui intervient est le « peuple » ou la « nation » (...) La langue est réduite à sa forme officielle : le peuple est conçu comme homogène, uniforme », p. 24 *(op. cit.)*.
>
> La philosophie du langage de Herder et Humboldt est « unanimiste » et « uniclassiste ». Leurs sociétés ignorent les antagonismes de classe.
>
> *2* / L'idée que l'hypothèse de Whorf-Sapir contenait en elle la problématique d'une linguistique sociale a été suggérée — dans une note, il est vrai — par C. Baudelot dans la préface d'*Anthropologie* (p. 21). « On devine, écrit-il, la fécondité d'une telle hypothèse et la richesse de ses applications sociologiques, car, si les langues varient selon les cultures, elles varient aussi, au sein d'une même culture, selon les classes sociales. »
>
> « En réalité, poursuivent Marcellesi et Gardin, d'une manière générale, sans doute *en raison même des caractères des structures sociales amérindiennes* (J. D.), le problème n'est pas posé en ces termes (...). Non seulement il (Sapir) n'envisage pas les contradictions de la société mais, de plus, sa définition du caractère social de la langue nous semble insuffisante : ce dernier y est fonction parmi d'autres et non facteur déterminant (...) », p. 31 *(op. cit.)*.

Dans ce sens où, pour Sapir, le caractère social de la langue n'entre pas en jeu pour expliquer l'organisation, la pratique, l'évolution linguistique, il faut souligner qu'on peut, schématiquement sans doute, distinguer, d'une part les conceptions whorfiennes de langues qui pour l'essentiel ordonneraient le réel (mais qui le refléteraient aussi pour une part) et, d'autre part, à des degrés divers, d'un auteur à l'autre, cette idée que les langues reflètent l'expérience particulière qu'une communauté, une civilisation, une culture, une ethnie, etc., ont du monde (mais aussi que ce reflet n'est pas simple, figé, à sens unique; que ce reflet n'est pas un calque de « la réalité » universelle invariante, en tous points identique pour tous). En d'autres termes, entre les réalités non linguistiques et les langues s'interposent des pratiques diverses. Mais cette importante reconnaissance d'une détermination par la base matérielle ne s'applique pas à la réalité sociale. Les notions d'ethnie, de peuple, de nation, occultant celle de société.

D'autre part, l'influence de ces facteurs matériels sur l'organisation linguistique — lexicale pour l'essentiel — établie dans le rapprochement de langues lointaines

difficulté à réaliser le lien entre théorie et pratique), la communication entre langues différentes, entre visions du monde différentes, est impossible. Position qui a le mérite, essentiel peut-être, de souligner ce qui est indispensable dans ce cas à une communication pour qu'elle réussisse : deux traductions, l'une linguistique, l'autre ethnographique.

(à des fins de traduction par exemple) est totalement méconnue lorsqu'il s'agit de considérer telle ou telle langue particulière. Sa nature, ses fonctions, son évolution, tout quoi, s'expliquerait à partir des seuls besoins de « la communication »[1].

## 3. Langues et classes sociales

De manière paradoxale peut-être, si l'on songe à l'usage qui est fait de cette fonction de communication pour éluder — plus ou moins, volontairement ou pas — les questions de la variation, de la différenciation et de l'affrontement linguistiques, la reconnaissance de l'importance de cette fonction pour expliquer la genèse et le fonctionnement des langues est incontestablement caractéristique des positions marxistes[2].

Cependant, on l'a rappelé ci-dessus[3], Marx et Engels n'ont pas réduit les langues à des instruments de communication. Si le langage n'apparaît qu'avec la nécessité des relations avec d'autres hommes, c'est, écrivent-ils, « tout comme la conscience » elle-même. « Le langage est la conscience réelle. » Cet autre aspect fondamental du langage prend une importance très grande dans l'optique d'une analyse marxiste des langues. Dans la mesure où « ce n'est pas la conscience des hommes qui détermine leur être, c'est inversement leur être social qui détermine leur conscience ».

Sur cette base et compte tenu des hypothèses marxistes sur la structure et l'évolution des sociétés humaines[4], on ne s'étonnera pas de voir naître en URSS, après la révolution bolchevique qui fait de certaines thèses marxistes une doctrine de gouvernement, des théories, des travaux, puis, en 1950, un débat célèbre autour de la question des rapports entre langues et classes sociales. On l'expliquera d'autant mieux qu'on prendra en considération la situation linguistique complexe de l'URSS multinationale.

On ne fera pas ici l'analyse de ces conditions historiques et théoriques qui expliquent les travaux de Nicolas Yakovlevitch Marr ou l'intervention de Staline. On s'efforcera seulement de rapporter leurs positions, d'en dégager le sens pour la part qui nous intéresse : le rapport des langues à l'organisation sociale, ses contradictions, ses inégalités, ses luttes[5]. Mais nous ferons tout d'abord un détour, en partie chronologique, par l'école française d'analyse lexicale.

### *a - Lexicologie historique et sociale*

Dans une optique assez proche, il faut, pensons-nous, faire une place à une tradition française « historiciste » et sociologique d'analyse lexicale.

1. Cf. Marcellesi et Gardin, *op. cit.*, p. 101.
2. G. Mounin l'a clairement relevé dans Marxisme et linguistique, in *La linguistique du XX^e siècle*, PUF, 1972, pp. 225-252.
3. Cf. p. 306.
4. Cf. pp. 8-9 de *L'idéologie allemande*.
5. On isole ainsi, artificiellement sans doute, une partie liée à un tout : les thèses sur l'origine, la théorie des stades, etc. Mais on pourra utilement se reporter à l'*Introduction à la sociolinguistique* de Marcellesi et Gardin, pp. 33, 87, ainsi qu'à Langage et classes sociales. Le marrisme, *Langages*, n° 46, juin 1977, Didier-Larousse.

— *P. Lafargue*

Elle commence avec Paul Lafargue, qui, le premier, dans son étude de 1894 sur *La langue française avant et après la Révolution*, a utilisé la problématique marxiste pour montrer qu'il y avait eu « révolution de la langue ». A la fois un changement relativement brusque et un changement que la révolution politique et sociale a, sinon causé, du moins permis. Lafargue utilisant l'une ou l'autre explication selon la nature des changements.

Il faut préciser que l'objet de l'étude lafarguienne est la langue parisienne, écrite, cultivée et dominante — politiquement. Il compare la langue de l'aristocratie parisienne et celle des bourgeois et des artisans. L'une puriste et conservatrice, l'autre novatrice. Parlant des aristocrates, Lafargue écrit[1] :

> « L'idiome qu'ils élevèrent autour d'eux ainsi qu'une barrière les isolait des autres classes, tout autant que la politesse de leurs manières, l'étiquette de leurs cérémonies et même leur façon de se servir à table et de manger » (p. 26).

On objectera avec raison que l'essentiel est peut-être ailleurs dans les différences, les inégalités sociales, les privilèges. Mais, en définitive :

> « En dépit des puristes, l'œuvre linguistique de la Révolution est faite; la ceinture de fer poli qui emprisonnait la langue était brisée, elle avait reconquis sa liberté » (p. 32).

En définitive seulement. Car Lafargue montre d'une part l'extrême complexité de la situation linguistique parisienne pendant la Révolution. C'est l'aristocratie en effet, par exemple, qui commence la révolution linguistique dans les journaux.

> « L'aristocratie avait senti la nécessité de gagner le peuple et de s'en servir, comme d'un bélier, pour abattre la bourgeoisie et afin de le conquérir, elle abandonna sans façon le parler de la cour pour le langage des dames de la Halle qui, « trimant la galère, tirant le diable par la queue, ayant ben de la peine », prétendaient « malgré tout ça n'être plus regardées moins que des zéros en chiffres » »[2].

Mais,

> « L'arme que les aristocrates manièrent les premiers, arrachée de leurs mains, fut retournée contre eux; leurs journaux n'eurent qu'une circulation limitée et durent souvent, faute de lecteurs, suspendre leur publication; tandis qu'une popularité inouïe récompensa « les puissants Vadé de la Révolution » » (p. 222).

Et d'autre part, la réaction politique venue, « une chasse folle après les mots et les locutions » se développe.

> « Dans le cours de la Révolution, y lit-on, l'exagération des idées a produit celle des mots; on a pris pour de l'éloquence des associations étranges d'expressions incohérentes; des hommes qui n'avaient point fait d'études ou qui en avaient fait de mauvaises se sont cru appelés à être des orateurs, des poètes, des écrivains; ils ont voulu exciter l'attention et, ne pouvant le faire par des moyens sages, que le goût eût avoués, ils ont eu recours à une audace de langage qui convenait

1. Cité par Marcellesi et Gardin, *Introduction*, pp. 52-57.
2. *Cahier des plaintes et doléances des dames de la Halle et des marchés de Paris rédigé au grand salon des Porcherons*, août 1789, p. 221.

assez bien à celle de leur conduite; ils ont créé des mots barbares, des tournures forcées et n'ont trouvé que trop d'imitateurs qui ont pris l'enflure pour la grandeur, d'absurdes témérités pour d'heureuses hardiesses »[1].

La rénovation linguistique eut tout de même lieu. Lafargue met en relief des causes et des effets d'une grande signification par leur pouvoir à expliquer ce qui s'est passé.

1° Les locuteurs sont nouveaux — journalistes et orateurs et bourgeois —, les destinataires aussi — « l'opinion publique devenait une puissance »...

2° « Ils se servirent sans nulle gêne des mots et locutions familières dont un usage quotidien leur avait appris la force et l'utilité, sans se douter qu'ils avaient été mis au ban de la cour et des salons : ils importèrent des provincialismes de leurs lieux d'origine; ils employèrent les termes de leurs métiers et négoces, forgèrent les mots qui leur manquaient et changèrent le sens de ceux qui ne leur convenaient plus » (p. 229).

Sur ces deux plans, cette analyse de Lafargue offre l'avantage d'inspirer positivement la compréhension de phénomènes, inédits à un moment donné, de prise de parole collective, de discours de groupe. De ce point de vue, on songe à certains aspects du « Mouvement de Mai 68 » en France, tel que l'impulsion nouvelle donnée à la revendication de prise de parole dans des lieux — universités, écoles mais aussi entreprises et familles —, sur des sujets de moins en moins tabous, sous des formes plus décontractées, moins respectueuses de l'autorité et des convenances établies et par ceux qui n'avaient habituellement pas droit à la parole[2].

— *A. Meillet*

L'œuvre entreprise se continue avec Antoine Meillet dont on connaît cette position selon laquelle :

« Il faudra déterminer à quelle structure sociale répond une structure linguistique donnée, et comment d'une manière générale des changements de structure sociale se traduisent par des changements de structure linguistique. »

Vaste programme dont l'auteur donne un début de réalisation dans l'analyse sur le changement sémantique que nous avons déjà citée, ci-dessus. Nous nous étions réservé d'en donner ici la partie où Meillet affirme que :

« Le plus grand nombre des changements de sens vient de l'action de la division des hommes en classes distinctes. »

Citant Michel Bréal[3] :

« Chaque science, chaque art, chaque métier, en composant sa terminologie marque de son empreinte les mots de la langue commune »,

A. Meillet relève, d'une part, que chaque groupe d'hommes utilise d'une manière particulière les ressources générales de la langue; d'autre part, que les mêmes

1. *Rapport sur la continuation du Dictionnaire de la langue française*, Commission de l'Institut national, cité par LAFARGUE, p. 223.
2. On a même parlé, à propos de Mai 68, d'une « crise du sens ». Cf., écrits sur les murs, les « Il est interdit d'interdire »; « Soyez réalistes. Demandez l'impossible », « Nous sommes tous des enragés »; etc.
3. *Essai de sémantique.*

individus peuvent appartenir simultanément ou successivement à plusieurs des groupes en question. Et enfin, que chaque groupe a tendance à marquer extérieurement son indépendance et son originalité.

> « Tandis que l'action de la société générale tend à uniformiser la langue, l'action des groupements particuliers tend à différencier, sinon prononciation et grammaire, du moins le vocabulaire. »

Des caractères propres à ces langues particulières[1] de « groupes limités, où il est souvent question des mêmes choses sans avoir besoin de préciser », Meillet cite : 1) la dérivation synonymique[2], 2) l'incitation à l'innovation linguistique par laquelle, « en se singularisant à l'égard de l'ensemble, l'individu ne fait que marquer mieux sa solidarité avec le groupe étroit dont il fait partie ».

Au total,

> « Pour expliquer la variation de sens, indique Meillet, il faut introduire la considération d'un élément variable lui-même. Ce ne peut être que la structure de la société où est parlée la langue considérée » (p. 267).

Ce fait social c'est à la fois : 1) la position du mot dans la langue (emprunt ou pas, plus ou moins isolé dans le système, etc.) ; 2) l'histoire des choses signifiées ; 3) la nature du groupe social qui la transmet d'une langue particulière à une autre ou à la langue commune.

— *Louis Guilbert*

L'étude de L. Guilbert sur *La formation du vocabulaire de l'aviation* (cité par Marcellesi et Gardin, p. 202) nous semble entrer parfaitement dans cette vision des choses.

> « C'est en effet pour exprimer leurs idées, leurs théories, les concepts auxquels ils aboutissent que les hommes d'un certain milieu social, composé d'apôtres de l'idée nouvelle, d'hommes de science et de praticiens de l'aéronautique, ont recours à un ensemble de signes auxquels ils confèrent une valeur signifiante de leur expérience nouvelle. (...) Le vocabulaire, qui est le plan linguistique de cette nouvelle expérience, (...) ne naît pas directement de la réalité objective, mais la gestation de cette réalité à travers toute une série de recherches en est la cause directe. »

Dans la même optique, nous citerons encore *La formation du vocabulaire de la boucherie et de la charcuterie. Etude de lexicologie historique et descriptive*, Toulouse, 1971, de Jean-Louis Fossat.

> « C'est sans doute la première fois qu'un champ sémantique est décrit dans toute la complexité de son usage sociolinguistique. La même zone de référence au

1. Pour Meillet, la langue commune se nourrit des emprunts aux « langues particulières » et aux « langues étrangères ». Il donne un bon exemple du croisement de ces deux sources : « C'est sans doute pour n'avoir subsisté que dans le langage rural (...) que des mots latins comme *ponere* « placer », *cubare* « être couché », *trahere* « tirer », *mutare* « changer », ont pris des sens tout particuliers et techniques et fourni en français actuel *pondre, couver, traire, muer.* »

2. « Si un mot *A* a simultanément deux significations, *x* dans la langue générale, *y* en argot, tous les synonymes approximatifs du mot *A* de la langue générale au sens *x* seront admis en argot à avoir la signification *y* de l'argot. Ex. : *battre* en argot « tromper », de même que *taper, estamper*, etc. »

monde non linguistique, l'anatomie des bêtes de boucherie, fait apparaître ce que Gilles Granger avait bien dénommé : le caractère de « quasi-structures », ou de « structures labiles » par quoi le lexique se distingue des autres parties structurées de la langue — ce qui permet de bien saisir quelques-unes des raisons intrinsèquement linguistiques de cette labilité, que Granger posait et constatait pour des raisons théoriques. A travers les analyses de Fossat, ce qui transparaît, c'est non pas un champ lexical, mais cinq ou six, en interaction constante, sur le même territoire géographique : le lexique des vétérinaires, qui fournit un cadre des « realia » du domaine, cadre non contraignant d'ailleurs vis-à-vis de l'analyse lexicographique (pp. 30, 58); celui des chevillards, lié essentiellement à la découpe des carcasses en abattoir, qui a sa spécificité, et « qui joue un rôle crucial [actuellement] dans la diffusion et la fixation des termes » (p. 295); celui des éleveurs, qui ne coïncide avec celui des bouchers que dans la boucherie communale agricole du XIX^e siècle ou ce qu'il en reste (p. 86); celui des bouchers eux-mêmes, qui sont par leur vie socio-professionnelle à la croisée des différents dialectes sociaux qu'on inventorie ici, qui les connaissent passivement tous peu ou prou, et qui en pratiquent activement deux au moins (pp. 86, 271, 298); celui des clients enfin, qui n'adoptent pas purement et simplement la terminologie des bouchers, mais la maintiennent ou l'altèrent, selon leurs besoins propres de communication : ce qui n'est pas vendable n'a pas de nom, le pancréas devient « le morceau du chat », les distinctions inutiles sont neutralisées (« le morceau du boucher »), les termes techniques sont altérés (l'onglet > le longuet), etc. (pp. 62, 271). L'enquête de Fossat lui fait même mettre au jour, et de façon convaincante, un lexique spécifique des « cuisinières bourgeoises », des « vieilles cuisinières » et des « belles-mères », dont le vocabulaire reflète — et surtout reflétait — leur propre pratique culinaire (« la pièce grasse » ~ « la pièce maigre », « la pièce blanche » ~ « la pièce noire »; « la pièce de la belle-mère », « la pièce de la casserole », etc., pp. 62, 69, 295, 334, 335). On se trouve donc en présence, dans une zone de pratique linguistique bien délimitée, non pas d'une langue technique commune comme on l'imagine vue de loin et de haut, mais devant un véritable multilinguisme lexical, avec les synonymies, les polysémies, les redondances, et l'intercompréhension plus ou moins assurée entre dialectes sociaux superposés.

« Cette labilité se complique encore pour des raisons historiques. Malgré la pénétration continue, dans la profession, du français technique standard (pénétration déclenchée par la guerre de 1914, et surtout l'extension de la découpe nationale, à des fins de contrôle, par le gouvernement de Vichy), les tendances à la normalisation — linguistiquement économique — sont contrées par le prestige du français régional des métropoles (Toulouse et Bordeaux), lequel n'est pas encore parvenu lui-même à effacer les usages particuliers de zones rurales dont le cloisonnement se montre persistant dans l'histoire (pp. 32, 55, 60, 61, 181, 299, 306).

« Le livre fourmille d'autres indications, qui demanderaient à être exploitées moins cursivement que ne le fait l'auteur, à la fois enthousiasmé et débordé par la richesse de ses matériaux. Par exemple, l'importance d'une composante « facétieuse » ou ludique dans la surabondance des dénominations, liées souvent à des tabous anatomiques, aurait mérité un développement en forme (p. 223). On peut en dire autant de l'importance d'une composante « affective » — l'expression méliorative ou péjorative traduisant l'attitude du locuteur-consommateur vis-à-vis du morceau (p. 325) — bien que ce facteur soit déjà bien étudié. D'une façon générale, l'auteur, trop plein de son sujet, passe trop vite, et suppose connues des foules de détails qu'on voudrait voir explicités : par exemple, les glissements de la terminologie bovine à la porcine et *vice versa* (p. 54); ou bien les vestiges de mémorisation rituelle de la terminologie des « parties du cochon » (p. 54) »[1].

1. Extrait du compte rendu donné par Georges MOUNIN dans *Les Cahiers de Lexicologie*.

— *Marr et les marristes*

N. Y. Marr a voulu fonder une linguistique marxiste. Dans le contexte de l'époque cela signifie aussi qu'elle doit être immédiatement utilisable par le pouvoir politique.

Pour Marr, la division de la société en classes sociales antagonistes doit se refléter dans la langue. Les changements dans l'organisation économique et sociale aussi. C'est en cela que les langues sont des superstructures. D'une part, et comme les institutions politiques, les conceptions religieuses, philosophiques et juridiques, les langues changent lorsque change la nature de la base économique d'une société : forces productives et rapports de propriété. D'autre part, typologiquement parlant, les langues d'une même classe sociale dans des pays différents, mais de même structure économique, présentent beaucoup plus de correspondances entre elles que les langues des différentes classes sociales d'une seule et même nation.

En d'autres termes, si un rapport existe avec les langues, il est de nature sociale et non pas nationale. On est loin de l'optique culturaliste de Humboldt et/ou ethnologique de Sapir-Whorf.

Enfin, depuis l'origine, selon Marr, la langue est un instrument de domination, de pouvoir.

A des titres divers, sans doute, rien de tout cela n'est vraiment faux. Des illustrations en ont été données. Par Lafargue, et avant la lettre, on l'a vu. Par d'autres à sa suite tels Meillet, Dubois, Guilbert, Fossat, etc.

Lafargue a également été imité par certains disciples de Marr, montrent les auteurs de l'*Introduction à la sociolinguistique*[1].

Jirmunsky, par exemple, voit dans l'histoire de la langue anglaise

> « l'exemple éclatant de la division linguistique de la société en fonction des classes sociales. La langue nationale unifiée est née de deux langues qui se sont maintenues longtemps côte à côte comme langues de classes : la langue française qui est celle de l'aristocratie dominante, la langue anglo-saxonne, d'origine germanique, qui était celle des serfs, des paysans et des artisans »[2].

Sur un plan plus théorique, Marcellesi et Gardin montrent un intérêt appuyé pour la contribution de L. O. Reznikov (pp. 65-70). Celle-ci présente, en effet, le mérite de rectifier l'interprétation mécaniste qui avait été donnée du conditionnement social. Sa critique (en sept points) du structuralisme et des conceptions de la société et de l'histoire qui l'inspirent nous semble tout à fait pertinente[3].

1. Cf. Marcellesi et Gardin, pp. 59-70.
2. P. 60, Jirmunsky étudie également la contradiction qui oppose tendances nationalistes et internationalistes dans les emprunts lexicaux. C'est une observation qui garde toute sa valeur à notre époque. Le marché mondial est devenu une réalité et l'anglais peut exercer une sorte d'impérialisme linguistique. Alors que les exemples donnés par Jirmunsky en 1936 sont ceux de la « défrancisation » du vocabulaire allemand, par exemple.
3. Cf. p. 68 en particulier. Les sept points : 1° le conventionnalisme, 2° l'idéalisme dans la conception du social, 3° la séparation du langage de l'activité pratique des hommes, 4° la séparation du langage et de la pensée, 5° l'insuffisance de la conception de l'histoire, 6° l'évolutionnisme, 7° la conception non dialectique des faits sociaux.

— *L'intervention de Joseph Staline*

Favorisées, une longue période durant, de 1920 à 1950, par le contexte politique — celui-là même qui a nourri certains préjugés anti-marristes —, les thèses des partisans de Marr vont subir à la fois les effets d'une conjoncture politique nouvelle et de la notoriété acquise par leurs aspects les plus discutables.

Les interventions de Staline dans un débat public inouï sont significatives de ce double point de vue. Au nom d'une conception étroite de « la » superstructure — celle-là même de Marr —, Staline peut réfuter l'idée que la langue soit un phénomène de classe. Et cela d'autant mieux qu'il ne conçoit la langue qu'unique, commune et homogène.

> « Lorsque la base est modifiée ou liquidée, sa superstructure est, à sa suite, modifiée ou liquidée; et lorsqu'une base nouvelle prend naissance, à sa suite prend naissance une superstructure qui lui correspond » (*ibid.*, p. 71).
>
> « Ce n'est un secret pour personne que la langue russe a aussi bien servi le capitalisme russe et la culture bourgeoise russe avant la Révolution d'Octobre, qu'elle sert actuellement le régime socialiste et la culture socialiste de la société russe » (*ibid.*, p. 72).

Il faut dire aussi que les thèses de Marr pouvaient entrer en contradiction avec la politique de développement des langues nationales justement décidée par Staline. Mais affirmer comme Marcellesi et Gardin que Staline aurait eu à décider entre une politique de développement des langues nationales et la création d'une langue nouvelle unique nous paraît exagéré. La décision en faveur des langues nationales a été, en la matière, et depuis fort longtemps, prise. En outre, personne, sauf erreur, ne propose, dans le débat, d'en changer. Au contraire même[1]. Reste qu'il y a eu débat et débat politique. Là est peut-être tout le problème. Non pas que telle question linguistique ne soit pas aussi une question politique. Mais une chose sont les conditions, les catégories du débat politique, autre chose les exigences de la recherche théorique. Il est clair, de ce point de vue, que les marristes aussi bien que Staline ont une conception et une pratique utilitariste de la recherche[2].

Tous utilisent la fameuse opposition entre science « bourgeoise » et science « prolétarienne ». Et si de ce point de vue la position de Staline a été différente s'agissant du généticien Lyssenko ou du linguiste Marr, c'est plutôt une confirmation des dangers qu'une telle optique comporte. On ne sait toujours pas comment expliquer vraiment cette différence de traitement.

— *Pourquoi reprendre cette question ?*

C'est le mérite des auteurs de l'*Introduction à la sociolinguistique* de revenir sur ce débat. D'abord pour en prendre une connaissance plus précise et surtout pour montrer qu'il faut refuser cette fausse alternative : ou bien c'est Marr qui a raison ou bien c'est Staline.

1. Cf. pour un compte rendu du débat, *Langages*, n° 46, juin 1977, p. 16.
2. Indiquons, en passant, que ce danger n'est jamais écarté une fois pour toutes. Il caractérise d'une certaine manière certains développements de la sociolinguistique contemporaine et ailleurs qu'en URSS. Ce qui ne veut pas nier le fait qu'en se saisissant de telle ou telle question le chercheur puisse apporter sa contribution spécifique aux luttes sociales et politiques.

Marcellesi et Gardin avancent un certain nombre de propositions. D'une part, il faut travailler à une nouvelle analyse des idéologies, des représentations, qui ne sont pas assimilables — parce qu'elles ont une « relative autonomie » et « un rôle régulateur » — aux superstructures étatiques *stricto sensu*. D'autre part, il y a place pour une linguistique socio-différentielle aux côtés de la linguistique unifiante. Nous avons déjà abordé cette question dans l'introduction à ce chapitre. Les différences tiennent : 1° au domaine linguistique considéré : il est clair que le lexique varie plus que la syntaxe, la phonétique plus que la phonologie et certains lexèmes et tels phonèmes plus que d'autres; 2° à la prise en compte, dans un cas, du rôle de l'Etat, des mass media, de la division du travail; à leur occultation dans l'autre (cf. le rôle de la dichotomie « interne ~ externe »); 3° au reflet de ces conditions dans la pratique des linguistes qui a conduit de façon assez générale à l'isolement non dialectique de *la* langue. Ils montrent combien l'intervention de Staline, au fond, conforte les analyses structuralistes dont Reznikov (cf. p. 338, n. 3) avait montré les présupposés et les insuffisances.

Il semble qu'en URSS aussi bien qu'ailleurs l'entreprise de construction, d'unification nationale et linguistique ait finalement occulté les problèmes des divergences, des variations sociolinguistiques. Comme si on oubliait que si les classes, les groupes qui forment une société, vivent ensemble, communiquent entre eux, ils s'affrontent aussi et se renouvellent. Ce double mouvement de convergence *et* de différenciation sociale dans les langues est réduit par les uns et par les autres à l'un de ses deux termes seulement.

Avec la volonté de dépasser les explications causales mécanistes, Marcellesi et Gardin proposent de désigner par le terme de *covariance*[1] le postulat de l'unité profonde du social linguistique et du social non linguistique. Il permet de fonder l'objet de la linguistique sociale ou dialectologie qui doit être « une composante de l'histoire matérialiste ». L'étude de Jean Dubois sur *Le vocabulaire politique et social en France de 1869 à 1872* est donnée à titre d'illustration[2]. L'auteur y postule que « les phénomènes lexicaux sont liés aux facteurs historiques selon le principe d'une correspondance générale ». Mais :

> « Il nous faut donc distinguer les facteurs historiques, qui sont à l'origine de ce mouvement, et le mouvement lui-même qui obéit à des conditions proprement linguistiques et met en jeu les éléments que lui offre le lexique collectif. Les microstructures équilibrées se brisent, et il se constitue de nouveaux équilibres. L'étude des conditions sociologiques, si attentive soit-elle, ne peut rendre compte de ce phénomène linguistique. Pour illustrer cette différence donnons un exemple précis, dont nous avons déjà examiné les aspects principaux. Nous pouvons déterminer les conditions historiques qui expliquent l'apparition du terme *communisme* dans la structure lexicale, vers les années 1836-1839 : développement des idées de Buonarroti à la faveur d'une crise sociale, extension des socialismes utopiques, publication des écrits des babouvistes, prise de conscience révolutionnaire de couches plus larges de l'artisanat parisien, développement des sociétés secrètes républicaines, organisation de

1. Très utilisé par les chercheurs anglo-américains (cf. P. P. GIGLIOLI, *Language and social context*, Penguin Books, 1972), le mot peut sembler particulièrement mauvais pour ce qu'il évoque de séries associées strictement parallèles sinon liées mécaniquement entre elles.
2. Cf. pour un compte rendu, G. MOUNIN, *La linguistique*, 1, 1965, repris dans *Clefs pour la sémantique*, Seghers, 1972, pp. 65-77.

sociétés de secours mutuels, etc. Puisque le mot apparaît chez Lamennais et E. Cabet, on peut expliquer pourquoi le premier, attentif au socialisme naissant, et le second, instruit des idées de Buonarroti, ont été les promoteurs du terme. Mais a-t-on pour cela rendu compte du mot lui-même ? Certainement pas. Or, à la même époque, on constate que *communisme* remplace dans quelques syntagmes *communauté* qui avait le sens de « système de mise en commun des biens, des terres ». L'explication linguistique consiste à analyser ce qui, dans la structure lexicale, permet d'expliquer ce remplacement : vers 1828 *socialisme* apparaît à côté de *société*; un champ lexical se forme autour de ces mots en *-té* avec un adjectif en *-taire* et un substantif-adjectif en *-iste*; on note la progression du suffixe *-isme* dans le vocabulaire politique et la constitution progressive d'un couple *-isme/-iste*. Le mot en *-iste* entraîne celui en *-isme* : l'adhérent suppose un système qui lui est étroitement lié. Le mot en *-té* est alors remplacé par le mot en *-isme* : en 1869 *collectivisme* se substitue à *collectivité*. Cette transformation lexicale se produit graduellement par ondes successives. Ainsi l'introduction du mot *communisme* dans le système lexical a une explication proprement linguistique, indépendante des conditions historiques. Mais celles-ci sont indispensables pour comprendre le mouvement initial et la nécessité d'exprimer un nouveau besoin. Aussi peut-on considérer comme insuffisantes les explications sociologiques directes de la formation d'un terme : la linguistique n'est pas une partie de la sociologie ou de l'histoire, mais la langue se développe dans le cadre de l'histoire et de la sociologie »[1].

Marcellesi et Gardin proposent enfin d'analyser :

*1* / Les pratiques linguistiques des groupes sociaux du point de vue de leur « individuation linguistique »[2] ou des « particularités de discours qui peuvent permettre de reconnaître, sauf masquage ou simulation, un membre de ce groupe » (p. 231);

*2* / Les différentes formes que cette « individuation » peut prendre. Ce qui conduit à l'étude des signes de reprise et de rejet[3].

Voilà, à titre d'exemple, comment telle presse régionale a, le 20 mai 1978, rendu compte des interventions militaires française et belge au Zaïre. Il s'agit du gros titre de la première page.

| | | |
|---|---|---|
| *La Marseillaise* | : | « La France mène la « guerre du Shaba ». » |
| *Le Méridional* | : | « 44 Européens massacrés. » |
| | | « C'est la terrible découverte des paras français largués à Kolwesi. » |
| *Le Provençal* | : | « Zaïre : Dangereuse escalade. » |
| | | « Les paras français dans la bataille. Les 400 hommes du 2e REP livrent de violents combats à Kolwesi où 44 Européens ont été fusillés et d'autres pris en otages par les rebelles. » |

Il semble assez clair que ces titres ne peuvent pas — politiquement et linguistiquement parlant — commuter entre eux. Les commentaires le montrent aussi. Ils sont socialement et politiquement pertinents, caractéristiques. Ce qui ne veut pas dire que l'on puisse postuler un rapport isomorphique entre l'idéologie en

1. Cité par MARCELLESI-GARDIN, p. 228.
2. Ce que GREIMAS appelle, si on l'a bien compris, les « significations et les connotations sociales », cf. *Sémiotique et sciences sociales*, Le Seuil, 1976. Cf. aussi M. A. K. HALLIDAY, cité par P. P. GIGLIOLI, *op. cit.*, pp. 237-261.
3. Cf. pp. 231-236. La méthode contrastive a été de nombreuses fois appliquée à l'analyse du discours politique par les auteurs eux-mêmes aussi. Cf. bibliographie.

général et sa traduction linguistique en général. Ces rapports sont, on le sait, plus complexes. Déjà Saussure indiquait justement et sur un point très limité qu'il ne fallait pas recourir à la bi-univocité pour penser les relations entre signe linguistique et sens.

### *b - La dialectologie sociale américaine*

Nous prendrons encore trois exemples de ce retour en force de la sociolinguistique[1] sous l'effet et des luttes sociales et d'un certain nombre de « crises » : idéologique, économique, scolaire, scientifique (dans les sciences humaines en particulier, mais il ne s'agit pas de nier, même dans ce cas, la complexité des liens entre ces différentes crises) et de l'influence nouvelle des problématiques marxistes elles-mêmes plus ou moins renouvelées par rapport à leurs aspects dogmatiques dans ce contexte.

Aux Etats-Unis dans les années soixante (et quelques années, quelquefois une décennie après, en Europe) on assiste dans certains milieux universitaires à une certaine prise de conscience des impasses ou au moins des limites rencontrées par les politiques de développement capitaliste.

Cela conduit[2] des responsables politiques, des psychologues et d'autres chercheurs à conclure que la pauvreté serait toujours liée à un « déficit intellectuel et linguistique ». Les traitements proposés pour réduire ces « déficiences » vont de l' « éducation compensatoire » à la ségrégation raciale explicite.

Si cet aspect de la question peut être utile à notre propos, c'est pour relever d'abord cette démarche qui consiste à traduire en termes de « déficit » toute différence ou inégalité constatée, mais ensuite et surtout le fait que dans « le cycle infernal de la pauvreté », c'est le langage qui serait déterminant.

Dans le cadre de la dialectologie sociale américaine, William Labov rejette cette analyse et ses solutions. Par une démarche différente, davantage axée sur les « instances ou agences de socialisation » de l'enfant que sont les milieux familial et scolaire, Basil Bernstein rejoint les conclusions de Labov sur ce point.

— *W. Labov*[3]

Ceci dit, les différences d'orientation restent importantes entre les deux premiers cités. L'œuvre de Labov se caractérise à la fois par ses propositions théoriques et méthodologiques ainsi que par une importante recherche sur le terrain.

Sans revenir en détail sur les limites des dichotomies saussuriennes, on peut signaler que Labov vise à remettre la linguistique sur ses pieds. Ainsi quand il écrit que « la variation c'est le changement », il veut récuser par là même la dichotomie synchronie ~ diachronie. De même il refuse l'opposition langue ~ parole dans la

1. Dont plusieurs auteurs (cf. l'ouvrage de P. P. Giglioli déjà cité) ont avec raison souligné l'étendue du champ d'étude ainsi — mal — désigné.
2. Cf. Marcellesi-Gardin, pp. 110-115.
3. On se référera constamment au recueil d'articles intitulé *Sociolinguistique*, Ed. de Minuit, 1976, présenté par Pierre Encrevé. Cf. aussi *L'Introduction à la sociolinguistique*, pp. 116-157.

mesure où il écarte l'étude d'un idiolecte pour rendre compte d'une réalité et sociale et contradictoire.

Labov sera conduit à construire pas à pas une méthodologie de l'enquête sociolinguistique qui se donne pour but l'observation de la « langue quotidienne » sans les contraintes déformantes de la situation d'interview, et qui aboutit à rejeter l'illusion de la neutralité de telle ou telle technique.

Par une démarche plus consciente que celle de Bernstein sur ce point, il se propose une étude de l'évaluation subjective des variables (jugement du locuteur-auditeur sur le discours d'autrui comme sur son propre emploi) à côté de l'analyse des variations objectives — stylistiques et sociales.

Un bon exemple est fourni par son enquête sur le parler de Martha's Vineyard, dans laquelle Labov met en évidence l'hétérogénéité phonétique (et phonologique ?) selon le groupe ethnique et social considéré, en même temps que sa signification idéologique dans le domaine des conflits d'intérêts, des antagonismes de pouvoir entre insulaires et continentaux. Parce que si en un sens le social est uni, il est aussi divisé, la langue est partie prise et partie prenante dans ces divisions. Les fonctions qu'elle assume comme lieu, instrument et enjeu des conflits sont aussi structurantes (ce qui permet à Labov d'affirmer que la variation est structurée, qu'elle fait partie du système) que la fonction de communication. L'ensemble des rapports sociaux d'exploitation, de domination, de ségrégation et dans le même temps de lutte, de résistance et de solidarité ne peut être ramené à la seule communication.

A l'issue de son enquête sur les variations dans la pratique linguistique d'employés face à leurs clients et selon le statut social du magasin, Labov aboutit à une nouvelle définition de la communauté linguistique : « un groupe de locuteurs qui ont en commun non pas les mêmes formes mais les mêmes normes », ou plus exactement « auxquels sont imposées les mêmes normes ». Par les classes dominantes[1]. Mais l'existence même de la variation sociolinguistique montre que cette domination d'une part se présente rarement comme telle et d'autre part cependant ne s'exerce pas sans provoquer des résistances, des luttes et quelquefois des succès. Seul le refus de ces contraintes peut, en définitive, selon Labov, expliquer l'échec scolaire en « lecture » des adolescents noirs de Harlem.

> « Les causes majeures de l'échec en lecture, ce sont les conflits politiques et culturels à l'intérieur de la classe d'école; les différences de dialectes symbolisent ce conflit »[2].

Modifiant les conclusions établies après l'enquête faite dans quelques grands magasins de New York, Labov écrit qu'un style est plus que les autres caractéristique de chaque fraction de la communauté linguistique[3]; c'est celui qui est utilisé

1. On fera toutes réserves sur l'analyse sociologique américaine des classes sociales, selon un continuum sans ruptures qui transforme les conflits en hiérarchie linéaire et « oublie » les rapports de production et l'histoire. En outre Labov ne nous dit rien des médiations par lesquelles les classes sociales imposent des normes que le dominé fait siennes le plus souvent et pour un temps plus ou moins long.
2. *Language in the Inner City*, p. XIV, cité par P. ENCREVÉ, p. 23.
3. Nous ne sommes pas très éloignés ici, en un sens, de la thèse de Bernstein sur les deux codes sociolinguistiques.

entre « égaux linguistiques », c'est « le vernaculaire » du groupe qui a sa structure, ses règles propres mais *seulement* dans le cadre du groupe. Ailleurs il se désorganise et donne l'impression — formulée et figée par Saussure — de la variation sans règle.

Corrélativement, Labov affirme de façon inattendue que lorsque toutes les causes de la variation : classe sociale, âge, profession, appartenance ethnique, situation de communication, etc., ont été éliminées, le vernaculaire manifeste encore de la variation. Une variation irréductible, de nature toute différente. Chez un locuteur unique, en un même énoncé, dans des conditions de production inchangées, on trouve encore des variations précises.

Ainsi se trouve radicalement renversée (couronnement de l'entreprise labovienne ?) l'identification structure et homogénéité.

— *B. Bernstein*[1]

Sociologue de l'éducation, son domaine c'est la recherche des causes qui expliqueront l'échec scolaire, selon les valeurs scolaires dominantes, des enfants des classes défavorisées. C'est, ensuite, l'étude du « processus de socialisation » dans lequel interviennent aussi la famille et le milieu professionnel.

Ce processus de socialisation est conçu par B. Bernstein comme obéissant aux lois générales de la reproduction des rapports sociaux. Le langage (à l'intérieur de la communication en général qui inclut tous les types d'apprentissage et d'éducation) étant l'instrument privilégié de ce processus et par là même de cette reproduction. Dans la mesure où à chaque classe sociale correspond un codage particulier de l'expérience et un code sociolinguistique propre. Ainsi, en étudiant la manière dont les ordres sont donnés, dans le contexte familial, Bernstein est conduit à opposer d'une part une identité sociale de groupe forte avec des rapports hiérarchiques fixés, sans autonomie individuelle et, d'autre part, une identité personnelle forte avec une priorité des différences entre les membres du groupe au détriment de sa cohésion :

*1* / « Embrasse ta grand-mère,
parce que je te le dis et
parce que c'est ta grand-mère. »
*2* / « Tu serais gentille si tu embrassais ta grand-mère.
Cela lui ferait plaisir. »

Dans une étude sur la relation mère-enfant, l'enquêteur demande à la mère,

*1* / Dans quel but parlez-vous ? Suivent dix réponses parmi lesquelles il faut choisir « la bonne ».

*2* / Dans telle situation (six types de contextes différents), réagiriez-vous plutôt avec des mots ou avec des actions ?

*3* / Quelle est votre attitude devant les tentatives faites par votre enfant pour bavarder avec vous ?

1. *Langage et classes sociales*, Ed. de Minuit, 1975. Cf. *Introduction à la sociolinguistique*, pp. 158-183; Eric Esperet, Langage, milieu et intelligence; conceptions développées par B. Bernstein, *Bulletin de Psychologie*, 1975-1976, nº 320; *La Pensée*, nº 190, décembre 1976 : *Classes sociales, langage, éducation*.

Marcellesi et Gardin remarquent fort justement que dans ce type d'enquête ce qui se trouve analysé, ce n'est pas la réalité linguistique objective elle-même mais seulement l'image que les mères interrogées en ont.

C'est cependant ce type d'enquête qui conduit Bernstein à écrire que :

> « Il y a peu de discontinuité entre les systèmes symboliques de l'école et ceux à travers lesquels l'enfant de classes moyennes a été socialisé dans sa famille. Alors que pour l'enfant de la classe ouvrière il y a un hiatus entre les systèmes symboliques de l'école et ceux de sa famille (...) La genèse de l'échec scolaire peut être trouvée dans les structures de communication et d'éducation qui sont à la fois les réalisations et les relais de sous-cultures spécifiques »[1].

Les classes défavorisées utilisent un *code restreint* et les classes moyennes et élevées un *code élaboré* plus un code restreint. Et si Bernstein indique qu'il ne faut pas hiérarchiser ces deux codes l'un par rapport à l'autre parce que chacun a sa valeur propre, sa pertinence (c'est un point très important), on peut cependant noter que le code restreint se trouve défini par opposition, de manière négative, par ses manques, face au code élaboré.

Dans le premier, la verbalisation est toujours partielle. Les situations de communication, les présupposés et l'implicite jouent un grand rôle. Le sujet s'efface derrière le groupe.

> *1* / « Ils jouent au football et il shoote ça traverse et ça casse un carreau et ils regardent alors il sort et crie après eux parce qu'ils l'ont cassé, alors ils se sauvent. »
>
> *2* / « Trois garçons jouent au football et l'un shoote dans le ballon et il traverse la fenêtre et le ballon casse le carreau, et les garçons regardent, un homme sort et crie après eux parce qu'ils ont cassé le carreau, alors ils se sauvent et la femme regarde à travers la fenêtre »[2].

— *Valeur et limites de l'analyse bernsteinienne*[3]

Denise et Frédéric François font justement remarquer avec Bernstein :

*1* / Que chacun a bien la pratique linguistique qui correspond à sa pratique sociale;
*2* / Que le problème n'est pas seulement linguistique;
*3* / Que la notion de handicap doit être critiquée;
*4* / Qu'on peut mettre en corrélation le comportement des mères à l'égard du langage et l'appartenance de classe.

F. François reconnaît encore à B. Bernstein le mérite de « contribuer à la nécessaire remise en question sociologique de la définition saussurienne de la langue ». Il n'y a pas des usages différents d'*un* même code, mais à côté de certains éléments communs une diversification en sous-codes avec des usages différents. Il y a bien quelque chose comme un code élaboré dont la classe dominante a pratiquement le monopole. Mais aussi tous ces professionnels de la parole : professeurs, journalistes, dirigeants politiques, etc.

1. Cité par MARCELLESI et GARDIN, p. 166.
2. Il s'agit des récits, des traductions que des enfants de 5 ans, appartenant à des milieux sociaux différents, donnent d'une bande dessinée. L'exemple est fourni par BERNSTEIN; cf. *Langage et classes sociales*.
3. Cf. Classes sociales et langue de l'enfant, *La Pensée*, numéro cité, pp. 74-92; cf. aussi Denise FRANÇOIS, *Sur la variété des usages*, pp. 63-73.

Mais « l'évidence de l'hérédité sociale du langage est-elle si évidente » ? Ne doit-on pas redouter qu'un fatalisme sociologique — « le handicap socioculturel » — vienne de manière insidieuse prendre le relais du fatalisme biologique (ou l'idéologie des dons) discrédité.

Il est vrai, écrit F. François, que certains enfants sont mieux *habitués* à *certaines tâches* linguistiques. Mais il faut savoir aussi que l'école — en général — valorise certains aspects de la langue qui n'ont pour fonction que de différencier les enfants entre eux, et que F. François appelle la *surnorme*.

Si les études existantes montrent des différences linguistiques entre enfants de classes sociales différentes, « ces différences ne peuvent être totalisées sous forme de handicap global, homogène, irréductible ». On ne peut pas parler d'infériorité ou de supériorité globale :

*1* / Parce que, quelle que soit la valeur des critères considérés, les résultats sont très dispersés dans chaque groupe; et selon les enfants et selon les critères.

*2* / Parce que les variations de « la langue » selon les situations de communication sont beaucoup plus importantes que les variations globales entre classes sociales.

*3* / Parce que les termes dont on se sert pour formuler ces différences sont trompeurs. Pour F. François, les « mesures usuelles de la richesse lexicale ou de la complexité syntaxique sont à peu près dénuées de signification ».

*4* / L'isolement des données linguistiques est fictif[1]. Des différences (qui vont en s'amenuisant) selon les classes sociales se retrouvent dans à peu près tous les aspects du développement de l'enfant.

N'existe-t-il qu'un code restreint ? Et qu'un seul code élaboré ? Est-ce que ces notions désignent bien toujours la même chose ? Peut-on, par exemple, considérer l' « explicite » en soi, de manière absolue et universelle[2] ?

Lorsque B. Bernstein place du même côté le discours explicite, ou élaboré et les valeurs du *moi* (opposées au *nous*), il croit reconnaître les indices de l'universel alors qu'il se réfère, suggère F. François, à un « système culturel historiquement bien daté, celui de la bourgeoisie libérale des XVIII^e^ et XIX^e^ siècles » (p. 79).

Au total, si l'enfant va bien, dans l'acquisition, d'un langage en situation à un langage hors situation, il n'y a pas de parallélisme strict, direct entre formes linguistiques utilisées et qualité du codage. Sauf à faire explicitement sien le prisme des présupposés idéologiques à travers lequel sont observés l' « implicite », le « Moi », la « pauvreté lexicale », et autres notions, fruits de dichotomies surdéterminées.

1. On croit voir dans l'échec scolaire massif une preuve de l'évidence et de la gravité d'un handicap socioculturel; or, montre F. François : « L'échec scolaire est sans commune mesure avec les différences de performances rencontrées chez les enfants. Il n'y a pas d'harmonie préétablie entre le « niveau » des enfants et le pourcentage de travailleurs sans qualification prévus par les VI^e^ et VII^e^ Plans ou le nombre d'enfants quittant l'école sans diplôme », p. 76.

2. Citant Bourdieu et Passeron, Marcellesi et Gardin ont montré que le code élaboré aussi fonctionne comme signe de reconnaissance du sous-groupe qui l'utilise.

> « Là où l'école de Piaget, par exemple, voit un rapport entre le cognitif et le linguistique, on a en fait une relation entre linguistique et social », écrit F. François (p. 82),

dont l'une des thèses principales est que :

> « Le pur et simple décompte des éléments structuraux n'a pas de sens pour comparer les performances des enfants, puisqu'il n'y a pas de parallélisme régulier entre éléments de structure et éléments de contenu » (p. 85).

Mais il est vrai que les différents outils syntaxiques s'acquièrent en fonction des types de contenus communiqués. Le plus important est qu'on a, d'un côté, *des éléments communs* à toutes les utilisations du langage (système phonologique pour l'essentiel, forme des unités, structures de base des syntagmes) et, en revanche, de l'autre côté, la plupart des combinaisons syntaxiques où des caractéristiques lexicales sont conditionnées par *l'usage spécifique de la langue*. Ce qui ne renvoie pas à des critères « purement » linguistiques. Situations et usages sont, au contraire, en rapport étroit avec la réalité sociale. Au fond :

*1* / « Il ne s'agit pas, pense F. François, de posséder ou non un code élaboré mais de l'utiliser ou pas. »

*2* / A l'image d'un code dominant par classe sociale, il oppose et substitue l'usage d'un seul code en toutes circonstances ici et de codes différenciés là.

*3* / Il faut décrire et non postuler les différentes corrélations, correspondances, covariances que les uns et les autres croyons voir entre thèmes et structures, classes et performances, etc.

## *BIBLIOGRAPHIE*

BERNSTEIN (B.), *Langages et classes sociales*, Ed. de Minuit, 1975.
COHEN (M.), *Matériaux pour une sociologie du langage*, 2 vol., Maspero, 1971.
DUBOIS (J.), *Le vocabulaire politique et social en France de 1869 à 1872*, Larousse, 1962.
FRANÇOIS (D.) et (F.), *in* numéro spécial de *La Pensée*, Classes sociales, langage, éducation, décembre 1976.
HÖRMAN (H.), *Introduction à la psycholinguistique*, Larousse, 1972.
HYMES (D.), *Language in Culture and Society*, New York, Harper, 1966.
JAKOBSON (R.), *Essais de linguistique générale*, Ed. de Minuit, 1963.
LABOV (W.), *Sociolinguistique*, Ed. de Minuit, 1976.
Langage et classes sociales, le marrisme, *Langages*, n° 46, Didier-Larousse, 1977.
*Language and social context*, by GIGLIOLI (P. P.), ed., Penguin Books, 1972.
MALINOWSKI (B.), *Une théorie scientifique de la culture*, Maspero, 1966.
MARCELLESI (J.-B.) et GARDIN (B.), *Introduction à la sociolinguistique, La linguistique sociale*, Larousse, 1974.
MARTINET (A.), *Langue et fonction*, Denoël, 1969.
*Marxisme et linguistique*, textes de Marx et Engels, Lafargue, Staline, présentés par L.-J. CALVET, Payot, 1976.
MEILLET (A.), Comment les mots changent de sens, in *Linguistique historique et linguistique générale*, Paris, 1921, t. I, pp. 230-271.
MOUNIN (G.), *Problèmes théoriques de la traduction*, Gallimard, 1963.
SAPIR (E.), *Linguistique*, Ed. de Minuit, 1968.
WHORF (B.-L.), *Linguistique et anthropologie*, Denoël, 1971.

## E - LA VARIABLE SITUATIONNELLE

### 1. Définition[1]

Par situation de communication on entend généralement l'ensemble des conditions physiques, ethniques, historiques, sociales, psychologiques, culturelles, etc., directement observables ou pas — linguistiquement repérables ou pas — qui, à un moment donné, en un lieu et en un milieu donnés déterminent et définissent l'échange verbal. Ces conditions de communication influencent aussi bien les interlocuteurs (il n'y a pas forcément d'un côté l'auditeur et de l'autre le locuteur), que le message lui-même[2], c'est-à-dire la forme, la fonction et le sens des éléments linguistiques et sont, par définition, toujours présentes (et toujours changeantes). La situation c'est ce qui entoure *hic et nunc* le message bien sûr, mais aussi tout ce qui le précède, ce qu'il présuppose, etc.

Si donc on peut dire que la *situation* désigne tout l'extra-linguistique, on réservera la notion de *contexte* à l'explicitation linguistique de la situation[3]. Si bien qu'on pourrait rapprocher respectivement les notions de situation et d'implicite d'un côté et celles de contexte et, linguistiquement parlant, d'explicite de l'autre. Force est alors de constater avec Oswald Ducrot que :

> « La plupart des actes d'énonciations (peut-être tous) sont impossibles à interpréter si l'on ne connaît que l'énoncé employé et si l'on ignore tout de la situation : non seulement on ne pourra pas connaître les motifs et les effets de l'énonciation, mais surtout (...) on ne pourra pas décrire correctement la valeur intrinsèque de l'énonciation, même pas les informations qu'elle communique »[4].

Autrement dit, la mise en mots d'un message donné n'épuise pas tout son contenu sémantique. D'abord ce n'est pas toujours possible (il ne s'agit peut-être pas d'une impossibilité théorique mais pratique à coup sûr). Ensuite, ce n'est jamais très économique et enfin ce n'est pas nécessaire puisque la situation d'une part et l'usage d'autres signes ou codes non linguistiques d'autre part, participent aussi à l'échange social qu'est la communication linguistique. Laquelle se distingue précisément des autres moyens de communication par sa faculté d'adaptation à la situation. Faculté d'adaptation qui se mesure et à la possibilité de tout traduire et à la manière plus ou moins explicite ou économique de le faire.

La généralisation ou l'abstraction qui caractérisent les langues naturelles — qui permettent un apprentissage et un usage relativement facile et souple —, leur

1. Cf., par exemple, F. François, *Contexte et situation*, Guide alphabétique de la linguistique, sous la direction d'A. Martinet, Denoël, 1969, pp. 64-72.
2. R. Jakobson a proposé une liste des fonctions ou des usages du langage selon qu'il est centré sur l'un ou l'autre des constituants de l'acte de communication (destinataire, destinateur, contact, code, message, contexte). Mais il ne retient que la situation de monologue !
3. Sur 70 pages environ, la thèse de Claude Germain, *La notion de situation en linguistique et son utilisation pour la construction de l'image dans l'enseignement des langues*, Aix, 1970, dactylographiée (publiée par l'Université d'Ottawa, en 1973, sous le titre *La notion de situation en linguistique*), tourne autour de cette seule question terminologique.
4. *Dictionnaire encyclopédique des sciences du langage*, Le Seuil, 1972, p. 47.

nature même de réalités historiques, de pratiques sociales (particulières certes et même centrales) mais *insérées* dans un *ensemble* de conduites sociales, suffiraient à rejeter la conception idéaliste d'un code et de messages isolés du reste et explicites en soi.

## 2. Sur le caractère linguistique de la notion de situation

Ce paragraphe pourrait s'intituler aussi bien « Du refus le plus catégorique à une certaine reconnaissance *théorique* du rôle de la situation ».

Admettre, ce que personne ne discute, que toute communication est toujours en situation, ne conduit pas forcément à voir l'influence qu'exerce cette situation sur le sens des énoncés, voire dans certaines conditions sur la structure de tout énoncé réel, la forme et les fonctions de ses constituants. En fait, l'ensemble des déterminations extra-linguistiques se trouve traditionnellement et en général exclu de l'analyse linguistique.

Il en est ainsi pour diverses raisons. Mais voyons d'abord les faits.

S'agissant de l'aspect strictement — disons-le mieux, étroitement — terminologique pour une part et chronologique également, la thèse de C. Germain permet de faire le tour de la question.

Il faut souligner ici, compte tenu du point de vue que nous avons adopté, que, pour l'essentiel, Cl. Germain ne dit rien des faits de variation linguistique. Son travail s'inscrit dans cette problématique qui semble avoir pour souci principal de séparer le linguistique du non-linguistique, la langue de la parole, etc., bien que son analyse le conduise très logiquement à faire des réserves trop rapides et rares sur ces dichotomies (cf. p. 190 et p. 191).

L'auteur examine successivement les arguments sur l'impossibilité théorique d'étudier la situation de communication (Bloomfield, Katz et Fodor) ; les thèses qui lui accordent un rôle secondaire ou occasionnel (dans l'acquisition du langage par l'enfant, chez Whitney et Jespersen par exemple) et les conceptions qui lui reconnaissent un rôle essentiel selon une optique ethnographique et sociologique (Malinowski, Firth), psychologique (Ogden et Richards) ou lexicologique (Bréal, Bally, Meillet...).

Il apparaît très nettement, à l'issue de cette discussion, que tous les linguistes qui se sont intéressés à l'étude sémantique, ont eu recours aux concepts de situation et de contexte (ou d'environnement). L'inverse étant également vérifiable. Comme si, dans un premier temps, l'étude du sens établissait un clivage entre les différentes théories linguistiques.

Mais ce sont les différentes hypothèses en présence sur le rôle *linguistique* de la situation dans la communication linguistique qui retiennent vraiment l'attention de Cl. Germain. Il observe trois grandes attitudes :

*1* / Négation du caractère proprement linguistique du rôle de la situation (Lazlo Antal).

*2* / Prise en compte empirique et implicite de la situation dans l'analyse sémantique (Shirô Hattori).

*3* / Analyse du rôle de la situation dans la communication linguistique (les idées de Ziff, Lyons, Slama-Cazacu, Martinet et Prieto sont présentées et discutées).

Nous n'entrerons évidemment pas dans le détail de ces différentes positions. De la première, pour ce qu'elle a d'excessif et de révélateur, retenons les trois points suivants. Pour Antal[1] :

> *1* / « Si les mots sont utilisés d'après leur signification, c'est que la signification précède l'usage, de la même manière que l'utilisation d'une langue présuppose la connaissance de cette langue. »
>
> *2* / « La signification (...) est nécessairement indépendante du contexte; ce qu'ajoute le contexte, c'est le dénotatum » (le référent).
>
> *3* / « S'il fallait accepter le point de vue selon lequel un phénomène linguistique n'a de valeur que dans un milieu concret, ce serait reconnaître la seule existence de la parole, sans la langue. »

Au-delà de ce qui peut se présenter parfois comme des sophismes, notons que la langue, ici, est comme un déjà donné (inné), connue (comment ?) avant que d'être utilisée. Ce qui est corroboré par la crainte exprimée dans le troisième point que la primauté exclusive de la langue comme objet d'analyse ne soit menacée. « (Antal) ajoute, écrit C. Germain, que la langue ne peut être définie qu'en laissant de côté la diversité des formes de la parole concrète et en choisissant parmi celles-ci les facteurs communs qui sont indépendants des situations concrètes. » La langue ainsi définie c'est aussi la langue du monologue considérée du seul point de vue du locuteur. Disons en passant de quel secours peuvent être dans ce cas les analyses sur l'acquisition du langage par l'enfant. Sur l'apprentissage des significations en particulier dont Mounin (*Problèmes théoriques*, p. 163) dit qu'il se fait :

> « Par au moins trois ou quatre voies assez différentes : la voie déictique, et la voie situationnelle (on montre les choses; on perçoit les situations correspondantes aux énoncés) ; la voie « linguistique » (les significations sont acquises par des contextes d'autres mots) ; la voie logique (les « situations » sont des contextes spéciaux minima, dits *définitions*, dont les propriétés sont très particulières). »

Plus généralement, disons qu'il ne faut pas prendre la signification oppositionnelle (sur le modèle phonologique) comme le tout de la sémantique.

Parmi les linguistes qui ont analysé le rôle de la situation dans la communication, Tatiana Slama-Cazacu[2] dégage cinq rôles différents joués par la situation (le « contexte » dans sa terminologie).

*1* / Le contexte *choisit* et *précise* l'une des significations potentielles des mots polysémiques.

*2* / Le contexte *individualise* le sens.

1. *Sign, Meaning, Context*, 1961, p. 217, cité par C. Germain.
2. *Langage et contexte*, Mouton, La Haye, 1961.

*3* / Il le *complète.*

*4* / Il peut même souvent *créer* une signification (dans le cas où il est le seul moyen qui rende possible la compréhension).

*5* / Le contexte peut *transformer* une signification. Slama-Cazacu met également en relief l'existence de corrélés situationnels (qu'on peut rapprocher des « instances de discours » chez Benveniste ou des *shifters* (embrayeurs) de Jespersen).

Ce sont tous ces mots qui font toujours directement référence à la situation de parole et dont la signification varie toujours selon la situation : *ici, là, maintenant, toi,* etc.

Enfin, contrairement à l'avis de Cl. Germain, c'est au crédit de l'auteur qu'il faut selon nous porter les deux remarques suivantes :

> *1* / « La référence à un ensemble plus vaste, extra-linguistique, semble tenir du plan de l'utilisation de la langue, de la « parole ». Nous nous demandons pourtant si un mot, considéré comme objet d'étude de la linguistique, peut être déterminé seulement par lui-même ou par ses relations de nature « purement linguistique » » (*op. cit.*, p. 95).
>
> *2* / « Si cette attitude pouvait être discutable du point de vue linguistique, en tout cas sur le plan de l'acte de langage concret, sur le plan de la « parole », ces considérations ne sont pas seulement légitimes mais encore nécessaires » *(ibid.).*

André Martinet[1], quant à lui, oppose de manière assez discutable ce qu'il appelle « l'énoncé normal » et « l'énoncé en situation ». L'énoncé normal est celui qui est indépendant de la situation et du contexte, pour son interprétation sémantique comme pour la définition des fonctions de ses constituants. Sur ces deux plans ne doivent intervenir que des moyens proprement linguistiques, c'est-à-dire doublement articulés.

Et si

> « toutes les langues ont développé plusieurs classes de monèmes dont l'interprétation dépend toujours de la situation [voir plus haut], il s'agit là de phénomènes marginaux puisqu'ils s'écartent sans nul doute de l'idéal de la communication humaine qui est de se suffire à elle-même ».

On s'étonnera donc de trouver l'exposé de l'opinion d'A. Martinet au chapitre des analyses qui au moins tendent à reconnaître le rôle linguistique de la situation. Et si dans les *Eléments,* on peut certes lire que :

> « Un élément linguistique n'a réellement de sens que dans un contexte et une situation donnés : en soi, un monème ou un signe plus complexe ne comporte que des virtualités sémantiques dont certaines seulement se réalisent dans un acte de parole déterminé » (p. 36).

il est également précisé (p. 125) que cet « ancrage dans la réalité » consiste en une « actualisation » qui doit se faire au moyen du contexte parce que :

> « La situation n'y suffit guère à actualiser un monème unique que dans le cas d'injonctions, d'insultes ou de salutations : *va! cours! vole! ici! traître! salut!* »

1. *Langue et fonction,* Denoël, 1969, p. 76.

C. Germain note cependant qu'il paraît plus conforme à la réalité de considérer *tout énoncé* comme étant en *situation*. Il serait toutefois nécessaire de distinguer le cas où la situation joue un rôle linguistique (situation pertinente) — sur la structure et le sens des énoncés, la forme et la fonction des constituants — de la situation non pertinente (Ex. : « Victoria, reine d'Angleterre, est née à Londres en 1819 »).

Mais répétons-le, ce qui fait l'objet de l'analyse dans le meilleur des cas, c'est la prise en compte éventuelle du rôle de *la* Situation comme entité globale, unique, invariable — dans la communication et plus particulièrement dans sa dimension sémantique. Mais en aucune façon les changements dans les structures, les fonctions et les significations différentes que les variables situationnelles peuvent entraîner. Ainsi c'est très explicitement (p. 94) que C. Germain écarte et la typologie des discours que Firth cherche à établir sur la base des différents types de situations et l' « insistance » de Firth comme de Lyons (qui en « est resté à la conception étroite *(sic)* de Firth ») « sur la multiplicité des situations sociales dans lesquelles le langage fonctionne ». Rejet motivé par le fait que tout cela n'est pas proprement « linguistique »...

On relèvera encore que l'application de la dichotomie martinetienne (« énoncé normal » - « énoncé en situation ») à des langues africaines a permis à Maurice Houis d'objecter qu'il ne saurait y avoir une définition générale de l'énoncé en situation, valable pour toutes les langues :

> « Une formule de salutation, de structure elliptique dans telle langue, peut être parfaitement « normale » dans une autre (en peul par exemple). Une formule de salutation n'est pas par elle-même un énoncé en situation »[1].

Le cas mentionné par Martinet, celui des injonctions, des insultes, des salutations, etc., ne vaudrait que pour la langue française, au prix de ce paradoxe qui consiste à exclure *a priori* la situation en raison même de sa pertinence linguistique, sous prétexte que les énoncés en situation ne sont pas des énoncés « normaux ». « Au contraire, écrit C. Germain (p. 198), c'est précisément dans la mesure où la situation, fait extra-linguistique, participe à la constitution même des énoncés, qu'elle doit faire l'objet d'études proprement linguistiques. »

Il reste qu'on peut s'interroger sur cet usage, ici, de la notion de pertinence. D'abord parce qu'elle implique l'existence d'oppositions discrètes, donc des idées précises sur la nature des éléments situationnels qui seraient nécessaires ou pas (du seul point de vue de la fonction linguistique). Ensuite du fait qu'à opposer situation pertinente à non pertinente, c'est la situation qui reste relative au discours et non pas l'inverse.

Finalement, seul Luis Priéto accorderait à la notion de situation une place théorique centrale (parce que fonctionnelle) dans la communication. C. Germain s'en inspire, dans le détail, pour proposer les deux typologies suivantes :

— La première porte sur quatre types de situations : 1) contextuelle (la situation est de nature linguistique; le contexte n'est pas ponctuel : il s'agit par

1. M. Houis, Réflexions sur l'énoncé en situation, *Word*, Linguistic studies presented to André Martinet, vol. 23, n^os^ 1, 2, 3, pp. 321-334.

exemple de la place de *Notre-Dame de Paris* dans l'œuvre de Hugo) ; 2) non physique (psycho-socio-culturelle) ; 3) physique ; 4) kinésique (gestes, mimiques, etc.).

— Le second classement envisage les quatre rôles linguistiques que la situation (pertinente) peut jouer :

*1* / Favoriser un des signifiés parmi une classe de signifiés virtuels (Ex. : « donnez-moi le crayon ») et dans les cas d'homonymie ou de polysémie.

*2* / Favoriser un sens parmi une classe de sens admis par un signifiant ; c'est le cas des shifters. *Ex. :* « Elles sont en grève depuis huit jours. »

*3* / Préciser un sens, chaque fois que l'inadéquation est trop grande entre les mots et la réalité qui varie sans cesse.

*4* / Transformer un sens, afin d'éviter l'échec de l'acte de parole : c'est le cas dans l'utilisation de mots de passe et de messages surcodés (jargons, langues de bois, etc.).

En outre, et à cause de ces différents usages, les situations de communication, rappelons-le, permettent une économie de moyens considérable liée à l'organisation des systèmes linguistiques eux-mêmes et au recours à d'autres moyens de signification (gestes, mimique, etc.).

Au total, nous pensons que cette analyse, sans répondre à notre attente, peut constituer comme *un préalable* à une prise en compte :

*1* / moins traditionnelle et moins étroite linguistiquement parlant des situations de communication ;

*2* / et surtout moins réductrice de la multiplicité des conditions de l'échange verbal comme des variations linguistiques qu'elles entraînent.

## 3. Vers une problématique nouvelle

De ces perspectives nouvelles on peut dire, d'une part, qu'elles s'attachent à couvrir un terrain particulier d'une grande importance : celui de l'école, de l'échec d'enfants socio-culturellement défavorisés face à certaines tâches linguistiques spécifiquement scolaires (cf. W. P. Robinson, D. Lawton, C. B. Cazden, etc., cités par Geneviève Goldberg[1]), d'autre part, et en rapport ou non avec la question de la norme linguistique, des études sont faites sur le langage des médias (affiches, BD, publicité, télévision, etc.) (cf. F. Marchand et collectif[2] et A. Bentolila, V. Carvalho[3]) ; en troisième lieu, des analyses récentes mettent fin au monopole du monologue dans la description linguistique par l'étude des éléments linguistiques propres aux dialogues (cf. R. Jones et M.-C. Pouder[4]), enfin, tout cela ne va pas sans nourrir des positions théoriques nouvelles (cf. F. François)[5].

1. Dans sa thèse sur *La conduite du discours chez des enfants du CM2 de différentes origines socioculturelles*, Paris, 1974, dactylographiée ; un résumé a été publié dans *La Linguistique*, Paris, PUF, 1976, I.
2. *Manuel de linguistique appliquée, la norme linguistique*, Delagrave, 1975.
3. Dans *Etudes de linguistique appliquée*, n° 26, Didier, 1977.
4. Id., *Langage et situations de communication*, sous la direction de F. François.
5. Id., préface, pp. 5-8.

Ainsi, nombre de chercheurs contemporains (anglais et américains pour la plupart) se sont intéressés à la situation de discours en rapport avec les résultats scolaires d'enfants de milieux défavorisés.

L'hypothèse de Robinson, disciple critique de B. Bernstein, est que la situation de discours est plus déterminante que l'origine sociale pour comprendre les différences de performances linguistiques d'enfants appartenant à des milieux socio-culturels différents. Si les enfants dits défavorisés rencontrent des difficultés à manier le code élaboré, c'est qu'ils n'ont que de rares occasions de s'en servir. Mais lorsqu'ils sont mis dans l'obligation de le faire — lettre à un directeur d'école en vue de l'obtention d'une bourse —, ils utilisent eux aussi un code élaboré. C'est donc bien la situation et l'environnement qui activent plus ou moins les capacités des individus, conclut Robinson. Or, on sait d'une part que l'incitation à communiquer est plus faible dans les milieux socio-culturellement défavorisés, et d'autre part, que l'école apprend davantage à écrire qu'à parler (c'est cela qui peut expliquer les différences qu'on relève à l'oral surtout — et à l'écrit dans la lettre qu'on adresse à un ami — entre enfants d'origine sociale différente). Les variables situationnelles de discours, montre l'enquête de Robinson — mais aussi les travaux de Lawton et de Cazden —, déterminent les variations linguistiques : syntaxiques, lexicales, sémantiques.

Parmi les variables situationnelles retenues on trouve : *1* / le sujet ou contenu du discours, *2* / la tâche linguistique imposée (récit, description, formulation d'opinions, d'arguments plus ou moins abstraits), *3* / la situation d'interlocution (âge, rapport d'égalité, d'inégalité, de pouvoir, etc.), *4* / situation scolaire, de test, ou autre.

Lawton, par exemple, établit que tous les enfants utilisent un nombre bien plus élevé de subordonnées et de constructions syntaxiques complexes[1] dans la situation de discours abstrait que dans la situation de description. De ce fait, dans le cas de la formulation d'une opinion les différences entre les enfants devraient être moins grandes. Mais elles existent et renvoient cette fois à une explication de type socio-culturel. C'est ce que confirme l'étude de G. Goldberg[2] tirée d'une thèse qui se propose d'analyser l'incidence comparée de certaines variables situationnelles et sociales sur les différences dans les conduites de discours — à savoir dans l'organisation des suites de phrases.

Dans ce domaine il faudrait dire tout ce qu'on doit à des auteurs comme Jakobson, Benveniste, Dubois, Halliday, Austin, etc. Tous ceux dont les travaux gravitent autour de l'analyse de discours (cf. par exemple *Langue française*, n° 9, février 1971).

Partant de l'idée que des énoncés de contenus différents produits dans des situations diverses par des locuteurs eux-mêmes socialement divers, doivent présenter des différences dans leur dimension et leur structure, l'auteur mesure la longueur et la complexité syntaxique des énoncés, la fréquence des énoncés préférentiels (statistiquement définis), les continuité et discontinuité formelle et/ou de contenu

1. Si on appelle *énoncé* un segment de la chaîne dont tous les éléments se rattachent à un prédicat unique, un énoncé sera plus ou moins complexe selon le nombre et la nature de ses expansions.
2. *Un enfant* (de 10, 12 ans) *peut-il parler de la peine de mort ?*, *ibid.*, pp. 63-70.

du discours ou encore les différents procédés de connection des énoncés, le temps des verbes, les passages au discours direct, etc., dans cinq situations de discours imposées aux enfants dans le cadre de l'enquête :

*1* / récit sur les vacances;
*2* / discours « abstrait » sur la peine de mort;
*3* / récit libre d'un conte ou d'une histoire;
*4* / invention du plus gros mensonge;
*5* / épreuve scolaire.

D'abord à propos de ces mesures, il faut redire que cela n'a pas en soi beaucoup de sens de compter le nombre de mots, substantifs ou verbes, etc. On doit essayer de déterminer dans chaque cas quelles sont les variables les plus significatives. Notons aussi qu'en général sont retenues des caractéristiques surtout lexicales et rarement syntaxiques. « On croit mesurer la richesse lexicale et on mesure la familiarité avec telle pratique sociale », écrit F. François[1].

Or, non seulement il est nécessaire « de distinguer entre connaître un mot et savoir s'en servir », mais encore il faut dire que cette mesure « n'a pas le même sens lorsqu'il s'agit du vocabulaire commun et du vocabulaire spécifique » *(ibid.)*. Cette valorisation de la connaissance lexicale ne répond pas, toujours selon F. François, à la question préalable qui est de savoir si on est en présence de termes nécessaires à la communication ou au contraire de mots qui peuvent être remplacés par un équivalent ou une périphrase. Enfin, ce type de mesure ne permet pas d'inférer au niveau déterminé de maîtrise linguistique, de nature du code utilisé ou surtout de développement intellectuel. Toutes choses qui restent difficiles à connaître.

La conclusion générale de G. Goldberg est que la dimension situationnelle s'avère être bien plus importante et déterminante que la dimension socioculturelle qui caractérise aussi le discours. Deux précisions doivent être cependant apportées, pensons-nous :

*1* / Si l'opposition socioculturelle entre « favorisés » et « défavorisés » ne se manifeste pas plus fortement, c'est qu'on a pris soin de distinguer, dans cette enquête, ce qui relève de la norme définie comme régissant les structures générales de la langue et une hyper-normativité ou « surnorme » définie comme un signe d'appartenance à « l'élite ».

*2* / C'est aussi parce que les enfants soumis à l'enquête se répartissent dans des groupes relativement peu contrastés (urbains, Parisiens; les extrêmes (enfants d'immigrés par exemple) n'étant pas retenus).

Malgré cela, et à propos de l'analyse déjà évoquée d'un discours en situation abstraite (la peine de mort), de manière assez inattendue, G. Goldberg insiste sur le rôle de l'appartenance socioculturelle. C'est à elle et pas à la situation qu'il faut avoir recours pour expliquer les différences.

*1* / Sur la proportion d'énoncés complexes à expansions prédicatives. Dans le groupe « favorisé », 51 % de ces énoncés sont relevés contre 12 % en situation de récit

1. Eléments de linguistique, appliqués à l'étude du langage de l'enfant, *Les Cahiers Baillière*, Paris, 1978, p. 66.

et 43 % contre 10 % dans le groupe « défavorisé ». Mais dans le détail des différents types d'énoncés complexes l'opposition entre les deux groupes apparaît encore plus nette (cf. p. 65, *op. cit.*).

*2* / Sur le plan de la continuité du discours les « et pis », « alors » deviennent relativement rares : 11 % et 17 % de l'ensemble des connecteurs dans chaque groupe respectivement, contre 29 % et 39 % dans les récits.

Un certain nombre de structures particulières comme les approches successives, les répétitions et retours en arrière (10 % des énoncés dans le groupe « favorisé » et 20 % dans l'autre) ; les énoncés elliptiques, les incorrections syntaxiques (8 et 16 % contre 3 et 7 % en récit) caractérisent la formulation d'une opinion et traduisent — de manière inégale selon le groupe considéré — l'effort d'élaboration, la recherche d'arguments.

*3* / Plus difficiles à cerner, la cohérence logique et le degré d'abstraction des discours opposent, empiriquement, mais eux aussi et très nettement, les deux groupes.

Aussi bien, nous croyons pouvoir contester sinon l'opposition, du moins l'ordre d'importance global établi en termes de « d'abord la situation, ensuite l'appartenance socioculturelle ».

Peut-on et doit-on séparer aussi nettement les variables situationnelles et sociales — au risque de ne plus voir leurs liens ? Certes, il faut aller autant que possible au-delà des évidences simples et des notations vagues sur l'influence socioculturelle en général. Mais à notre avis, séparer la possibilité, la fréquence, la motivation et l'incitation à communiquer dans des situations de type différent d'une part et les conditions de vie et de culture d'autre part, n'aide pas à mieux comprendre, à mieux expliquer ce qui se passe.

S'il faut rejeter — c'est fondamental — toute conception fataliste « DU handicap socioculturel global » propre à telle catégorie sociale, s'il faut écarter toute idée de déterminisme constant et direct entre langue et classe sociale, entre structure linguistique et contenu de pensée (parce que, par exemple, la compétence linguistique est fonction des usages et des situations dans lesquelles la communication est établie), autre chose est de nier ou de minimiser l'influence des rapports sociaux dans tel maniement particulier de sons, du lexique, de l'organisation syntaxique.

> « Il y aurait un lien relativement strict entre classe sociale et quantité de lexique connu, ce qui s'explique aisément, mais les enfants tendraient à se servir de la même façon du vocabulaire su, ce qui amène à s'opposer absolument à une division de toute éternité en manuels et conceptuels » (F. François, *op. cit.*, p. 134).

Un autre danger méthodologique apparaît dans la tendance à globaliser tel ou tel type de situation : « scolaire » ~ « non scolaire » par exemple. Celles-ci ne se présentent pas toujours et partout sous la même forme, avec les mêmes composantes et comme si elles étaient vécues de la même façon par tous. Pour réduire la diversité on risque toujours d'aboutir à des abstractions trop pauvres. On ne peut pas parler d'une typologie générale et unique des différents usages ou situations de communication. Celle-ci varie plus ou moins et avec chaque période du développement de l'individu (cf. F. François, *ibid.*, p. 135) et avec chaque groupe social — selon ses composantes diverses : ethniques, économiques, culturelles, etc.

L'analyse de Rhian Jones[1] sur « Quelques aspects de l'échange maître-élèves », permet de le vérifier. A trois séances de travail observées (remaniement d'un texte écrit en commun, explication de vocabulaire, analyse grammaticale) correspondent les deux situations suivantes définies par les comportements respectifs des élèves et du maître. Cf. *ibid.*, p. 75 :

| | *Elèves* | *Maître* |
|---|---|---|
| S1 | Actifs, peu formels, proposent des idées inconnues du maître, qu'ils expliquent et justifient. | Semi-directif, peu formel, anime la discussion, reformule les idées des élèves, peu évaluatif. |
| S2 et S3 | Passifs, fournissent la réponse voulue par le maître. | Très actif et directif, transmet des connaissances inconnues des élèves. Vérifie les connaissances des élèves. |

« L'analyse syntaxique entreprise séparément pour les trois situations confirme à quel point la situation 2 et la situation 3 se ressemblent entre elles et à quel point elles diffèrent de la situation 1. Il ne s'agit donc plus d'un langage global « maître » comparé à un langage global « élèves » *(ibid.)*.

Une chose sont les différents types de discours (récit, description, argumentation, dialogue scolaire ou pas, etc.), autre chose dans chaque cas les éléments de la situation : lieu, thème, âge, rapports entre les interlocuteurs, etc.

Sur un autre plan, il ressort de cette enquête sur *l'échange* maître-élèves (comme de celle faite par M.-C. Pouder sur Le dialogue psychosomatique, *ibid.*, pp. 104-123) qu'il existe des éléments linguistiques propres à ce type général de situation. Dans les deux situations particulières qui caractérisent ici le dialogue,

| | S1 | S2 et S3 |
|---|---|---|
| Participation des élèves à l'ensemble du dialogue | 39 % | 16 % |
| Enoncés complets | 71 – | 39 – |
| Enoncés elliptiques | 29 – | 61 – |
| Enoncés complexes 1 | 32 – | 25 – |
| — 2 | 7 – | 23 – |
| — 3 | 39 – | 10 – |
| Enoncés simples | 22 – | 42 – |
| Enoncés elliptiques 1 | 58 – | 84 – |
| — 2 | 42 – | 16 – |

1. *Etudes de linguistique appliquée*, n° 26, pp. 71-80.

la syntaxe du discours des élèves varie et selon le pourcentage d'énoncés complets (simples ou complexes mais comportant au moins un prédicat et un actualisateur) opposés aux énoncés elliptiques inachevés linguistiquement (« oui » en réponse) ou tronqués (« Je pense que... ») et selon le degré de complexité qui va de l'expansion facultative sans prédicatoïde à l'expansion avec prédicatoïde.

Ce résumé statistique met en évidence que si dans chaque situation le maître parle plus que tous les élèves réunis (ils sont âgés de 9 ans), dans la situation S1 qui est moins « directive », moins marquée par l'inégalité des rapports entre le maître et les élèves, ceux-ci produisent 39 % du nombre total d'énoncés contre 16 % seulement dans les situations S2 et S3 où les élèves, qui ne savent pas, doivent répondre à des questions dont seul le maître, qui sait, a décidé. Syntaxiquement, les interventions des élèves sont aussi plus élaborées dans le premier cas et ressemblent en de nombreux points à celles du maître. En cela, elles contrastent fortement avec les réponses en situation 2 et 3 qui avec un fort pourcentage (61 %) d'énoncés elliptiques[1] — parmi lesquels les énoncés « inachevés linguistiquement », c'est-à-dire les énoncés en réponse par *oui* ou par *non* aux questions du maître, représentent 84 % du total — montre l'importance d'une situation définie par un rapport plus ou moins inégal entre les interlocuteurs. Entre ceux qui ont quelque chose à dire, en tout cas, ceux qu'on écoute aussi parce qu'on leur permet l'initiative sans les soumettre à certaines questions qui imposent une réponse prévue et éventuellement unique quant à sa forme et son contenu.

Par ailleurs, on peut constater, note R. Jones (*ibid.*, p. 74), que la gamme syntaxique à la disposition d'enfants de cet âge est variée et quasi semblable à celle de l'adulte, dans ses structures comme dans les fréquences relatives d'emploi.

L'enquête comporte également de précieux renseignements sur le nombre, l'identité et l'origine sociale des intervenants. De ces trois points de vue, le discours des élèves est invariable dans les trois situations — directives ou pas. Ce sont toujours les mêmes qui parlent : 8 élèves sur 21 produisent 95 % du « discours élèves ». Ce sont toujours les mêmes qui ne parlent pas du tout, de la même façon : 6 sur 21. Ceux-ci appartiennent à un milieu socio-économique plutôt défavorisé : père o.s., carreleur, boulanger, mécanicien, peintre en bâtiment, agent technique. De même, les élèves qui prennent la parole appartiennent tous à un milieu social plus favorisé (pour autant que la seule profession du père permette de se faire une idée du milieu social considéré...) : journaliste, économiste, fonctionnaire, architecte, professeur, etc.

Si on peut constater, dans ce cas, un lien étroit entre origine sociale et prise de parole — avec ce qu'elle suppose d'assurance, de sécurité, de confiance en soi et aussi de choses à dire sur tel ou tel sujet —, on ne peut que réfuter toute idée de corrélation constante entre tel milieu socioculturel et tel codage utilisé. Ne serait-ce qu'à cause de la diversité des structures que l'on relève dans les réponses

1. Toujours présents au demeurant tant chez l'adulte que chez les enfants, parce qu'ils caractérisent l'échange oral et spontané.

de ceux qui parlent. Précisément comme si le premier clivage est d'abord ici et maintenant entre ceux qui parlent et ceux qui ne disent rien.

Autre exemple de rapport inégal entre interlocuteurs, l'interaction médecin-malade est analysée par M.-C. Pouder[1] :

> « Ce travail se situe dans une perspective plus vaste de description de situations de communication marquées par des rapports institutionnels » (p. 105).

Une situation donnée détermine un certain maniement linguistique, noyau commun à tous les locuteurs, sorte de « rituel linguistique » dans certains cas, à partir duquel s'opèrent selon les individus des variations. Ainsi cette enquête établit qu'il existe un lexique commun aux trois patients et qu'il est recoupé pour une part (20 à 30 %) par le lexique commun aux trois investigations du médecin. On relève aussi un vocabulaire particulier à chaque malade affecté d'une maladie différente, celui que le psychiatre est seul à employer comme celui qu'il utilise avec tel ou tel malade.

Si les termes qui définissent le lexique commun aux trois patients se retrouvent à 97,8 % dans le « français fondamental », leurs fréquences diffèrent de l'un à l'autre, ainsi que les emplois et les fonctions. Pour les termes que le psychiatre est seul à employer, ce pourcentage se réduit à 39 %. Dans le langage des malades la partie du lexique spécialisé corrélative à la situation médicale est très faible. Certains mots n'apparaissent que sur incitation du médecin : *rêve* par exemple. Cela est propre, en outre, à l'usage des anaphores de reprise : *Et votre père ? IL est mort, il y a*, etc.

Les mêmes traits essentiels caractérisent les structures syntaxiques utilisées. Chez tous on retrouve le même type de phrases et les mêmes procédés de continuité du discours. Mais « le thérapeute fait usage des connecteurs (*alors* pour l'essentiel) pour assurer la continuité entre son discours et celui de son patient, tandis que les malades utilisent davantage les connecteurs (*et*, *mais*, surtout) afin d'assurer la continuité au sein de leur propre discours » (*ibid.*, p. 114). Quant à ce qui est de la subjectivité dans le langage, « elle se situerait davantage au niveau de la production de suites d'énoncés qu'à un niveau d'utilisation de certains types d'énoncés » *(ibid.)*.

Deux autres aspects de cette enquête retiennent encore l'attention :

*1* / L'ébauche de classes lexico-syntaxiques qui s'inspirant des méthodes d'analyse de Harris, délinéarise en le regroupant le discours de chaque malade pour faire apparaître un certain nombre de récurrences significatives qui complètent l'analyse lexicale « qui ne peut se suffire à elle-même, et parce que chaque lexème est à replacer dans son contexte et [surtout] du fait que la redondance ne doit pas être

1. Dans l'*Etude linguistique du dialogue psychosomatique*, *ibid.*, pp. 104-123.

placée au niveau du seul signifiant ». La même méthode est appliquée à l'étude syntaxique

> « car les structures syntaxiques même s'il peut paraître qu'elles sont parfois spécialisées sémantiquement, sont néanmoins plurivoques » (*ibid.*, p. 118) :
>
> ▶ Ex. — « *J'ai toujours* été plus ou moins handicapée de l'intestin, surtout *depuis quatre ans.*
> — « *J'ai* de grosses *difficultés* à évacuer.
> — « *J'ai toujours* eu des *difficultés* après cette grossesse.
> — « Ça pose des problèmes *depuis quatre ans.* »

*2* / Sur la carence langagière — proche dans sa définition du code restreint de Bernstein — qui, selon les psychosomaticiens, caractériserait ces malades, cette description apporte un démenti précis. Un des points contesté touche, par exemple, à ce qui serait une faiblesse du niveau symbolique personnel de ces malades. Mais, note M.-C. Pouder :

> « Si on sait très bien que plus un terme est fréquent dans la langue, plus son sens admet de plurivocité, on peut très bien considérer que des signifiants même très communs (*problème*, *enfant*, *départ*, etc.) trouvent — ou ne trouvent pas justement — leur signification dans le réseau serré du système linguistique propre à chaque locuteur; ... pour employer les termes de tout le monde, ces patients n'en font pas moins un emploi qui leur est particulier » (p. 123).

En conclusion, on soulignera avec F. François (*ibid.*, préface, pp. 5-8) l'intérêt d'étudier l'influence des variables situationnelles sur les variables linguistiques. Contre les simplifications abusives de la réalité par les dichotomies *langue* ~ *parole*, *compétence* ~ *performance*, etc., ou le schéma P → SN + SV. Et pour dépasser dans l'analyse le cadre étroit de la phrase, point de vue de l'analyse traditionnelle.

S'il existe un risque d'atomisation de la langue en une poussière d'usages : dialogue, récit, discussion, etc., qui peuvent aussi varier en fonction des contenus, des locuteurs, des moments, des lieux, etc., on doit cependant remarquer

*1* / Que la variation ne concerne pas également tous les constituants de la communication : variantes morphologiques, systèmes de phonèmes et systèmes de prépositions par exemple, restent inchangés; de même un certain nombre d'unités lexicales de base sont permanentes. Mais les faits phonétiques, les connecteurs, les temps, les conjonctions ou les schémas intonatifs, au contraire, varient.

*2* / Que ce risque n'apparaît que relativement aux dichotomies traditionnelles qui ont théorisé et figé des oppositions qui ont fini par occulter la réalité. Les mécanismes et les structures d'adaptation à la situation (cf. « la compétence à la communication » de Hymes) font partie de la langue. Tant sur le plan des structures que sur les conditions de communication — et d'évolution, donc — les langues sont régies par des forces de convergence et des forces de divergence (« intercourse » et « esprit de clocher » chez Saussure).

> « La force d'intercourse pouvant avoir alternativement le rôle rétrograde d'empêcher l'innovation de s'étendre ou au contraire rendant compte de son extension. Mais en fait, une telle analyse suppose la prise en considération des forces sociales

en présence, les généralisations pouvant provenir du mouvement de proche en proche de la masse parlante ou de l'initiative institutionnelle imposant un usage administratif ou refusant l'accès à la fonction publique de ceux qui ne respectent pas la norme », écrit F. François.

Refusant l'idée d'une infinité d'usages du langage, il propose d'établir un certain nombre de dichotomies autour desquelles s'organisent les différents types de communication : l'objet sur lequel porte le discours est-il présent ou absent ? Y a-t-il utilisation de sous-codes, techniques ou cryptiques ?, etc. En même temps les formes de la communication seront conditionnées par la situation de communication : oral ou écrit, bien sûr, permettant ou non le dialogue... Enfin, par les types de relation entre les interlocuteurs se connaissant ou non, ayant entre eux des rapports de réciprocité ou d'inégalité (*ibid.*, p. 6).

Cette recherche typologique n'a rien de commun avec la pseudo-théorie des niveaux de langue. Certes, cette maîtrise de l'organisation verbale, de la mise en mots des différents aspects de l'expérience — discuter, défendre un point de vue, savoir dans quel cas se servir de telle ou telle unité ou de telle structure — doit faire l'objet d'un apprentissage : comment passer d'un discours en situation à un discours hors situation, comment coder lexicalement telles significations techniques ou scientifiques. Mais cela n'a rien à voir avec l'optique normativiste ou plutôt sur-normativiste — mythes selon lesquels il y aurait des formes ou des procédés linguistiques globalement, intrinsèquement supérieurs les uns aux autres. Alors, montre F. François, que le propre des langues est dans la possibilité de dire « la même chose » de différentes façons entre lesquelles il n'y a pas à choisir *une fois pour toutes*.

Mythes qui peuvent aussi reparaître dans l'association trop étroite, figée, comme obligatoire et nécessaire entre tel code et telle situation. Tant la reconnaissance formelle du pluralisme des usages peut ne pas suffire, en un sens, à dépasser l'attitude normativiste traditionnelle.

*En résumé*, si les processus de divergence et de convergence régissent la vie sociale des langues, l'étude de la variation et du changement éclaire la compréhension du fonctionnement linguistique lui-même. On l'a dit, de ces deux aspects principaux : le langage, attribut de l'espèce et fait humain par excellence d'une part, et les langues, institutions sociales d'autre part, les linguistes dans leur majorité n'ont retenu que le premier, la fonction symbolique et sans le distinguer du second. Ainsi ils ont créé un objet en grande part fictif. Un système d'oppositions linguistiques, un instrument de communication[1].

Formule célèbre, à juste titre, par l'importance de ces deux notions pour désigner l'organisation linguistique et sa genèse. Mais elle a servi à dissimuler le fait que les langues ne sont pas que des outils relevant d'une technologie neutre et

1. « Délicieux idéalisme », écrit F. François (*ibid.*, p. 8), si on ne prend pas en compte les facteurs non linguistiques qui déterminent cette communication : l'usage de la langue reflète non seulement la compétence linguistique et la compétence situationnelle mais aussi le rapport social entre celui qui a le droit de questionner, de prendre la parole et l'autre qui n'a que celui de répondre.

plus ou moins complexe, mais surtout peut-être des enjeux, des moyens de savoir et de pouvoir et des reflets du contexte culturel et psychosocial. Instruments de communication, les langues sont aussi les *produits* de ces communications (comme la main est anthropogénétiquement l'organe et le produit du travail).

L'entité biologique et naturelle a recouvert la fonction sociale et culturelle qui, isolée des autres conduites sociales, appauvrie de son contenu, de sa diversité, de ses contradictions, a perdu les conditions historiques, sociales et situationnelles de tout échange verbal concret.

Les raisons qui ont pesé sur ces choix sont connues : volonté d'affranchir une discipline de son passé et de ses impasses historicistes et psychologistes d'une part, les nécessités méthodologiques qui conduirent à simplifier les données d'autre part, et enfin, les obstacles idéologiques et théoriques qui empêchèrent de reconnaître la nature sociale et contradictoire de l'institution-langue avec toutes ses implications politiques à l'égard des langues régionales et face aux problèmes de la norme scolaire. Pour ne donner que ces deux exemples des contradictions qui ont travaillé et travaillent « la nation ».

## *BIBLIOGRAPHIE*

Benveniste (E.), *Problèmes de linguistique générale*, Gallimard, 2 vol., 1966 et 1974.

Ducrot (O.), *Dire et ne pas dire*, Paris, Herman, 1972.

— et Todorov (T.), *Dictionnaire encyclopédique des sciences du langage*, Le Seuil, 1972.

François (F.) (coordonné par), *Langage et situations de communication*, n° 26 d'*Etudes de Linguistique appliquée*, Didier, 1977.

Germain (C.), *La notion de situation en linguistique*, Ottawa, 1973.

Goldberg (G.), La conduite du discours chez des enfants du CM2 de différentes origines socioculturelles, *La Linguistique*, PUF, 1976/1.

Houis (M.), Réflexions sur l'énoncé en situation, *Word*, vol. 23, n° 1-3, pp. 321-334.

Jakobson (R.), *Essais de linguistique générale*, Ed. de Minuit, 1963.

*Linguistique et société*, numéro de février 1971 de *Langue française*.

Martinet (A.), *Eléments de linguistique générale*, A. Colin, 1970.

— *Langue et fonction*, Denoël, 1969.

Prieto (L.), *Principes de noologie : fondements de la théorie fonctionnelle du signifié*, Mouton, La Haye, 1964.

Slama-Cazacu (T.), *Langage et contexte*, Mouton, La Haye, 1961.

# 2 les langues du monde : diversité et ressemblances

PAR CLAIRE MAURY-ROUAN

La linguistique peut parler du langage et des langues sur un plan général, parce qu'elle tient pour acquis un certain nombre de caractères généraux, qui fondent la définition même des langues naturelles :

Caractère *vocal*, *articulé* — donc se déroulant dans le *temps*; présence d'une *première articulation* d'unités significatives, à leur tour composées d'*unités phoniques* : de tels « universaux » sont admis par tous, à cause, sans doute, de l'absence de contre-exemples; sans doute aussi parce qu'on imagine mal comment un système sémique pourrait arriver à jouer un rôle social de communication comparable à celui des langues connues, en se passant de l'économie offerte par une seconde articulation (un « son », différent de tous les autres, pour chacune des unités de sens) ou par la première articulation (un signifiant, inanalysable, correspondrait alors à chaque message émis). En effet, en l'absence d'une seconde articulation, nos capacités d'émettre et de discriminer des sons différents réduiraient à peu de chose le stock des unités de sens; et l'absence de première articulation aboutirait à limiter les messages possibles à une liste restreinte, préétablie et mémorisable, de signes globaux[1], une sorte de « lexique des messages », sans commune mesure avec les possibilités infinies qu'offrent la combinaison d'unités récurrentes et la syntaxe, ce que l'on appelle parfois la « créativité » du langage.

Ce type de fonctionnement n'est pas une fiction : il convient tout à fait à des sémies d'usage quotidien, mais de capacité significative restreinte, comme certains panneaux du Code de la route. La définition générale des langues naturelles constitue donc une première réponse, minimale, à la grande question des universaux linguistiques, objet de polémiques et de controverses que les progrès de la connaissance ou de la théorie des langues viennent périodiquement réalimenter.

Avant l'apparition du courant structuraliste, la conception la plus répandue,

1. Des signes de caractère vocal ne peuvent en effet exploiter bien loin l'imitation du référent, la représentation symbolique qui pourrait leur donner une extension illimitée. On peut bien imiter vocalement le chant d'un oiseau, le départ d'un train; mais quelle « imitation » donner du passage d'un nuage, de la naissance d'une idée ? Le caractère vocal des signifiants entraîne leur caractère arbitraire.

d'inspiration aristotélicienne, formulait des universaux logico-grammaticaux dont sont imprégnés beaucoup de manuels. Ces universaux reposent sur deux données de départ également contestables : les langues sont des calques de la logique, et cette logique est universelle. A partir de là se déduisaient, sur le plan syntaxique, l'universalité de la structure sujet-prédicat (logique) par exemple, à laquelle doit se ramener toute phrase (à l'image de la *proposition*, ou plutôt du *jugement* logique), quelle que soit sa forme extérieure :

> *Pierre vit* équivaut donc à : *Pierre est* (affirmation *essentielle*) *vivant* (attribution *accidentelle*) ; le latin : *edo* à *je suis mangeant*, etc.

l'universalité de l'accord entre le nom et l'adjectif épithète, entre le sujet et le verbe; ou encore l'universalité des « parties du discours » : noms, articles, pronoms, verbes, prépositions, conjonctions... dont les langues classiques donnent le modèle (à tel point qu'on a pu poser, par exemple, un article sous-jacent en latin par conformité au grec). Les différences reconnues et étudiées entre les langues étaient pour l'essentiel des différences de surface, touchant surtout la forme des « mots » : présence de flexion ou de dérivation, amalgamées ou distinctes. Dans les grandes lignes, et même si ses méthodes et ses résultats diffèrent considérablement, le courant transformationnel moderne s'apparente à cette tradition dans sa conception des universaux.

A l'opposé et en réaction aux universaux « mentalistes » (supposant un parallélisme strict entre organisation de la langue et organisation de la pensée) de la tradition, la linguistique structurale a mis l'accent sur les *différences* qu'elle découvrait entre des langues, de plus en plus nombreuses, qu'on commençait à savoir décrire scientifiquement : différences manifestées non seulement par la forme des mots, mais aussi par les structures phonologiques, syntaxiques et sémantiques des langues, envisagées dorénavant comme des systèmes ayant leur propre cohérence.

Cette insistance sur les différences peut amener à des positions extrêmes comme celles de Whorf : la disparité des structures syntaxico-sémantiques entraîne la disparité des conceptions du monde, les locuteurs étant conditionnés et comme emprisonnés par le cadre de leur système linguistique. Une telle position, soit dit en passant, est moins éloignée qu'il y paraît de celle de la grammaire aristotélicienne : elle établit, elle aussi, un lien de quasi-identité entre langue et « pensée » — même si c'est, ici, pour nier l'universalité des formes de l'une et de l'autre.

S'il paraît difficile de concilier descriptivisme et mentalisme sur la question des universaux, on peut penser, en revanche, que chacun de ces courants s'est construit à partir d'éléments de vérité; nous y reviendrons.

Depuis les formulations de F. de Saussure, on considère que l'*arbitraire* est un caractère fondamental des langues humaines : c'est-à-dire qu'il y a, non seulement indépendance, comme le montre Saussure, entre le signifiant /lɑ̃p/ et le signifié « lampe », donc possibilité pour les langues d'adopter la plus grande variété de signifiants pour désigner cet ustensile; mais encore que les langues manifestent la même liberté dans le découpage sémantique de la réalité présenté par leurs signes lexicaux (*lampe*, *lampadaire*, *lanterne*, ou encore : un seul nom pour tout cela, ou pas de nom du tout...) ; même liberté, nous le verrons, pour la répartition des signes syntaxiques; ou encore pour le découpage, par les phonèmes, de la substance sonore.

## 1. Les typologies

La démarche typologique est un des biais qui peut permettre de progresser sur le problème des caractères généraux et des particularités des langues. Son but premier n'est pas celui-là : il s'agit, pour elle, de dégager des types de langue, afin de regrouper et de classer les multiples variétés rencontrées. Un type de langue est défini par un ensemble de traits descriptifs, et ici commence le problème : étant donné qu'il n'existe pas, à l'intérieur des systèmes, de solidarité entre les différents « étages » phonologique, syntaxique et sémantique, telle langue qui appartiendra à un type du point de vue de ses consonnes s'en écartera par le caractère de son lexique, par ses conjugaisons, etc. On se voit donc condamné à choisir entre un type comportant beaucoup de traits descriptifs, mais englobant fort peu de langues, et des types définis par quelques traits seulement, que l'on aura choisis comme plus importants, plus représentatifs : par exemple, les langues d'Afrique australe peuvent être regroupées comme langues à « clicks ». Ce choix de critères peut aussi dépendre d'un objet de recherche particulier : parenté généalogique entre langues, preuves historiques de contacts. La typologie du XIX^e siècle (illustrée par Max Müller, F. Bopp, R. Rask, A. von Schlegel, A. Schleicher), qu'elle soit génétique ou cherche à regrouper les langues indépendamment de leur parenté, s'est bornée en général à utiliser, comme critère de classement des langues, la morphologie au sens traditionnel, c'est-à-dire la structure et la forme des mots de la langue. On pouvait ainsi regrouper des langues *synthétiques* (comportant des déclinaisons et conjugaisons avec variantes du radical, amalgames...), *agglutinantes* (monèmes accolés les uns aux autres dans le mot mais de signifiant non altéré), *analytiques* ou *isolantes* (monèmes invariables, nettement séparés entre eux).

Diverses hypothèses comportant des jugements de valeur aujourd'hui étonnants (le type synthétique serait le plus « évolué ») ou des corrélations à des types de civilisation ou de mentalités accompagnaient parfois ces classements dont on peut contester la valeur, à la fois par l'intérêt limité que représente le mot parmi l'ensemble des structures d'une langue, et aussi par le fait que l'on peut trouver dans une même langue des cas d'isolement, de synthèse ou d'agglutination de monèmes. Ils ont eu cependant le mérite d'apporter une base de description claire, aujourd'hui encore opératoire, de la synthématique des langues, de leur façon caractéristique de combiner les unités, même si celle-ci ne permet pas d'aboutir à des cloisonnements étanches entre groupes de langues.

Une typologie comme celle de Sapir[1] présente un progrès décisif sur les méthodes classiques : débordant des critères de type morphologique, il se pose la question du rapport contenant-contenu, selon les langues : critiquant la conception traditionnelle des parties du discours, il montre qu'on ne peut définir des catégories universelles correspondant aux noms, verbes, prépositions, etc., par leurs propriétés sémantiques : un nom comme *height* exprime la qualité au même titre que l'adjectif *high*; un verbe comme *reach*, la même relation que *to* dans *he came to the house*; la même action peut se marquer par un verbe *(la pomme tombe)* ou par un nom *(chute de la pomme)*[2]. Dès

1. E. SAPIR, *Le langage*, Paris, Payot, 1967, 232 p.
2. Ouvr. cité, pp. 114-115.

lors, on se demandera quel type de découpage de la réalité représentent les classes d'unités de sens d'une langue donnée. Sapir se propose de regrouper les langues selon le rôle qu'y jouent les unités exprimant des « concepts concrets » (lexèmes) des concepts « dérivationnels » (affixes) des concepts « relationnels concrets » (relations assez précises, sémantiquement) et des concepts « purement relationnels » (relations plus abstraites). Pour cette dernière catégorie, Sapir montre bien que la forme revêtue n'est pas déterminante : elle aussi variera d'une langue à l'autre, et à l'intérieur d'une même langue, un relationnel pur pourra être une préposition, un cas, une variation de timbre vocalique ou une position respective des éléments reliés. Il semble cependant que ce cadre typologique, pris tel quel, soit difficile à appliquer, parce qu'il donne plus de poids aux critères sémantiques, dans l'établissement de ses classes d'unités, qu'à leur rôle fonctionnel (sa répartition des relationnels « concrets » et des « purement » relationnels reste très floue, de ce fait).

Mais, plus largement, l'entreprise typologique où l'on envisage de classer « pour classer » n'apparaît plus guère comme un objectif intéressant en lui-même. La typologie semble se concevoir plutôt, aujourd'hui, comme la caractérisation différentielle des langues, sans but de classification. A cet égard, elle permet d'apporter, *a posteriori*, des réponses plus précises et plus scientifiques à la question des universaux, conçus de façon plus réaliste comme des corrélations à peu près constantes entre phénomènes linguistiques :

> « Si X existe dans une langue, alors Y y existe aussi. »

Ainsi, chez Greenberg :

> « Si, dans une langue, l'objet pronominal suit le verbe, l'objet nominal le suit aussi »[1].

On peut encore, comme le propose Martinet[2], établir non des universaux, mais une norme à partir des modèles d'organisation les plus régulièrement observés (sur le rapport numérique voyelles-consonnes, par exemple) et classer les langues du point de vue de leur écart, plus ou moins important, à cette norme : cependant une telle démarche ne peut guère s'appliquer au-delà des systèmes phonologiques.

Sur un plan plus général, toute description scientifique, typologique ou non, toute confrontation des langues du monde, aussi bien que des tentatives de formulation d'universaux partiels, comme ceux de Greenberg, doivent nous amener à mieux saisir, en opposant les traits les plus répandus aux cas particuliers, ce qui est fondamental dans le langage humain.

## 2. Diversité et restrictions à la diversité

### *a - Du point de vue des phonèmes*

Sur le plan des unités phoniques, la variété présentée par les langues est très grande. Variété paradigmatique : certaines langues ont des voyelles nasales (français),

1. J. H. Greenberg, Some Universals of grammar, in *Universals of language*, J. H. Greenberg ed., Cambridge, MIT Press, 1963, 270 p., p. 72.
2. A. Martinet, *Langue et fonction*, chap. III, Paris, Denoël, 1969.

d'autres non (allemand); on rencontre des systèmes vocaliques à trois oppositions d'aperture, ou à une seule; on a pu recenser des langues ne possédant en tout que deux, ou trois voyelles (l'arabe classique) — alors que le khmer en a dix-huit.

Il ne semble pas y avoir obligatoirement de compensation à ces inégalités vocaliques par le nombre de consonnes, bien qu'un tel rééquilibrage soit couramment observé : des langues pauvres en voyelles peuvent être également pauvres en consonnes. Les systèmes consonantiques, eux aussi plus ou moins riches, présentent des oppositions diversement réparties : trois ordres de consonnes d'arrière en arabe, un seul en français; présence ou absence d'affriquées selon les langues, qui peuvent connaître des corrélations à marque glottale, ou pharyngale (langues sémitiques notamment), des séries d'aspirées (comme en grec). Le comportement syntagmatique des unités varie lui aussi, caractérisé par des types de syllabes : certaines langues suivent un modèle CVCV ou CV(C)C (turc); d'autres au contraire admettent jusqu'à quatre consonnes à la suite; d'autres ont des diphtongues (CVVC) comme l'anglais *(date)*. L'usage distinctif des tons, de la durée ou des accents n'est pas non plus universel.

Les langues « découpent » donc de façon assez imprévisible le système de leurs unités distinctives dans la substance phonique. Il y a pourtant des limites à cet éparpillement, limites à peu près universelles, et que les données de la communication permettent d'expliquer. En voici quelques exemples : la pauvreté (relative) existe, mais non l'absence totale de voyelles ou de consonnes dans une langue. Ici, les capacités humaines de discrimination et d'émission syntagmatiques sont déterminantes.

D'autres constantes (ou quasi-constantes) sont à mettre au compte du principe d'économie (Zipf, Martinet[1]) qui tend à équilibrer l'effort produit pour communiquer et le résultat obtenu : c'est lui qui rend compte de l'organisation des phonèmes en systèmes de corrélation (maximum d'unités différentes pour un petit nombre de mouvements articulatoires); de traits communs dans l'évolution des systèmes : poussée vers la simplification des articulations complexes (géminées, groupes consonantiques) quand elles sont trop fréquentes pour avoir un réel pouvoir distinctif; également, de la présence prévisible d'occlusives simples dans toutes les langues qui ont des affriquées; de la fréquence de la solution qui consiste, pour intégrer les emprunts phoniques à une langue étrangère, à remplir une case vide de la corrélation; de la meilleure stabilité des phonèmes intégrés, etc.

Cependant, un auteur comme Martinet a bien montré qu'on ne peut pas parler sommairement de tendance à la symétrie parfaite des systèmes. L'intégration maximale est contrariée par les particularités physiologiques, elles aussi universelles, de l'appareil phonatoire : les combinaisons idéalement économiques et symétriques ne donnent pas toujours des phonèmes faciles à prononcer et à distinguer. Ces contraintes physiologiques donnent donc naissance à des caractères que l'on peut s'attendre à trouver dans tous les systèmes phonologiques. Les voyelles de grande aperture sont plus rares que les autres, d'où l'allure de triangle, que l'on remarque dans beaucoup de systèmes vocaliques. De même, il paraît difficile de nasaliser des consonnes fricatives : l'échappement continu de l'air, à la fois par les fosses nasales et par la bouche

1. A. Martinet, *Economie des changements phonétiques*, Berne, Francke; George K. Zipf, *Human Behavior and the principle of least effort*, Cambridge, Mass., 1949.

nuit à la netteté acoustique de la réalisation, et ce sont surtout des consonnes occlusives qui se combinent avec la marque de nasalité.

La constance des facteurs évoqués (tendance à l'économie par la symétrie, contraintes acoustico-articulatoires) nous permet d'envisager, au lieu d'universaux absolus, découlant d'une essence mystérieuse — « langage » qui existerait en soi, indépendamment des hommes qui le parlent — de comprendre la présence de *caractères, sinon universels, du moins très probables et très fréquents* dans les différentes langues; ce qui n'exclut pas la possibilité d'exceptions : formuler des tendances générales est une chose, connaître et apprécier les multiples facteurs qui interfèrent dans tel processus d'évolution en est une autre.

### *b - Du point de vue de l'intonation et des aspects motivés de la voix*

Il convient de faire une place à part, du point de vue de l'arbitraire, à l'*intonation.* La courbe mélodique qui accompagne les messages peut présenter des variations infinies, difficiles à décrire en termes d'unités discrètes; or, elle joue un rôle considérable dans la communication, interférant notamment avec la syntaxe. On connaît son rôle de signe d'interrogation; elle peut aussi marquer, par exemple, la subordination d'une phrase à une autre. Que l'on compare l'intonation des deux indépendantes :

Je suis venue en France *(1)*. J'avais déjà 22 ans *(2)*.

et :

Je suis venue en France *(1)*, j'avais déjà 22 ans *(2)*.

où l'intonation, laissée dans (*1*) en suspens comme un début de phrase, marque la subordination de (*1*) à (*2*), avec le même sens que : « *Quand* je suis venue... »

Le caractère, à bien des égards symboliques de l'intonation (qu'elle reflète spontanément l'état émotif du locuteur, ou qu'elle soit l' « imitation » d'un tel état) la rend en grande partie universelle. De même, les variations de débit, de la quantité (quand elle ne joue pas un rôle distinctif).

C'est sans doute parce que l'intonation « passe » que l'on préfère voir un film étranger sous-titré (même si l'on ne comprend pas sa langue originale) qu'une version doublée.

L'intonation est aussi l'un des premiers signes compris, et imités par le petit enfant, vers 6 ou 7 mois.

### *c - Le contenu, et les moyens de le transmettre*

Les phonèmes et leurs traits sont la partie ultime de l'outillage linguistique. Mais la communication a pour point de départ un contenu à transmettre, et doit permettre à l'auditeur de reconstituer ce contenu. Quelle que soit la façon dont nous structurions notre expérience, en dehors du langage et de l'acte de communication, le message linguistique représente *une* forme de découpage de cette réalité.

*L'arbitraire*, ici, va s'appliquer à tous les niveaux de découpage.

A un premier niveau, l'expérience est analysée : certains traits en sont retenus pour être communiqués. Par exemple, qu'on se souvient d'avoir pris le thé avec quelqu'un. Cette première analyse est-elle influencée par la langue du locuteur, celle-ci le pousse-t-elle à percevoir, à retenir tel élément plutôt que tel autre? Il est difficile de répondre et le problème, à cette étape, échappe en bonne partie au linguiste; le lexique est un cadre conditionnant, mais rien n'empêche d'en sortir, de parler d' « une sorte de thé » si le breuvage n'était pas bien identifiable; d'élargir le choix « chaud-tiède-froid » par « thé à peine tiède », etc. Ces éléments d'expérience vont être répartis dans un cadre syntaxico-sémantique.

Certains d'entre eux seront représentés par :

*a)* Des monèmes comme les noms, qui, quelles que soient leurs relations signifiées, n'impliquent pas un type de relation aux autres termes de la phrase.

— D'autre part :

*b)* Des monèmes marquant des relations entre les précédents (prépositions, conjonctions, cas...).

— D'autres encore par des équivalents de (*a*) + (*b*) : des *déterminants spécialisés* (comme les adjectifs, autonomes, déterminants grammaticaux, c'est-à-dire des monèmes porteurs d'un signifié non relationnel *et* d'une relation de détermination).

Mais une chose est sûre : il n'y a pas de correspondance obligatoire universelle et déterminée *a priori*, entre tel élément d'expérience et tel type : type (*a*), type (*b*) ou type (*a*) + (*b*) d'unité linguistique.

La distribution des éléments de l'expérience entre ces diverses catégories de monèmes, entre ces divers rôles, pourra varier considérablement d'une langue à l'autre :

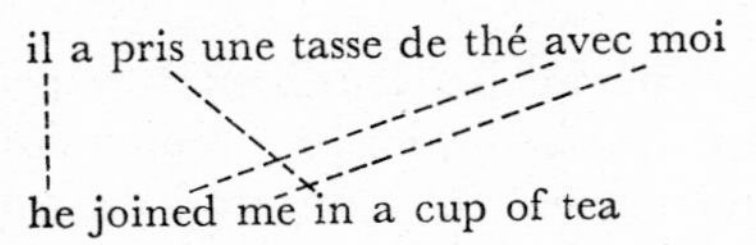


Chaque langue présente donc ses schèmes propres de répartition du signifié dans le cadre constitué par les messages; mais la variété d'appareillage « contenu-procédés significatifs » existe aussi à l'intérieur d'une même langue : rien n'empêche le locuteur anglais de dire plutôt : *He had a cup of tea with me*. Sa langue ne l'empêche pas d'exprimer la même chose : *with*, tantôt comme une relation, tantôt comme un élément auquel le reste se relie : *joined*.

Nous ne parlerons pas directement, dans ce chapitre, de ce moyen essentiel de transmettre du contenu qu'est le *lexique*. La ressemblance ou la diversité dans la façon de structurer le contenu sont liées, pour ce niveau du langage plus que pour tout autre, aux ressemblances et aux différences des pratiques sociales, des modes de vie, des cultures des communautés linguistiques considérées : on se référera, sur ces points, aux chapitres précédents.

On vient d'envisager ici les principaux moyens dont les langues disposent pour transmettre du sens (monèmes non relationnels, relationnels, monèmes incluant leur relation), sans se poser la question de leur universalité. Mais tout d'abord, est-il nécessaire d'avoir une syntaxe, et toutes les langues doivent-elles en posséder une ? Sur la base de la première articulation, il est possible de communiquer sans syntaxe :

« Moi - Bof - partir - non »

en mettant bout à bout des signifiés (dénotant des fragments d'expérience) et en laissant à l'effet de contexte, à la situation, la charge d'éclairer le message, c'est-à-dire d'établir des relations sémantiques entre ces fragments.

Plus il y a d'implicite (occasionnel, permanent) entre interlocuteurs, mieux ce type de communication, parataxique, peut fonctionner. Elle suffit parfois. On peut aussi l'étayer de gestes, d'intonations. Mais elle devient très insuffisante dès que le contenu du message devient, pas même *abstrait*, *précis* : « le garage est à 500 m, à gauche en venant du métro, en face de l'église » pourra difficilement se dire de cette façon-là. Dans les messages, les langues en viennent à associer les monèmes par des relations explicitement marquées.

## 3. Les grands procédés syntaxiques

Les procédés que nous avons entrevus : monème indicateur de fonction (et position indiquant la fonction) ; monème indiquant sa relation, en plus d'un autre signifié non relationnel, existent probablement partout, nous le verrons, à des degrés divers, mais en revêtant, bien sûr, des formes variées : un simple ton haut peut être un indicateur de fonction, en rwandais ; d'autre part, le découpage sémantique d'une langue, c'est-à-dire non seulement celui que présente son lexique, mais aussi le découpage sémantique des relations qu'expriment ses différents outils syntaxiques (prépositions, cas, positions, fonctions incluses dans le signifié) ne recouvre jamais, tant s'en faut, celui d'une autre langue.

On peut marquer les relations entre éléments par leur *position* respective. Tout message étant forcément linéaire, c'est une des façons les plus économiques de procéder : c'est ainsi que fonctionnent les phonèmes. On aura ainsi des positions respectives ayant valeur de signes, jusqu'à trois en rwandais autour de certains verbes[1] :

| Yohani | araha | Petero | igitabo |
|---|---|---|---|
| Jean | donne | (à) Pierre | le livre |
| S | V | Attrib. | Objet |

Ce procédé syntaxique est cependant d'extension limitée. L'ordre se reconnaît par rapport à un point de repère fixe (ici, le verbe) ; or, on ne peut mémoriser et traiter une trop longue séquence pertinente[2] : comme l'a montré Denise François[3], une langue qui n'utiliserait, pour marquer les rapports, que la position (1 = patient, 2 = agent, 3 = cause, 4 = lieu, etc.) ne pourrait exprimer des relations variées qu'au moyen d'interminables chaînes, dans lesquelles il faudrait intercaler un bouche-trou,

1. L'analyse des exemples rwandais présentés ici est tirée de J. M. V. Rukara, *Etude syntaxique d'un corpus en langue rwandaise*, Département de linguistique, Université de Provence, 1976 (non publié).

2. Cf. G. A. Miller, The magical number seven plus or minus two : some limits in our capacity for processing information, *Psychological Review*, 1956, 63, 81-97 ; repris in *The psychology of communication, Seven essays*, Penguin Books, 1967.

3. D. François, Autonomie syntaxique et classement des monèmes, *Guide alphabétique de la linguistique*, Paris, Denoël, 1969, p. 19.

comme le zéro des nombres, chaque fois qu'il manquerait une fonction : c'est que, malheureusement, les relations, variées entre éléments d'expériences, ne sont pas isomorphes avec les simples degrés de voisinage ou d'éloignement que peut offrir, matériellement, la linéarité. Ce qui fonctionne très bien, sur un mode *symbolique*, pour les relations, raisonnées, d'ordre de grandeur (nombres), ne convient ici que partiellement, sur un mode *arbitraire*.

On trouvera donc, pratiquement, une, deux, trois positions pertinentes autour d'un monème central (comme le prédicat) ; ou par rapport à un déterminé, la position subordonnante de son déterminant :

| | |
|---|---|
| post-position en indonésien : | guru saya<br>professeur (de) moi |
| antéposition en anglais : | taxi driver<br>chauffeur (de) taxi |

On ne peut, bien sûr, assigner *a priori* de signifié à la position pertinente, vouloir qu'elle marque partout l'agent et le patient : en rwandais, elle indique aussi le complément d'attribution. Cependant, dans l'ensemble, les langues semblent utiliser l'ordre (quand elles le font) pour marquer des relations fréquemment exprimées (celles qui sont obligatoires, notamment) et de signifié assez peu précis, ou passe-partout, comme la relation dite de « détermination », ce qui est assez cohérent avec le caractère économique de ce procédé.

Les monèmes, enchaînés linéairement, ont un signifié potentiel; ils ont là une propriété qui les différencie des phonèmes, et que les langues peuvent exploiter pour marquer des relations : les monèmes *indicateurs de fonction*, en inventaire assez vaste, et dont le signifié sert à traduire la relation, permettent d'élargir considérablement le champ de ces rapports, et de les rendre plus précis, pour une faible dépense syntagmatique.

Que l'on compare :

« il est venu *malgré* elle »
à
« il est venu — mais elle n'était pas d'accord »

(qui est à peu près son équivalent étymologique. Le passage à la syntaxe du fonctionnel « malgré » a aussi permis son extension à des inanimés : *malgré la pluie*).

Les *cas* sont l'équivalent des monèmes fonctionnels, mais il nous semble qu'ils méritent une place à part de ceux dont le signifiant est séparable. Leur emploi est très fréquent, dans la mesure où, pour chaque occurrence du nom, on doit choisir obligatoirement entre un de ces fonctionnels en nombre limité. La loi de Zipf associant fréquence (brièveté) et polysémie doit certainement s'appliquer ici. Une langue possédant des cas en paradigme restreint aura certainement tendance à les utiliser pour marquer des relations peu précises, ou à renforcer l'expression de la relation par un autre monème fonctionnel « régissant » le cas. Ainsi en arabe :

*fi*ddar*i* « dans la maison »

dans — cas indirect

Du point de vue de la précision sémantique, les cas occuperaient donc probablement une place intermédiaire entre les positions significatives et les indicateurs de fonction séparables.

Les monèmes autonomes, comme « vite », sont l'équivalent d'un monème dépendant + un indicateur de fonction : ici : « avec » + « rapidité ». On peut concevoir une langue sans monèmes de ce type. Mais Denise François a bien montré qu'elles semblent toutes en créer là où c'est économique, c'est-à-dire là où la « relation » et la « notion reliée » sont fréquemment associées[1]. Il y a un monème « vite » pour dire *avec rapidité*; il n'y a rien de tel pour « *malgré* la rapidité ». Ici, de nouveau, les langues vont partiellement se ressembler, à cause de certaines données extra-linguistiques, universelles : les divisions sociales du temps (si la langue en comporte) fusionnent généralement avec une relation « quand ». En français, « tôt » = « kare » (en rwandais) = « dans » + « un moment précoce ». A l'inverse, certaines fusions ne seront favorisées que par un type social de communauté donné : Denise François cite, en bantou, le cas d'un autonome signifiant « dans la forêt ».

Au contraire, souligne toujours Denise François, il est plus économique d'avoir, de part et d'autre, des indicateurs de fonction et des noms, lorsque la relation et la notion sont plus rarement combinées; et une langue dont tous les monèmes seraient autonomes, contiendraient leur rapport au message (« mer » se dirait différemment, selon que ce serait « à, sans, pour, avec (etc.) la mer ») serait impraticable.

Tous ces principes paraissent devoir s'appliquer à l'ensemble des langues, et ce qu'on en connaît le confirme jusqu'ici. Il reste que certaines langues font un usage plus grand de la position pertinente; que d'autres ont, pour toutes les fonctions, des indicateurs spécifiques ou des autonomes. Des langues comme le latin ne se servent guère de la position, même à titre secondaire, pour marquer l'incidence d'un déterminant : l'accord profondément marqué, en genre, nombre et cas, joue souvent ce rôle d'indication annexe du rapport déterminant-déterminé.

## 4. Types de noyaux de phrases

Positions relatives à un point, indicateur de fonction interposé, ou subordination par le signifié de l'unité elle-même, tous ces procédés entraînent, sur le plan syntaxique, une hiérarchie : du déterminant au déterminé, du périphérique au central. La forme concrète que prennent, sur le plan formel, les relations syntaxiques, entraîne que les éléments que l'on met en relation viennent se rattacher, directement ou indirectement, à un centre.

Le monème qui se trouve au centre du message ainsi formé (phrase) joue le rôle de *prédicat*. Le terme de prédicat, s'il est bien inscrit dans l'usage, est dangereux. Il pourrait laisser croire que nous rejoignons ici la définition universaliste d'un prédicat logico-grammatical, correspondant à *ce que l'on dit*, à propos d'un *sujet* donné (le sujet de la phrase) : *la mer* (sujet) *est démontée* (prédicat).

Le prédicat au sens syntaxique, même dans les langues à sujet, peut très bien

1. Ouvr. cité.

ne pas répondre à ces critères. Une phrase française banale comme : « Y'a quelqu'un (dans la voiture) » a bien un prédicat : *quelqu'un* identifié parce qu'actualisé par *y'a*, et déterminé par l'expansion *dans la voiture*. Mais ne disant pas « quelque chose à propos d'un sujet donné », il ne répond pas aux normes du prédicat logico-grammatical, pas plus que *(meilleurs) vœux* dans :

*Meilleurs vœux à toute la famille, et aux copains.*

Dans un esprit voisin, les grammaires définissent parfois le prédicat comme le « fait central » de la phrase.

Mais où sera le fait central dans : « Mon fils est parti en voyage, hier, en train », selon que l'interlocuteur désire rencontrer ce fils, ou lui emprunter sa voiture, ou qu'il affirme l'avoir rencontré à l'instant ?

Il n'est pas possible d'identifier le prédicat, le centre syntaxique, en cherchant ce qui est psychologiquement le plus important dans la phrase. Mais à l'inverse, on peut supposer que les locuteurs, ne cherchant pas à allonger à tout prix leur message, choisiront un monème coïncidant avec un contenu central dans ce qu'ils ont à dire, pour assurer ce rôle central, indispensable syntaxiquement.

Ce que les définitions traditionnelles disent du prédicat sera donc vrai dans de nombreux cas : mais ce n'est qu'une *conséquence*, pas toujours réalisée, du rôle syntaxiquement central de ce terme, et de la tendance à l'économie; cela ne saurait servir de critère universel de définition du prédicat.

On peut donc s'attendre à retrouver un prédicat (un centre syntaxique) dans les langues les plus variées. Ce qui, en revanche, peut changer considérablement, c'est le type de monème susceptible de jouer ce rôle, et les conditions (le type d'entourage, en particulier) dans lesquelles il pourra le jouer.

*A priori*, on peut imaginer trois solutions :

*1* / Le prédicat est un monème quelconque (susceptible d'avoir les mêmes fonctions que les principaux monèmes qui lui sont rattachés). Le seul indice qui le distingue est un signe négatif : c'est de ne pas porter de marque de subordination. Cette hypothèse n'est pas absurde : c'est ainsi que fonctionnent, syntaxiquement, les titres de journaux, par exemple :

« Londres : nouvelles *menaces* sur la livre depuis hier »

où trois des groupes nominaux sont subordonnés : par *sur*, *depuis*, et le procédé /*antéposition* + :/ qui sert, en titrage, à mettre en relief un circonstant tout en évitant d'alourdir l'ensemble; le dernier nom, *menaces*, non marqué, est repéré comme le centre, le prédicat, déterminé par les autres.

Cependant, les langues peuvent aussi renforcer, par des signes supplémentaires, cette identification du prédicat par élimination; dans ce second cas :

*2* / Le prédicat est toujours un monème comme les autres monèmes de la phrase, qui eux, portent des signes de subordination; mais on lui affecte, de surcroît, des marques soulignant le rôle central qu'il joue à cette occasion. Ces marques peuvent être des éléments spécialisés, comme en japonais, l'actualisateur *da* :

iya da
pénible (c')est

en français : *c'est, y'a (une fille, des gens)*. Les monèmes appelés « copule » jouent un rôle analogue, mais on parle de copule lorsque cet élément s'intercale entre le prédicat occasionnel et un autre terme nécessaire :

En swahili :

Hamisi ni mpishi
Hamisi est cuisinier[1]

Plus directement, ce renforcement du rôle du prédicat peut être fourni par la présence dans l'entourage, non pas d'une marque spécialisée, mais d'un autre terme, comme lui polyfonctionnel.

Ainsi en indonésien :

Ali guru
Ali (est) professeur.

Un monème comme *guru*, « professeur », ne sera pas un prédicat identifiable, en indonésien, à moins d'être précédé d'un autre terme de la même classe, ici *Ali*.

L'usage de marques spécialisées ou d'un complément indispensable pour identifier le prédicat représente sans doute une dépense syntagmatique, un allongement du message; cependant, le gain de précision qu'il représente pour l'identification d'un prédicat occasionnel semble assez utile pour que de nombreuses langues aient adopté de telles formules.

Il n'est d'ailleurs pas indifférent de constater que le prédicat des titres de journaux, identifié seulement par élimination, fonctionne dans des conditions de perception très particulièrement favorables : il est présenté en caractères gras, et c'est un message lu, et non entendu, ce qui modifie les facteurs « bruits » de la communication : le lecteur peut lire et relire, l'auditeur peut plus rarement réentendre.

*3* / Dernier type de renforcement : le prédicat peut être reconnaissable en tant que monème; il appartient alors à une classe spécialisée dans le rôle prédicatif; c'est ce qu'on appelle un *verbe*. Une telle solution constitue, pour les langues, une dépense (création d'une classe particulière) sur le plan paradigmatique, mais elle apporte aussi une sûreté supplémentaire pour le repérage du prédicat.

## 5. L'opposition verbo-nominale

Beaucoup de langues disposent d'une telle classe; et cette dissociation des monèmes fonde *l'opposition verbo-nominale*. Cependant, ici encore, la réalité linguistique vient contredire ce qui peut paraître universel : l'opposition entre verbes et noms qui

1. E. O. Ashton, *Swahili Grammar*, Londres, Longmans, 1964, p. 92.

recouvrirait complètement celle des procès et états d'une part, des objets et des êtres, d'autre part. Il existe des langues qui ne connaissent pas, ou très partiellement, cette opposition, dont nous venons de voir qu'elle n'est pas une nécessité théorique, mais seulement un moyen commode de résoudre le problème du repérage du prédicat. C'est le cas du Kalispel, langue amérindienne décrite par H. Vogt[1], dans laquelle, à part quelques rares racines, tous les lexèmes (en fait, des synthèmes) peuvent être considérés comme des « verbes », ainsi :

*iləmíxum* signifie à la fois : « il est le chef »

(la 3e personne sujet a un signifiant zéro), et « chef ».

Cette unité bivalente se « conjuguera » en : « čin-iləmíxum, je suis le chef, $k^u$-iləmíxum, tu es chef », avec les préfixes pronom sujet čin « je » et $k^u$ « tu ». Combinée aux préfixes pronominaux possessifs :

in-iləmíxum : « mon chef » ou : « c'est mon chef »
an-iləmíxum : « ton chef » « c'est ton chef », etc.

« Un arbre », « un pieu », se diront dans cette langue comme « il est dressé ». Une amorce de différence, qui reste partielle : certains de ces verbo-nominaux, comme « pousser », « fumer », « partir », « dormir » sont les seuls — à l'exclusion de formes comme *iləmixum* — à se combiner avec l'un des aspects, dit « complétif » (proche d'un passé simple) ; et seuls, ils permettent une construction à trois formes pronominales. Vogt décide de les appeler « verbes » par opposition aux autres — qui ne seraient que des verbes défectifs — tout en reconnaissant que ce choix est arbitraire : il ne correspond pas à une spécialisation de rôle syntaxique.

De très nombreuses langues africaines (susu, peul, maninka...) ne présentent que partiellement l'opposition verbe-nom. Elles ont ce que M. Houis[2] appelle des lexèmes bivalents : ils sont tantôt des verbes, tantôt des noms, se combinant tour à tour avec les modalités appropriées; par exemple, en susu :

nɛ̀mú : « notion d'oublier »

s'intègre dans le paradigme verbal :

a bara nɛ̀mú : il a oublié
a nɛ̀múna : il oubliera

*et* dans le paradigme nominal :

nɛ̀múi : l'oubli.

Le caractère très large, systématique, de cette bivalence, fait qu'on ne peut la comparer aux quelques cas du français : *le voyage* - *il voyage; le change* - *il change*; ni même aux recoupements plus fréquents de l'anglais : *to time* - *my time; to sleep* - *my sleep.*

D'ailleurs, s'il y a dans ces langues des nominaux purs, comme *bo* « escargot », *sogo* « soleil » (qui se comportent comme *nɛ̀múi*), il n'y a pas de verbaux purs (non

1. H. Vogt, Le Kalispel, *Le langage*, Encyclopédie de la Pléiade, Paris, 1968, pp. 1003-1021.
2. M. Houis, *Aperçu sur les structures grammaticales des langues négro-africaines*, Lyon, Afrique et langage, 1967, pp. 66 à 74.

bivalents). La spécialisation dans le rôle prédicatif n'existe donc dans ces langues qu'en amorce. Le schéma présenté par Houis est le suivant :

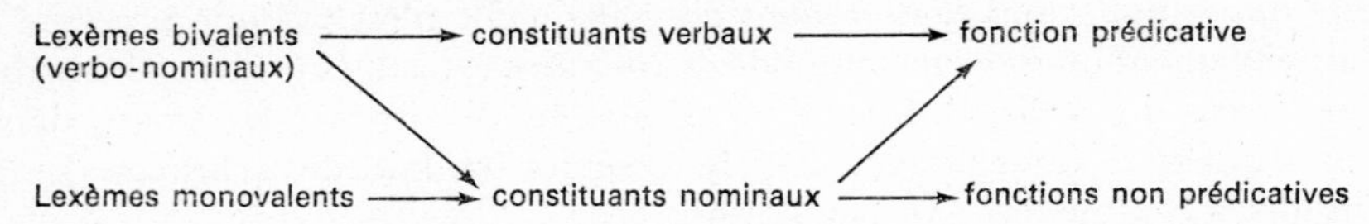


On remarque que les nominaux purs peuvent aussi avoir un rôle prédicatif, grâce aux procédés (actualisateurs spécialisés) que nous avions envisagés dans le second cas.

Il faut dire quelques mots, ici, des critères qui définissent habituellement noms et verbes. Plutôt que de mettre l'accent sur leurs rôles syntaxiques différenciés, on a souvent tablé, pour les distinguer, sur leurs entourages respectifs : les noms se combinent de préférence avec des catégories comme le défini, l'indéfini, le possessif, le nombre, le genre. Les verbes, avec les aspects et les temps, les personnes. Ces affinités peuvent se comprendre, d'ailleurs, du fait des caractères sémantiques différenciés : objets et personnes, d'un côté, procès et états, de l'autre. Il est facile de critiquer ces répartitions en rappelant, au plan sémantique, l'existence des noms de procès (voyage) ; sur le plan de la combinatoire, des contre-exemples existent aussi : bien sûr, il y a les langues sans opposition verbo-nominale (en nootka, toutes les racines infléchies ont les mêmes paradigmes de flexion, souligne Hockett)[1], mais aussi celles où verbes et noms distincts peuvent avoir en partie les mêmes monèmes conjoints. Le nombre (singulier, duel...) et le genre s'appliquent en arabe, au nom aussi bien qu'au verbe, parfois même avec des formes voisines :

| dzamil / dzamil-at | — | kataba / katabat |
|---|---|---|
| beau belle | | il a écrit elle a écrit |

et les verbe et nom s'affixent le même pronom personnel :

| ḍarabū-hu | ħimaru-hu |
|---|---|
| ils ont frappé lui | âne (de) lui |

La présence de modalités distinctes n'est pas une nécessité théorique, autour des noms et des verbes que leurs signifiants suffisent, en principe, à distinguer; mais les conditions générales de la communication poussent à la création de ces déterminants en inventaire fermé, habituellement présents autour d'eux sous forme d'articles, d'affixes divers, apportant de façon économique un certain nombre d'informations annexes. Ici comme ailleurs, il faut se garder de croire que de tels paradigmes présentent un découpage universel : le yana doit choisir, parmi ses affixes verbaux, dans un choix de huit suffixes pouvant signifier le mouvement vers l'est, l'ouest, le sud et le nord, ou la provenance des quatre directions : la fin du verbe comporte une marque qui change, selon qu'on s'adresse à un homme ou à une femme[2]. Il y a des

1. Ch. F. Hockett, The problems of universals in grammar, in *Universals of Language*, J. Greenberg ed., MIT Press, 1963, p. 3.
2. E. Sapir, *Anthropologie*, t. 1, pp. 44-45, Paris, Ed. de Minuit, 1967.

dizaines de genres nominaux dans les langues africaines. En quetchua, la forme verbale s'accompagne d'une marque, opposant l'expérience vécue personnellement à la chose apprise par ouï-dire :

alquoqa hatun-mi
c'est le chien qui est grand (je l'ai vu)
alquoqa hatun-ši
— — (je l'ai lu, ou : on me l'a dit)

Cependant, il faut reconnaître que malgré ces différences, on retrouve beaucoup de points communs dans les paradigmes entourant verbes et noms, dans les langues du monde. Mais ces régularités — de même que la correspondance, vraie *grosso modo*, entre verbes et procès-états, et noms : êtres et choses — sont à envisager, ici aussi, comme des conséquences plutôt que comme des raisons d'être, des principes définitoires dont l'application devrait se vérifier partout. Conséquences de la répartition, dont nous avons parlé, des rôles prédicatifs et non prédicatifs, et de ce que l'on pourrait appeler, avec Frédéric François : les « universaux de contenu » : « la parenté de ce qu'il y a à communiquer »[1]. Le centre (psychologique, donc souvent, par économie, syntaxique) des messages renverra le plus souvent à un procès, ou à un état : il n'est pas étonnant que la classe spécialisée de centre d'énoncés coïncide à peu près avec des signifiés de ce type.

Les procès et états sont souvent associés à des participants, et déterminés par des circonstances : les non-prédicatifs, ou noms, présenteront *grosso modo* un caractère sémantique correspondant à ce rôle. La répartition des modalités, avec ses ressemblances, s'explique de la même façon.

Les grammaires et les typologies ont souvent bien saisi les régularités, et fait apparaître les différences, en ce qui concerne le paradigme des modalités verbales et nominales; mais elles ont en général le défaut de n'envisager que ces seuls traits, insuffisants, pour définir les deux classes, passant à côté de la différence, capitale, de leurs vocations syntaxiques.

Le prédicat d'une langue peut donc avoir des formes multiples; l'avantage des actualisateurs et copules (ou auxiliaires de prédication) dans les langues à verbes est de pouvoir former, sans verbe superflu, un énoncé ayant pratiquement n'importe quoi comme prédicat. Ils permettent de puiser dans la totalité du stock des monèmes, bien au-delà de la liste limitée des verbes, et compensent donc, quand ils existent, les inconvénients restrictifs que pourrait entraîner la spécialisation de la classe verbale.

## 6. Types d'énoncé minimum

Mais les langues peuvent aussi se différencier par le nombre et l'identité des éléments nécessaires à l'actualisation du prédicat : l'énoncé minimum.

Dans certaines langues, le prédicat constitue à lui tout seul cet énoncé minimum, comme en japonais : « itta », « être allé ». Le japonais est une langue *sans sujet*. D'autres

1. F. François, *L'enseignement et la diversité des grammaires*, Paris, Hachette, 1974, pp. 121 et 124.

langues, comme le malgache, peuvent construire sur ce modèle une partie seulement de leurs énoncés minimaux :

« tsena » : « marché » (il y a marché).

On s'accordera, sur le plan général, à appeler « sujet » le participant dont la mention est indispensable à l'actualisation d'un prédicat verbal, quelle que soit la forme de ce participant, ou le signifié particulier de sa relation au prédicat (ces deux derniers critères ne permettant aucune définition générale du « sujet »). Ceci entraîne que l'on reconsidère ce que l'on appelle sujet dans des langues aussi connues que le latin, l'arabe, l'italien, l'espagnol et le portugais, ou encore en langue bantoue du Rwanda. Il y a bien un sujet dans ces langues : le prédicat verbal est toujours accompagné de la mention d'un participant, mais sous la forme d'un affixe verbal dénotant la personne :

| latin : | legit | rwandais : | a-ʒaza (yohani) |
| --- | --- | --- | --- |
| | il lit | | il viendra (Jean) |

L'élément lexical, *yohani*, peut être mentionné ou non. Sa place est libre dans la phrase. Il ne s'agit pas d'une mise en valeur stylistique : il est impossible d'avoir un sujet lexical et un verbe sans sujet pronominal (c'est-à-dire cette marque personnelle qui constitue avec le verbe un énoncé complet). C'est donc, comme le remarque Denise François[1], cette marque personnelle qui constitue le vrai sujet des langues de ce type, l'élément lexical en étant une sorte de développement facultatif. En français, par contre, nous avons un véritable sujet lexical, obligatoire. Cette différence syntaxique paraît liée à l'affaiblissement des distinctions à la finale des verbes, qui a caractérisé l'évolution du latin au français moderne. On observe une évolution similaire du portugais au créole capverdien qui a éliminé la conjugaison personnelle, conjugue les verbes par des aspects invariables, et possède un sujet lexical non omissible :

| papa | ta | ba | (trabadju)[2] | |
| --- | --- | --- | --- | --- |
| papa | non-accompli | va | (au) | travail |

Définir le sujet comme participant obligatoirement mentionné paraît la seule démarche opératoire, si l'on se réfère aux définitions traditionnelles de type sémantique (le sujet est l'agent du verbe actif) qui se heurtent à de nombreuses difficultés.

En français, le sujet peut effectivement être agent dans « le fermier plante un arbre » — mais le chien est-il un agent dans « ce chien appartient à mon frère » ?

On peut aller jusqu'à dire que dans la mesure où elle est obligatoire, où elle ne constitue pas un choix mais une « carte forcée », la fonction sujet est dépourvue de sens[3]. Il est certain, en tout cas, que nous avons avec la fonction sujet un cas type d'application de la loi de Zipf, précédemment évoquée : cette fonction, parce qu'elle

1. D. François, Conférence prononcée à l'Université de Provence, avril 1978.
2. Cf. M. Monteiro da Veiga, *Etude des procédés syntaxiques en capverdien*, Université de Provence, Département de Linguistique, 1978 (non publié).
3. A. Martinet, dans *Langue et fonction*, Paris, Denoël, 1969, p. 117.

est obligatoire, est peut-être *la plus polysémique*. On imagine quelle gêne, quel alourdissement représenterait pour la communication une fonction obligatoire de signifié vraiment précis. Par exemple, si c'était *l'agent* qui devait toujours être précisé, on ne pourrait exprimer l'idée de l'appartenance du chien au frère sans préciser l'agent, ou le responsable de ce fait (la législation ? le chenil Untel ?). Il existe cependant des signifiés regroupables de la fonction sujet. On peut supposer que le signifié de cette relation dépend de chaque verbe, qui aurait en quelque sorte une valence de « sa » relation au sujet; mais les choses sont plus complexes. Comparons : il a pris *sa* veste (il = agent) et il a pris *une* veste (aux élections); ici *il* est plutôt un patient, comme dans : *il a « pris » une râclée*, etc. Le signifié du verbe varie donc lui aussi selon ses expansions, et la valence de la relation verbe-sujet également. Le sujet des verbes transitifs susceptibles d'être passivisés (ce qui s'applique mal à « prendre une veste », « une râclée ») peut se transformer en complément avec « par »; mais la relation reste polysémique (« des lettres sont reçues par Jean » : Jean est-il agent ou bénéficiaire ?).

Dans certaines langues, le vrai sujet (le terme non omissible) est ce que nous traduirions par l'objet ou le complément d'attribution. En chinois, on peut omettre l'indication de l'agent dans :

> Zhèr mâi shu
> ici vend des livres

mais en aucun cas, de l'objet; avec le verbe *donner*, c'est le bénéficiaire qui est non-omissible :

> wô gêi rèn qian
> je donne homme argent (pour : « je donne de l'argent »)[1].

Du point de vue de l'énoncé minimum, on peut donc avoir : des langues à sujet (nominal, ou pronominal, et de signifié relationnel variable) et des langues sans sujet, c'est-à-dire où le prédicat se manifeste isolément (avec d'éventuelles modalités).

## 7. Langues ergatives et langues accusatives

On peut aussi distinguer les langues selon que la relation entre le prédicat et le participant le plus proche a un signifié stable ou non, selon que le prédicat est *orienté* ou non.

On peut dire qu'un prédicat est orienté s'il établit une relation de *signifié déterminé* avec un certain type d'entourage syntaxique. Par exemple, en français, le prédicat « voit » est orienté, parce qu'il établit une relation de type action-agent avec le nom antéposé (action-patient avec ce qui suit). On peut inverser cette orientation (diathèse) au moyen de la forme passive : *est vu* (par).

Or, certaines langues ont des prédicats non orientés, dits prédicats d'existence, présentant un fait indépendamment de relations prédéterminées avec tel ou tel type d'entourage.

1. Cf. A. Rygaloff, *Grammaire élémentaire du chinois*, Paris, puf, 1973.

On aura par exemple :

1) *venir homme*, que l'on rendrait mieux par « venue homme ». Cette phrase n'est pas ambiguë, la relation homme-agent étant simple à établir. Les choses se compliquent lorsque le message contient : *moi - la jeune fille - amour*, et, sauf si la situation ou le contexte sont éclairants, on pourra se demander qui aime qui.

Ici, les langues peuvent se diviser en deux catégories, selon la hiérarchie formelle qu'elles établissent entre les participants les plus fréquents du procès. Certaines traitent *l'agent* comme le déterminant le plus proche du prédicat et le laissent non marqué; mais elles affectent un indicateur de fonction approprié *au patient*; ce qui donne :

2) (moi) - (la jeune fille - patient) - amour.

On dira que ce sont des langues *accusatives* : le résultat de ce choix est que l'agent dans la phrase (1) (sans patient) et l'agent dans la phrase (2) reçoivent le même traitement formel ; il y a orientation, fixation de la relation du prédicat à son entourage.

Au contraire, d'autres langues, dans le cas d'un choix entre deux participants, donnent une marque spécifique à l'agent (qui devient un circonstant comme les autres), et laissent le patient non marqué. C'est la construction *ergative*, illustrée par une langue caucasique comme l'avar, décrite par C. Tchekoff[1]. On aura une situation dissymétrique, puisque, dans le cas de verbe intransitif, il n'y a pas de déterminant plus intime que l'agent :

| dir emen | v-ač-ula | |
|---|---|---|
| mon père | venue (présent) | « mon père vient » |
| participant agent<br>dét. non marqué | prédicat d'existence | |

et, parallèlement :

| di-ye | y-as | y-ol-ula | |
|---|---|---|---|
| moi à | la fille | amour (présent) | « j'aime la fille » |
| agent marqué<br>par ye | patient<br>non marqué | prédicat d'existence | |

Il reste toujours possible de ne pas préciser la relation :

dir emen vat-ula

« mon père, découverte » signifiera tantôt « mon père découvre », tantôt « mon père est découvert ». Pour la communication en situation, cette ambiguïté n'est peut-être pas trop gênante. Dans ce cas, on a ici une appréciable économie d'indication syntaxique. Il semble que les langues à construction ergative s'accommodent de cet

1. C. Tchekoff, Un exemple de construction ergative : l'avar, *La linguistique*, 1972/2, Paris, PUF.

équilibre; il est possible, aussi bien, qu'elles évoluent (si se développe, par exemple, la communication différée) dans le sens de l'univocité procédé-fonction, en affectant, par exemple, un indicateur ergatif permanent à l'agent, même dans le cas d'un verbe intransitif où l'ambiguïté est exclue.

De telles langues peuvent avoir, ou ne pas avoir de sujet, certains prédicats à construction ergative étant toujours accompagnés de ce déterminant le plus proche; d'autres, comme l'avar, n'ont besoin que du prédicat pour former l'énoncé minimum.

## 8. Les classes

Tout au long de cet examen des possibilités offertes par la syntaxe, nous avons tenu pour acquise l'existence de différentes classes de monèmes. Parler de « classes » signifie que tous les monèmes ne sont pas aptes à assurer toutes les fonctions.

Or, même s'il n'y a pas vraiment étanchéité d'une classe à l'autre (verbes passant au rôle d'indicateurs de fonction, noms utilisés comme affixes, adjectifs nominalisés), un minimum de spécialisation apparaît quand même comme nécessaire, pour que les *rôles syntaxiques* indispensables dont nous avons parlé puissent être assurés : l'usage de la position des éléments étant limité, il faut au moins que certains monèmes puissent être identifiés comme susceptibles de marquer une relation entre les autres.

Cela dit, aucune nécessité immuable n'impose aux langues d'avoir, par exemple, des modalités nominales (le japonais n'en a guère) et encore moins de posséder tel paradigme d'une classe donnée : le japonais possède des « adjectifs » qui sont, syntaxiquement, des verbes. Certaines espèces de monèmes sont cependant recensés comme des universaux (Greenberg et Hockett, ouvr. cité, p. 16) : toutes les langues auraient des déictiques, et parmi eux il y aurait toujours un représentant du locuteur, et un autre de l'auditeur. L'universalité probable de la fonction de qualification rend très probable aussi l'existence de classes spécialisées de déterminants. Cependant, les langues pourront différer ici aussi, selon qu'elles confient tel type de détermination à des éléments grammaticaux, en inventaire limité — donc, en principe d'un usage plus fréquent — ou, au contraire, à des éléments lexicaux, représentant un choix plus varié d'unités un peu moins fréquemment attestées. Le temps, en indonésien, n'est pas marqué par des marques accolées au verbe, mais par des monèmes autonomes qu'on pourrait traduire par hier, aujourd'hui, tout à l'heure, etc. Les déterminants spécialisés du verbe servent, en revanche, à l'expression de l'aspect, que le français pourra traduire par des périphrases autour du verbe. Le fait, pour une langue, d'avoir une classe spécialisée dans un rôle syntaxique n'implique pas non plus l'exclusivité de cette classe dans le rôle : ainsi, les prédicats du français ne sont pas que des verbes. Les indicateurs de fonction, dans certaines langues africaines, servent aussi d'affixes : il n'y a pas d'homogénéité dans la répartition classe-fonction. La détermination, qu'elle soit faite par des unités spécialisées ou non, grammaticales ou lexicales, peut aussi être facultative, ou au contraire obligatoire. Le singulier ou le pluriel accompagnent toujours le nom en français : cette indication est facultative en japonais où on indiquera plutôt le nombre exact, si nécessaire. De même, les compléments des verbes apparaîtront comme nécessaires ou facultatifs.

## 9. La morphologie

La morphologie, conçue comme l'ensemble des faits formels sans valeur significative, affecte les langues de façon variable. Le nombre des variantes, des amalgames et contraintes de certaines langues a probablement des causes historiques diverses; mais on peut chercher à trouver, sur le plan général, les lois d'apparition de ces phénomènes (contact permanent de monèmes, par exemple), et chercher à déterminer jusqu'à quel seuil une langue peut tolérer la complication morphologique, arriver à en tirer parti (effet de redondance) ou chercher à l'éliminer.

Les facteurs de la diversité des langues, à tous les niveaux, sont donc multiples. Découlant du caractère arbitraire du signe, la diversité des découpages et des combinaisons, tant phoniques que sémantiques et syntaxiques, est parfois accentuée par des causes extra-linguistiques : reflets de pratiques sociales, de cultures particulières, que l'on peut déceler surtout dans le lexique (partie la plus « consciente » des langues, la plus modifiable par les locuteurs), peut-être dans le signifié des monèmes autonomes; et, de façon beaucoup plus hasardée, dans les catégories grammaticales (temps, aspects, genre) — ou les relations syntaxiques. Sur ce point précis, il est bon de garder en mémoire, même si les termes en sont un peu datés, la remarque prudente de Sapir :

> « Il semblerait qu'à une période du passé, le subconscient humain ayant fait un inventaire trop rapide des faits acquis par l'expérience s'est laissé aller à une classification prématurée qui ne pouvait pas être modifiée, et a ainsi imposé aux héritiers de son langage une science en laquelle ils ne pouvaient plus croire, et qu'ils n'avaient pas la force d'abandonner »[1].

Facteur de diversité, l'empreinte des cultures et des sociétés sur le langage est aussi, à l'inverse, un facteur d'unité, à la mesure de ce que ces sociétés ont de commun : les vocabulaires de la parenté, par exemple, auront des recoupements. De même, des termes désigneront partout ce qui a trait aux universaux biologiques humains : mort, naissance, nourriture...

Enfin, les facteurs principaux de ressemblance entre les langues, ressemblance non pas dans les choix des formes ou des signifiés (qui restent très divers) mais dans leurs grands principes d'organisation, et dans leur évolution, semblent bien être les conditions de la communication : ce qu'on a l'habitude de définir comme le conflit des besoins et des moyens disponibles, entraînant non pas une loi infaillible, mais une tendance générale d'économie linguistique.

*BIBLIOGRAPHIE, cf. p. 418*

1. E. SAPIR, *Le langage*, Paris, Payot, 1967, p. 97.

# 3

# un exemple : le japonais

PAR CLAIRE MAURY-ROUAN

Pour des locuteurs habitués au cadre syntaxique des langues indo-européennes, la syntaxe du japonais représente un dépaysement certain.

Dans toutes les langues, des relations syntaxiques s'établissent, rattachant des monèmes à d'autres monèmes. Les monèmes rattachés à d'autres monèmes (par divers procédés) *dépendent* de ceux-ci, comme des satellites par rapport à un centre.

Ainsi, dans une phrase, tous les monèmes sont rattachés, directement ou par l'intermédiaire d'autres monèmes, à un élément central. On peut reconnaître ce *centre* à ce qu'il est irretranchable : il est toujours possible de supprimer les satellites (ou *expansions*), sans que la phrase cesse d'être une phrase, et sans que les rapports entre les éléments subsistants soient changés.

Ainsi, en français une phrase comme :

« le matin, tu te lèves facilement »

peut se réduire à un centre irretranchable, autour duquel elle est construite :

« tu te lèves »

Ce centre irretranchable constitue l'*énoncé minimum* correspondant à la phrase française initiale. Ici, il est de la forme courante : sujet (pronominal) + prédicat (verbal, conjugué). En linguistique, on gardera le terme de *sujet* pour désigner le participant dont la mention accompagne obligatoirement le verbe, dans l'énoncé minimum.

En syntaxe générale, il est particulièrement intéressant d'observer que ce qui constitue la base indispensable, l'énoncé minimum correspondant à chaque message indépendant, n'est pas identique dans toutes les langues. Là, comme ailleurs, on constate qu'il y a arbitraire du signe linguistique; contrairement à ce qu'une tenace tradition logico-grammaticale, appuyée sur l'ethnocentrisme indo-européen, a longtemps imposé (et impose encore) aux esprits, la combinaison sujet-prédicat ne constitue nullement une nécessité hors de laquelle on ne saurait avoir une phrase (ou proposition complète) — c'est-à-dire une « pensée achevée », selon la définition des grammaires.

## 1. Pas de sujet en japonais

Voyons, par exemple, la phrase japonaise dont la traduction constitue notre exemple précédent

« le matin tu te lèves facilement » :
asa-wa karan-ni okiru
mot à mot :
matin à facilité - avec se lever (+ présent)

Pour traduire cette phrase en bon français, on a été obligé de rajouter un contenu que ne comporte pas la phrase japonaise : le participant « agent » *tu*, sans lequel il était impossible de mettre le verbe français au présent; mais, dans la phrase japonaise, ce *tu* n'est exprimé par aucun élément; le -u de conjugaison est un « présent affirmatif », dont la forme est invariable et absolument indépendante d'un éventuel participant-agent (la « personne » du verbe français).

Quant à l'énoncé minimum, on l'obtient en supprimant les deux expansions autonomes et mobiles que sont *asa-wa* et *karan-ni* : c'est *okiru*, « se lever », un énoncé parfaitement complet (déclaratif et non impératif), constitué d'un verbe et d'une modalité de temps.

Cette phrase n'est pas une phrase exceptionnelle, en japonais, et il ne faut pas tomber dans l'erreur des descripteurs européocentristes qui veulent à tout prix voir dans de telles phrases un « sujet sous-entendu »[1]. Pour les locuteurs japonais, il n'y a pas plus de sujet sous-entendu, dans cette phrase, qu'il n'y a, par exemple, d'indication sous-entendue de l'heure, du lieu, de la cause, pour laquelle on « se lève ». Le sujet n'est pas non plus nécessairement « inclus dans la situation » — et cette phrase fonctionne très bien dans des situations qui ne permettent pas d'identifier le participant agent[2].

1. Sur ce point comme sur l'ensemble de la syntaxe du japonais, on pourra se référer à l'étude de Bernard Saint-Jacques, *Analyse structurale de la syntaxe du japonais moderne*, Paris, Klincksieck, 1966.
2. La forme de la phrase peut parfois limiter, indirectement, le champ des possibilités en ce qui concerne le participant agent d'un procès : c'est ce qui se passe lorsque l'énoncé minimum est entouré de formes de politesse plus ou moins marquées.

Comme ces « marques honorifiques » peuvent concerner l'agent, non mentionné, du procès, il devient alors impossible, parce que malséant, que cet agent du procès soit le locuteur lui-même : ainsi, « j'ai, tu as, on a (...) pris le café » se réduira à un énoncé minimum :

nonda
avoir pris,

dans le cas d'une phrase sans marque de politesse particulière. Ici n'importe quel participant peut être le buveur de café.

nomi-mash - ta
prendre-marque de politesse - aspect
« avoir pris »

est une formule plus polie, mais elle peut quand même correspondre à « j'ai pris », car la forme honorifique peut concerner, non le buveur, mais l'auditeur de la phrase.

Enfin, une formule extrêmement polie, comme :

o nomi ni nari mash ta
« avoir pris »
où *o*, *nari* et *mash* sont des marques de politesse,

(*ni*, un fonctionnel figé ici avec *nari*, qui perd son signifié usuel « devenir ») — exclut que l'agent soit le locuteur, car c'est à lui-même qu'il adresserait cette forme très honorifique.

Bien sûr, cela ne veut pas dire que la phrase japonaise ne puisse exprimer ce qui correspond au sujet dans la phrase française. Voici une autre phrase, tout à fait ordinaire, en japonais[1] :

| watakushi wa | rokuji ni | yujin o | eki ni | mukaeta |
|---|---|---|---|---|
| moi | six heures | ami | gare | venir à la rencontre (d') |

« Je suis venu à la rencontre d'un ami à la gare à six heures »

c'est-à-dire :

| | | |
|---|---|---|
| watakushi wa | : | moi - par |
| rokuji ni | : | six heures - à |
| yujin o | : | ami - objet |
| eki ni | : | gare - à |
| mukaeta | : | venir à la rencontre (mukaeru) + passé (-ta) (accompli, forme affirmative). |

La structure de base sur laquelle la phrase est construite, l'énoncé minimum, est de même type que dans l'exemple précédent : c'est *mukaeta,* « être venu à la rencontre ».

Tous les autres syntagmes, aussi bien *watakushi-wa* « je » (ou plutôt « par moi »), que *yujin-o* (« ami-objet »), et les divers circonstants, ne sont que des expansions, des déterminants facultatifs de l'énoncé minimum, parmi lesquels aucun n'a de prééminence sur les autres.

La difficulté, pour les locuteurs français, à comprendre que *mukaeta,* « être venu à la rencontre », constitue un énoncé minimum auto-suffisant, sans sujet sous-entendu, vient de ce que nous sommes marqués profondément par nos propres structures linguistiques. L'équivalent français de *mukaeta,* le verbe « être venu à la rencontre », appelle, exige une mention de l'agent : *je, tu...* On comprend mieux la situation si on la rapproche des phrases sans agent que le français utilise très couramment :

il pleut (qui ?)
c'est midi (qu'est-ce qui « est midi » ?)
(Il) y a du départ dans l'air...

et sans sentiment de « non-complétude ».

## 2. L'autonomie syntaxique

Aucun déterminant de l'énoncé minimum n'a de statut privilégié. D'ailleurs, tous sont construits au moyen du même procédé : « moi », « ami », « six heures » et « gare » marquent leur fonction, leur rapport à l'énoncé minimum, par l'intermédiaire d'un monème fonctionnel qui leur est post-posé : *wa, ni,* ou *o.* Ce procédé leur donne une *autonomie syntaxique* qui les rend indépendants de leur position dans la phrase : on peut les permuter sans que le signifié de la phrase soit modifié[2]. C'est encore une des

1. Nous empruntons ce second exemple à B. SAINT-JACQUES, ouvr. cité, p. 40.

2. Le signifié de la phrase, c'est-à-dire les rapports entre ces divers éléments, ne change pas : mais, bien entendu, ces permutations peuvent, à l'occasion, produire un effet stylistique de mise en relief. Cette permutabilité est aussi limitée par les risques accidentels d'ambiguïté qui peuvent naître dans des contextes donnés, du fait

caractéristiques de la syntaxe du japonais : elle autonomise (par des monèmes fonctionnels) les syntagmes, là où l'anglais et le français emploient la position pertinente : « sujet » et « objet », ou plutôt « agent » et « patient » ont ici leur fonction marquée par les indicateurs *-wa* et *-o*, et sont mobiles — comme en latin les sujets et objets marqués par le nominatif et l'accusatif[1].

Sans doute comme dans toute langue à fonctionnels, l'absence d'ordre pertinent n'empêche pas qu'il y ait un ordre préférentiel : en particulier, ici, la présence du prédicat en fin de phrase.

En japonais, d'ailleurs, aucun déterminant « primaire » — déterminant directement l'énoncé minimum — ne marque sa fonction par sa position. L'usage des monèmes fonctionnels est généralisé.

Certains syntagmes et monèmes sont autonomes en eux-mêmes, comme *nakanaka* « (pas) facilement » et *itsumo* « d'habitude ». La phrase japonaise présente donc l'aspect de blocs, mobiles entre eux : l'énoncé minimum, en revanche, est toujours à la fin de la phrase, sauf dans certains cas marginaux.

Le caractère facultatif de la mention du sujet, ou plutôt de l' « agent », *watakushi*, permet de comprendre *a posteriori* comment l'économie de la langue s'accommode d'un signifiant aussi long et apparemment dispendieux (même s'il peut s'abréger en *watashi wa*), quand on le compare à notre personne « je », au « I » de l'anglais, etc., et de confirmer une fois de plus le lien *fréquence-brièveté*.

Notons aussi que la relation *agent*, loin d'avoir, comme en français, un signifiant privilégié, peut se traduire par *-wa*, mais aussi par d'autres indicateurs de fonction (par exemple *ga*, ou *mo*), ce qui montre bien qu'elle ne jouit pas d'un statut syntaxique particulier[2].

de choix lexicaux particuliers (cf. YOICHIRO TSURUGA, *Compte rendu de Bernard Saint-Jacques, Analyse structurale de la syntaxe du japonais moderne*, DEA, Université de Provence, département de Linguistique, 1976). Ces limitations de *fait*, communes à toutes les langues, n'enlèvent rien à l'autonomie et à la mobilité de *droit* de ces syntagmes.

1. En latin aussi, le sujet (lexical) est omissible et on a l'énoncé minimum « cantat ». Mais il ne faut pas oublier qu'à la différence du japonais, le latin inclut dans la désinence du verbe le signifiant (pronominal) du sujet, ici *-t* = « il » ou « elle » (chante). Le sujet en latin reste donc indissociable du verbe dans l'énoncé minimum, et le sujet lexical, s'il est exprimé — par exemple *puer (cantat)* —, un déterminant privilégié par rapport aux autres puisqu'il est le seul à être « répété », par une marque, au sein du groupe verbal.

2. Il existe, entre *ga* et *wa*, fonctionnels qui peuvent marquer, entre autres, la relation agent, une certaine répartition de rôles. On emploie de préférence *ga*, lorsque le terme autonomisé est constitué par un élément nouveau, non introduit précédemment dans le discours, ou non connu. En revanche, il n'est pas possible d'employer *wa* pour marquer la fonction d'un élément non connu. Ainsi : « une fille (+ *ga*) est venue; elle (+ *wa*) était jolie ».

Cette répartition permet donc aux deux fonctionnels, en plus de l'indication de fonction proprement dite, d'apporter une détermination (connu - non connu) au nom qu'ils autonomisent :

otoko ga kuru
un homme devoir venir
otoko wa kuru
l'homme (en question) devoir venir.

Il est tout aussi possible de se servir de déterminants nominaux pour marquer l'opposition défini-indéfini. Cette opposition entre *wa* et *ga* n'est d'ailleurs pas absolument tranchée; on peut avoir :

Zoo wa hana ga nagai
Chez l'éléphant le nez (agent) être long

Lorsque les deux fonctionnels sont en concurrence dans la même phrase, c'est à *ga* que revient l'indication du participant agent.

## 3. La position peut être pertinente

La position peut cependant jouer un rôle syntaxique en japonais. Elle sert, par exemple, de façon économique pour marquer la subordination :

| ansinsi - te | ikteiru↔ ningen | ga...[1] |
|---|---|---|
| Se tranquillisant - en | être en train des gens de vivre | (agent)... |

c'est-à-dire : « des gens (qui) sont en train de vivre en toute tranquillité... » où l'ensemble *ansinsi-te ikteiru*, qui a la forme d'une phrase indépendante, devient le déterminant du nom *ningen* par le fait qu'il lui est antéposé.

L'ordre déterminant-déterminé est aussi pertinent en japonais pour les expansions nominales :

| gakko no | seito no | kutsu wa[2] |
|---|---|---|
| de l'école | des élèves | les souliers |

c'est-à-dire : les souliers des élèves de l'école. Ici, deux procédés sont utilisés conjointement : l'ordre et l'indicateur de fonction *no*. L'antéposition permet d'éviter les confusions : *gakko* ne peut déterminer autre chose que *seito*, et *seito* que *kutsu*.

Une autre confusion serait possible, si l'on pouvait envisager que *gakko-no* et *seito no* soient des syntagmes autonomes, de même rang que *kutsu wa*, et déterminant directement l'énoncé minimum (et non *kutsu*) ; la syntaxe du japonais exclut ce risque : elle n'utilise pas les mêmes monèmes fonctionnels pour marquer les relations primaires et les relations non primaires. Des monèmes comme *ga*, *wa* et *ni* relient directement à l'énoncé minimum; *no*, et quelques autres, ne servent qu'aux expansions d'expansions, à des syntagmes non autonomes en tout cas[3].

Il y a là une dépense sur le plan du paradigme, mais un gain en précision pour l'interprétation des rapports syntaxiques.

Parfois, les monèmes fonctionnels perdent leur rôle syntaxique et ne servent plus qu'à démarquer les syntagmes : ainsi le non nécessaire *wa* dans *itsumo - wa* : « d'habitude (par) », dans la phrase :

| itsumo - wa | nakanaka | syochishi - nai (cf. n. 1) |
|---|---|---|
| d'habitude | facilement | accepter + présent négatif |

« d'habitude ne pas accepter facilement », où *wa* est rendu obligatoire auprès du monème autonome *itsumo*, parce que la phrase est négative. De la même manière

1. Sur ce syntagme, et sur son interprétation, on se réfère à Futaba Ueki, *Analyse de la syntaxe du japonais d'après un corpus enregistré*, sous la direction de C. Maury, Université de Provence, département de Linguistique, juin 1975, non publié.
2. Exemple emprunté à B. Saint-Jacques, ouvr. cité, p. 106.
3. Il y a cependant des exceptions à cette répartition des rôles syntaxiques. Les monèmes fonctionnels des relations primaires servent aussi pour marquer les expansions des prédicatoïdes (excepté *wa*). Le fonctionnel « non primaire » *no* est utilisé également dans le cas (cf. B. Saint-Jacques, ouvr. cité, p. 76) où l'expansion détermine le *lexème prédicatif* et non l'énoncé minimum dans son ensemble : comme le montre B. Saint-Jacques :

| kotoshi | no / fukyo desu |
|---|---|
| « de cette année » | « La dépression » « c'est » |

« c'est la dépression de cette année »; *kotoshi no* n'est pas autonome : c'est un déterminant « interne » de la partie lexicale de l'énoncé minimum.

que les syntagmes non autonomes, les monèmes spécialisés qui déterminent le nom lui sont antéposés :

sonna koto — taishita koto
(cette) (chose) — (grande) (chose)

Leur fonction est marquée à la fois par leur place et par leur appartenance à une catégorie de déterminants. En revanche, le nombre « pluriel » se marque après le nom : tomadachi*dachi* : « amis ». Le suffixe du pluriel est souvent une sorte de répétition de la finale du nom qu'il détermine (hito - hito*bito*, ko - ko*ko*) ; mais on indique, plus souvent qu'en français, la pluralité par un chiffre précis, ou en disant « pluralité de — ».

## 4. Les formes de l'énoncé minimum

*a* / Nous avons déjà examiné deux phrases, où l'énoncé minimum était constitué par *un verbe* + *une modalité d'aspect* :

— *okiru* « se lever » + « présent affirmatif », et
— *mukaeta* « rencontrer » + « aspect accompli » (affirmatif).

C'est un premier type d'énoncé minimum : le monème qui en constitue le centre, le « prédicat », est bien un verbe : il appartient à une classe spécialisée dans ce rôle prédicatif. Tout monème de ce type est identifié comme centre de phrase à moins, bien sûr, qu'il ne porte une marque de subordination à un autre centre. Il se combine avec une série d'aspects (le deuxième élément) qui présentent deux variantes de forme, les verbes étant répartis en deux « groupes » selon leur combinatoire.

*b* / *amai* : « est léger » ou : « c'est léger »

(*ama* + *i*)
« léger » + « présent » (affirmatif)

Ce deuxième type d'énoncé minimum peut s'obtenir à partir d'une phrase comme :

ʃopã wa / amai (cf. p. 387, n. 1)
« par Chopin léger + présent », en français : « Chopin est léger ».

On appelle ce second type l'énoncé minimum adjectival : en effet, le monème qui y joue le rôle de prédicat a les caractères sémantiques d'un adjectif. Cependant, il s'agit là d'une classe assez particulière d'adjectifs : à la différence des épithètes comme *taishita* (« grand »), ils ne fonctionnent jamais sans être déterminés, comme ici *ama* - *i*, par une modalité d'aspect. En fait, il s'agit d'une seconde catégorie de monèmes spécialisés dans le rôle prédicatif, et on devrait, de ce fait, selon nous, les considérer eux aussi comme des verbes, malgré leur signifié « adjectival ».

Même quand il leur arrive d'être subordonnés à un nom, ils conservent leurs modalités d'aspect variables, et fonctionnent exactement comme la relative positionnelle que nous avons décrite précédemment, cf. p. 387. Ainsi, dans l'exemple de B. Saint-Jacques[1] :

omoshiro-i / amerikajin ni // hamashita
intéressant (prés.) américain à avoir parlé
« à un américain *intéressant* », ou « (qui) est intéressant ».

Les modalités (présent, accompli, conjectural, chacun affirmatif ou négatif) présentent le même découpage que celles des verbes; cependant, le présent et le conjectural n'ont pas la même forme selon qu'ils accompagnent des verbes ou ces « adjectifs ». En outre, les « adjectifs » ne peuvent être déterminés par le désidératif ou l'impératif comme le verbe. En plus des critères sémantiques, ces critères combinatoires montrent que malgré des caractéristiques proprement verbales, on n'a pas intérêt à confondre ce second type de prédicat avec le premier.

*c* / avec *da* :

Le troisième type d'énoncé minimum apparaît dans les phrases suivantes :

*1* / *Kekkaku da-tta* : « était la tuberculose »
obtenu à partir de la phrase :
Kare wa kekkaku datta
lui - à tuberculose était (da + ta)

*2* / *iya darō* : « serait pénible »
« pénible » + « da » + « conjectural rō »

*3* / *sō dʒanai* : « est-pas ainsi » « ce n'est pas ainsi »
sō (ainsi) + da + nég. + présent
obtenu à partir de : *anata wa* *sō dʒa nai*
« toi » + « pour »
« c'est pas ainsi pour toi »

*4* / *Kurōto dʒanai* : « est pas professionnel »
kurōto (« professionnel ») + da + « présent » + négation.
à partir de la phrase :
Boku nanka chittomo kuroto dʒanai
« moi » « par » « absolument » professionnel être pas
« Je ne suis absolument pas un professionnel »

Pour tous ces exemples, cf. p. 387, n. 1.

Il est possible de constituer un énoncé minimum de ce type avec un nom (comme *kekkaku*), un adjectif (comme *iya*, un vrai adjectif, simple déterminant lexical, à ne pas confondre avec la catégorie des adjectifs-verbes), des pronoms, également avec des autonomes ou des numéraux[2], *en les faisant suivre du morphème da* (accompagné d'une des modalités verbales), qui les actualise, leur confère le rôle prédicatif.

Nous pensons qu'il faut distinguer ce troisième type d'énoncé minimum des deux premiers.

1. Ouvr. cité, p. 95.
2. Cf. B. Saint-Jacques, ouvr. cité, p. 21.

En effet, avec *mukaeta* et *amai*, nous avions affaire à des monèmes spécialisés dans la fonction prédicative : ils constituent à eux seuls l'énoncé minimum. On ne peut pas considérer leur modalité d'aspect, toujours présente, comme un *actualisateur* (ou indicateur de rôle prédicatif) puisqu'ils ne peuvent être autre chose que prédicats, et s'indiquent eux-mêmes comme tels[1].

Avec la troisième forme *kekkaku datta*, les monèmes prédiqués sont de classes multiples, capables d'avoir diverses fonctions syntaxiques, mais en aucun cas spécialisés dans l'emploi de prédicats. Ils ont absolument besoin, pour être identifiés comme prédicats, centres d'énoncé minimum, du morphème *da* (sorte de présentatif figé sémantiquement, comme *y'a* en français) qui les actualise.

On peut ici parler *d'actualisateur* au vrai sens du terme. *Da* se combine avec les mêmes modalités que les adjectifs-verbes, avec de légères variantes de forme. Un autre actualisateur, *rashii*, « sembler », fonctionne comme *da* (il n'est jamais indépendant).

## 5. La place de l'énoncé minimum

L'énoncé minimum en japonais est toujours à la fin de la phrase (sauf inversion stylistique, ou postposition d'une modalité d'énoncé)[2].

Comme tous les syntagmes ont leur fonction marquée et que le prédicat se reconnaît à sa classe (*mukaeta* et *amai*) ou à son actualisateur *(kekkaku datta)*, on pourrait considérer que cette place n'est pas pertinente, qu'elle constitue une redondance, un surcroît d'indication syntaxique.

On ne doit pas oublier, pourtant, qu'un énoncé ayant la forme d'un énoncé minimum, ailleurs qu'en fin de phrase, antéposé à un nom, sans monème de subordination, est interprété comme subordonné à ce nom (cf. le cas de la relative positionnelle). On conclura donc que cette place finale a une pertinence, qu'elle *contribue* à l'identification du rôle prédicatif de l'énoncé minimum. Elle confirme, en outre, la tendance générale du japonais à placer le déterminant avant le déterminé.

## 6. Le japonais est-il une langue à construction ergative ?

On s'est demandé[3] si le japonais, comme le basque ou d'autres langues, possédait une structure ergative.

Dans les langues à construction ergative, l'agent, s'il est exprimé, est un déterminant comme les autres. Ce premier point coïncide avec la syntaxe japonaise. Le

1. Bernard Saint-Jacques, au contraire, considère les modalités comme des actualisateurs, au même titre que le *-da* de la troisième forme d'énoncé minimum. Peut-être a-t-il trop sacrifié à l'élégance de son modèle ML + MF (sous-jacent, selon lui, à toute la syntaxe du japonais).

2. Ces modalités d'énoncé, exclamatives, dubitatives, etc., peuvent n'être que des expansions omissibles : il arrive aussi qu'elles actualisent un prédicat non spécialisé :

   So kashira ?
   ça + (dubitatif) ?
   « Je me demande si c'est vrai. »

3. B. Saint-Jacques, pp. 104-111.

prédicat est un prédicat « d'existence », présenté en lui-même, de type : « *Y'a du départ* (dans l'air) », un peu comme celui du japonais, mais sans voix active ou passive, alors que le japonais possède ces diathèses, qui permettent de changer le signifié des relations du verbe avec son entourage.

Les langues à structure ergative se caractérisent surtout par un mécanisme économique syntaxiquement : en avar, par exemple, le déterminant le plus proche du verbe reçoit la même marque, la marque « zéro », qu'il soit agent ou patient : « découverte de mon père » peut se comprendre comme « mon père est découvert » ou « mon père découvre ».

S'il y a ambiguïté, ou si le patient est exprimé, l'agent ne peut plus être « non marqué », et prend aussitôt un monème fonctionnel, « instrumental », « ergatif », ou autre[1] : l'absence de marque désigne alors clairement le patient. (Si le verbe est intransitif, le déterminant non marqué sera le plus proche sémantiquement : sans doute l'agent.)

Le japonais n'a pas cette souplesse : l'agent et le patient sont chacun distinctement marqués par un indicateur précis, *wa* et *o* par exemple. Cependant, dans la langue courante, les locuteurs font souvent l'économie de l'un ou l'autre de ces indicateurs, ramenant l'agent et le patient, selon les cas, à une même forme non marquée[2], ce qui nous semble rapprocher beaucoup le japonais parlé de l'économie des langues à construction ergative.

1. Cf. Claude Tchékoff, Une langue à contruction ergative : l'avar, *La Linguistique*, Paris, 1972, 2.
2. Cf. F. Ueki, ouvr. cité.

# 4 un exemple : l'arabe

PAR CLAIRE MAURY-ROUAN

## 1. Situation linguistique

Il est difficile de parler d'*une* langue arabe, alors que ce terme recouvre des usages, des parlers, des dialectes locaux nombreux, qui relèvent chacun d'une étude phonologique, syntaxique et lexicale spécifique. Chaque pays du « monde arabe » possède son arabe *dialectal* (auquel s'ajoute parfois une autre langue locale, comme le berbère en Algérie) ; mais en même temps, dans chacun de ces pays, se pratique ce qu'on appelle l'arabe *littéraire*, que l'on peut considérer comme la langue arabe officielle. Plutôt que de choisir, arbitrairement, parmi les riches et vivants arabes dialectaux, c'est cet arabe « international » dont nous allons présenter ici les principales structures, en nous attardant surtout sur ce qui caractérise la construction des énoncés.

Issu de l'arabe littéraire ancien, celui du Coran et de la littérature classique, l'arabe littéraire moderne est la langue de la radio, de la télévision, des journaux, des discours politiques, des manuels scolaires, commune, à quelques écarts près, à l'ensemble du monde arabe.

Selon les situations et le registre de la communication, les locuteurs ont recours au littéraire, au dialectal, aux langues locales éventuellement, à la langue de colonisation, ou encore à des usages intermédiaires entre le dialectal et le littéraire. C'est dire que tous les arabophones sont dans une situation pratique de diglossie, triglossie ou multiglossie plus ou moins complètes.

## 2. Phonologie

Le système phonologique de l'arabe repose sur un petit nombre de voyelles :

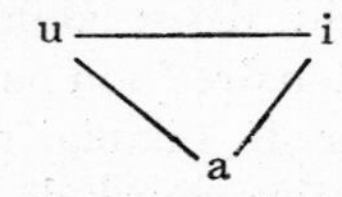


avec une opposition d'aperture, et une opposition avant-arrière entre les voyelles fermées.

La longueur vocalique est distinctive en syllabe ouverte, ce qui compense un peu ce faible nombre d'oppositions :

-ta ∼ -tā
(suffixe) « tu (masculin) » (suffixe) « elles (duel) »

En revanche, le système consonantique est très développé (26 unités). L'importante corrélation de sonorité (16 phonèmes) présente trois ordres articulés très en arrière : vélaires, pharyngales, laryngales.

L'arabe possède aussi un grand nombre de consonnes d'avant, organisées toujours selon la corrélation de marque pharyngale (où l'articulation spécifique est accompagnée d'un resserrement du pharynx), la série dite des « emphatiques ».

Ces emphatiques sont réalisées tantôt comme des sourdes, tantôt comme des sonores. Voici le *tableau consonantique de l'arabe* :

| | Labiales | Interdentales | Dentales | Sifflantes | Prépalatales | Postpalatales | Vélaires | Pharyngales | Laryngales |
|---|---|---|---|---|---|---|---|---|---|
| Sourdes | f | θ | t | s | ʃ | k | x | ħ | ɔ (ou h) |
| Sonores | b | ẟ | d | z | dʒ (ou ʒ) | | y | ∈ | h |
| Emphatiques | | ẟ̥ | t̥ (d̥) | s̥ | | k̥ (ou q) | | | |
| Nasales | m | | n | | | | | | |
| Latérales | | | l | | | | | | |
| Vibrantes | | | r | | | | | | |
| | [w] | | | | [j] | | | | |

Les semi-voyelles [j] et [w] n'ont pas le statut de phonème en arabe, bien qu'elles soient traditionnellement comptées parmi les consonnes : elles sont en distribution complémentaire avec les voyelles [i] et [u], dont elles sont les réalisations en position consonantique.

Le redoublement d'une consonne peut être distinctif :

kataba ∼ kattaba
« écrire » « apprendre (à quelqu'un) à écrire ».

Le tableau consonantique de l'arabe littéraire, présenté ici selon les regroupements habituels, appelle quelques commentaires :

/f/, /b/, /m/ sont rassemblés dans un même ordre, celui des « labiales », bien qu'au sens strict on ne puisse considérer /f/ comme un partenaire (non nasal, sourd) de /b/ et /m/ : leur point d'articulation, labio-dental pour /f/, bilabial pour /b/ et /m/, n'est pas le même. (On constate que pour ce partenaire sourd de /b/ et /m/ il existe une case vide : le /p/ n'existe pas, alors que le système dispose de tous les traits nécessaires à sa réalisation.) De même, /f/ n'a pas de véritable partenaire sonore, alors que le système possède l'articulation labio-dentale et le trait de sonorité, conditions suffisantes à la production d'un /v/.

Ce système consonantique montre donc des points de déséquilibre, auxquels s'ajoutent l'absence d'un partenaire sonore de /k/ (case vide pour un phonème /g/) et l'asymétrie de la paire /ʃ/ ~ /dʒ/, continue affriquée, qui sont assez artificiellement regroupées en « prépalatales » (/dʒ/ est cependant réalisé /ʒ/ en Tunisie).

L'évolution des différents arabes dialectaux montre une tendance à rééquilibrer le système. L'intégration des emprunts étrangers, par exemple, est l'occasion de création de phonèmes par le remplissage de cases vides. Ainsi le /p/ apparaît en Irak dans [piʒu] « Peugeot », et le /v/ dans « télévision », etc.

## 3. La syntaxe

L'arabe possède deux classes lexicales nettement distinctes sur le plan syntaxique : les noms et les verbes. Parmi les noms, certains, constituant une sous-classe, jouent un rôle correspondant à celui de nos adjectifs : fonctionnant comme déterminants (épithètes) d'un nom, ils se placent après celui-ci et portent les mêmes marques de genre, de nombre et de cas. Les verbes sont spécialisés dans le rôle prédicatif; les noms sont plurifonctionnels. On les trouve dans tous les types d'expansion du prédicat, mais ils peuvent aussi, comme les verbes, jouer eux-mêmes un rôle prédicatif dans la phrase, comme nous allons le voir dans l'étude de l'énoncé minimum. Noms et verbes se distinguent également par leur entourage caractéristique : les noms sont accompagnés de la marque casuelle, et d'une modalité de détermination; les verbes se présentent sous une forme conjuguée, avec un pronom (correspondant à la personne *sujet*) qui leur est préfixé, ou suffixé, ou qui les encadre avec un signifiant discontinu :

▶ Exemples

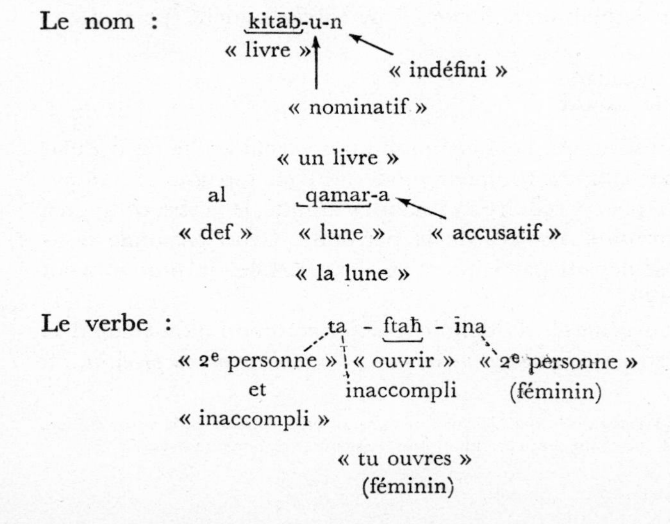

fataħ - ta
« ouvrir » « accompli »
et
« deuxième personne » (masculin)
« tu as ouvert »
(masculin)

(On peut noter que le radical du verbe est, lui aussi, modifié selon l'aspect choisi.)

L'étude de l'énoncé minimum fait bien apparaître la différence de valence syntaxique existant entre les verbes et les noms : en effet, seuls les verbes (conjugués) peuvent constituer par eux-mêmes (sans actualisation fournie par la situation, ou par le contexte) un énoncé complet.

### *a - L'énoncé minimum verbal*

En arabe, une phrase comme :

| ħaraθa | al fallāħu | al ħaqla |
|---|---|---|
| a labouré | le paysan | le champ |

« le paysan a labouré le champ »

peut se réduire à *ħaraθa*, « il a labouré », sans cesser d'être une phrase indépendante.

Cet énoncé minimum à constituant verbal est cependant très différent de celui du japonais, puisque le verbe est toujours accompagné d'un affixe (ici, *-a*), représentant la *personne*, et apportant un effet de sens analogue à celle d'un pronom sujet en français.

Dans une phrase plus développée, qui comporte un syntagme nominal marqué par le nominatif (comme *al fallaħu* dans notre phrase initiale), l'affixe de personne et le syntagme au nominatif renvoient au même référent, ils établissent avec le verbe la même relation signifiée; sur le plan de la forme, ils se correspondent (personne et genre)[1] :

| ħaraθ-a | al fallāħu |
|---|---|
| a labouré (-il) | le paysan |

Du point de vue de sa constitution, l'énoncé minimum verbal arabe est comparable à celui de beaucoup de langues romanes modernes (cf. espagnol : canta*n*) et du latin (canta-*nt*) ; même s'il peut se réduire à un « mot » unique, le verbe, conjugué, ne se présente pas sans l'expression associée de la personne. Cette personne postverbale dénote, à elle toute seule, un participant de l'expérience (le plus souvent « agent » par rapport au verbe).

Si l'on admet, sur le plan général, de définir le sujet comme l'indicateur d'*un « participant » dont la mention est syntaxiquement nécessaire à l'actualisation du prédicat*, on

1. L'accord n'est cependant pas tout à fait régulier : dans le cas d'une phrase avec, comme ici, le verbe en tête, si le nom est au pluriel, la marque de personne sera cependant une troisième personne du *singulier* :
ħaraθ-a al fallāħ*ūna*
« les paysans ont labouré » (pluriel).

peut dire que c'est cette marque personnelle irretranchable qui est le véritable sujet[1] du verbe arabe, puisqu'ils forment à eux deux l'énoncé minimum indépendant.

Le groupe nominal au nominatif, du fait qu'il n'est pas indispensable syntaxiquement, ne peut être considéré comme un *sujet* grammatical : il est plutôt une sorte de développement lexical du vrai sujet qu'est la marque personnelle du verbe. Son cas, le nominatif, indique sa relation au prédicat : une relation de même *signifié* que celle de la marque-sujet au verbe; mais une *fonction* différente, puisqu'il n'y a pas *implication réciproque* entre le verbe et le nom. D'ailleurs, nous verrons plus loin que le nominatif en arabe n'a pas toujours la même valeur significative : il peut marquer aussi le nom prédicat (cf. *Enoncé minimum nominal*), ou le nom mis en relief thématiquement, et qui se trouve hors syntaxe (cf. *Position des éléments dans la phrase*). Faute d'un terme approprié, et pour ne pas alourdir notre présentation, on continuera cependant à appeler « *sujet* » *lexical* cet élément, non nécessaire, marqué par le nominatif. Autre ressemblance avec la phrase latine : ce « sujet » lexical, omissible, a sa fonction marquée par un cas, un indicateur de fonction suffixé. Sa position relativement au prédicat n'a donc pas de pertinence syntaxique (à la différence des sujets de l'italien, de l'espagnol ou du français), et on pourrait s'attendre à ce qu'il soit mobile dans la phrase. En réalité, il y a en arabe un ordre préférentiel (mais non significatif) qui veut que le verbe, dans une phrase à base verbale, soit le plus souvent en tête de phrase; puis vient le « sujet » lexical (nom + nominatif) : *al fallaħu*, puis le complément d'objet (nom + accusatif) : *al ħaql-a*, ou d'autres expansions. Nous verrons plus loin comment cet ordre peut être modifié (cf. *Position des éléments dans la phrase*).

***b - L'énoncé minimum nominal***

Le verbe est un unifonctionnel : muni de la marque de personne, il constitue la base d'une phrase.

Par son appartenance à la classe spécialisée des verbes, le monème verbal est immédiatement identifié (sauf signes de subordination) comme le centre de la phrase.

Il n'en va pas de même pour la classe plurifonctionnelle des noms, qui ont besoin de signes spécifiques pour marquer leur relation aux autres monèmes de la phrase. Cependant, le nom peut constituer, en arabe, le centre syntaxique d'une phrase, au même titre que le verbe, mais, comme on va le voir, dans des conditions différentes.

Les adjectifs peuvent aussi fournir des prédicats non spécialisés; ils reçoivent, dans ce cas, le même traitement formel que les noms.

*1 / Phrase nominale constituée de deux noms (ou d'un nom et d'un adjectif)*

Comme le verbe, le nom (ou l'adjectif), prédicat, sera toujours accompagné d'un participant, dit « sujet », avec lequel il forme ce que l'on appelle un énoncé minimum :

*1* / al waladu tilmīδu-n
l'enfant (est) élève

*2* / al bustānu dʒamīlu-n
le jardin (est) beau

1. Cf. Denise François, Conférence prononcée à l'Université de Provence, avril 1978.

Cependant, le nom ne peut pas porter, comme le verbe, la mention de la personne sujet affixée à son signifiant (*élève-il pour « il est élève », comme ħaraθ-a, « a labouré-il ») et, de ce fait, il ne peut pas former un énoncé minimum sans être accompagné du participant sujet exprimé *in extenso*, lexicalement. Ici, il s'agit donc d'un *vrai* sujet, indispensable, et non d'une redondance syntaxique, comme dans la phrase verbale. D'ailleurs, on peut voir dans la conjugaison personnelle, qui est l'apanage des verbes, une des marques, imprimées par l'économie linguistique, de leur spécialisation comme prédicats.

D'autre part, le nom constitue un centre de phrase inhabituel, puisque, le plus souvent, il est sujet ou complément. Par quel moyen linguistique sera-t-il possible de le repérer comme prédicat ? On pourrait imaginer que, lorsqu'il est prédicat, son rôle central dans la phrase se reconnaisse par *élimination* : ce serait le cas, par exemple, si tous les constituants de la phrase étaient marqués par des indicateurs de fonction, à l'exception de ce nom, choisi comme point d'ancrage syntaxique. Une telle solution poserait des problèmes dans une langue comme l'arabe, où le nom, justement, n'apparaît pas sans une marque de fonction (casuelle).

Mais, de toute façon, la langue arabe, comme beaucoup d'autres langues, trouve plus rentable de souligner ce rôle inhabituel du nom par diverses marques formelles.

Dans la formule la plus simple, il ne s'agit pas d'actualisateurs spécialisés, porteurs de modalités verbales, comme *(il) y a* en français, ou *da* en japonais ; le statut prédicatif est conféré au syntagme nominal par *un jeu de modalités*. La phrase :

al bustānu dʒamīlu-n
le jardin (est) beau

se différencie du syntagme nominal dépendant « le beau jardin » par le fait que la modalité « défini », *al*, qui détermine le sujet au nominatif *bustānu*, « jardin », n'est pas répercutée sur *dʒamīlu-n*, comme ce serait le cas, automatiquement, par accord, si ce *dʒamīlu-n* était épithète de *bustānu* :

al bustān-u al dʒamīlu...
« le beau jardin » (littéralement : le jardin le beau).

Au contraire, dans la phrase nominale, « le jardin (est) beau », le second terme, *dʒamīlu-n*, porte la marque de la modalité « indéfini » (*-n* suffixé).

En revanche, comme dans le simple syntagme nominal, le prédicat *dʒamīlu-n* porte le rappel du nominatif, *-u-*, le cas du sujet *bustān-u* (ainsi que les marques de genre et de nombre correspondantes).

*En résumé, on peut donc avoir :*

*a)* « un beau jardin »

littéralement : un jardin un-beau
bustān-u-n dʒamīlu-n

*b)* « le beau jardin »

littéralement : le jardin le-beau
al bustān-u al dʒamīlu

*c)* « le jardin (est) beau »

littéralement : le jardin un beau
al bustān-u al dʒamīl-u.

Seule, la séquence *c)* constitue une phrase. (Il n'est pas possible de dire « un jardin est beau » selon ce simple schème syntaxique.)

C'est l'*absence d'accord*, ou plutôt l'alternance des déterminants qui souligne le caractère indépendant de *al bustānu dʒamīlun*, et le rôle de prédicat joué par *dʒamīlun.*

On peut construire le même type d'énoncé minimum avec un pronom comme sujet, au même titre qu'un nom :

ɔanta ṣajjāḍun
toi (es) chasseur.

Le pronom est invariable; le nom (ou l'adjectif) prédicat portera seul le cas nominatif, qui contribue, avec sa modalité « indéfini », à la désigner comme prédicat. (Il portera les marques de genre qui correspondent au référent du pronom.)

*2 / Phrase nominale avec pronom-copule*

*3 /* haδā arradʒul-u huwa (a)l abu
cet l'homme lui le père
« cet homme est le père »
(variante, devant /r-/ de *al* qui devient *a*, et redoublement de /*r*-/)

Cette séquence constitue une phase nominale indépendante, par opposition avec le syntagme Déterminé-Déterminant :

haδa arradʒul-u al abu
... Cet (l')homme, le père...

Dans *3 /* le pronom personnel *(huwa)*, préfixé au prédicat nominal, joue un rôle de copule, en donnant au syntagme sa valeur de phrase indépendante, et en indiquant *abu* (père) comme prédicat. Cette structure de phrase nominale est plus explicite encore que la première : le pronom préfixé est un support plus consistant que le simple jeu des modalités, pour souligner le rôle inhabituel du nom comme prédicat de la phrase.

Elle a l'avantage, en rendant la liberté normale à l'usage des modalités, de permettre d'avoir pour prédicat un nom « défini » : *al abu* « le père », variation signifiée qui n'était pas possible dans la simple phrase nominale à deux termes (où le second est obligatoirement « indéfini »).

*3 / Phrase nominale avec préposition*

L'énoncé minimum nominal peut être constitué d'un nom au nominatif, suivi d'un prédicat qui revêt la forme d'un syntagme autonomisé :

*4 /* a ttalāmīδ-u fī (a)l madrasat-i
les élèves à l' école
« les élèves (sont) à l'école »

*fī* : « dans, à » est une préposition, qui régit le cas indirect *-i,* suffixé à *madrasat.* Les deux noms sont marqués par le « défini » *al.* Seul le premier, « élèves », est au nominatif.

Il est possible de dire « *des* élèves sont à l'école », mais l'ordre des termes doit alors s'inverser :

fī (a)l madrasat-i talāmīδu-n
à l'école, des élèves.

En effet, il est nécessaire, en arabe, de commencer la phrase par un élément « défini » (ici : *(a)l madrasat-i*).

La séquence :

des élèves à l'école
talāmīδu-n fī (a)l madrasati

est possible, mais elle n'a pas valeur de phrase : elle peut se traduire par : « des élèves *qui* sont à l'école » (*fī (a)l madrasati* devient déterminant de *talāmīδu-n*). Il manque un verbe pour former une phrase complète, dont *talāmīδu-n* sera le « sujet » lexical. Le risque de confusion des rapports (prédicat nominal confondu avec un déterminant prépositionnel) n'existe pas pour la phrase avec sujet défini : *a ttalāmīδu fī (a)l madrasati :* « les élèves *qui* sont à l'école » se dirait : a ttalāmīδu *allaδīna* fī (a)l madrasat-i, avec un pronom relatif explicite, *allaδīna.*

On peut en déduire que, pour l'énoncé minimum avec sujet indéfini :

fī (a)l madrasati talāmīδun
« des élèves (sont) à l'école »,

la position respective des éléments est significative : elle contribue à indiquer le caractère indépendant du syntagme, et le rôle prédicatif de *fī (a)l madrasati.*

Dans le même schéma syntaxique, on peut avoir pour prédicat, au lieu d'un nom, un pronom marqué par un indicateur de fonction :

al kalb-u la hā
le chien (est) à elle.

— *Sujet et prédicat dans la phrase nominale*

On peut constater qu'en général (sauf pour :

fī (a)l madrasati talāmīδun
(prédicat) (sujet)),

dans la phrase nominale, on a considéré le premier élément comme le sujet, le second comme le prédicat, suivant en cela l'analyse traditionnelle.

Les critères utilisés pour cette répartition des rôles peuvent poser problème : comment, entre deux noms également indispensables à la constitution de l'énoncé minimum, peut-on distinguer entre un « sujet » et un « prédicat » ?

André Martinet propose des critères de valeur générale, permettant de distinguer, dans un énoncé minimum à deux termes lexicaux indispensables, le sujet du prédicat lui-même[1]. En résumant son exposé, on peut dire que, de ces deux termes, le sujet est celui qui :

— marque sa fonction (par sa position, un indicateur de fonction, ou autre chose) ;
— appartient à la classe où sont puisés les compléments.

(Ces deux caractères découlant l'un de l'autre.)

Mais, à y regarder de plus près, une telle dichotomie sujet-prédicat n'est applicable que dans le cas d'un prédicat appartenant à une classe spécialisée, « verbale », que l'on peut opposer à une classe plurifonctionnelle comme celle des noms. Que pouvons-nous en tirer, lorsque deux noms, comme en arabe, chacun marqué par un indicateur de fonction (le même), forment à eux seuls l'énoncé minimum ? Y a-t-il lieu de dégager une hiérarchie à l'intérieur de ce tandem, de considérer l'un des deux monèmes comme « *plus central* » *syntaxiquement* (ce que l'on a raison de faire, quand un prédicat verbal spécialisé contraste avec un sujet à marque positionnelle, ou à indicateur de fonction approprié) ?

On ne peut pas non plus identifier analogiquement le prédicat nominal par commutation avec le prédicat verbal : chacun des deux termes au nominatif commute aisément avec un verbe, puisque l'élément restant fournit chaque fois un sujet possible, marqué au nominatif. La position réciproque des termes n'est pas plus éclairante : en arabe, le prédicat verbal est trop souvent avant le « sujet » (lexical), en tête, dans l'énoncé minimum :

| ḥaraθa | al fallāḥu |
|---|---|
| (il) a labouré | le paysan |
| (prédicat) | (sujet lexical) |

et c'est l'inverse, dans la phrase nominale (sauf avec un sujet « indéfini », dans des phrases de type : *fī (a)l madrasati talāmīδun*) :

| al fallāḥu | dʒamīlun |
|---|---|
| le paysan | (est) beau |
| (sujet) | (prédicat). |

La disposition : sujet, puis prédicat, dans la phrase nominale, semble ainsi contredire la tendance de l'arabe à placer le déterminé avant le déterminant, donc : le central avant le périphérique.

En revanche, dans des phrases nominales avec préposition, comme :

a ttalāmīδ-u fī (a)l madrasat-i
« les élèves (sont) à l'école »

(ou fī (a)l madrasat-i talāmīδun), où seul *a ttalāmīδ-u* est au nominatif (donc clairement indiqué comme sujet) on peut plus facilement établir une équifonctionnalité entre un verbe et le prédicat nominal — ici, prépositionnel.

Il reste à utiliser un critère formel qui peut, peut-être, faire apparaître, autrement que par analogie intuitive, le caractère prédicatif du deuxième élément nominal, dans des phrases comme *al waladu tilmīδu-n* : c'est la possibilité de coordonner, pour

1. *Eléments de linguistique générale*, Paris, Armand Colin, 1967, p. 126.

un même sujet, ce type de prédicat nominal avec un prédicat verbal, montrant ainsi leur équivalence de rang fonctionnel.

Or, selon notre informateur, une formule comme :

al waladu tilmīδun **wa** jaεmalu
l'enfant (est) élève *et* travaille (verbe)

est compréhensible, mais très inhabituelle. On dira plutôt :

*jaεmalu al waladu wa huwa tilmīδun*
« travaille l'enfant et lui (est) élève »,

ou :

al waladu tilmīδun wa huma jaεmalu
« l'enfant est élève et (lui) travaille ».

Si les critères formels d'usage ne semblent pas établir, ou n'établir qu'imparfaitement le statut prédicatif du second élément nominal, il reste qu'à l'intérieur de l'énoncé minimum existe bien une relation syntaxique précise *entre* les deux termes, qui n'est pas interchangeable, ni indifférente au sens de l'énoncé :

« l'enfant est (un) élève » : al waladu tilmīδun
et « l'élève est (un) enfant » : attilmīδu waladun

ne sont pas des phrases de signifié équivalent, d'autant plus qu'il y a échange obligatoire des modalités « défini » et « indéfini » dans la phrase inversée (on ne peut pas dire ainsi « un élève est l'enfant »). Cependant, il serait dangereux de chercher à assimiler, sur le plan sémantique, la relation du premier nom au second à celle d'un sujet à son prédicat verbal (*tilmīδun* serait à *waladu* ce qu'est *ħaraθa*, « a labouré », dans *ħaraθa al waladu* « l'enfant a labouré »); les relations sujet-verbe sont elles-mêmes de signifié trop variable, selon le verbe choisi, pour que ce rapprochement soit décisif. De plus, on risque d'être influencé, inconsciemment, dans ce type de comparaison, par le calque de l'analyse en sujet et prédicat des phrases françaises correspondantes *(l'enfant* a *labouré, l'enfant est élève)*.

Notre tentative de faire entrer de façon stricte les termes constitutifs de la phrase nominale dans le cadre sujet/prédicat conçu pour la phrase verbale ne trouve donc pas, dans la réalité linguistique, de points d'appui bien satisfaisants. Sans doute ne faut-il envisager qu'une analogie partielle entre les relations internes des énoncés minimum nominaux et verbaux.

En effet, aucun des termes de la phrase nominale simple ne semble porter de marques de subordination à l'autre : on peut se demander si, en définitive, il est légitime de vouloir à tout prix établir une hiérarchie syntaxique interne dans un énoncé minimum ne comportant pas d'élément spécialisé dans le rôle prédicatif. Et l'on pourrait se contenter de considérer globalement l'ensemble formé par :

al waladu timīδun

comme centre syntaxique de l'énoncé, sans prééminence de l'un des termes sur l'autre. On constatera cependant que la distribution des modalités « défini » et « indéfini », si l'on admet que *waladu* est sujet et *tilmīðun* prédicat, recoupe parfaitement le découpage des phrases en *thème* et *propos*, ou sujet et prédicat d'énonciation : le premier étant toujours le plus « spécialisé », et le second le plus « indéfini », selon la formulation de Jespersen, par exemple, dans sa *Philosophie de la grammaire.*

4 / *Phrase nominale avec kāna et lajsa :*

*kāna mālik-a-n,* « C'était un roi »

Traditionnellement considéré comme « verbal » parce qu'il commence par une forme conjuguée (avec aspect et personne), ce type de phrase nous paraît devoir être classé parmi les phrases nominales, étant donné que *kāna,* « être », et *lajsa,* « n'être pas » (conjugué à l'accompli seulement, mais avec une valeur de présent) ont perdu leur statut de vrai verbe, et fonctionnent comme de quasi-figements : ils ne peuvent former à eux tout seuls (malgré les marques de personne et d'aspect) un énoncé possible; ils servent en fait, ici, à relier un élément prédicatif, nom ou adjectif, à l'élément sujet constitué par la personne du « verbe ».

C'est bien le nom (ou adjectif) postposé à *kāna* et *lajsa* qui est à considérer comme le prédicat de la phrase, bien qu'il porte la marque casuelle de l'accusatif.

Kāna et lajsa sont donc comparables à des copules, offrant une possibilité de conjugaison qui n'existait pas avec le pronom des phrases nominales du type (2) (cet homme-lui-le-père).

### c - Position des éléments dans la phrase

Syntaxiquement, on peut considérer le verbe comme le centre ultime de la phrase; en plaçant le prédicat verbal en début de phrase, avant le « sujet » lexical, les locuteurs se conforment à la tendance de l'arabe qui est de placer *le déterminant après le déterminé*[1] : ainsi, dans :

ɔummu (a)l walad-i
(la) mère (de) l'enfant,

« enfant » marque sa fonction de détermination de « mère » par le cas indirect *-i* et la postposition de *waladi* à *ɔummu.* De même, « sa mère » se dira :

ɔummu-hu
mère (de) lui,

le pronom, invariable, se suffixant à *ɔummu.*

Le même procédé positionnel est utilisé dans l'équivalent de nos relatives, lorsque l'antécédent est *indéfini* :

waladun mariḍa...
un enfant (qui) est malade...

1. Même si le sujet « pronominal » est un complément indispensable du verbe, toujours présent dans la conjugaison, on peut considérer que le second « sujet » lexical est hiérarchiquement subordonné au verbe, puisqu'il marque sa fonction, par rapport à lui, au moyen du nominatif.

(cf. également, ci-dessus, *Phrase nominale avec préposition*; rappelons que, si l'antécédent est défini, on aura recours à un pronom relatif explicite, et non à une postposition significative :

al kitābu allaδī qaraʿtu-hu
le livre que j'ai lu-lui).

Nous avons donc ici une utilisation de la position des éléments à des fins significatives : la postposition est le signifiant du rapport de détermination simple, soit à elle seule (ɔummu-hu), soit en combinaison avec un indicateur de fonction (ɔummu-(a)l walad*i*).

Pour la relative : outre qu'il y a nécessairement un prédicat identifiable ailleurs dans la phrase, on reconnaît le rang subordonné du prédicatoïde à ce qu'il est postposé à l'antécédent; et, accessoirement, grâce à la modalité « indéfini » qui marque ce dernier. (En effet, un nom au nominatif, qui serait marqué par le « défini », et serait directement suivi d'un verbe, serait pris pour le sujet de ce verbe.)

Signifiant la subordination à elle toute seule, ou comme renfort plus ou moins redondant de cette subordination, la postposition du déterminant au déterminé crée une habitude qui donne à l'élément situé en début de phrase un relief particulier, celui d'un élément central syntaxiquement, donc central dans l'énonciation.

C'est sans doute à ce résultat qu'aboutissent, avec plus ou moins d'efficacité, certaines constructions qui bouleversent l'ordre canonique de la phrase.

*1 | Le « sujet » lexical antéposé*

Dans un certain nombre de cas, on rencontre le « *sujet* » *lexical* d'un prédicat verbal en tête de phrase. Cette infraction à l'habitude linguistique perturbe en rien le signifié des relations entre participants :

al fallāħu ħaraθa al ħaqla
le paysan a labouré le champ.

Si cette antéposition constituait une rupture de l'habitude linguistique, avec effet stylistique, en arabe classique traditionnel, cela est de moins en moins vrai; dans la langue moderne des journaux, le nombre de phrases avec « sujet » lexical en tête devient si important que ce procédé perd peu à peu tout pouvoir de mise en relief.

*2 | Les expansions antéposées*

Un autre élément de la phrase (complément d'objet, complément de nom...) peut être mis en valeur en venant se placer en tête de phrase, avant le verbe. On peut considérer qu'il se trouve alors hors syntaxe : le cas qui le marque, dans cette position, est le nominatif, qui perd toute valeur d'indication de « sujet »; l'amarrage dans la phrase de l'élément extrait est assuré par le relais d'un pronom qui le représente, et qui, lui, est marqué syntaxiquement (postposé au verbe, ou à un autre point d'incidence) :

al 'azhār-u qaṭafat-hā, al bintu

les fleurs (nominatif) elle a cueilli-*les* la fille (nominatif)

« les fleurs, la fille les a cueillies »

**Muṛāḍ dʒā'a ɔaxūhu**

**Mourad est venu le frère (nominatif)-(de) lui**

**« Mourad, son frère est venu ».**

Ces constructions sont très proches des extractions « thématiques » en français, comme la traduction directe de ces phrases en témoigne.

### d - Syntaxe des expansions

*1 / Les noms*

Nous avons vu que l'arabe étant une langue à cas (une langue où les noms se présentent toujours accompagnés d'un affixe indicateur de fonction) utilise rarement la position à elle toute seule pour marquer les fonctions des termes reliés.

La fonction des noms peut être marquée par trois cas :

nominatif : -u
accusatif : -a
cas indirect : -i
(ou génitif)

Le cas indirect s'utilise, en combinaison avec la postposition, avec valeur de génitif :

ɔummu (a)l walad-i
la mère de l'enfant,

ou en combinaison (régi) avec les diverses prépositions de l'arabe :

*fi* ddār-*i*
dans la maison.

L'arabe est donc une langue qui autonomise très largement les expansions nominales. La liberté positionnelle des syntagmes, qui devrait en découler, est cependant, nous l'avons vu, limitée par un ordre préférentiel, non pertinent, mais très prégnant ; on aura en général :

Prédicat-Sujet-Objet
ou } puis, éventuellement,
Sujet-Prédicat-Objet

des syntagmes prépositionnels, qui, eux, sont permutables.

*2 | L'entourage des noms*

Le nom est déterminé par le nombre : singulier, pluriel, ou duel. Ces modalités ont pour signifiant soit des suffixes, qui vont se combiner, morphologiquement, avec la marque du cas :

sing. : fallāḥun un paysan
duel : fallāḥāni deux paysans
plur. : fallāḥūna paysans,

soit des modifications du radical du nom :

sing. : kitābun un livre
plur. : kutūbun des livres.

Nous avons déjà vu les marques du défini et de l'indéfini qui s'ajoutent à celles du nombre. Ces différentes marques accompagnent toujours le nom. Elles se reportent, avec les marques de genre, sur l'adjectif qui détermine éventuellement le nom :

al kitābajni al kabīrajni
les deux livres les deux grands
« les deux grands livres ».

*3 | Les monèmes autonomes*

Il existe en arabe des monèmes autonomes, c'est-à-dire des monèmes qui contiennent en eux-mêmes la marque de leur fonction; ainsi :

['amsin] « hier »

n'a besoin d'aucune marque extérieure pour déterminer un prédicat.

L'arabe possède aussi un procédé au moins aussi productif que notre dérivation des adverbes en *-ment* : un adjectif, avec la marque de l'accusatif et la modalité « indéfini », devient l'équivalent de nos adverbes; exemple :

ṣarī'an de l'adjectif sari'un
« vite » « rapide ».

*4 | Les pronoms*

Les pronoms personnels représentent un découpage des personnes équivalent au « je-tu-il-nous-vous-ils » du français, mais leurs formes comportent une plus grande diversité : elles permettent de distinguer entre le masculin et le féminin pour « tu » et « vous »; elles possèdent des marques duelles (pour « vous-deux » et « eux-deux »).

Les pronoms personnels n'ont pas de flexion casuelle : ils marquent leur fonction soit par leur position, soit par un indicateur de fonction.

— Le pronom personnel *isolé*, antéposé ou postposé au verbe, sert de « second » sujet d'insistance (il redouble la modalité de personne). C'est aussi ce pronom personnel isolé qui, nous l'avons vu, sert de copule, d'élément intermédiaire dans certaines phrases nominales.

— Le pronom personnel *affixe* se suffixe à un verbe : il marque, par cette position, sa fonction complément d'objet :

ḍarabū-hu
ils *l'*ont frappé.

Suffixé à un nom, le pronom affixe équivaut au possessif français :

ħimāṛu-hu
âne (de) lui, son âne.

C'est la forme affixe qui se combine aux prépositions lorsque le pronom personnel est autonomisé :

maɛa-hu
avec lui.

L'arabe possède aussi le pronom interrogatif, le numéral, et des démonstratifs, qui peuvent fonctionner comme pronoms ou comme déterminants du nom (adjectifs démonstratifs...) :

hāδa lħimāṛu
ce le âne
« cet âne »

*5 / Les prédicatoïdes*

— *Relatives.* — Nous avons vu qu'un verbe ou un autre prédicat pouvait être l'expansion d'un nom (cf. ci-dessus, § *b*, 3 : *Phrase nominale avec préposition*, et § *c* : *Position des éléments dans la phrase*) : sa fonction est alors marquée par sa position (post-position au nom déterminé) ou par un pronom relatif, selon que le nom auquel il est subordonné est « indéfini » ou « défini ». Exemple :

daxāla ṛadʒulun qāla
entra un homme (qui) dit...

ou, avec un pronom relatif, et le concours d'un pronom personnel qui permet d'indiquer avec précision, ou de souligner la fonction du relatif dans la subordonnée :

— al muɛallimu allaδī takallama
le professeur qui a parlé
— al muʿallimu allaδī ṛa'ajtu*hu*
le professeur que j'aime-lui
— al muɛallimu allaδī takallamtu ʿanhu
le professeur dont j'ai parlé
(que j'ai parlé de lui).

— *Complétives.* — Le verbe, comme expansion d'un prédicat, marquera sa subordination par un monème fonctionnel; cette marque entraîne des modifications morphologiques ; par exemple le « sujet » lexical du prédicatoïde sera à l'accusatif au lieu du nominatif habituel.

ḍanantu ɔanna al kalb*a* nabaħa
j'ai cru que le chien (acc.) a aboyé.

***e - La coordination***

Les éléments de même fonction peuvent être coordonnés par *wa* « et »; on a aussi *fa* (entre deux propositions), et *θumma* : puis.

Les expansions de même fonction peuvent être juxtaposées ou coordonnées.

### *f - Un cas de complexité morphologique remarquable : les modalités du verbe et la dérivation verbale*

Nous avons préféré présenter en dehors des grands principes de la syntaxe arabe ce domaine particulièrement compliqué et déroutant pour les francophones, qu'est la structure du verbe conjugué. Nous allons essayer d'en donner un aperçu.

Les verbes arabes sont déterminés par des modalités de signifié aspectuel : elles permettent de présenter le processus évoqué comme achevé (aspect *accompli*) ou en train de se faire (aspect *inaccompli*), quel que soit le temps où ce processus se situe par rapport au moment de l'énonciation.

Ainsi on aura à l'accompli :

— ḍarab-ta, « tu as frappé »

tandis que ta-ḍrab-u, à l'inaccompli, peut se traduire par « tu es en train de frapper » ou « tu frappes » (en général) ou « tu frapperas ».

Les marques des modalités du verbe arabe présentent une structure morphologique très enchevêtrée.

L'accompli est une marque suffixale, *amalgamée* avec le signifiant de la personne. L'inaccompli est préfixé au verbe. Son signifiant varie également selon la personne sujet, qui garde par ailleurs sa marque postverbale; mais, comme cette marque présente, elle aussi, une variante particulère, due à la présence de l'inaccompli, on pourrait considérer que les deux monèmes, personne et inaccompli, sont amalgamés et discontinus, de part et d'autre du verbe (*ta*-ḍrab-*u*).

Le choix de l'aspect, accompli ou inaccompli, entraîne également une modification du radical verbal : ici [ḍarab-] ~ [-ḍrab-]. D'autres déterminations d'aspect sont encore fournies par l'emploi de kāna à titre d'auxiliaire.

Aux monèmes de personnes et d'aspect s'ajoutent éventuellement et s'amalgament aussi des distinctions caractéristiques du genre (masculin-féminin), du nombre (singulier, pluriel, duel). Enfin, dans le cadre de l'inaccompli, existent plusieurs « modes » : indicatif, subjonctif, apocopé, impératif, qui dans certains cas ne constituent pas de véritables choix, mais sont l'effet de réactions provoquées par des monèmes du contexte : l'apocopé, par exemple, est en fait une forme régie par une conjonction (il a une valeur de négatif, passé).

Le signifiant du mode se manifeste dans l'amalgame personne + aspect du suffixe, en changeant sa forme, en l'éliminant en partie, ou en le remplaçant par un préfixe; par exemple « écrire » :

— à la première personne du singulier :

indicatif : 'aktubu
subjonctif : ('*an* (que)) 'aktuba
apocopé : 'aktub

— à la deuxième personne du pluriel :

indicatif : taktubūna
subjonctif : } taktubū
apocopé : }

En outre, la langue arabe possède des outils de modification interne du radical du verbe qui produisent, à partir du verbe simple, des synthèmes verbaux à valeur diverse : ces infixes peuvent ajouter un aspect d'intensité, de fréquence, ou encore modifier l'orientation du verbe à l'égard des actants.

Le passif arabe est un de ces infixes. Différent du passif français, il ne renverse pas le rapport du verbe au sujet, mais présente un procès en *lui-même*, indépendamment du participant agent :

kutila lahu farasuhu
fut tué à lui son cheval

ou plus exactement : « on lui tua son cheval ».

radical verbal : [k-t-l]
infixe avec l'accompli : [u-i-a].

Il est possible de former un très grand nombre de dérivés, nominaux ou verbaux, à partir du verbe arabe. Concrètement, le mécanisme de dérivation met en jeu des préfixes, des suffixes et des infixes, qui remplissent et entourent de façon variée le signifiant de base du verbe. Ce signifiant de base, appelé « racine », a un squelette composé uniquement de consonnes (trois consonnes, en règle générale).

C'est ainsi que dans [kataba] « écrire », la part de signifiant propre au signifié « écrire » réside dans la suite de consonnes : K...t...b, ici entouré par les affixes propres à l'accompli (troisième personne du singulier).

Voici, à partir de *kataba*, quelques exemples des dérivés que l'on peut obtenir en croisant la racine du verbe avec les divers modèles d'affixes (ou « schèmes ») de la langue arabe :

kattaba : enseigner à écrire
takātaba : s'écrire (correspondance)
kitābun : livre
kitābatun : écriture
kātibun : écrivain (écrivant)
maktab : bureau
maktūb : (ce qui est) écrit.

# 5

# un exemple : les langues néo-calédoniennes

PAR CLAIRE MOYSE-FAURIE

La famille des langues austronésiennes est une entité actuellement bien connue sur le plan phonologique. Plus récemment, de nombreuses monographies comprenant une étude syntaxique ont également été publiées.

Il nous a paru intéressant de dégager certaines dominantes syntaxiques parmi les langues que nous connaissons le mieux : celles parlées en Nouvelle-Calédonie, aux îles Loyauté et, dans une moindre mesure, à la Grande-Terre. Il s'agit donc de la branche orientale (océanienne) de la famille austronésienne, mais il est certain que de nombreux traits syntaxiques dégagés ici se retrouvent dans les autres branches, avec sans doute une pondération différente les uns par rapport aux autres selon les langues, et des réalisations morphologiques extrêmement diverses.

C'est ainsi que nous parlerons de la polyfonctionnalité de nombreux monèmes dans ces langues, soulevant le problème de l'opposition verbo-nominale et de l'inventaire des catégories; de l'organisation actancielle avec ses caractéristiques : existence de ce qu'on a appelé forme déterminée / forme indéterminée; et enfin, lié à cette dernière forme, le problème de l'incorporation « nominale ».

## 1. Polyfonctionnalité des monèmes et opposition verbo-nominale

Les langues que nous étudions ne connaissent pas de flexion liée au choix des modalités d'une part, du nombre ou de la personne des actants d'autre part. Par polyfonctionnalité, nous entendons tout d'abord la faculté qu'ont un grand nombre de monèmes d'avoir à la fois un emploi prédicatif et des fonctions non prédicatives, ceci sans changement formel. La distinction s'effectue alors à l'aide de deux classes d'unifonctionnels que nous avons appelés modalités prédicatives et modalités non prédicatives. Cette polyfonctionnalité, liée à l'identité formelle des monèmes quelle que soit leur fonction, n'est pas aussi marquée dans toutes les langues de la région, et concerne principalement les langues des îles Loyauté. Mais, et ceci est une des grandes caractéristiques communes, tous les monèmes lexicaux, y compris des pronoms, peuvent se voir attribuer un rôle prédicatif, spécifié par une modalité prédicative aspecto-temporelle.

Nous dégageons sur ces bases deux catégories :

*a* / Les lexèmes ayant toujours une fonction prédicative, c'est-à-dire ne pouvant s'adjoindre de modalités non prédicatives sans dérivation formelle. Leur nombre est variable selon les langues : assez nombreux en Nouvelle-Calédonie, faible aux îles Loyauté.

EXEMPLES :

> En *nemi* : les lexèmes fe « prendre », hwene « voir », ta « monter », tic « descendre », moo « rester » sont des verbes, c'est-à-dire sont toujours prédicats; ils ne peuvent avoir de fonctions non prédicatives qu'avec des préfixes de dérivation « dé-prédicativants » : kave-moo « pays ».
> En *iaai* : le verbe hliŋɔ « tuer qqn » ne peut perdre sa fonction prédicative qu'après dérivation syntaxique, à l'aide des changeurs de catégorie ü ou hna : ü-hliŋɔ « le crime », hna-hliŋɔ « l'exécution de qqn ».

*b* / Les lexèmes polyfonctionnels, c'est-à-dire dont la fonction ne peut être précisée au niveau du dictionnaire, et qui sont prédicats ou non-prédicats selon qu'ils sont accompagnés de modalités prédicatives ou de modalités non prédicatives, en situation, *hic et nunc* dans la chaîne.

Formellement nous distinguons :

— les prédicats ne pouvant avoir qu'un seul actant;
— les prédicats pouvant avoir deux ou plusieurs actants.

Dans la première catégorie, nous trouvons tout le lexique, en particulier tout ce que nous sommes forcés de traduire en français par des noms, et qu'on ne pourrait, en français, prédicativiser que sous forme de prédicats nominaux. Dans les langues que nous étudions, il existe aussi des énoncés correspondant à nos phrases nominales, c'est-à-dire des énoncés avec auxiliaires de prédication et prédicat nominal; mais la singularité de ces langues tient dans le fait que tous les lexèmes peuvent être prédicats (rendus tels par la présence de modalités prédicatives spécifiques), formant, lorsque toute dérivation permettant d'adjoindre un deuxième actant s'avère impossible, des prédicats de « type existentiel ».

Ce terme « existentiel » signifie simplement que l'on pose l'existence du lexème en tant que prédicat, noyau d'énoncé, ce qui ne peut être rendu dans la traduction française que par « être » + lexème.

En résumé, le même lexème peut être : prédicat dans un énoncé temporalisé avec modalités prédicatives spécifiques; prédicat dans un énoncé a-temporel (présentatif, topicalisé...) avec possibilités de modalités non prédicatives.

La prédication de « type existentiel » n'aurait en fait que des restrictions d'ordre sémantique, très virtuelles, car il n'est pas rare de trouver des énoncés tels : en *dehu*, eni a koko « je (suis) igname »; hna koko hneŋ passé-igname-marque agent + pronom « j'étais igname ».

Dans la seconde catégorie : prédicats pouvant avoir deux ou plusieurs actants, nous trouvons :

— ceux qui peuvent s'adjoindre au moins deux actants sans dérivation;
— ceux qui pour ce faire doivent être dérivés.

Nous étudierons plus loin les deux types de dérivation possible.

Le problème de l'opposition verbo-nominale dans ces langues peut être résumé ainsi : l'opposition existe puisque, si tous les lexèmes peuvent être prédicats, tous ne peuvent pas être non-prédicats sans dérivation formelle. En français, cela voudrait dire que tous les noms peuvent être verbes occasionnellement, mais non l'inverse. Nous ne voyons pas d'inconvénients à appeler « verbes » les lexèmes toujours prédicats; ils sont en effet prédicats intrinsèques, donnés comme tels dans le lexique de la langue. La grande particularité de ces langues est que la fonction prédicative n'est pas uniquement réservée aux verbes : tout lexème peut s'adjoindre une modalité prédicative spécifique et avoir la même fonction prédicative que les prédicats intrinsèques.

Pondérer le rôle de l'opposition verbo-nominale est évidemment d'un intérêt essentiel dans ces langues. Dans l'état actuel des recherches, on peut simplement affirmer qu'il est très faible dans les langues des îles Loyauté de même que dans certaines langues polynésiennes, encore assez fort dans les langues de Nouvelle-Calédonie.

## 2. Le préfixe hna du « dehu »

Il serait très intéressant de faire un inventaire précis de tous les préfixes « dé-prédicativants » dans les langues mélanésiennes; en effet, le rôle de ces préfixes est parfois ambivalent, à la fois sémantique et syntaxique. Le préfixe hna du *dehu* est à cet égard un bon exemple :

— C'est un préfixe de dérivation sémantique, c'est-à-dire n'impliquant pas de changement de catégorie : geðɛ « la vague »; hna-geðɛ « la mer »; eɛ « le feu »; hna-eɛ « le foyer ».

— C'est aussi un préfixe de dérivation syntaxique, indiquant que le monème qui suit n'a pas de fonction prédicative (préfixe « déprédicativisant ») : hla « recouvrir »; hna-hla « toiture »; siluθ « nouer »; hna-siluθ « le nœud ».

— Par ailleurs, hna est la modalité prédicative du passé; le préfixe hna- a encore souvent le sens de « lieu où s'est passée l'action », « trace de », « résultat d'une action passée » : ŋan « perdre »; hna-ŋan « le vaincu ».

Ce préfixe, alliant la notion de passé et la notion de lieu de l'action, se retrouve dans les langues voisines. En *dehu*, sa polyvalence (à la fois préfixe de dérivation syntaxique, préfixe de dérivation sémantique et modalité aspectuelle du passé) renforce l'importance du contexte syntaxique, en l'occurrence le rôle des modalités :

— hna-xen lieu-nourriture « magasin » peut être déterminé par des modalités non prédicatives;
— hna xen passé-nourriture « on a mangé » est un énoncé minimum et forme un syntagme prédicatif.

## 3. Organisation actancielle

Pour cet aperçu concernant l'organisation actancielle, nous nous limiterons aux énoncés à un ou deux actants. Nous expliciterons ce que peut signifier la transitivité dans ces langues, d'abord du point de vue du prédicat, puis de celui du second actant.

### *a - Transitivité*

Les énoncés qui ne peuvent comporter plus d'un actant concernent les prédicats habituellement nommés intransitifs. Dans les langues que nous étudions, rares sont les prédicats intransitifs qui ne peuvent, après dérivation, devenir transitifs. Cette dérivation s'effectue à l'aide de deux types d'affixes :

— le suffixe « transitivant », aussi appelé « marque de transitivité », permet à un prédicat monoactanciel de s'adjoindre un deuxième actant;
— le préfixe « causatif » ou « factitif » remplit la même fonction; on le classe généralement à part à cause de son signifié bien précis.

— *La marque de transitivité :*
C'est un déterminant spécifique du prédicat qui peut avoir plusieurs fonctions :

• Elle permet à un prédicat monoactanciel d'avoir un second actant :

en *dehu* :

að « nager, la nage » -ɛ « marque de transitivité » :
eni a að « je nage »
je-*aoriste*-nager
eni a að-ɛ-n « je hale qqn à la nage »
je-*aoriste*-nager-*trans.*-*dét.*

samek « clignoter (œil), éclair »
eni a samek « j'ai un clignement d'œil »
je-*aoriste*-cligner
eni a samek-ɛ-n « je fais un clin d'œil à qqn »
je-*aoriste*-cligner-*trans.*-*dét.*

öl « marmite, faire la cuisine »
eni a öl « je fais la cuisine »
je-*aoriste*-marmite
eni a öl-ɛ-n « je cuis qqch »
je-*aoriste*-marmite-*trans.*-*dét.*

• Tous les lexèmes peuvent être prédicats de type « existentiel »; la marque de transitivité permet à certains de ces prédicats de s'adjoindre un deuxième actant :

bulum « balai »
eni a bulum « je suis balai »
je-*aoriste*-balai »
eni a bulum-ɛ-n « je balaye »
je-*aoriste*-balai-*trans.*-*dét.*

hnö « piège » -θ « marque de transitivité + f. déterminée »
eni a hnö- θ « j'attache qqch ou qqn »
je-*aoriste*-piège-*trans.*-*dét.*

Ce type de suffixe existe dans toutes les langues du groupe; c'est le plus souvent : -ɛ en *dehu*, -ɔ en *iaai*, -ri en *ajië*, -hî en *camuhî* par exemple.

— *Le causatif :*

Le causatif permet également un énoncé à deux actants à partir :

— de prédicats mono-actanciels :

en *dehu* : elɛ « monter » ; a-elɛ-n « faire monter qqch ou qqn »
en *iaai* : mokut « dormir » ; oo-mokul-ec « endormir »

— de déterminants :

en *dehu* : (ka) ṭu « grand »; a- ṭu- n « honorer »

— de polyfonctionnels :

en *dehu* : mel « la vie, vivre »; a-mel-en « sauver qqn »; (ka) mel « vivant »

— des synthèmes :

en *dehu* : ṭo hmidra « aller doucement »; a- ṭo hmidra-n « apaiser »

Le causatif, comme la marque de transitivité, peut donc avoir deux fonctions : il permet au prédicat mono-actanciel de devenir bi-actanciel; il permet à des prédicats occasionnels de type existentiel de devenir prédicats à deux actants. Causatif et marque de transitivité ne sont d'ailleurs pas exclusifs l'un de l'autre : en *iaai* par exemple, les deux flexions existent pour un même terme de départ :

mokut « dormir » mokul-ec « couvrir qqch » oo-mokul-ec « endormir »
dormir-*trans.* *caus.*-dormir-*dét.*

Enfin, certains prédicats peuvent avoir deux actants sans comporter de marque de transitivité ou de causatif : il s'agit des transitifs par opposition aux « transitivés ») dont le sémantisme permet d'emblée la double actance.

Avant d'aborder le problème de la détermination du deuxième actant, il faut bien préciser que par transitivité, nous entendons la *possibilité* qu'a un prédicat d'avoir au moins deux actants; dans les langues mélanésiennes, cela ne veut pas dire que le deuxième actant doit obligatoirement être explicite; l'énoncé sera complet avec la marque de transitivité et la forme déterminée; le complément déterminé sera toujours une explicitation, venant en expansion, que le prédicat soit transitif ou transitivé :

en *dehu* :

eni a goe-ɛ-n je-*aoriste*-ouvrir les yeux-*trans.*-*dét.*
« je regarde qqch ou qqn »

C'est un énoncé minimum.

eni a goe-ɛ-n la uma je-*aoriste*-ouvrir les yeux-*trans.*-*dét.*-*déf.*-maison
« je regarde la maison »

énoncé où la uma est une expansion tout à fait facultative.

La transitivité, dans ces langues mélanésiennes, sera donc définie par deux critères :

- Le prédicat a la possibilité d'avoir au moins deux actants ; c'est bien sûr une notion sémantique, mais elle est marquée formellement pour les transitivés.
- Le prédicat est à la forme déterminée.

Explicitons ce deuxième point.

**b - Forme déterminée et forme indéterminée**

Le prédicat « temporalisable », c'est-à-dire accompagné de modalités prédicatives aspecto-temporelles, peut en effet prendre deux formes différentes, s'il a la possibilité d'avoir au moins deux actants :

— La forme déterminée, qui, nous l'avons vu, sous-entend l'existence d'un deuxième actant sans que celui-ci soit nécessairement exprimé.

— La forme indéterminée : dans ce cas, le complément est obligatoire, et l'ensemble prédicat à la forme indéterminée et complément obligatoire est indissoluble : rien ne peut s'immiscer entre le prédicat à la forme indéterminée et son complément. Voici quelques exemples en *dehu* et en *iaai* ; les alternances forme déterminée / forme indéterminée constituent la base de toute la morphologie des langues des îles Loyauté. Nous ne discuterons pas ici l'intérêt morphologique des exemples, mais nous voulons cependant donner une idée du rendement de cette alternance :

en *dehu* :

| | |
|---|---|
| eni a tulu-θ (la ono) | je-*aoriste*-règle-*trans.*-*dét.*-(*déf.*-coco)<br>« je pèse (le coco) » |
| eni a tulu ono | je-*aoriste*-règle-coco<br>« je pèse du coco » |
| eni a kapa (la hleŋ) | je-*aoriste*-porter (*déf.*-bûche)<br>« je porte (la bûche) » |
| eni a kepe hleŋ | je-*aoriste*-porter-bûche<br>« je porte des bûches » |
| eni a atë (la peleiṭ) | je-*aoriste*-poser (*déf.*-assiette)<br>« je pose (l'assiette) » |
| eni a ati peleiṭ | je-*aoriste*-poser-assiette<br>« je mets le couvert » |

en *iaai* :

| | |
|---|---|
| a-me kot | il-*procès*-taper<br>« il tape qqch » |
| a-me xuc bü | il-*procès*-taper-roussette<br>« il chasse la roussette » |

Nous avons dit que le groupe prédicat à la forme indéterminée et complément obligatoire formait un groupe indissoluble. Actuellement, deux interprétations peuvent être données :

— On peut être tenté de considérer forme déterminée et forme indéterminée comme deux choix fonctionnellement identiques, n'affectant en rien le restant de l'énoncé : c'est le cas lorsque toute une gamme de compléments reste possible après la forme indéterminée.

— Mais il existe de toute évidence un lien privilégié entre prédicat à la forme indéterminée et complément obligatoire : une synthématisation est parfois effective, souvent en cours : seuls quelques compléments apparaissent après la forme indéterminée, alors que la forme déterminée permet tout l'éventail lexicologique. C'est le cas en *iaai* par exemple, dans hii nu « râper du coco », le prédicat hii n'admet que ce complément lorsqu'il est à la forme indéterminée; nu doit alors être considéré comme un simple déterminant du prédicat et il y a suppression de la deuxième valence actancielle. En *dehu,* le monème ɲi « faire » n'a que cette forme indéterminée : ɲi ii faire-poisson « pêcher », ɲi sinöe faire-bois « aller chercher du bois », ɲi ʈeu faire-lune « danser le pilou »; ɲi n'a plus de forme déterminée; il forme à présent des synthèmes avec ses compléments obligatoires.

En conclusion, il nous semble légitime de considérer la forme indéterminée du prédicat comme annulant la transitivité. On a donc le schéma suivant :

| | | | |
|---|---|---|---|
| intransitif | transitivable = transitif | forme déterminée | COD implicite<br>COD explicite |
| | | forme indéterminée | : transitivité nulle<br>parfois synthème |
| | non transitivable | | |

Dans certains cas, le synthème obtenu par l'assimilation du complément obligatoire par le prédicat à la forme indéterminée et se comportant comme un intransitif, peut être « transitivé », comme certains intransitifs, à l'aide de la marque de transitivité :

— en *iaai* nous avons la série suivante :

xaü « gifler » *(f. dét.)*
xaüxaü « tapoter » *(f. dét.)*
xəüxəü hɲaam tapoter-paume « applaudir » *(f. indét.)*
xəüxəü hɲaam-ɔ ke xumwəŋ tapoter *(f. indét.)*-paume-*trans.*-*indéf.*-chant « applaudir un chant »

— en *dehu* :

| | |
|---|---|
| ɲi ɖösinöe | faire-feuille d'arbre « préparer un médicament » |
| ɲi ɖösinöe-ɛ-n | faire-feuille d'arbre-*trans.*-*dét.* « soigner qqn » |

Ainsi, les figements dus à l'affinité (sens générique, tendance à l'abstraction) peuvent eux-mêmes devenir productifs : par l'adjonction de la marque de transitivité, ils redeviennent des prédicats à la forme déterminée, c'est-à-dire ayant la possibilité d'avoir deux actants.

## *BIBLIOGRAPHIE*

HAUDRICOURT (A.-G.), La langue des Nenemas et des Nigoumak (dialectes de Poum et Koumac), *Te Reo Monographs*, 1963, Auckland, Linguistic Society of New Zealand, 85 p.
LA FONTINELLE (J. de), *La langue de Houaïlou (Nouvelle-Calédonie)*, 1976, Paris, SELAF, nº 17, 383 p.
OZANNE-RIVIERRE (F.), *Le iaai, langue mélanésienne d'Ouvéa*, 1976, Paris, SELAF, nº 20, 245 p.
RIVIERRE (J.-C.), *La langue de Touho, phonologie et grammaire*, Paris, SELAF, sous presse, 300 p.

## *BIBLIOGRAPHIE GÉNÉRALE SUR LA DIVERSITÉ DES LANGUES*

BENVENISTE (E.), La classification des langues, *Conférences de l'Institut de Linguistique de Paris*, XI, 1952-1953.
CHOMSKY (N.), *Aspects of the theory of syntax*, Cambridge, Mass., MIT Press, 1965, 251 p.
— *Le langage et la pensée* (*Language and mind*, New York, 1968), Paris, Payot, 1970.
FRANÇOIS (F.), *L'enseignement et la diversité des grammaires*, Paris, Hachette, 1974, 219 p.
GREENBERG (J.), *Universals of Language*, MIT Press, 1963, 251 p.
HJELMSLEV (L.), *Prolégomènes à une théorie du langage*, Paris, Ed. de Minuit, 1968, 227 p.
JAKOBSON (R.), *Langage enfantin et aphasie*, Paris, Ed. de Minuit, 1969, 185 p.
KATZ (J. J.) et POSTAL (P. M.), *An integrated theory of linguistic description*, Cambridge, Mass., MIT Press, 1964, 178 p.
*Les langues du monde*, sous la direction de A. MEILLET et M. COHEN, Paris, 1952.
MARTINET (A.), *Economie des changements phonétiques*, Berne, Francke, 1955, 369 p.
— La double articulation du langage, in *La linguistique synchronique*, Paris, PUF, 1970, 255 p., 7-27.
— Les structures élémentaires de l'énoncé, *ibid.*, 201-228.
MOUNIN (G.), *Les problèmes théoriques de la traduction*, Paris, Gallimard, 1963, 269 p.
POTTIER (B.), La typologie, *Le langage*, Encyclopédie de la Pléiade, Paris, Gallimard, 1968, 1 525 p., 300-322.
SAPIR (E.), *Le langage* (Londres, 1921), Paris, Payot, 1967, 231 p.
WHORF (B. L.), *Linguistique et anthropologie* (*Language, thought and reality*, Cambridge, Mass., 1956), Paris, Denoël, 1969, 220 p.

troisième partie

# DOMAINES D'APPLICATION

*Sommaire*

# 1 l'acquisition de la langue maternelle

PAR RÉGINE LEGRAND-GELBER

## A - PROBLÈMES GÉNÉRAUX

Il n'est pas question ici de faire la synthèse des travaux sur la question mais de proposer quelques réflexions centrales.

— *Dans l'acquisition du langage par l'enfant, deux réalités sont en présence :* l'enfant et le milieu. On ne peut rien comprendre au processus de mise en place du langage, dès le début, sans ces deux facteurs. Aux premiers moments de son existence, le petit d'homme se présente avec son immaturité, son adaptabilité, condition même de sa socialisation. Il se présente aussi avec une attirance vers autrui, avec des aptitudes au mimétisme et avec aussi un besoin précoce d'activités ludiques. Le milieu lui fournit l'affection, les stimulations, les motivations et les modèles et, facteurs importants de son développement général et en particulier verbal, l'ensemble complexe de ce qui est interdit, permis ou simplement toléré. C'est par l'intervention du milieu qu'un épiphénomène physiologique comme le cri apparaît à l'enfant comme un moyen d'échange et constitue ainsi un premier pas vers l'accession à la fonction sémiotique. L'importance de cet échange demeure tout au long de l'acquisition et l'on connaît maintenant les graves conséquences qu'entraîne toute rupture : l'enfant que l'on n'écoute pas, à qui l'on ne s'adresse pas, se voit exposé à des troubles du comportement, verbal bien sûr, mais pas seulement, tant il est vrai que le développement du langage est intimement lié à celui de la personnalité. Cette interaction enfant-milieu fait que le nourrisson, parti d'un stade à peine supérieur au parasitisme, atteindra un niveau au regard duquel le comportement des autres espèces animales est à peine un commencement[1].

1. R. Legrand-Gelber et Ch. Marcellesi, L'enfant, le langage et les rapports sociaux, *La Pensée*, n° 209, janvier 1980.

— *Du point de vue méthodologique*, les recherches systématiques concernant ces processus d'acquisition de la langue maternelle sont d'origine récente et se présentent de deux façons :

*1* / Les recherches concernant la façon dont s'établit le système linguistique au cours des deux ou trois premières années : ce sont les recherches les plus anciennes; la méthode de travail porte les marques de ce qui caractérise cette étape du développement de l'enfant. L'enfant vit essentiellement dans le milieu familial et c'est ce milieu qui le connaît le mieux et qui est par conséquent le mieux placé pour l'observer; les études portent donc sur des cas isolés, la plupart du temps sur les propres enfants du chercheur; cette méthode a donné des résultats remarquables et elle est encore dominante aujourd'hui, mais elle présente l'inconvénient de ne pas prendre en compte les variables socioculturelles de l'apparition du langage chez le tout-petit.

*2* / Celles concernant la poursuite de l'acquisition de la langue au-delà de 3 ans, c'est-à-dire pendant la scolarité de l'enfant; dans ces cas, des enquêtes à grande échelle peuvent être entreprises dans les classes, mais ici encore les problèmes ne sont pas simples car l'étude du langage de l'enfant en classe devrait se doubler de celle de son maniement linguistique hors du milieu scolaire, et, à cet égard, les questionnaires socio-linguistiques sur le milieu familial ne fournissent que des témoignages indirects et ne constituent pas un « corpus » linguistiquement sûr. Les découvertes sur le langage de l'enfant du début de la scolarité à l'adolescence revêtent une très grande importance pour la recherche pédagogique et des résultats importants sont d'ores et déjà obtenus en maternelle et dans le primaire. Mais un manque existe encore pour ce qui est du maniement linguistique entre 8 et 13 ans, période où il se passe cependant tant de choses sur le plan des opérations rationnelles, de l'affectivité et de la socialisation[1].

— *Du point de vue de la problématique*, le plus grand progrès réalisé aujourd'hui est l'abandon de ce qu'on peut appeler l' « adultocentrisme », c'est-à-dire la tendance à décrire les faits d'acquisition à l'aide des concepts et des catégories utilisés dans la description du maniement de l'adulte. Cette tendance à attribuer à la langue de l'enfant les caractéristiques et les propriétés de la langue adulte conduit à conclure rapidement à des identités de fonctionnement et de sens sur la foi seule de similitudes formelles. Or, le langage enfantin a ses propres lois de fonctionnement au point qu'on ne peut même pas dire qu'il est une réduction de la langue adulte. Il constitue une structuration progressive de moyens matériels répondant à une structuration progressive de besoins de communications. Il faut donc prendre en compte une double réalité :

*a* / Constater, d'une part, que l'acquisition du langage par l'enfant obéit à des règles, ce qui explique à la fois la rapidité de celle-ci et l'aspect « créateur » du maniement enfantin, c'est-à-dire la possibilité d'émettre et de comprendre un nombre important d'énoncés non encore entendus ni émis auparavant.

*b* / D'autre part, que ces règles ne sont pas celles de la langue adulte; en effet, confrontés aux normes de l'adulte, les énoncés enfantins sont « agrammaticaux », ce

1. Recherche personnelle en cours dans des classes de CM2 de Seine-Maritime.

qui ne les empêche pas de constituer un moment essentiel de la communication avec autrui et de fonctionner en tant que tels. Nous citerons à ce sujet Frédéric François :

> « Les « modèles d'enfants » se sont succédé au fur et à mesure que se succédaient les théories linguistiques. Il y a eu des « enfants distributionnels », des « enfants transformationnels », puis d'autres sémanticiens avant d'être syntacticiens. Mais en fait, on peut se demander s'il ne faut pas changer l'ordre de la démarche »[1].

— *Peut-on donc décrire différentes « grammaires » de l'enfant ?* Le premier problème vient de la difficulté à scinder la progression diachronique en plans synchroniques, autrement dit à délimiter des « stades ». En effet, l'acquisition linguistique se caractérise par une continuité dans laquelle avancées, temps morts et régressions s'entremêlent en permanence. Un stade n'est pas achevé qu'un autre apparaît déjà et la délimitation ne peut qu'être choisie artificiellement en fonction d'un découpage basé sur un équilibre entre émergence de faits nouveaux et disparition de faits anciens. Quant aux tranches d'âge, on ne peut en avoir qu'une vision très souple, l'acquisition du langage étant hautement individualisée. L'établissement de moments de stabilité ne donne en définitive que des points de repère dans l'épais tissage des éléments d'évolution linguistique. Le deuxième problème touche à la nature complexe de l'échange enfant-adulte. Comme le langage utilisé par l'enfant n'est pas le nôtre, pouvons-nous isoler vraiment des faits de code ? Dans tout échange, l'extra-linguistique vient éclairer le linguistique; la différence en l'occurrence réside en ce que, dans la communication adulte, l'essentiel de l'information peut provenir du maniement linguistique et le reste de l'extra-linguistique alors que dans la communication enfantine les données situationnelles sont indispensables à la signification. La compréhension du langage enfantin passe ainsi toujours par une interprétation recherchée dans la situation extra-linguistique au point que l'on est en droit de se demander comment fonctionne le linguistique et s'il peut être isolé en tant que tel. Quoi qu'il en soit, il faut bien comprendre que les phénomènes de communication enfants-adultes ne trouvent pas appui sur une identité de code au sens où on entend identité quand on parle de deux individus utilisant la même langue.

— *Tentatives distributionnalistes et générativistes et perspectives fonctionnalistes*

*a* / Pendant longtemps, l'idée que le langage se développait chez l'enfant essentiellement selon un simple processus d'imitation des adultes a été prédominante. Conséquence essentielle : on a toujours privilégié l'étude de la production par rapport à celle de la compréhension linguistique de l'enfant. Vers les années cinquante sont apparues les théories du conditionnement pour lesquelles la plupart des activités animales, mais aussi humaines, constituaient une réponse (R) à une stimulation (S) du milieu. Les activités supérieures de l'homme ne semblaient pouvoir échapper à cette loi. Dans un tel cadre théorique, le langage se réduit à un comportement que

1. F. François, *La syntaxe de l'enfant avant 5 ans*, Larousse, 1977, p. 9.

l'enfant acquiert peu à peu par conditionnement[1], plus exactement par les « renforcements » positifs ou négatifs que lui prodigue son entourage. Dans cette perspective, l'enfant affinerait son système linguistique par des tentatives heureuses ou malheureuses. Ce courant « behavioriste » a connu un certain succès linguistique à travers les essais distributionnalistes auxquels on peut essentiellement reprocher de réduire la dynamique du processus d'acquisition à des séries d'opérations mécaniques[2]. Technique de description uniquement, le distributionnalisme s'en tient à l'étude du positionnement des unités dans la chaîne, la syntaxe d'une langue consistant en classes d'unités définies par leur possibilité, leur impossibilité ou leur nécessité de se succéder. Cette approche peut donner quelques résultats intéressants dans la brève période où le langage de l'enfant ne présente que des paradigmes fermés (jusqu'à 2 ans au grand maximum). On obtient alors un recensement formel et exhaustif des successions attestées. Le problème reste alors le passage au sens : l'organisation ainsi mise à jour, que sert-elle à signifier ? Ce problème ne peut être résolu par le distributionnalisme parce que celui-ci ne peut, de par sa nature, tenir compte d'une donnée fondamentale de l'acquisition; l'enfant ignore les contraintes non significatives et pratique par conséquent la syntaxe bien avant la morphologie. Une grammaire distributionnelle dont le but est de décrire l'ensemble de ces contraintes formelles ne peut être totalement opératoire pour traiter les énoncés enfantins. Nous avons vu que, d'une part, des énoncés enfantins de même structure ne véhiculent pas tous le même sens, la situation dans laquelle ils sont émis permettant de trancher, que d'autre part des permutations syntagmatiques peuvent aussi bien constituer de véritables différences pertinentes de sens que simplement des variantes libres, c'est-à-dire ne s'accompagnant pas d'une variation dans le contenu du message à communiquer.

Par exemple, dans son étude des énoncés à deux termes, Braine avance l'idée qu'il y aurait déjà chez l'enfant deux classes distinctes d'unités linguistiques[3] :

- Celles appartenant à la classe dite PIVOT et qui se caractérisent par : leur haute fréquence d'emploi, leur nombre limité, leur position fixe, leur non-emploi isolément.
- Celles appartenant à la classe OUVERT et qui se caractérisent par : une moindre fréquence d'emploi, un nombre relativement élevé, une position plutôt libre, une possibilité d'apparition isolée.

De nombreux exemples montrent que cette rigueur ne se retrouve pas dans le maniement de l'enfant. Chez Nicolas, 18 mois, nous n'avons pu trouver qu'une seule unité à position fixe [ja] (« il y a »). Pour le reste du maniement, l'ordre des éléments semble indifférent.

| | |
|---|---|
| [alo vava] | « allô le chien » |
| [vava don] | « donne le chien » |
| [don gato] | « donne le gâteau » |
| [gato mamã] | « un gâteau maman » |

1. G. A. MILLER, *Langage et communication*, PUF, 1956, pp. 215 et s.
2. Martin BRAINE, The ontogeny of English Phrase Structure. The first phrase, *Language*, nº 39, 1963; Roger BROWN et Colin FRASER, The Acquisition of syntax, *The Acquisition of Language*, BELLUGI and BROWN ed., 1964.
3. Voir Emilie SABEAU-JOUANNET, thèse de IIIe cycle, Paris, Sorbonne, 1972.

[mamã atã] « attends maman »
[atã bebe] « attends bébé »
[bebe kokɛ̃] « coquin bébé »
[kokɛ̃ apy] « je ne suis plus coquin »
[apy bɛ̃bɛ̃] « je ne veux plus du bain »
etc.

L'apprentissage du procédé syntaxique de l'ordre, l'utilisation de la place d'une unité à des fins de transmission de sens, semble une acquisition beaucoup plus tardive de l'enfant et d'une complexité bien trop grande au stade des énoncés à deux termes.

L'analyse distributionnelle présente donc une confusion générale entre *forme et fonction*, ce qui amène à considérer certaines formes comme fonctionnant déjà comme dans le maniement adulte. Or l'enfant commence par utiliser un code bien trop restreint pour que soient différenciés du point de vue fonctionnel un domaine grammatical et un domaine lexical.

*b* / C'est en réaction au courant behavioriste d'évacuation des problèmes du sens que le générativisme a sous une forme discutable mis le sens au premier plan de ses travaux. Le plus souvent en traitant le maniement de la langue par l'enfant non pour ce qu'il est mais d'après la paraphrase (adulte) issue de l'interprétation de celui-ci en fonction d'une situation donnée. Ainsi, pour Loïs Bloom[1], la relation qui unit les deux unités d'un énoncé à deux termes se découvre dans l'interprétation que l'on peut faire de ces énoncés. Lorsqu'un enfant dit *maman dodo* pendant que sa mère le couche, on peut en déduire que *maman* est sujet et que *dodo* désigne l'action de *coucher, mettre au lit*. Par contre, si l'enfant montre le lit de ses parents en disant *maman dodo*, on peut en déduire qu'une relation de détermination met en rapport les deux termes, *maman* étant le déterminant et *dodo* le déterminé. Dans ce type d'analyse, on assiste à une totale confusion entre *fonction et sens*, la fonction étant identifiée au sens sans que l'on puisse faire référence à un procédé formel quelconque.

De façon beaucoup plus générale, la tentative générativiste concernant l'acquisition du langage par l'enfant souffre de la dichotomie compétence/performance. Comme toute dichotomie, elle présente le risque d'isoler des essences au lieu de mettre en lumière leurs rapports dialectiques. Pour l'acquisition, la compétence apparaît comme coupée du reste du développement, et surtout des apports extra-linguistiques, et rend nécessaire le renvoi coûteux, non explicatif, et, à notre avis, bien rétrograde au vu des progrès de la science, à une aptitude innée. Il est vrai que, d'une part, l'enfant a plus à communiquer que ce que lui permettent ses capacités langagières, que d'autre part sa compréhension est plus large que sa production. On sera donc bien d'accord pour dire que les réalisations linguistiques de l'enfant ne reflètent que très imparfaitement son expérience générale et plus précisément son expérience de la langue, mais, à notre avis, on franchit un pas bien dangereux en introduisant dans la compétence linguistique des faits relevant du domaine de la connaissance en général, car l'objet de l'étude se déplaçant du niveau des actes linguistiques à celui

1. Loïs Bloom, *Language Development, Forms and Functions in Emerging Grammars*, Cambridge, Mass., MIT Press.

des intentions linguistiques devient alors pertinent pour l'analyse non de la performance de l'enfant, mais de la paraphrase que l'on peut en faire.

La compétence recouvrirait dans cette perspective des structures profondes plus riches du point de vue du sens que les structures superficielles représentées par les énoncés réellement réalisés. Loïs Bloom comme Mac Neil ont en fait recours à des manipulations qui permettent de mettre à jour, à partir des productions effectivement attestées de l'enfant, une plus grande richesse informative des structures profondes.

Un pont est ainsi jeté entre ce que dit l'enfant et le système adulte, mais il constitue une construction purement théorique qui ignore l'ensemble des éléments caractéristiques de tout acte de communication — le rapport à autrui et les données situationnelles — et dont la prise en compte est décisive pour l'analyse de la langue de l'enfant. En effet, cliniciens et psychologues de l'enfant s'accordent pour constater que son développement se réalise par un décollement progressif à partir de soi, de l'immédiat, du concret vers les autres, l'ailleurs, le passé et le futur et l'abstrait. Parallèlement à cela, l'acquisition du langage montre aussi une adhérence de départ à la situation, à soi, au concret. L'absence de syntaxe du début confirme justement cette adhérence, les énoncés se référant à des actions en cours ou résultant d'actions que l'on constate au moment même de l'énonciation.

Avec la socialisation, l'accession aux données spatiales (ce qui existe et qui n'est pas dans le champ visuel), temporelles (ce qui a été ou sera) et le développement des processus d'abstraction apparaîtra la nécessité des spécifications spatiales, temporelles, causales... au niveau linguistique et, par conséquent, l'intégration d'outils syntaxiques et lexicaux appropriés. La seule façon de désambiguiser les premiers énoncés enfantins est d'avoir recours à la situation dans laquelle ils ont été émis. Et ce n'est qu'entre 2 et 5 ans que l'on verra petit à petit apparaître dans le maniement de l'enfant des paliers de distanciation par rapport au complexe « je - ici - maintenant » du début. Toute l'histoire de l'acquisition du langage par l'enfant peut se résumer en un passage d'un maniement en situation à un maniement hors situation, par l'appropriation d'une autonomie que l'individu conquiert dans sa socialisation sur tous les plans, dont le plan linguistique. Pour nous, il est impossible de couper le développement du langage de l'enfant de sa matrice, extra-linguistique, et tout le fameux problème du sens réside là. D'une façon générale, les unités de la langue possèdent un sens potentiel qui s'actualise à la fois dans les énoncés et par rapport aux données situationnelles. Ce qui rend difficile, comme le font en permanence les générativistes, de sélectionner dans tous les cas les énoncés « recevables » et ceux qui ne le sont pas. Et ceci est encore plus difficile chez l'enfant pour lequel :

— tout prend sens en situation;
— à partir d'une réalité qui n'est pas encore structurée, ou plus précisément non totalement organisée comme le modèle social auquel les adultes se réfèrent;
— et dans des rapports à autrui différents, eux aussi, de l'idée que l'adulte peut s'en faire.

On se demande comment la notion de compétence, coupée de tout cela, peut rendre compte de la teneur significative des énoncés enfantins. Ajoutons, pour montrer à quel point il faut se garder de tout schématisme, que l'enfant émet une part importante de ses énoncés pour jouer, sans se préoccuper de la recevabilité de son émission, de la « valeur de vérité » que ses énoncés peuvent avoir.

> *Nicolas*, 27 mois :
>
> [mamâ kryʃ krɔʃ la mɛzõ]
> « maman, cruche croche la maison! » (éclat de rire).
>
> *Ariane*, 27 mois (en écho) :
>
> [tola a di kryʃ krɔʃ lamɛzõ]
> « Nicolas a dit cruche croche la maison! » (éclat de rire).
>
> *La mère* :
>
> « Qu'est-ce que tu racontes ? »
>
> *Nicolas* (en riant et en se tortillant) :
>
> [se le betiz də rigolo lə garsõ]
> « Ce sont des bêtises d'un garçon rigolo. »
>
> *Ariane* (sérieusement) :
>
> [anan osi tom tola pu rir]
> « Ariane aussi comme Nicolas pour rire. »

Cette fonction ludique du langage s'accommode mal de la notion de compétence, de même que toutes les tentatives de l'enfant pour essayer sa langue. Cette utilisation du langage à des fins de pur apprentissage et non de communication produit une très importante quantité d' « agrammaticalités » qui constitue pourtant un des moteurs de l'acquisition.

> Ariane, 26 mois, fait des essais pour passer du singulier au pluriel : [Se mõ ʃəvø dø] (elle montre ses cheveux) « C'est mon cheveux deux ? » Plus tard [olala tut le vatur dø twa] « Oh la la toutes les voitures, deux, trois! »

Dans la pratique linguistique de l'enfant, le dosage, à un moment donné, de toutes ces utilisations varie très sensiblement et rend impossible une évaluation du langage enfantin à partir des critères du système adulte. Cette complexité et cette variabilité ne nous semblent pas intégrables dans la rigide dichotomie compétence/performance.

*c* / Pour les fonctionnalistes, quelques données fondamentales déterminent les recherches sur l'acquisition du langage par l'enfant.

— On ne peut comprendre et rendre compte des problèmes d'acquisition linguistique si on isole ce processus du reste du développement de l'enfant, de l'ensemble des rapports que le petit d'homme entretient dès sa naissance avec la réalité et avec les autres (enfants et adultes).

— D'où l'importance dès le début du rôle joué par les circuits de communication non linguistique, le développement de l'enfant ne pouvant s'expliquer que par le fait que l'essence de l'homme n'est pas en lui, mais dans son système de relation à l'autre[1]. Ces circuits d'interaction enfant-adulte ont été étudiés par Frédéric François et nous renvoyons à son travail[2].

— La notion d'imitation ne peut rendre compte à elle seule de l'acquisition linguistique. D'une part, l'enfant n'imite l'adulte que lorsque les productions de ce dernier présentent une ressemblance quelconque avec les siennes propres. Ce circuit de l'imitation se met à fonctionner à l'initiative de l'adulte qui commence par imiter l'enfant. L'imitation n'est donc pas un simple donné de l'enfant, elle constitue un échange, un acte social. Ainsi le langage bébé ne provient pas de l'enfant, mais se trouve créé par l'adulte à partir de son imitation des productions enfantines. D'autre part, la généralisation analogique est un moteur bien plus puissant pour le maniement linguistique, surtout syntaxique. C'est elle qui permet la généralisation de structures apprises dans une situation particulière, c'est elle aussi qui fait produire à l'enfant des « fautes » si fréquentes de morphologie, celles dues à l'irrégularité de la langue : « Il dit bonjour à le monsieur » analogique de « à la dame »; « c'est un orangier » analogique de « c'est un citronnier », « il vienera » analogique de « chante/chantera », « il soleille » analogique de « il neige », « j'ai vu une blanche maison » analogique de « une grande maison », etc.[3].

— Les concepts linguistiques utilisés dans l'étude du langage enfantin doivent rendre compte :

*1* / De l'indépendance relative des niveaux de la langue qui ne s'acquièrent pas les uns après les autres, mais de façon simultanée et à des rythmes différents.

2 / D'un double procédé d'acquisition passivement et activement selon que la langue présente des cas de figements *(je me rappelle Pierre, je pense à Pierre, je me souviens de Pierre)* ou des structures généralisables.

Par exemple, la maîtrise réelle du système phonologique apparaît à un moment où s'est déjà mise en place une syntaxe fort complexe. De même, les contraintes morphologiques ne sont acquises que tardivement, les mécanismes généralisables précédant l'apprentissage « coup par coup ». Mais cet inachèvement de la phonologie et cette quasi-absence d'habitudes morphologiques n'empêchent la communication que dans de très étroites limites. L'interlocuteur adulte comprend l'enfant même s'il juge qu'il fait des « fautes ».

— Parce que nous comprenons quelque chose aux messages de l'enfant, parce que, grâce aux situations concrètes, aux rapports affectifs et aux habitudes entre individus, la communication « passe » entre tel adulte et tel enfant, nous pouvons être amenés à conclure à des structures sous-jacentes. Tous les dangers de l'analyse du langage de l'enfant semblent pouvoir se résumer dans la double confusion entre critères linguistiques et circonstances non linguistiques, entre traits de la paraphrase adulte et structuration propre au message de l'enfant. Si on n'écarte pas ces deux types de confusion, ce que l'on réalise alors n'est en aucun cas l'analyse de la langue de l'enfant, mais celle du décodage fait par l'adulte.

1. Lucien Scève, *Marxisme et théorie de la personnalité*, Ed. Sociales, 1964.
2. F. François, *La syntaxe...*, *op. cit.*, p. 30.
3. Régine Legrand-Gelber, *Enseignement de la langue maternelle et notion de faute*, IIIe Colloque international sgav-credif, Paris, Didier, 1976, pp. 255-261.

## B - PREMIERS GRANDS RÉSULTATS

### 1. Remarques préliminaires

— L'acquisition du langage commence très tôt. On sait qu'à la naissance l'enfant a la possibilité d'apprendre n'importe quel système linguistique. Cette appropriation du système qui sert de bain linguistique à l'enfant intervient immédiatement. En effet, autant au cours des premiers mois le nourrisson peut émettre des sons très éloignés de ceux utilisés par la langue de son entourage, autant on remarque vers 6 mois un babillage déjà fortement teinté par les intonations phrastiques et les accentuations propres à la langue maternelle.

— Cette acquisition du langage est très lente. La maîtrise réelle du système exige un apprentissage sur douze à quinze années et même on peut soutenir que les processus d'acquisition linguistique ne sont jamais complètement achevés puisque l'expérience et la connaissance que tout individu accumule tout au long de sa vie s'accompagnent en permanence d'un enrichissement verbal. On entrevoit aisément les raisons de cette lenteur d'acquisition dans son extrême complexité; en effet, elle met en mouvement des facteurs multiples : audition et perception, coordination motrice et articulation, développement affectif et psychique, socialisation, mémoire, etc. En fait, c'est toute la personnalité de l'individu, les rapports au monde dans lequel il se développe et aux êtres qui l'entourent qui sont impliqués dans l'appropriation de la première langue.

— Dans ses grandes lignes, *l'ordre d'acquisition* est le même pour tous les enfants, les différences venant essentiellement de ce qui caractérise les systèmes des différentes langues et des données sociales et culturelles. Bien sûr, au sein d'une même langue et dans un milieu identique des différences existent : tout individu est l'ensemble des rapports sociaux multiples dont la hiérarchie le caractérise. C'est pourquoi le *rythme d'acquisition* peut varier de façon sensible entre enfants d'un même groupe social.

— Nous présentons ici quelques aspects de l'acquisition du langage de la naissance à l'apprentissage de l'écriture. Nous donnons à la fois des idées générales et les observations que nous avons nous-mêmes pu faire concernant Laure (née en octobre 1972), Ariane et Nicolas (jumeaux nés en décembre 1975). Quelques précisions au sujet de ces trois enfants : milieu intellectuel, socialisés très tôt (crèche); langue maternelle : le français; lieu de naissance : Paris[1].

### 2. Les axes principaux

#### *a - L'étape prélinguistique*

Selon les enfants, cette période est plus ou moins longue. On la repère au moment des premiers cris de l'enfant en vue d'obtenir quelque chose (3-4 mois) et elle se poursuit jusqu'au moment où apparaît (entre 12-15 mois) une activité réellement verbale, à peine esquissée peut-être, mais régulière.

1. Comme nous le signalons au début, une véritable analyse sociolinguistique de masse manque sur cette période d'acquisition.

*1 | Les premiers cris ou vagissements* ne constituent au départ qu'un effort contre l'asphyxie. Ils traduisent ensuite des états de malaise et constituent une réaction de défense généralisée. Ces cris ont pour origine des sensations organiques et ne sont associés chez le nouveau-né qu'à des états physiques désagréables : faim, colique, irritation de la peau, difficultés respiratoires, etc. Ils ne sont pas d'emblée un moyen de communication. Cependant — et c'est là que se construit le premier circuit de communication — les parents leur attribuent un sens et leur accordent la valeur d'un signal ou d'un appel. L'enfant remarque alors l'effet produit par ses cris et il criera pour produire cet effet.

Peu à peu, une différenciation s'instaure, des modulations distinctes se rapportant de plus en plus régulièrement à des états de plus en plus précis. Cette régularité témoigne d'une adaptation des rythmes respiratoires à une production variée, progressivement volontaire.

*2* | Passé la première étape des « vagissements », débute *une longue période* (jusqu'à 1 an - 15 mois) de *vocalisations et de « babillage »*. Tous les observateurs sont d'accord pour voir dans ces activités vocales la source du langage articulé. La manifestation la plus fréquente du babil est la répétition de groupes de sons du type [pa-pa-pa...], [aga-aga-aga...], etc., que l'on appelle depuis le psychologique J. M. Baldwin, la « réaction circulaire »[1]. L'émission vocale du bébé le stimule kinesthésiquement et acoustiquement, d'où la reprise du groupe de sons déjà produits. Ce simple enchaînement audio-oral dans lequel le bébé se trouve pris a des conséquences difficiles à mesurer, mais sans nul doute, fondamentales : il est à l'origine d'un phénomène de la plus haute importance pour la suite : la synchronisation progressive de la respiration et de l'émission sous contrôle auditif. On imagine quel handicap de départ doit constituer la surdité chez le nourrisson.

On va beaucoup étudier la façon dont évoluent les vocalisations du nourrisson dans cette période de babillage ou de lallation.

*Roman Jakobson*[2] propose un schéma séduisant de l'acquisition des sons parce que systématique, mais qui, confronté à la réalité, ne constitue qu'une astucieuse construction théorique. Cette acquisition débuterait par un stade labial au cours duquel les bébés prononceraient exclusivement un ensemble syllabique /pa/ caractérisé du point de vue articulatoire par deux constituants représentant les deux configurations polaires de l'appareil vocal :

/p/ fermeture d'avant, ouverture d'arrière
/a/ ouverture d'avant, fermeture d'arrière.

Apparaîtrait ensuite l'opposition consonantique entre labial et dental, c'est-à-dire entre les deux points d'articulation occlusifs les plus visibles, ce qui donne le triangle primitif :

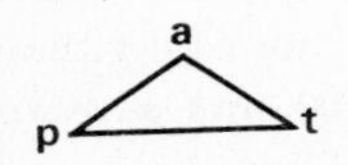


1. J. M. Baldwin, *Mental Development in the Child and the Race. Methods and Processes*, New York, Mac Millan, 1895.
2. Roman Jakobson, *Essais de linguistique générale*, Paris, Ed. de Minuit, 1963, pp. 135-140.

Puis les deux parties consonantique et vocalique de ce triangle élaboreraient chacune un schéma linéaire : axe consonantique grave/aigu, axe vocalique compact/diffus.

Voici, rapidement présentée, la façon dont se scinde le schéma primitif : on voit que le triangle primitif, unique au départ, évolue vers deux modèles bidimensionnels autonomes : le triangle consonantique et le triangle vocalique, à partir desquels vont ensuite s'élaborer les systèmes phonologiques conformes à la langue du milieu dans lequel vit l'enfant.

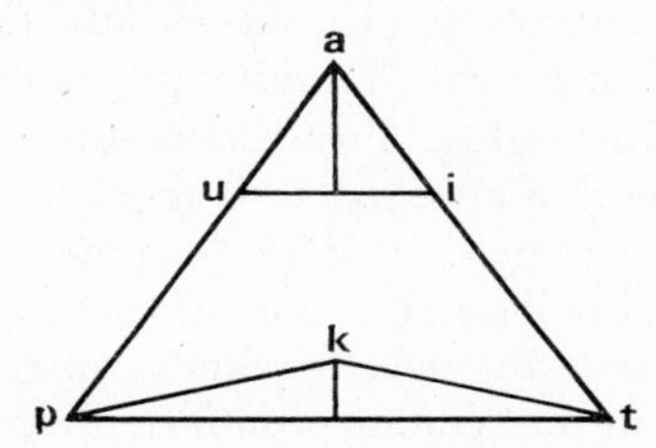


*Emilio Alarcos Llorach*[1] présente l'évolution différemment; l'enfant acquérait son système phonologique par un processus analytique progressif à partir d'un super-archiphonème /ø/ dans lequel seraient neutralisés tous les phonèmes de la langue. On remarque en effet qu'il y a un « globalisme » initial dans l'appropriation de la langue par l'enfant, et cela aussi bien à la réception qu'à la production. L'enfant commence par se rapprocher de la mélodie de la langue. Ainsi, il comprend les intonations et les reproduit à bon escient avant que d'accéder à la double articulation. Très souvent, on attribue aux mélodies de lallation une valeur intentionnelle de communication et l'on s'autorise à parler déjà de prélangage.

De son côté, *Denise François*[2] montre la difficulté à décrire le développement de la deuxième articulation chez l'enfant :

- Ce que l'on établit par l'observation n'est que le système phonique « actif » de l'enfant; son système « passif » échappe à une observation naturelle; comment l'aborder si ce n'est par des tests de compréhension ? Et comment faire subir des tests à un enfant si jeune qui ne peut accéder à aucun type de consigne!
- Qu'observe-t-on à partir de ce système phonique actif ? Des sons ? Des phonèmes ? Il est pratiquement impossible d'en décider dans la mesure où des distinctions phonétiques sporadiques ne doivent pas être hâtivement assimilées à des oppositions phonologiques stables.

### b - Les débuts du langage

*1 / Le mot-phrase*

Depuis l'âge de 5-6 mois, l'enfant est capable de distinguer une intonation affectueuse, irritée ou un ordre. Il commence aussi à développer une activité de commu-

1. Emilio Alarcos LLORACH, *Le langage*, Encyclopédie de la Pléiade, Paris, Gallimard, 1968, « L'acquisition du langage », pp. 331-340.
2. Denise FRANÇOIS, *La syntaxe...*, *op. cit.*, « Du présigne au signe », pp. 53-88.

nication orale en réagissant par des cris différenciés aux paroles de ceux qui l'entourent. La faim, la douleur, le désir, le contentement, la colère... se manifestent de façon caractéristique. Avant même de prononcer ses premiers mots, il comprend déjà des aspects de la langue maternelle. Il sait désigner un certain nombre de réalités (où est papa ? nounours ? le lait ?...) et répondre à certains ordres (fais « au revoir », envoie un baiser, donne la cuillère, touche ton nez avec ton pied...).

Dans la pratique, l'apprentissage des signes se fait par un double mouvement : extension de l'utilisation de l'unité au-delà du signifié du langage adulte [vəval] → [ʃəval] désignant chez Laure (15 mois) tous les quadrupèdes; réduction de cette utilisation à son domaine réel grâce aux échanges avec l'adulte qui corrige : « Non, ce n'est pas un cheval, c'est une vache. » Inévitables ajustements dus à l'arbitraire du signe linguistique et du reflet socialisé de la réalité par la langue.

L'apparition des premiers mots s'inscrit donc dans le prolongement d'activités que nous avons appelées prélinguistiques et dont il est nécessaire de mesurer l'ampleur pour comprendre la rapidité et la complexité du développement ultérieur. Il est impossible de noter avec certitude le moment où l'enfant prononce son premier mot car on est souvent tenté d'attribuer un sens à une suite prononcée au hasard. Il faut, pour relever avec exactitude le ou les premiers mots, que la ou les suites phoniques repérées coïncident avec la présence puis l'absence d'un objet, d'une personne ou d'une situation. Ce phénomène se produit généralement autour de 12-15 mois. Le sens de ces premiers mots est rendu accessible par :

- Le fait que les adultes de l'entourage de l'enfant reconnaissent des unités « venant d'eux », reconnues donc comme appartenant à leur propre système.

| | |
|---|---|
| [dodo] | lit-dormir |
| [vava] | chien |
| [nunu] | l'ours |
| [tati] | tata, etc. |

- La situation dans laquelle le mot a été produit et qui donne la signification du message :

dodo : « c'est mon lit! »
« je veux me coucher ».

On constate donc que ces premiers énoncés à un terme se caractérisent :

- Par leur polysémie.
- Par le champ étendu de leur signifié.

Nicolas (13 mois) [tapo] [ʃapo] désigne non seulement tout ce qui se met sur la tête, mais aussi le parapluie, le toit de la maison, et le couvercle de la casserole.

A ce stade du « mot-phrase », l'enfant communique encore beaucoup à l'aide des gestes, de la mimique. Au point qu'on ne peut dire qui est prédominant du langage oral ou du langage gestuel. Procédés linguistiques et non linguistiques sont, au même titre et dans les mêmes proportions, utilisés comme outils de la communication : un même message peut être indifféremment rendu par la langue ou le geste. On peut donc dire que non seulement le langage de l'enfant est rivé aux situations de sa production, mais aussi qu'il n'a pas encore acquis une réelle autonomie par rapport aux autres moyens de communication. Du point de vue articulatoire, les insuffisances sont très massives mais il ne serait pas juste de surestimer cet aspect de l'acquisition. Apprendre à parler quand il s'agit de la langue maternelle est tout à fait autre chose que d'apprendre à prononcer, et les performances dans la réalisation articulatoire ne constituent pas une exigence de tout premier ordre dans l'appropriation de ce qu'est un signe. Du moment que l'enfant comprend la nécessité de mettre en rapport un signifiant et un signifié, le pas décisif est franchi quelle que soit la forme du signifiant (onomatopéique [wawa] « chien » ou réduit [kamã] « médicament »).

*2 | Un cadre présyntaxique*

L'énoncé a deux termes. A une seconde étape — autour de 20 mois — les mots-phrases sont juxtaposés dans des énoncés plus complexes (à deux termes) et qui constituent une pseudo-phrase témoin de la naissance de la syntaxe chez l'enfant. Comme le mot-phrase, l'énoncé à deux termes cristallise non pas un sens univoque, mais un ensemble de sens possibles et variables selon les contextes :

[mamã dodo] : « maman dort »
« maman va aller se coucher »
« maman fait mon lit »
« c'est le lit de maman »
« je veux que maman me couche »
etc.

Ces énoncés échappent, bien entendu, à un modèle grammatical classique et posent — pour leur description comme pour leur explication — des problèmes que nous avons déjà évoqués plus haut. C'est cependant vers cette période que l'enfant commence à se désigner par son prénom ou à la troisième ou même à la seconde personne dans une sorte de discours indirect du type :

| | | |
|---|---|---|
| [ajan, i pør] | [ty vø] | « je pleure » |
| « Ariane pleure » | « tu veux » → pour | « je joue » |
| [tola ʒu] | [ɛl bo] | « je veux » |
| « Nicolas joue » | « elle belle » | « je suis belle » |

Ce qui est intéressant ici, et que l'on ne trouve pas dans les autres énoncés bimonématiques, c'est l'embryon du rapport sujet/verbe. Un embryon seulement, car ce rapport se construit à partir d'un figement et ne fonctionne qu'avec un inventaire très limité de participants.

D'une façon générale, l'énoncé bimonématique n'est qu'une construction apposant deux termes dont la fonction est plurivalente et ne peut être précisée plus. En d'autres termes, le facteur positionnel ou fréquentiel des unités ne peut être source de hiérarchisation fonctionnelle. L'enfant commence à utiliser une combinatoire par le simple rapprochement de deux signes autonomes.

En elle-même, cette combinatoire n'est pas significative et présente essentiellement un progrès quantitatif par rapport au mot-phrase puisque chaque unité renvoie isolément à une part d'expérience. Mais un progrès qualitatif existe cependant sur trois plans :

— La part de la situation dans le décodage du message de l'enfant s'amenuise quand on passe du mot-phrase à l'énoncé à deux termes.

— Pour l'apprentissage du lexique, ce développement de la syntaxe favorise la précision des termes : deux unités associées prennent une valeur linguistique plus précise qu'une seule isolée.

— A la faveur de cet enrichissement syntactico-lexical, la fonction de communication s'affine, la recherche d'un consensus locuteur-interlocuteur se manifestant par une réelle activité investigatrice et des autocorrections. Par exemple, multiplication chez Nicolas des « mais écoute » et chez Ariane des « tu sais ». En même temps, approfondissement de l'emploi des outils linguistiques *oui*, *non* et *si*.

Remarquons qu'il est difficile de parler d'un stade de l'énoncé à deux termes, car cette forme, même dans le moment où elle domine, côtoie toujours des énoncés à un terme et commence à laisser la place à des productions à trois termes et plus. Pour illustrer cette difficulté, nous présentons ici — sans commentaires — l'analyse qualitative du corpus d'Eva (15 mois) qui montre, en huit mois, le passage de l'énoncé à un terme comme forme dominante à l'énoncé à trois termes, en passant par le stade à deux termes[1].

| *Séances* | *Age* | *Un terme* | *Deux termes* | *Plus de deux termes* |
|---|---|---|---|---|
| 1 | 16 mois | 10 | 6 | 0 |
| 2 | 17 mois | 25 | 13 | 0 |
| 3 | 18 mois, 15 jours | 30 | 15 | 0 |
| 4 | 19 mois | 29 | 34 | 0 |
| 5 | 19 mois, 15 jours | 14 | 37 | 0 |
| 6 | 20 mois | 24 | 45 | 0 |
| 7 | 20 mois, 21 jours | 19 | 45 | 0 |
| 8 | 21 mois | 12 | 42 | 3 |
| 9 | 22 mois | 9 | 66 | 25 |
| 10 | 24 mois | 4 | 24 | 54 |

*3 | Syncrétisme perceptif-moteur, tendance analytique et période d'ajustement*

Les acquisitions linguistiques se réalisent chez l'enfant au sein d'un processus psychique complexe qu'il est utile de rappeler brièvement. L'enfant parle, agit et reçoit simultanément. Cet ensemble fait de réception, de production et d'action ne peut fonctionner que dans sa totale intégrité. Si l'un des facteurs manque, le processus d'acquisition s'en trouve perturbé ou même bloqué. L'enfant parle parce qu'il reçoit et parce qu'il agit. Au départ, il ne comprendra un ordre verbal que s'il est accompagné de gestes et que si l'intonation en est suffisamment expressive. De même, il ne connaîtra un véritable besoin de s'exprimer que si son langage entraîne un comportement, verbal ou autre, chez autrui, que s'il est écouté, « reçu ». Langage, gestes, actions, mouvements affectifs... l'enfant perçoit le tout avant les éléments qui le composent et répond globalement (gestes, actes, intonation) avant d'être capable de produire la deuxième comme la première articulation. Cet état particulier des aptitudes per-

1. F. François, *La syntaxe...*, *op. cit.*, p. 149.

ceptives et motrices de l'enfant à ce stade de son évolution a été désigné par les psychologues comme un syncrétisme perceptif-moteur (= de perception et d'action)[1]. Ce syncrétisme a d'importantes conséquences sur l'acquisition du langage par l'enfant : *a)* il le sensibilise aux formes globales avant que se produise une approche analytique du fonctionnement de la langue et de la structure du sens. C'est parce qu'il a réagi globalement à une situation d'échange qu'il utilise globalement les éléments de la langue qu'il possède, et ceci en fonction du contenu signifié global découvert lors du premier usage et procédant de la situation dans laquelle l'élément a été acquis alors; *b)* il renforce son incapacité à prendre ses distances par rapport à lui-même, et aux circonstances concrètes le concernant, ce qu'on appelle l'égocentrisme du premier âge. L'enfant n'est pas gêné d'utiliser un langage qui l' « enferme » puisqu'il ne peut pas saisir en quoi et pourquoi les autres ne le comprennent pas. C'est pourquoi on pense souvent que ses conduites verbales tiennent pendant longtemps au monologue.

C'est lorsque l'enfant apprendra expérimentalement à sortir du syncrétisme, à dissocier donc le discours de la situation qui l'entoure et de sa propre situation par rapport à son milieu qu'il deviendra capable d'un usage plus autonome de son acquis verbal. Cette tendance analytique commence en fait très tôt (autour de 30 mois), alors que l'enfant est en grande partie dominé par le syncrétisme perceptif-moteur. A 30 mois, l'enfant est capable, pour tout un champ de son expérience quotidienne (répétée) de dissocier l'activité verbale de la situation qui la motive et découvre ainsi un certain nombre de mécanismes combinatoires c'est-à-dire, en fait, qu'il commence à prendre conscience de la langue en tant qu'objet.

Voici un dialogue entre Ariane et Nicolas (28 mois) qui révèle déjà une manipulation de la langue de plus en plus détachée de la situation concrète de départ (Nicolas essaie d'arracher à Ariane une barrette) puisqu'elle fait intervenir deux personnes absentes (Laure qui est en classe) et maman (qui travaille dans une pièce à côté) :

A. [se a mwa la balɛt]
« c'est à moi la barrette! »

N. [nõ se a lɔr]
« non, c'est à Laure »

A. [se pas a lɔr, a anan]
« c'est pas à Laure, à Ariane »

N. [tuʃ pas se a la grãd soer sa]
« touche pas c'est à la grande sœur ça »

A. [lɔr a done a la ti soer]
« Laure a donné à la petite sœur »

N. [nõ a nikola pur le ʃøvø]
« non, à Nicolas pour les cheveux »

A. [se pas le gasõ la balɛt]
« c'est pas (pour) les garçons la barrette »

N. [si lɔr a di]
« Si, Laure (l')a dit »

A. [vilɛ̃ vilɛ̃ tola anan plør]
« vilain, vilain Nicolas, Ariane pleure »

1. Jean PIAGET, *Les mécanismes perceptifs*, Paris, PUF, 1961, p. 175.

N. [mɛ ekut]
« mais écoute! »
A. [mamã va faʃe]
« maman va (se) fâcher »
N. [te meʃã ajan ve dir a mamã]
« t'es méchan(te) Ariane, (je) vais (le) dire à maman ».

*4 / Les essais et les erreurs*

Avec cette démarche analytique qui s'intensifie, qui entretient une permanente contradiction avec le comportement syncrétique de départ, nous entrons dans la longue période des « essais et erreurs » où l'enfant tente de faire coïncider son expérience du réel et celle de la langue, tout ceci en fonction de son observation des adultes et de ses échanges avec eux.

D'une part, l'enfant se livre à une découverte analytique du réel que la pratique de la langue le conduit à organiser. D'autre part, l'enfant s'intéresse aux signifiants de sa langue, à l'économie de la première articulation. Il s'amuse à nommer dans son langage les objets qui l'entourent, il invente (Nicolas, 26 mois : le [krala], le [bɛs]). Il écoute très attentivement l'adulte les désigner et répète plus ou moins bien les mots entendus. Il interroge beaucoup, d'où fréquence remarquable de formules comme :

A. [titiseʃa]
N. [kasesa]
« qu'est-ce que c'est ça ? »

Par jeu, il substitue les termes entre eux et attend les réactions : Ariane (28 mois), Laure lui montre un bouquet de campanules qu'elle vient de cueillir :

L. Qu'est-ce que c'est Ariane?
A. en riant [se a mãʒe]
L. Ça va pas dans ta tête, les fleurs ça ne se mange pas!
N. (28 mois) [nitola yn fij, ayan la fis]
« Nicolas une fille, Ariane le fils »
L. Mais non, fils c'est pour les garçons et fille pour les filles.

Ces questions, ces répétitions, ces espiègleries témoignent en fait d'un souci de vérification.

Analyse du réel et analyse de la langue sont simultanées et agissent de façon réciproque. Les progrès linguistiques et intellectuels de l'enfant tenant à cet effort d'ajustement entre la langue et la réalité.

### *c - La période linguistique*

*1 / Elargissement du champ de la communication*

On peut réellement considérer qu'il y a possession de la langue chez l'enfant quand son maniement linguistique lui permet d'entrer en communication avec des interlocuteurs autres que ceux du milieu familial : des amis, des voisins, des enfants autres que les frères et sœurs. Cette possession se consolide entre 2 ans et demi (30 mois) et 3 ans et demi, et d'autant plus vite que l'enfant est plus précocement socialisé (jardin d'enfants, maternelle). La socialisation oblige l'enfant, pour se faire comprendre et pour comprendre aussi, à substituer à son langage-bébé — sous-système ne fonctionnant que dans un circuit restreint de communication — les unités du langage adulte, c'est-à-dire de la langue. Ce partage avec les autres est source d'autonomie, de liberté. Il favorise l'abandon progressif de son attitude égocentrique, attitude qui se perpétue trop longtemps chez l'enfant qui, par erreur des adultes, continue, au-delà de l'âge normal, à utiliser un langage-bébé. Cette façon d'agir, témoin du désir des parents de garder l'enfant petit, le dessert en retardant son intégration sociale dans le monde des autres, des enfants en particulier, et porte, à la limite, atteinte au développement normal de son attitude psychique à l'égard du monde extérieur.

— On remarque un premier type de progrès concernant la maîtrise des signifiants et par là même le perfectionnement du système phonologique de l'enfant. Dans les sections de maternelle, cette maîtrise du système phonologique constitue de plus en plus un objectif important. Par exemple, et pour donner un ordre de grandeur approximatif, 77 % des oppositions phonologiques les plus productives en français sont maîtrisées en moyenne section et 82 % en grande section[1]. Ce gain de 5 % en une scolarité montre que le système phonologique a encore un important manque à gagner entre 4 et 5 ans. Et même à cet âge, des oppositions posent toujours problème; il s'agit le plus couramment de : /s/-/ʃ/, /z/-/ʒ/; /ŋ/-/ʒ/. On voit le chemin parcouru entre le moment où on note avec prudence de possibles oppositions phonologiques et celui où on ne fait que relever celles qui ne sont pas encore stabilisées. Le fait dominant du point de vue articulatoire vers les 3 ans n'est en fait plus vraiment d'ordre paradigmatique, mais syntagmatique; on trouve des difficultés du type :

*Laure*, 30 mois :
— réduction
« oublier » [ubije], « gymnastique » [ʒinastik]
— assimilation
« promène » [pronɛn], « fromage » [ʃromaʒ]
— métathèse
« gonfler » [glõfe], « brioche » [birɔʃ]

Par ailleurs, des fluctuations s'observent chez l'enfant scolarisé selon les années avec le changement de maîtresse ; on note l'acquisition, mais quelquefois l'abandon, d'oppositions phonologiques. De telles fluctuations, résultat des échanges et de la socialisation de l'enfant, constituent une étape fructueuse dans le développement linguistique de celui-ci, qui acquiert ainsi le sens des latitudes de variation phonologique qu'admet la communauté linguistique dans laquelle il vit. Ces fluctuations portent bien entendu sur les zones les moins stables du système.

*2 | Multiplication des « fautes » de morphologie*

Un autre fait central de cette étape de maîtrise plus complète de la langue est la multiplication des « fautes » de morphologie :

*Laure*, 28 mois :

| « il a [rãde] les jouets » | « une bien chanson » |
| --- | --- |
| rendu | qui est bien |

1. Voir les travaux sur l'ALFONIC, INRDP et Laboratoire de phonologie appliquée, Université René-Descartes.

« laisse-moi [ekrije] sur la feuille »
écrire
« c'est *à le* grand garçon »
« j'*aimera* pas cette sauce »
« le Petit Chaperon rouge cloche à la porte » sur le modèle de « sonne à la porte »)

*Nicolas*, 28 mois :
« c'est *pour à* Nicolas »
« donne-moi *ton le* livre »
« je veux *trois des* bonbons »

*Nicolas*, 30 mois :
[ʒa pløre paska lɔr a bate a la pti frɛr]
« j'ai pleuré parce que Laure a battu le petit frère »
« ils [sɔ̃te] trois petits enfants » (étaient)

*Ariane*, 28 mois :
« c'est ma chemise de moi »
« t'as vu beaux mes cheveux ? »

« c'est la gronde de le [vinɛ̃] papa »
(quand vilain papa gronde)

De tels exemples peuvent être multipliés et tous montrent à quel point il est impossible au jeune enfant — et contraire à un apprentissage dynamique — de saisir les contraintes de faits non pertinents dans la langue. On assiste ainsi à des « bonnes fautes » réalisées par l'enfant qui témoignent de sa capacité à généraliser les structures acquises et à émettre au-delà de ce qui a été produit devant lui. Ces bonnes fautes nous donnent de nombreuses indications sur l'acquisition du langage par l'enfant :

— L'antériorité de la syntaxe sur la morphologie :

« je va tiendre le bout de le drap » (Laure, 30 mois)
« viendez ou je se fache ! » (Ariane, 30 mois)

— L'antériorité des fonctions sur les classes :

« attention, je colère de moi ! » (Nicolas, 28 mois) je vais me mettre en colère
« je vais plouffer dans l'eau celle-là » (Nicolas, 30 mois) je vais plonger dans cette eau

— L'antériorité de la combinatoire sur ses contraintes :

« Ariane donne *ta belle la* voiture rouge » (Nicolas, 28 mois)
— ta belle voiture, la rouge

— L'antériorité des procédés de dérivation sur ses restrictions :

« maman, t'es ecrayeur ? » (Laure, 32 mois)
— tu écris et c'est ton métier
(modèle parler/parleur, graver/graveur, passer/passeur, servir/serveur, vivre/viveur, etc.)

Ces « fautes » de l'enfant, l'adulte — et le pédagogue — les juge négativement, ce qui cache leur aspect le plus intéressant du point de vue de l'acquisition : elles sont l'indice de progrès importants dans la maîtrise du maniement linguistique. Plus précisément, on peut dire qu'elles témoignent d'un comportement actif du sujet, du fait fondamental que le stade du figement a été dépassé, et donc d'une combinatoire effective de la part du locuteur. Ces fautes renseignent à la fois sur les lois de l'apprentissage et sur les caractéristiques de la langue et, en ce sens, on peut avancer qu'elles présentent un intérêt important pour le linguiste comme pour le pédagogue. Bien sûr, les fautes, indice positif dans ce stade de l'acquisition du langage par l'enfant, doivent disparaître peu à peu par assimilation « coup par coup » des contraintes de la langue. Ce qui est bonne faute à un moment donné devient retard à un autre et la « correction » doit avoir pour but de ne pas laisser les faits se figer. L'analyse de la langue de l'enfant permet de savoir ce qui peut être corrigé à un moment donné et ce qui n'est qu'une phrase normale et positive du développement.

*3 / L'acquisition du lexique*

L'acquisition du lexique se traduit alors par une importante activité de type métalinguistique et par une capacité à créer ou à recréer les mots, ce qui tend à disparaître très vite (de 30 mois à 36 mois).

*Nicolas* (30 mois) N. : Nicolas
M. : maman
L. : Laure

N. « c'est [delisjød] la purée ? » (délicieux)
M. Oui, c'est délicieux.
N. « c'est [delisjø] la [tõpɔt] ? » (compote)
M. Oui, aussi.
N. « C'est délicieux le [sunɛj] ? » (soleil)
M. Oh oui, c'est très agréable!

Un silence, puis :

N. « C'est [greal] la [tõpɔt] ? » (agréable)
M. Oui, quand on aime ça, c'est agréable.
N. « C'est [ragrabl] pour [ajan] ? » (agréable pour Ariane)
M. Oui, pour tous les trois, parce que vous trouvez ça délicieux.

Un silence, puis :

N. « C'est [agrabl] dans la bouche ? »
L. C'est agréable dans ta bouche et c'est délicieux dans ton ventre, voilà, et puis arrête!
N. [nõ, se delisjød paskə se frwad]
(non, c'est délicieux parce que c'est froid).

L'activité créatrice révèle, de son côté, une profonde analyse des signes et un effort pour « motiver » ceux-ci, pour limiter en fait, l'arbitraire absolu et développer un arbitraire relatif permettant de ramener l'inconnu au connu.

— Denise François donne les exemples suivants de Stéphanie (autour de 3 ans)[1] :

Le parc Montsouris → mon parc souris
Accident → [taksidã] taxi + accident
primevère → mot contesté, « non-jaune »
rames du bateau → ailes du bateau

— De notre côté, nous avons noté chez Laure (3 ans) :

galipette → galopette (de galoper)
pomme de terre → bonne de terre (son légume préféré)
patinoire → contestation aussi, « non blanche »
salsifis → ça suffit (légume détesté).

1. D. François, *op. cit.*, p. 85.

noisette → [mwazɛt] décomposé en
{ [mwa] à moi
{ [zɛt] quelque chose de petit
donc : une petite chose à moi
pyjama } → petit [ʒama]
médicament } → petit [kamã]
clown → [klum] rapproché de « boum »

Cette liberté face au signe linguistique, cette impression de puissance manipulatrice donnent accès pour l'enfant aux niveaux de langue, et donc à la découverte des premières équivalences de type « synonymique », c'est-à-dire la possibilité d'une variation plus fine autour de la transmission de l'expérience.

Laure (vers 3 ans) emploie selon l'humeur « vilain » ou [gadas] (dégueulasse) !

Nicolas (28 mois) dit en fonction de la gravité de la menace : « Nicolas va taper » ou « Nicolas va crever » !

Ariane (28 mois) sait moduler sa demande de boisson selon les circonstances : [ʒə vø a bwa] (énergique) ; [abwa tə plɛ] (serein) ; [dən abwa tə plɛ mamã] (souriant, câlin) ; [anan a fwaf tə plɛ mamã] (plaintif) soit : « je veux à boire ! », « à boire s'il te plaît », « donne-moi à boire, s'il te plaît, maman », « Ariane a soif, s'il te plaît maman ».

Bien sûr, dans tous ces exemples, la courbe intonative varie corrélativement et de façon très marquée, ainsi que la mimique et le ton de la voix.

*4 | Le dépassement de l'énoncé à deux termes*

Du point de vue syntaxique, le dépassement de l'énoncé à deux termes par celui à trois termes constitue une période très courte, souvent imperceptible, car rapidement l'énoncé devient plus étendu. Sur trois enfants observés, nous n'avons repéré que chez l'un des trois une phase à trois termes (Ariane entre 25 et 27 mois) :

[don sa anan] « donne ça à Ariane »
[bebe bobo samɛ̃] « le bébé a mal à sa main »
[ʒu mizik papa] « papa joue de la musique »
[ãtor bõ sa] « encore de cette bonne chose »
[ekut jaju ano] « écoute l'avion là-haut »

Mais, dès 28 mois, on trouve déjà chez Ariane des énoncés du type :

[anan lo pa reveje mamã ty sɛ]
« Ariane elle n'a pas réveillé maman, tu sais »
[tola ty ʒɛn ja pyplas dã li desã]
« Nicolas tu gênes, il n'y a plus de place dans le lit, descends »

C'est dans ce cadre de complexification de la phrase qu'apparaissent les premiers outils syntaxiques non figés comme dans les énoncés à deux termes ([don amwa] « donne *à moi* », [apy oli] « à plus *au lit* », [vø dəlo] « je veux *de l'eau* », etc.).

On trouve alors employés librement des fonctionnels (prépositions), essentiellement *à*, *de*, *pour* et *dans* ; Nicolas (28 mois) :

[selekol di lor] « c'est l'école *de* Laure »
[se la keʃ dø mwa] « c'est la crèche *de* moi »
[ødad toljɛ a mamã] « regarde le collier *à* maman »
[vjɛ̃ pone a la mer] « viens te promener *à* la mer »

[lor dən pu ayan] « Laure donne *pour* Ariane »
[pwɛt la bat pu ʒue] « prête la boîte *pour* jouer »
[ʒa bjɛn dã li] « je suis bien *dans* le lit »
[ʒɛ tu fini dã lasjɛt] « j'ai tout fini *dans* l'assiette »

Du point de vue des modalités nominales, on ne peut pas au début de cette étape parler de choix linguistiques réels : ces unités n'existent pas comme monèmes indépendants, mais comme marques inhérentes à la présence de tel ou tel lexème :

Nicolas, vers 26 mois, connaît [lez ãfã] « les enfants », mais ni « l'enfant » ou « un enfant »; il emploie [lo] « l'eau », mais non « les eaux » ou « une eau »; il dit [mõnurs] mais [lə piʒama dø nikola]. Quoi qu'il en soit, les premières modalités qui apparaissent sont liées d'une part à l'opposition singulier/pluriel pour l'article défini, d'autre part à l'opposition possessif/défini pour le singulier. Le genre n'étant pas un choix, son acquisition se fait coup par coup, assez vite en fait.

Mais, dès 28 mois, Nicolas distingue aisément :

la main / les mains / ma main / ta main
le pied / les pieds / mon pied / ton pied

Du point de vue des modalités verbales, les deux premières personnes du singulier existent et le « on » qui sert à marquer le pluriel dans lequel le locuteur se compte :

[ʒə mãʒ] [õ mãʒ]
[ty mãʒ]

Pour la troisième personne du singulier, comme du pluriel, une forme unique [i] se trouve toujours combinée avec l'actant choisi :

[ajan i tap la tête] « Ariane elle tape sur ma tête »
[la klun i fɛ pør] « le clown il fait peur »
[lez ãfã i ʃãt] « les enfants ils chantent »

Quant au reste, nous en avons déjà parlé plus haut et remarqué que la première opposition semble être aspectuelle : [mãʒ]/[amãʒe] marquant l'action en cours et l'action finie. L'impératif, de son côté, tient une place très importante car la majorité des phrases que l'adulte adresse à l'enfant est de type appelatif : « donne », « viens », « arrête », etc. La facilité d'emploi de cet élément vient aussi de ce que la forme verbale est réduite au radical et se présente donc comme non marquée. L'établissement des temps se fait beaucoup plus lentement et d'abord par d'autres moyens que les modalités (adverbes, aller + infinitif...). Le retard du subjonctif tient à son emploi essentiellement morphologique (non significatif) et à l'utilisation d'éléments de la langue très complexes, comme les conjonctions, que l'enfant ne peut acquérir que lorsque sa maturation mentale lui permet un tel niveau d'élaboration.

Nous donnons pour illustration un monologue de Nicolas (28 mois), jouant aux billes :

[purkwa te sove la bij ? paskə te pa ʒãtij, pa posibl sa alɔr! tã pi, i va desãdr la bij roz e pi õ va ale ʃɛrʃe dã la ʃãbr, ta rule tro lwɛ̃ mɛ̃nã, ʒã ɛ mar dø twa, ʒə ta lɛs tut soel!]

« Pourquoi tu t'es sauvée, la bille ? parce que tu n'es pas gentille. C'est pas possible ça alors! Tant pis, elle va descendre la bille rose et puis on va aller la chercher dans la chambre. Tu as roulé trop loin maintenant! J'en ai marre de toi, je te laisse toute seule. »

*5 | Maniement et distanciation*

Nous ne pouvons passer sous silence un aspect remarquable de l'acquisition du langage par l'enfant autour de 3 ans; aspect lié essentiellement à la scolarisation et à l'écoute de textes rythmés quant à la forme, poétiques quant au fonds; aspect lié aussi à la découverte des possibilités du langage au-delà de l'échange linguistique, au sens étroitement utilitaire du mot. Nous donnons comme exemples l'observation de Laure à 3 ans et 4 mois, c'est-à-dire après cinq mois de scolarité en petite section de maternelle. Il est clair que sur ces aspects du maniement linguistique les données du milieu familial jouent un rôle très important. Voici trois « productions » de cette époque : la première est enregistrée au réveil, un mercredi matin, alors qu'il n'y a pas classe, la seconde après la fabrication de marionnettes à l'aide de bouteilles d'Evian vides et de foulards, la troisième en jouant avec ses trois animaux préférés : le singe brun, l'ours blanc et le chien bleu.

« Je te raconte mon rêve :
C'est quoi ?
Il n'y a pas d'école :
Pourquoi ? »

« Les marionnettes,
Une, deux,
les marionnettes dansent ensemble,
c'est comme des fleurs,
les marionnettes que j'ai fait. »

« J'ai invité des copains,
chez moi.
Ils ont changé de maison pour aller
chez le singe brun,
Ils ont changé de maison pour aller
chez l'ours blanc,
Ils ont changé de maison pour aller
chez le chien bleu,
Et on est tous revenu,
Chez moi,
Avec des cadeaux. »

La présentation essaie de reproduire le rythme donné par l'enfant, de respecter surtout les pauses de la voix.

Ici, le langage est toujours en situation et, en particulier, lié à une manipulation d'objets, mais on ne sait plus toujours qui précède l'autre de la manipulation ou du langage. Par ailleurs, l'interlocuteur ne constitue pas une incitation. Depuis les plaisirs du babil, rien de tel ne s'était produit. La découverte du rythme, de la « respiration » propre à une langue permet à l'enfant de s'adonner à une utilisation ludique du langage d'un niveau très élaboré. Mais, ne nous y trompons pas, l'enfant n'invente pas cette utilisation du langage, il ne crée pas *ex nihilo*, il découvre et exploite de nouvelles possibilités inscrites dans l'existence et dans l'histoire de l'outil verbal. Le pas fait par l'enfant dans cet usage représentatif du langage peut se caractériser ainsi : il ne s'agit plus d'un simple maniement linguistique en situation, mais de la participation de la langue elle-même pour créer la situation. Les mots ne sont plus un commentaire à ce qui se passe, mais participent à l'organisation de ce qui se passe. L'enfant est alors sur la voie des usages hors situation du langage, ceux qui permettent de faire et de défaire les combinaisons intellectuelles les plus élaborées.

*6 / Le dialogue*

Cette époque voit, en dernier lieu, se développer le dialogue chez l'enfant. Dans tout échange linguistique, les interlocuteurs sont en présence, c'est-à-dire que JE, qui s'adresse à TU, peut à tout moment perdre son rôle et se transformer en TU qui deviendra alors le JE de l'acte linguistique. Tout JE, dès l'instant qu'il prend possession de la parole, se met en position de supériorité vis-à-vis du TU et essaie par définition de lui imposer un certain univers du discours. Un rapport d' « agression » s'instaure qui fait que tout dialogue présente, à des degrés divers, une fonction polémique (même quand les deux interlocuteurs sont d'accord sur le sujet de l'échange). C'est dans la nature même de la langue, faite pour le consensus général mais spécifique à chacun, dans le pouvoir dont s'entoure celui qui parle, dans l'affrontement de deux personnalités que se saisit cet aspect polémique de tout échange. Chez le très jeune enfant, cela est encore plus marqué. Tous les dialogues entre Ariane et Nicolas (relevés entre 2 ans et 2 ans et demi) relèvent de ce rapport polémique entre JE et TU et touchent, quant au contenu, au niveau de socialisation des interlocuteurs : la propriété, la peur, le savoir-faire, etc. Voici la liste des points de départ à des dialogues polémiques entre les deux enfants relevés en quelques jours (27 mois) :

— [ajan ta pør le klun]
« Ariane est-ce que tu as peur des clowns ? »
— [tola ty sɛ anan a py pipi kylot]
« Nicolas tu sais Ariane ne fait plus pipi dans sa culotte! »
— [ajan, røgad, tu soel la fuʃɛt]
« Ariane regarde je me sers tout seul de la fourchette »
— [mamã tola osi a fɛ lə ʒø]
« Maman, Nicolas aussi a fait le jeu »
— [sãdin se ma kopin dø mwa, fo pas ʒue avɛk]
« Sandrine c'est ma copine à moi, il faut pas jouer avec elle »

### *d - Le langage de l'enfant scolarisé*

Pendant les trois années d'école maternelle (de 3 à 5 ans), le « système linguistique » proprement dit de l'enfant (phonologie, morphologie, syntaxe, lexique) ne connaît, par rapport au stade antérieur, qu'une progression quantitative. De nouvelles oppositions phonologiques sont maîtrisées, les contraintes morphologiques deviennent des automatismes, les phrases s'allongent et se compliquent, le vocabulaire s'étend avec rapidité. Le qualitativement nouveau ne se situe pas là mais dans la variété des comportements linguistiques selon les caractéristiques de l'échange verbal (la situation, les interlocuteurs, le contenu à communiquer). Tous les enfants connaissent à cet âge au moins deux circuits de la communication : le milieu familial et le milieu scolaire, et c'est dans ce double cadre qu'apparaissent de plus en plus nettement des différences entre les enfants. Nous citons à ce sujet Frédéric François : « Jusqu'à cet âge, les différences linguistiques entre enfants prennent surtout la forme de rythmes différents dans une même acquisition ou de différences de stratégies pour un résultat identique : imiter davantage le discours adulte ou au contraire combiner davantage les unités en faisant éventuellement plus de « fautes ». Maintenant, selon les modèles qui leur sont offerts, les demandes qui leur sont faites, le plaisir qu'ils tirent ou non du maniement des signes, les enfants vont ou non acquérir les maniements linguistiques caractéristiques d'usages différents. Avec les conséquences que cela comporte sur le plan de la différenciation sociolinguistique et de l'échec scolaire »[1].

Parvenus à ce stade de développement du langage de l'enfant, c'est à des problèmes de pédagogie de la langue maternelle que nous avons affaire, pédagogie en vue de mieux adapter le maniement oral aux diverses nécessités de la communication, pédagogie de l'apprentissage du maniement écrit, que ce soit la lecture ou l'écriture.

## *C - PÉDAGOGIE DE LA LANGUE MATERNELLE*

Les sciences de l'éducation, comme d'ailleurs l'essentiel des sciences humaines, émergent récemment seulement de la spéculation : l'apport du monde scientifique est encore pour beaucoup suspect et menaçant pour une « neutralité » scolaire fort commode. Mais il n'y a pas de contenus neutres, de savoirs naïfs. La neutralité c'est la fuite devant la réalité, devant une appréhension efficace du réel, et cela ne peut aider l'enfant à entrer dans la vie. L'école doit être solidaire de ce monde extérieur dont elle prépare l'accès et ceci est vrai pour la langue : débouchant sur la vie, sur le monde extérieur, objet social, objet de connaissance, elle exige un savoir scientifique. En se constituant en science, l'étude du langage a ouvert des perspectives fondamentalement nouvelles pour l'apprentissage de la langue maternelle et c'est dans un tel contexte que doivent être situés les rapports entre linguistique et pédagogie. Dans les pages qui suivent, nous ferons appel aux problèmes soulevés par l'enseignement du français, langue maternelle.

### 1. Linguistique et pédagogie de la langue maternelle

Ainsi c'est une idée bien admise maintenant que d'affirmer que la recherche linguistique est au centre de la pédagogie de la langue maternelle. Elle l'est :

— puisque l'objet que l'on veut enseigner, c'est la maîtrise de la langue;
— puisque la pédagogie, elle-même, est un discours, une communication, un ensemble de comportements verbaux;
— puisque le discours pédagogique est, en grande partie, une métalangue, c'est-à-dire un certain type de maniement linguistique où la langue se sert de ses propres outils pour une approche réflexive, une saisie raisonnée de son propre fonctionnement[2];

1. F. François, *op. cit.*, p. 170.
2. R. Legrand-Gelber, Discours pédagogique et argumentation en didactique grammaticale, revue *Pratiques*, numéro spécial sur l'argumentation, septembre 1980.

— puisque la pratique des élèves en classe, c'est essentiellement ce qu'ils produisent, surtout par écrit, c'est-à-dire que, comme pour le maître, il s'agit pour l'élève de tenir un discours, ou plus exactement certains types de discours.

La linguistique est au centre de cette recherche pédagogique pour deux autres raisons plus profondes :

*a)* la crise reconnue par tous de l'enseignement de la langue maternelle basé sur une pédagogie traditionnelle;
*b)* la constatation que l'une des causes essentielles des inégalités scolaires entre enfants est de nature linguistique.

Ne pouvant aborder tous les problèmes théoriques et techniques de l'enseignement de la langue maternelle, nous nous en tiendrons à ces deux aspects qui, finalement, sont les plus fondamentaux.

## 2. Crise de l'enseignement

« D'horizons différents surgissent des projets de rénovation de l'enseignement du français, projets parfois agressifs et nostalgiques d'un repli sur le passé, projets souvent généreux dans leurs intentions et aussitôt taxés d'utopie. Des combats d'arrière et d'avant-garde se livrent furieusement sur ce terrain miné par une idéologie qu'on s'acharne à camoufler ou à démasquer. Une certitude : l'école est tout entière mise en abyme dans l'enseignement du français qui lui sert de révélateur, toucher à cet enseignement, c'est toucher à l'école tout entière et d'une certaine façon à la structure sociale »[1].

Ces quelques lignes donneront au lecteur une idée assez précise de l'ampleur de la crise de l'enseignement du français et du contenu des débats qu'elle suscite chez les intéressés.

Pourtant l'enseignement du français a subi en peu de temps des transformations énormes, mais elles sont loin de répondre aux besoins et les statistiques montrent que les échecs restent massifs. Ne pouvant tout aborder, nous prendrons l'exemple du français dans le secondaire, parce que cet aspect de l'enseignement de la langue maternelle est moins étudié que les problèmes au niveau de la maternelle ou du primaire[2].

*a* / Tel que nous l'avons connu, cet enseignement reposait sur une situation de communication unique et spécifique, créée par l'institution scolaire. Par le biais de deux types d'exercices : prendre des textes pour objet et apprendre à faire des textes, devaient être transmises non seulement la norme grammaticale mais aussi la norme culturelle. Ces deux types de classe pouvaient donner l'impression d'être

1. Noël Nel, Une problématique d'ensemble pour l'enseignement du français, *Pratiques*, n° 13, janvier 1977, pp. 7-35.
2. R. Legrand-Gelber, Situation de communication et classe de français, *Etudes de Linguistique appliquée*, n° 26, Didier, 1977, pp. 84-104.

l'occasion d'un échange entre le maître et l'élève, le premier questionnant et le second répondant. On pouvait aussi avoir l'illusion de couvrir ainsi les domaines de la production et de la réception. Mais que se passait-il réellement du point de vue des interlocuteurs ? Un rapport adulte-enfant se doublant de celui du savoir face à l'ignorance, où le maître représente non seulement l'état stable et définitif de l'adulte mais en plus, le modèle social et culturel à reproduire. Provisoire et évolutif, l'enfant n'a rien à trouver ni à prouver, il doit reproduire les comportements qui lui sont transmis. Dans cette situation scolaire le dialogue n'existe pas vraiment, la communication se fait suivant deux circuits dont les statuts sont inverses puisque le premier est institutionnalisé et le second interdit : le circuit maître-classe et le circuit élève-élève.

Le premier circuit est celui de la transmission du savoir par le maître (émission) qui s'accompagne de la vérification de la bonne réception de la classe (interrogation). Le deuxième circuit fait l'objet de sanctions parce que, non pris en considération, il vient perturber le premier. Il est pourtant la preuve : *1* / du besoin de communication des élèves entre eux; *2* / du défaut du premier circuit qui est alors incapable d'en tenir compte et le rejette au lieu de l'assimiler[1].

Les résultats de cette situation de communication scolaire sur le plan de la langue sont connus : les progrès de l'enfant signifient qu'il a accédé petit à petit à un état linguistique fini (celui du maître) ; il y est parvenu par une série d'états de moins en moins incorrects de la langue, les grammaires successives de l'enfant étant alors considérées comme des écarts (fautifs) par rapport à celle de l'adulte et que l'école se devait de réduire progressivement. Inutile d'insister sur le danger de sélection sociale par l'échec pour les enfants dont le maniement du langage et les types de rapports sociaux pratiqués hors de l'école sont les plus éloignés de ceux rencontrés en classe.

*b* / On doit à la pédagogie moderne d'avoir changé cette situation en essayant d'instaurer une participation réelle de l'élève au déroulement de la classe de français et en stimulant la production propre des enfants. Le statut de l'élève a été ainsi très nettement modifié : on le veut locuteur autant que récepteur, découvrant par lui-même ce qu'il faut assimiler, motivé puisque participant plus à l'entreprise scolaire, intéressé puisque, mis en présence d'une réalité concrète qu'il ne peut élucider seul, il ressent mieux le besoin d'être enseigné. La classe de français ainsi conçue, avec donc une plus grande participation de l'élève, se présente comme une situation de dialogue. C'est un pas positif, mais insuffisant, car la classe continue à ne présenter qu'un seul type de situation de communication et, finalement, le maniement linguistique que pratique l'enfant dans le cadre scolaire reste unique et se ramène encore une fois à *un savoir-faire.*

Prenons l'exemple typique des explications de texte (ou lectures expliquées) où le dialogue maître-élève est un savoir-faire de part et d'autre. Qui peut croire à une quelconque spontanéité, à un véritable échange (au sens de rapport polémique entre un JE et un TU construisant ensemble et de façon dynamique leur discours), dans cette véritable « maïeutique » que constitue le jeu habile des questions et des

1. Frank MARCHAND, *Le français tel qu'on l'enseigne*, Paris, Larousse, 1972.

réponses ? Dans cette situation scolaire, on peut se féliciter qu'il y ait enfin acte de parole de l'enfant, mais on doit regretter que cet acte se plie à un type donné de maniement linguistique et continuera à réussir celui dont le comportement verbal formé avant l'institution scolaire lui correspondra le mieux. Etant donné qu'il n'existe qu'une forme de communication scolaire, qu'elle caricature le dialogue, l'échange reste impersonnel (l'adulte disparaissant derrière le maître et l'enfant derrière l'élève), donc en marge de la véritable communication où la nature humaine et différenciée des interlocuteurs est de la plus grande importance pour la dynamique de l'échange.

Dans ce type de classe, les deux circuits dont nous parlions plus haut existent encore : le circuit maître-élève/classe, qui est passé du monologue au dialogue; le circuit élève-élève qui apparaît toujours comme perturbant et en marge du précédent. S'agissant d'une situation de communication aussi spécifique, il n'est pas étonnant que lui corresponde un type très particulier de maniement de la langue. Oubliant ses préoccupations extra-scolaires, l'enfant, pour entrer dans le jeu du dialogue scolaire, s'adapte à un langage différent de ce qu'il pratique en dehors du cadre de l'école. La situation de communication créée constitue une mise en scène à laquelle tous les enfants n'adhèrent pas de la même façon. Ce sont malheureusement souvent les mêmes enfants qui, défavorisés par la situation scolaire précédente, le sont aussi par celle-ci. Si le grand problème pour l'enseignant de français est de débloquer le langage de ses élèves, comment cela pourrait-il se réaliser là où le recrutement des enfants se fait dans des milieux défavorisés, quand la tâche linguistique que propose l'école porte sur un tel savoir-faire ?

Pour l'ensemble des enseignants, à l'heure actuelle, l'écrit reste dominateur, ce qui conduit à exiger des élèves en permanence un langage *maximum*; l'écrit est alors considéré comme un modèle pour toute communication, alors que chaque type de communication requiert une forme linguistique particulière, correspondant au poids plus ou moins grand des données extra-linguistiques et aux autres éléments de l'acte de communication; cette domination de l'écrit se doublant de façon inévitable de présupposés sur la norme, le maniement scolaire se ramène à une pratique éminemment réduite des possibilités linguistiques offertes par la langue : d'une part, utilisation constante d'un *langage hors situation*, d'autre part pratique restrictive d'*un niveau de langue « soutenu »* (en effet, on veut à la fois apprendre à l'enfant la langue de communication la plus répandue, le français standard, et refuser tout élément de diversité linguistique).

L'analyse linguistique permet aujourd'hui de mieux situer en quoi le JE de l'enfant en situation de « dialogue » scolaire n'est pas le même JE caractérisant le locuteur d'un acte de communication extra-scolaire. Un certain nombre de caractéristiques du maniement linguistique du sujet parlant semblent disparaître dans la situation scolaire de l'échange. Donnons quelques exemples[1] :

— le JE de la situation extra-linguistique et celui du locuteur devraient coïncider (retrouver l'individu dans l'émetteur) ;

1. Sous la direction de Christiane MARCELLESI, Aspects socioculturels de l'enseignement du français, *Langue française*, n° 32, 1976.

— les moyens d'actualisation du discours par rapport à la situation vécue à ce moment-là par l'enfant;
— les verbes d'attitude, d'opinion, de volonté...;
— les apostrophes au destinataire-professeur et aussi à la classe, etc. (il y a ici toute une recherche à faire).

*c* / Chez la plupart des enseignants, on constate une très profonde méconnaissance de ces problèmes. La question des rapports de communication dans la classe ne se posant même pas ou en restant au « il faut que les élèves s'expriment plus » (étant sous-entendu : parlent plus à l'enseignant). Un point positif de cette volonté de faire parler est le recours au « vécu » de l'enfant, ce qu'on appelle la « motivation ». Motiver l'élève (ou la classe entière) consiste à le placer dans une situation concrète, connue, vécue dans son expérience extra-scolaire, pouvant donc mieux faire naître chez lui un besoin d'expression.

Mais ceci est-il suffisant ? En définitive, qu'est-ce qui fait parler en classe ? On se rend vite compte que la situation créée dans la classe, avec toutes les caractéristiques présentes, a autant sinon plus d'importance que le thème choisi. En ne cherchant la solution à la libération de la parole de l'enfant que dans le contenu de la communication, on se condamne à n'améliorer l'échange que dans d'étroites limites. Ce n'est pas en proposant à la classe, dans le cadre des tâches scolaires, le thème de ses discussions à l'extérieur de ce cadre, que l'on réduira des difficultés liées à la spécificité d'un type de communication engendrant des blocages particuliers. Nous voici donc devant un nouvel objectif : modifier les données de la communication à l'intérieur de la classe. Cela signifie plusieurs choses :

— Il faut rééquilibrer les différents types d'échanges : maître/élève, classe/maître, élève/élève(s), classe/école, élève/institution scolaire, classe/extérieur...

— Il faut que l'échange à l'intérieur de la classe demeure un type de relations sociales, même s'il s'agit d'un mode particulier de ces relations.

— D'où, en conséquence, il faut laisser l'enfant libre de produire toutes sortes de types d'énoncés correspondant à la façon dont il fait son expérience du monde et de la réalité sociale. Franchissant la porte de sa classe, l'élève ne doit pas devenir un être aseptisé. Il y vient avec un maniement linguistique déjà formé. Il devrait continuer à le pratiquer en classe, le confrontant à celui des autres et à celui de l'institution scolaire, élargissant toujours plus ses possibilités de communication.

*d* / Non seulement il y a une profonde méconnaissance de tous ces problèmes chez les enseignants, mais aussi un immense désarroi devant les tentatives de renouvellement. Ce désarroi n'est pas uniquement dû à un manque de formation, mais aussi aux formes que prend le renouvellement des méthodes d'enseignement du français. Les maisons d'édition ont plus ou moins modifié les manuels scolaires et les livres du maître. Cela oblige la plupart des enseignants à se recycler sur le tas pour être à même d'accueillir les premières générations d'élèves ayant depuis le début connu autre chose que la grammaire traditionnelle.

L'exploitation pédagogique des données linguistiques implique une assez grande familiarité avec ces dernières. Sans une formation réelle, l'enseignant soumis à ce contenu nouveau ne peut voir en lui qu'un changement de terminologie et de présentation des données traditionnelles. Ajoutons que les manuels ne viennent pas à son aide, bien au contraire. Parce qu'ils tentent de présenter un modèle pédagogique immédiatement exploitable, ils proposent de façon simplifiée et figée des fragments de théories qui, par définition, ne peuvent être qu'en évolution. D'où la tentation pour l'enseignant d'ériger en position dogmatique ce qui ne devrait être que suggestion pédagogique. On constate, de plus, des disparités et des contradictions dans ces manuels du point de vue de l'analyse comme de la terminologie. Le lecteur est d'autant plus dérouté que rien, aucune critique, aucune discussion, ne vient tempérer les affirmations qu'on y trouve.

Et pourtant, entre les données linguistiques de base et les outils pédagogiques proposés, quelle perte de rigueur scientifique! Des principes fondamentaux même disparaissent quand on passe à l'application. L'écart, qui existe forcément, entre les objectifs linguistiques explicites et l'application pédagogique est parcouru dans un sens négatif, vers des vues traditionnelles sur la langue. Un exemple : on prétend se dégager de la domination de l'écrit et redonner sa vraie place à l'oral. Mais dans les manuels, les exemples révèlent un pseudo-oral qui n'est en fait que de l'écrit manipulé. Le modèle générativiste, généralement exploité, ampute le maniement linguistique de ce qu'il comporte de plus vivant parce qu'il ne fonctionne bien que sur des exemples canoniques tirés de l'écrit. Se trouvent ainsi exclues de la « grammaire » les constructions les plus couramment utilisées à l'oral par l'enfant comme par l'adulte, telles : « Qu'est-ce qu'il est lourd ce sac! », « Tu me la prêtes ta mobylette ? », « Il n'y a pas de quoi se vanter! », etc.

Plus généralement, on se contente de moderniser les étiquetages et les représentations spatiales. Du point de vue des étiquetages, les manuels se présentent trop souvent comme des importateurs abusifs de concepts supposés se suffire à eux-mêmes. C'est le cas de la notion de « transformation », mot magique apportant par lui-même une caution scientifique irréfutable! Dans les représentations spatiales, on rencontre en permanence des utilisations hautement métaphoriques des schématisations mathématiques et informatiques. Le goût pour la formule (de réécriture) et les parenthèses, par exemple, ne présentant en fait pas plus qu'une syntagmatique, alors qu'on donne l'impression de produire la formule abstraite et intégrale de la structure. Les difficultés donc s'accumulent dans les solutions mêmes qui sont apportées à la crise de l'enseignement du français. Pour s'en sortir efficacement, il faudrait beaucoup de moyens pour la formation permanente et pour la recherche.

## 3. Inégalités scolaires

*a* / L'idéologie des dons aboutit à interpréter les statistiques comme si les enfants des milieux favorisés possédaient une intelligence supérieure à celle des enfants des milieux populaires. Rappelons succinctement quelques faits connus. L'hérédité générale — c'est-à-dire celle de l'espèce humaine — est décisive puisqu'elle met l'accent sur les ressemblances fondamentales entre les hommes. L'hérédité individuelle, par contre, ne se conçoit bien que si on distingue trois niveaux : le chromosome, l'organisme et le psychisme. Mais comment se fait le passage de l'un à l'autre ? Quels sont les liens entre niveau chromosomique et psychisme ? N'y a-t-il pas des seuils qualitatifs dans l'évolution et l'intervention de facteurs nouveaux entre chacun des niveaux considérés ? On sait que l'organisme lui-même est déjà autre chose que l'expression directe des chromosomes, il résulte de l'interaction de l'hérédité et du milieu et non de la seule hérédité. Quant au psychisme, il se situe à un niveau encore plus complexe : l'organisme ne fait que lui fournir la base instrumentale de son fonctionnement. Le cerveau devient opérationnel en actualisant une partie de ses possibilités sous l'action du milieu social. Il accède ainsi à ce que les chromosomes ne transmettront jamais, à savoir l'immense patrimoine culturel accumulé et sans cesse enrichi, dont un des meilleurs exemples est justement le langage humain[1].

*b* / Lorsque l'on aborde le problème du succès et des échecs scolaires, on s'accorde à reconnaître que c'est particulièrement sur le plan du maniement de la langue que les handicaps socioculturels risquent d'entraîner les plus grandes difficultés. De nombreuses études ont effectivement mis en évidence l'importance des différences linguistiques entre enfants appartenant à des milieux différents[2]. Mais ces constatations laissent des questions essentielles sans réponse :

1) Cet écart dans le maniement est-il linguistiquement homogène ? Autrement dit, touche-t-il également tous les aspects de l'organisation linguistique (compréhension/expression, oral/écrit, syntaxe/lexique, correction/richesse) ? Touche-t-il tous les types de communication (en situation / hors situation) ?

2) Le handicap constaté pour les enfants des couches défavorisées est-il réel ? Le choix des critères retenus pour mesurer ce handicap ne favorise-t-il pas les enfants appartenant aux milieux sociaux favorisés ? On peut se demander quel rôle joue dans la réussite ou l'échec scolaire la plus ou moins grande distance entre norme scolaire et bain linguistique familial, sachant que les enfants des couches défavorisées sont ceux pour lesquels la norme scolaire est la plus éloignée de la pratique extrascolaire ?

3) Dans quelle mesure la norme scolaire mesure-t-elle réellement l'acquisition du langage ? N'y a-t-il pas focalisation sur des aspects marginaux de cette acquisition ?

4) Si handicap il y a, comment se manifeste-t-il sur le plan individuel, étant donné qu'il n'y a pas de raison qu'il se manifeste de la même façon chez tous les enfants, pas plus que se manifeste de façon identique le succès chez les enfants des couches favorisées.

Sur toutes ces questions, nous avancerons quelques idées de départ, un exposé plus précis et faisant état de nombreuses recherches en cours ne pouvant trouver place ici[3].

1. Biologique et social dans l'homme, *La Pensée*, n° 211, avril 1980.
2. Basil Bernstein, *Langage et classes sociales*, Ed. de Minuit, 1975; Langage, classes sociales, éducation, *La Pensée*.
3. R. Legrand-Gelber, Nécessité d'une démarche sociolinguistique en pédagogie de la langue maternelle, *Actes du colloque de sociolinguistique de Rouen*, décembre 1978.

*c | Handicap linguistique et compétence.* — Notre idée de départ est que les divers aspects du langage ne semblent pas se développer de façon concomitante :

*1* | chez tous les individus,
*2* | selon les différentes conditions de la communication.

Le point délicat que nous voudrions d'abord examiner est celui de savoir à quoi tient exactement le handicap linguistique des enfants des classes défavorisées dans le cadre scolaire, quelle est sa nature profonde, quelles formes il peut prendre.

*L'idée qu'il y ait des conditions différentes de la communication est ici fondamentale.* Comme nous l'avons vu, les conditions de l'acte de communication varient selon que les éléments qui le constituent (nature des interlocuteurs, poids plus ou moins important des données extra-linguistiques) changent et que les besoins de la communication ne sont pas les mêmes (échange plus ou moins informatif ou plus ou moins ludique)

Le handicap de l'enfant peut alors se manifester à des niveaux différents :

— Il peut se porter de façon générale, quelles que soient les conditions de la communication sur l'*incitation à communiquer*, et ceci constitue un problème socio et psycholinguistique complexe, où des facteurs très différents peuvent être décisifs (conditions d'existence, développement global de l'enfant, rapport à autrui, place au sein de la famille...).

— Il peut porter particulièrement sur le *maniement du langage* dans le *milieu scolaire* et se manifester sous forme d'inhibition ou « d'incorrections » par rapport à la norme en vigueur — et ceci à n'importe quel niveau (phonologique, morphologique, syntaxique ou lexical). Dans ce cas, il apparaît souvent qu'il ne s'agit pas d'un maniement du langage défectueux chez l'enfant, mais d'une nouvelle maîtrise (ou d'une absence totale de pratique) de certains niveaux du langage ou de certains types de communication selon des conditions peu familières à l'enfant. Par exemple, on peut trouver chez l'enfant un très bon maniement pratique, informationnel, adapté à des conditions de communication qui ne sont pas celles du cadre scolaire, et, par contre, un échec important dans le maniement élaboré, hors situation, ludique, favorisé par l'institution scolaire. Un maniement du langage hors situation sera mieux pratiqué par les enfants des couches favorisées où ce type d'usage du langage est fréquent dans le milieu familial même (des jeux de société aux réceptions mondaines, sans oublier que les parents ont bien plus de temps pour s'occuper de l'enfant : lire des livres avec lui, lui raconter des histoires, jouer aux devinettes...). Dans une communication en situation, par contre, et même si les niveaux du langage ne sont pas identiques, l'adaptation à la communication peut être aussi bonne chez des enfants de milieux sociaux très lointains et, pourquoi pas, meilleure chez l'enfant de classe populaire qui, dans certains domaines (activités professionnelles, difficultés de la vie, nature...), peut refléter de façon plus riche les réalités.

— Il peut porter uniquement sur *le langage écrit* et, ici encore, l'avantage est du côté de l'enfant des milieux aisés. En effet, si la langue orale est pour l'essentiel une langue en situation, le passage à la langue écrite constitue l'acquisition d'une langue hors situation dans laquelle les informations spatiales, temporelles et causales doivent être linguistiquement marquées (puisque non fournies de façon extra-linguistique par la situation). Il est évident que la pratique du langage écrit est plus importante dans certaines couches et que cela constitue, par rapport aux choix linguistiques de l'école, un facteur d'inégalité des chances.

Pour résumer ces diverses constatations, nous dirons :

1 / *Qu'il n'existe pas une compétence linguistique, totale, entière*, capable de se réaliser sous des formes différentes selon les nécessités de la communication, mais qui, en fait, serait une et intangible; mais qu'il y a plutôt des façons qualitativement différentes de manier le langage et que ces différences apparaissent selon les conditions variables de la communication.

2 / *Qu'il n'y a pas un handicap socioculturel des milieux défavorisés* correspondant justement à un manque par rapport à la soi-disant compétence linguistique; mais que le handicap apparaît dans certaines conditions de la communication, selon les utilisations possibles du langage — la fonction utilitaire du langage pouvant par exemple se développer plus dans un milieu populaire que la fonction ludique. Donc, il ne s'agit pas d'un handicap dans la possibilité de communiquer, mais d'une difficulté à manier certaines utilisations du langage; or, c'est à partir de ces utilisations du langage que l'école juge la compétence linguistique des enfants.

*d / Les indices d'échecs.* — Une telle évaluation demande que l'on rappelle rapidement les notions de *norme linguistique* et de niveaux de langue.

— Une conception étroite de ce qu'est la langue en fait l'outil de la pensée, le moyen par lequel s'extériorise l'esprit humain et, comme il est bien entendu que celui-ci est universel, la langue se réduit à refléter la raison humaine, ou plus exactement, on considérera comme bon usage linguistique celui des gens raisonnables, de l'élite. La norme est fixée : les grammairiens réglementent et imposent la langue de certains pour tous. C'est à peine forcer la note pour décrire ce qui existe encore aujourd'hui avec tout le problème des barrières sociales qui en découle, en particulier dans le cadre scolaire[1].

— Il est pourtant bien connu que l'unité et l'homogénéité de la langue d'une communauté donnée n'existent que dans certaines limites et que des différences sensibles se manifestent à tous les niveaux de l'analyse. Ceci prouve le mal-fondé de la pratique qui consiste à sanctionner un type de maniement du langage sous prétexte qu'il est différent de celui choisi comme norme. Frédéric François appelle « sur-norme » le mythe selon lequel il y aurait des formes ou des procédés linguistiques intrinsèquement supérieurs les uns aux autres. Or la supériorité d'un usage linguistique sur un autre ne se mesure pas de façon interne, mais en fonction des données de l'acte de communication dans leur ensemble : le choix du terme précis par rapport à la périphrase, par exemple, ne vaut que si l'interlocuteur y a accès.

— Dans un tel contexte, que devient la notion de faute ?

1. Sur les problèmes de la norme voir Baggioni-Kaminker-Winther, *La Pensée*, n° 209, janvier 1980.

Une faute, c'est un manquement à un devoir, à une obligation : une impression dépréciative est toujours impliquée dans cette notion. Pour les linguistes, la notion de faute ne peut être intéressante que dans la mesure où on décèle le rôle qu'elle joue dans la communication. Elle perd ainsi son aspect figé et répressif pour prendre une valeur fonctionnelle.

Comment donc expliquer *les fautes* dans une perspective fonctionnelle qui exclut tout jugement de valeur (au sens moral du terme).

— Rappelons ce que nous disions du point de vue de l'apprentissage de la langue par l'enfant. Celui-ci se trouve hautement conditionné par le fait que la langue est structurée, c'est-à-dire qu'un nombre très limité de procédés est à la base de l'infinité des énoncés possibles à produire. Ainsi, l'enfant n'apprend pas seulement en imitant mais aussi en créant par analogie à partir d'un modèle. L'origine de presque toutes les fautes du jeune enfant est la suivante : il y a primauté du comportement actif (analogique) par rapport aux acquisitions passives (contraintes). Structures générales de la langue, procédures combinatoires régulières font rapidement partie du maniement linguistique de l'enfant, alors que les acquisitions coup par coup (accidents morphologiques, restrictions à la combinatoire, unités lexicales n'obéissant pas à des règles générales de dérivation) ne s'apprennent que lentement par habitudes linguistiques imposées. Or, le cadre scolaire juge beaucoup plus en fonction de la correction qu'en fonction de l'utilisation active des structures de la langue. Ce qui, ici encore, défavorise l'enfant de milieu populaire pour lequel le retard dans le maniement correct des contraintes de la langue est le plus grand.

— Une autre remarque concernera des fautes (considérées comme telles), mais qui n'en sont pas. Nous en donnerons trois exemples bien connus : il y a des usages du langage que le cadre scolaire corrige alors qu'il ne s'agit que de deux façons de parler, différentes et attestées largement toutes les deux; c'est par exemple le cas de l'opposition /ɛ/-/e/ en finale distinguant l'imparfait du passé simple *(je chantais, je chantai)*, pertinente ou non selon les usages de la langue; c'est aussi le cas de l'accord en genre du participe passé : « la lettre que j'ai écrit(e) », « la robe que je me suis fait(e) »; par ailleurs, il y a des usages corrigés parce que le niveau auquel ils appartiennent est moins considéré qu'un autre : la montée intonative pour marquer l'interrogation parent pauvre par rapport à la formulation par « est-ce que », elle-même dévalorisée par rapport à l'inversion : « tu viens ? / est-ce que tu viens ? / viens-tu ? ». Défavorisé sur tous ces plans, l'enfant de couche populaire l'est souvent aussi par la forme même des exercices linguistiques qui lui sont présentés. Le test, en tant que maniement abstrait du langage, est mieux compris et mieux réussi par les enfants des couches favorisées; les associations de termes, les phrases à trous, les transformations en tout genre peuvent présenter pour certains enfants une difficulté qui ne nous apprend en fait rien sur leur capacité à communiquer.

Ainsi, juger de l'échec linguistique en fonction de telles pratiques présente un immense danger. Le normativisme est restrictif par rapport aux possibilités offertes par la langue, puisqu'il tente d'imposer un certain usage du langage dans toutes les situations de communication. Or, ce qui importe avant tout, c'est que celui qui parle possède un nombre important de registres pour faire face au mieux aux diverses conditions d'échange linguistique. L'enfant n'a pas à acquérir un parler « coté », « soutenu », mais la capacité de changer de registre en fonction des nécessités et une souplesse suffisante pour s'adapter sans difficulté aux multiples aspects de la communication et aux interlocuteurs les plus divers. La notion de faute doit alors être remplacée par l'idée de niveaux d'urgence dans la correction en vue d'une adaptation toujours meilleure aux conditions de la communication. Le bon usage linguistique ne peut finalement se déceler que dans la souplesse d'adaptation du code à la diversité des rapports sociaux et par conséquent dans l'utilisation mouvante et diversifiée des usages linguistiques dont nous donnons ici une des formulations possibles :

*1* / L'usage ludique qui échappe aux rapports de communication ordinaire et où le plaisir de la production linguistique garde toute sa valeur.

*2* / L'usage « pratique » dans lequel on utilise au maximum l'information apportée par la situation extra-linguistique sous tous ses aspects.

*3* / L'usage « représentatif » qualitativement très différent du précédent puisque, avec lui, on quitte le domaine du maniement déterminé par la situation vécue pour rendre présent sur le plan du langage ce qui est absent sur celui de la situation; langage « allusif », donc affranchi de l'ici et du maintenant de l'acte de communication.

*4* / L'usage « prospectif » (on demande par exemple à l'enfant ce qu'il voudrait faire plus tard); dans ce cas, le maniement n'a non seulement rien à voir avec la situation présente, mais se situe aussi hors de toute situation concrète et vécue.

*5* / L'usage « métalinguistique », demandant une élaboration verbale de haut niveau qui suppose chez l'individu la capacité de jouer avec le code lui-même; qui va de la prise de conscience qu'il y a d'une part de multiples formes linguistiques possibles correspondant à une même situation donnée, d'autre part des variations de sens pour une même forme linguistique dans des situations différentes, au maniement le plus abstrait du langage.

*6* / L'usage dialectique ou de discussion, où l'aspect polémique du contact entre auditeur et locuteur trouve une traduction linguistique complexe (contradiction, argumentation).

*7* / L'usage poétique, au sens large du terme, où les éléments de la langue sont pratiqués différemment de l'utilisation ordinaire et signifient par cette différence même (utilisation systématique des sonorités, des rythmes, du champ associatif...).

De façon plus générale, la théorie des niveaux de langue (du familier au soutenu) rejoint celle de la sur-norme linguistique puisqu'on cherche à ranger sur une échelle de valeurs les diverses utilisations du langage. Or celles-ci ne sauraient s'étager simplement en fonction de types bien tranchés de communication. Plutôt que de niveaux de langue, sans doute vaudrait-il mieux garder la formulation de « variation linguistique ». Mais il est évident que la société, telle que nous la connaissons aujourd'hui, valorise certains aspects de la langue aux dépens d'autres, et cela doit être aussi appris à l'enfant par l'école, car la socialisation de l'enfant ne se réalise pas en dehors du réel, dans un absolu merveilleux, mais dans les conditions concrètes des rapports sociaux.

*e / Les indices de réussite.* — Les critères utilisés pour définir les indices de réussite ne devraient pas favoriser un certain type de communication (hors situation), des usages particuliers du langage (représentatif, métalinguistique) ou un comportement linguistique restreint (un sous-code, socialement définissable). Le problème est de présenter des tâches linguistiques qui ne mesurent pas uniquement chez le sujet la capacité à passer ceux-ci, sous peine de ne mettre en lumière que des sous-espèces différentes du maniement linguistique et non des degrés dans la qualité de ce maniement. Nous essayons d'éviter ces dangers en proposant à l'intérieur des grandes rubriques une analyse inductive de la réalité linguistique telle qu'elle apparaît dans toute utilisation du langage :

*A* / l'incitation à communiquer,
*B* / la « correction »,
*C* / la richesse lexicale,
*D* / la complexité syntaxique,
*E* / l'adéquation à la communication.

*A* / Il peut paraître clair de considérer que la « quantité » linguistique produite suffit à évaluer le premier aspect : *l'incitation à communiquer.* La longueur du message (dans le cas du récit), l'importance de la part prise dans un dialogue, la rapidité dans le propos, le rôle dans le choix des thèmes, etc., en sont des indications assez sûres. Encore qu'il faille bien rapporter l'ensemble de ces éléments à la situation de communication, en particulier pour la longueur du message. L'inachèvement d'un énoncé par exemple, en tant qu'absence d'éléments syntaxiquement nécessaires, peut correspondre à un bon maniement en situation et ne rien indiquer sur l'incitation du sujet à communiquer.

Ceci dit, la longueur du message peut elle-même être correctement évaluée par le compte du nombre des éléments en inventaires ouverts (puisque le nombre de ceux en inventaires fermés dépend en grande part du précédent).

*B* / Le deuxième aspect — *la correction* — concerne l'exactitude, selon les contraintes de la langue, dans la reproduction formelle des unités et dans la successivité des séquentes. Deux aspects peuvent servir de « baromètre » : d'une part, la bonne utilisation de l'ordre syntagmatique dans le cas où il n'est pas pertinent et ne correspond qu'à des habitudes; d'autre part, le respect de la complexité morphologique des unités dans leur variation contextuelle. En ce qui concerne le système verbal par exemple, ces variations apparaissant essentiellement pour des temps autres que le présent (le plus souvent non marqué en français), l'indice de correction morphologique devra tenir compte de cette particularité et mettre en rapport le nombre de formes verbales correctes autres que le présent et le nombre total de formes verbales correctes.

*C* / Pour le troisième aspect — *la richesse lexicale* —, plusieurs directions d'analyse peuvent être proposées. Un premier sondage à l'intérieur même du maniement du locuteur et qui peut comprendre :

*a)* le nombre de lexèmes différents employés;
*b)* la relation entre le nombre de noms et le nombre de pronoms véritables (substituts du nom et non intégrés à des actualisateurs du type « il y a »);
*c)* au sein de chaque catégorie lexicale (noms, verbes, adjectifs), la relation entre nombre total d'unités et nombre d'unités différentes.

Un deuxième sondage peut mettre en lumière le maniement linguistique du sujet par rapport à la fréquence linguistique (en tant que représentant une utilisation « moyenne »). Dans ce sens, on peut dresser la liste des mots du locuteur qui ne sont pas compris dans les cent mots les plus fréquents de la langue, le point délicat restant les critères utilisés pour déterminer ces cent premiers lexèmes.

*D* / Le quatrième aspect — *la complexité syntaxique* — exige que l'on mesure en quoi ce critère est nécessaire à la communication, d'autant plus qu'il ne faut pas confondre ou mettre en parallèle complexité syntaxique, complexité du signifié et complexité psychologique. A quoi correspond donc cette complexité relationnelle ? Comment mesurer la profondeur dans la hiérarchisation des éléments entre eux ? Il faut d'abord écarter les contraintes et les figements où les choix possibles sont limités. Dans les exemples de fausse complexité syntaxique suivants, on ne peut considérer que c'est un deuxième élément qu'introduit le fonctionnel : « C'est Pierre qui... », « Je veux que... », etc.

Deux analyses sont nécessaires pour mesurer cette complexité syntaxique : d'abord l'étude des principaux types de phrases, ensuite la fréquence relative des diverses structures.

Une troisième dimension doit être donnée à l'étude en comparant les fréquences des différents types de complexité selon les conditions de la communication. Par exemple, examiner dans la conduite du récit les différents moyens qui introduisent des relations sémantiques, syntaxiquement marquées ou non entre phrases successives; dans la situation de dialogue, les diverses procédures de mise en relation des réponses et des questions; mesurer ce que tout ceci implique du point de vue de la complexité syntaxique.

*E* / Enfin, dernier aspect, *l'adéquation à la « communication »* se mesure d'abord par la capacité du sujet à passer d'un langage en situation à un langage hors situation. Ce dernier maniement impliquant l'utilisation de syntagmes qui donnent des indications sur les rapports temporels et spatiaux et sur les circonstants de l'action, c'est-à-dire un langage plus complexe aussi bien sur le plan lexical que sur le plan syntaxique. Elle se mesure ensuite par la capacité du sujet à dire de façons différentes la même chose en fonction de l'interlocuteur, c'est-à-dire la capacité à assurer un véritable échange.

Pour terminer, nous ferons une remarque quant à la distinction entre couches favorisées ou non par rapport au maniement linguistique[1]. Les statistiques montrent que les enfants qui réussissent le mieux de ce point de vue sur le plan scolaire sont,

1. Voir R. Legrand-Gelber et Ch. Marcellesi, *La Pensée*, *op. cit.*, janvier 1980, pour la critique des notions de « milieu » et de « classe ».

de façon générale, de milieux intellectuels, plus particulièrement de parents enseignants et plus précisément encore des filles et des fils d'instituteurs. En effet, ce que Jean-Baptiste Marcellesi appelle les « couches linguistiquement hégémoniques » ne peut se confondre, en France tout au moins, avec la classe dominante. On peut définir ces couches comme celles « dont l'activité langagière est prise comme modèle pratique, est considérée comme centre de gravité de la langue et qui sont hégémoniques du point de vue de la langue sans être nécessairement dominantes du point de vue du pouvoir »[1].

Un problème complexe est alors de cerner à tout moment les rapports entre couches linguistiquement hégémoniques et pouvoir, et comment elles peuvent aller dans le sens ou à l'encontre de la reproduction des rapports de production[2]. C'est en fait tout le problème du rôle des couches intellectuelles et de l'école qui est posé ici et qui dépasse largement le cadre de notre propos. De nombreuses équipes travaillent sur ces questions, regroupant psycholinguistes, sociolinguistes, pédagogues et cliniciens. On pourra lire l'expression d'une partie d'entre eux dans les *Actes du colloque de sociolinguistique de Rouen*, à paraître aux Presses de l'Université de Rouen en octobre 1980.

1. J.-B. Marcellesi, in *Cahier de Linguistique sociale sur la norme*, nº 1, Rouen, 1976.
2. Voir l'article de J. Legrand, Classes et rapports sociaux dans la détermination sociale du langage, *La Pensée*, nº 209, janvier 1980.

# 2

# l'apprentissage des langues secondes

PAR JACQUES LEGRAND

## *A - LINGUISTIQUE GÉNÉRALE ET LANGUES SECONDES : UN PROBLÈME D'ACTUALITÉ*

L'approche d'un système linguistique en tant que langue seconde, la définition de son statut chez un sujet parlant comme au sein d'un groupe social, des modalités psychiques et linguistiques de son apprentissage, du rapport à établir entre ces modalités et la stratégie même de l'apprentissage d'une langue seconde, autant de préoccupations (dont l'énumération ci-dessus est à coup sûr loin d'être exhaustive) qui appellent sur la théorie et la pratique de cette acquisition l'attention et l'effort du linguiste.

Il ne s'agit pas là d'un vœu, mais d'une constatation. La littérature linguistique est d'ores et déjà fort riche en études expérimentales, en synthèses à vocation théorique plus ou moins affirmée, en entreprises, enfin, de praticiens soucieux de mobiliser l'apport des aspects les plus divers de la réflexion linguistique pour la mise en œuvre de méthodes et de techniques nouvelles, plus efficaces, d'enseignement des langues étrangères. Il ne nous semble d'ailleurs pas faire de doute que c'est ce dernier aspect, ce débouché pratique, immédiat, de la linguistique dans l'enseignement des langues qui a frappé le plus vivement les imaginations au point de favoriser, chez certains linguistes et plus encore sans doute chez certains utilisateurs, la vision d'un niveau de la pratique linguistique (dans le sens exclusif de « pratique du linguiste » et non dans celui de « pratique langagière ») qui constituerait une simple retombée de théories qui se développeraient en elles-mêmes et pour elles-mêmes et dont il serait loisible d'extraire les enseignements à des fins d'application. Outre la vision réductrice des rapports entre théorie et pratique impliquée par cette tendance, celle-ci nous semble étroitement liée aux conditions concrètes dans lesquelles la linguistique, dans le cours de sa démarche pour se doter d'un statut scientifique, a été amenée à prendre pied, en tant que théorie générale, sur les terrains les plus divers de l'activité langagière. Autant il est nécessaire et légitime que la linguistique *s'applique* à tous les secteurs intégrant le maniement du langage, et ce faisant c'est *l'ensemble* de la réflexion linguistique qui est mobilisé, autant il doit être évident que l'intrusion de la linguistique dans des domaines déjà structurés, forts de pratiques et de constructions para-théoriques traditionnelles (et on connaît la force de l'opposition conflictuelle « linguistique »/« traditionnel » dans l'enseignement de la langue première) est lourde de contraintes simplificatrices dont l'émergence d'une « linguistique appliquée » s'individualisant en démarche autonome apparaît comme une illustration à notre sens redoutable. Sans doute ces inquiétudes paraîtront-elles excessives à un linguiste s'appliquant surtout à sa langue première. Son activité de linguiste généraliste — généralement appuyée sur les réalités de cette langue — et les applications pratiques qui sont susceptibles d'en découler se trouvent alors dans un degré de continuité en principe assez grand pour que l'application soit moins menacée de perdre le contact avec l'ensemble de la démarche fondamentale. Encore n'est-il pas toujours à l'abri des tentations réductrices dont nous soulignons ici le risque.

La situation est bien différente en ce qui concerne les langues secondes. Nous ferons en particulier observer, au sein de l'abondante production consacrée à l'acquisition d'une langue seconde, la trop grande absence, paradoxale au premier regard, du système proprement linguistique des langues considérées. Cette particularité, saisissante quand on considère dans leur ensemble les domaines francophone et anglo-saxon des bibliographies consacrées aux langues secondes, tient précisément à ce que le purement linguistique, le fonctionnement du système de chaque langue mise en cause est largement considéré comme un donné, comme un acquis d'analyses et de descriptions préalables menées et fournies par les généralistes, mais aussi par la tradition de grammaires prescriptives profondément enracinées dans la vision qu'ont de la langue de nombreux praticiens, et même de nombreux linguistes — quand même ces derniers remettent fondamentalement en cause cette tradition.

Cet état de fait tient à son tour à ce que les besoins d'un apprentissage de langues secondes sont restés dans leur masse, jusqu'à une époque récente, liés à la diffusion de langues qui avaient fait depuis longtemps l'objet de descriptions et de mises en forme à usage pédagogique ayant acquis plus ou moins explicitement valeur canonique. La didactique des langues secondes est restée trop étroitement liée à cette diffusion de « grandes » langues dites « de communication » (ne rencontre-t-on pas sous certaines plumes l'irrésistible « langue de civilisation ») dont on estimait les descriptions, donc l'état à transmettre de la langue, suffisamment établies et fiables pour que ne s'opère pas, insensiblement sans doute, un divorce entre l'objet enseigné (la langue considérée comme un donné) et la méthode de son appropriation. Il est à cet égard caractéristique que l'entrée en scène de la linguistique dans la didactique des langues secondes n'ait pas d'emblée renversé cet état de fait. En effet, la linguistique a dans un premier temps été mobilisée, ce qui est somme toute assez naturel, pour mettre de l'ordre dans ce qui existait plus que pour proposer une perspective radicalement neuve. Ainsi s'explique à notre sens, par cet accent mis dans la didactique des langues secondes sur les mécanismes généraux de l'acquisition, la part prise par la psycholinguistique au détriment de la linguistique générale. Ce que nous serions tentés de qualifier de

« déformation psycholinguistique » de la didactique des langues secondes, si nous n'étions profondément convaincus qu'il s'est agi là d'une étape nécessaire et fructueuse, de la voie sans doute la plus efficace de pénétration de la réflexion linguistique dans un domaine trop longtemps livré à l'empirisme et au pragmatisme les plus terre à terre.

La véritable coupure, si elle n'intervient pas du seul fait de l'entrée en scène de la linguistique, tient à notre sens à l'introduction dans la didactique des langues vivantes d'un meilleur équilibre entre linguistique générale et psycholinguistique. L'intervention de la linguistique est dès lors globale non seulement au plan des mécanismes de l'acquisition linguistique mais aussi au plan de l'objet linguistique lui-même. En d'autres termes, ce qui est en cause ici est la démarche descriptive et analytique sur laquelle s'appuie la stratégie de l'apprentissage. L'impossibilité de s'en tenir à une simple utilisation de descriptions préexistantes et surtout l'impossibilité de transposer impunément ces descriptions d'une langue à une autre, nous sont suggérées par l'inefficacité traditionnellement prêtée à l'enseignement des langues vivantes (l'anecdote caricaturale revient sans cesse de tel agrégé d'anglais qui éprouverait les plus grandes peines à se faire comprendre des commerçants londoniens) et confirmées par la désillusion de ceux qui, ayant investi au cours des dernières décennies beaucoup de temps et d'efforts dans le recours à un outillage mental et matériel complexe, éprouvent dans de nombreux cas une certaine frustration au vu des résultats. Plus encore, nous semble-t-il, et nous touchons là à l'actualité même des problèmes posés par la didactique des langues vivantes, cette impossibilité nous est démontrée par les difficultés rencontrées dans tous les cas où, lorsque pour une langue donnée description et méthode d'apprentissage doivent faire l'objet d'une élaboration simultanée, on croit pouvoir s'en remettre à la description couramment admise d'une tierce langue, voire de sa propre langue première. La tradition est certes ancienne qui prétendait forger la présentation des langues vivantes enseignées à l'image de la grammaire latine et beaucoup aujourd'hui pensent en être quittes. Mais peut-on se tenir assuré que les racines du mal sont extirpées, quand l'inadéquation endémique de la description à son objet a laissé subsister dans maints esprits comme une évidence au-dessus de tout soupçon que la langue procède par un ensemble de « règles » et d' « exceptions » (ces dernières fussent-elles dans certains cas aussi fréquentes dans la réalité que les cas d'application de la « règle »).

Les langues non encore décrites ou peu étudiées, dont les nécessités modernes imposent simultanément la description et l'enseignement en tant que langue seconde, si elles donnent lieu encore trop souvent au transfert abusif des catégories descriptives issues de l'étude d'autres langues, généralement dotées elles-mêmes d'une solide tradition[1], constituent dans les conditions actuelles un laboratoire prodigieux en dimensions et en diversité.

1. On pourrait d'ailleurs se demander s'il n'est pas possible d'observer dans ce domaine — à travers certaines modes linguistiques — une tendance à la substitution de l'anglais au latin en tant que langue « pourvoyeuse de descriptions ».

## 1. De l'apparition des besoins...

Poser les tâches d'un enseignement de langues n'ayant pas fait l'objet de descriptions exhaustives ne relève pas en effet d'un intérêt strictement académique, mais de besoins vitaux du monde contemporain. Le temps n'est plus où de bons esprits pouvaient se représenter la communication à l'échelle mondiale comme assurée par l'usage de quelques langues « véhiculaires », illusion dont la prétention à l'universalité de telle ou telle langue à telle ou telle époque n'est qu'un extrême et l'invention d'une langue « universelle » artificielle telle l'espéranto un succédané douteux. Plus grave est que le monopole de fait de quelques langues, dicté par les circonstances extra-linguistiques que constitue pour l'époque moderne l'expansion du capitalisme européen en général et la forme coloniale de cette expansion en particulier, ait abouti à la cristallisation de préjugés tenaces quant à l' « aptitude » ou l' « inaptitude » de telle langue à l'expression de telle ou telle réalité, en particulier à l'abstraction, quant à la « richesse » ou à la « pauvreté » respectives des langues, ces questions ayant été péremptoirement tranchées dans un sens qu'on imagine sans peine.

Les réalités internationales issues de la seconde guerre mondiale et en particulier l'effondrement du système colonial ont porté à ce monopole de quelques langues des coups sans doute définitifs et qu'il n'est pas le lieu d'examiner ici par le menu. Contentons-nous d'indiquer que la formation de plusieurs dizaines de nouveaux Etats nationaux, souvent jaloux de leur identité culturelle et donc linguistique, le rôle de ces Etats dans l'émergence de nouveaux ordres politique, économique et culturel mondiaux, la reconnaissance enfin du caractère bi- ou plurilingue de certains de ces Etats, sont autant d'éléments qui, s'ils posent de multiples problèmes au plan de la mise en œuvre d'une politique linguistique cohérente[1], ont multiplié dans des proportions considérables le nombre de langues dont l'apprentissage en tant que langue seconde s'avère désormais nécessaire. Pour prendre l'exemple de l'Institut national des Langues et Civilisations orientales, si trois langues étaient enseignées à la création de l'établissement par la Convention, soixante-seize le sont en 1978.

C'est l'ampleur même de cette extension du nombre des langues à enseigner, très diverses dans leur structure et leur fonctionnement, mais aussi dans leur statut social, en particulier dans l'appartenance linguistique des groupes préférentiellement amenés à s'en approprier le maniement[2], qui condamne la transposition schématique de rapports de la structure linguistique aux mécanismes de son appropriation. C'est dans le même temps, répétons-le, la prise en compte nécessairement simultanée des besoins de la description et de la présentation — à des fins d'appren-

1. Pour ne prendre qu'un exemple, le plurilinguisme de l'Union indienne, lors de la partition de 1947, aboutissant au maintien pour un temps relativement long de l'anglais, langue coloniale, en tant que langue officielle. L'héritage colonial français offre d'ailleurs maints exemples comparables.
2. Il ne s'agit pas là d'une abstraction : la manifestation extrême de ce problème peut être observée au sein des sociétés plurilingues — par exemple dans les relations entre les langues nationales et le russe en URSS ou les langues des minorités nationales et le chinois en RPC — mais la question se pose, moins évidente sans doute, pour toutes les langues traitées comme langues secondes.

tissage pratique — de ces langues « nouvelles » qui introduit dans la didactique des langues étrangères une coupure dont nous ne vivons, à travers d'inévitables hésitations, que les phases initiales.

Une autre rupture, contemporaine de la précédente, et sans doute aussi chargée de conséquences, tient au nombre de locuteurs impliqués dans l'apprentissage systématique d'une ou de langues secondes. Le temps n'est plus, à l'évidence, où l'échange des langues de la vieille Europe était le privilège d'élites et la manifestation d'une diffusion souvent unilatérale de modèles socioculturels (l'usage international du latin au XVIIe siècle cédant la place à la franco- puis à l'anglomanie des XVIIIe et XIXe siècles). Ici encore, l'actualité d'une réflexion sur la didactique des langues tient au caractère de masse conquis par l'apprentissage des langues secondes. Un exemple est fréquemment invoqué pour sa valeur de raccourci spectaculaire (mais aussi sans doute en raison de la tradition angliciste encore dominante dans l'approche de la didactique des langues) : la mise en place, en 1942-1943, de programmes d'enseignement intensif du japonais et de quelques autres langues au sein des forces armées américaines[1]. La valeur de cette expérience et de celles qui l'ont suivie tient à ce qu'elles ont mis en évidence la nécessité d'un bouleversement des approches, des méthodes et des moyens de l'apprentissage d'une langue seconde. Pour reprendre l'exemple de l'Institut national des Langues et Civilisations orientales, ses effectifs sont passés de quelques dizaines il y a un siècle, à environ dix mille en cette fin des années soixante-dix.

Il est certain que de tout temps, et sur une échelle qu'on ne peut réduire à des réalités marginales, anecdotiques, ont existé, soit par nécessités de voisinage, soit par besoins professionnels, soit sous l'effet de conquêtes de peuplement — les facteurs étant sans doute aussi divers que les situations —, des zones ou des groupes sociaux dont les populations et les individus disposaient, dans leur grand nombre, de deux ou de plusieurs systèmes linguistiques — sans que nous ayons ici à nous interroger sur la spécificité ou sur le degré de maîtrise atteint dans le maniement de tel ou tel de ces systèmes. Ces faits de *diglossie* (les spécialités réservant souvent le terme de *bilinguisme* à la possessoin d'un double système par un individu) se rencontrent dans l'histoire aussi bien comme des apparitions fugitives, transitoires et partielles (telles la franco- ou l'anglophonie issues de la colonisation) que sous des états apparemment permanents.

Mais il s'agit ici sans doute d'un problème de choix de l'échelle chronologique, ces phénomènes ne connaissant à l'image des mécanismes sociaux qui en déterminent le mouvement qu'une stabilité relative : si chacun des systèmes linguistiques maîtrisés majoritairement dans un même groupe social est bien en lui-même arbitraire — nous faisons abstraction ici des inévitables interférences qu'une étude spécialisée ferait apparaître tant au niveau des idiolectes qu'au plan de l'évolution de ces systèmes eux-mêmes —, le fait même de la cohabitation de ces deux systèmes au sein d'un même groupe est quant à lui du domaine du socio-historique. C'est cette nature socio-historique des faits de diglossie qui nous conduit à ne pas en

1. Army Specialized Training Program : ASTP. Voir à ce sujet Jean GUÉNOT, *Clefs pour les langues vivantes*, Paris, Seghers, 1971, pp. 117-128.

entamer ici l'examen détaillé — extrêmement complexe — au plan des mécanismes d'apprentissage et d'acquisition : l'appropriation des deux systèmes en présence intervient en effet le plus souvent, au moins partiellement, sous l'effet de situations de communication complexes, dès la phase d'acquisition de la langue première et constitue de ce fait un cas particulier — fort intéressant et important en lui-même — de cette acquisition. Mentionnons en outre que c'est également à cette dimension socio-historique de la diglossie et du bilinguisme que tient l'approche encore souvent passionnée, en termes d' « avantages » et d' « inconvénients », de maintes discussions sur ces problèmes, le point culminant en ayant été atteint par la condamnation du bilinguisme par les théoriciens nazis au nom de la « pureté de la race »[1].

## 2. ... aux moyens de leur satisfaction : l'essor technique

L'émergence de cette double réalité : nombre de langues entrant à part entière dans les circuits mondiaux de communication et nombre des locuteurs impliqués, s'est traduite par un accroissement colossal des besoins en formations diverses, massives et, sentiment de l'urgence obligeant, rapides. Or, la manifestation et la prise en considération de ces besoins se sont trouvé coïncider avec un essor technologique dans lequel on a souvent cherché une réponse immédiate et définitive. L'exemple le plus spectaculaire en est fourni par l'enregistrement magnétique, imaginé dans son principe dès la fin du XIX^e^ siècle, entré en application dans le courant des années trente et auquel les besoins militaires ont assuré, en particulier aux Etats-Unis et en Allemagne, un développement considérable lors de la seconde guerre mondiale[2]. Utiliser les possibilités d'un matériel technique de plus en plus diversifié et sophistiqué pour l'enseignement des langues étrangères relevait d'une légitimité indiscutable. Mais il convient d'ores et déjà de souligner que la tentation était également grande d'y voir une panacée substituant d'elle-même ses propres nécessités aux contraintes de l'objet enseigné. Maints auteurs ont souligné à fort juste titre les effets de cette tentation tant chez les fabricants de produits de plus en plus élaborés, dont la sophistication ne répond pas toujours à des besoins autres que commerciaux, et chez les promoteurs plus ou moins mercantiles d'un enseignement des langues ultra-accéléré, dont les promesses mirobolantes ne sont après tout que l'écho perverti des besoins dont nous signalions plus haut le développement impérieux, que chez les utilisateurs les plus désintéressés qui — conscients du piège que constituait la traditionnelle inefficacité de la didactique des langues — n'ont trop souvent recherché dans les nouveaux matériels que ce que L. Porcher appelle justement un « alibi de modernité pédagogique »[3].

On peut d'ailleurs remarquer que, en dépit d'un essor très important, les matériels les plus élaborés, en particulier les laboratoires les plus complets (dits

1. Voir les exemples donnés par Maurice VAN OVERBEKE, *Introduction au problème du bilinguisme*, Bruxelles-Paris, 1972, pp. 132-133; et Uriel WEINREICH, *Languages in Contact*, New York, 1953, réimprimé, La Haye, Mouton, 1963, 161 p.
2. J. THÉVENOT, Les machines parlantes, *L'Histoire et ses méthodes*, Paris, 1961, pp. 808-809, 812.
3. L. PORCHER, M. CHICOUENE, J. RUBENACH, *Pratique du laboratoire de langue*, Paris, Chrion, 1972, p. 30.

audio-actifs-comparatifs) et plus encore les magnétoscopes, n'en sont encore qu'à un stade de diffusion et d'utilisation marginal. Il y a donc gros à parier que pour un temps long encore cette tentation techniciste, dans le couple pernicieux qu'elle forme avec la crainte de l'enseignant de n'être plus qu'un rouage de la machine, continuera à exercer ses ravages. Quoi qu'il en soit, le débat autour des moyens techniques disponibles actuellement ou dans l'avenir ne saurait se restreindre à un face à face des « partisans » et des « adversaires » de l' « audio-visuel », le problème ne se posant pas et ne pouvant se poser en ces termes, pas plus qu'une discussion sur les aliments en conserve ne saurait tourner sur l'amélioration des ouvre-boîtes. Il doit apparaître clairement, et il apparaît fort heureusement à un nombre croissant de spécialistes (la littérature récente est sur ce point d'une réconfortante unanimité), que les moyens techniques mis au service de la didactique des langues étrangères, comme toute technique, ne valent que par l'utilisation qui en est faite, que par la stratégie globale de l'apprentissage dans laquelle s'inscrit leur usage et que c'est sur ce plan que peut se mesurer l'apport des progrès strictement techniques accomplis au cours des dernières décennies ou en train de s'accomplir.

## 3. Et la réflexion linguistique

La technique n'est en effet pas seule à avoir connu une évolution rapide et profonde. Réflexion linguistique sur le langage et les langues, réflexion psychologique sur les mécanismes et les voies de l'acquisition et de l'apprentissage, éclosion d'une réflexion pédagogique qui éloigne la didactique des éternels à peu près pragmatiques, sont toutes — liées entre elles non sans maintes contradictions sans doute — le fruit des dernières décennies et de la prise en compte, dans une mesure croissante, de la complexité du réel. L'actualité de la didactique des langues (sans doute ne s'agit-il pas là d'un phénomène isolé, mais d'un cas suffisamment typique pour retenir l'attention) tient enfin à cette convergence de besoins considérables et des moyens tant techniques qu'intellectuels permettant de répondre à ces besoins. Cette actualité ne tient donc pas essentiellement à ce que s'y seraient d'ores et déjà dégagées des réponses définitives. Les réserves que nous formulions plus haut sont celles qu'induit précisément une implication encore insuffisante des approches scientifiques diverses en un tout dialectique, donc — risquons ce pléonasme — cohérent. Soulignons que ce nécessaire inachèvement, en particulier pour ce qui nous intéresse ici sur le plan linguistique, entraîne au moins une double conséquence sur laquelle il est nécessaire de s'arrêter :

1° Cet inachèvement est chez maints utilisateurs source de frustrations et d'impatiences qui conduisent aussi bien au repli sur la bonne vieille tradition, dont la rassurante inefficacité peut sembler somme toute moins coûteuse et moins lourde de risques que l'avancée en terrain découvert, qu'à une fuite en avant où toute innovation vaut, en tant que telle, par la seule vertu de sa nouveauté.

2° La seconde conséquence tient au contenu même de cette fuite en avant.

Face à la nécessaire diversité de points de départ, de démarches et d'approches, d'écoles, caractéristique d'une science en formation, la linguistique a été sommée de remettre son intervention dans la pédagogie aux calendes grecques de l'unanimité (« Messieurs les Linguistes, mettez-vous d'abord d'accord entre vous ! »), soit condamnée — au nom de l'urgence — à une intervention éclectique fagotant tant bien que mal tout ce qui semblait susceptible d'une utilisation immédiate. En dépit de maints commentaires allant en ce sens, il ne semble pas que cet éclectisme soit une fatalité ni surtout qu'il faille s'y résigner là où il a acquis droit de cité. Les possibilités de vérification, d'affinement, d'amendement, voire de réorientation radicale d'une théorie donnée lors de sa mise à l'épreuve dans une pratique quelconque, et donc l'accroissement de l'impact de la théorie sur cette pratique, dès lors que cette mise à l'épreuve est pratiquée avec cohérence, c'est-à-dire quand les régularités observées tiennent à la cohérence interne et à l'adéquation de la théorie et non à l'à peu près d'interférences incontrôlables (toujours les « règles » et « exceptions »), l'emportent largement, en rigueur certes, mais aussi en efficacité réelle, sans que le terme en soit sans doute exagérément éloigné, sur les emprunts éclectiques de points isolés de théories sans la totalité desquelles ils s'avèrent souvent dénués de fondement et de valeur autre que celle d'un camouflage terminologique du vide théorique. Mieux vaut en un mot s'en tenir à une théorie, et à une seule, dont on peut « mesurer » et améliorer l'adéquation à l'objet qu'elle s'est fixée, que choisir — sur des critères qui ne sont souvent que ceux d'une mode éphémère — « ce qu'il y a de bon » chez Pierre, Paul... Ferdinand ou Noam. Ceci n'implique nulle « neutralité » à l'égard des théories linguistiques, en particulier à l'égard des présupposés idéalistes qui fondent certains édifices.

Les précautions dont nous nous entourons donneront peut-être à certains une impression décourageante, qu'il n'en soit rien! Rien ne nous semble plus naturel en effet, dans ce qui n'est encore à l'évidence que l'enfance de l'implication de la linguistique dans la didactique des langues, que cette multiplication d'hésitations, de fausses pistes, de repentirs. Ceci ne signifie nullement qu'il faille sous-estimer les résultats d'ores et déjà acquis, même si ces résultats sont plus des perspectives offertes par le développement même de la linguistique dans son ensemble que la mise en place d'un corps de préceptes et de recettes utilitaires. Si certaines de ces perspectives ont pu acquérir le statut de certitudes rationnelles et ne suscitent plus guère de débats aujourd'hui, certaines autres sont encore à coup sûr le terrain d'affrontements qu'il serait vain d'estomper. Le lien n'est pas ici d'entamer l'examen de ces affrontements, ce que les limites de notre propre compétence ne nous autoriseraient au demeurant que bien imparfaitement. Contentons-nous d'indiquer celles de ces perspectives de la recherche linguistique qui nous semblent les plus fructueuses pour une didactique des langues.

#### *a - Priorité de l'oral...*

Tout d'abord la mise en évidence du caractère oral du langage humain et de la priorité de ce caractère. Il s'agit là d'un fait désormais massivement admis et qui a largement contribué à la naissance d'une rénovation en profondeur tant de l'enseignement de la langue première que de celui des langues secondes. Les conséquences en sont d'ailleurs plus lointaines et complètes que cette priorité de l'oral sur l'écrit

— qui ne saurait d'ailleurs se restreindre à une successivité mécanique dans la chronologie de l'apprentissage — à laquelle il est quelquefois ramené par le sens commun. On peut signaler en particulier les conséquences de ce caractère oral pour la pleine reconnaissance des rapports entre l'audition et la phonation et la prise en considération de ces rapports pour l'acquisition d'un système phonologique étranger, et signaler d'ores et déjà l'importance et l'urgence de la mise en place de ce système pour toute la suite de l'apprentissage. Signalons au passage qu'il s'agit là d'une réalité, prise en compte par la langue elle-même, qui souligne la parenté de l'*ouïe* et de l'*entendement*.

#### *b - ... et communication sociale*

Plus fondamental encore — mais ce qui précède n'en est en fait qu'une des manifestations —, nous entrons ici dans le terrain des controverses, tient à notre sens, y compris du point de vue pratique de la didactique des langues, au caractère social du langage. Fort importante pour l'établissement d'une stratégie de l'apprentissage est en effet la réflexion sur l'articulation — à partir de la fonction centrale du langage : sa fonction de communication sociale — de l'acte et de la situation de communication. Contentons-nous pour l'instant de signaler qu'essentielle, cette articulation l'est dans l'inévitable confrontation entre langue première et langue seconde. Qu'elle ne l'est pas moins pour la définition de modalités concrètes de l'apprentissage — n'en prenons pour exemple que la place et l'usage à assigner au dialogue. Non moins important pour notre propos est, sans quitter le caractère social du langage, le point de rencontre entre arbitraire linguistique et pression sociale, le fait que le langage ne transmette pas d'expérience qui ne soit sociale. Par le découpage de la réalité d'abord, dont chaque société se dote au travers de son expérience et de sa langue, réalité incontournable de l'apprentissage d'une langue seconde : s'approprier le lexique de la langue seconde ne se réduit pas, par exemple, loin s'en faut, et même ne consiste pas dans une mise en place d'équivalences termes à termes, mais consiste à maîtriser l'économie tant sémantique que formelle, en particulier dans les régularités observables de la constitution du lexique de la langue seconde, du découpage de la réalité auquel procède cette langue. Sur un plan plus vaste, le point précédent s'y intégrant pour l'essentiel, cette rencontre entre l'arbitraire et le social s'opère — et nous revenons par là même aux contraintes du caractère oral du langage — dans la réduction de la diversité, de la multidimensionnalité de l'expérience sociale à la linéarité inaltérable de la chaîne parlée. Cette réduction, constitutive à notre sens du langage articulé, s'opère dans chaque langue selon une économie de fonctions et de procédés qui lui est propre. L'acquisition d'une langue, en particulier d'une langue seconde, consiste précisément dans l'appropriation et dans la maîtrise de cette économie fonctionnelle de la langue.

#### *c - Primauté de la syntaxe*

Il découle de ce qui précède l'exigence d'une étroite liaison entre la stratégie de l'apprentissage d'une langue et une description rigoureuse et adéquate de son fonctionnement, mais aussi que l'apprentissage prenne pour axe ce fonctionnement même et donc que se dégage une *primauté de la syntaxe*, c'est-à-dire une priorité des relations et des mises en relations sur les termes, et non bien entendu d'un corps figé de « règles de grammaire ». Observons qu'un pas considérable a été fait en ce sens dans l'enseignement des langues avec l'introduction de la notion de structure, largement exploitée aujourd'hui. Trop souvent encore, malheureusement, le recours à cette notion reste superficiel et la « structure » — sous la contagion des catégories rigides de la grammaire traditionnelle — se trouve réduite à un cadre statique, concession formelle à la modernité, sans portée novatrice décisive. Soulignons avec force qu'il n'est de structure que du fonctionnement de la langue et que la dynamique de ce fonctionnement n'est pas une donnée surajoutée à la structure, mais sa substance même. La vision — à coup sûr très large — de la syntaxe que nous proposons comme axe de l'apprentissage ne saurait donc faire l'économie, précisément pour rendre compte de cette dynamique, des faits de productivité, de rendement, de fréquence qui s'attachent concrètement dans les circuits sociaux de la communication, à l'ensemble des mises en relations depuis la fréquence des unités lexicales et la productivité des diverses combinatoires jusqu'aux niveaux variables de complexité syntaxique. Il est évident, ce faisant, que ces faits quantitatifs ne sauraient être abordés sur un plan étroitement arithmétique et qu'ils demandent à être traités comme des réalités statistiques, c'est-à-dire en dernière analyse sociales.

Telle est l'optique générale dans laquelle vont être examinées, dans les quelques pages qui suivent, tant la problématique concrète que la méthodologie de l'apprentissage d'une langue seconde. Si la didactique des langues est riche d'une histoire déjà longue, les problèmes qui se posent à elle aujourd'hui et pour un temps sans doute assez long, qui sont essentiellement ceux de l'implication de la linguistique dans la définition et l'élaboration de son objet et de ses méthodes, appellent des solutions radicales. Dans le même temps, la complexité de ces problèmes, que nous n'avons pas cru pouvoir éluder dans cette présentation, nous rappelle en permanence à la modestie et à la prudence. Si les questions commencent à être formulées avec netteté et clarté, les réponses ne pourront se dégager que de démarches et d'expérimentations qui n'en sont encore, quels que soient les efforts déjà accomplis, qu'à leur phase initiale et que nous ne pourrons par conséquent qu'esquisser ici.

En dernier lieu, un problème colossal sur lequel nous ne pourrons malheureusement nous étendre comme il le faudrait, celui du sens, mérite lui aussi d'être abordé dans les termes de l'économie générale de la langue considérée. S'il est certain que la maîtrise d'une langue se mesure moins au nombre d'unités disponibles qu'à l'aisance de leur mise en œuvre et à la sûreté de leur mise en relations, nous nous trouvons derechef ramenés au passage de l'économie d'un système à celle d'un autre, mais nous nous trouvons en outre confrontés aux rapports du linguistique au socioculturel, à la difficulté du passage par des voies purement linguistiques d'un découpage social de la réalité à un autre, aussi bien pour un maniement immédiat dans un acte de communication que pour un transfert explicite dans une pratique langagière d'un système à un autre (interprétation, traduction — mais il ne s'agit pas ici de la « traduction » à usage didactique, etc.).

## B - LA CONFRONTATION ENTRE LANGUE PREMIÈRE ET LANGUE SECONDE : AXE MAJEUR DE L'APPRENTISSAGE

Il n'est ni de notre ressort, ni dans nos intentions, ni sans doute de l'ordre du possible, de tenter en quelques pages la mise en place de voies sûres et balisées que la didactique des langues secondes pourrait, ou devrait, emprunter les yeux fermés. Une telle démarche, surtout en ce qu'elle tendrait — à partir d'une réflexion linguistique nécessairement inachevée — à imposer des solutions pédagogiques paradoxalement figées dans leur nouveauté, ne pourrait que conduire à de graves désillusions face à ce que notre domaine a encore de « montant, sablonneux, malaisé ». Il est certainement moins périlleux de montrer ce que ne peut pas être l'apport de la linguistique à la didactique que ce qu'il doit être, surtout lorsqu'on en arrive à l'épreuve des actes concrets. Le linguiste ne peut pour autant pas plus se résoudre à un « terrorisme linguistique »[1] invoqué ou conjuré au gré des besoins pratiques qu'à être la mouche du coche pédagogique.

### 1. Langue première et langue seconde : acquisition et apprentissage

Fondant plus haut ce que nous dénommons une « primauté de la syntaxe » sur les nécessités propres au passage de l'économie d'une langue à celle d'une autre, nous pensions attirer l'attention sur le contenu linguistique dynamique de l'apprentissage, mais tout autant sur ce qui nous semble devoir constituer l'axe majeur de la problématique qui va permettre d'articuler ce contenu en une stratégie pédagogique. Une chose est en effet, pour une langue donnée, de définir le contenu linguistique dont l'appropriation fournit à l'élève les moyens de la compréhension et de l'expression, autre chose est de définir les niveaux auxquels il convient d'amener l'élève et, plus encore, les voies d'accès à cette appropriation. Il y a donc place, et même à notre sens exigence, entre la prise en compte de l'objet linguistique et la mise en œuvre d'une technologie de l'apprentissage pour une réflexion de caractère problématique qui oriente l'élaboration méthodologique. Cette réflexion, appuyée sur les conditions d'apprentissage d'une langue seconde, c'est-à-dire à la fois sur les caractéristiques de l'objet et du sujet mis en présence, doit déterminer l'axe des priorités concrètes de cet apprentissage et donc le choix des démarches et des outils susceptibles de la meilleure efficacité. Le fait majeur, dans l'étendue et la diversité de ses conséquences, au-delà de son apparente trivialité, est que, si langue *seconde* il y a, c'est par rapport à une langue *première*. L'*apprentissage* d'une langue seconde se trouve ainsi avant tout confronté à la langue première et à l'*acquisition* de celle-ci. Cette opposition même entre apprentissage et acquisition

1. Jean-René Ladmiral, Linguistique et pédagogie des langues étrangères, *Langages*, nº 39, septembre 1975, pp. 6-7.

est moins une coupure absolue que la marque des parentés et des ruptures à délimiter entre les deux activités. Qu'il y ait parentés, cela est peu douteux, qu'il s'agisse des ressemblances qui unissent toute appropriation, même extra-linguistique, ou — plus spécifiquement ici — que l'objet de cette appropriation soit dans les deux cas, une fois constitué, de nature comparable : un système linguistique. Les ruptures, quant à elles, doivent être au centre de notre attention : l'axe d'une problématique de l'apprentissage des langues secondes réside précisément dans la confrontation, et dans les obstacles nés des ruptures impliquées par cette confrontation, entre langue seconde et langue première. On a très justement décrit l'acte de communication en termes d'échange polémique. A ce compte la situation créée par l'apprentissage d'un second système linguistique est faite de tant d'interférences et de conflits entre la langue seconde et la langue première que notre échange polémique prend des allures de soir sur un champ de bataille. Il tient donc beaucoup à l'identification de ces interférences et de ces conflits et aux choix que réclame leur solution que ce champ de bataille soit celui de Waterloo ou celui d'Austerlitz !

## 2. Les niveaux de la confrontation

Il convient donc que la ou les ruptures auxquelles nous nous référons soient situées, non pas dans une unicité mystique et mystificatrice de la langue « maternelle » identifiée au sujet lui-même et, pourquoi pas, à la « nature humaine », mais à tous les niveaux qui commandent l'appropriation et l'usage des deux systèmes : sociaux, linguistiques, mentaux. Encore cette présentation est-elle largement conventionnelle, guidée qu'elle est par l'objectif poursuivi d'une contribution à une stratégie de l'apprentissage, cependant que les mécanismes réels sont bien entendu des ensembles complexes et surtout éminemment variables.

### *a - Motivations et objectifs*

Un premier niveau de la confrontation tient aux motivations qui déterminent les deux types d'appropriation — et au-delà — aux usages sociaux qui sont ceux respectivement de la langue première et de la langue seconde (ici se mettent en place en particulier les objectifs que peut se fixer l'apprentissage d'une langue seconde). Il est paradoxalement évident, alors même qu'on « choisit » d'apprendre une langue seconde et que ce même « choix » nous est épargné pour ce qui est de la langue « maternelle », que c'est l'acquisition de cette dernière qui obéit aux motivations les plus fortes et les plus durables, celles de la socialisation de l'enfant, de sa saisie du monde extérieur et de son entrée en interaction avec son entourage et, à plus long terme, de l'appropriation potentielle par l'individu de l'ensemble des voies et moyens de communications en usage dans le ou les groupes sociaux et dans la société dont il est membre. En regard, l'apprentissage d'une langue seconde n'apparaît en règle générale que comme la réponse à un besoin déterminé par une partie seulement du comportement social de l'individu, la motivation en étant par conséquent plus limitée, moins contraignante[1]. Si l'objectif idéal de l'apprentissage d'une langue seconde est donc la mise en place d'un bilinguisme provoqué dont les deux termes soient « également » maîtrisés, on ne doit pas oublier cette inégalité fondamentale des motivations qui fait que la complexité de la communication polyglotte réside dans les réalités sociales qui l'engendrent avant de se situer au plan de l'échange strictement linguistique. Il en découle en particulier la légitimité d'une définition d'objectifs partiels répondant aux besoins spécifiques qui motivent l'apprentissage. Ceci nous semble valoir aussi bien pour la nécessaire définition d'étapes et de niveaux d'un apprentissage se fixant pour but ultime l' « idéal » que nous mentionnions plus haut, que pour la mise en place de programmes délibérément restreints à une maîtrise qui se limite à un domaine spécialisé, ces « langues-outils » dont nous connaissons maints exemples, de l' « anglais commercial » au « russe scientifique » et, pourquoi pas, au « chinois pour acupuncteurs ». Les fréquentes et véhémentes condamnations dont ces tentatives et ces réalisations sont encore l'objet nous semblent témoigner d'une incompréhension dommageable des rapports entre motivation et apprentissage et, plus encore peut-être, entre la motivation et sa source sociale. L'apprentissage d'un maniement plus ou moins étroitement spécialisé de la langue n'est pas en effet celui de la langue « moins quelque chose », mais celui d'une combinatoire socialement spécifiée.

Pour en revenir au premier type de restriction, la définition en termes d'objectifs précis, nécessairement limitatifs et contingentés, d'étapes de l'apprentissage (ne serait-ce que du fait du caractère chronologiquement fini de ce dernier), il nous semble dangereux et stérilisant de concevoir la somme de ces objectifs partiels en termes de « compétence », notion d'un usage largement répandu dans notre domaine, et plus encore en termes de dichotomie entre « compétence » et « performance », cette dernière notion n'apparaissant dès lors que comme la réalisation partielle d'un tout lui-même fermé.

La réalité de la pratique langagière, et donc les impératifs qu'elle assigne à une stratégie de l'apprentissage, au sein d'un processus social de communication, nous semble infiniment plus complexe et surtout plus ouverte. Notre propos n'est pas ici d'aborder le fond controversé du débat sur le couple « compétence-performance », mais de souligner que son usage dichotomisé dans la pratique actuelle de la didactique des langues secondes est porteur d'une vision singulièrement réductrice de la communication et de blocages s'opposant à l'ouverture de l'apprentissage sur la réalité de cette dernière. Nous pensons que l'usage de cette dichotomie contribue pour une part non négligeable au maintien, sous une forme « rénovée », du caractère artificiel non de l'apprentissage lui-même (c'est sa nature même), mais des résultats acquis.

Un des effets majeurs de la communication sociale réelle est en effet, à notre sens, de faire éclater en permanence chez le locuteur, au gré des besoins, les contraintes et les limites de sa « compétence » (au sens assigné plus haut), jusques

1. Nous écartons à nouveau ici le cas, loin d'être marginal cependant, où l'appartenance à un groupe social impose *ipso facto* une double appartenance linguistique, dans la mesure où la règle est alors l'acquisition précoce de cette double appartenance.

et y compris dans le recours à l'agrammaticalité. La notion de « compétence », coextensive dès lors à la totalité des maniements potentiels du sujet, catégorie indéfinissable *a priori* par sa nature même, nous semble ainsi perdre toute substance. Le risque majeur introduit par son emploi dans la didactique des langues secondes (encore une fois le succès rencontré s'en explique par la rencontre entre l'exclusion de la communication *réelle* de la dichotomie compétence/performance et cette même exclusion, par force, de l'acte didactique) est en définitive de restreindre le champ du maniement aux limites nécessairement finies, ne serait-ce qu'en termes de programme, d'inventaire lexical retenu, etc., de l'apprentissage. Il ne peut à notre sens en découler, sauf dépense considérable d'énergie pour l'apprenti qui sera parvenu à la conscience de ces contradictions entre son acquis et la réalité de la communication, que des conduites et des usages étroitement normalisés en porte à faux par rapport aux usages réels.

Poussant notre critique à l'extrême, nous craignons que le recours à cette dichotomie ne soit, dans le domaine de la didactique des langues, que le refuge d'une approche normative qui fait à bon marché abstraction de la dynamique sociale dans la communication au profit d'une définition aprioriste de ce que « doivent être » une fois pour toutes le contenu et le maniement de la langue seconde considérée.

#### *b - Le système linguistique et sa mise en place : l'appropriation d'une économie*

Un deuxième niveau de la confrontation, plus fondamental sans doute, en particulier par la diversité de ses implications pour notre problématique, tient à la successivité chronologique de l'acquisition de la langue première et de l'apprentissage de la langue seconde et aux effets de cette successivité. L'effet le plus immédiat est que l'acquisition de la langue première est contemporaine et partie intégrante de la structuration mentale et psychique de l'individu (d'où l'idée, mystificatrice quand elle est maniée sans discernement, que l'on *est* sa langue maternelle), alors que la langue seconde doit trouver sa place dans un terrain déjà occupé. Les conséquences de cette rupture sont capitales et on peut affirmer sans craindre l'exagération que c'est là que réside la clé essentielle de toute stratégie de l'apprentissage. Indépendamment des procédés employés, le montage des deux systèmes linguistiques chez le sujet, du fait de cette différence essentielle dans les conditions mêmes de leur mise en place, est nécessairement différent. Ce qui revient à poser que des performances « identiques » dans la langue première et dans la langue seconde (notre objectif « idéal » de l'apprentissage de cette dernière) ne peuvent être atteintes que par des moyens et procédés différents. Ce qui revient en outre à comprendre les limites des méthodes qui prétendent « enseigner la langue étrangère comme on apprend la langue maternelle », et le niveau relativement bas auquel plafonne ce type d'apprentissage. L'inefficacité traditionnellement imputée à l'apprentissage des langues vivantes en milieu scolaire par rapport aux résultats obtenus dans d'autres disciplines nous semble, au-delà du débat sur les méthodes, largement liée à l'ignorance ou à la méconnaissance des conflits nés d'une double acquisition linguistique. Une conséquence pratique de ce qui précède est la nécessité de tenir compte du niveau de structuration mentale et psychique atteint par l'élève lors de l'apprentissage de la langue seconde et tout particulièrement la nécessité d'approches spécifiques pour cet apprentissage suivant qu'il est destiné à des enfants (et en fonction de l'âge de ceux-ci) ou à des adultes, sans qu'il nous soit possible d'esquisser ici une typologie de cette relation entre âges d'acquisition et caractéristiques variables de l'apprentissage.

Plus concrètement, bien que nous soyons tenus à une présentation des plus sommaires et que les neuro-physiologistes trouveront sans doute caricaturale, la mise en place des mécanismes mentaux du langage, comme du reste l'ensemble de la structuration neuro-physiologique, s'opère par l'identification et la fixation de capacités spécifiques de diffusion au long des connexions neuroniques de signaux qui, par un jeu extrêmement complexe de commutations, sont alors interprétés et stabilisés en tant qu'éléments d'information. Ces commutations agissent à la manière de l'ouverture et de la fermeture d'un circuit dans lequel chaque neurone et chaque synapse jouent concurremment le rôle de relais et de commutateur. Dans ces conditions, ouverture et fermeture du circuit sont indissociables et impensables l'une sans l'autre. Au mécanisme de diffusion de l'influx qui véhicule les signaux, et qui se propage à la façon d'une onde concentrique s'associe donc nécessairement un mécanisme d'inhibition, de blocage, qui, par verrouillages successifs, réduisent et orientent cette diffusion. Cette association est d'importance majeure pour les rapports entre l'acquisition de la langue première et l'apprentissage d'une langue seconde. Dans le même temps où unités et mécanismes de la langue première sont identifiés, reconnus et progressivement intégrés en un tout, se mettent en place les barrages destinés à isoler et à écarter les éléments étrangers au système en voie de constitution chez l'individu, et ce à tous les niveaux d'organisation de ce système. Un exemple frappant en est fourni par la réduction chez l'enfant des réalisations phonétiques, initialement en nombre considérable, aux seules réalités du système phonologique qu'il est en train d'acquérir, cette acquisition impliquant simultanément l'intégration positive de ce système et une surdité sélective, par inhibition, aux sons qui lui sont étrangers.

Les conséquences de cette association entre diffusion et inhibition sont doubles. D'une part, ce que le sens commun entend par inhibition ou blocage, si généralement observés chez les apprentis en langue seconde, en particulier les débutants, trouve ici sa base réelle : il ne s'agit pas de manifestations pathologiques mais d'un mode normal et nécessaire du fonctionnement cérébral. En rester, face à ces manifestations, à la prise en considération de leur seule traduction subjective, du genre « peur du ridicule »[1], implique un grave manque à gagner pour la stratégie de l'apprentissage. Ces blocages ne sont pas, une fois encore, des manifestations marginales mais bien une partie intégrante de la confrontation entre système déjà acquis et système en voie d'acquisition. D'autre part, plus fondamentalement encore,

1. Cette traduction subjective étant susceptible au demeurant de variations éminemment sociales, telle la tentation récente de ne pas se laisser « piéger » par la relation maître-élève associée à la remise en cause globale de l'institution scolaire.

c'est à l'apprentissage de chaque parcelle de la langue seconde que les inhibitions mises en place par l'acquisition de la langue première opposeront leurs inépuisables obstacles, allant de blocages purs et simples à des déformations qui ne seront pas moins dangereuses parce que plus subtiles. Autant qu'à l'appropriation positive du contenu du système de la langue seconde, l'apprentissage de cette dernière doit donc s'appliquer à la levée des obstacles, à l'abolition des inhibitions et des automatismes de la langue première, à ceci près, d'où la difficulté de l'opération, que cette abolition ne peut être que temporaire, réversible, sous peine de porter atteinte au maniement même de la langue première (le cas, généralement sans incidence durable, n'en est pas pour autant aussi rare qu'on pourrait imaginer : qui, au retour d'un séjour à l'étranger où la langue première n'a été que peu ou très marginalement sollicitée, n'a fait l'expérience, au moins fugitive, d'un automatisme fraîchement acquis dans la langue seconde venant se substituer à un automatisme de la langue première, d'usage pourtant éprouvé). Cette déstructuration des automatismes et des inhibitions et la structuration concurrente des inhibitions réclamées à leur tour par la stabilisation du système de la langue seconde chez le sujet concernent tous les niveaux d'organisation de ce système, des oppositions phonologiques au maniement de la plus grande complexité syntaxique envisageable ainsi qu'aux mécanismes de maniement et de production lexicaux. Elles peuvent être concrètement formulées en termes de circonscription et de réduction des déformations projetées par le système de la langue première sur l'apprentissage de la langue seconde. Il y a lieu, en ce sens, de parler d'une véritable rééducation comparable par bien des points à la rééducation thérapeutique. Dans le domaine de l'apprentissage phonologique, l'accent doit être placé sur une rééducation auditive, rompant avec la surdité sélective que nous évoquions plus haut, sans laquelle la rééducation articulatoire — à quoi on se limite trop souvent — ne peut que manquer son but.

Le domaine syntaxique, au sens large que nous lui avons donné plus haut, implique naturellement des approches complexes sans que pour autant l'axe que constitue pour nous la confrontation entre langue première et langue seconde doive être abandonné. Les déformations tiennent ici à l'ensemble des deux systèmes linguistiques mis en présence et, plus particulièrement, à l'économie de ces systèmes. C'est entre autres aux oppositions entre économies des deux systèmes que tient la difficulté maintes fois mentionnée d'un apprentissage pleinement satisfaisant d'une langue seconde plus ou moins intimement « apparentée » à la langue première. C'est encore à ces oppositions entre économies que tiennent plus généralement les réputations de « difficulté » de telle ou telle langue pour les locuteurs de telle ou telle autre (abstraction faite, naturellement, de l'inadéquation ou de l'inexistence des procédures d'apprentissage).

Dans la réduction de cette opposition entre économies, c'est-à-dire avant tout dans sa prise en charge pleine par la stratégie de l'apprentissage, une place importante revient à la notion de non-parallélisme entre le procédé, la fonction et le sens. Qu'on puisse « dire la même chose de plusieurs façons » n'implique nullement en effet que ces « façons » soient transposables sans dommage d'une langue à une autre ni que, là même où la transposition s'avère formellement licite, elle le soit réellement au plan de la communication. C'est sur ce point que l'usage inconsidéré de la traduction est le plus lourd de conséquences : au-delà d'un repérage sémantique aussi peu contraignant que possible au plan de l'organisation de l'énoncé, et dont il est indiscutable qu'il est parfois nécessaire — ne serait-ce qu'en tant que « bouée de sauvetage » —, la tentation d' « expliquer » le fonctionnement d'une structure de la langue seconde par son « équivalent » dans la langue première ne fait que contribuer à la consolidation des inhibitions propres à celle-ci. En outre, les implications socioculturelles propres à la traduction fournie sont-elles génératrices de nouvelles déformations, sémantiques celles-là, et le danger pour l'apprentissage, s'il se situe sur un autre plan, n'est pas moindre.

### *c - Le discours métalinguistique et l'explicite*

Une autre source de déformations, liée à l'acquisition de la langue première, pose enfin, tout à la fois, l'exigence renouvelée de l'adéquation à son objet de la description sur laquelle se fonde l'apprentissage de la langue seconde et le problème de la transmission explicite ou implicite de cette description dans le cours même de l'apprentissage. Si cette source peut sembler extérieure au système même de la langue première, elle ne l'est nullement par contre à l'usage social qui en est fait, puisqu'il s'agit ici des déformations de caractère métalinguistique, des contraintes qu'introduit dans l'acquisition de la langue première le discours de la langue sur la langue. Il est important de noter qu'il ne s'agit pas seulement du discours formalisé que fournit la grammaire scolaire, mais d'un accompagnement très précoce et omniprésent, même sous des formes rudimentaires, de l'ensemble du processus d'acquisition dont il devient une composante essentielle. Ainsi, aux privilèges « naturels » de la langue première se superpose un privilège social qui les conforte. Ici encore, l'apprentissage de la langue seconde se voit confronté à un obstacle dont il nous semble vain de vouloir triompher sans se placer sur le terrain qu'occupe cet obstacle : celui de l'explicite. Autant il est légitime de rechercher un apprentissage de la langue seconde qui réduise au minimum ce qui n'est pas l'apprentissage lui-même, autant il est nécessaire d'y inclure les moyens de redresser les déformations explicites véhiculées par le discours métalinguistique sur la langue première, d'où l'attention à apporter à l'élaboration de grammaires d'enseignement qui tout à la fois transmettent la substance de descriptions linguistiques adéquates[1] et, plus encore peut-être, mettent l'apprentissage à l'abri des déformations que nous venons d'indiquer.

La possibilité, indiscutable, de faire fonctionner la langue seconde par elle-même et réduite à elle-même, ce qui est la réalité de son fonctionnement pour elle-même, ne doit pas masquer, et c'est là la principale limite des méthodes dites « inductives » ou « naturelles » et la raison de leur échec relatif, que l'apprentissage, encore une fois, ne s'effectue pas en terrain neutre, sur une page blanche, mais dans un espace déjà occupé fort solidement par la langue première et plus

1. On se reportera avec profit à l'étude de Blanche-Noëlle GRUNIG, Pour la définition d'une grammaire d'enseignement (langue étrangère), dans Jeanne MARTINET (réd.), *De la théorie linguistique à l'enseignement de la langue*, Paris, PUF, 1972, pp. 219-244.

encore peut-être par les images et présupposés métalinguistiques attachés à l'acquisition de celle-ci. Abandonner à l'implicite, au non-dit, la vision que se forge le sujet de l'objet qu'il s'approprie, c'est le condamner à ne se doter que d'un schéma global de la langue seconde qui démarque plus ou moins fidèlement le modèle dont il dispose pour sa propre langue, modèle d'autant plus contraignant et omniprésent que sa constitution et son maniement ne sont maîtrisés que partiellement sur un mode rationnel. La tendance sera donc alors à la mise en place des réalités empiriquement reconnues de la langue seconde dans les cadres structurels de la langue première auxquels est ainsi conférée inconsciemment la vertu de l'universalité. Observons au passage qu'il ne s'agit pas seulement ici du comportement naïf d'apprentis non spécialistes mais que la tendance subreptice ou ouverte à l'universalisation abusive d'usages et de catégories propres à un nombre insuffisamment étendu et varié de langues est également présente chez maints praticiens, voire chez certains linguistes.

Dans le meilleur des cas, la prise de conscience des réalités propres de la langue seconde et de l'inadéquation des habitudes de traitement et de maniement laissées en place par la langue première est assez impérieuse pour contraindre l'apprenti à une autocorrection par tâtonnements coûteux en temps et en énergie. Ainsi en est-il par exemple des hésitations manifestées à l'apprentissage du français langue étrangère face aux subtilités de l'article « défini » et de l'article « indéfini », hésitations qui ont leur pendant chez le francophone qui recherche désespérément dans une langue sans article, tel le russe, le support matériel d'une « opposition » qui, en français même est aussi souvent dictée par des contraintes morphologiques que porteuse d'une authentique pertinence sémantique (quand cette pertinence n'est pas inversée par rapport aux apparences de la nomenclature : « le cheval mange l'herbe » vs. « le cheval mange une herbe », où l' « indéfini » nous semble plus défini que le « défini »).

Ainsi en est-il encore dans l'apprentissage du système verbal du russe, où l'aspect joue un rôle considérable, ou encore du chinois, où ce rôle est quasi exclusif, l'élève francophone se heurtant à l'absence de la notion d'aspect dans l'édifice métalinguistique traditionnel du français et à l'hégémonie écrasante des catégories « temporelles ».

Ainsi en est-il enfin quand la langue seconde repose pour une part importante de son fonctionnement sur le recours à des procédés proprement inexistants dans la langue première. Nous pouvons en prendre pour exemple la difficulté de francophones à maîtriser de façon active et efficace le maniement des fonctionnels verbaux mongols, exclusivement prédicatoïdes, dont il n'existe aucun équivalent français direct et qui permettent la mise en relation des expansions avec le prédicat grâce à un paradigme relativement étendu (une quinzaine d'unités) orientant sémantiquement cette mise en relation fonctionnellement univoque en lui conférant une valeur temporelle (postériorité, simultanéité, immédiateté, etc.), du prédicat par rapport au prédicatoïde ou « circonstancielle » (liaison causale, finale, conditionnelle, concessive, etc.). Cet exemple en particulier nous convainc de la vanité des échappatoires terminologiques : se tourner vers la nomenclature latine des « gérondifs » ou vers l'approximation de « converbe » n'allège en rien en cette matière les peines de l'apprentissage si l'élucidation, avant de comporter l'appropriation d'un paradigme, aussi central soit-il, ne porte pas sur ce caractère central lui-même, sur la position occupée par ce paradigme dans l'économie de la langue seconde. Les comportements fautifs qui découlent d'une persistance du modèle de la langue première ne se réduisent pas en effet au maniement aberrant de formes erronées dans leur composition. Plus important à notre sens, parce que plus lourd de conséquences sur l'aptitude à une réelle communication, est, à travers l'apprentissage mécanique de paradigmes coupés des conditions réelles de leur insertion dans l'économie de la langue seconde, la résurgence de l'économie de la langue première dans l'emploi à contretemps de procédés qui peuvent exister dans les deux langues, mais en y occupant une importance et une place, une spécialisation discordantes. Pour en revenir à notre exemple des fonctionnels verbaux du mongol, une des manifestations les plus courantes de la difficulté de leur assimilation est le recours préférentiel des étudiants francophones à des formes combinant les fonctionnels nominaux (en mongol, des suffixes « casuels ») et les formes participiales du verbe, procédé formellement correct, mais étroitement subordonné dans l'économie de la langue mongole au précédent, là où il règne en maître en français.

## 3. L'explicite et la grammaire

La mise en œuvre d'une stratégie visant à surmonter cet obstacle du modèle de la langue première dans une grammaire d'enseignement est évidemment complexe et tient au rapport à déterminer entre cette part d'explicite qui assure la mise en place solide et durable de l'économie de la langue seconde et ce que l'apprentissage actif, qui en est inséparable sans s'y réduire, apporte de substance vivante. Ne nous leurrons toutefois pas sur l'étendue de cette substance vivante dans les limites d'un apprentissage qui ne cesse pas pour autant d'être un comportement artificiel, dont les méthodes, le recours au dialogue pédagogique par exemple, ne peuvent être assimilés par conséquent à la réalité de la communication sociale réelle sur laquelle elles doivent ouvrir comme une finalité. La conséquence majeure en est qu'une grammaire d'enseignement ne saurait se concevoir comme le foisonnement positiviste des cas d'espèce et des sédimentations diachroniques dont la maîtrise ne peut, elle, provenir que de la communication réelle. Nous nous faisons donc l'avocat d'une grammaire d'enseignement mobilisant au nombre délibérément restreint de catégories permettant de rendre compte avant tout des grands équilibres et de l'économie générale de l'édifice syntaxique de la langue (dont les cas d'espèce sont d'ailleurs généralement déductibles) et échappant à la prolifération anarchique des catégories, sous-catégories, groupes, sous-groupes, règles et exceptions de la grammaire traditionnelle. Cette prolifération nous semble en effet être le support privilégié de ce modèle implicite de la langue première qui oppose ses barrages à l'intégration du fonctionnement de la langue seconde. Nous ne prendrons pour exemple que la multiplicité des subdivisions de la catégorie nominale : « substantif », « adverbe », « adjectif » — cette liste étant susceptible, on le sait, de complications infinies. Autant il est légitime d'isoler dans le comportement nominal les restrictions formellement marquées à telle ou telle partie de la combinatoire (petit, petitesse, petitement) qui traduisent une spécialisation *syntaxique* au sein du lexique, autant l'imposition hors contexte d'étiquettes réductrices à des formes nominales non spécifiées dont le comportement réel échappe largement à ces subdivisions relève d'un apriorisme sans autre fondement que celui d'une tradition qui, si elle est intégrée sans dommages *apparents* dans une conscience linguistique donnée, s'avère désastreuse lors de son transfert dans l'apprentissage d'une langue seconde. Dans notre optique les seuls critères à mettre en avant, dans le cas de cet exemple, sont ceux d'une opposition verbo-nominale définie fonctionnellement, par les caractères d'uni- ou de plurifonctionnalité inscrite dans une combinatoire syntaxique, c'est-à-dire en n'excluant pas bien entendu ni les restrictions à la plurifonctionnalité du nom ni les extensions de l'unifonctionnalité du verbe à la plurifonctionnalité, mais en les faisant apparaître dans leur subordination à l'axe essentiel, fonctionnel, de l'opposition verbo-nominale. Ainsi se manifeste par exemple très clairement la place du participe comme « passerelle » entre le verbe et le nom, entre l'uni- et la plurifonctionnalité.

## 4. Une voie à explorer : la visualisation et les arbres

Au plan des pratiques pédagogiques, le recours à l'explicite doit éviter les pièges d'une élucidation dans les termes et suivant les schémas de la langue première. Nous avons déjà souligné à ce titre les dangers d'un recours prématuré et immodéré à la traduction. Sur un mode positif, nous pensons que la voie à poursuivre et à perfectionner est celle d'une visualisation dont l'avantage majeur est de véhiculer l'explicite par des procédés et des voies extra-linguistiques, c'est-à-dire moins contaminés que le recours direct à la langue première, même si cette dernière ne peut sans doute être totalement évacuée. Après des débuts envahissants, la visualisation au moyen d'arbres semble avoir entraîné quelque désillusion. A notre sens, les causes n'en résident pas dans l'arbre, mais dans la forêt, c'est-à-dire dans le fait que les promoteurs de cette arboriculture conquérante se sont largement contentés de proposer, selon leurs propres termes, des « règles de réécriture » qui laissent subsister, par-delà une modernisation terminologique d'ailleurs nécessaire et positive, l'appareil conceptuel des grammaires normatives traditionnelles.

L'arbre, que ce soit à des fins de description ou d'apprentissage, ne saurait se réduire à une « réécriture » sans autre objectif que les satisfactions d'une apparente formalisation mais doit constituer une « désécriture », c'est-à-dire une utilisation de cette possibilité qu'offre la visualisation d'échapper à l'inévitable linéarité de l'oral. A la réécriture qui, faute d'une syntaxe, ne nous propose guère qu'une syntagmatique, doit se substituer une visualisation qui rende compte des relations hiérarchisées et permette par exemple de saisir dans la linéarité, en la faisant éclater, outre son principe syntagmatique, l'*éventuelle* pertinence de l'ordre en tant que procédé syntaxique parmi d'autres.

D'une façon plus générale, nous allons tenter de montrer aussi bien ce que l'arbre permet de visualiser que quelques-unes des manipulations pédagogiques auxquelles il peut donner lieu. Sans qu'il soit malheureusement possible de s'étendre ici sur les problèmes spécifiquement techniques de la constitution d'énoncés en arbres, signalons que la perspective retenue ici est celle de la mise en évidence des relations hiérarchiques de chaque unité de l'énoncé au prédicat. L'arbre prend alors plus ou moins l'aspect d'une pyramide, dont le prédicat constitue le sommet, et, présentant une succession de strates constituées d'unités homologues. On voit ainsi alterner les strates lexicales avec celles de mises en relations grammaticales présentant d'abord un rapport direct, primaire au prédicat, puis de plus en plus indirect à mesure qu'on descend dans la pyramide.

L'exemple choisi ici, à titre d'illustration, est une phrase effectivement utilisée comme objet d'analyse dans une séance portant sur l'apprentissage des fonctionnels verbaux mongols qui ont été mentionnés plus haut. La traduction est fournie ici pour la commodité du lecteur et n'a pas été fournie lors de cette séance, la compréhension étant acquise par la visualisation (étant entendu qu'il n'était fait appel, outre les unités constituant la « cible » de la séance, qu'à des unités dont le potentiel sémantique était maîtrisé par les étudiants ou susceptible d'une appréhension rapide mais sans équivoque, cette remarque valant pour les unités tant lexicales que grammaticales — pour le lecteur de ces lignes, se reporter au tableau explicatif).

Dolgor avtobus/a/**n** *d*[1] su=**x** ol/o/**n** xün*i*= dara= duga=r **l**/a/*n* zogs *o*=*d*,
avtobus irž, xüle=**sen** xümus=s cuvr/a/*n* orž avtobus/a/**n** *d* su=**cga=v**.

▶ *Lexèmes*

Dolgor : nom propre
avtobus : autobus
su=- : s'asseoir, s'installer
ol- : pluralité, nombre
xün : homme, personne
dara= : après
duga=r : numéro, ordre
zogs- : s'arrêter
ir- : venir
xüle=- : attendre
xümü=s : gens (en diachronie, pluriel de xün)
cuvr- : se suivre
or- : entrer

▶ *Modalités* (en gras)

**n** : réduction du nom au comportement déterminant
**x** : marque du participe futur
**l** : commutateur verbo-nominal (alternatif)
**sen** : participe passé
**cga=** : pluriel verbal
**v** : passé fini (indicatif)

1. Les voyelles entre barres obliques n'ont d'autre réalité que morphologique et sont généralement réalisées phonétiquement [ə].

▸ *Fonctionnels* (en italiques)

*nominaux* *d* : intersyntagmatique, attribution et localisation (« datif-locatif »)
*i*= : intrasyntagmatique, relation (« génitif »)
*verbaux* *n* : mise en relation secondaire intra-expansionnelle (prédicatoïde de pédicatoïde)
*o*=*d* : primaire, prédicatoïde, antériorité du prédicatoïde sur le prédicat
*ž* : identique au précédent du point de vue fonctionnel, ± simultanéité du prédicatoïde et du prédicat.

« Une fois que Dolgor se fut arrêtée en prenant son tour derrière plusieurs personnes qui allaient prendre l'autobus, celui-ci [l'autobus] arriva, les gens qui attendaient montèrent un par un et y prirent place [dans l'autobus]. »

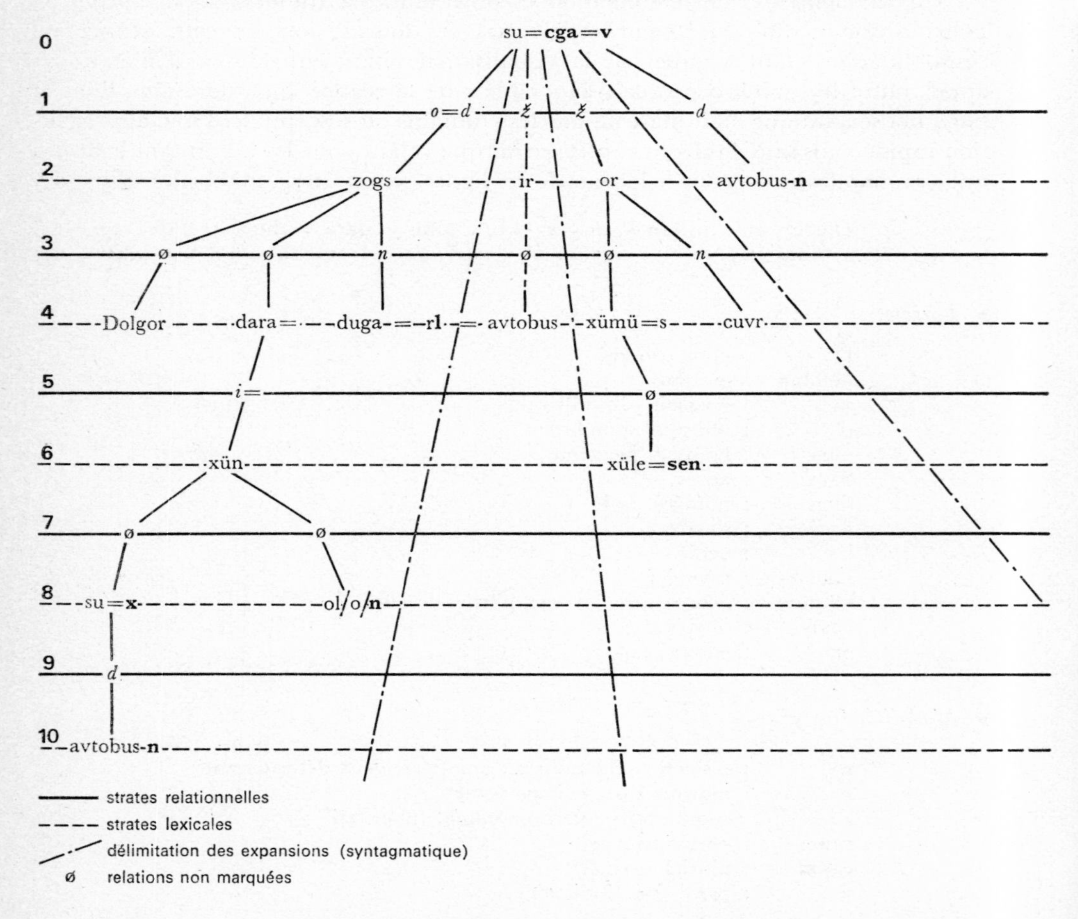


Les éléments mis en évidence grâce à un arbre de ce type, qui constitue ainsi un véritable outil d'analyse et non une simple représentation de l'énoncé, sont de nature diverse :

— Découpage syntagmatique de l'énoncé et délimitation des expansions.
— Hiérarchisation des expansions et mise à jour du degré de médiatisation de chaque unité (lexicale ou grammaticale) dans son rapport au prédicat. Les effets visibles de cette hiérarchisation sont à leur tour multiples. Cette homologie fonctionnelle entre unités traduit dans le cas d'un décalage vertical une relation hiérarchique, la rencontre sur un même niveau traduisant par contre une équivalence syntaxique. C'est ainsi que l'éventuelle non-pertinence de l'ordre, dans la relation du déterminant au déterminé, en français par exemple, peut être mise en évidence :

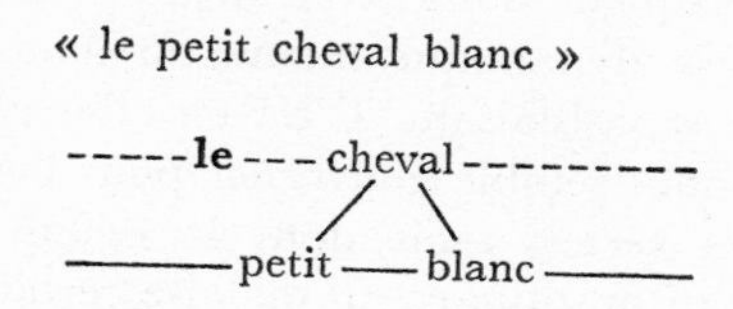


l'exemple mongol fournissant par ailleurs le cas de deux déterminants successifs d'un même déterminé :

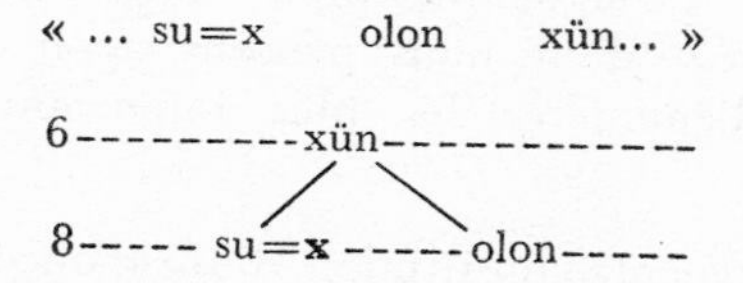


On remarquera en outre que si cette visualisation, en raison des faits d'autonomie syntaxique, joue surtout à plein dans les limites de chaque expansion, il n'en apparaît pas moins, même dans un énoncé relativement complexe, que l'homologie des niveaux syntaxiques est plus large que l'expansion et peut se transmettre à tout l'énoncé. Nous en trouvons des exemples dans notre énoncé, aux deux niveaux où sont mis en œuvre les fonctionnels verbaux (niveaux 1 et 3).

Sans nous y étendre, signalons l'intérêt que présente la productivité de la forme non marquée (procédé ø) en tant que mise en relation syntaxique (niveaux 3, 5, 7) et mentionnons l'utilité que présentent les arbres pour l'élucidation du niveau de figement acquis par des groupes plus ou moins fréquents d'unités (en d'autres termes la détermination du caractère unique ou multiple — faisant donc intervenir une hiérarchisation — des choix à opérer).

Plus important encore, et qui nous semble pouvoir s'ouvrir à une pratique novatrice, est la mise en lumière de ce que nous nommerons la récurrence cyclique des procédés de mise en relation. L'abondance des relations réelles à hiérarchiser ne peut s'accompagner de la création d'une variété aussi considérable de procédés, ce foisonnement entravant gravement le fonctionnement économique de la langue. Celle-ci, outre qu'elle utilise des marques formellement identiques à des fins différentes dès lors que toute ambiguïté est levée (ici par exemple la modalité ***n*** et le fonctionnel *n*), réinvestit le même procédé à des niveaux variables de hiérarchisation, l'ambiguïté étant levée ici par l'inversion de chaque procédé dans une succession cyclique. L'image nous en est fournie ici par l'utilisation faite du fonctionnel nominal *d* tant en relation primaire (niveau 1) que dans une relation périphérique (niveau 9).

Cette récurrence cyclique, qui nous semble fort importante dans l'établissement, lors de l'acte de communication, de la probabilité d'occurrence des éléments d'information au sein d'un message en cours d'émission, présente le grand intérêt de permettre un accès, que nous pensons pouvoir être précoce dans l'apprentissage à une perception et à une reproduction rythmique caractéristique de cette économie générale de chaque langue sur laquelle nous avons déjà attiré l'attention et qu'il est nécessaire de maîtriser dans sa dynamique même (et donc dans son rythme) pour parvenir à un comportement satisfaisant. C'est en effet cette récurrence cyclique, ce rythme dominant qui nous semble gouverner pour l'essentiel les faits d'ordre préférentiel, non pertinents certes, mais dont le défaut laisse au maniement appris son aspect inachevé et au pratiquant un malaise certain.

L'arbre enfin, et nous ne saurions insister assez sur les services que cet outil, employé à bon escient, peut rendre et est encore loin d'avoir rendu, peut être directement un objet de manipulation pédagogique (nous nous limitons pour l'instant à cet apprentissage de *l'explicite* dont nous pensons avoir montré la nécessité). Nous nous contenterons d'énumérer les plus importantes de ces possibilités :

— Dans un premier lieu, naturellement, constitution d'un énoncé en arbre, qu'il s'agisse d'un énoncé rencontré dans la pratique et dont la structure fait problème (l'issue visuelle n'est pas alors toujours univoque) ou qu'il s'agisse d'une démonstration préparée sur une question en particulier.

— Dans un second temps, l'arbre, vidé de ses strates lexicales peut servir, par l'injection de nouveaux lexèmes, à la construction d'un nouvel énoncé, fonctionnellement identique au précédent, la tâche étant donc alors d'atteindre la saturation du modèle proposé.

— Accessoirement à cette tâche, il est alors possible de procéder à une recherche des limites, tant potentielles que réelles, de cette saturation.

— Il est encore possible, pour faire apparaître le caractère nécessaire ou fortuit des faits non pertinents, de proposer la restitution linéaire d'un énoncé fourni en arbre.

— Enfin, pour nous en tenir là, la localisation stricte de chaque unité sur l'arbre fait de celui-ci un moyen très rigoureux de localisation et d'identification des fautes de syntaxe (erreurs portant par exemple, dans leur maniement réel, sur le niveau hiérarchique d'une unité, ou sur le chevauchement entre expansions, etc.). L'arbre constitue donc, on le voit, plus qu'un simple instrument d'analyse pour devenir même outil de correction dans l'apprentissage.

Il nous semble que c'est par cette interpénétration intime des instruments d'analyse et de la stratégie de l'apprentissage que la linguistique apportera à la didactique des langues secondes les perspectives et les moyens d'une rénovation profonde. Sans doute bien des hésitations retiendront encore notre pas, mais c'est en marchant que l'on prouve le mouvement[1].

## *BIBLIOGRAPHIE*


Bernstein (Basil), *Langage et classes sociales*, Paris, Ed. de Minuit, 1975.

Bourdieu (P.), Passeron (J.-C.), *La reproduction*, Paris, Ed. de Minuit, 1970.

Bouton (Charles-Louis), *Linguistique et enseignement des langues étrangères*, Paris, Klincksieck, 1974.

Chiland (C.), *L'enfant de 6 ans et son avenir*, Paris, PUF, 1971.

Ferreiro (Emilia), *Les relations temporelles dans le langage de l'enfant*, Genève, Droz, 1971.

François (Frédéric), *Eléments de linguistique appliqués à l'étude du langage de l'enfant*, Les Cahiers Baillière (Orthophonie 6), 1978.

— *La syntaxe de l'enfant avant 5 ans*, Paris, Larousse, 1977.

Gantier (Hélène), *L'enseignement d'une langue étrangère*, Paris, PUF, 1968.

Grunig (Blanche-Noëlle), Pour la définition d'une grammaire d'enseignement (langue étrangère), *De la théorie linguistique à l'enseignement de la langue*, Paris, PUF, 1972.

Guenot (Jean), *Clefs pour les langues vivantes*, Paris, Seghers, 1971.

Ladmiral (Jean-René), Linguistique et pédagogie des langues étrangères, *Langages*, n° 39, septembre 1975.

Lawler (James), *Intelligence, génétique, racisme*, Paris, Ed. Sociales, 1978.

Lawton (Denis), *Social class, language and education*, Londres, Routledge & Kegan Paul, 1968.

Oléron (Pierre), *Langage et développement mental*, Paris, Dessart, 1972.

Piaget (Jean), *Le langage et la pensée chez l'enfant*, Neuchâtel, Delachaux & Niestlé.

Porcher (L.), Chicouene (M.), Rubenach (J.), *Pratique du Laboratoire de Langues*, Paris, Chiron, 1972.

Snyders (Georges), *Ecole, classes et lutte de classes*, Paris, PUF.

Van Overbeke (Maurice), *Introduction au problème du bilinguisme*, Bruxelles-Paris, 1972.

Weinreich (Uriel), *Languages in contact*, New York, 1953.

Zwart (Sinclair de), *Acquisition du langage et développement de la pensée*, Paris, Dunod, 1967.

*Actes du III<sup>e</sup> Colloque SGAV*, Didier, 1976.

*Actes du colloque de Sociolinguistique de Rouen*, Presses de l'Université de Rouen, 1980.

*Langue française*, n° 32, 1976.

*La Pensée*, n° 190, décembre 1976, et n° 209, janvier 1980.

*Revue de Linguistique appliquée*, n° 26, 1977.

Revue *Pratiques*, numéro spécial sur l'argumentation, 1980.


1. L'espace nous manquant pour aborder comme elles le mériteraient les questions de méthode posées par l'emploi des moyens techniques d'enseignement des langues secondes, essentiellement en ce qui concerne les rapports entre ces moyens eux-mêmes et la stratégie globale de l'apprentissage (les réserves formulées plus haut sur les illusions auxquelles l'emploi de ces moyens donne naissance n'ôtant rien à leur valeur potentielle au sein d'une stratégie globale novatrice et aux résultats pratiques d'ores et déjà atteints), nous renvoyons instamment le lecteur à l'ouvrage remarquable de précision et de clarté de L. Porcher, M. Chicouene et J. Rubenach, *Pratique du Laboratoire de Langues*, Paris, Chiron, 1972, 128 p.

[illegible]

## BIBLIOGRAPHIE


[illegible]


[illegible]

# 3 pathologie du langage
## aphasie, surdité, langue psychotique

PAR CLAIRE MAURY-ROUAN

### *A - LES APHASIES*

La détérioration de certaines parties du cerveau (à la suite d'accidents vasculaires, tumeurs, traumatismes crâniens ou maladies dégénératives) peut entraîner l'altération ou la perte de la capacité de se servir du langage articulé.

On appelle *aphasie* ce trouble du *langage* proprement dit, qui survient sans qu'une atteinte des organes périphériques (surdité, paralysie des organes phonatoires) ou qu'un trouble plus général (psychoses, démences, débilité) puisse expliquer la suppression ou la détérioration à laquelle on assiste.

L'étude de la perte du langage est particulièrement importante pour la mise en évidence des mécanismes cérébraux sous-jacents à son fonctionnement. En effet, les aphasies ne présentent pas un aspect unique; les troubles peuvent atteindre isolément tel ou tel aspect du langage en laissant subsister les autres. Il est permis de supposer qu'à cette sélectivité dans l'atteinte correspond une certaine séparation des fonctionnements neurophysiologiques responsables de ces différents aspects du langage à l'état normal.

La *neurolinguistique* s'efforce de trouver, d'une façon plus précise, des corrélations entre les zones corticales atteintes par les lésions et le type d'activité linguistique détruit ou altéré.

Frappant, pour l'essentiel, l'activité linguistique, l'aphasie peut aussi apporter des éléments de réponse au problème des relations du langage avec les autres activités mentales.

La question de l'unicité ou de la pluralité des aphasies a été une des plus controversées entre les différentes écoles de clinique. Les « associationnistes », décrivant des syndromes aphasiques bien différenciés par leurs manifestations et leurs sièges lésionnels (comme l'aphasie de Broca et celle de Wernicke) ont cherché à en déduire la localisation dans le cerveau de centres fonctionnels spécialisés, correspondant aux différentes activités altérées (centre de l'écriture, des mots, de la mémoire, etc.). A l'opposé, les anti-associationnistes, ou holistes, réagissant contre les excès d'une conception trop étroite des localisations, niaient l'existence de centres spécialisés et refusaient d'ailleurs d'admettre la multiplicité des formes de l'aphasie : l'aphasie était *une*, et ne pouvait présenter que des différences de degré. Tout au plus, des troubles de l'organisation motrice non spécifiques au langage pouvaient-ils s'ajouter, dans certains cas, à cette aphasie unique, et donner naissance à ce que l'on avait pris, à tort, pour un syndrome différencié.

Hors de la problématique localisatrice, un auteur comme Jackson met en lumière l'existence de différents niveaux de fonctionnement du langage pris comme un ensemble :

— langage *automatique*, inférieur, correspondant à des mécanismes nerveux très intégrés, qui est maintenu et même libéré dans l'aphasie;
— langage *volontaire*, ou propositionnel, à l'opposé, dépendant d'autres connexions nerveuses plus fragiles, détruit plus ou moins totalement par la maladie.

Sur un autre plan, leur conception globaliste des fonctions mentales amenait les holistes les plus extrêmes à considérer le langage comme faisant un tout indissociable avec la « pensée », et à concevoir l'aphasie comme n'étant qu'un des aspects d'un « trouble de la formulation et de l'expression symbolique », ou d'une perte générale de l' « attitude catégorielle » qu'ils s'efforcèrent de mettre en évidence.

Cependant, sans qu'il y ait lieu de retomber dans la rigide spécialisation envisagée par certains associationnistes, un consensus semble s'être fait sur l'existence, non pas de centres, mais d'une zone de langage (située dans l'hémisphère gauche des droitiers, comprenant au moins l'aire de Broca, l'aire de Wernicke, la région angulaire, leurs connexions entre elles et avec le reste du cerveau, fig. 1 et 2)

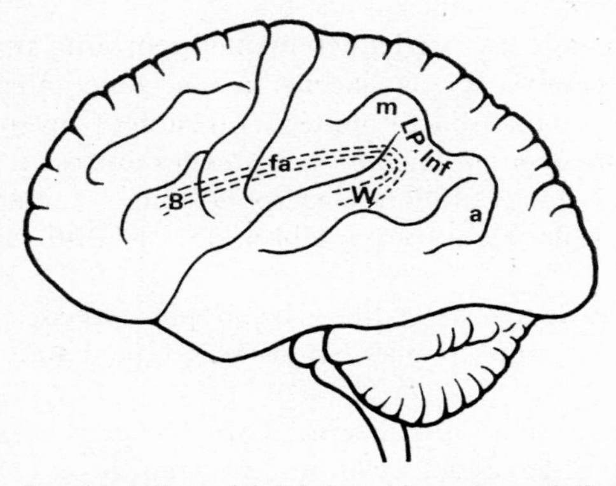


B : aire de Broca (pied de la troisième circonvolution frontale).
W : aire de Wernicke proprement dite : moitié caudale de la première circonvolution temporale.
fa : faisceau arqué (composante arquée du faisceau longitudinal supérieur; les fibres associatives qui rejoignent le faisceau arqué tout le long de son trajet ou qui le quittent ne figurent pas sur ce dessin).
LPInf : lobule pariétal inférieur ou région angulaire (elle comprend : m, le gyrus supramarginalis; et a, le gyrus angulaire).

FIG. 1. — *Zone du langage : principales composantes*

(D'après A. ROCH-LECOURS, Le cerveau et le langage *Revue de l'Union médicale du Canada*, t. 103, février 1974)

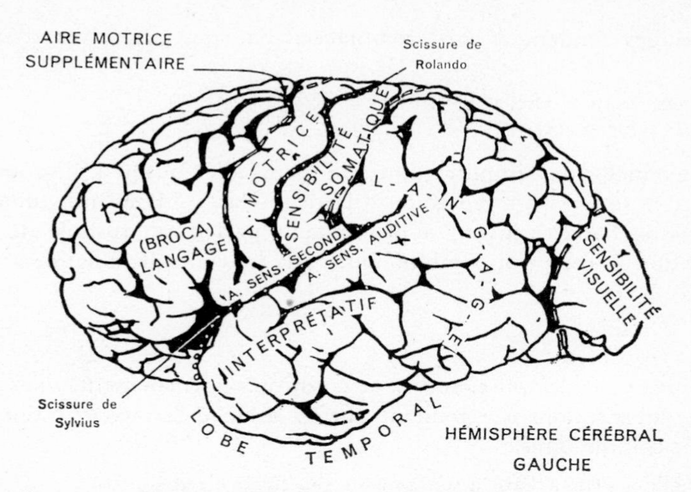


FIG. 2. — *Hémisphère gauche du cerveau humain*
(D'après W. PENFIELD et L. ROBERTS, *Langage et mécanismes cérébraux*, Paris, PUF, 1963, p. 39)

particulièrement impliquée dans les différentes activités linguistiques, et sur les grandes lignes d'une corrélation (reconnue, dans les faits, par les anti-associationnistes les plus acharnés) entre l'atteinte de certaines parties de cette zone, et des formes prédominantes, bien différenciées, de l'aphasie.

Toutefois, la localisation précise de « fonctions linguistiques » à proprement parler ne paraît pas un objectif réaliste, dans la mesure où l'on constate que de nombreuses zones du cerveau qui ont aussi d'autres fonctions, coopèrent pour rendre possible la compréhension ou l'émission des messages; la lésion d'une quelconque de ces zones, ou de ses connexions avec les autres, peut entraîner la disparition, l'altération ou la réorganisation d'un ensemble de fonctions dépendantes, directes ou indirectes, sans qu'il soit justifié d'identifier fonction atteinte et siège lésionnel.

## 1. Les formes caractéristiques du langage des aphasiques

### *a - Les troubles de la deuxième articulation*

*1 / L'anarthrie*

L'aphasie peut se traduire par des troubles arthriques, c'est-à-dire par la difficulté d'effectuer et de synchroniser les mouvements nécessaires pour réaliser les phonèmes. Ceux que le patient produit sont déformés : les voyelles, par exemple, peuvent se diphtonguer, les groupes consonantiques être réduits :

/tɛ/ pour « train »
/pø/ pour « bleu »
/pati/ pour « parti ».

Les continues tendent à être remplacées par des occlusives d'articulation voisines :

/*t*ə*p*a/ pour « cheval »
/*t*u/ pour « sou »,

dans un mouvement de simplification qui peut aller jusqu'à l'assourdissement systématique des sonores (/tete/ pour « Dédé », etc.)[1]. Pour un auteur comme A. Roch-Lecours, l'anarthrie est, à proprement parler, un trouble de la « troisième articulation », celle qui combine entre eux les traits articulatoires constitutifs des phonèmes[2].

*2 | Paraphasies phonémiques*

Dans d'autres cas, les phonèmes sont constitués normalement, mais présentent entre eux des substitutions qui rendent parfois difficile la reconstitution du signifiant déformé; comme dans :

« elle a pris sa /ʃãb/ à son cou » « en /suvã/ » (en suivant),
« il a fallu quelque /nã/... quelque temps pour l'atteindre »,

on remarque que le phonème substitué possède des traits articulatoires communs avec celui qui est normalement attendu; dans certains cas — productions isolées, notamment — il pourra être difficile de dire si telle erreur est d'origine anarthique ou paraphasique. Pour /ʃãb/ : substitution (paraphasie) de /ʃ/ à /ʒ/, ou assourdissement systématique des sonores (anarthrie) ?

D'autres substitutions phonémiques sont en relation avec le contexte : ce sont des *persévérations* (ou « intoxications ») d'un phonème portant sur les suivants : « inactif» devient /inaktik/; ou, au contraire, des *anticipations* : /titã/ pour « qui*tt*ant », /papinapapœr/ pour « machine à va*p*eur »; ces erreurs dites de *sériation* peuvent se combiner en *métathèses* :

/siulɛt/ pour « si*l*ho*u*ette »[3]
/kyʁvilatœʁ/ pour « cultivateur »
/gʁɔ̃dãgl/ pour « grand-oncle ».

Il peut s'y ajouter des réduplications, des élisions et des additions de phonèmes : /malabil/, « malhabile », devient /amalabim/. Le contexte contaminant peut être assez éloigné :

« c'était /kɛʁ smɛʁ/ (quelle semaine), la /smɛn dɛʁnjɛʁ/ »

ce qui semble confirmer que des opérations correspondent à ce que nous appelons en linguistique le « choix » des phonèmes, mais que leur « programmation » mentale anticipe largement sur la chaîne parlée elle-même, et que leur activation les rend encore « présentes » un certain temps après leur emploi.

1. A. Ombredane, *L'aphasie et l'élaboration de la pensée explicite*, Paris, PUF, 1951, pp. 321-329.
2. A. Roch-Lecours et F. Lhermite, Phonemic paraphasias : linguistic structures and tentative hypotheses, *Cortex* 5, 1969, pp. 193-228.
3. Cet exemple et les suivants ont été donnés par A. Roch-Lecours, dans une conférence prononcée à l'hôpital de la Timone, Marseille, 1970 : *Typologie linguistique de la jargonaphasie*; voir aussi : A. Roch-Lecours, Le cerveau et le langage, *Revue de l'Union médicale du Canada*, t. 103, février 1974, pp. 232-263.

Cette forme de pathologie existe d'ailleurs, à un degré moins accentué, chez tous les locuteurs, surtout lorsqu'ils sont fatigués ou que leur attention est détournée de l'acte d'énonciation par d'autres préoccupations. La même forme, bénigne, de substitution, donne naissance aux « lapsus » de la vie quotidienne, lorsqu'elle s'applique aux unités de première articulation.

***b - Au niveau de la première articulation***

*1 / Paraphasies de monèmes*

De la même façon que les phonèmes, des monèmes peuvent se substituer à d'autres monèmes de la même classe, et rendre, de ce fait, la phrase d'un aphasique très difficile à comprendre. Ces paraphasies peuvent intervenir avec des monèmes qui se ressemblent *par leurs signifiants* :

> « C'est une lanière qui vient d'un oiseau excentrique » (= exotique ?) dit une patiente pour décrire une image représentant une plume.

Comme dans le cas de phonèmes, les substitutions sont souvent provoquées par le choix d'un monème dans un *contexte voisin* : ici, la malade vient de décrire un soulier :

> « C'est encore un soulier avec des lanières. » Un peu plus tard, décrivant une image où des enfants jouent entre eux :
> « Un enfant s'engage, se prépare à jouer de la harpe. » Cette « harpe » va parasiter la phrase suivante, demandée par la consigne de l'exercice (faire une phrase avec le verbe « couper »).
> « Cette dame est en train de faire des, des harpes avec des tomates et des poivrons, elle coupe des morceaux de tranches auxquelles elle passera des tomates et des poivrons. »

Certaines erreurs de sélection de monèmes semblent mettre en jeu des unités dont les signifiants n'ont rien de commun, sans que le voisinage contextuel intervienne : en revanche, on peut penser que ces unités sont dans des *rapports sémantiques de proximité* : ainsi, chez la même patiente :

> « le docteur, oculiste, le dentiste ne trouve pas assez que l'on frotte assez les dents »

(on remarquera l'anticipation de « assez ») — ou encore, devant l'image d'une niche de chien :

> « nid d'enfant dont l'oiseau est parti », puis, « le chien est parti après avoir laissé son os ».

Quelquefois, il est difficile de savoir si l'on a affaire à une (des ?) paraphasie(s) phonémique(s), ou à des paraphasies de monèmes par proximité sémantique ou formelle, ou encore à une contamination :

> « le petit chat doit s'*ouvrir* à une *souris* » (souris-sourire-s'ouvrir ?)

Les erreurs de sélection sont souvent accompagnées, dans le langage des aphasiques, par des néologismes, créations de signifiants inconnus qui ne sont peut-être que le résultat de combinaisons complexes de paraphasies phonémiques ou d'interruptions de l'émission du monème.

> « /fik/ mais /kaʁabi/ mais /bazi/ Vichy »
> « l'est tout /triv/ comme ça »
> « ça s'appelle le /vibeks/
> « tu /zistrɛ̃/ de jouer » (distraire ? être en train ?)

Quelques-uns de ces néologismes sont des racines dérivées par des affixes du langage normal :

> « faire une pompégite... pour voir si j'avais des médicaments ».

Lorsque les paraphasies portent sur des monèmes fonctionnels, la syntaxe de la phrase peut être très perturbée si, dans ce contexte, le fonctionnel considéré constitue un véritable choix, et non une simple contrainte, une carte forcée; ainsi elle est plus gravement perturbée dans :

> « l'escargot voit quelque chose qui l'attire pour qu'il s'en aille avec ses pointes relevées » (parce qu' ?)

et dans :

> « il couche dans son ballon » (avec)

que dans la séquence :

> « ça servait de prendre des chèques et de recevoir des versements » (au lieu de : à prendre...)

Des erreurs de sélection de ce type, ajoutées aux omissions, inversions et métathèses de monèmes donnent à la phrase une organisation particulière que l'on appelle *paragrammatisme* ou *dyssyntaxie* :

> « la lumière est allumée par la lampe; l'enfant est sali pour punir; il crie pour se manger et taire sa maman avec une gifle; l'enfant est puni et salissant ».

La forme que donne au langage aphasique la présence de paraphasies phonémiques et monémiques porte le nom de *jargon*. Les malades jargonaphasiques sont le plus souvent volubiles, et peu conscients de leur trouble.

*2 / L'agrammatisme*

Le paragrammatisme (ou dyssyntaxie) ne doit pas être confondu avec l'*agrammatisme*, que l'on trouve dans d'autres cas.

Ce trouble est caractérisé par une atteinte de la syntaxe, dont tous les procédés ne sont cependant pas également touchés. Parmi les relations les plus difficiles à réaliser, pour un agrammatique : la fonction sujet, très rarement assurée, alors que les noms et les verbes sont, en eux-mêmes, normalement disponibles. Le complément d'objet est un peu moins rare. Les pronoms personnels manquent. La mise en relation syntaxique d'éléments *multiples* (monèmes, syntagmes, phrases) par des indicateurs de fonction est probablement ce qui pose le plus de problèmes aux agrammatiques, et les monèmes fonctionnels sont très rares dans leur langage spontané. Alors que ces malades ne présentent en général pas de paraphasies, celles-ci apparaissent dans l'emploi qu'ils font des fonctionnels, notamment lorsqu'une situation d'exercice les oblige à en employer. Ces paraphasies se font au profit des fonctionnels les plus fréquents de l'usage; de surcroît, le malade est souvent parasité, de façon persistante, par des monèmes fonctionnels qui semblent ses « préférés », et qui reviennent constamment dans ses efforts pour répondre aux consignes; ici des phrases à trou[1] :

> « *Paul achète un livre*... dans... pour *Pierre* »
> « *la viande est vendue*... dans... par *le boucher* ».

Sur le plan sémantique, les relations les plus difficiles à marquer par des monèmes fonctionnels paraissent être les relations de temps, les relations spatiales étant mieux assurées (alors que les mêmes monèmes fonctionnels, comme *à*, *dans*, peuvent servir à ces deux types de relation).

Ce trouble, auquel s'ajoute une difficulté extrême pour l'emploi des modalités de temps des verbes (qui aboutit le plus souvent à laisser le verbe sous forme d'infinitif, ou de participe; dans le meilleur des cas, au présent, à la place du temps nécessaire), rend les indications temporelles très mal communicables pour les agrammatiques.

Le malade, conscient de ce déficit, cherche à le compenser par un sur-emploi de monèmes relativement bien conservés : autonomes de signifié temporel, numéraux :

> « Alors... quinze ans et demi hémorragie méningée, vingt et un jours dans le coma... Niort... opération zéro... la mort bien sûr... et alors... vingt et un jours de coma... et opération zéro... alors paralysé le bras, le pied... le cerveau... vide et trois mois à l'hôpital à Niort... alors... à la maison... à la maison... et un centre... Rennes... mais zéro... zéro... langage langage... Rennes et alors... Luçon... puis... alors... dix... dix ans Papa et moi représentants. »

Ce passage d'un autre agrammatique qui raconte sa captivité pendant l'occupation montre bien la difficulté qu'il éprouve à exprimer une relation temporelle :

> « Alors là moi en Suisse... après... en France *ça* s'*appelle* (stéréotype) à tomber... l'autre chose enfin... là comme ça Allemagne s'en va ».
> *Examinateur :* « *oui, au moment de la Libération.* »
> — « Oui comme ça. »

Les agrammatiques, à l'opposé des malades présentant des paraphasies, ont beaucoup de peine à parler. Leurs phrases sont lentes, hachées par un débit

1. Cl. MAURY, Remarques sur l'approche fonctionnelle de l'agrammatisme, *Langue française*, n° 35, septembre 1977, Paris, pp. 120-124; et *Syntaxe et morphologie dans l'agrammatisme*, thèse, Université de Provence, 1974.

hésitant, qu'aggrave la conscience qu'ils ont de leur trouble. Ces hésitations des agrammatiques portent sur tous les points critiques où les procédés syntaxiques leur font défaut; chez les malades avec jargon, qui hésitent peu, des « blancs » peuvent se trouver, par exemple, entre l'article et le nom, sur lequel se produit, éventuellement, une erreur de sélection. L'article est quelquefois répété (« le..., le... docteur »).

Dans l'ensemble, et malgré de considérables difficultés d'expression chez les agrammatiques, on est frappé par l'intelligibilité générale de leurs propos, et le maintien chez eux d'une bonne programmation du message, en dépit des manques qui empêchent d'en faire une phrase véritablement linguistique.

On note enfin que leur langage (sauf en situation d'exercice) est exempt de fautes morphologiques : les signifiants ne sont pas estropiés, les variantes, les accords sont normalement respectés.

*3 | Les stéréotypes*

Chez certains malades, le langage est réduit à une formule répétitive dépourvue d'information : juron, « mon dieu », « comme ça », etc. L'écrivain Valéry Larbaud, devenu aphasique, répétait :

> « Bonsoir les choses d'ici bas. »

Des malades ainsi privés de langage « propositionnel » parviennent parfois à se faire comprendre à l'aide des différentes inflexions qu'ils donnent à ce stéréotype. Dans beaucoup d'autres cas, où les aphasiques arrivent à s'expliquer tant bien que mal, des stéréotypes continuent à parasiter çà et là le fil de leur discours.

*4 | Troubles de la compréhension*

De même qu'il existe des troubles de l'émission du langage, on a décrit chez les aphasiques différents troubles de la réception.

Il existerait un « agrammatisme impressif » (incapacité à comprendre les signes syntaxiques), séparé ou non d'un trouble général de la compréhension des messages. Celui-ci est présent dans de nombreux syndromes aphasiques. On a pu faire apparaître dans les troubles de la compréhension des caractéristiques qui évoquent celles du jargon : les monèmes créant des troubles de compréhension peuvent être seulement des monèmes proches sur le plan sémantique : « corde », « fil », « ceinture », ou sur le plan formel : « gâteau », « cadeau », etc. N. Geschwind indique que des malades échouent à distinguer des phonèmes ayant un seul trait distinctif, mais réussissent quand les différences augmentent[1].

Les différents troubles d'émission et de réception que nous avons signalés ont leurs correspondants dans la *communication graphique* : il y a des paragraphies « littérales » (correspondant aux phonémiques), des paragraphies « graphémiques » (portant sur le mot), d'où une jargonagraphie, parallèle de la jargonaphasie. Il existe une dysgraphie dans laquelle le malade arrive à tracer des lettres, mais éprouve une grande difficulté à les combiner pour écrire des mots.

1. N. Geschwind, Compte rendu de Luria : Traumatic Aphasia, *Word*, vol. 48, nº 3, septembre 1972, pp. 755-764.

L'*alexie* est l'incapacité à déchiffrer un message écrit. On distingue une alexie littérale (incapacité de déchiffrer les lettres) et une alexie verbale (incapacité de reconstituer le mot alors que le patient reconnaît séparément les lettres).

*5 / La classification des aphasies*

Les différentes formes du langage aphasique se répartissent et se regroupent de façon variée dans les syndromes que sont les aphasies dites, selon une terminologie un peu disparate : « motrice », « de Broca », « de Wernicke », « amnésique », « de conduction ». Sur l'inventaire exact, sur la répartition, tant au niveau des signes cliniques que de la localisation des lésions responsables de ces aphasies, le manque d'unanimité des spécialistes n'empêche pas qu'il y ait une base d'accord suffisante pour qu'on puisse se permettre d'en donner un aperçu.

Les aphasies se divisent, en gros, entre celles qui ne s'accompagnent pas, ou peu, de troubles de la compréhension (aphasies de type « moteur », avec langage difficile) et celles qui en comportent (aphasies de type « sensoriel », avec langage apparemment facile).

*L'aphasie motrice*, allant d'un stade profond : privation du langage, ou langage réduit à des stéréotypes, à l'agrammatisme, avec débit lent et manque de mot. La production des phonèmes peut être anarthrique. Il y a souvent agraphie et difficulté de la lecture à haute voix; mais la compréhension de la lecture et du langage oral reste bonne. Le malade est conscient de son trouble. L'aphasie motrice dite « pure », ou « syndrome de désintégration phonémique », se réduit à l'anarthrie.

*L'aphasie de Broca*, que certains auteurs assimilent à l'aphasie motrice, et que d'autres considèrent comme un syndrome différent, présente selon ces derniers les mêmes troubles d'expression que l'aphasie motrice, mais comporte également des paraphasies, et, au moins à son début, un trouble de la compréhension qui va en régressant, ainsi qu'un trouble de la dénomination des objets et de l'agraphie. Le malade est conscient de son déficit.

*L'aphasie sensorielle*, ou aphasie de Wernicke, s'accompagne d'un trouble total ou partiel de la compréhension du langage. Le malade a le plus souvent un débit aisé, parfois volubile. Les paraphasies, le jargon sont fréquents. Il y a agraphie. Le malade peut lire à haute voix, mais sans bien comprendre, et avec des erreurs de sélection analogues à celles de son langage spontané. Il n'est pas conscient de son trouble. Il éprouve des difficultés d'évocation verbale, trait caractéristique de l'*aphasie amnésique*, que l'on rattache souvent à l'aphasie de Wernicke : les mots rares, les noms propres lui font alors particulièrement défaut.

*L'aphasie de conduction* est caractérisée par la difficulté à combiner entre eux phonèmes, monèmes ou syntagmes, eux-mêmes formés correctement. Elle peut comporter du jargon. La répétition est très altérée.

Sur des distinctions supplémentaires, sur le plan anatomo-clinique, certains auteurs décrivent un *syndrome d'isolation* (avec trouble de la compréhension, de la dénomination, langage volubile et écholalie, mais répétition inexacte), une *aphasie frontale dynamique* (ou *aphasie « motrice transcorticale »*) avec manque du langage spontané, mais répétition préservée.

On rencontre également des troubles purs, comme *l'alexie pure*, perte de la seule capacité de comprendre un message écrit, alors que la compréhension du langage oral reste bonne. A l'inverse, dans la *surdité verbale pure*, le malade est incapable de comprendre un message oral, mais peut comprendre le même message s'il le lit.

*6 | L'état intellectuel des aphasiques*

De grands débats ont opposé les spécialistes sur le problème de la plus ou moins bonne conservation du potentiel intellectuel des aphasiques, en l'absence d'un langage normal.

La difficulté d'y répondre venait souvent de ce que les tests destinés à mesurer l'intelligence de ces malades étaient des épreuves à base verbale et ne pouvaient que faire ressortir l'infériorité des aphasiques. Des résultats plus probants ont été obtenus à l'aide de tests faisant le moins possible appel au langage. Mais les résultats sont souvent contradictoires, selon les groupes d'aphasiques examinés et selon les auteurs, qui, tantôt font ressortir le maintien des capacités intellectuelles, tantôt au contraire une perte de la faculté d'abstraction, de la « pensée conceptuelle ».

L'analyse de Tissot, Lhermite et Bl. Ducarne[1], utilisant des tests piagétiens (déductions quantitatives avec usage d'une balance, mélanges de corps chimiques pour obtenir une couleur donnée, etc.) ont montré que des aphasiques, même très atteints, présentant une grave aphasie motrice ou du jargon peuvent avoir de bonnes performances, et obtenir des QI moyens ou supérieurs. Le résultat n'est en aucun cas lié au *degré de gravité de l'aphasie*. En revanche, des sujets présentant une apraxie (trouble de l'activité constructive) associée sont très handicapés dans ces épreuves et leur quotient intellectuel est beaucoup plus bas. L'état intellectuel ne serait donc pas fonction de la gravité de l'aphasie, mais de l'étendue de la lésion, touchant éventuellement d'autres régions que celle du langage.

En revanche, ils sont amenés à dissocier le cas des aphasiques sensoriels, qui présentent des paraphasies verbales de type sémantique : chez ces sujets, une atteinte de ce qu'on peut appeler la pensée conceptuelle (hors épreuve verbale) a été constatée. La question peut se poser alors de la nature exacte de leur trouble : s'agit-il d'une aphasie, ou de la traduction sur le plan du langage d'un trouble plus général de l'intelligence ?

D'autres éléments de réponse à cette question de la plus ou moins grande indépendance fonctionnelle du langage et des autres activités intellectuelles peuvent être avancés à partir de récentes découvertes en neurologie. Si l'aphasie semble pouvoir exister sans grand trouble intellectuel général, on peut avoir, à l'inverse, de grandes détériorations intellectuelles sans trouble du langage, dans certaines lésions du lobe frontal. Celles-ci entraînent, au maximum, un défaut d'incitation à la parole; mais les malades se montrent incapables de résoudre des problèmes très simples (constructions de cubes, arithmétique), le recueil des données d'un problème, l'élaboration d'une stratégie, le contrôle de son application[2].

1. R. Tissot, F. Lhermite, B. Ducarne, L'état intellectuel des aphasiques, *L'Encéphale*, 7e année, no 4, 1963.
2. F. Lhermite, Conférence *Pensée et langage* prononcée au CHU de la Timone, Marseille, 6 février 1975.

Les cas de séparation des deux hémisphères du cerveau (par section du corps calleux) apportent aussi des progrès dans la connaissance de leurs spécialisations respectives[1]. Les sujets aux hémisphères séparés restent capables de parler et de comprendre normalement, mais ils ne peuvent rendre compte *verbalement* de ce qui a été perçu, visuellement, par exemple, par leur seul hémisphère droit. A. Roch-Lecours cite le cas de certains droitiers qui, cependant, dans cette situation, arrivent à composer tant bien que mal à l'aide de lettres en matière plastique, avec la main gauche, des mots « courts et fréquents »; cependant, le sujet est incapable de répéter oralement ce que son hémisphère droit est arrivé à écrire : « Tout se passe comme si le patient ne *savait* pas que son hémisphère droit vient de mener à bonne fin une tâche linguistique expressive »[2].

L'hémisphère droit semble au contraire plus efficace que le gauche dans des activités cognitives à base visuo-spatiale : une patiente de la Salpêtrière (souffrant d'un ramollissement du corps calleux provoquant la séparation des hémisphères) se montre incapable de reconnaître une forme montrée parmi d'autres, à l'aide de son seul hémisphère gauche, épreuve où le droit ne commet aucune erreur, parmi cinquante images différentes; il en est de même dans un test demandant de reconnaître une image ayant le même nombre de points qu'une autre image, présentée trop vite pour qu'on ait le temps de compter ces points[3].

La répartition des rôles entre les deux hémisphères n'existe pas au début de la vie et ne s'établit que peu à peu. On peut penser, comme le propose A. Roch-Lecours[4], que l'hémisphère droit de quelques droitiers reste capable de certaines émissions linguistiques minimum, « oui », « non », stéréotypes, jurons, et d'une compétence limitée de compréhension : « Certains sujets peuvent choisir par palpation aveugle avec la main gauche, un objet nommé par l'examinateur »; ou encore, reconnaître le nom de l'objet, dans une liste lue à haute voix par l'examinateur, après projection d'une image de cet objet dans l'hémichamp visuel gauche. Cette compréhension par l'hémisphère droit se limite aux noms des objets familiers, et disparaît pour les ordres (verbes à l'impératif) alors que les patients comprennent sans efforts ces mêmes ordres s'ils sont présentés par des dessins simples, devant leur hémichamp visuel gauche. L'auteur pense qu'il n'est pas impossible que la récupération de la compréhension chez les sujets aphasiques dont l'hémisphère gauche est très détérioré, puisse venir de la prise en charge plus ou moins complète de cette capacité par l'hémisphère droit...

La recherche semble donc progresser vers une plus grande précision dans la répartition des fonctions cognitives entre les différentes zones corticales, montrant

1. A cet égard, on doit signaler que la répartition des hémisphères « dominants » n'est pas aussi simple (gauchers = hémisphère droit; droitiers = hémisphère gauche) qu'on a pu le penser : plus de la moitié des gauchers auraient le siège de leur langage dans l'hémisphère gauche, ce qui ne laisserait que 5 % de sujets dont le langage serait commandé par l'hémisphère droit. De plus, la latéralisation absolue ne semble pas être le cas majoritaire : il y a des droitiers exclusifs, des droitiers préférentiels, des ambidextres, des gauchers préférentiels, et des exclusifs. Ce qui tend à montrer une grande variabilité de la répartition des rôles entre les hémisphères.

2. A. Roch-Lecours, Le cerveau et le langage, *Revue de l'Union médicale du Canada*, t. 103, février 1974, pp. 232-263, 261-262; cf. aussi H. Hécaen, *Introduction à la neuropsychologie*, Paris, Larousse, 1977, pp. 75-78, 326.

3. Cf. p. 494, n. 2.

4. A. Roch-Lecours, *ibid.*

une relative indépendance de l'organisation sous-jacente au langage. Mais la question du degré exact de cette indépendance demeure posée : les aphasies restent fréquemment marquées par une certaine perte de capacité intellectuelle, qui varie beaucoup selon les individus et les lésions. Cependant, on retiendra que cette perte est sans commune mesure avec celle qui frappe leur langage.

## 2. L'aphasie : problèmes d'analyse linguistique

Le modèle le plus célèbre de description des aphasies est probablement celui de Jakobson[1], qui souligne dès les années trente les nombreuses ressemblances du langage enfantin et de l'aphasie, appliquant au domaine linguistique le principe du parallélisme acquisition-perte formulé par Jackson. Sa classification des aphasies repose sur une série de dichotomies. La première est l'opposition émetteur-récepteur. Il y aurait des aphasies d'émission, d'autres de la réception. Cette distinction classique est valable, à condition d'être réduite à sa juste portée : il y a des aphasies *sans* trouble de la réception; mais toutes comportent des troubles d'émission (si l'on excepte des surdités ou cécités verbales pures) ; et dans sa trop grande simplicité, l'opposition risque de masquer le fait qu'il existe des formes très différentes de réception et d'émission, qui peuvent être atteintes séparément, comme l'a souligné E. Greene[2] : graphie, lecture, langage oral, répétition.

La seconde dichotomie de Jakobson est celle de la combinaison et de la sélection. Les aphasiques de la « réception » ont des troubles de la *sélection*, c'est-à-dire du choix paradigmatique des unités : cela correspondrait aux paraphasies de l'aphasie sensorielle; ceux de l' « émission » des troubles de la *combinaison* : échec à construire une phrase, dans l'aphasie motrice avec agrammatisme. L'association des deux dichotomies s'explique par une hypothèse sur le déroulement des opérations : l'encodage (émission) commence par une sélection (où réussissent les aphasiques moteurs) et continue par une combinaison (où ils échouent). Le décodage commencerait par la combinaison (où les aphasiques sensoriels réussissent) et finirait par la sélection (où ils échouent, ce qui explique leur incompréhension). L'aphasie, qu'elle soit de « réception » ou d' « émission », se manifesterait toujours par l'échec dans la seconde phase. Cette interprétation, très hasardeuse, laisse perplexe sur la réussite de la compréhension par des agrammatiques, qui devraient être bloqués par leur incapacité à dé-combiner.

D'autre part, si la sélection est première dans l'encodage, peut-on considérer qu'elle concerne aussi bien les monèmes lexicaux que, par exemple, les fonctionnels ? Et ne s'agit-il pas, dès lors, de combinaison ?

La dichotomie sélection-combinaison apparaît comme trop simple pour couvrir les faits du langage dans leur ampleur. Si elle paraît pouvoir s'appliquer — non sans problèmes — aux phonèmes, unités distinctives toujours définissables en termes de choix et de contraste, elle est trop rudimentaire lorsque l'on aborde les

1. R. Jakobson, dans divers articles regroupés sous le titre *Langage enfantin et aphasie*, Paris, Ed. de Minuit, 1969.
2. E. Greene, Psycholinguistic approaches to aphasia, *Linguistics*, 53, 1969, pp. 30-51.

faits de syntaxe : comment rendre compte d'une production comme : « Il est parti dans fourgonnette ? » Trouble de combinaison (manque de « sa » ou « une » ou « la ») ou trouble de la sélection (« dans » pour « en ») ?

Mis à l'épreuve des faits, ce cadre de classification se révèle encore moins opérant. Même au niveau des phonèmes, les aphasies ne se répartissent pas en troubles de la combinaison et de la sélection : les paraphasies phoniques peuvent être à la fois de pures substitutions *et* des contaminations contextuelles; au niveau des monèmes, l'agrammatisme ne se révèle pas conforme au tableau qu'en dresse Jakobson dans le cadre du trouble de la combinaison : les noms en fonction sujet normalement marquée sont très rares; les monèmes fonctionnels ne sont pas seulement manquants, ou remplacés par des monèmes de classes inappropriées : ils sont l'objet de paraphasies dont nous avons vu le caractère. On peut dire d'ailleurs que l'agrammatisme comporte d'autres troubles de la sélection, dans la mesure où les unités grammaticales les plus fréquentes semblent prendre la place des plus rares. La difficulté à établir des subordinations amène la multiplication des coordinations ou, surtout, de la juxtaposition d'éléments a-syntaxiques, ce qui provoque, à l'inverse des prévisions de Jakobson, un allongement du message; ainsi, quand un aphasique, incapable d'employer « beaucoup de », a recours à une accumulation expressive : « boulot boulot boulot boulot ». Le « manque des accords et des rections », supposé *a priori* faire partie d'un trouble de la combinaison, est, au contraire, absent : le langage préservé, au moins à l'état spontané, est tout à fait correct du point de vue morphologique (cf. sur tous ces points, p. 491, n. 1).

La conservation de la morphologie (conçue en termes d'analyse fonctionnelle, comme l'ensemble des faits de forme qui n'ont pas de signification, qui ne représentent pas un « choix linguistique ») semble au contraire être un élément à ajouter à la dissociation des éléments *automatiques* du langage (conservés dans l'aphasie) et des éléments *volontaires* (altérés), selon le principe de Baillarger et Jackson[1].

L'optique transformationaliste ne semble pas apporter une clarté nouvelle à l'analyse des aphasies. La formalisation du langage aphasique en termes de « grammaire » avec phrases-noyaux et dérivations se heurte à la variabilité, la non-conformité aux règles des performances des aphasiques.

En tant que modèle psycholinguistique de la « compétence » et de la « performance » des locuteurs, sa valeur est mise en cause par bien des écueils : ainsi, l'analyse des performances différentes des agrammatiques, dans la formulation des questions *wh-* (who, what, where... en anglais), mieux réussies que les questions *yes-no* (did he, does she (do it) ?), pose un problème à Goodglass : l'identité, supposée, des transformations interrogatives, suscitées dans les deux cas, devrait entraîner des scores semblables[2]. Ici, le modèle d'analyse adopté masque le fait que la difficulté réside, surtout pour les agrammatiques, dans l'emploi ou non de la conjugaison verbale[3]. Cet exemple parmi d'autres souligne qu'on doit se garder

1. Cf. J. H. JACKSON, *Selected Writings*, vol. II, James TAYLOR ed., Londres, Staples Press, 1958, p. 510.
2. H. GOODGLASS, J. BERKO-GLEASON, N. A. BERNHOLTZ et M. R. HYDE, Some linguistic features in the speech of a Broca's aphasic, *Cortex*, 8(2), 1972, pp. 191-212.
3. Cf. C. MAURY, *Syntaxe et morphologie dans l'agrammatisme*, thèse, Université de Provence, 1974, p. 277.

de postuler un isomorphisme entre modèle grammatical de la « compétence » et mécanismes sous-jacents.

Un autre problème se pose quant à l'atteinte de la compétence ou de la seule performance dans l'aphasie, étant donné la dissociation dans la perte de l'émission et de la compréhension, et la variété des troubles aphasiques. Y a-t-il plusieurs compétences différentes, une par processus susceptible d'être atteint ? Peut-on dire, comme Weigl et Bierwisch[1], que la compétence serait intacte, mais que ce serait l'*accès* à cette compétence qui serait lésé, et ce de façon non permanente ? Si l'aphasie n'est au contraire qu'un trouble de tel ou tel aspect de la performance, on peut se demander avec Goodglass[2] quelle est l'existence réelle de cette compétence « posée comme extra-corporelle » et inatteignable par un dommage cortical. Et sous un autre angle, la possibilité d'une atteinte de la compétence repose, une nouvelle fois, le problème de la relative conservation des capacités intellectuelles extra-linguistiques chez les aphasiques.

## B - LES SOURDS-MUETS

Ceux que l'on appelle, dans une terminologie un peu désuète et inexacte, des « sourds-muets », sont en fait des enfants nés ou devenus sourds à la suite d'une lésion de l'ouïe, qui entraîne chez eux l'absence de développement du langage, sans qu'ils souffrent, au départ, de handicap de l'appareil phonatoire.

Ce type de privation du langage présente, en principe, un terrain plus pur que l'aphasie pour l'étude des rapports entre le langage et les autres fonctions intellectuelles : en effet, les lésions responsables des aphasies sont situées, avec des localisations variées, dans le cortex cérébral, centre des activités intellectuelles, alors que dans la surdité, ce sont des organes périphériques du cerveau qui sont touchés.

La surdité peut être native, chez l'enfant, et ne pas être détectée dans les premiers mois de sa vie. Le nouveau-né crie et pleure normalement, passe au stade du babil (et toutes ces étapes sont d'un grand intérêt pour la connaissance des facteurs de développement du langage), mais le babil s'interrompt bientôt au lieu de se diversifier et de se moduler en syllabes répétitives, comme on l'observe chez les petits enfants vers le sixième mois, et les étapes suivantes du développement du langage n'apparaissent pas.

La surdité de l'enfant peut aussi survenir, à la suite d'une maladie, après sa naissance et à différents âges : dans ces divers cas on observe, selon l'âge de l'enfant, l'arrêt de son développement linguistique et la régression du langage, sauf bien entendu si celui-ci est maintenu à force d'exercices et de rééducation : ce n'est qu'au stade

1. Cf. E. Weigl et M. Bierwisch, Neuropsychology and linguistics : a topic of commun research, *Foundations of language*, vol. 6, février 1970, pp. 1-18.
2. H. Goodglass et R. Myerson, Transformationnal grammar of three agrammatic patients, *Language and Speech*, 15-1, 1972, pp. 40-50.

de l'adolescence que le langage paraît se maintenir malgré la survenue d'une surdité.

La surdité peut être totale ou partielle, en présentant toutes les variations possibles de degré : les manques ou les retards de langage seront, bien sûr, fonction de ce degré, de même que la possibilité d'appareiller ou non efficacement le jeune sourd.

## 1. Le langage des jeunes sourds-muets

Même atteints de surdité complète, les enfants sourds ne sont pas complètement privés de langage; langage, ou, tout au moins, communication par gestes : l'enfant peut établir la communication avec son entourage, ses parents, par des mimiques, des mouvements, des désignations d'objets. Ses yeux, qui restent son moyen principal de percevoir le monde qui l'entoure, sont extrêmement attentifs. Gestes et mimiques, qui, par nature, sont au départ liés de très près à ce qu'ils désignent, peuvent se simplifier, se « styliser » et prendre de la distance avec leur référent, pourvu que le contact avec les partenaires de communication soit assez intime pour que la *convention* s'établisse[1]. Un enfant sourd laissé à lui-même ne développera aucun langage, et présentera des retards importants sur le plan intellectuel : il arrivait autrefois, et il arrive malheureusement encore, que l'on confonde un état d'audi-mutité avec une débilité et que l'on abandonne l'enfant à ses propres efforts d'adaptation au monde, alors que l'éducation et la rééducation d'enfants sourds parviennent à surmonter bon nombre de handicaps et à leur faire acquérir le langage par des moyens variés.

### *La langue des signes*

Quels que soient les progrès techniques, en particulier des prothèses qui permettent une meilleure utilisation des restes auditifs ou des possibilités de transcrire sous forme d'images visuelles (sur des lunettes par exemple) tout ou partie du message vocal, l'entrée du jeune sourd dans un système de communication audio-oral est difficile; malgré certains succès, le coût même de l'opération de communication entraîne souvent l'inintérêt des participants, soit sourds, soit entendants. Par ailleurs — et il faut le noter — la langue écrite peut acquérir un degré élevé d'autonomisation par rapport à la langue orale, mais elle présente des difficultés évidentes dans la communication quotidienne. Un système gestuel présente l'avantage de pallier les difficultés du canal oral et celles du canal écrit, il présente l'inconvénient évident de ne pas permettre la communication avec le reste de la collectivité. (D'où à notre sens l'impossibilité de vouloir privilégier un de ces trois codes.)

Au-delà ou en deçà de ce problème pratique fondamental se pose le problème de la nature de cette langue de signes. A la suite en particulier des travaux de W. Stokoe[2], les descriptions sont en pleine évolution (ni les observateurs ni les utilisateurs n'étant naturellement conscients de l'ensemble des procédures utilisées).

1. Cf. B. Tervoort, Esoteric symbolism in the communication behaviour of young children, *American Annals of the Deaf*, 1961, 106, 436-480.
2. William C. Stokoe, *Semiotics and Human Sign Languages*, The Hague, Mouton, 1972.

1) On doit noter d'abord qu'il s'agit d'un système homologue à celui de la langue orale (c'est-à-dire qui n'est caractérisé par aucune insuffisance intrinsèque), présentant les caractéristiques structurales d'une langue : double articulation, expression systématique de relations entre les signes, capacité de créer des messages nouveaux.

2) Ces caractéristiques fondamentales se manifestent à l'intérieur d'un système gestuo-visuel, ce qui influe sur les procédures utilisées, qu'il s'agisse des unités significatives (rôle de la motivation relative des signes) ainsi que des procédures utilisées (la croyance à l'infériorité de la langue des signes relevant simplement de la non-prise en compte de procédures relationnelles différentes de celles les plus fréquentes dans les langues orales).

3) Ces langues ont été inventées par des hommes qui connaissaient déjà des langues orales et leurs transcriptions écrites. Elles sont utilisées par des communautés relativement limitées qui ne fonctionnent pas en vase clos, d'où l'importance des procédures d'emprunt et d'interférence.

Revenons rapidement sur chacun de ces points.

Les différentes langues de sourds, qu'il s'agisse de systèmes reconnus comme tels *(American Sign Language)* ou des systèmes utilisés par les sourds français et qui ne sont que partiellement codifiés (ce qui, comme dans toute situation de dialectalisation, est la source de nombreuses diversifications) se distinguent à la fois de systèmes articulés uniquement sur le mode de la première articulation et fondés sur la ressemblance (pantomime) et de signes fondés uniquement sur la seconde articulation (dactylologie), où chaque geste correspond à l'épellation des sons de la langue, même si les langues de sourds sont en relation perpétuelle avec ces deux systèmes. D'une part, la plupart des signes institués par l'abbé de L'Epée relèvent du « conventionnel motivé », ainsi le geste de mettre sa joue contre sa main pour signifier *dormir* ou celui de porter ses doigts serrés aux lèvres pour signifier *manger*. Les signes s'accompagnent, de façon plus ou moins marquée, d'une mimique, le geste « ami » d'un sourire, le geste « affreux » d'une grimace[1]. D'autre part, la situation de dépendance par rapport à la langue orale et, corrélativement, à la société globale, entraîne par exemple que des mots nouveaux ou des noms propres ne puissent qu'être épelés.

Mais ces deux sources d'évolution, ces deux pressions s'exercent sur un système défini, comme W. Stokoe l'a noté le premier, par un équivalent de la double articulation, chaque unité significative minimale s'analysant à son tour en des éléments eux-mêmes non directement significatifs.

A la suite de Stokoe, on doit distinguer :

*1* / La localisation du signe par rapport au corps (que Stokoe appelle *tabula* ou *tab*).

*2* / La configuration des mains (que Stokoe appelle *designator* ou *dez*).

*3* / Le mouvement exécuté par les mains (chez Stokoe *signation* ou *sig*).

1. Cf. le recueil de 1 400 mots présenté par P. Oléron, *Eléments de répertoire du langage des sourds-muets*, Paris, CNRS, 1974.

*4* / L'orientation des mains par rapport l'une à l'autre ou au reste du corps (en particulier le fait qu'il existe des signes accomplis symétriquement ou des signes où une main forme le support du geste et où l'autre est active).

*5* / Enfin, il faut tenir compte de ce que, de même que la voix signifie par ses qualités propres, de même l'amplitude des gestes, leur vitesse, etc., comme le mouvement du regard constituent des sortes d'équivalents des variations motivées de la voix et en particulier assurent une fonction d'intégration du message relativement comparable à celle de l'intonation. Dans l'*ASL* Klima[1] note 40 formes, 12 positions, 16-18 orientations et 12 mouvements simples. L'analyse doit certes progresser. Sans doute plus que dans le cas des phonèmes, on note que toutes les combinaisons ne sont pas réalisées. Mais fondamentalement en tant que système, on retrouve le même principe : des portions de signes qui sans être en elles-mêmes signifiantes sont différencielles, c'est-à-dire contribuent, soit par leur association, soit par leur succession, à constituer des unités significatives différentes. Ainsi, selon Battison[2], le même mouvement des poings de bas en haut le long du corps signifiera *voiture* ou *conduire* les poings fermés, *qui*, les pouces levés; ou le même mouvement du doigt *chinois* sur la tempe et *aigre* sur le menton près de la bouche.

Il est vrai qu'alors que les possibilités de reconnaître les motivations des signes de nos langues audio-orales sont presque nulles, elles sont ici plus grandes. Elles sont néanmoins limitées. Ainsi Ursula Bellugi et Edward Klima[3] mettent en évidence que si *a posteriori* des personnes qui ne connaissent pas les signes comprennent, lorsqu'on les leur indique, les liens de ces signes et de leur sens, en revanche, la reconnaissance du sens soit à partir du signe seul, soit lorsqu'on demande aux sujets de choisir entre un certain nombre de significations possibles, aboutit à un échec.

Même s'il y a origine motivée, le signe se démotive, que ce soit par évolution du signifiant : simplification, intégration aux habitudes motrices, soit par évolution du signifié (on cite le signe signifiant *prêtre* ou *professeur* lié au rabat des prêtres et qui continue à être utilisé pour des prêtres sans rabat ou des professeurs non prêtres).

Loin de nous l'idée que plus un système comporte de signes différents, plus il permet une organisation riche du réel : les choses sont assurément plus complexes. Constatons néanmoins que les conditions de la communication gestuelle amènent par exemple à distinguer, dans la langue des signes française[4], entre quatre signes différents pour ce qui serait traduit en français par *nous* : un *nous*, désignant *je* et *tu* présent (mouvement de va-et-vient de l'index vers toi et du pouce vers moi), un *nous* où *tu* est absent (main à plat vers là où se trouverait *tu* revenant vers *je*), deux *nous* sur la base d'un geste circulaire global différencié selon qu'il y a plus ou moins de six personnes. De même qu'un *il* désigne autrui et qu'un autre *il* (reprise de l'endroit où la chose a été située) indique l'anaphorique inanimé.

1. E. S. Klima et Ursula Bellugi, *The Signs of Language*, Harvard University Press, à paraître 1979, et Le langage gestuel des sourds, in *La Recherche*, n° 95, décembre 1978.
2. Robin Battison, *Lexical borrowing in American Sign Language*, Silver Spring, Maryland, Linstol Press, 1978.
3. Cf. n. 1.
4. Catherine Ferrucio et Beryl Greilsamer, *Etude de la communication manuelle précoce chez l'enfant déficient auditif sévère et profond*, mémoire pour le certificat de capacité d'orthophoniste, Pitié-Salpêtrière, 1977-1978.

En ce qui concerne d'autre part la syntaxe, beaucoup de jugements portés sur la langue des signes procèdent d'une analyse insuffisante. Soit que des particularités de certaines de nos langues : copule, article, soient considérées comme des signes de supériorité. Soit qu'on ait considéré *a priori* que l'absence de distinction formelle entre racine nominale et racine verbale était un signe d'infériorité. Il semble qu'une majorité de signes fonctionne alternativement comme « indicateurs de procès » et « indicateurs de participants » ou « indicateurs de relations », mais que certains soient spécialisés dans un de ces rôles : ainsi il y a des termes comme *je*, *verre* ou *télévision* qui ne jouent que la fonction nominale, des mots comme *faire*, *tomber*, *dire*, *aller*, *venir*, qui ne jouent que la fonction prédicative. Enfin, un grand nombre de mots qui pourront signifier alternativement *vélo* et *faire du vélo*, *information* et *informer*, *choix* et *choisir*[1]. De même *préférer* a le même signifiant que ce qui est traduit par *plus* ou *premier*. D'autre part, de même qu'il existe un anglais signé différent de la langue des signes américaine, de même les éducateurs français se sont efforcés d'enseigner une syntaxe de l'ordre alors qu'en fait c'est la direction du geste qui fait que le signe qui indique le procès marque aussi la relation de l'acteur à l'agi. Beaucoup d'observateurs ont conclu à tort, du fait que la position des signes n'était pas déterminée, qu'il n'y avait pas de syntaxe. D'une part il y a une syntaxe adaptée à un système gestuel. D'autre part, beaucoup des éléments complexes de nos langues n'ont rien de nécessaire. B. Mottez[2] emprunte un exemple à U. Bellugi : soit la proposition « it is against the law to drive on the left side of the road » (Il est contraire à la loi de conduire sur le côté gauche de la route). En langue des sourds américaine, elle se réduira aux termes essentiels porteurs d'information : *illégal*, *conduire*, *gauche*.

Ce qui caractérise une langue comme le français ou l'anglais, c'est le nombre extrêmement élevé des contraintes qui s'imposent. Comme dans beaucoup de langues, dans les langues des sourds il y a beaucoup moins de « cartes forcées ».

Ce qui est vrai, c'est qu'à l'oral comme à l'écrit le jeune sourd va avoir de grandes difficultés à acquérir l'ensemble des restrictions à la combinatoire que l'enfant entendant acquiert dans le « bain de langue » d'où des « fautes » typiques quand ils se mettent, par rééducation, à s'exprimer par écrit ou même par oral : le jeune sourd écrira, selon le témoignage de R. Pellet : « je prends assis » (une chaise) ou « je prends coupe » (les ciseaux). L'absence de monèmes fonctionnels fait apparaître des formules comme « homme à côté » (signifiant « avec des gens ») ou « le garçon derrière » (pour : « caché »)[3]. Une autre différence avec la langue naturelle, conséquence directe de l'absence de classes, l'absence de restrictions à la combinatoire fait dire au jeune sourd rééduqué : « je vais chez l'église »[4].

1. Vincenza Soggiu, *L'opposition verbo-nominale dans la langue des signes française*, *ibid.*
2. B. Mottez, La langue des signes aux Etats-Unis, *Revue générale de l'Enseignement des déficients auditifs*, n° 4, 1976, pp. 190-215.
3. R. Pellet, *Des premières perceptions du concret à la perception de l'abstrait*, Lyon, Bosc, 1938.
4. Exemple cité par H. Hécaen, Le langage : troubles du langage, *Encyclopedia Universalis*.

## 2. Surdité et développement mental

Une question beaucoup plus controversée est celle des conséquences sur le développement intellectuel des enfants. Les résultats ne sont pas univoques, ne serait-ce que parce que tous les enfants sourds ne sont pas dans la même relation aux trois codes oral, écrit et gestuel. Il semble bien à cet égard que l'acquisition du système gestuel permette un meilleur développement de l'intelligence telle qu'elle est évaluée traditionnellement par des tests, mais aussi les mathématiques et la réussite scolaire en général. On notera à ce sujet qu'acquisition précoce du système gestuel coïncide en fait dans la plupart des études (sinon en droit) avec être un enfant déficient auditif élevé par des parents déficients auditifs et non par des parents entendants[1].

Comparant les performances d'enfants de milieu favorisé, de milieu rural et de sourds, Furth écrit : « Dans le but de mettre en évidence les effets des privations d'ordre culturel, nous avons découvert qu'un groupe de jeunes adultes d'un milieu rural défavorisé se comportait tout à fait comme les sourds. C'est-à-dire que dans la tâche d'utilisation de symboles, ils réussissaient aussi bien que le groupe-contrôle, mais que dans la découverte des symboles, ils échouaient comme les sourds et les enfants du 6e grade (environ 12 ans). Il semblait que les populations de ruraux et de sourds avaient en commun une absence de stimulation intellectuelle qui empêchait de les entraîner ou de les motiver à s'interroger sur les raisons ou à poser des questions. Pourtant les ruraux connaissent évidemment la langue. » De toute façon, l'absence du langage oral a un retentissement sur la socialisation de ces enfants, qui peuvent en ressentir des conséquences sur le plan affectif et cognitif : que l'on pense simplement à toutes les questions de type « Qu'est-ce que c'est ? » et « Pourquoi ceci, et cela ? » auxquelles sont soumis les parents d'enfants entendants. Les enfants sourds passent pour avoir, vis-à-vis de leurs parents ou des éducateurs, une dépendance plus grande que les autres, et il en résulterait une perte d'initiative. Et enfin, sans qu'il soit question du langage, leur surdité les prive de nombreuses expériences sensorielles.

La question de leur développement mental général, au regard de leur langage, semble se poser différemment selon le type d'opération que l'on considère.

Un certain nombre d'études ont été menées dans la perspective piagétienne : recherche de la perception de la constance des qualités (poids, volumes...) ou de l'acquisition des opérations formelles. Telles qu'elles sont résumées par Furth[2] et par Oléron[3], ces recherches nous donnent :

— un ordre de développement relativement semblable à celui trouvé par Piaget;
— un retard variable de deux à cinq ans du développement des enfants non entendants; un certain nombre d'entre eux n'arrivent pas au « stade des opérations formelles ».

1. Cf. p. 501, n. 4.
2. Hans G. Furth, *Thinking without language : Psychological Interpretation of Deafness*, New York, Free Press, 1966; Langage et pensée opératoire, *Bulletin de Psychologie*, 1966, n° 247.
3. Pierre Oléron, *Langage et développement mental*, Bruxelles, Dessart, 1977, 300 p.

Certaines épreuves de catégorisation perceptive, classement des couleurs par exemple, montrent une égalité des enfants sourds avec les autres (même s'ils ne placent pas toujours les frontières entre couleurs de la même façon, et que leurs classifications chromatiques ne correspondent pas forcément à celles des noms de couleurs enseignés pour les désigner). Testés sur la généralisation (similitudes perçues ou impliquées par l'action) dans des domaines sensoriels comme la taille et le poids, les enfants sourds ne se montrent pas inférieurs, même s'ils ne disposent pas de termes comme « pareil » et « pas pareil » — ou seulement d'un signe équivalent gestuel, plus concret[1]. L'âge des enfants, sourds comme entendants, paraît ici seul différentiel. Dans une autre épreuve de P. Oléron, portant sur la découverte d'une loi : apprentissage d'une régularité non nécessaire, non fondée perceptivement, cette fois, les enfants doivent comprendre que dans une série de huit boîtes, un bonbon se trouve caché dans la première, puis dans la huitième, la seconde, puis la septième, etc. : contrairement à ce qu'on pourrait attendre, la non-connaissance des nombres ne gêne pas les enfants sourds qui réussissent, pratiquement, aussi bien que les autres. Selon Oléron, toutes ces opérations ont pour particularité de ne pas nécessiter la mobilisation de l'aide du langage, ou de la numération; il cite un de ses témoins (entendant) de 6 ans : « Je ne les ai pas comptées (les boîtes), je voyais »[2].

Dans d'autres types d'épreuves, les sourds se révéleront handicapés par rapport à d'autres enfants, et, selon Oléron, les épreuves proposées, qui font intervenir un facteur temporel, nécessitent l'aide du langage, ne serait-ce que celle du mot utilisé comme étiquette : les indices perceptivo-moteurs deviennent insuffisants. Les sourds y réussissent au moment où ils acquièrent le nombre (vers 6 ans au lieu de 4), et montrent donc un retard important. Un autre test, portant sur les catégorisations et les généralisations, dans des conditions modifiées, va également révéler leur déficit.

Les enfants n'ont plus à rapprocher des poids ou des tailles, mais des vitesses relatives : ils ont à choisir entre un disque qui tourne vite et un autre lentement, le choix du second étant récompensé : l'apprentissage fait, on leur présente, selon le même principe, un système de feux clignotants lent et un autre rapide, puis un camion-jouet se déplaçant vite le long d'une pente, et un autre se déplaçant lentement. Dans cette épreuve, la similitude à dégager ne peut plus découler d'une perception élémentaire. En revanche, le langage, parce qu'il applique le même mot de « vitesse » à ces trois réalités de différents ordres, aide l'enfant entendant à généraliser cet aspect, à le dégager de l'immédiat. Ici, les enfants sourds commettent beaucoup plus d'erreurs que les autres, et, selon Oléron, cette infériorité met en évidence les deux rôles fondamentaux du langage, dans le développement des activités cognitives : une intervention d'*instrument*, et un effet d'*exercice*. *Instrument*, dans la mesure où le langage est un « fournisseur de savoir préalable ». Connaître le nom d'un objet peut avoir une valeur explicative; d'autre part, toute dénomination constitue et contribue à constituer un invariant, elle « fixe dans la diversité des apparences perçues les points qui se retrouvent d'une manière constante ». La langue permet aussi une prise de distance par rapport aux objets. La pratique du langage a un *effet d'exercice*, non point

1. P. Oléron, *Langage et développement mental*, pp. 131-133.
2. *Ibid.*, pp. 136-137.

par ce type d'intervention, actuelle, de la « notion toute faite », mais par les conséquences de telles interventions répétées, et dont les traces subsistent, ce qui, à terme, rend le médium langage non nécessaire[1]. L'approche active de la réalité sera modifiée par l'exercice quotidien du langage, en tant qu'il permet une prise de distance à l'égard des objets. Enfin, Oléron souligne que le langage dans son fonctionnement même, parce qu'il amène à confronter constamment une expérience et les moyens de l'exprimer, constitue un exercice des capacités intellectuelles de l'enfant entendant, et qu'il n'est pas étonnant que celui-ci « bénéficie de cette sorte de *tonus* entretenu par l'exercice lorsqu'il aborde d'autres domaines, qui ne sont pas de nature linguistique »[2]. Les difficultés des sourds pour la manipulation de l'abstrait peuvent se comprendre de la même façon : la pratique du langage, parce qu'il comporte des termes sans correspondant direct dans l'expérience, pourrait favoriser le développement d'une attitude de type abstrait — alors que les sourds montrent de grandes difficultés à dépasser le perçu. De même, selon Oléron, la résolution de problèmes est facilitée par l'utilisation du langage (intérieur) comme intermédiaire, parce qu'il s'intercale entre le perçu et l'agi, rompant le circuit trop direct qui les unit chez l'enfant « dominé par ce qu'il perçoit, trop impliqué », ce qui entraîne l'impulsivité, la persévération. L'interruption par le langage, au contraire, favoriserait l'analyse et la réflexion. A ce niveau, on peut se demander dans quelle mesure il ne pourrait pas exister aussi, chez les sourds, quelque chose comme un langage intérieur reposant sur la base de leur langage gestuel, et jouant un rôle analogue.

La mémoire semble également influencée par la possession du langage articulé; cependant, les sourds paraissent supérieurs aux autres enfants dans la reproduction de dessins; soit qu'il y ait une plus grande capacité de leur mémoire visuelle, soit que leur intérêt soit davantage orienté que celui des autres enfants vers des activités de ce type.

L'exemple des sourds-muets semble enfin confirmer une des données piagétiennes de la psychologie génétique : l'usage des mots n'est pas premier, mais second, dans le développement de l'intelligence. En aucun cas le langage ne peut introduire, de lui-même, l'enfant à des notions quand la maturation nécessaire n'est pas acquise, et l'absence de langage n'empêche pas les enfants sourds d'accéder normalement au niveau opératoire non formel. Ensuite apparaissent des retards dont les causes sont nombreuses, parmi lesquelles le manque de ce qu'Oléron décrit comme l'intervention instrumentale et l'effet d'exercice du langage. Pour reprendre les conclusions de M. Bartin : il semblerait que le langage intervienne « comme élément fixateur, ou catalyseur des processus cognitifs en aidant à leur prise de conscience et en leur donnant, par là même, plus de stabilité »[3].

Le développement mental des sourds-muets et la conservation des capacités intellectuelles des aphasiques se situent donc comme des problèmes largement diffé-

1. *Ibid.*, p. 140.
2. *Ibid.*, pp. 147-148.
3. M. Bartin, La notion de conservation chez l'enfant sourd. Contribution à l'étude des rapports du langage et du développement mental, *Bulletin de Psychologie, XXVIII*, 314, 1-6, 305-314, Paris, 1974-1975.

rents : non pas, comme on a pu le formuler, parce que les aphasiques, indépendamment d'un trouble *hic et nunc*, auraient pu garder une « organisation linguistique » intacte — ce qui donne à cette organisation linguistique, « conservée » sans qu'on puisse en voir des manifestations, le statut d'une curieuse essence immatérielle — mais plutôt, pour reprendre les termes d'Oléron, parce que les *traces* du rôle d'exercice et l'effet d'instrument de ce langage ne disparaissent pas forcément avec lui : et c'est le cas, dans une partie au moins, des aphasies.

## C - ASPECTS DU LANGAGE DANS LA MALADIE MENTALE

Les causes de ce qu'il est convenu d'appeler, à tort ou à raison, des « maladies » mentales (en dehors du fait névrotique), sont encore assez mal connues, et leur classification varie considérablement selon ce que l'on sait, ou que l'on suppose, de leurs origines. Cependant, dans les différents tableaux cliniques que l'on dresse pour décrire les grands syndromes psychopathologiques, reviennent souvent des troubles linguistiques, ou, tout au moins, des formes de langage particulières, et bien typées, assez régulièrement rencontrées pour que leur présence soit prise en compte comme une des caractéristiques du désordre mental.

Nous nous bornerons ici à donner un aperçu de ces formes de langage, dans ce qu'elles ont de plus fréquent, en essayant de mettre l'accent sur ce qui les différencie notamment du langage des aphasiques (dans la mesure où les malades ne présentent pas une aphasie associée à leurs autres troubles).

Ces aspects sont souvent regroupés sous le nom de *dyslogie* (ou pseudo-aphasie). Le discours dyslogique comporte souvent des manifestations pathologiques dans sa forme même : il est marqué de stéréotypes, de déformations de mots, de persévérations et de répétitions anormales qui peuvent adopter différents mécanismes : l'*écholalie*, par exemple, est une tendance à répéter des phrases, des mots ou des syllabes entendues : en général, la question, ou la fin de la question qui vient d'être posée. Il existe aussi, dans la maladie d'Alzheimer (démence présénile), une *logoclonie*, c'est-à-dire la répétition constante, non pas de mots ou de phrases, mais de logatomes (groupes de phonèmes, dépourvus de sens). A distinguer également de l'écholalie, où le sujet répète ce qu'il vient d'entendre dire, la *palilalie*, qui est la répétition d'un même mot, ou fragment de phrase, produits par le malade lui-même. D'autres malades enfin (schizophrènes, arriérés mentaux) présentent de la *palinphrasie*, répétition caractéristique de la dernière syllabe d'un mot, ou de toutes les syllabes d'un même mot. Mais, en dehors de toutes ces variétés de répétitions parasitaires, le trait qui semble le plus caractéristique de la dyslogie est le changement de la valeur sémantique des mots, mots lexicaux essentiellement (la syntaxe paraissant normale), ce qui donne au discours un aspect absurde et faussement logique, déroutant pour ceux qui l'écoutent, d'autant plus que le malade n'hésite pas avant de prononcer les mots inappropriés et énonce ses phrases de façon assurée, sinon péremptoire. Présentées à ces malades, les épreuves de dénomination montrent un manque du mot demandé, auquel le sujet substitue des termes inattendus, des commentaires ou des mots passe-partout comme « chose » ou « machinchouette ». On constate aussi des troubles de la compréhension. Soumis à des épreuves de construction de phrases d'après un modèle, les malades présentant ce type de troubles s'en montrent le plus souvent incapables; leur compréhension de la syntaxe des phrases est d'ailleurs variable : à peu près maintenue pour des phrases simples, d'emploi quasi automatique, elle paraît nulle pour des phrases artificielles, fabriquées à l'aide de néologismes.

L'étrangeté du discours et le trouble de la compréhension correspondent d'ailleurs au trouble général du comportement de ces malades, dont ils pourraient n'être que la simple traduction verbale.

D'autres formes de langage se rencontrent dans la maladie mentale : la *mussitation*, sorte de parole murmurée sans émission de voix et sans but apparent de communication, se présente chez les schizophrènes. Le discours peut être excessivement abondant et volubile, *logorrhéique*, trait qui existe d'ailleurs dans des aphasies accompagnées, elles aussi, de troubles de la compréhension. La logorrhée a son correspondant graphique, la *graphorrhée*, ou graphomanie, souvent présente chez les sujets logorrhéiques; cependant, le fait d'écrire d'abondance (et souvent sur des matériaux de fortune : draps, murs, vêtements) peut prendre une valeur un peu différente : le mode graphique est choisi comme ayant un pouvoir particulier; les écrits revêtent le statut de proclamations, traités scientifiques, lettres aux autorités, etc.

Toute une série de termes d'usage en pathologie mentale : néophasie, néoglossie, glossolalie, glossomanie, schizophasie, schizographie se réfèrent avec des nuances diverses à l'emploi massif de néologismes (signifiants forgés, sans correspondants dans le dictionnaire) qui peuvent rendre le message tout à fait incompréhensible, lui donnant parfois l'aspect d'une « langue étrangère », selon les termes mêmes du sujet néophasique. Ces manifestations, qui sont passagères (en alternance avec un langage « normal » dans la forme) peuvent présenter des ressemblances avec le jargon des aphasiques dont elles empruntent beaucoup de traits au niveau de la première articulation : des substitutions entre monèmes de signifié voisin ou dont les signifiants se ressemblent, des emboîtements de signifiants (« mammimal » de « mammifère » et « animal »), la persévération d'un monème :

> « ce sont des campagnes, c'est appelé ainsi, des villas campagnes sont les fermes, d'ouvre-ferme. Le vrai nom de ferme : ce sont des j'ouvre-ferme »[1].

Il peut y avoir une contamination du contexte par un segment préférentiel, apparemment sans signification :

> « il est le premier /apaʒe/, ou premier page-commis de bureau, mais un clerc d'/apaʒmã/ du métier, c'est-à-dire qu'un /apaʒã/ lui met l'abécédaire dans les mains, et il commencera »[2]

1. Exemple fourni par A. Roch-Lecours, conférence sur *Les caractères linguistiques de la schizophasie*, hôpital de la Timone, Marseille, 1975.
2. *Ibid.*

ou un choix de monèmes qui semble guidé au moins autant par des assonances que par les signifiés :

> « il intéresse le Bon, en cas le Abon, donc : Bon.
> il intéresse la bonne âme, abon donc : J.
> il intéresse l'homme de façon à façon donc : J.
> c'est une science donc :
> (...) il intéresse le à pends donc : B
> il intéresse l'âme, la bonne âme, abon (2 fois)... »
>
> (Fragments de notes personnelles d'un malade.)

On trouve beaucoup de formes associant des contraires :

> « le vrai calendrier est différent du faux, ils l'ont fait de nuit et de jour et de jour-nuit, et le 15 avril sont du 15 octobre pour l'été-hiver et le 15 octobre est au 15 avril re-avril pour l'hiver-été, de telle sorte qu'on passe un été-hiver et un hiver-été de froid-chaud à chaud-froid »[1].

A l'opposé de ce qui se passe chez les aphasiques, on a l'impression d'un jeu délibéré sur le langage. D'ailleurs, note A. Roch-Lecours[2], le malade justifie les emplois déviants qu'il fait du langage, à la différence des aphasiques qui sont inconscients de leurs productions anormales, ou qui cherchent à les corriger.

Les néologismes, les substitutions, les dérivés inventés sont d'ailleurs plus nombreux dans leur discours que dans celui des aphasiques. On peut aussi remarquer que les paraphasies sémantiques (les substitutions entre monèmes) montrent des rapprochements entre des unités échangées assez différents de ceux que ferait un aphasique, mais révélateurs de la « logique » personnelle du malade.

Quelquefois, ce type de pratique langagière peut prendre la forme d'une ou de plusieurs « langues étrangères », chez des schizophrènes qui expliquent qu'ils sont momentanément possédés par un esprit venu du dehors, quelquefois d'une autre planète.

Un malade schizophasique cité par Roch-Lecours[3], Québécois, inculte, unilingue, dispose de ce qu'il appelle trois « tempéraments » : un « français » (parlé d'une voix monocorde et étrange), un « anglais » (montrant un changement de la place de l'accent qui devient paroxyton, ou final si le dernier phonème est une consonne), un troisième tempérament dit « drôle », que, d'ailleurs, il parle en riant.

Tous les phonèmes de ces trois langues sont empruntés à la langue maternelle du sujet, mais leur distribution est changée : le type de syllabe varie et les phonèmes les plus fréquents ne sont pas les mêmes selon la « langue » parlée. Le malade peut parler des heures, mais son langage est pauvre et cyclique. On observe certains mots obligatoires, d'autres facultatifs. Il y a des syllabes, des phonèmes, des suffixes de prédilection.

1. Cf. p. 507, n. 1.
2. *Ibid.*
3. *Ibid.*

**Les délires**

Au cours de l'évolution d'une psychose apparaît parfois une forme d'expression très particulière, appelée *délire*. Ce qui caractérise le discours délirant, c'est avant tout qu'il traduit l'envahissement du psychisme de l'individu par des préoccupations obsédantes. Il est frappant par son étrangeté, par les éléments passionnels qu'il comporte, par l'importance particulière accordée à tel ou tel fait apparemment banal.

Dans le développement de la psychose, le délire fait suite à une période d'angoisse très violente, un sentiment d'anéantissement, de mort, chez le sujet. Comme l'ont montré S. Nacht et P. C. Racamier[1], le délire apparaît comme une modalité de défense contre cette menace : il présente une restructuration du monde propre au malade, et son élaboration s'accompagne d'un soulagement de la souffrance antérieure. Il peut s'installer durablement (même si c'est un discours intermittent), à moins qu'on intervienne sur le malade pour y mettre un terme.

On a pu comparer le délire au rêve. Comme dans le rêve, il semble que l'on puisse chercher dans le délire deux niveaux de contenu : un contenu manifeste et un contenu latent. Le rêve transforme les événements, les remplaçant par des symboles qui sont mis en relation entre eux par une « sémantique », des rapprochements nouveaux. Chaque rêve, et chaque délire, a sa symbolique propre. Selon l'interprétation de J. Lacan[2], le rêve peut présenter des *condensations* : une même image aura plusieurs sens, associés entre eux par un lien métaphorique (comme l'eau et le vin) et des *déplacements* : sens associés par un lien métonymique (comme l'eau avec le verre, par exemple).

Des phénomènes analogues peuvent être observés dans les délires. La restructuration du monde s'accompagne souvent d'une modification de la frontière entre le sujet lui-même et le monde extérieur. Le sujet est comme fusionné avec le monde : il comprend tout. Tout prend un sens, tout le concerne. Comme le rêve, le délire est peuplé d'éléments manifestant l'inconscient du sujet : traduction de désirs, projections sur l'extérieur de tendances inacceptables pour la conscience du malade.

Le langage subit le contrecoup de cette transformation du monde extérieur et intérieur du sujet. La *modification du signifié* de certaines unités montre la prise d'importance des *connotations* personnelles attachées à ce signifié, aux dépens de la *dénotation* (signifié établi socialement). Cette prépondérance de la valeur connotative des termes oriente, motive le choix des unités, ce qui va entraîner la fréquence inhabituelle de certaines d'entre elles. De cette nuance du sens propre au malade, on passe parfois à un emploi carrément impropre. La déviation du signifié par rapport à son acception normale est souvent très pertinente, révélatrice du contenu structuré du délire. Peut-être faut-il voir un indice de la valeur spéciale conférée à certains mots, dans l'isolement morphologique artificiel que le rédacteur de cette lettre crée autour d'eux :

> « Mes respects Monseigneur le Don à Don,
> « La façon de le Abon à Abon me a dit de vous écrire cette lettre pour vous demander de apprendre pour moi dans l'Eglise Catholique.

1. S. Nacht et P. C. Racamier, *La théorie psychanalytique du délire*, rapport au XXe Congrès des Psychanalystes de Langue romane, 1958, in *Revue française de Psychanalyse*, 1958, n° 4-5.
2. Les formations de l'inconscient, séminaires de l'année 1956-1957, *Bulletin de Psychologie*, *1956-1957*.

> « Je désire ne pas me mettre à le en pas de la Sainte Eglise Catholique. J'ai péché, j'en conviens, je le reconnais.
> « Le texte qui accompagne ma lettre est destiné à le Vatican, aux bons soins de Monseigneur.
> « Les explications de ce texte sont le simple.
> « Le démon qu'on savait désigné du nom d'Apollon est à pas et à repas en ce lieu (...) C'est un apaise. On sait que bientôt la ville de Pamiers en aura le Abon. On sait qu'un jour le Vatican en aura le Abon.
> Avec mes respects à Monseigneur, le Bon à Bon
> Albert Emmanu Joseph B... »

Avec la modification du signifié des unités, le trait le plus typique des délires est la présence de *thèmes préférentiels* qui organisent le discours. Si chaque délire possède incontestablement son originalité, il n'en existe pas moins des ressemblances sur ce point : on retrouvera fréquemment le thème de la *transformation du corps* :

> « Par contre, je me souviens d'avoir eu l'esprit précipité dans ma matrice et en dehors de celle-ci 15 jours avant l'accouchement de mon fils. J'ai là souvenance d'avoir vu le futur nouveau-né à travers son enveloppe et même d'avoir été quelques secondes incarnée en lui. A ce moment-là j'éprouvai le besoin de m'étirer, de bouger. Si je fais cadrer les dates dans ma mémoire, j'avais déplacé l'enfant. »

Tel malade est pétrifié, puis transformé en terre, en oiseau; les changements de sexe sont très fréquents. Il y a aussi des métempsychoses. Très fréquents sont les *thèmes de possession* : un être, le malade, mais pas forcément lui seul, est habité par d'autres. Une femme se dit envahie par des grillons qui occupent son cerveau. Un malade, cité par H. Faure, craint l'utilisation qu'on pourrait faire de sa photographie. A la question : « Cette photo est-elle tellement dangereuse ? », il s'exclame :

> « Oui, c'est l'évidence même! Ça pourrait servir d'objet quartz, servir de base de réfraction, aider à certaines transmissions de pensée... Certaines actions pourraient être décidées et projetées... Avec les inventions modernes, on peut aller jusqu'à couler un bateau en visant sa seule photographie. Avec la photo, vous devenez le miroir de ceux qui vous ont coincé... on peut expliquer là des choses inexplicables... »[1].

Même hantise de l'envahissement clandestin chez une autre patiente présentée par Faure :

> « Discuter ces affaires-là n'entre pas en justice... On peut pas faire de procès avec ça (...) Ce sont des invisibles (...) Ils passaient à travers des plaques de contreplaqué, à travers les tôles de zinc, ça cognait jusque sur ma tête... J'avais mis deux panneaux de bois d'échafaudage pour mon lit... pensez donc! Ça secouait la chambre... Ça me « berdançait »... Si ç'avait été enclos, les invisibles auraient butté..., les extensions du surnaturel étaient trop frontalières... »[2].

Ces fragments d'interviews offrent des exemples de glissement personnel de la valeur sémantique d'un terme (*objet quartz*, *base de réfraction*, *frontalières* (?)). Le thème de la possession revêt certains aspects répandus : télépathie, invasion du cerveau à l'aide d'instruments « scientifiques » (d'autres fois, c'est la télévision, ou la radio qui sont soupçonnées). On retrouve les mêmes obsessions, assorties d'idées de persé-

1. H. Faure, *Les appartenances du délirant*, PUF, 1956, p. 45.
2. *Ibid.*, p. 173.

cution, dans le témoignage recueilli par Faure, de cette femme de 48 ans, persuadée qu'on veut la brûler dans son lit :

> « J'ai une maison avec jardin par-devant et par-derrière. Je suis sûre qu'il y a, en dessous, une sorte de cave. Il faudrait absolument creuser un trou, on découvrirait de drôles de choses. Ils sont installés là avec leurs émetteurs. Pour me faire ce qu'ils me faisaient, il fallait bien qu'ils violent mon domicile... Oh! pas par la porte, bien sûr, j'aurais pu les prendre; mais par les murs. Ils me prenaient dans leurs rayons dans la journée, mais la nuit, c'était sur la chambre qu'ils dirigeaient leurs saletés et leurs chauffages. Ils disaient : « C'est là le secteur. » »
>
> « Ces gens avaient branché un haut-parleur et un radar... Avec ça, ils me disent des choses innommables, qu'ils appellent la sodomisation... »
>
> « Ils me font défiler devant les yeux des films d'une grossièreté incroyable... »[1].

Chez un autre malade se combinent aussi les thèmes de l'envahissement et des violences sexuelles :

> « Certains ayant connu le spiritisme pensent que des jeunes filles ou des jeunes femmes endormies dans un sommeil profond (comme moi en 1939) aient pu être *violées* par des *hommes visibles ou invisibles*, c'est-à-dire étaient pilotées au cerveau par des hommes ou des femmes qui tenant leur corps aient pu accepter l'acte conjugal : *ce qui serait mal* en livrant ces corps à l'homme visible ou bien que l'homme invisible se détachant des murs ou bondissant dans la pièce où ces corps endormis reposent, prennent corps et chairs comme moi en 1939 et *puissent leur faire un enfant* soit en laissant incliner aux faiblesses de la chaire *(sic)* soit leur esprit saisi par d'autres esprits. »
>
> (Extrait des carnets d'un malade, fragments soulignés par lui.)

Ou encore, un peu plus loin :

> « Je me souviens dans ma jeunesse de ces lapins que l'on amenait la veille à la *femelle et qui faisaient du bruit toute la nuit*, pensant plus à se donner des coups de GRIFFES ou de DENTS, ce qui semblait dire que leurs esprits tenus par des esprits d'êtres humains ahuris de se voir changés en lapins devenus diaboliques faisant éclater leurs révoltes par un brouhaha de leur cage. Les bêtes, elles, seraient probablement restées tranquilles.
>
> « J'ai par déduction la même pensée pour les accouplements de Bœufs et de moutons... Plaisanterie peut-être qui devait mettre en échec la science de l'homme. »

Très présente aussi dans les nouvelles structurations du monde présentées par les malades, la division manichéenne du bon et du mauvais :

> « Ces dernières années nous confirment que l'Amour sous toutes ces formes est *bafoué, livré, brûlé, corrompu.*
>
> « Nous avons conscience de la valeur du
>
> BIEN et du MAL
>
> dans les choses visibles et invisibles ayant conscience de l'immense erreur et ignorance dans laquelle le monde ancien fut élevé et aussi nous-mêmes... »

Le raisonnement est souvent, comme ici, empreint d'une apparente rigidité morale. Chez d'autres, le délire peut être davantage constitué d'hallucinations, ou d'interprétations à partir de faits réels ou imaginaires.

1. *Ibid.*, p. 169.

On est souvent frappé par le *caractère faussement logique de l'argumentation*, d'autant plus que les propos sont étayés par des formules empruntées au raisonnement : « c'est pour cela que... ceci confirme... prouve... », alors que fréquemment, les déictiques ne renvoient à aucun référent repérable. Certaines phrases présentent des ruptures de construction, avec passage d'une idée à une autre, provoquant des transitions bizarres. Ce décousu contraste avec les formes rigides des affirmations, qui préparent l'auditeur à entendre un raisonnement rigoureux.

Le *ton*, souvent, n'est pas non plus en accord avec le contenu. Le discours donne une impression de *monotonie*, avec des répétitions ou des reprises incessantes d'un thème.

Les unités constitutives du langage, phonèmes et monèmes, semblent cependant utilisées à peu près normalement, du point de vue formel. Le langage est « correct », surtout en comparaison des productions schizophasiques, ou aphasiques. Il y a cependant, ici aussi, quelques créations de néologismes : « ça me *berdançait* » (influence de *bercer* et de *danser* ?). Un des malades de Faure reçoit du *Bismuré* par un tuyau. Parmi les cas recensés par Paule Petit, l'un est « physiélectrisé »; on lui fait du « pili-physique ». « Mes chairs sont devenues tellement dures par les ondes *optisées* que je ne perçois plus rien »[1].

De même, la construction des phrases peut être altérée, présentant des inversions, des omissions, des déplacements de monèmes, des ruptures ou des tournures insolites : « discuter ces affaires-là n'entre pas en justice »... Mais ces particularités de vocabulaire et de syntaxe ne sont pas en présence assez massive pour être vraiment caractéristique du délire.

Enfin, le discours délirant manifeste une certaine recherche, un goût de la formule et de la fioriture portant sur le vocabulaire et sur le style : on peut sans doute y rattacher des séquences comme : « ils passaient à travers des *plaques* de contre-*plaqué* », frappante par l'assonance qui n'est pas sans évoquer celles du discours schizophasique, que rappellent aussi les coordinations, anormalement répétées, d'éléments de signifié voisin ou de contraires : « jeunes filles *ou* jeunes femmes... violées par des hommes visibles *ou* invisibles pilotées... par des hommes *ou* des femmes... en livrant ces corps à l'homme visible *ou* bien que : l'homme invisible... Ces corps reprennent corps *et* chairs... la valeur du Bien *et* du Mal... choses visibles *et* invisibles... ».

On peut se demander s'il y a ici recherche de style dans un but esthétique, ou si ces termes accouplés ne hantent le malade, ne s'imposent à lui qu'à cause de leur forme linguistique particulière, qui l'impressionne.

Pour les descripteurs, il ne fait pas de doute que le délire procure à son auteur un certain plaisir narcissique. D'ailleurs, toute cette production verbale semble plus orientée vers l'expression, l'objectivation du monde intérieur du sujet que vers une tentative de communication avec l'entourage; et le délire sert plutôt d'écran, permettant d'éviter la communication, que de message adressé à l'interlocuteur direct.

D'une manière générale, les observateurs du langage pathologique éprouvent une même impression : alors que les aphasiques gardent un comportement normal

1. Paule Petit, *Les délires de la personnalité curables*, Paris, Ed. Le François, 1937, pp. 87-88.

et une pensée cohérente (dans la majorité des cas, et selon la gravité des troubles de la compréhension), mais que les moyens linguistiques leur font défaut ou les trahissent, ce qu'ils auront souvent tendance à corriger, les psychotiques, au contraire, présentent des formes particulières de langage, parfois proches des déformations de certains aphasiques, mais qui semblent convenir à leur comportement, et parfois à leur vision du monde, à leur façon de l'analyser.

Dans le dernier cas envisagé, avec les délires, il semble que le langage lui-même présente peu de « troubles » à proprement parler. Ce type de discours peut cependant être soumis à une analyse thématique analogue à celles dont relèvent les textes littéraires, qui peut s'avérer révélatrice.

La dérive sémantique de certains mots, les « impropriétés », l'emploi récurrent de tournures syntaxiques et de formes inhabituelles méritent un examen attentif et font également partie d'un tableau clinique que le linguiste peut contribuer à établir; mais (pas plus ici que dans l'analyse des textes littéraires) on ne peut sans danger isoler la forme du fond : contenu (apparent et latent) du discours, mais aussi, dans son ensemble, tout le comportement énonciatif. Pour prendre sa vraie valeur, l'interprétation linguistique des thèmes et des usages particuliers au malade doit, bien entendu, être menée en parallèle avec l'interprétation psychopathologique du cas.

## *BIBLIOGRAPHIE*

ALAJOUANINE (Th.), *L'aphasie et le langage pathologique*, Paris, Baillère, 1968, 358 p.
FURTH (H. G.), *Thinking without language : Psychological interpretation of deafness*, New York, Free Press, 1966.
HÉCAEN (H.), Studies of Language Pathology, *Current Trends in Linguistics*, 9, La Haye, Mouton, 1972.
— *Introduction à la neuropsychologie*, Paris, Larousse, 1972, 327 p.
— et ANGELERGUES (R.), *Pathologie du langage*, Paris, Larousse, 1965, 200 p.
IRIGARAY (L.), Approches psycholinguistiques du langage des déments, *Neuropsychologia*, 1967, 5, 25-52.
JAKOBSON (R.), *Langage enfantin et aphasie*, Paris, Ed. de Minuit, 1969, 185 p.
LECOURS (A. R.), Le cerveau et le langage, *Revue de l'Union médicale du Canada*, t. 103, 1974, 232-263.
LHERMITTE (F.), Sémiologie de l'aphasie, *Revue du Praticien*, Paris, 1965, 15, 2255-2292.
— MOUNIN (G.), TISSOT (R.), *L'agrammatisme*, Bruxelles, Dessart, 1973, 154 p.
NACHT (S.) et RACAMIER (P. C.), *La théorie psychanalytique du délire*, Rapport au XXe Congrès des Psychanalystes de Langue romane, 1958, in *Revue française de Psychanalyse*, 1958, 4-5.
OLÉRON (P.), *Les sourds-muets*, Paris, 1950.
— *Eléments de répertoire du langage des sourds-muets*, Paris, CNRS, 1974.
— *Langage et développement mental*, Bruxelles, Dessart, 1977.
OMBREDANE (A.), *L'aphasie et l'élaboration de la pensée explicite*, Paris, PUF, 1951, 440 p.
PENFIELD (W.) et ROBERTS (L.), *Langage et mécanismes cérébraux*, Paris, PUF, 1963, 305 p.
STOKOE (W. C.), *Semiotics and human sign languages*, La Haye, Mouton, 1972.
TISSOT (R.), *Neuropsychopathologie de l'aphasie*, Paris, Masson, 1966, 114 p.

# 4

# la constitution des codes artificiels

PAR CLAIRE MAURY-ROUAN

Où s'arrête et où commence le domaine des codes « artificiels » — c'est-à-dire fabriqués intentionnellement, artificiellement, consciemment, dans le but de communiquer ?

La limite, ainsi définie, n'est pas toujours aussi commode à tracer qu'on pourrait le croire. Sans aller jusqu'à reposer sous cet angle (sans le moindre espoir d'y répondre) la question de l'origine du langage lui-même, on peut se demander comment classer de ce point de vue les systèmes numériques — du moins leur contrepartie sémique, la notation. Le lecteur connaît au moins deux exemples : chiffres arabes et chiffres romains, parmi les très nombreuses sémies imaginées par les groupes humains, indépendamment ou parallèlement à des nombres linguistiques, pour représenter les quantités[1]. Tout le problème, d'ailleurs, est dans ce que recouvre cet « imaginées » : création lente, progressive, inconsciente, ou mise au point *ex nihilo*, institutionnalisation du code par quelque décret — ou bien, peut-être, une genèse comportant un peu de ces deux aspects; bref, il est souvent bien difficile de savoir si tel code est « artificiel » ou pas, même si le caractère quelque peu mixte, bricolé, ou au contraire extrêmement homogène et cohérent du code peut servir d'indice à cet égard.

Ce qu'il y a de certain, toutefois, c'est que l'on observe, à côté et en dehors de l'usage des langues naturelles, un certain nombre de systèmes de communication qui semblent servir dans des *circonstances* particulières, celles où la langue proprement dite ne peut donner entièrement satisfaction : la distance, qui exclut le support vocal, et fait apparaître soit des moyens sonores plus puissants : tambours, luths, gongs, sifflements (langages de bergers, observés dans les Pyrénées et aux Canaries; en Afrique, en Océanie, communication entre villages ou avec des divinités)[2], soit le changement complet de support, avec l'utilisation de signaux visuels (signaux à bras, connus un peu partout, signaux de fumée des Indiens d'Amérique, pavillons, phares et balises, dans la navigation maritime); le bruit ambiant qui peut aussi être à l'origine d'une communication visuelle.

1. On consultera sur ce point le très riche recueil : *Number Words and Number Symbols* de Karl MENNINGER, MIT Press, 1970, 479 p.
2. Cf. en particulier Théodore STERN, Drum and whisthe languages : an analysis of speech surrogates, *American Anthropologist*, vol. 59, n° 3, juin 1957, pp. 487-506.

D'autres codes sont rendus nécessaires, non pas par des conditions extérieures défavorables, mais par l'absence de langue naturelle commune, ce qui serait le cas des langages gestuels des Indiens d'Amérique du Nord — d'autres encore, par le caractère clandestin de la communication : ainsi, les gestes des marchands sur les foires d'Asie.

Ces codes peuvent n'être que des sortes d'écriture, substitutifs par rapport aux phonèmes, aux syllabes ou aux tons : cela semble être le cas de beaucoup de langages tambourinés, qui sont donc d'extension infinie, comme le langage qu'ils représentent; substitutifs par rapport à un premier système substitutif, comme le morse par rapport à la graphie. Ils peuvent démarquer seulement la première articulation de la langue locale, ou une partie de cette première articulation; ils peuvent comporter ainsi, un peu comme les idéogrammes au chinois, de nombreux signes munis d'un signifié, sans ressemblance avec les monèmes correspondants; ou, au contraire, dans certains cas, ces signes sont constitués de sous-éléments, de *figures* récurrentes de caractère distinctif. Ils peuvent enfin, dépourvus de toute articulation, ne compter qu'un nombre réduit de messages « tout faits », comme (semble-t-il), le langage sifflé du flirt, utilisé par les jeunes des deux sexes chez les Indiens Kickapoo au Mexique : messages usuels, relevés par Ritzenthaler et Peterson : « Viens » — « je viens » — « attends-moi » — « je pense à toi » exécutés par sifflements modulés à l'aide des deux mains[1]. Dès que ces codes cessent de n'être qu'une écriture, et présentent, comme ici, un caractère d'autonomie, leur extension tend à se limiter, car l'effort de mémorisation d'unités nouvelles (plus nombreuses que celles qui correspondraient, dans une « écriture », aux quelques dizaines de phonèmes) est plus grand.

Plus près de nous dans l'espace et surtout dans le temps, nous sommes confrontés à un certain nombre de systèmes de communication que nous pouvons, sans hésitation, considérer comme des codes artificiels, leurs conditions d'élaboration et leurs finalités étant bien connues. Ces codes sont particulièrement nombreux dans le monde du travail, et singulièrement dans l'industrie.

Nous ne traiterons pas ici, bien qu'ils reçoivent parfois le nom de *code*, de systèmes aussi différents que la peinture, la musique d'une part, dans lesquels se combinent fonction communicative et fonction expressive, ni de codes dont le rôle n'est pas directement communicatif : algorithmes, langages de programmation et de documentation.

L'extension de la forme industrielle du travail, caractéristique des deux derniers siècles, a en effet donné naissance à des types de communication nouveaux, adaptés aux conditions de la production : sémies plus ou moins compliquées, allant des gestes de commande des tâches, remplaçant les ordres oraux dans les ateliers bruyants, plus ou moins codifiés, systématiques ou improvisés (comme les gestes servant à guider un camionneur dans ses manœuvres) jusqu'à des codes de communication très établis, fixés de façon impérative et éventuellement consignés dans les instructions de travail.

Les travaux de recherche dans ce domaine sont assez peu nombreux, surtout

1. Courtship whistling of the Mexican Kickapoo Indians, *American Anthropologist*, *56*, 1088, 1954.

en ce qui concerne les sémiologues-linguistes; jusqu'ici, ce sont surtout des psychologues, des sociologues et des ergonomes[1] qui se sont intéressés à la part prise dans le travail par les systèmes de communication. Certains d'entre eux, comme, en France, Yvette Lucas et X. Cuny, ont cependant jugé indispensable d'emprunter, pour rendre compte de ces systèmes, les méthodes de la sémiologie formulées par Buyssens, Prieto et Mounin. L'interdisciplinarité est d'une utilité évidente, dans ce champ, mais on doit souligner que les centres d'intérêt des uns et des autres ne sont pas identiques. Le psychologue s'intéresse à l'homme dans le travail, et cherchera à déterminer ce que de nouvelles formes d'activité (la communication, au même titre que tous les processus d'information) peuvent entraîner du point de vue cognitif : la modification de la perception du travail, l'activité nerveuse, le stress; l'adaptation de la formation à la tâche effectuée. Un code de communication représente, de ce point de vue, un objet nouveau de perception, de mémorisation. L'ergonomie cherche à *optimaliser* le processus de production, à lui donner son rendement maximum, ce qui évidemment peut se traduire différemment selon les valeurs respectives que l'on assigne au circuit matériel d'un côté, et aux individus que sont les opérateurs de l'autre. Sur le plan de la communication, un code sera envisagé comme perfectible du point de vue de son mode d'émission : on cherchera à le rendre moins coûteux du point de vue du support (peinture peut-être moins visible, mais moins chère); ou, aussi bien, comme perfectible du point de vue de l'utilisateur (créant moins de fatigue, demandant moins d'attention soutenue). En général, l'ergonome cherchera un équilibre permettant le meilleur rendement de la communication pour un moindre coût matériel et humain.

Nous retrouvons ici certains aspects qui font penser à ce que le linguiste a l'habitude d'appeler les facteurs de l'économie dans les langues naturelles. Mais nous allons voir que le parallèle ne doit pas être poussé trop loin. La première des différences, capitale, réside précisément dans la définition de ces codes : alors que les langues, évoluant au cours des âges, montrent une *tendance* des locuteurs à remodeler le système dans le sens d'une plus grande économie, cette tendance est pour l'essentiel *inconsciente*, et, si l'on excepte les modifications du lexique, les remaniements et améliorations qui viennent à émergence, dans les structures phoniques ou syntaxiques, ne sont « voulus » par personne[2]. Ici, au contraire, la tendance est consciente : les codes sont le plus souvent forgés *ad hoc*, par des ingénieurs (dans les systèmes hommes-machines), par les agents de maîtrise ou les travailleurs d'un même atelier.

Il y a d'autres différences, considérables, et qui donnent son intérêt au travail

1. Voir, par exemple, J.-M. Faverge, L'analyse du travail, *Bulletin du CERP*, Paris, 1953; J. Leplat et A. Bisseret, Analyse du processus de traitement de l'information chez le contrôleur de la navigation aérienne, *Bulletin du CERP*, 1965, t. XVI, n° 1-2, p. 51-67; X. Cuny, Sémiologie et étude ergonomique des relations de travail, *Travail humain*, t. 32, 3-4, 1969, et Systèmes de communication interpersonnelle non verbale dans l'industrie, *Epistémologie sociologique*, 9, 1970, 163-166; Y. Lucas, *Codes et machines*, Paris, PUF, 1974. En sémiologie proprement dite : G. Mounin, *Introduction à la sémiologie*, Paris, Ed. de Minuit, 1971; L. Prieto, *Messages et signaux*, Paris, PUF, 1966; E. Buyssens, *Les langages et le discours*, Bruxelles, Lebègue, 1943; C. Maury, Etude des signaux logiques utilisés par le calculateur d'une usine de cimenterie, *Epistémologie sociologique*, 9, 1970, 150-162.

2. Mais, plus probablement, fruits de la combinaison « du hasard et de la nécessité », comme le suggère X. Nève de Mevergnies, Le hasard et la nécessité en linguistique, réflexions sur la téléonomie des langues naturelles, *La Linguistique*, 12, 1976.

du sémiologue. Cherchant à faire, selon le projet de Saussure, l'étude de la communication sous toutes ses formes, il la rencontre ici dans des *conditions matérielles* très différentes de celles qui caractérisent les langues naturelles. Tout le problème va être de dégager ce qui va, en conséquence, être modifié; et ce que l'on va, malgré tout, retrouver de commun, de fondamental (parce que lié au rôle de communication) dans l'organisation sémique. Il est évident que la dispersion accentuée des interlocuteurs, le manque de visibilité, le bruit (entraînant le passage de la communication à des supports visuels, statiques ou momentanés, de la communication directe à la communication différée) ; la différence de « support » du message (être humain, émetteur, panneau ou appareil), le caractère de système « second » quoi qu'il en soit, par rapport à une langue naturelle; la précision variable exigée des messages, dépendant du système de production dont cette communication n'est qu'un appendice, tout cela va changer considérablement les données de cette transmission.

Ces différences apparaissent sensiblement si l'on se livre à l'analyse sémiologique de deux systèmes de communication, très différents par leur support et par leur extension.

## 1. Code des couleurs de canalisations

Prenons par exemple le mode d'identification des fluides contenus par les canalisations et les bouteilles, dans l'industrie chimique[1]. *Les besoins de la communication* sont dénombrables : 7 *familles de fluides* (eau, vapeur d'eau, huiles et combustibles liquides, gaz, acides et bases, air, autres liquides) ; 19 *fluides particuliers* à distinguer parmi 3 des 7 familles mentionnées (eau distillée, potable ou non; hydrocarbures selon propriétés, gaz variés : acéthylène, ammoniac, anhydride, etc.) ; 6 *états* possibles de ces fluides (chaud, raréfié, pollué, sous pression...) et enfin, 3 sens d'écoulement. *Les conditions de la communication* sont définies par un support spatial (la canalisation) et un mode : la peinture.

Voici quelques traits de l'organisation présentée par ce code. Les 7 familles de fluide sont indiquées par 7 teintes « de fond », figurant sur de larges bandes (de toute la longueur du tuyau, ou de six fois sa largeur, au moins).

On peut trouver un certain lien intrinsèque, un symbolisme dans l'attribution de ces couleurs :

| | | | |
|---|---|---|---|
| 1. Eau | vert | 4. Gaz | ocre jaune |
| 2. Vapeur d'eau | gris argent | 5. Acides et bases | violet |
| 3. Huiles / Hydrocarbures | brun | 6. Air | bleu clair |
| | | 7. Autres fluides | noir |

Le code se complique avec l'indication, *dans les cas où c'est nécessaire*, de l'identité des différents fluides. Celle-ci se fera par bandes de couleur plus petites (longues comme deux fois la largeur du tuyau) portées *sur* la teinte de fond. Ainsi l'eau non

1. Cf. Normes AFNOR, parues au *Journal officiel* de 1969.

potable sera à larges bandes vertes interrompues de bandes noires. L'acétylène sera identifiée par une teinte de fond ocre jaune (gaz), interrompue de bandes marron clair, etc.

*Teintes d'identification des fluides*

| | | |
|---|---|---|
| Eau (vert) | distillée | rosé |
| | potable | gris clair |
| | non potable | noir |
| Hydrocarbures Lubrifiants (brun) | température supérieure ou égale au point d'éclair ($\geqslant$ ou $<$ 55 °C) | vert clair |
| | température inférieure au point d'éclair ($\geqslant$ 55 °C) | bleu foncé |
| | lubrifiants | jaune |
| Gaz utilisés comme combustibles (ocre jaune) | | rose |
| Gaz autres (ocre jaune) | acétylène | marron clair |
| | ammoniac | vert clair |
| | anhydride carbonique | gris foncé |
| | argon | jaune |
| | azote | noir |
| | cyclopropane | orangé |
| | éthylène | violet |
| | hydrocarbures chlorofluorés (fréons) | vert foncé |
| | hélium | brun |
| | hydrogène | rouge |
| | oxygène | blanc |
| | protoxyde d'azote | bleu foncé |

Pour être claire, l'identification doit reposer sur des couleurs (signifiants du sème) bien différenciées : cela supprime la possibilité d'attribuer à chaque fluide sa couleur propre (26 couleurs à choisir dans les variations du spectre), et d'en rester là : nous nous heurtons ici à des limitations d'ordre perceptif.

## 2. Limites du caractère symbolique

L'avantage d'une sémie basée sur le caractère symbolique (ou iconique) de ses signes est qu'elle permet en principe un apprentissage plus rapide, une mémorisation meilleure des unités. On aurait pu imaginer différentes manières de conserver ce caractère symbolique que les 7 teintes des familles de fluide avaient exploité. Pour l'*eau*, par exemple, garder la teinte de vert et distinguer, toujours de façon symbolique : vert clair, distillée; vert moyen, potable; vert foncé, non potable. Garder la même couleur n'était pas d'ailleurs une obligation : la couleur symbolique choisie dépend du type de lien intrinsèque établi avec le référent, qui peut être avec son *usage* par exemple : le rouge pourrait désigner l' « eau d'incendie ».

Mais ce qui paraît possible pour l'eau (trois qualités simples, exprimables, symboliquement, en termes de couleurs différentes) devient beaucoup plus difficile dans le cas des 12 gaz (« sans vocation de combustible »). La première solution : éviter d'ajouter une couleur d'identification, et nuancer dans la couleur de base, si on devait l'appliquer ici à l'ocre jaune (13 différenciations à prévoir, en comptant les « combustibles »), devient tout simplement impensable, compte tenu de nos capacités de discrimination (et même sans faire entrer en jeu les « bruits » : ici les éclairages variables, etc., qui, déjà, auraient été gênants pour les 3 *verts* de l'eau). La seconde manière d'exploiter le symbolique paraît inapplicable aussi : quel type de « ressemblance » le signe coloré pourrait-il avoir avec des référents comme l'azote, l'argon, composants de l'air ? A moins de motiver la couleur par rapport à une propriété, un usage de ces gaz (ce qui n'est, dès lors, symbolique que pour des récepteurs connaissant la chimie).

Avec ce tableau d'identification des fluides nous quittons donc la tendance symbolique-facilitante, mais limitée d'extension, et le code doit faire appel à un procédé, fondamental pour les codes développés, *l'articulation.* Face à cette différenciation accrue des besoins de la communication, l'articulation permet d'utiliser plusieurs fois les mêmes unités (de forme), en les combinant pour faire d'autres signes, ce qui permet de limiter le stock total d'unités formelles (de couleurs différentes à peindre et, surtout, ici, à discriminer).

En effet, nous observons le réemploi du *rose* (= combustibles, = eau distillée) ; du *vert clair* (ammoniac, certains hydrocarbures) ; du *violet* (acétylène, et, « fond » : acides et bases), etc. Il ne s'agit pas d'une réutilisation pure et simple, mais bien de réutilisation dans des combinaisons différentes, qui deviennent les signifiants (complexes) des fluides désignés :

« hélium » = /brun/ + /ocre jaune/ ~ /brun/ « huiles diverses »
(« gaz » fond)

ou :

« eau distillée » = /rose/ + /vert/ ~ /rose/ + /ocre jaune/ = « gaz servant comme combustible »
(fond) (fond)

opposition qui pourrait se réduire à « eau distillée » = /vert/ ~ /ocre jaune/ « gaz usage combustible », mais seulement entre ces deux fluides, puisqu'ils ont besoin de leur seconde composante chromatique pour s'opposer aux autres, et que l'opposition /vert/ ~ /ocre jaune/ sert déjà, dans le système, pour opposer les gaz à l'eau.

Donc, le signifiant des sèmes d'identification est articulé. Tous n'en ont pas besoin : « acétylène » /marron clair/, s'oppose par cette seule couleur à tous les fluides. « Cyclopropane » et « fréon » sont dans le même cas : le fait que leur teinte soit reportée sur un tuyau ocre-jaune n'est donc pas pertinent, et ne fait que souligner, en cas d'oubli, leur qualité de gaz. La juxtaposition avec l'ocre-jaune constitue ici une redondance (notons que les signifiés sont en rapport d'inclusion : gaz/acétylène).

## 3. Type d'articulation utilisé

Lorsque, dans le sème « eau distillée », le signifiant est constitué de /rose/ + /vert/, pouvons-nous parler de seconde articulation, d'articulation en « figures » analogues aux phonèmes ? C'est faux en ce qui concerne /vert/ = « eau » (également dans les autres oppositions). Mais /rose/ ne semble pas avoir de signifié. Il n'en fait apparaître qu'en combinaison (ici, et avec ocre-jaune : gaz comme combustibles), sans que sa présence semble amener des modifications proportionnelles du sens. Il s'oppose à zéro, mais dans le seul contexte présent : /vert ± rose/. Nous aurions bien, avec le /rose/ et les autres couleurs ajoutées, un embryon de seconde articulation.

Le fait que cet élément de deuxième articulation ait la même dimension qu'une unité minimale significative, comme /marron/ = « acétylène » pourrait poser problème; mais tout bien considéré, ce n'est là qu'une conséquence du développement relativement restreint du code. Il présente le même aspect qu'une langue doublement articulée, mais qui aurait si peu de monèmes qu'on aurait d'abord utilisé tous les phonèmes isolables comme signifiants (comme en français, pour : « à, en, y, où »...), puis des combinaisons minimales de deux phonèmes : /pa/, /ba/...

Cette articulation est aussi caractérisée, et conditionnée, par la nécessité de fournir le *meilleur contraste possible* entre les deux teintes combinées, ce qui signifie que toutes les combinaisons ne sont pas exploitables.

L'eau forme de bons contrastes (*vert* avec *noir*, *gris clair* et *rose*). Pour les gaz, les cas de l'*argon* (ocre jaune + jaune) et de l'acétylène (ocre jaune + marron) ne semblent pas très satisfaisants à cet égard; pour l'*argon*, son opposition semble aussi mal assurée avec les *huiles lubrifiantes* (*brun + jaune*). La gêne qui peut résulter de ces combinaisons est évidemment fonction du risque de concurrence effective, par présence simultanée de ces fluides dans les mêmes locaux.

On remarquera enfin que les dimensions *différentes* des bandes de couleur (teintes de fond, bandes ajoutées) sont jusqu'ici un élément *redondant*, puisque la combinaison de couleurs (ocre jaune + orangé, brun + vert...) suffit à identifier le fluide concerné.

Mais ce caractère de facilitation va disparaître à son tour, avec la complexification du code, qui intègre, si besoin est, un troisième type d'indications : celles qui concernent l'*état* du fluide transporté.

| | | | |
|---|---|---|---|
| Chaud, surchauffé | orangé | Gaz liquifié | rose |
| Froid, refroidi | violet | Pollué ou vicié | brun |
| Gaz raréfié | bleu clair | Sous pression | rouge |

Toutes ces teintes, on le remarque, ont déjà été utilisées dans le code : la seule façon possible de les singulariser pour ce nouveau rôle est d'utiliser un trait supplémentaire : la dimension. Les teintes d'état du fluide figurent sur de petites portions du tuyau; elles sont longues comme la largeur du conduit, et larges comme moitié de leur longueur. On les peint sur la teinte de fond, à côté de la bande (éventuelle) d'identification du fluide, dont les sépare, si nécessaire, un liséré blanc.

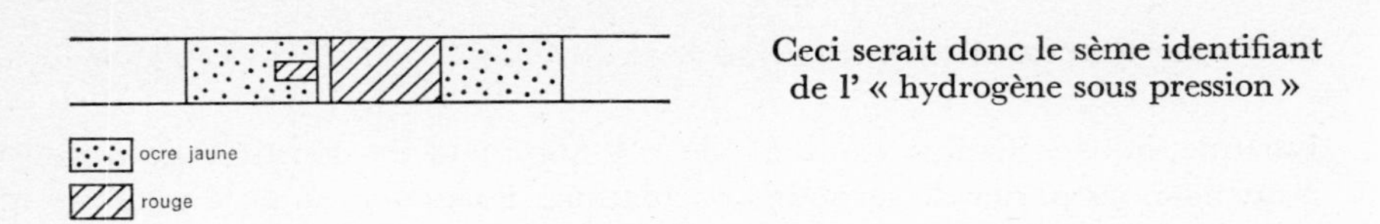


Ceci serait donc le sème identifiant de l' « hydrogène sous pression »

Dès l'instant où le code comporte les teintes d'état du fluide, il n'est plus possible de considérer la dimension des bandes comme un élément redondant, puisqu'il est le seul qui permette de distinguer, par exemple :

/ocre jaune + brun + violet/ = « gaz-hélium - refroidi »
et
/ocre jaune + violet + brun/ = « gaz - éthylène - pollué-vicié »

On peut se demander, d'ailleurs, si l'économie de ce code, qui devient très poussée au niveau de ce troisième type d'indications, est rentable dans tous les cas : s'il est nécessaire de représenter, par exemple, de l' « air raréfié » (?), on aura : /bleu clair + bleu clair - petit format et liseré blanc/. (Au cas où ce sème ferait partie des messages possibles, il serait sans doute nécessaire de réintroduire un élément redondant quelconque facilitant son interprétation.)

Le sens de passage du fluide est indiqué par de simples flèches, figurées par des traits noirs ou par des bandes blanches, variantes combinatoires adaptées à l'environnement (couleur claire ou sombre du fond).

Nous venons de voir comment un système de communication, partant de besoins simples (probablement les plus répandus) pour arriver à une certaine précision des indications, est conduit à quitter des modes de signification élémentaires (couleurs univoques, lien largement motivé) pour passer à des signes de plus en plus articulés, où des *combinaisons* constituent les unités minimales qui aient un signifié : cette articulation résulte de contraintes spécifiques, issues du *support* de la communication (la canalisation elle-même, nécessairement utilisée, vu la présence possible de plusieurs tuyaux côte à côte), et de son *mode* particulier, la peinture de différentes couleurs, avec les limites de discrimination qu'elles comportent, et qui rendent rapidement nécessaire l'intervention d'un trait supplémentaire, et simultané, la dimension-disposition : l'opposition /petit/ — /moyen/ — /long/. Le tout produit un code à seconde articulation (figures : les couleurs) et première articulation ébauchée : *couleur(s)* + *dimension* (pouvant signifier tel fluide), s'associant à une unité de même structure (signifiant un *état*) : ocre jaune (long) + rouge (moyen) + rouge (petit) = « gaz », « hydrogène », « sous pression ». Il s'agit ici de *simple combinaison* d'unités de première articulation, et nullement de syntaxe, puisque les rapports entre ces unités de sens sont toujours les mêmes : dénotant toutes le même référent, elles forment une sorte d' « apposition ».

## 4. Code du calculateur d'une cimenterie

L'industrie dans sa forme la plus moderne, qui est la fabrication automatisée, transforme radicalement les données du travail humain. De même que la première révolution industrielle, avec l'apparition de la machine-outil, avait remplacé l'homme dans certains gestes répétitifs, le faisant passer au stade de la surveillance et de la correction du travail de la machine, de même, avec l'automation, la machine se substitue à certains processus cognitifs : contrôle, prise d'indice, interventions correctives, qui, jusqu'ici, revenaient aux opérateurs humains. Comme le souligne Yvette Lucas[1], à la place du contact direct avec les machines, l'homme se trouve confronté de ce fait à un *système de signes*, de données, regroupés en tableaux dans des salles de contrôle, et périodiquement alimentés par l'ordinateur de surveillance. L'information émise, codée, peut passer dans des systèmes originaux et complexes de communication, comme cet ensemble de 221 messages émissibles par le calculateur d'une cimenterie (cf. p. 517, n. 1, C. Maury). Voici comment se décompose un message de ce code :

| Gl | B | RP | Sp |
|---|---|---|---|

(« Roue pelle de reprise arrêtée »)

Chaque message, ou sème, est composé de quatre colonnes. La traduction qui l'accompagne, ou « définition », est fournie sur le document descriptif du code. La première colonne, intitulée « nature », comporte un signe choisi, parmi cinq possibilités : global (Gl), thermique (Th), processus (Pr), électrique (El), mécanique (M).

La seconde comporte sept possibilités, qui, *grosso modo*, correspondent à des points du circuit de production : ici B : « reprise au stock et broyage du cru ». Les deux dernières colonnes comportent un choix beaucoup plus vaste de signes. Pour la plupart, ce sont des digrammes, présentant donc une sorte de deuxième articulation, mais sans intérêt sémiologique particulier : elle n'est pas spécifique, il s'agit d'une abréviation de la graphie du mot correspondant (RP = roue pelle, Sp = arrêt — en fait : « stop ») pour la plus grande partie d'entre eux. Dans la quatrième colonne, on n'a pas obligatoirement un digramme, mais quelquefois deux signes d'une seule lettre ou chiffre qui se suivent. La traduction de ces différents signes est fournie par le document.

Si l'on examine maintenant les rapports signifiés existant entre les signes des différentes colonnes, on peut dire, d'après la traduction, que les éléments de première colonne indiquent effectivement la *nature* d'un « défaut » ou d'une « information » (selon les termes du document explicatif) ; la seconde, le *lieu* où ce défaut (cette information, cet accident) est situé ; la troisième colonne, présentant en général un symbole d'appareil, ou de processus (52 signes, parmi lesquels : air, alimentation, groupe des auxiliaires, broyeur, chaudière, électrofiltre, circuit, four...), désignerait *ce qui est atteint*, ou *le lieu, plus précis*, de l'événement ; la quatrième colonne contient presque toujours un signe indiquant l'*événement* lui-même, comme ici : *arrêt*. Dans ce cas-là, les signes employés ne sont pas les mêmes que ceux qui figurent en colonne 3 (appareils, processus), mais on a, par exemple : /eT/ : « température trop élevée — (entrée) ». D'autres fois, le signe de la colonne 4 ne désigne pas « l'événement », mais donne une précision supplémentaire sur la partie du circuit qui pose problème : /Pr — G — Ef

1. Cf. p. 517, n. 1.

— Pp/ par exemple (« processus » — « Granulation-grille-moteurs » — « Electro-filtre » — « Pompe » — traduit par : « niveau haut sur P.19 »), où le dernier signe Pp « pompe » est de ceux qui peuvent se trouver en colonne 3. Dans un message comme celui-ci, l'événement « niveau haut » est implicite : on doit le déduire des circonstants indiqués.

Sémantiquement, cet ensemble fait penser à une phrase linguistique, avec une série de compléments circonstanciels, suivis d'un prédicat-événement. Mais peut-on parler ici, et dans quelle mesure, d'une syntaxe ? Il semble y avoir plutôt, comme dans le code précédent, une simple *combinaison* de signes minimaux pour former le message, du moins si l'on s'en tient aux colonnes 3 et 4 : quelle que soit la colonne où apparaisse le signe, il garde le même signifié, et son rapport aux autres ne change pas (voir le cas de Pp, « pompe », qui ne devient pas un « événement » en passant en colonne 4). Mais la situation change si nous rapprochons les colonnes 1 (« nature ») et 2 (« localisation »), des colonnes 3 et 4 : en effet, elles contiennent des signes homonymiques avec certains symboles des colonnes 3 et 4, de signifié différent ou proche.

Parmi les signes de la colonne 1, citons :

> *Gl :* « global » ici, mais « granulation » en colonne finale; *Pr :* « processus », mais ailleurs « poussière »; *Th :* « thermique », ailleurs : « température trop élevée »; *M :* « mécanique », ailleurs « moteur » (quatre sur cinq sont homonymiques). En colonne 2, cinq signes sur sept sont bivalents : *S :* « stockage du concassage à la livraison », ailleurs : « stockage »; *P :* « pression », ailleurs : « circuit farine », etc.

Pour ces neuf signifiants au total, la *position* occupée dans le message est le seul élément qui renseigne sur la relation de ce signe au reste des unités (puisqu'il sera une « nature », un « lieu », ou un « élément atteint » selon la place qu'il occupera, avec un signifiant identique par ailleurs) ; et c'est cette position également qui permet d'opter parmi les signifiés qu'on pourrait alternativement lui attribuer. Il existe donc un *embryon de syntaxe* dans ce code, qui emprunte aussi à la syntaxe des langues naturelles un de ses caractères propres : le même signe peut servir pour plusieurs référents qui se ressemblent, l'identification plus précise étant assurée par le contexte du message : *Al* : « alimentation » désignera l'alimentation en fuel, en granules, en farine, selon que le *lieu* indiqué est « circuit farine », « moteurs de chauffe-refroidissement », « moteurs de granulation-grille »...

Une autre caractéristique de ces messages est que le signifié global (donné par la traduction du document, en face de chacun des sèmes) n'est pas égal à la somme arithmétique de ses éléments, signifiés des symboles et places pertinentes compris.

Comparons à cet égard :

*/Pr F Ai Sp/* (« processus - moteurs de chauffe - air - arrêt ») et
*/Pr G Ai Sp/* (même analyse sauf pour G = moteurs de granulation-grille).

La traduction officielle du premier message est « manque air de commande », celle du second « pression air de commande ». Pour pouvoir aboutir à ce signifié (qui fait sans doute partie de ce qui est pertinent dans la communication, puisque le document l'indique comme tel), il est nécessaire de savoir que dans les moteurs de chauffe, c'est un *manque*, et dans ceux de la grille, c'est une *pression* d'air qui se produisent, par suite d'un arrêt.

Nous avons ici, typiquement, ce que Prieto appelle le rôle des *circonstances* qui jouent un rôle d'indice, et permettent de choisir entre plusieurs signifiés possibles, admis par le code lui-même. Ce sont aussi les circonstances qui permettent de lever les ambiguïtés possibles d'interprétation (Sp = stop, ou *S*tock + positionnement ?) dans la quatrième colonne.

Par les différents mécanismes qu'il met en jeu, le code du calculateur présente une *économie dans le coût* : les 221 messages qu'il comporte, au lieu d'être représentés par 221 signes différents, très difficiles à mémoriser pour les utilisateurs, sont composés d'éléments de première articulation dont les signifiés combinés (par simple addition, ou par une amorce de syntaxe) permettent de reconstituer le signifié du message (avec l'aide, plus ou moins importante, de la connaissance des circonstances).

Pour la constitution des signifiants de ces signes, la graphie apporte son économie calquée de la deuxième articulation de la langue naturelle.

## 5. L'économie dans les codes artificiels

Nous avons vu, au début de ce chapitre, que les facteurs de l'économie d'un code artificiel différaient de ceux des langues naturelles par leur genèse, et par les conditions de communication qui tiennent au support : visuel, sonore mais non vocal, par exemple. L'exploration du code des fluides et de celui du calculateur fait ressortir quelques différences spécifiques qui en découlent. Mais il existe une autre différence, capitale : celle des pôles de la communication.

Lorsqu'un opérateur humain examine la couleur d'un conduit, ou consulte un cadran, y a-t-il communication ou simple *prise d'indices* ? Peut-on, sinon, parler de transmission de l'information ? de qui à qui ?

On peut considérer que le calculateur est l'émetteur, qu'il y a un message, et un récepteur, qui perçoit un message émis avec « intention de communiquer ». Mais y a-t-il, comme dans la communication humaine, réversibilité, le récepteur devenant émetteur en direction de l'émetteur précédent ? Et *qui* est ce premier émetteur ayant l' « intention de communiquer » : les programmeurs initiaux, l'appareil qui a réagi devant un événement ?

En fait, comme le suggère Y. Lucas, qui pose ces questions[1], il faut distinguer, dans le cas du calculateur :

— le choix de l'indice à donner dans le signal;
— la détermination des conditions où le signal sera émis, qui relèvent de l'intention de communiquer des constructeurs; et

1. Cf. p. 517, n. 1.

— l'acte de production matériel du signal, face à une situation, qui est l'œuvre de la machine, et le schéma classique émetteur-récepteur devient :

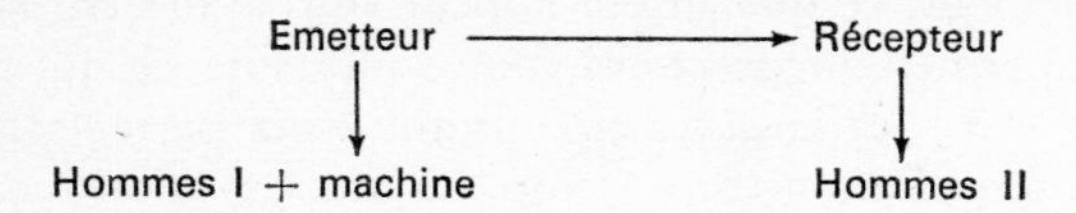


La « réponse » est possible, mais par un canal différent (des Hommes — 2 aux Hommes — 1) ; certaines machines permettent la « réponse » par instructions-retour à l'ordinateur (ou informations) ; il y a enfin les rares cas d'ordinateurs qui dialoguent, mais bien sûr, les réponses sont pré-construites (cependant, les potentialités de la combinatoire sont assez considérables).

La modification du schéma émetteur-récepteur dans un cas de ce genre, celle qui caractérise le code des canalisations (ou le Code de la route, etc. : l'émetteur a « parlé » une fois pour toutes, sous forme de signal peint, ou dessiné; la réception du message se fait, au contraire, un nombre infini de fois) aboutit à changer tout à fait le rapport des forces émetteur-récepteur tel qu'il existe dans les langues naturelles. Bien sûr, le principe reste le même : assurer la communication la meilleure, pour un coût adapté de part et d'autre, mais ses manifestations (évolution du code) ne seront pas identiques. Par exemple, le manuel des panneaux des voies de chemin de fer de la SNCF comporte six signaux différents pour dire « arrêt avant le signal », polysémie encombrante qui est sans doute un vestige de l'époque des différentes compagnies régionales privées. Ici, c'est peut-être le coût d'unification des signaux du réseau entier qui fait conserver à l' « émetteur » ce qui ne peut être qu'une gêne pour le récepteur. Le changement de l'équilibre émetteur-récepteur est sans doute aussi ce qui explique, dans de nombreux codes, la préférence donnée à des séries de signes, non articulés au niveau des figures, mais de caractère symbolique. Peu importe, en effet, que l'on ménage l'effort de l'émetteur, comme dans le cas de la seconde articulation du langage, en lui permettant de dire des choses différentes à l'aide de quelques unités (les mêmes, réutilisées), si l'émission se fait une fois pour toutes. Le récepteur, qui n'est jamais émetteur à son tour, trouvera avantage à décoder des signes très motivés (comme le « dos d'âne » du Code de la route), et n'a rien à gagner à leur remplacement par deux barres rouges croisées, par exemple (imposées par quelque impératif d'économie d'impression de motifs). Comme on l'a vu dans le cas du code des canalisations, les signes arbitraires et articulés ne représentent un intérêt pour le récepteur que si les besoins de la communication épuisent les ressources du symbolisme.

On peut chercher à opposer les codes aux langues naturelles, du point de vue de la multiplicité des énoncés produits, de la « créativité ». La plupart des codes sont d'extension restreinte, du fait de leur usage limité, bien sûr, mais même si on envisage toutes les combinaisons potentielles qu'ils admettent. Rien n'interdit d'imaginer un panneau routier signifiant « interdit aux vaches » (cercle rouge et profil de l'animal), à partir des unités existantes. Avec les gaz, leurs identifications et leurs états, les combinaisons sont vite épuisées et dénombrables. Le code de la cimenterie, avec son embryon de syntaxe, la polysémie relative de ses signes : multiples valeurs *discrètes*, et les variantes contextuelles des signifiés qui font partie du processus intentionnel de communication, offre des richesses potentielles certaines, mais c'est dans la mesure où ce système tend à se rapprocher de celui d'une langue naturelle. Bien entendu, la caractéristique de ces signes reste qu'ils sont pris dans un univers du discours limité, donc non métaphoriques. Il faut bien sûr ici distinguer, ce qu'on ne fait pas toujours, entre le « code » proprement dit : inventaire d'unités, règles de fonctionnement, et le corpus, représentant l'ensemble des messages produits, que l'on appelle parfois aussi « code ». Ce corpus peut représenter l'ensemble des messages produits *et* imaginables, ou seulement une partie d'entre eux, la seule que l'on utilise, parce que c'est la seule qui corresponde aux besoins (c'est le cas des 221 messages du calculateur de la cimenterie, dont 20 seulement d'ailleurs sont fréquemment utilisés).

On donne souvent comme trait caractéristique des codes artificiels leur manque de « morphologie », c'est-à-dire de variations formelles dépourvues de valeur significative. Cette observation, vraie dans son principe, mérite d'être nuancée. Un code artificiel peut présenter deux signifiants pour le même signifié : c'est le cas de la signalisation SNCF, avec des variantes situationnelles : drapeau le jour, lanterne la nuit (exécutant le même mouvement) dont la raison d'être est assez évidente. On aura encore, sans motifs aussi évidents, un feu violet à la place de deux feux rouges, pour le même signifié « arrêt avant le signal », lorsqu'on se trouve sur une voie de service. Nous n'avons donc pas de stricte correspondance signifiant-signifié et cela s'aggrave avec les six feux et les quatre panneaux, apparemment en variante libre, signifiant tous « arrêt avant le signal », et les deux signaux lumineux différents, équivalent à « marche à vue ». Mais ce manque de rigueur du système provient sans doute, nous l'avons vu, de l'agglomération de plusieurs codes ayant chacun son histoire et sa genèse. Les codes peuvent donc, comme les langues, dans les rares cas où ils ont une histoire, recevoir et garder des « scories », des « sédimentations » que les habitudes mémorielles, les routines, ou des contraintes de budget maintiennent malgré tout : dans la plupart des cas, quand il y a création en une seule fois, *ad hoc*, d'un système de communication, il ne s'embarrasse pas de morphologie, ou du moins, de n'importe quelle sorte de morphologie. Le cas des variantes situationnelles nuit-jour des signaux SNCF, absolument utiles à la communication même si elles ne sont ni distinctives, ni porteuses d'un signifié, est à rapprocher de beaucoup des variantes non pertinentes du signifiant dans les langues naturelles, qui encombrent, certes, le système, quand on en fait l'inventaire, et imposent une surcharge mémorielle aux locuteurs, mais ont leur contrepartie dans une facilitation ou une unification de la prononciation de la séquence phonique, comme le pluriel anglais /-əz/ à la place de /-s/ ou /-z/, après « fox ». De la même façon, on observe que les codes artificiels sont loin d'épurer le message de tout ce qui n'y est pas indispensable : ils conservent beaucoup de redondance, dans la mesure où celle-ci peut faciliter la bonne réception des sèmes.

En tout état de cause, il est douteux qu'un code artificiel puisse atteindre à une ampleur démesurée dans ses composantes, ne serait-ce que parce qu'il est toujours second et qu'il nécessite un apprentissage tardif, analogue à l'acquisition d'une langue étrangère. Selon Buyssens[1], la pratique quotidienne de tels codes correspond à une activité mentale tout à fait indépendante du langage parlé, même sous forme « intérieure ». Le conducteur qui déchiffre et interprète un panneau routier peut ne pas passer par une traduction linguistique de ce panneau, souligne Buyssens. Le raisonnement, repris de Serrus[2], paraît vrai et applicable ici, même s'il ne peut aboutir, comme le voudrait Buyssens, à montrer l'existence d'une « pensée pure » (non linguistique) ; l'exemple est en effet mal choisi : si ce comportement échappe au parallélisme logico-grammatical, il retombe dans un parallélisme « logico-sémiologique ». On doit cependant, à coup sûr, considérer que le recours constant à un code artificiel représente une activité cognitive très particulière, ce qui justifie toutes les questions que peut poser Yvette Lucas[3] sur le partage exact du travail manuel et du travail intellectuel, dans les aspects nouveaux de la production, englobant l'usage de tels codes.

## *BIBLIOGRAPHIE*

Buyssens (E.), *Les langages et le discours*, Bruxelles, Lebègue, 1943.
Cuny (X.), Sémiologie et étude ergonomique des conditions de travail, *Le Travail humain*, t. 32, n° 3-4, 1969, 177-198.
Kondratov (A.), *Sons et signes*, Moscou, Ed. Mir, 1966, 284 p.
Lucas (Y.), *Codes et machines*, Paris, puf, 1974, 184 p.
Mounin (G.), *Introduction à la sémiologie*, Paris, Ed. de Minuit, 1970, 241 p.
Paulus (Y.), *La fonction symbolique et le langage*, Bruxelles, Dessart, 1970, 173 p.
Prieto (L.), *Messages et signaux*, Paris, puf, 1966, 165 p.
— La sémiologie, in *Le langage*, Encyclopédie de la Pléiade, Paris, Gallimard, 1968, 1 525 p., 93-144.

1. Eric Buyssens, ouvr. cité, pp. 60-61.
2. Charles Serrus, *Le parallélisme logico-grammatical*, Paris, 1933.
3. Ouvr. cité, troisième partie : « Les fonctions mentales dans l'industrie automatisée ».

# 5

# les langages de la publicité et de la propagande

PAR VERA CARVALHO

Publicité et propagande font, de plus en plus, un tout indissoluble, un seul bloc qui évoque des réalités chaque fois plus rapprochées l'une de l'autre. Il s'agit, dans les deux cas, d'exercer une action psychologique sur le public. La seule différence tient à ce que, d'un côté, les fins sont commerciales (publicité) et, de l'autre (propagande), le but est d'amener l'opinion « à avoir certaines idées politiques et sociales, à soutenir une politique, un gouvernement, un représentant »[1].

Ces domaines s'imbriquent de plus en plus et l'interaction entre leurs méthodes est telle que la distinction entre les deux termes se perd, actuellement, chez un grand nombre de gens. Le terme *marketing*, avant réservé aux marchés commerciaux, se voit aujourd'hui accompagné de l'adjectif *politique* lorsque la stratégie déployée a pour objet de diffuser et de faire accepter l'image de marque d'un candidat, une doctrine, une idéologie. Ainsi, le 1er février 1978, le journal *Libération* titrait, en première page, « ARGENTINE, Marketing pour une dictature invendable ». Il s'agissait d'un reportage sur le contrat passé entre une agence de publicité américaine et le gouvernement argentin, qui souhaitait changer l'image du pays à l'étranger à la veille de la Coupe du Monde de Football. A l'intérieur de l'article on peut remarquer que les deux mots — publicité et propagande — n'en font qu'un, en réalité (cf., par exemple : « *Les publicistes* (...) adapteront *la propagande* à l'objectif visé »)[2].

A l'époque des élections, en France comme ailleurs, les candidats font facilement appel aux agences de publicité, qui se chargent de leur campagne électorale. Lors de l'élection présidentielle de juin 1969, par exemple, Valéry Giscard d'Estaing (non candidat) a voulu se faire connaître du public et il a eu recours à l'agence Pink, de création publicitaire. Voilà, en substance, sa « plate-forme » :

> « J'ai 42 ans, je suis libéral, plus libéral que gaulliste, je suis sincèrement européen. J'ai envisagé un moment de me présenter moi-même à ces élections présidentielles. A l'échéance normale du mandat du général de Gaulle, j'aurais

1. *Petit Robert, Dictionnaire de la langue française*, 1977.
2. *Le marketing politique* est le titre d'un volume de la collection « Que Sais-je ? », écrit par D. DAVID, J.-M. QUINTRIC et H.-Ch. SCHROEDER, 1er trimestre de 1978. C'est aussi le titre d'un ouvrage de D. LINDON, publié en 1976 par Dalloz.

certainement posé ma candidature. Aujourd'hui cela me paraît prématuré (...) J'aurai 49 ans en 1976 (...) Georges Pompidou est mon candidat.

« La « clientèle » que je désire « sensibiliser » au cours de cette campagne n'est pas celle des Républicains Indépendants classiques (que je peux espérer acquise) mais essentiellement celle des jeunes et celle des femmes; leur vote immédiat m'intéresse évidemment, mais surtout l'image que, à travers cette campagne, ils se feront de mon personnage; disons que j'aimerais leur apparaître comme le « Kennedy français » »[1].

Les limites sont très floues entre les deux domaines. Que dire de l'annonce :

*Le jour où toutes les banques auraient le même visage...*
*vous feriez bien de ressembler aussi à votre voisin.*

Est-ce de la publicité pour le Crédit commercial de France, ou bien s'agit-il d'une propagande dont le but est de défendre et justifier l'existence des banques privées ? Il ne faut pas oublier qu'il s'agit d'une annonce passée dans la presse quotidienne et hebdomadaire en janvier 1978, à l'époque où la campagne électorale pour les législatives bat son plein.

Ces exemples montrent bien qu'en réalité le processus est pratiquement le même, qu'il s'agisse de promouvoir, vanter, faire connaître ou faire accepter quelqu'un ou quelque chose, un candidat ou un produit, un parti, une idée ou une marque. Les médias utilisés ne diffèrent pas d'un domaine à l'autre : presse, télévision, affichage public... Publicité et propagande s'adressent toutes les deux à la « foule » en général, tout en essayant de présenter leurs messages comme très personnalisés, afin de mieux les faire passer. Du point de vue linguistique, toutes les deux essaient d'attirer l'attention du public, de le frapper par le choix de constructions syntaxiques ou de rapprochements sémiologiques inattendus. Exemples :

- *Pour en sortir, sortez les sortants* (1956, législatives, poujadistes)
- *Les discrets de Jil, pour les voir il faut le vouloir* (affiche)
- *Oui, le changement, oui, avec tous les Français, oui, dans la liberté. Ensemble* (1974, présidentielles, PCF)
- *Ellipse, la fête autre, Ellipse, son nouvel espace, Ellipse, son parfum* (publicité radio)

Malgré tous ces rapprochements, je ne pense pas que l'on puisse étudier les deux domaines de façon toujours globale. L'opposition tient moins aux différences entre publicité et propagande elles-mêmes qu'à celles trouvées à l'intérieur de chacun des corpus, ce qui nous amène à définir des sous-ensembles à analyser séparément. Ainsi, un message n'a pas les mêmes caractéristiques selon qu'il est conçu pour être lu à haute voix, présenté par écrit ou transmis par voie orale. Le choix du public-cible visé provoque des changements précis dans le texte qui, en plus, doit être adapté au média qui lui sert de support. Aussi, une publicité passée à la radio ne peut-elle pas être reprise sans modifications importantes dans un magazine ou un journal; une affiche ne présente jamais le même contenu qu'une publicité rédactionnelle; la profession de foi a très peu de points en commun avec les tracts distribués dans les rues ou les discours préparés par (ou pour) les candidats. D'ailleurs, ces discours

1. *In* Monica CHARLOT, *La persuasion politique*, A. Colin, 1970, pp. 87-88.

ne se présentent pas de la même façon selon qu'ils doivent être présentés aux militants du parti soutenant le candidat ou, au contraire, lus à la télévision ou à la radio.

## 1. Les différents sous-ensembles à l'intérieur des deux corpus

Pour mieux montrer la diversité des productions en publicité et en propagande, il est possible de les diviser en groupes différents, tels que :

- la publicité radio
- les séquences filmées (grand et petit écran)
- la publicité presse (rédactionnelle ou pas)
- les affiches commerciales ou de propagande
- les discours lus ou improvisés de propagande politique
- les professions de foi
- les tracts
- les slogans commerciaux
- les slogans criés
- etc.

La figure qui suit fait apparaître les points d'intersection des ensembles et oppose nettement écrit et oral. Bien entendu, tous les différents moyens de publicité

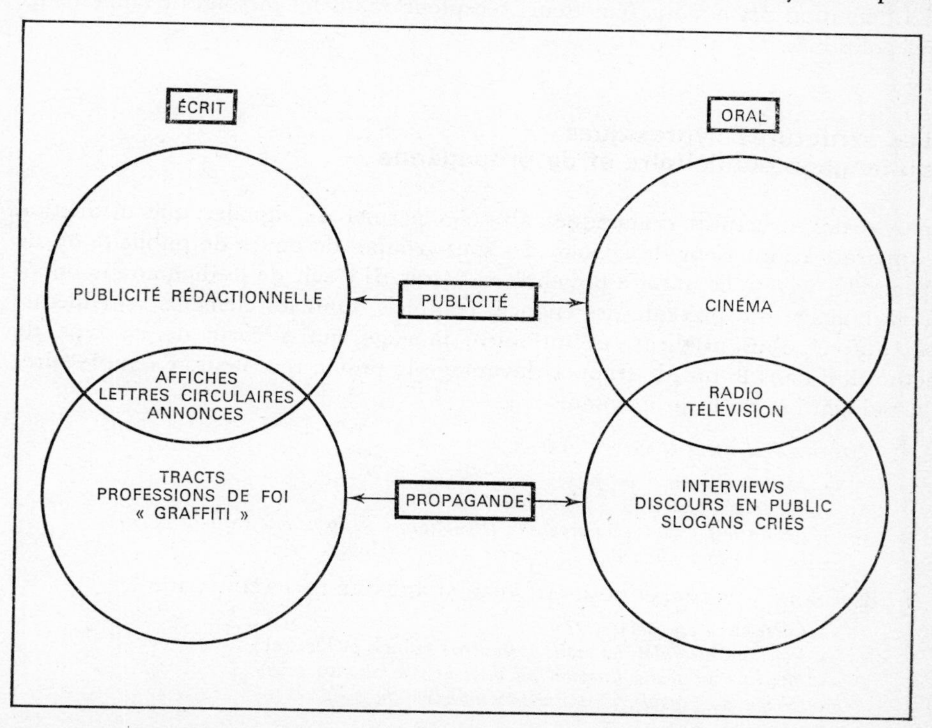

et de propagande n'y sont pas cités. Le cinéma, par exemple, n'apparaît que comme support de la publicité, bien qu'il y ait eu des actions de propagande ponctuelles passées dans le grand écran. (Je pense particulièrement au film que J.-J. Servan-Schreiber a fait tourner sur le nucléaire juste après avoir quitté le gouvernement de Valéry Giscard d'Estaing.) En 1978, pendant la campagne électorale pour les législatives, M. Raymond Barre, Premier Ministre, fait précéder ses apparitions en public d'un petit film présentant des extraits de discours et interviews. Cela reste cependant très marginal dans le contexte social français actuel. Le schéma serait présenté différemment si, par exemple, nous étions dans un pays comme le Brésil, où toute la propagande gouvernementale passe non seulement à la télévision mais aussi au cinéma et où il n'y a pas de publicité sur le grand écran. Les discours improvisés pendant les ventes promotionnelles dans les magasins, la publicité clandestine dans les reportages filmés, les autocollants, les objets de promotion, les fêtes et les défilés, les banderoles et les dazibaos chinois ne sont que des exemples de l'ampleur des deux domaines, dont le tableau proposé ne rend compte que de façon très schématique.

Dans cette étude, les langages de la publicité et de la propagande seront présentés sous trois aspects qui font apparaître leur spécificité :

*a)* L'analyse des structures syntaxiques les plus courantes et des formes verbales attestées;
*b)* Le rôle de l'image et les rapports établis entre image et texte;
*c)* La définition des actants (émetteur, récepteur) dans les messages commerciaux ou politiques.

## 2. Les structures syntaxiques du langage publicitaire et de propagande

L'analyse des structures syntaxiques attestées permet de signaler une distinction qui apparaît à l'intérieur de chacun des sous-groupes de textes de publicité ou de propagande, tels qu'ils ont été présentés ci-dessus. Il s'agit de la dichotomie opposant un langage qui présente des énoncés complets, dont les éléments sont hiérarchisés autour d'un prédicat, et un autre langage qui s'écarte de ce type de structuration dans le but de frapper davantage le public récepteur. Exemples tirés de la publicité et de la propagande :

*a)* ENONCÉS À PRÉDICAT VERBAL :

- *Mammouth écrase les prix*
- *On trouve tout à la Samaritaine*
- *Aidons le président. Adhérez aux Républicains Indépendants* (affiche)
- *Le SNESup dit non à la réforme Soisson* (slogan crié)

*b)* ENONCÉS À PRÉDICAT NOMINAL AVEC AUXILIAIRE DE PRÉDICATION :

- *Carrefour c'est moins cher*
- *Voici les intégrales, les outils spécialistes* (Black et Decker)
- *Simone c'est foutu, l'hôpital est dans la rue* (slogan crié)
- *Ce qui nous guide, c'est l'intérêt supérieur du pays*

Les énoncés qui s'éloignent des « modèles grammaticaux », si je peux m'exprimer ainsi, ne présentent pas de prédicat marqué formellement, ni verbal ni nominal. Exemples :

- *Valéry Giscard d'Estaing, un vrai président*
- *Les plus petits, les plus légers, la précision Minox.*

Alain Bentolila[1] fait cependant remarquer que, très souvent, le schème intonatif de l'annonce radiophonique peut conférer à un adjectif un statut de prédicat en quelque sorte. Dans ce cas, l'adjectif est rejeté en tête de l'ensemble syntaxique et il y a en même temps une montée de la courbe mélodique de la phrase sur lui. L'exemple qui suit est tiré de l'article cité, page 155 de la publication.

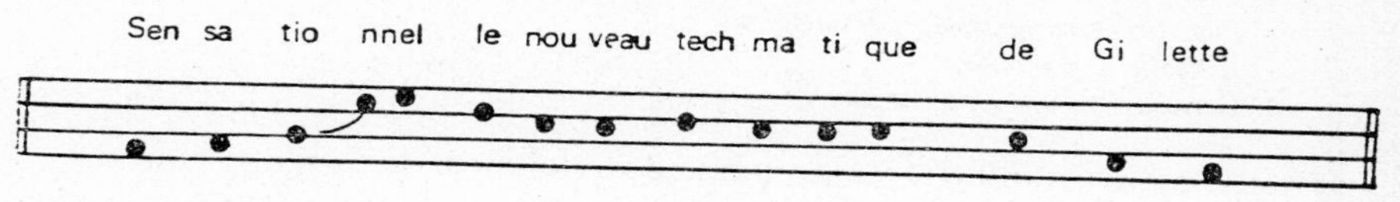


D'une façon générale, les structures sans noyau prédicatif sont très proches de celles, elliptiques, du langage parlé, lorsque la situation vécue et partagée par les deux interlocuteurs est suffisamment importante pour amener un changement formel, changement qui est possible mais pas obligatoire.

Par exemple, entendu hors situation, /pus/ est quelque chose qui ne constitue pas un énoncé et qui pratiquement ne veut rien dire, car le sens d'un monème est fonction aussi du contexte où il apparaît. Cependant, si je me place parmi des enfants qui jouent et que l'un d'eux prononce le même segment accompagné du geste de lever le pouce, je comprends qu'il se met hors jeu. Dans un autre contexte, lorsqu'il s'agit de déplacer un objet très lourd, /pus/ (« pousse ! ») aura un tout autre sens et constituera un énoncé complet, *comme celui de l'enfant.* Il en va de même pour « Feu ! » crié par quelqu'un qui décèle un début d'incendie ou par le militaire responsable de déclencher une attaque. Dernier exemple : « Pince ! », en principe, « ne peut pas » constituer un énoncé indépendant à lui tout seul; il n'empêche que le médecin qui fait une intervention chirurgicale ne dit pas autre chose lorsqu'il demande l'instrument qu'il lui faut.

*Quantitativement,* les énoncés de ce type ne sont pas les plus significatifs dans le langage de la publicité et celui de la propagande.

En publicité radiophonique, par exemple, les énoncés sans noyau verbal ne couvrent qu'environ 15 % de l'ensemble. Ils peuvent être constitués d'un seul élément ou bien présenter deux ou trois constituants juxtaposés. Exemples :

- *Renault 5*
- *Motobécane-Motoconfort*
- *Phénix, plus de 300 variantes*
- « *Le Petit Robert* », *huit fois dictionnaire*

1. Structures des textes publicitaires radiophoniques, in *Communication et Langages,* n° 25, 1er trimestre 1975.

Parfois l'un des volets juxtaposés peut avoir une structure plus proche de celle du langage courant, notamment avec la présence d'un verbe autour duquel il y a hiérarchisation des autres éléments. Exemples :

- *Maisons Phénix / pour que chacun AIT sa maison*
- *« Brut 33 » de Fabergé / pour les hommes qui ONT du caractère*

Ce fait n'enlève pas le caractère binaire de l'énoncé, dont généralement l'une des parties sert de définition ou de qualification à l'autre, qui renferme très souvent le nom du produit ou de la marque.

La présence de quelques fonctionnels est donc possible, mais la hiérarchisation ainsi établie ne dépasse pas les limites du syntagme nominal. Exemples :

- *Pour tous renseignements, Promogim*
- *L'Etoile à 5 minutes*
- *Euromarché, une nouvelle race de magasin*

Dans tous les cas, publicité et propagande rejoignent le langage courant en situation, certes, mais seulement du point de vue structural. Il ne faut pas oublier que les éléments situationnels indispensables à la simplification des énoncés ne sont pas vraiment partagés en publicité et en propagande, où l'on se contente de les suggérer, de « faire comme si ».

EXEMPLES TIRÉS DU LANGAGE NON PUBLICITAIRE :

- *Enfin pouvoir dormir!*
- *Très clair, son exposé!*
- *Ah, la vie à la campagne!*

EXEMPLES TIRÉS DU LANGAGE PUBLICITAIRE :

- *Marcher la tête haute, en bravant les orages* (« Audace » de Rochas)
- *Calibre 12 à platine et Mystère 20, Pays de Cocagne, Deauville, Acapulco, golf enfin : « Monsieur Rochas »*

Ce sont des exemples de ce type qui déclenchent les attaques des « puristes » de la langue, les défenseurs du français. Exemple :

> « Articles et prépositions disparaissent, le verbe n'est plus qu'une sorte de copule, et la phrase se réduit au substantif et à l'adjectif. Jadis apte à décomposer et analyser le réel, la langue française devient à son tour une langue synthétique, qui cherche à en suggérer la sensation immédiate. Avant que le verbe ne soit totalement supplanté par l'image, le mot déjà n'est plus qu'objet »[1].

Ce sont ces mêmes exemples qui généralement sont cités et considérés par la plupart des gens comme caractéristiques de *tout* le langage de promotion surtout commerciale, mais aussi politique. Exemples :

- *Un député, un vrai* (P. Mendès-France, 1967)
- *Giscard à la barre*

1. SHKLAR, Thèse sur l'américanisation du langage publicitaire entre 1945 et 1961, sous la direction d'ETIEMBLE, citée par lui dans La publicité pourrit la langue française, in *Cahiers de la Publicité*, nº 7, p. 63.

Cependant, en propagande politique, de même qu'en publicité, ce type de construction syntaxique est minoritaire par rapport à l'ensemble du corpus. La parataxe est utilisée presque exclusivement dans les tracts. Les professions de foi et les lettres circulaires, par exemple, ne l'utilisent que dans des sous-titres ou des énumérations, afin de résumer ce qui suit et « accrocher » le lecteur en attirant son attention. C'est un emploi parallèle à celui qu'en font les journaux dans leurs titres. Exemples :

- *Le Rhône, un égout ?* (journal)
- *5/19 mai, le jeu des deux erreurs* (tract)
- *Etrange politique étrangère* (lettre circulaire, sous-titre)
- *Nationalisation : spoliation* (tract)

Pourquoi, alors, cette petite fraction du corpus est-elle tellement perçue ou reçue par le public en général, au point qu'il lui arrive d'en faire retomber les traits caractéristiques sur tout le langage de publicité et de propagande ?

Tout se passe comme si les « phrases-slogans » constituaient la grande masse de tout ce qui est émis en publicité et propagande. Il ne faut cependant pas oublier qu'elles présentent très souvent des jeux phoniques (rimes, allitérations) qui peuvent éventuellement venir souligner une construction binaire déjà rythmée par le parallélisme du nombre de syllabes de chaque élément, et l'alternance de temps forts et faibles ou longs et brefs. Exemples :

- *Un vêtement Weil vous va* (affiches)
- *Du vin, du pain, du Boursin, c'est divin* (radio et affiches)
- *OAS, SS* (slogan crié)
- *Mitterrand à l'Elysée, la France défigurée* (tract)

En publicité radio, les énoncés de ce type sont généralement placés à la fin des annonces, ce qui les met en valeur et les accentue. Très souvent les rédacteurs créent une série d'annonces tout à fait parallèles, avec une partie commune, qui, de ce fait, est plus souvent entendue que le reste du texte. Exemples :

- *Motobécane-Motoconfort, enfourchez la liberté*

Dans toute une série d'annonces passées à la radio, ce même segment, chanté, est précédé de différentes argumentations sur les avantages de l'utilisation des mobylettes : transport individuel peu cher, pas de problèmes de stationnement, bonne tenue de route...

En ce qui concerne les messages écrits, commerciaux ou politiques, la disposition visuelle attire l'attention du lecteur sur ces textes courts et brefs.

> « L'ordonnance du message obéit à un dessein : hiérarchisation du contenu informatif (différence de niveaux), canalisation (aiguillage de lecture) ou sélection (différence d'intensité). Les signifiants typographiques, graphiques et géographiques de l'importance (dimension des caractères, emplacements préférentiels), de l'insistance ou de la nuance (changements chromatiques ou graphiques) vont souligner les distinctions volontaires de niveaux, de registres, d'intentions, et guider l'exploration (visuelle des messages commerciaux) »[1].

1. Georges Peninou, Langage et image en publicité, in *La publicité de A à Z*, Ed. Retz, 1975.

Dans le cas des professions de foi et lettres circulaires, que nous avons cité *supra*, les titres et intertitres sont généralement imprimés en caractères gras, ce qui fait qu'ils sont perçus et lus en premier lieu.

Les affiches présentent systématiquement des textes qui ne peuvent pas être longs, si l'on veut qu'ils soient lus. Il ne faut pas oublier que l'écrit, dans ces cas, est le stimulus faible, par rapport à l'image. Selon Moles[1], la vision pleine d'une image se fait aux environs d'un cinquième de seconde. Au-delà de cette limite nous n'avons pas le temps de « comprendre » l'image, bien que nous puissions avoir l'attention attirée par elle. Si ces données sont transposées à la lecture d'un texte on constate que :

> « La lecture la plus rapide, celle que nous avons à considérer dans le cas de l'avis affiché en gros caractères d'un texte qui se prétend simple, se situe, pour un sujet d'intelligence moyenne (QI = 100), aux environs de 180 000 caractères à l'heure, soit 50 caractères à la seconde : 5 à 10 mots. C'est l'ordre de longueur des textes en gros caractères, nom de firmes, nature du produit, qu'on rencontre sur les affiches modernes »[2].

Les travaux généralement cités de C. R. Haas[3] établissent un rapport entre les mots dits « pleins » et les « mots-outils »[4] qui est de 1,01 pour des publicités américaines et de 1,6 pour des publicités françaises. Ces résultats ont été corroborés par E. Florentin[5] qui a étudié un échantillon de 100 annonces françaises, parues en 1963.

Bien que le classement bipartite de C. R. Haas puisse être critiqué, notamment parce qu'il met sur un même plan les indicateurs de fonctions et les déterminants du nom, tels que les articles, je parlerais volontiers d'une certaine « densité sémantique » de la publicité *dans les cas qu'il étudie*. Cependant il faut bien remarquer que son analyse porte sur *les titres* seulement; elle ne tient donc pas compte de toute la richesse syntaxique et lexicale de la publicité, étant donné le caractère partiel du corpus choisi.

Cette attitude est valable lorsque nous sommes devant des affiches ou des messages publicitaires écrits, où seul le titre apparaît ou « saute aux yeux ». Si, au contraire, le corpus étudié est radiophonique, par exemple, il faut tenir compte de tout le spot, d'autant plus qu'il est difficile de déterminer ce qui serait ou ne serait pas le titre si l'on imaginait une transcription (fictive) à l'écrit. Il en va de même pour les professions de foi (où les intertitres ne sont pas équivalents aux slogans), les séquences filmées, la publicité rédactionnelle, les discours politiques.

L'analyse de tout l'ensemble où vient s'insérer le slogan permet de dégager un

1. *L'affiche dans la société urbaine*, Paris, Dunod, 1970.
2. *Op. cit.*, p. 9.
3. *Pratique de la publicité*, Paris, Dunod, 1970.
4. Les mots pleins, selon Haas, sont ceux qui ont un sens en eux-mêmes (noms concrets ou abstraits, adjectifs qualificatifs, verbes, pronoms ayant un sens en eux-mêmes, adverbes de manière, de temps, de lieu et de quantité). Les mots-outils ne servent qu'à la mise en valeur des mots pleins : articles, adjectifs possessifs, démonstratifs, numéraux, prépositions, conjonctions, adverbes d'affirmation, négation ou interrogation, pronoms n'ayant pas de sens en eux-mêmes.
5. Les essais d'analyse mathématique dans la langue publicitaire, in *Cahiers de la Publicité*, n° 7, 1963, p. 47.

système verbal de la publicité qui n'est pas sans intérêt, étant donné qu'il diffère de celui du français parlé non publicitaire.

Cette différence ne vient pas d'un quelconque abandon des modalités verbales. Formellement les énoncés sont strictement équivalents :

- *Mammouth écrase les prix*
- *Pierre écrase sa cigarette*

Cependant, la distribution mais surtout le fonctionnement des formes verbales ne sont pas les mêmes dans le langage de communication courante (au moins quand elle comporte des récits) et en publicité ou propagande, où le présent est très majoritaire (64,4 % des énoncés publicitaires ayant un verbe).

Cette inégalité dans la fréquence des marques annonce déjà une réduction des possibilités de contrastes issus des oppositions de différentes modalités verbales dans le même contexte, éventuellement à l'intérieur d'un seul énoncé : *Prête-moi le livre que X... t'a rendu tout à l'heure lorsque tu téléphonais à la personne que tu avais rencontrée hier.*

Si ce genre de contrastes ne se fait pas, alors les oppositions présent-passé-futur, sur l'axe du temps, n'existent pas. Tant que le présent ne s'oppose pas à un passé ou à un futur il n'y a pas d'ancrage temporel réel.

## 3. Les temps et aspects en publicité

Les formes verbales attestées en publicité ne s'opposent pas les unes aux autres par des notions telles que *avant-maintenant-après* (passé, présent, futur). La distinction qui peut se faire est d'un ordre *aspectuel*. Autrement dit, la valeur d'une marque verbale ne se définit pas par rapport à un point de référence, qui est, le plus souvent, le moment où l'on parle. Ainsi, lorsque l'on dit, par exemple : *Motobécane a équipé son nouveau modèle d'un robinet à réserve*, l'important est de savoir que *c'est fait*, que le récepteur en dispose, et non que cela a eu lieu hier ou le mois dernier. C'est l'*aspect* accompli qui l'emporte sur le *temps* passé. Il s'agit d'un constat, d'un exemple de vrai témoignage en publicité, qui s'oppose au présent, non marqué, et aux autres formes (imparfait, futur, impératif) qui tendent vers le non-ponctuel et renvoient à des périodes aux limites temporelles non définies qui peuvent être révolues ou à venir. Mis à part les exemples au passé composé, chaque procès est envisagé, à l'intérieur de ces périodes, de façon continue ou répétitive, jamais ponctuelle[1].

Il est intéressant de remarquer que ce procès intemporel est pris en charge surtout par le présent et l'impératif, qui couvrent, respectivement, 65 % et 15 % du total des verbes attestés en langage publicitaire. Tous les deux sont compris comme non

1. Alain Bentolila, Temps, aspect et modalisation dans un acte de communication, in *Langue française*, nº 35, septembre 1977.

révolus, non ponctuels, hors situation réelle ou valables dans n'importe quelle situation. Exemples :

- *Louez Européen, louez Europcar*
- *Denim. Ça se porte comme un jean's* (produits de toilette Denim)

Comme ils sont détachés de l'axe temporel, le présent et l'impératif ne peuvent pas être envisagés comme une traduction d'un acte se déroulant au moment où l'acte de parole a lieu :

- *Maintenant, ici, j'écris*
- *Lève-toi!*

Au contraire, ils doivent être compris comme une sorte de « vérité éternelle », valable en dehors du temps d'énonciation. Exemples :

- *Brut 33 va à tous les hommes*
- *Vittel vous aide à retrouver la vitalité qui est en vous*
- *SNCF, redécouvrez le train*
- *Téléspectateurs, émancipons-nous* (Télérama)

Dans les cas où la structure formelle de la phrase nous permettrait de parler de fonction sujet, celui-ci n'est jamais un actant effectif mais l'élément qui est qualifié ou défini par les autres. Cette opposition peut être mise en évidence par la différence qui s'établit entre :

- *Félix Potin, on y revient*
- *On revient à l'école cet après-midi*

Dans le premier exemple ce n'est pas l'action de revenir qui est importante, mais le fait de définir les magasins Félix Potin comme « ceux où l'on revient ». Il s'agit donc de qualification, sans rapport direct avec une réalité immédiate. D'ailleurs, l'adjonction de l'expansion *cet après-midi* au premier exemple est improbable, car ce serait un ancrage temporel.

Les emplois intemporels du verbe n'appartiennent pas exclusivement au langage publicitaire. Des exemples peuvent être trouvés dans les conversations quotidiennes :

- *Paul aime le veau aux lentilles*
- *Je ne parle pas un mot d'anglais*
- *Ne dis pas de mensonges!*

Contrairement à ce qui se passe en publicité, les affirmations de ce type se basent sur une série de constatations d'un même événement, ce qui permet de les présenter comme un acquis, personnel ou social. En publicité, les expériences préalables n'existent pas mais on agit comme si le public connaissait les témoignages permettant de justifier une affirmation telle que :

- *Avec Phénix vous avez le choix*

Ces formules sont équivalentes aux proverbes :

- *Il ne faut jurer de rien*
- *Dans le doute, abstiens-toi!*

ou à ces affirmations qui veulent, d'une certaine façon, rejoindre les proverbes par leur généralité recherchée :

- *Rien n'est plus monotone qu'une catastrophe* (Sartre)

C'est le « présent » des morales des *Fables* de La Fontaine :

- *Rien ne sert de courir*
- *Plus fait raison que violence*

ou l'impératif à valeur intemporelle employé dans « Le laboureur et ses enfants » :

- *Travaillez, prenez de la peine...*

En langage publicitaire, toute référence à un cadre d'expérience est supprimée de façon quasi systématique, ce qui supprime du même coup toute possibilité de localisation temporelle. Quelle que soit la marque employée, dès que l'on est dans un processus de *non*-témoignage, l'auditeur, quoique impliqué linguistiquement, passe à l'état de participant d'un procès non ancré dans la réalité de la communication. Cela empêche le dialogue de s'entamer et entraîne l'auditeur comme une sorte de « complice forcé » (ou involontaire) de la publicité.

L'utilisation très répandue des procès désactualisés renforce la tendance du langage publicitaire vers la création ou la construction d'une réalité non existante. D'autres structures syntaxiques permettent de repérer la même tendance au refus du réel actualisé. Exemples :

*a)* Emploi de *c'est* (auxiliaire de prédication non temporalisé)

- *Monsieur Rochas, lui, c'est différent*

*b)* Emploi d'un fonctionnel suivi d'un infinitif ou d'un nominal

- *Fromages d'Allemagne, pour changer un peu*

*c)* Emploi d'éléments parataxés

- *Pyral : les cassettes*

En propagande politique, des constructions de ce genre introduisent des métaphores qui définissent le candidat. Exemples :

- *François Mitterrand, le prisonnier du Programme commun*
- *François Mitterrand est un apprenti sorcier*

De même qu'il est impossible de ne pas considérer tout l'ensemble du spot où vient s'insérer le slogan dans la publicité passée à la radio, il ne faut pas laisser de côté le rôle joué par *l'image* à chaque fois qu'elle apparaît, que ce soit en publicité ou en propagande[1].

Les travaux sémiologiques apparus jusqu'à présent portent surtout sur l'image

1. D'après une autre étude de C. R. Haas (*La publicité. Théorie, technique et pratique*, Paris, Dunod, 1958, p. 238), 83 % des annonces françaises et 88 % des annonces américaines comportent au moins une image; 39 % et 42 % en contiennent deux et plus.

*publicitaire*[1]. L.-J. Calvet a fait une analyse de la production picturale de propagande mais il a mis l'accent sur les affiches dites révolutionnaires, surtout celles de Mai 68, qui s'opposent aux autres affiches politiques[2]. D'une façon générale, les ouvrages théoriques sur la propagande ne parlent de l'image que de façon épisodique[3]. Signalons cependant que le Centre national d'Art et de Culture Georges-Pompidou (Beaubourg) a présenté en 1977 l'exposition itinérante *L'imagerie politique*, réalisée par la Galerie d'Actualité du Centre de Création industrielle[4].

## 4. Image politique. Connotation

Bien que les affiches commerciales et politiques occupent parfois les mêmes espaces publics et essaient toutes les deux, indifféremment, de frapper le passant par la répétition imposée du message, je ne pense pas que l'on puisse assimiler les deux ensembles.

De nos jours, l'affiche est un support complémentaire dans les grandes campagnes électorales menées à travers les journaux, la radio et la télévision. Selon une enquête *Nouvel Observateur* / SOFRES[5], la télévision est indiquée par la grande majorité des électeurs comme le moyen le plus efficace non seulement pour aider à faire le choix au moment du vote (64 %) mais aussi pour :

- se remettre en tête le programme de son candidat (64 %);
- voir comment sont les hommes politiques (74 %);
- avoir des arguments de discussion (45 %).

Dans tous ces cas, les affiches ne sont citées que par 1 % des enquêtés environ.

A mon avis, il ne faut pas en conclure que l'affiche est inefficace, mais, au contraire, qu'elle agit sans que le public s'en rende compte. Son but n'est pas d'informer consciemment le passant, mais de lui faire assimiler globalement un message qui lui est plus ou moins imposé[6].

De même qu'en publicité, comme l'ont montré les auteurs cités précédemment, ce message a rarement une interprétation unique, que ce soit au niveau du texte ou à celui de l'image. Je veux dire par là que, non seulement deux récepteurs différents pourront comprendre une affiche de deux façons différentes, mais aussi qu'il n'y a pas un seul niveau de décodage : texte et image sont généralement chargés de sous-entendus, présupposés et connotations. Prenons un exemple :

• Lorsque l'on lisait, pendant la campagne électorale pour les présidentielles de 1974 : *Valéry Giscard d'Estaing, la liberté de choisir*, il était sous-entendu qu'il se

1. R. BARTHES, Rhétorique de l'image, in *Communications*, n° 4, 1964; J. DURAND, Rhétorique et image publicitaire, in *Communications*, n° 15, 1970; G. PENINOU, Langage et image en publicité, in *La publicité de A à Z*, Ed. Retz, sous la direction de Claude VIELFAURE.
2. *La production révolutionnaire*, 3e partie : « La production picturale », Payot, 1976.
3. M. CHARLOT, *La persuasion politique*, Paris, A. Colin, 1970; V. MORIN, *L'écriture de presse*, Paris, Mouton, 1969.
4. Catalogues d'expositions publiés par le CCI : *L'imagerie politique*; *Culture et révolution : l'affiche cubaine contemporaine*.
5. *Le Nouvel Observateur* du 21 mai 1974, campagne électorale pour les présidentielles.
6. Selon R. BAUER et S. GREYSER, *Advertising in America : The Consummer View*, Boston, Division of Research, Harvard Business School, 1968, 10 % seulement des annonces auxquelles le consommateur nord-américain est exposé sont perçues consciemment.

présentait comme le seul à pouvoir garantir le maintien de la possibilité de choisir librement, que le candidat de gauche, son seul opposant, était celui qui entraînerait la perte des libertés.

- *Il faut barrer la route à l'avenir communiste* (ou *à l'aventure socialo-communiste*) implique un « Donc, votez pour la droite » qui n'est pas explicité.

Au niveau de l'image ce double plan de décodage se manifeste avec la même intensité. D'ailleurs, avant d'approfondir l'analyse de l'image publicitaire, R. Barthes avait déjà émis quelques considérations sur l'image politique, bien que de façon succincte[1] :

> « Le candidat ne donne pas à juger seulement un programme, il propose un climat physique, un ensemble de choix quotidiens exprimés dans une morphologie, un habillement, une pose (...) La photographie électorale est donc avant tout reconnaissance d'une profondeur, d'un irrationnel extensif à la politique. Ce qui passe dans la photographie du candidat, ce ne sont pas ses projets, ce sont ses mobiles, toutes les circonstances familiales, mentales, voire érotiques, tout ce style d'être dont il est à la fois le produit, l'exemple et l'appât. »

Tout ce système de sens seconds, qu'il soit présenté nettement, ouvertement, ou bien de façon masquée, constitue ce que l'on appelle *le message connoté* (ou de connotation).

Dans une affiche électorale pour un candidat appuyé par le mouvement écologiste, par exemple, l'image est très pauvre, ne présentant pas d'effets typographiques spéciaux, pas d'arrière-plan. Il n'y a que le visage qui apparaît, photographié de trois-quarts. Malgré ce dépouillement, on a pu faire passer au moins un message connoté : le candidat ne porte pas de cravate, ce qui le détache de la classe dominante, qui se présente le plus souvent cravatée.

L'affiche des républicains indépendants est, au contraire, beaucoup plus riche. Il est possible de remarquer qu'y sont conjuguées l'image du leader du parti et celle du peuple qui l'appuie, c'est-à-dire une foule apparemment anonyme mais où l'on distingue des gens plutôt jeunes dans leur majorité, aux visages gais et souriants, comme d'ailleurs celui du président lui-même. Ces gens sont en mouvement (la photo a été prise à un moment où tout le monde se déplaçait), ce qui donne une idée de dynamisme. Giscard d'Estaing apparaît comme une sorte d' « âme du peuple », qui plane au-dessus de tous. Son visage perd ses contours et se fond dans la foule, ce qui renforce l'idée d'union.

Au-delà du message posé, référentiel, l'affiche véhicule beaucoup d'autres informations connotées :

- Le parti des RI est celui du président
- Le président est soutenu par beaucoup de gens
- Il les protège
- Ces gens sont jeunes (comme lui)
- Je peux faire partie de ce groupe de gens heureux car le « nous » *(aidons)* du texte m'y invite. (Je serai donc gai, souriant, dynamique...)

Les affiches de propagande de ce type sont coûteuses et généralement ne sont imprimées que par les grands partis. En plus, elles exigent une grande préparation

1. *Mythologies*, Ed. du Seuil, 1957, pp. 160-161, coll. « Points ».

(choix de la photo, montage, impression, etc.) qui les empêche de paraître à d'autres moments politiques que ceux, privilégiés, qui peuvent être prévus d'avance : période d'élections, référendums, fête annuelle du parti, etc. Les groupes minoritaires, ou ne disposant pas de budgets importants, n'y ont pas accès.

En 1968, les élèves des Beaux-Arts ont dessiné un grand nombre d'affiches dont le style est facilement reconnaissable, et qui n'exigeaient que très peu de moyens[1].

Mis à part cette production plus ou moins « spéciale », qui s'est arrêtée à la fin du mouvement de mai, la propagande politique « petit budget » se fait surtout à travers les tracts.

En effet, outre leur coût relativement peu élevé, les tracts sont d'un tirage simple et rapide, et n'exigent pas une préparation trop longue. Leur but est très souvent d'informer ou d'apparaître comme un « cri d'alerte ». L'image peut être présente ou pas, de toute façon elle est beaucoup plus dépouillée que celle de l'affiche. Là apparaissent les caricatures, les procédés empruntés aux bandes dessinées, où les personnages ont des bulles qui leur sortent des lèvres pour leur prêter la voix. Le but est surtout d'attirer l'attention du public par un impact visuel qui est le plus souvent obtenu par la disposition graphique ou la taille des caractères, parfois par l'image, ou plus couramment le dessin, auxquels s'ajoute le symbole du groupe qui imprime le tract.

## 5. L'utilisation de l'image en publicité

L'image en publicité, historiquement parlant, ne diffère pas tellement de celle que je viens de décrire. De nos jours, cependant, la fonction purement informative (ou « de choc ») disparaît très rapidement au profit de quelque chose que j'appellerais une « invitation au rêve », dont la tâche n'est pas seulement de présenter un objet, même si l'on pense à une présentation valorisante, mais d'en créer le besoin et le désir d'achat par l'élaboration d'une image de marque favorable.

Dans ce sens, texte et image jouent un rôle décisif car l'acte d'achat n'est pas toujours déterminé par la simple information sur un produit donné, ni par le besoin que le consommateur peut en éprouver. En réalité, l'individu subit une tension entre des envies (des motivations propres, des valeurs qui lui sont proposées : beauté, liberté, culture, sécurité, bonheur...) et des freins auxquels il se heurte (prix, conséquences familiales et sociales de l'achat, peur du gaspillage...).

L'action de la publicité est de provoquer un déséquilibre entre ces deux forces — motivations/freins — au profit des motivations qui mèneront à l'achat, finalité ultime de la publicité. Pour y parvenir, elle doit :

*a)* *Informer le consommateur*, en caractérisant concrètement un produit, ce qui provoque un choix rationnel de l'individu ;

1. Cf. Calvet, *op. cit.*

*b) Former une « image de marque » favorable d'un produit*, qui sera acheté non pas parce que le consommateur en a vraiment besoin, mais parce que sa possession procure une « représentation » recherchée par l'individu au sein d'une communauté;

*c) Faire naître un besoin chez le consommateur*, en lui faisant prendre conscience d'une situation donnée, dans laquelle il peut se trouver et qui est favorable à l'acceptation et l'achat du produit vanté.

Ces trois points ne s'excluent pas mutuellement et ils se présentent différemment dans chaque annonce, selon les rapports qui s'établissent entre texte et image.

Dans certaines campagnes publicitaires plus récentes, surtout pour des cigarettes, l'image domine entièrement, le seul « texte » étant le nom de la marque, gravé sur le produit lui-même et pas répété ailleurs. Dans d'autres cas, texte et image se fondent, comme dans la publicité *Martini*, où l'on voit une bouteille de la boisson derrière une vitre sur laquelle il est écrit *on the rocks*. Quel est le but de ces annonces où le texte n'existe pratiquement pas ? Il n'est pas bien clair, car l'image est par nature polysémique[1]. (Peut-être s'agit-il d'un désir de créer une nouvelle image de marque des cigarettes « Gauloises » et « Gitanes », par exemple, en les présentant non pas comme les cigarettes de Monsieur Tout le Monde, mais au contraire comme celles des lecteurs du *Nouvel Observateur* ou de *L'Express*, revues lues par un public intellectualisé...) Le fait est qu'une campagne de ce genre ne peut être conçue que pour des produits déjà très connus du public.

Outre ces cas, plusieurs emplois différents peuvent mettre en relation texte et image. Ce genre d'analyse a déjà été mené, surtout par les auteurs cités *supra* (Barthes, Durand, Péninou), et ce qui suit n'est qu'un résumé où seules les grandes lignes des études ont été retenues.

*1 | Texte et image se répètent*

Ce qui revient à dire que le message est redondant, qu'il est présenté deux fois, de façon iconique d'un côté et de façon linguistique de l'autre. L'image apparaît donc comme un support, plus ou moins redondant, du texte écrit. Exemple :

- Image : Un appareil à photo
- Texte : *Fujica 1978*

Ce procédé est assez rare car il est plus ou moins limité aux cas où l'information pure l'emporte sur tout message de connotation.

*2 | Texte et image sont en rapport de complémentarité*

Cela veut dire que l'un n'a pas de sens sans l'autre, ou bien qu'ils se précisent mutuellement. Le texte explique l'image, aiguillonne son décodage; l'image apporte de nouveaux éléments à l'information donnée par le texte. Exemples :

- Image : une voiture
- Texte : *Mesure d'économie chez VW*
- Message à faire passer : Voici la nouvelle VW, elle est économique

1. « Toute image est polysémique, elle implique, sous-jacente à ses signifiants, une « chaîne flottante » de signifiés, dont le lecteur peut choisir certains et ignorer les autres », R. Barthes, Rhétorique de l'image, in *Communications*, n° 4, 1964, p. 44.

- Texte : *Bière « 33 » Export. On peut rester actif après une bonne bière*
- Image : Elle montre un homme qui doit être reconnu comme un consommateur type de cette bière (assez jeune, barbu, décontracté... une bouteille de bière à la main) ; en arrière-plan apparaît une campagne apparemment sauvage et, plus près de l'homme, une jeep. Ce sont les éléments qui doivent évoquer l'idée d'action et de dynamisme, qui vont s'ajouter aux manches retroussées de la chemise du personnage.

L'image vient donc, dans ce cas, définir une sorte de public cible, à qui elle fournit un modèle avec lequel l'acheteur pourra s'identifier.

*3 | Texte et image sont apparemment divergents*

Autrement dit, à première vue, le texte n'a rien à avoir avec l'image : il s'agirait, apparemment, de deux messages tout à fait indépendants. En réalité ils sont complémentaires car le vrai sens de l'annonce n'apparaît que dans la combinaison des deux éléments. Exemple :

- Texte : *Il y a des voyages qui enrichissent l'esprit*
- Image : Fauteuil de train, dans lequel il y a un livre, un journal et une paire de lunettes
- Message à faire passer : le voyage par le train présente des avantages certains, comme celui de pouvoir se décontracter.

Ce même procédé a été utilisé en Mai 68. Ainsi lorsque le dessin montre le pied du CRS qui écrase l'usine et que la légende porte le lénifiant « la détente s'amorce ».

Quelquefois le rôle de l'image est d'inviter le lecteur à « prendre place dans l'annonce ». Dans ce cas, il y a pratiquement toujours dans le texte des marques linguistiques qui poussent le lecteur à s'identifier au personnage proposé par la publicité. L'image est une sorte de modèle et, dans certains cas, le texte peut être très explicite : *Faites comme moi, faites comme M. ou Mme X..., buvez ceci, achetez cela, allez plutôt chez...* Plus subtil, le message écrit peut seulement suggérer la même chose : *Moi, quand je me sens regardée, je n'ai pas le trac. J'ai l'esprit en paix. Je suis sûre de la fraîcheur de mon visage. Je suis sûre d'« Auraseva »* (Charles of the Ritz).

Dans ce sens il serait peut-être intéressant de remarquer les commentaires qui accompagnent la reproduction des annonces qui reçoivent le « Grand Prix Publicité des Lectrices de *Elle* » : sur les 5 annonces choisies en mars 1977, par exemple, deux seulement présentent des portraits de femmes (produits d'hygiène et beauté, P. Sage et H. Rubinstein) et, dans les deux cas, le commentateur se réfère au désir d'identification du public au modèle photographié :

> « Dans l'ensemble vous avez quelques difficultés à vous reconnaître dans ce personnage ravissant certes, mais qui semble figé dans la sophistication... »
> « Certaines ont de la peine, dans cette suite de modèles féminins, à retrouver la Française de tous les jours. »

C'est donc la preuve que l'image, à elle seule, transmet un message qui peut doubler le texte ou aller à sa rencontre, l'enrichir, l'élargir ou le préciser.

A l'exclusion de tout autre message parallèle, d'ordre visuel, gestuel ou purement auditif (images, danses, musique...), le texte publicitaire lui-même, la partie proprement linguistique de l'annonce, atteste d'un schéma de communication qui a des caractéristiques propres. L'étude du contenu du message entraîne une redéfinition des rôles de l'émetteur et du récepteur.

## 6. L'émetteur dans le discours publicitaire et de propagande

Dans toute situation de communication il y a un émetteur et un récepteur. Dans la vie courante, ces deux rôles sont interchangeables et celui qui émet le message à un moment donné deviendra lui-même auditeur quelques instants après, et *vice versa.*

En publicité et en propagande la communication se fait dans un seul sens, ce qui veut dire que l'on s'adresse à quelqu'un à qui l'on ne donne pas le droit de réponse. Cette « réponse » de l'auditeur ne peut être qu'un acte (vote, achat), qu'il accomplit ou qu'il refuse d'accomplir. De façon « sauvage » elle peut se traduire par une sorte de contestation qui n'agit pas directement sur l'émetteur et n'entraîne pas un changement de son discours : ce sont les « graffiti » apposés sur les panneaux de publicité ou de propagande, les affiches collées sur celles des candidats à qui l'on s'oppose.

Malgré ce parallélisme apparent, c'est au moment de la définition des actants d'un message que publicité et propagande diffèrent le plus.

En fait, si la publicité « fait parler » des personnages dont on montre la photo, son but n'est pas de montrer de vrais individus mais, au contraire, de présenter un stéréotype avec lequel un grand nombre de gens peuvent s'identifier, comme les commentaires de *Elle* l'ont bien fait sentir.

Aussi, le *je* en publicité n'est-il jamais réel, jamais lié à une situation ou à un contexte précis. *Je*, formellement, est le personnage qui apparaît dans l'annonce, c'est aussi, parfois, le concepteur du message et, si la campagne publicitaire réussit, *je* est le lecteur lui-même. Exemples :

- *Moi, ce n'est pas mon réveille-matin qui me tire du lit, c'est une fringale formidable, je ne peux rien faire avant d'avoir pris mon petit déjeuner (...) Alors, après, je commence ma toilette en me rasant, et ce qui me donne un véritable coup de fraîcheur c'est mon après-rasage « Mennen fraîcheur mentholée ».*
- *C'est comme ça que j'ai mis longtemps à m'apercevoir que je ne buvais pas ce que j'aimais. Parce que la convention veut qu'un homme prenne une boisson d'homme. (...) Et c'est ce que j'avais fait, jusqu'au jour où, par hasard, j'ai accepté un Cointreau...*

Ce que l'on recherche comme réaction chez le récepteur est une sorte de raisonnement qui pourrait être grossièrement schématisé de la façon suivante : « Ce personnage me plaît parce qu'il me ressemble ou je veux être comme lui; je pousse la ressemblance à un plus haut degré en agissant comme lui; j'achète donc le même produit que lui. »

En propagande politique, au contraire, le *je* n'est jamais autre que le candidat lui-même, dont la personnalité ne peut pas s'effacer derrière une image stéréotypée. L'identification du lecteur au candidat n'est donc pas recherchée, même si celui-ci veut se présenter de façon plus ou moins démagogique, ou sous un aspect qui semble lui être plus favorable, dans le but de plaire au plus grand nombre d'électeurs.

Même si l'on envisage l'emploi de *nous*, il n'est pas tout à fait justifié de parler d'identification dans ces cas mais plutôt de désir d'*intégration*. Il s'agit, parfois, de prêter le discours aux militants d'un parti, parmi lequel se trouve le candidat en question (s'il s'agit d'une campagne personnelle), ou bien de considérer dans un même ensemble le candidat et les citoyens-électeurs, ou une partie d'entre eux[1]. Exemples :

• *L'excès de bureaucratie, le « Mal français » dont NOUS souffrons, remonte bien avant 1958* (journal électoral RPR)

• *NOUS sommes prêts à prendre tout de suite NOS responsabilités dans un gouvernement d'union de la gauche. (...) C'est vous qui allez décider. J'ai confiance* (lettre de G. Marchais)

En publicité *nous* peut être utilisé pour :

*a)* Garder une sorte d'anonymat de l'émetteur, qui se détache formellement de l'annonceur :

• *Nous rappelons à tous les commerçants, artisans, (...) qu'ils doivent appeler la SARI, Ségur 32-80.*

*b)* Représenter une marque ou une association :

• *Nous, société d'aménagement, n'avons pas vocation pour louer*

*c)* Faire parler un personnage non identifié au nom d'un petit groupe auquel il appartient (généralement la famille) :

• *Nous, on a pris une maison Phénix avec combles aménagés... les enfants d'ailleurs étaient en âge d'avoir leur chambre indépendante.*

• *Nous, finalement, on a pris un modèle avec combles non aménagés parce qu'on les installera plus tard, quand les enfants seront grands.*

Si dans les deux premiers cas, assez proches d'ailleurs, l'émetteur peut être défini, dans le troisième il s'agit bien d'un vrai pluriel du *je* qui a été décrit tout à l'heure, dans ce sens que le but de l'annonce est de pousser le récepteur à s'identifier à l'une de ces familles qui expriment des choix différents (tous deux possibles avec l'annonceur en question).

Le pronom *nous* n'est pas actualisé dans le message par l'émetteur du discours, car celui-ci est un stéréotype bâti en dehors du réel. Ce n'est donc pas en termes de « locution » (par rapport à la « réalité de discours »[2]) qu'il se définit mais plutôt comme un objet ayant un référent.

## 7. L'auditeur dans le discours publicitaire et de propagande

Nous disons que l'auditeur est impliqué linguistiquement dans le discours publicitaire ou politique lorsqu'il y a emploi de *vous* ou *tu (votre, vos, ton, ta, tes)* ou bien lorsqu'on s'adresse à une classe sociale, une cible précise : *Travailleurs, ouvriers...*

1. Une analyse du discours publicitaire faite par l'équipe de linguistes de l'Université Paris V dans le cadre d'une ATP Information financée par le CNRS fait apparaître encore deux autres emplois de *nous* : *a)* le *nous* de majesté, *b)* le *nous* qui inclut le candidat et les membres du gouvernement.

2. Cf. BENVENISTE, *Problèmes de linguistique générale*, chap. XX : « La nature des pronoms », Ed. Gallimard, 1966, p. 252.

Ici encore publicité et propagande n'utilisent pas les mêmes procédés. Les messages politiques s'adressent essentiellement aux citoyens-électeurs et la réaction que l'on veut provoquer chez eux (vote) ne dépend pas de l'image qu'ils se font d'eux-mêmes, mais de celle qu'ils auront de ce qui leur est proposé, que ce soit un candidat, un parti ou un programme de gouvernement.

La publicité, dans certains cas, s'adresse à un public non défini, ou à l'ensemble des consommateurs indifféremment *(Dans tous les magasins X... vous trouverez un grand choix d'articles)*. Dans la plupart des cas, au contraire, elle veut faire naître un besoin chez le récepteur. (Et la création d'une image de marque favorable rejoint ce même but, car, en réalité, là aussi il s'agit de donner envie de quelque chose.) Aussi est-il nécessaire de décrire le type idéal de consommateur, ce qui peut être fait à la première personne du singulier, ou bien il faut partir d'un récepteur imaginaire qui sera mis dans une situation idéale à l'achat de produit. Exemple :

- Image : Un homme visiblement fatigué (en noir et blanc)
- Texte : *C'est pas la joie*
- Deuxième image, plus petite, mais en couleurs : 4 photos montrant des images de vacances idéales (un homme et une femme sur la plage, un plongeur sous-marin, un voilier, un avion)
- Texte de la deuxième image : *Faites une échappée-Boeing*

Cette situation est présentée et comprise comme imaginaire (le lecteur de l'annonce décrite ci-dessus ne pourrait pas envisager de dire : « Non, je ne suis pas fatigué, moi ça va... »). Le récepteur participe à la description d'une pseudo-réalité : le cadre est artificiel, créé par la langue. Aucun des actants du message ne témoigne d'un événement vu ou vécu.

Cette tendance vers la création dépasse le cadre du contexte dans lequel un produit est présenté et touche la caractérisation du produit lui-même :

- *La 7 chevaux DU BONHEUR* (Renault 14)
- *Kronenbourg le goût DE L'AUTHENTIQUE*

Cette qualification non référentielle est justifiée par le besoin de distinguer un produit de ses concurrents, dont il ne diffère pas de façon sensible. La création d'un signifié artificiel s'impose, basé sur les valeurs ou motivations considérées comme les plus favorables à l'achat. L'objet en question aura ainsi un contenu affectif ou émotionnel qui deviendra sa caractéristique distinctive.

En propagande politique le même procédé peut apparaître :

- *Valéry Giscard d'Estaing, un VRAI président*
- *Barre CONFIANCE*

La justification d'un tel choix est foncièrement la même : il faut distinguer un candidat parmi tous les autres, on fait donc appel à ce qui peut toucher le public, mais on ne donne pas forcément une définition de ce qui est proposé. (Qu'est-ce qu'un « vrai » président ? Qu'est-ce que le « bonheur » apporté par une voiture ? Quel est le « goût » de l'authentique ?) Les réponses à ces questions ne sont données nulle part; la définition de ces termes est celle que l'auditeur veut bien leur prêter.

Les différents aspects qui ont caractérisé les langages publicitaire et de propagande dans cette étude ne sont pas indépendants les uns des autres. En réalité, ils se justifient mutuellement. Ainsi, s'il n'y a pas de vrais actants dans le discours de la publicité, c'est qu'il n'y a pas de vraie référence à une réalité particulière. Pour bien marquer qu'il s'agit de la description de quelque chose qui n'est pas ancré dans le réel, ce langage fait appel à la non-temporalisation des marques verbales, ce qui permet la simplification des énoncés et favorise la qualification des produits par la création de signifiés artificiels.

En propagande, chaque fois qu'il y a élaboration de messages à contenu non référentiel, la construction syntaxique devient parataxée ou fait apparaître un verbe à un temps non marqué, le plus souvent servant à introduire un processus de qualification. Ce discours est attesté généralement à la 3e personne du singulier (on nomme quelqu'un), ce qui fait disparaître les actants, par ailleurs réels, du langage de propagande.

Les discours de la publicité et de la propagande sont des exemples de la possibilité qu'a la langue d'être reprise et transformée à différents niveaux et dans sa structure même, selon les exigences de la situation de communication vécue. Pour bien saisir le message publicitaire et de propagande, la compétence linguistique n'est pas suffisante, il lui faut l'apport d'une « compétence situationnelle » qui explique et fait accepter les transgressions par rapport aux « usages normaux » de la langue.

## *BIBLIOGRAPHIE*

CALVET (Louis-Jean), *La production révolutionnaire*, Paris, Payot, 1976.
— *Communications*, Paris, Le Seuil :

No 4, 1964 : « Recherches sémiologiques ».
No 8, 1966 : « L'analyse structurale du récit ».
No 15, 1970 : « L'analyse des images ».
No 17, 1971 : « Les mythes de la publicité ».
No 20, 1973 : « Le sociologique et le linguistique ».

# INDEX

## 1. Index des termes

## 2. Index des noms d'auteur

# TABLE

Imprimé en France, à Vendôme
Imprimerie des Presses Universitaires de France
1980 — N° 27 070